Kohlhammer

Beiträge zur Wissenschaft
vom Alten und Neuen Testament
Achte Folge

Herausgegeben von

Walter Dietrich und Horst Balz

Heft 3 · (Der ganzen Sammlung Heft 163)

Verlag W. Kohlhammer

Dierk Starnitzke

Die Struktur paulinischen Denkens im Römerbrief

Eine linguistisch-logische Untersuchung

Verlag W. Kohlhammer

Alle Rechte vorbehalten
© 2004 W. Kohlhammer GmbH Stuttgart
Umschlag: Data Images GmbH
Gesamtherstellung:
W. Kohlhammer Druckerei GmbH + Co. KG Stuttgart
Printed in Germany

ISBN 3-17-018531-4

In Erinnerung an meine Mutter Sieglinde

Inhaltsverzeichnis

Vorwort

Die hier vorgelegte Untersuchung entstand in wesentlichen Teilen während meiner Assistenz im Neuen Testament bei Prof. Dr. Dr. h.c. François Vouga an der Kirchlichen Hochschule Bethel und wurde im Wintersemester 2002/03 dort als Habilitationsschrift angenommen.

Mein Dank gilt zuerst Prof. François Vouga, der mir innere und äußere Freiheit gewährte, mich intensiv mit dem Römerbrief zu beschäftigen, der die wichtigsten Ideen oft mit mir diskutierte und der schließlich geduldig auf den Abschluss der Arbeit wartete. Wichtige Anregungen für die Arbeit verdanke ich auch der von François Vouga geleiteten neutestamentlichen Arbeitsgemeinschaft. In der Sozietät Neues Testament, die sich unter der Leitung von Prof. Dr. Andreas Lindemann und Prof. Vouga unter anderem mit der paulinischen Theologie beschäftigt hat, habe ich wichtige Anstöße bekommen. Auch aus den Diskussionen mit Prof. Lindemann habe ich viel lernen können. Für das Verständnis des Zusammenhanges von sogenanntem Alten Testament und Römerbrief war für mich ein Kolloquium außerordentlich hilfreich, das ich gemeinsam mit Prof. Dr. Frank Crüsemann veranstaltet habe. Über die Konzeption der Arbeit habe ich in der Arbeitsgemeinschaft für Systematische Theologie unter Leitung von Prof. Dr. Alfred Jäger und mit Prof. Dr. Eberhard Mechels intensiv diskutieren können. Nicht nur den Genannten, sondern auch anderen Personen des Lehrkörpers und den Studierenden der Kirchlichen Hochschule, mit denen ich in Veranstaltungen über meine Thesen sprechen konnte, gilt mein herzlicher Dank.

Besonders dankbar bin ich Pastor Dr. Heinz-Hermann Brandhorst, Studienleiter an der Ev. Bildungsstätte für Diakonie und Gemeinde der Stiftungen Nazareth und Sarepta in Bethel, der mich immer wieder ermutigt hat, die fast fertiggestellte Arbeit zu beenden und mir dafür im Rahmen meiner Tätigkeit an der Ev. Bildungsstätte die nötige Zeit gelassen hat. Der Geschäftsführer der Ev. Bildungsstätte, Diakon Werner Arlabosse, hat mich ebenfalls bei der Arbeit an der Druckfassung des Buches unterstützt.

Die im Folgenden bearbeitete Frage, wie man das Verständnis und Selbstverständnis des einzelnen Menschen unabhängig von seinen Leistungen, Eigenschaften und Fähigkeiten theologisch begründen kann, bekommt an einem Ort wie Bethel besondere Relevanz. Insofern stehen im Hintergrund der folgenden Überlegungen auch persönliche Begegnungen mit Bewohnerinnen und Bewohnern der v. Bodelschwinghschen Anstalten Bethel.

Für die Korrektur des Textes und hilfreiche Hinweise formaler und inhaltlicher Art danke ich besonders Pfarrer i. R. Dr. Fritz Hufendiek, Dr. Anne Kitsch, Martin Cachej und Lars Petersen.

Der Druck des Buches ist durch Zuschüsse des Autohauses Starnitzke GmbH, des Freundeskreises der Kirchlichen Hochschule Bethel und der Stiftungen Nazareth und Sarepta in Bethel unterstützt worden. Die Drucklegung wurde durch Herrn Jürgen Schneider vom Verlag Kohlhammer freundlich betreut. Herrn Prof. Dr. Horst Balz danke ich für die Aufnahme in diese Buchreihe und für wichtige Hinweise bei der Bearbeitung des Textes für die Druckfassung.

Dieses Buch hat nur entstehen können, weil meine Frau Anke und meine Kinder Marie, Bruno und Karl mich dabei geduldig unterstützt haben. Dafür: Danke.

Bielefeld-Bethel, im November 2004, Dierk Starnitzke

Einführung: Die formale und die inhaltliche Arbeitshypothese der folgenden Untersuchung

1. Beschreibung der Problemstellung

Der Römerbrief ist einer der zentralen Texte christlicher oder zumindest evangelischer Theologie. Als solcher hat er in seiner nahezu zweitausendjährigen Wirkungsgeschichte eine nicht mehr überschaubare Literatur mit einer ungeheuren Fülle von Themen und Thesen erzeugt.[1] Diese intensive theologische Beschäftigung mit dem Röm ist sicherlich auch Ausdruck grundsätzlicher Schwierigkeiten, die mit dem Verständnis des Textes verbunden sind. Die folgende Untersuchung möchte zwei dieser Schwierigkeiten besonders in den Blick nehmen. Die erste besteht in der Benennung eines inhaltlichen Gesamtkonzeptes, das dem Röm zugrunde liegt,[2] und die zweite in der Struktur der Argumentation und Sprache des Paulus, die teilweise so redundant und kompliziert, teilweise aber auch so abgekürzt erscheint, dass sich der Sinn der Aussagen mitunter nicht leicht ermitteln lässt.[3]

1. Was die Gesamtkonzeption des Briefes betrifft, so lässt sich zwar für einzelne Teile und Kapitel eine stringente Argumentations- und Denkweise aufzeigen, weitaus schwieriger ist es aber, einen inhaltlichen oder formalen roten Faden anzugeben, der sich durch den gesamten Brief zieht und von dem aus man die einzelnen Teile und ihr Arrangement verstehen könnte. So wirkt etwa der Zusammenhang von Briefrahmen und Briefkorpus inhaltlich wenig homogen, weil die im Rahmen angesprochene persönliche Situation des Paulus und sein Verhältnis zu den Adressaten in der umfangreichen Argumentation des Briefkorpus überhaupt nicht aufgenommen werden.[4] Der im Briefrahmen gepflegte dialogische Stil wird bis auf wenige Ausnahmen in 1,16-11,36 nicht fortgeführt, sondern es wird von der Beziehung zwischen Verfasser und

---

[1] Als sehr instruktiven Überblick über die neuere Diskussion zum Röm vgl. M. Theobald: Der Römerbrief, (EdF 294) Darmstadt 2000.

[2] Einen wesentlichen Versuch, ein solches inhaltliches Gesamtkonzept anzugeben, stellt die umfangreiche Diskussion über den sogenannten „Abfassungszweck" des Römerbriefes dar. Vgl. dazu z.B. K. P. Donfried (Hrsg.): The Romans Debate. Revised and Expanded Edition, Edinburgh 1991. A. Reichert hat jedoch gezeigt, dass hier bislang ein überzeugendes Ergebnis nicht erzielt werden konnte (A. Reichert: Der Römerbrief als Gratwanderung. Eine Untersuchung zur Abfassungsproblematik; FRLANT 194, Göttingen 2001, S. 13ff, besonders S. 58f). Sie selbst verfolgt die These: „Paulus wollte mit seinem Schreiben die uneinheitlich geprägte Adressatenschaft zu einer paulinischen Gemeinde machen und sie für den Fall der eigenen Verhinderung an der Durchführung seiner weiteren Missionspläne zur selbständigen Weiterverbreitung seines Evangeliums befähigen." (Reichert, a.a.O., S. 321)

[3] J.H. Vos spricht hier nach Durchsicht einiger zentraler Stellen des Röm von einer „sophistischen Argumentation" (Ders.: Sophistische Argumentation im Römerbrief des Apostels Paulus; in: NT 43 (2001), S. 224-244. Er resümiert: „Der Effekt der oben besprochenen Argumentationsmittel ist Unklarheit. Von der frühesten Kirche bis heute ist diese Unklarheit des Apostels sprichwörtlich. Sogar der Autor des zweiten Petrusbriefes fand einige Dinge in seinen Briefen ‚schwer zu verstehen' (3,15-16). [...] Die vielen verschiedenen Interpretationen fast aller oben genannten Texten (sic!) in der heutigen Forschung sind eine Folge dieses Problems. Ich habe in diesem Aufsatz versucht zu zeigen, daß die Unklarheit im Römerbrief wesentlich zur Überzeugungsstrategie des Apostels gehört, ja daß sie untrennbar ist von seinem Bemühen, die schwächere Rede stark zu machen."

[4] So auch die Beobachtung von A. Reichert: Der Römerbrief als Gratwanderung, S. 16: „Die Tatsache, daß der Röm die kommunikative Beziehung zwischen Paulus und den römischen Christen in ihrer Gesamtheit allererst eröffnet, bleibt im Text eigentümlich unbetont."

Adressaten unabhängig argumentiert. Der Dialog wird dann zwar in der Paränese Kap. 12,1ff wieder aufgenommen,[5] aber auch hier führt das zu einer klaren Teilung in einen eher allgemeinen Teil Kap. 12 und 13 und einen mehr auf die Adressaten bezogenen Teil (Kap. 14,1ff).

Angesichts einer vermeintlich fehlenden Gesamtkonzeption wurden zeitweise sowohl textkritische als auch literarkritische Hypothesen diskutiert, die zumindest für einzelne Teile eine gewisse Stringenz aufzuzeigen versuchen. „Die [...] Textprobleme des Römerbriefes sind wegen ihrer besonderen Struktur zugleich auch literarische Probleme, und Lösungsversuche sind auf beiden Ebenen zu diskutieren. An literarkritischen Thesen zum Römerbrief herrscht in der neueren Auslegungsgeschichte kein Mangel. Die seit Mitte des 19. Jh. [...] mehrfach vorgebrachte Bestreitung der paulinischen Authentizität des gesamten Briefes sei nur am Rande erwähnt. [...] Wohl aber galt seit Ch. A. Neumanns (1755) Versuch, Röm 12ff als paulinischen Nachtrag zum Römerbrief zu begreifen, der Frage der Einheitlichkeit des Briefes eine intensive Diskussion, die sich vor allem auf das Schlusskapitel, aber auch auf Röm 9-11; 12-15 und weitere Einzeltexte wie 3,10ff; 13,1ff sowie die von [...] Bultmann [...] u.a. herausgestellten Textzusätze (besonders 2,1.16; 6,17b; 7,25b; 8,1; 10,17; 13,5) bezog."[6] Aufs ganze gesehen haben sich diese text- und literarkritischen Fragen jedoch als wenig weiterführend erwiesen. Man geht – bis auf wenige Zusätze und das Spezialproblem von Kap. 16 – heute zumeist im Großen und Ganzen von einer literarischen Einheitlichkeit des Briefes aus. Das Problem der einheitlichen Argumentationsweise und Thematik stellt sich damit um so deutlicher.

Die neueren Versuche, eine Gesamtstruktur oder Gesamtthematik für den ganzen Brief zu benennen, sind vielfältig. Die Palette der Vorschläge reicht z.B. von einer apokalyptischen Grundtendenz[7] über den Charakter eines theologischen Testaments,[8] in dem die grundsätzlichen theologischen Fragestellungen behandelt werden[9] bis zu einer Betonung der Brieflichkeit und damit Situationsbezogenheit des Textes.[10] Oft wird auch 1,16f als Thema des Röm benannt.[11] Damit zusammenhängend

---

[5] Vgl. Reichert, a.a.O., S. 14.

[6] H. Balz: Römerbrief; in: TRE 29; Berlin, New York 1998, S. 291-311, dort S. 292. Zur Literarkritik der Paulusbriefe vgl. grundsätzlich W. Schmithals: Methodische Erwägungen zur Literarkritik der Paulusbriefe; in: ZNW 87 (1996), S. 51-82.

[7] So z.B. J. C. Beker: Paul the apostle. The triumph of god in Life and Thought; Edinburgh 1980.

[8] So die Versuche, die sich an die Interpretation G. Bornkamms anschließen (ders.: Der Römerbrief als Testament des Paulus; in: Geschichte und Glaube II, Gesammelte Aufsätze IV; München 1971, S. 120-139), z.B. J. Becker: Paulus. Der Apostel der Völker; 3. Aufl. 1998, S. 351-394.

[9] So hat bereits Melanchthon den Brief als doctrinae christianae compendium verstanden. Vgl. Ph. Melanchthon: Commentarii in Epistolam Pauli ad Romanos, 1540 (1. Aufl. 1532), CR 15 (1848), S. 493-796. Im Anschluss daran bezeichnet z.B. U. Wilckens: Der Brief an die Römer; EKK VI,1, S. 49 den Röm als „theologische Summe".

[10] So z.B. W. Bindemann: Theologie im Dialog. Ein traditionsgeschichtlicher Kommentar zu Römer 1-11; Leipzig 1992.

[11] Dieser Ansatz findet sich vor allem in der exegetischen Tradition, die sich an der Auslegung M. Luthers orientiert. Für ihn ist Röm 1,16f zum Schlüssel seines Verständnisses des Röm und von dort aus zu einem zentralen Anliegen der Reformation geworden. So beschreibt Luther in der Vorrede zum ersten Band seiner gesammelten lateinischen Schriften 1545 im Rückblick seine Entdeckung: „Da erbarmte sich Gott über mich, so dass ich [...] auf die Verknüpfung der Wörter achtete, nämlich: 'Gottes Gerechtigkeit' offenbart sich in ihm, wie geschrieben steht: Der Gerechte lebt aus Glauben. Da fing ich an die Gerechtigkeit Gottes zu verstehen als die, durch der die Gerechte lebt, weil Gott sie ihm schenkt, und zwar auf der Grundlage des Glaubens; und die Aussage zu begreifen, dass durch das

wird der 1,17 eingeführte Terminus der δικαιοσύνη (θεοῦ) als zentraler Ausdruck des Röm angesehen.[12] Von der formalen Struktur her ist nicht unbedingt plausibel, warum ausgerechnet 1,16f, das mit γάρ an 1,15 anschließt und vom Vorhergehenden und Nachfolgenden nicht markant herausgehoben ist, die Themenangabe enthalten soll.[13] Und inhaltlich beschränkt sich der Begriff der "Gerechtigkeit",[14] der relativ selten mit der Beifügung "Gottes" steht,[15] lediglich auf bestimmte Abschnitte. In anderen Teilen fehlt er ganz, so dass man zeigen müsste, warum auch diese Passagen von der Frage nach der Gerechtigkeit Gottes beherrscht sein sollen. Außer der Gottesgerechtigkeit lassen sich auch andere Begriffe als Leitgedanken für den ganzen Brief benennen. Sie decken aber ebenfalls nur einen Teil der Argumentation ab.[16]

Die Frage nach der inhaltlichen Gesamtkonzeption steht im Kontext aktueller Veränderungen innerhalb der Paulusforschung, die bestimmte, bislang dominierende Thesen zunehmend problematisiert. So meint U. Schnelle: „Die jahrzehntelang vorherrschende Paulusinterpretation R. Bultmanns und seiner Schule verliert an Plausibilität, weil ihr theologischer Ansatz und ihre religionsgeschichtlichen Prämissen zunehmend infrage gestellt werden. Der Ansatz bei der Anthropologie erscheint als eine Verkürzung der paulinischen Theologie, ebenso die Annahme, die Rechtfertigungslehre des Gal und Röm repräsentiere und organisiere das gesamte paulinische Denken. [...] Mit der Erosion des bis dahin dominierenden Interpretationsmodells traten in den vergangenen 15 Jahren zwei Fragen zunehmend in den Mittelpunkt, die bis heute die Diskussion bestimmten: (1) Gibt es eine Mitte bzw. ein Zentrum der paulinischen Theologie? [...] (2) Ist die paulinische Theologie konsistent, folgt sie einer inneren Logik?"[17] Schnelle schlägt angesichts der gängigen, zunehmend fragwürdig werdenden Interpretationsmuster vor, solche Konsistenzen paulinischen Denkens in einer „durchgehenden Tiefenschicht" zu suchen und von daher die bestimmenden Strukturen und die innere Logik des paulinischen Denkens offen zu legen. Solche Grundgedanken sieht er in den beiden Begriffen der Transformation und Partizipation gegeben.

Evangelium die Gerechtigkeit Gottes offenbar werde: die passive nämlich, durch die der barmherzige Gott uns mittels des Glaubens rechtfertigt, wie geschrieben steht: Der Gerechte lebt aus Glauben." (Lateinischer Text in: M. Luther: WA 54, S. 185f. Hier zitiert nach K. Haacker: Der Brief des Paulus an die Römer; ThHK 6, Leipzig 1999, S. 39.)

[12] So z.B. E. Käsemann: An die Römer; HNT 8a, 4. Aufl. Tübingen 1980. Alle Teile des Briefkorpus (dort 1,18-15,13) sind bei ihm durch den Begriff der Gerechtigkeit überschrieben (vgl. a.a.O., S. Vf).

[13] Das erkennt z.B. H. Hübner: Biblische Theologie des Neuen Testaments, Bd. 2: Die Theologie des Paulus; Göttingen 1993, S. 239. Er meint dennoch, dass „V.17 (im Zusammenhang mit V.16) Überschriftcharakter besitzt." (Ebd.)

[14] Δικαιοσύνη findet sich im Röm nur noch in 3,5.21-26; 4,3-13.22; 5,7.21; 6,13-20; 8,10; 9,30f; 10,3-10 und 14,17. Vgl. auch die Ausführungen zu 1,17 im Hauptteil dieser Untersuchung.

[15] Lediglich in 1,17; 3,5+21-26 und 10,3 wird er durch den Genitiv direkt, 6,13 durch den Dativ indirekt auf Gott bezogen.

[16] Man könnte z.B. an die Thematik des Verhältnisses von Juden und Nichtjuden denken. Sie ist zwar gewiss für einige wichtige Teile der Argumentation grundlegend, spielt aber dafür in anderen kaum eine Rolle (z.B. Kap. 5-8; 12 und 13; 15,14ff) und kann damit ebenfalls nicht als Gesamtkonzept angesehen werden. Auch der Begriff des Gesetzes wird nur in Teilen des Briefes behandelt (siehe dazu unten die Ausführungen νόμος in 2,12). Einen anderen Versuch unternimmt z.B. J. P. Heil, der als zentralen Begriff des Röm den der Hoffnung ansieht (vgl. J.P. Heil: Romans - Paul's Letter of Hope; Rome 1987).

[17] U. Schnelle: Transformation und Partizipation als Grundgedanken paulinischer Theologie; in: NTS 47 (2001), S. 58-75, dort S. 58f.

Transformation meint dabei die Überführung des gekreuzigten Jesus von Nazareth in ein neues Sein und Partizipation die Teilhabe der Glaubenden an diesem Transfer.

Für die Frage nach einer inhaltlichen Gesamtkonzeption des Röm bedeutet dies: Einerseits müssen die Inkonsistenzen eines komplexen Textes wie des Röm wahrgenommen werden. Andererseits sollten dabei aber die Bemühungen um einen paulinischen Kerngedanken nicht aufgegeben, sondern geradezu intensiviert werden. Sie müssen über die bekannten Hypothesen hinausgehen und in einer Tiefenschicht ansetzen, in der neu nach den Grundstrukturen paulinischen Denkens gefragt wird. Und solche inhaltlichen und formalen Grundstrukturen sind dann möglichst ausführlich an vorhandenen Paulustexten aufzuzeigen. Dies soll im Folgenden anhand der beiden gleich vorzustellenden Hypothesen für den Röm versucht werden. Das bedeutet m. E. nicht notwendigerweise, dass die Interpretationen Bultmannscher Prägung damit hinfällig wären. Sie müssen jedoch durch mehr strukturell und abstrahierend ansetzende Interpretationsmuster ergänzt werden.

2. Auch was den anderen Punkt der argumentativen und sprachlichen Struktur des Röm angeht, gibt es auf diesem Hintergrund in neuerer Zeit erhebliche Bemühungen, den Aufbau der selten klaren und eindeutigen, oft jedoch scheinbar elliptischen und redundanten oder einfach auch nur doppelten Formulierungen zu erhellen. Es sind einige Arbeiten erschienen, die sich eingehend mit der Struktur der Argumentation und Sprache des Paulus im Allgemeinen und speziell im Röm befassen. Die folgende Untersuchung des Briefes kann sich deshalb für einzelne Abschnitte auf solche neueren Strukturanalysen beziehen. So hat z.B. O. Hofius bereits für Röm 5,12-21 überzeugend die dortigen Parallelstrukturen aufgezeigt.[18] J. W. Aageson hat den Zusammenhang zwischen sprachlicher und gesellschaftlicher Struktur bei Paulus dargelegt und von daher einen Strukturierungsvorschlag für Kap. 6 unterbreitet.[19] D. Hellholm hat besonders Kap. 6 und 7,1-6 unter der Fragestellung der paulinischen Verwendung von Gegensätzen und der logischen Struktur der Argumente untersucht.[20] F. Siegert hat die formale Argumentation und Struktur von Kap. 9-11 analysiert, wobei er unter anderem auch auf die Verwendung der 1. Person durch Paulus geachtet hat.[21] Und W. Bindemann hat Röm 1-11 mit verschiedenen methodischen Ansätzen untersucht und strukturiert.[22] Allgemeiner hat z.B. G. Hotze die Denkform der Paradoxie bei Paulus und die damit verbundenen rhetorischen Formen dargestellt.[23] In der hier vorliegenden Arbeit geht es darum, in Auseinandersetzung mit solchen und

---

[18] O. Hofius: Die Adam-Christus-Antithese und das Gesetz. Erwägungen zu Röm 5,12-21; In: J. D. G. Dunn (Hrsg.): Paul and the Mosaic Law, (WUNT 89) Tübingen 1996, S. 165-206.

[19] J.W. Aageson: 'Control' in Pauline language and culture: A study of Rom 6; in: NTS 42 (1996), S. 75-89.

[20] D. Hellholm: Enthymemic Argumentation in Paul: The case of Romans 6; in: T. Engberg-Petersen (Hrsg.): Paul in His Hellenistic Context; Minneapolis 1994, S. 119-179. D. Hellholm: Die argumentative Funktion von Römer 7,1-6; in: NTS 43 (1997), S. 385-411.

[21] F. Siegert: Argumentation bei Paulus: gezeigt an Röm 9-11; (WUNT 34) Tübingen 1985.

[22] W. Bindemann: Theologie im Dialog; Leipzig 1992.

[23] G. Hotze: Paradoxien bei Paulus. Untersuchungen zu einer elementaren Denkform in seiner Theologie; (NTA, Neue Folge Bd. 33) Münster 1997. Hotze legt dazu aber keine Texte aus dem Röm, sondern aus den Korintherbriefen aus.

anderen Analysen einzelner Teile des Röm nun für den gesamten Brief eine relativ einheitliche Struktur der Sprache und Argumentation aufzuzeigen.[24]

Sind die Fragen der inhaltlichen Gesamtkonzeption sowie der sprachlichen und argumentativen Struktur also seit jeher und bis heute in der theologischen Forschung intensiv diskutiert worden, so gibt Paulus selbst in Röm 15,17f einen Interpretationsschlüssel für das Verständnis des ganzen Briefes an die Hand, indem er dort das Prinzip seiner theologischen Kommunikation erläutert: „Ich habe also Grund[25] zum Rühmen in Christus Jesus in Bezug auf das, was Gott angeht. Denn ich werde nicht irgend etwas zu sagen wagen,[26] was nicht Christus durch mich bewirkt hat".[27] Dieses Prinzip entfaltet Paulus nicht zufällig zu Beginn des Briefschlusses. Im Briefrahmen stellt er 1,1-15 und 15,14ff sich selbst vor, kündigt seinen Besuch in Rom an und erläutert kurz die Basis und die weiteren Pläne für die Verkündigung des Evangeliums. In diesem Kontext gibt er auch, nachdem er die ausführliche Argumentation des Briefkorpus abgeschlossen hat, zu Beginn des Briefschlusses eine Definition seiner theologischen Kommunikation, um zu erläutern, wie die vorherigen Ausführungen zu verstehen sind. Insofern ist der Brief also auf eine wiederholte Lektüre angelegt. Erst am Ende der Argumentation wird explizit gesagt, auf welcher Basis paulinische Kommunikation und damit auch die Kommunikation des Röm geschieht. Der Brief muss in diesem Sinne gewissermaßen von hinten her verstanden werden.[28]

Wenn Paulus damit seine eigene Kommunikation angemessen charakterisiert, dann muss sich all sein Reden − also auch die vorhergehenden, argumentativen und paränetischen Teile 1,16-15,13 und mit ihm der gesamte Röm als Rede[29] des Paulus − von diesem Leitsatz aus 15,17f her verstehen lassen. Das impliziert vor allem zwei Aspekte:

1. Die Kommunikation des Paulus neigt aufgrund des genannten Prinzips zu einer Doppelstruktur. Sie ist zum einen persönliche Rede, die durch einen konkreten Menschen geschieht und im Kontext seiner menschlichen Sicht der Dinge, seiner persönlichen Lebenserfahrungen, seiner Sprache und Denkart stattfindet. In seiner persönlichen Rede und gewissermaßen „durch ihn hindurch" (δι' ἐμοῦ) ist jedoch für Paulus zugleich immer Christus wirksam. Durch das Wirken Christi in Paulus tritt damit neben seine persönliche Sichtweise und Rede eine zweite, von Christus bestimmte. Dadurch wird die Rede des Paulus nicht aufgehoben, sondern geradezu erst gesetzt, und

---

[24] Auch auf die Beobachtungen von J. Weiß wird dabei einzugehen sein. Vgl. J. Weiß: Beiträge zur Paulinischen Rhetorik; in: Theologische Studien, Bernhard Weiß zum 70. Geburtstag dargebracht; Göttingen 1897, S. 165-247.

[25] Zu lesen ist hier ἔχω οὖν καύχησιν. Vgl. dazu die Ausführungen zur Stelle im Hauptteil dieser Untersuchung.

[26] Τολμήσω ist zwar Futur, bezieht sich aber nicht auf die Zukunft, sondern im Sinne einer „energischen Aussage" (vgl. Blass, Debrunner, Rehkopf: Grammatik des neutestamentlichen Griechisch, § 362), die faktisch den Charakter eines selbst gegebenen Gebotes hat, zeitlos auf das Selbstverständnis paulinischen Redens (und Handelns) schlechthin.

[27] Der Satz geht allerdings noch weiter, die pneumatologische Aussage in V. 19a ist sehr beachtenswert (siehe unten zur Stelle). Für die Analyse der Struktur paulinischer Rede werde ich mich jedoch im Folgenden auf die zitierte Eingangsformulierung des Satzes in Röm 15,17f konzentrieren.

[28] Es ist in diesem Zusammenhang schwer zu sagen, warum Paulus dieses Kommunikationsprinzip erst am Ende des Briefes formuliert. Vielleicht ist es ihm erst im Laufe der Entwicklung des Textes deutlich geworden.

[29] Dass sich das λαλεῖν dabei nicht nur auf die mündliche Rede, sondern auch auf die paulinischen Briefe und damit auf den Röm beziehen lässt, ergibt sich nicht zuletzt daraus, dass Paulus den Röm (und auch andere Briefe) diktiert hat (vgl. Röm 16,22).

zwar dann als doppelte Rede des Paulus persönlich einerseits und Christi durch Paulus andererseits. Der „Grund zum Rühmen" besteht für Paulus darin, dass seine Rede diese doppelte Struktur aufweist. Das gibt der Kommunikation des Menschen Paulus immer zugleich eine theologische bzw. christologische Dimension. Es sind nicht einfach nur Menschenworte, sondern zugleich Worte (und auch Taten) Christi, die durch ihn geschehen. Man kann deshalb vermuten, dass sich dieses doppelte Selbstverständnis der Rede des Paulus auch formal niederschlägt. Das ist, wie zu zeigen sein wird, im Röm in besonderer Weise der Fall, indem Paulus hier durchgehend seine eigene Rede zugleich theologisch oder christologisch qualifiziert und seiner durch persönliche Erfahrungen und Bilder geprägten Sprache stets eine christologische oder theologische Dimension gegenüberstellt.

2. In dieser theologischen Rede artikuliert sich für Paulus zugleich ein bestimmtes Selbstverständnis. Es ist die konkrete Person Paulus, die in der 1. Pers. Singular oder rhetorisch im Plural in der dargestellten Weise redet. Er behauptet: Christus spricht durch „mich" (δι' ἐμοῦ). Von dieser Behauptung her versteht sich deshalb auch dieses „Ich" des Paulus. Sein besonderer Grund zum Rühmen besteht nicht in seinen persönlichen Leistungen oder Fähigkeiten an sich, sondern in seinem „in Christus Jesus"-Sein und darin, dass er sich für das Wirken Christi „durch ihn" offen hält. Dieses „in Christus"-Sein und Christus wirken Lassen zeichnet sich dadurch aus, dass es nicht nur nach den eigenen Angelegenheiten des Paulus fragt, sondern vor allem auch nach den Dingen, die sich auf Gott beziehen: τὰ πρὸς τὸν θεόν. Paulus entwickelt folglich sein Selbstverständnis dezidiert in christologischer und theologischer Perspektive. Sein Selbstbewusstsein wird jedoch durch diese christologische und theologische Dimension nicht aufgehoben oder relativiert, sondern gerade erst begründet. Es ist die einzelne, besondere und durchaus selbstbewusste Person Paulus, die den Röm auf dieser Basis schreibt.

Der Versuch, einen zentralen Text paulinischer Theologie wie den Röm in dieser Weise durch die Reduktion auf eine oder zwei Thesen zu systematisieren, muss sich mit dem Vorwurf auseinandersetzen, die Vielfalt der Aspekte paulinischer Theologie unzulässig zu reduzieren. So hat J. D. G. Dunn[30] in Auseinandersetzung vor allem mit bekannten deutschen Systematisierungsversuchen grundsätzlich bestritten, dass sich bei Paulus so etwas wie ein Zentrum oder Prinzip ausmachen ließe, von dem her eine Theologie des Paulus konstruiert werden könne.[31] Statt dessen hat er den Versuch unternommen, im Dialog[32] mit Paulus eine Darstellung von dessen Theologie zu

---

[30] J. D. G. Dunn: The Theology of Paul the Apostle; Grand Rapids/ Cambridge 1998.

[31] „For some the chief object of search should be the *centre*, or more explicitly, the organizing centre of Paul's theology. This evokes an old discussion, which still rumbles on, particularly in German scholarship, with older alternatives still posed and defended. Does the central dynamism of Paul's theology lie in the tension between Jewish Christianity and Gentile Christianity (as Baur originally suggested)? Is the centre of Paul's theology ‚justification by faith' (as Bultmann and Ernst Käsemann continued to insist with tremendous conviction)? Or should the central feature be found in ‚participation in Christ' or some form of ‚Christ-mysticism' (one thinks particularly of Albert Schweitzer)? Or is it rather the theology of the cross which stands firmly at the centre (as, for example, in Ulrich Wilckens). Alternatively should we be looking for some underlying unifying principle, perhaps in last generation's terms of Paul's anthropology, or salvation history, or in the more recent idea of an underlying narrative of covenant or Christ? The problem with the image of centre or core or principle, however, is that it is too fixed and inflexible." (Dunn, a.a.O., S. 19f, Hervorhebung von Dunn)

[32] Dunn beschreibt seine methodologische Entscheidung für ein Dialogmodell folgendermaßen: „my own preferred model is that of a dialogue. [...] Of course to speak of a dialogue with a man long dead is an

schreiben, die recht locker die verschiedenen systematischen Topoi aneinander reiht. Dunn unterschätzt jedoch dabei die eigenen systematischen Selbstfestlegungen und Zentrierungen, die er in seiner Auseinandersetzung mit Paulus gewonnen hat. Erstens bezieht er sich in seiner Theologie des Paulus vor allem auf den Röm als wichtigstes Werk des Paulus.[33] Zweitens sind für ihn die Basis der paulinischen Theologie die Rede von Gott[34] und das Verhältnis zwischen Gott und Mensch.[35] Drittens ist für ihn Christus das eigentliche Zentrum, von dem her die anderen theologischen Fragestellungen entwickelt werden.[36] Viertens beschreibt er im Epilog zutreffend, dass es Paulus letztlich um einen Dialog mit sich selbst[37] und damit um einen Prozess der Selbstklärung geht, an dem die Interpreten höchstens partizipieren können. Und fünftens zeigt die Abfolge von Dunns Darstellung der Theologie des Paulus einen ganz konventionellen Aufbau, der sich an der Rechtfertigungstheologie orientiert.[38] Gerade Dunn mit seiner Bestreitung eines inneren Zentrums paulinischer Theologie gesteht damit implizit zu, dass die Orientierung an Gott und Christus und die Frage des Paulus nach sich selbst zentrale Aspekte im Röm sind.

Die folgende Untersuchung möchte gegenüber einer solchen Bestreitung der Systematisierbarkeit der Theologie des Paulus die Struktur paulinischen Denkens vor allem mit Hilfe von zwei Hypothesen aufzeigen: Erstens orientieren sich die einzelnen Abschnitte im Röm inhaltlich zumeist an der Frage nach dem einzelnen Menschen (und seinem Selbstverständnis). Zweitens argumentiert Paulus im Röm formal durchgehend in einer Doppelstruktur, d.h. mit Hilfe einer doppelten Redeweise, die einerseits eine geläufige menschliche und andererseits eine zusätzlich theologisch bzw. christologisch geprägte Sicht wiedergibt. Diese beiden Sichtweisen werden im Text kontinuierlich einander gegenübergestellt.

Der Begriff der „Gegenüberstellung" ist dabei bewusst weit gefasst. Die von Paulus verwendeten Verbindungen zwischen beiden Aspekten, die in der jeweiligen Gegenüberstellung vorgenommen werden, sind nämlich sehr vielfältig. Sie reichen von völliger Entgegensetzung (z.B. durch die Formulierung οὐκ ... ἀλλά) über ein komplementäres Verständnis der beiden Aspekte (ausgedrückt z.B. durch οὐ μόνον ... ἀλλὰ καί) bis zur Explikation oder Begründung des einen Aspektes durch den anderen (verbunden z.B. mit γάρ). Dies wird anhand der Textanalyse weiter zu erläutern sein.

---

extension of the metaphor. But here again we benefit from the fact that Paul comes to us as a letter writer, that is as one side or partner in a sequence of dialogue. This means that we can enter into a theological dialogue with Paul in several ways." (Dunn, a.a.O., S. 23f)

[33] „How to write a theology of Paul, then? Paul's letter to the Christians in Rome is the nearest thing we have to Paul's own answer to that question." (Dunn, a.a.O., S. 25)

[34] „God was the base rock and foundation of Paul's theology." (Dunn, a.a.O., S. 49)

[35] Der Titel des ersten inhaltlichen Kapitels nach dem Prolog lautet „God and Humankind" (Dunn, a.a.O., S. 27ff).

[36] „The centrality of Christ is equally evident in the gospel and process of salvation more personally perceived. The gospel called not simply for faith, but for faith in Christ." (Dunn, a.a.O., S. 727)

[37] Der von Dunn vorgeschlagene „Dialog" mit Paulus ist deshalb vor allem eine Beschäftigung mit dem Dialog des Paulus mit sich selbst: „we can enter some way into Paul's dialogue with himself." (Dunn, a.a.O., S. 24)

[38] Nach den einleitenden Kapiteln 1 (Prologue) und 2 (God and Humankind) folgen die anschließenden Teile dem bekannten Schema von Erkenntnis der Sünde, Zuspruch des Evangeliums, Rechtfertigung, Heiligung, Definition christlicher Gemeinschaft und Ethik: 3. Humankind under Indictment, 4. The gospel of Jesus Christ, 5. The beginning of Salvation, 6. The Process of Salvation, 7. The Church, 8. How should believers live?

2. Die formale Strukturierung des Briefes durch die geläufige menschliche und die theologisch–christologisch geprägte Doppelsicht

Man muss Texte nicht nur als Kombination von einzelnen Worten verstehen, sondern man kann auch versuchen, deren Struktur mit Hilfe der dort vorfindbaren Gegenbegriffe zu analysieren. „Von Louis Hjelmslev haben wir gelernt, daß sowohl die Form als auch der Inhalt jedes Textes durch das System der Oppositionen strukturiert ist, nach welchem er die Begriffe gegenüberstellt."[1] Es ist immer wieder beobachtet worden, dass besonders der Sprache und Denkart des Paulus eine ausgesprochene Neigung zu Gegensätzen eignet. „Das Denken des Paulus ist als solches ein Denken in Gegensätzen."[2] Diese Neigung findet im Röm vielleicht ihre ausgeprägteste Gestalt. Es stellt sich dabei jedoch die Frage, in welcher Weise diese Gegensätze präzise strukturiert sind.

Es ist deshalb nötig, eine Beschreibung paulinischen Redens und Denkens zu weiter zu entwickeln, die einerseits diese Neigung zu Oppositionen oder Gegensätzen aufnimmt und die andererseits so variabel formuliert ist, dass sie für die verschiedensten Formen von Gegenüberstellungen, die sich bei Paulus finden, offen ist. Dafür könnte die Beachtung wichtiger Theorien aus dem Umfeld der Theologie hilfreich sein. Der bekannte Systemtheoretiker Niklas Luhmann hat aus seiner distanzierten soziologischen Perspektive die besagte Doppelstruktur, der in dieser Untersuchung näher nachgegangen werden soll, als Spezifikum religiöser Kommunikation näher beschrieben. Für ihn liegt der Ausgangspunkt religiöser Kommunikation bei einer bestimmten Form der Realitätsverdoppelung. „In einem ersten Überlegungsgang greifen wir zurück auf die These, daß die Sinnenwelt (mit anderen Worten: die Realität) gespalten werden muß, soll etwas beobachtet werden. [...] Bei religiöser Kommunikation geht es um einen besonderen Fall, den wir [...] als *Realitätsverdoppelung* bezeichnen können. Irgendwelchen Dingen oder Ereignissen wird eine besondere Bedeutung verliehen, die sie aus der gewöhnlichen Welt (in der sie zugänglich bleiben) herausnimmt und mit einer besonderen ‚Aura', mit besonderen Referenzkreisen ausstattet."[3] Diese Herausnahme aus der „gewöhnlichen Welt" schafft gewissermaßen einen doppelten Zugang zur Wirklichkeit. Es entwickelt sich eine alternative Sicht, die über die allseits bekannte Realität einerseits hinausgeht und diese andererseits dadurch gerade bestätigt und erhärtet. „Unser Ausgangspunkt liegt in der These einer Realitätsunterscheidung, die das eigentlich Reale von einer imaginären, nicht mehr zugänglichen Welt absondert und damit [...] ‚harte' Realität in der Welt konstituiert. [...] Wir wollen diese Gegenwelt der Realität ‚Transzendenz' nennen, weil man sich das Überschreiten einer Grenze vorstellen muß, wenn man sie überschreiten will."[4] Luhmann sieht in dieser doppelten Realitätswahrnehmung als immanente, „gewöhnliche" Welt einerseits und als diese Immanenz überschreitende zweite Realität andererseits die entscheidende Grundstruktur religiöser Kommunikation. Für ihn

---

[1] M. Stiewe, F. Vouga: Die Bergpredigt und ihre Rezeption als kurze Darstellung des Christentums; (NET 2) Tübingen und Basel 2001, S. 146, mit Bezug auf L. Hjelmslev: Prolégomènes à une théorie du langage, Arguments 35; Paris 1968.

[2] H. Hübner: Theologie des Neuen Testaments, Bd. 2, S. 292.

[3] Niklas Luhmann: Die Religion der Gesellschaft, posthum hrsg. v. André Kieserling, Frankfurt/Main 2000, S. 58, Hervorhebung von Luhmann.

[4] A.a.O., S. 79.

verdichtet sich diese Realitätsverdoppelung deshalb in der für die Religion grundlegenden Unterscheidung immanent – transzendent.[5] „Man kann auch sagen, daß eine Kommunikation immer dann religiös ist, wenn sie Immanentes unter dem Gesichtspunkt der Transzendenz betrachtet. [...] Erst von der Transzendenz aus gesehen erhält das Geschehen in dieser Welt einen religiösen Sinn."[6]

Diese allgemeine Form der Realitätsverdoppelung ohne bestimmte festere Formgebung lässt sich nach Luhmann bereits weit vor unserer Zeitrechnung beobachten. Er nennt als Beispiel die frühe sumerische Religion. "Hier werden allen relevanten Erscheinungen der Welt in Natur und Kultur Hintergötter zugeordnet, um die Erscheinung zu erklären."[7] Diese Punkt für Punkt-Zuordnung sei dann in Mesopotamien weiter systematisiert worden. In den Hochreligionen sei diese Form der Realitätsverdoppelung schriftlich fixiert und weiterentwickelt worden. Dies habe über das Judentum auch die Entwicklung der christlichen Religion wesentlich beeinflusst. „Zu den Reichtümern der europäischen Tradition gehört es, daß die jüdische Tradition eine rein religiös, in Textform fixierte Realitätsverdoppelung festgehalten und damit partiell auf die christliche Lehre eingewirkt hat".[8] Das Besondere in hoch entwickelten Religionsformen wie dem Judentum und dem Christentum sieht Luhmann nun darin, dass es hier nicht mehr nur um ein Markieren der Grenze zwischen gewöhnlicher und transzendenter Welt gehe, sondern vor allem auch um ein Überschreiten dieser Grenze. In primitiven Religionen finde man die „*Einteilung* einer unbezweifelbar vorhandenen Welt" mit Hilfe von Unterscheidungen wie Nähe – Ferne oder Erde – Himmel.[9] In weiter entwickelten Religionen sei hingegen Transzendenz nicht als die andere Seite der eingeteilten Welt, sondern als Grenzüberschreitung selbst gedacht.[10] Dadurch rücken nach Luhmann *die Grenze* zwischen diesseitiger und jenseitiger Welt und die Möglichkeit ihrer *Überschreitung* in den Mittelpunkt des Interesses. Gerade die christliche Religion hat nun nach Luhmann in der Christologie spezifische und neue Formen dieser Grenzüberschreitung entwickelt: „Wenn es nicht um Markieren, sondern auch um Überschreiten der Grenze geht, um ein Kreuzen hin und zurück, sind Vermittler nötig. [...] In seinem Weltleben ist Jesus von Nazareth Mensch. [...] Als Christus ist er Sohn Gottes."[11] Für Luhmann werden also in der Denkfigur Jesu Christi die Unterscheidung zwischen gewöhnlicher und transzendenter Welt einerseits und die Überschreitung dieser Grenze andererseits in spezifischer Weise ermöglicht. Deshalb hat für ihn gerade das Christentum besonders anspruchsvolle Zugänge zu dieser doppelten Realitätswahrnehmung einer gewöhnlichen „immanenten" Welt und einer transzendenten, spezifisch theologisch bestimmten Welt entwickelt. Mit Hilfe christologischer Überlegungen können diese beiden Realitäten differenziert wahrgenommen, unterschieden und einander zugeordnet werden.

---

[5] Luhmann hat diese Ausgangsüberlegungen zu einer komplizierten Theorie „binärer Codierung" der Religion ausgebaut, die sich nach eben dieser Unterscheidung immanent – transzendent richtet. Darauf kann in diesem Zusammenhang nicht näher eingegangen werden. Vgl. dazu grundlegend N. Luhmann: Die Religion der Gesellschaft, S. 53-114.

[6] A.a.O., S. 77.

[7] A.a.O., S. 63.

[8] Ebd.

[9] A.a.O., S. 81, Hervorhebung von Luhmann.

[10] A.a.O., S. 81f.

[11] A.a.O., S. 82f.

Es wird im Folgenden davon ausgegangen, dass für die oben angedeutete Doppelstruktur paulinischen Redens und Denkens die Beachtung solcher Vorstellungen einer Realitätsverdoppelung und einer doppelten Realitätssicht hilfreich sind. Versucht man diese Vorstellungen für den Röm fruchtbar zu machen, so bedeutet dies, dass jeweils einer geläufigen Sicht der Realität (der „gewöhnlichen Welt" im Sinne Luhmanns) eine durch Christus ermöglichte zweite Sicht gegenübergestellt wird. Dies soziologische Verständnis einer doppelten Wahrnehmung der Realität reflektiert in bestimmter Weise und aus der Distanz einer nichttheologischen Position also das, was Paulus in dem eingangs zitierten hermeneutischen Prinzip aus Röm 15,17f für sein eigenes Tun und Reden formuliert. Seine Kommunikation zeichnet sich demnach dadurch aus, dass sie einerseits aus einer weltimmanenten Position die persönliche und geläufige menschliche Sicht des Paulus wiedergibt und andererseits zugleich dadurch bestimmt ist, dass nicht nur er selbst redet, sondern Christus „durch" ihn. Damit wird also in seinem Reden zugleich eine zweite Sicht eröffnet, die für ihn letztlich theologisch bzw. christologisch qualifiziert ist.[12] Diese Doppelsicht äußert und konkretisiert sich dann bei Paulus in einer durch Gegenüberstellungen strukturierten Sprache. Die Gegenüberstellungen bringen jeweils auf der einen Seite eine geläufige menschliche Sicht der gewöhnlichen Welt zum Ausdruck und stellen dieser auf der anderen Seite eine zweite, spezifisch christologisch geprägte Sichtweise gegenüber. Diese doppelte Realitätssicht hat deshalb für die sprachliche und argumentative Struktur des Röm unmittelbare Konsequenzen.

Auf der Basis dieser Vorüberlegungen soll im Folgenden der Versuch unternommen werden, den Röm insgesamt als Entfaltung dieser für die theologische Kommunikation spezifischen Gegenüberstellungen zu verstehen, die auf der skizzierten Doppelperspektive beruhen. Es wird also vorausgesetzt, dass eine Grundstruktur der theologischen Kommunikation des Paulus darin besteht, dass er von einer doppelten Realität ausgeht – einerseits einer gewöhnlichen und andererseits von einer spezifisch christologisch geprägten, neuen Realität – und dass deshalb alles aus zwei verschiedenen Perspektiven betrachtet werden kann und muss. Wenn der Röm in dieser Weise als theologische Kommunikation verstanden wird, dann kann gefragt werden, wie diese Grundstruktur im Brief an den einzelnen Stellen konkret umgesetzt wird. Und wenn man die Struktur paulinischer Rede mit Röm 15,17f christologisch und theologisch begründet, dann muss jeweils gezeigt werden, wie die persönliche Rede des Paulus einerseits und die durch Christus bewirkte und in Bezug auf Gott formulierte Rede andererseits an der jeweiligen Stelle im Röm koordiniert werden.

Unter dieser Voraussetzung soll im Folgenden untersucht werden, ob sich eine daraus resultierende formale Doppelstruktur tatsächlich für den gesamten Röm nachweisen lässt und für das Verständnis des Argumentationsverlaufes eine wichtige Orientierung bieten kann. Natürlich ist dabei die menschliche Sprache im Allgemeinen und die des Paulus im Besonderen komplex und niemals so festgelegt, dass sie sich ganz in solch ein Doppelschema fügen lässt. Wenn es jedoch gelingt, zumindest im Großen und Ganzen eine solche Doppelstruktur aufzuzeigen, wäre für das Verständnis des Briefes und seines inneren Zusammenhanges einiges gewonnen.

---

[12] Dass diese Fähigkeit zu einer doppelten Sicht der Wirklichkeit auf einer persönlichen Offenbarung des Paulus gründet, wird dabei im Röm nicht eigens thematisiert. Vgl. dazu aber Gal 1,12ff.

3. Die inhaltliche Orientierung am einzelnen Menschen und seinem Selbstverständnis

Diese erste, formale Hypothese, dass der Röm durchgehend in Form von Gegenüberstellungen strukturiert ist, führt zu der Frage nach der inhaltlichen Gesamtkonzeption des Röm. Sie soll in der vorliegenden Untersuchung mit Hilfe einer zweiten Hypothese bearbeitet werden, die mit der ersten, formalen zusammenhängt. Sie lautet ebenfalls im Anschluss an Röm 15,17f, dass sich der gesamte Röm vom inhaltlichen Hauptgedanken des Interesses am einzelnen Menschen und seinem Selbstverhältnis her verstehen lässt, mit dem dann auch die Fragen nach seinem Gottesverhältnis und seinem Verhältnis zum anderen Menschen kombiniert werden. Die im Röm vorhandenen Gegenüberstellungen werden inhaltlich also vor allem durch eine Orientierung am einzelnen Menschen geordnet. Sie können sich, wie in Röm 15,17f, auf Paulus selbst beziehen oder auf einen einzeln angesprochenen Menschen oder auch allgemeiner auf den einzelnen Menschen schlechthin.

Die These einer Orientierung am einzelnen Menschen und seinem Selbstverhältnis lässt sich durch folgende Beobachtungen erhärten:
1. Der Röm ist der einzige unbestritten authentische Paulusbrief, der nur von ihm selbst als Einzelperson abgesendet wurde. Das dort Gesagte bekommt damit unweigerlich einen sehr persönlichen und auf Paulus selbst bezogenen Grundton.
2. Es findet sich deshalb eine relativ häufige Verwendung der 1. Pers. Singular, meist zur Kennzeichnung der persönlichen Rede des Paulus.[1] Das Subjekt kann dabei aber auch variiert werden, es kann z.B. in 16,22 auch Tertius als Briefschreiber gemeint sein, oder die erste Person kann über Paulus hinausgehend eher generell für jeden einzelnen Menschen und damit für alle verwendet werden.[2]
3. An einigen wichtigen Übergängen des Briefes findet sich eine geradezu emphatische Betonung des „Ich" (ἐγώ),[3] die manchmal den Verfasser des Briefes bezeichnet (z.B. 9,3; 11,1; 15,14), manchmal aber auch typisch für alle Menschen gemeint ist (z.B. 3,7; 7,9ff).
4. Es lässt sich außerdem eine recht häufige Verwendung der 1. Person Plural beobachten, die entweder als schriftstellerischer Plural Paulus selbst meint[4] oder Paulus

---

[1] Die einzelnen Stellen werden unten im Hauptteil dieser Untersuchung genannt und analysiert. Im Röm treten zudem relativ häufig Personalpronomen in der 1. Person auf. Diese können ebenfalls entweder auf Paulus selbst bezogen sein oder allgemeiner auf den Menschen an sich. Μοι taucht auf in 7,10.13.18; 9,1.2.19; 12,3; 15,15.30, und με in 7,11.23.24; 8,2 (als alternative Lesart); 9,20; 15,16.19. Vgl. z. B. auch den possessiven Genitiv μου, er findet sich im Röm in 1,8.9 (zweimal), 10; 2,16; 7,4.18.23 (dreimal); 9,1.2.3 (zweimal), 17 (zweimal); 25 (zweimal); 26; 10,21; 11,3; 13,14; 15,14.31; 16,3.4.5.7 (zweimal), 8.9.11.21 (zweimal), 23.25. Siehe auch die betonten Kasus obliqui des Personalpronomens: ἐμοί taucht auf in 7,8.13.17.18.20.21 (zweimal); 12,19 (im Zitat); 14,11; ἐμέ in 1,15; 10,20 (zweimal, auf Gott bezogen im Zitat); 15,3.

[2] Zu dieser Verwendung der 1. Person Singular vgl. grundsätzlich Blass, Debrunner, Rehkopf: Grammatik des neutestamentlichen Griechisch; § 281.

[3] Ἐγώ erscheint explizit in Röm 3,7; 7,9.10.14.17.20 (zweimal).24.25; 9,3; 10,19; 11,1.3.13.19; 12,19; 14,11; 15,14; 16,4.22.

[4] Siehe dazu die im Hauptteil im einzelnen untersuchten Stellen, die sich vor allem am Anfang eines Abschnittes finden. Eine Aufstellung derjenigen Stellen, bei denen Paulus die 1. Person Plural für die 1. Person Singular verwendet, findet sich bei P. Feine: Der Römerbrief. Eine exegetische Studie; Göttingen 1903, S. 7f. Blass, Debrunner, Rehkopf: Grammatik des neutestamentlichen Griechisch; § 280, 1 meinen dagegen: „Man sucht diesen (sc. den schriftstellerischen) Plural vielfach auch in den

und die Adressaten oder noch allgemeiner die Gemeinschaft der Glaubenden, in die sich Paulus ausdrücklich mit einschließt. Die 1. Person Plural hat also in jedem Falle auch einen auf Paulus bezogenen, selbstreflexiven Sinn. Die meisten Teilabschnitte des Röm werden, wie im Folgenden zu zeigen sein wird, in der 1. Person Singular oder Plural eingeleitet. Wenn aber ein Abschnitt im Röm in der 1. Person eingeleitet wird, dann lässt sich das in diesem Abschnitt Gesagte auch auf diese Person zurückbeziehen.

5. Auffällig ist auch die Verwendung von Reflexivpronomen an zentralen Stellen der Argumentation, wodurch ein selbstreflexiver Gedankengang eingeführt wird.[5] Dies wird unterstützt durch die Einführung charakteristischer Begriffe, die die Innerlichkeit des Menschen und seinen Bezug zu sich selbst thematisieren, wie „Gewissen" (συνείδησις, 2,15; 9,1; 13,5) oder „Herz" (καρδία, 1,21.24; 2,5.15.29; 5,5; 6,17; 8,27; 9,2; 10,1.6.8.9.10; 16,8) oder Verstand (νοῦς, 7,23 und sekundär 25; 12,2; 14,5). Durch sie wird eine auf den einzelnen Menschen bezogene, reflexive Denkweise verstärkt.

6. Es findet sich relativ häufig die direkte Ansprache eines „Du".[6] Sie hat nicht primär im Stile der Diatribe einfach nur rhetorische Funktion,[7] sondern zielt auf den einzelnen Menschen im Gegenüber zum „Ich" als Adressaten, Leser, Kommunikationspartner und hat den Sinn, den Einzelnen zum Nachdenken über sich selbst anzuleiten. Dabei findet sich dieser dialogische Stil bei Paulus ausgeprägt nur im Röm.

Wenn man diese These eines genuinen inhaltlichen Interesses am einzelnen Menschen mit der formalen zusammen sieht, ergibt sich folgende Problemstellung, der im Folgenden nachgegangen werden soll: Was passiert, wenn die Doppelperspektive einer geläufigen Realitätswahrnehmung und einer spezifisch theologisch geprägten zweiten Sicht von Paulus bzw. vom einzelnen Menschen nicht nur auf die ihn umgebende Welt, sondern auch auf sich selbst angewendet wird? Die spezifische Denkart innerhalb des Röm ergibt sich nach der im Folgenden vorgelegten Interpretation gerade aus der Frage des einzelnen Menschen nach sich selbst. Theologische Kommunikation beschäftigt sich jedenfalls im Röm substantiell mit Anthropologie, genauer gesagt mit einer Anthropologie, die sich durch die Doppelstruktur einer immanenten, gewöhnlichen, menschlichen und einer transzendenten, theologisch bzw. christologisch orientierten Sicht des Menschen

---

Paulusbriefen; doch sind es laut den Eingängen gewöhnlich mehrere, von denen der Brief ausgeht, und wo dies nicht so ist (Röm, Eph), finden sich auch keine solchen Plurale". Die Fülle der in der folgenden Untersuchung aufgezeigten Formulierungen in der 1. Person Plural – allerdings zumeist ohne Personalpronomen – sprechen eher gegen diese Behauptung. Das widerspricht auch den Beobachtungen, die S. Bryskog in erster Linie anhand der anderen Paulusbriefe gemacht hat. Für ihn basiert die Verwendung des schriftstellerischen Plurals in den Paulusbriefen vor allem auf der Mitverfasserschaft von Mitarbeitern des Paulus. Gerade dies trifft aber im Röm nicht zu. Vgl. S. Bryskog: Co-Senders, Co-Authors and Paul's Use of the First Person Plural; in: ZNW 87 (1996), S. 230-250.

[5] So erscheint z.B. ἑαυτοῦ in 1,27; 2,14; 4,19; 5,8; 6,11.13.16; 8,3.23; 11,25; 12,16.19; 13,2; 14,7 (zweimal), 12.14.22; 15,1.3; 16,4.18. Und σεαυτοῦ findet sich in 2,1.5.19.21; 13,9; 14,22.

[6] So in 2,1-5.17-27; 9,19-21; 10,9f; 11,17-24; 12,20f; 13,3b-4; 14,4.10.15.20-22. Siehe dazu auch A. Reichert: Der Römerbrief als Gratwanderung, S. 14: „ein Gegenüber, daß sich nicht ohne weiteres mit der in 1,6f. angeredeten Adressatenschaft identifizieren läßt."

[7] R. Bultmann sieht in dieser häufigen Verwendung der 2. Person Singular wohl zu sehr vereinfachend ein Element des Diatribenstiles, vgl. ders.: Der Stil der paulinischen Predigt und die kynisch-stoische Diatribe; (FRLANT 13) Göttingen 1910. Siehe dazu wesentlich detaillierter S.K. Stowers: The Diatribe and Paul's Letter to the Romans; Chicago 1981, besonders S. 79-118. Σύ erscheint in 2,3.17; 9,20; 11,17.18.20.24; 14,4.10 (zweimal), 22, σου außerhalb von Zitaten in 2,5.25; 11,21; 14,10 (zweimal), 15 (zweimal), 21; und σοι in 13,4.

auszeichnet. Beide Sichtweisen beziehen sich dabei auf den einzelnen Menschen, sein Selbstverhältnis und die ihn umgebende Wirklichkeit, wobei der andere Mensch ebenfalls als einzelner besondere Beachtung findet.

Insofern ist die Frage nach dem einzelnen Menschen bzw. die Frage des einzelnen Menschen nach sich selbst eine genuin theologische und den Röm bestimmende Fragestellung. Die am Röm gewonnenen Einsichten sind in dieser Hinsicht nicht nur im Hinblick auf historische Fragestellungen interessant, z.B. ob etwa bereits in einem Text aus der Mitte des 1. Jahrhunderts n. Chr. ein solche Orientierung am einzelnen Menschen und seinem Selbstverständnis nachweisbar ist. Sie könnten darüber hinaus auch auf dem Hintergrund aktueller gesellschaftlicher Entwicklungen wichtig werden. Wenn man theologischen und soziologischen Gegenwartsanalysen trauen darf, so ist die aktuelle Situation in der modernen Gesellschaft westlicher Prägung gerade dadurch gekennzeichnet, dass die Bedeutung des einzelnen Menschen trotz aller propagierten Individualisierung für die und innerhalb der Gesellschaft zurzeit eher umstritten ist. N. Luhmann benennt als einer der führenden Soziologen des 20. Jahrhunderts in seinem Spätwerk „Die Gesellschaft der Gesellschaft" den Versuch, die gesellschaftlichen Vorgänge von den an ihnen beteiligten Individuen her erklären zu wollen, als eine „Flucht ins Subjekt" und zeigt detailliert die Probleme dieses Subjektkonzeptes auf.[8] E. Mechels beschreibt in Anknüpfung an Luhmann aus theologischer Sicht die Schwierigkeit, dem einzelnen Menschen aktuell noch „innerhalb" der modernen Gesellschaft seinen Platz zuzuweisen: „Es gibt hinreichend Gründe für die Annahme, daß die gesellschaftliche Entwicklung in ihrem jüngsten Stadium gekennzeichnet ist durch eine fortschreitende De-Humanisierung."[9] Diese Situation verlangt danach, auch von theologischer Seite erneut und intensiviert nach Begründungsmöglichkeiten der Menschlichkeit des Menschen zu suchen, die sich auf die eigene theologische Tradition besinnen und sich gleichzeitig bemühen, an solche aktuellen Fragen anschlussfähig zu sein. Innerhalb der Theologie werden diese Probleme deshalb derzeit z.B. unter dem Begriff des christlichen Menschenbildes, der Menschenwürde[10] oder der „Person" intensiv diskutiert. Zur Problematik des Personbegriffs meint M. Welker: „Der moderne gesunde Menschenverstand scheint sich, wenn es um die ‚Person' geht, ganz auf das zu konzentrieren, was hinter der Maske liegt: das Subjekt, das Selbst, das ‚Ich' und andere Phänomene und Konzepte der Selbstbeziehung der Person und der (tatsächlichen oder vermeintlichen) Selbststeuerung ihrer Lebensvollzüge. Die Folgen dieser hochproblematischen Reduktion werden in zunehmendem Maße gespürt und beklagt."[11]

---

[8] Vgl. N. Luhmann: Die Gesellschaft der Gesellschaft; Frankfurt/ Main 1997, S. 1016ff. Zu der problematischen Verbindung von Subjektkonzept und Glauben siehe von theologischer Seite auch M. Welker: Subjektivistischer Glaube als religiöse Falle; in: EvTh 64 (2004), S. 239-248.

[9] E. Mechels: Kirche und gesellschaftliche Umwelt. Thomas - Luther - Barth; (NBST 7) Neukirchen-Vluyn 1990, S.7.

[10] Der in diesem Zusammenhang in der derzeitigen Diskussion gern verwandte Begriff der Menschenwürde scheint wenig tauglich zu sein, weil er inhaltlich zu offen ist. Vgl. zur Begriffsgeschichte W. Vögele: Menschenwürde zwischen Recht und Theologie. Begründungen von Menschenrechten in der Perspektive öffentlicher Theologie; (Öffentliche Theologie 14) Gütersloh 2000.

[11] M. Welker: Zum Thema ‚Person'; in: EvTh 60 (2000), S. 5-8, dort S. 5. Zur aktuellen Diskussion über den Personbegriff in interdisziplinärer Perspektive siehe auch die an die Einleitung von Welker anschließenden Beiträge des Heftes 1 von B. Oberndorfer: „Umrisse der Persönlichkeit". Personalität beim jungen Schleiermacher – ein Beitrag zur gegenwärtigen ethischen Diskussion, a.a.O., S. 9-24; S.

Die folgende Untersuchung möchte demgegenüber zeigen, dass es bereits Paulus im Röm einerseits zentral um den einzelnen Menschen geht – verstanden als eine freie, zur Selbstreflexion fähige Person in einem durchaus modernen Sinne –, dass er dabei aber den einzelnen Menschen in grundsätzlich anderer Weise versteht und begründet als dies in modernen[12] Konzepten von „Individuum"[13], „Subjekt",[14] „Selbst"[15] und seinen Komposita, „Person"[16] oder ähnlichem geschieht. Gegenüber der Annahme eines in sich selbst zentrierten Ich versteht er die Existenz des einzelnen Menschen von der genannten Doppelperspektive und den durch sie strukturierten Gegenüberstellungen her. Dies wird im Hauptteil im Detail auszuführen sein.

In der vorliegenden Untersuchung wird bei der Beschäftigung mit der paulinischen Sicht des einzelnen Menschen dem Begriff des „Ich" eine besondere Bedeutung zukommen (vgl. besonders Röm 7,7ff).[17] Die oben genannten modernen Begriffe kommen im Röm nicht explizit vor, ein guter Teil der mit ihnen verbundenen Probleme wird jedoch im Röm mit Hilfe des Begriffes „Ich" und seiner sprachlichen

---

Kirste: Verlust und Wiederaneignung der Mitte – zur juristischen Konstruktion der Rechtsperson, a.a.O., S. 25-40; M.-S. Lotter: Die vernünftige Person. Zu den Voraussetzungen von Verantwortung bei Locke und den afrikanischen Barotse, a.a.O., S. 41-60; A. Schüle: Person und Kultur. Eine Verhältnisbestimmung von Kafka und Freud, a.a.O., S. 61-78.

[12] Zu den antiken Wurzeln der Begriffe Individuum, Subjekt und Selbst bzw. Person vgl. J.-P. Vernant: L'individu, la mort, l'amour. Soi-même et l'autre en Grèce ancienne; Paris 1989, besonders S. 211ff.

[13] Vgl. zu diesem Begriff besonders unten die Überlegungen in der Zusammenfassung dieser Arbeit sowie D. Starnitzke: Die Bedeutung des Individualitätskonzeptes für das Verständnis des Römerbriefes. Individualitätstheorie und Exegese; in: S. Alkier, R. Bruckner (Hrsg.) Exegese und Methodendiskussion; (TANZ 23) Tübingen 1998, S. 33-56, dort S. 33-39.

[14] Zur Geschichte des Subjektbegriffes vgl. B. Kible: Artikel „Subjekt, I. Psychologie"; in: Historisches Wörterbuch der Philosophie; hrsg. v. J. Ritter und K. Gründer; Bd. 10, Darmstadt 1998, Sp. 373-383, J. Stolzenberg: Artikel „Subjekt, II. Deutscher Idealismus", a.a.O., Sp. 383-387; T. Trappe: Artikel „Subjekt, III. Spätidealismus; Religionsphilosophie", a.a.O., Sp. 387-391; U. Dreisholtkamp: Artikel „Subjekt, IV. 19. und 20. Jh.", a.a.O., Sp. 391-400. Zu diesem Begriff vgl. in theologischer Sicht I. U. Dalferth: Subjektivität und Glaube. Zur Problematik der theologischen Verwendung einer philosophischen Kategorie; in: NZSTh 36 (1994), S. 18-58.

[15] Der Begriff des Selbst wird zumeist als ein rein neuzeitlicher Begriff aufgefasst. Er „gilt als ein Konzept, das erst innerhalb der Subjektivierungstendenzen des neuzeitlichen Denkens philosophische Bedeutung gewinnen konnte und deshalb keine Vorgeschichte hat." (Artikel „Selbst, I. Antike bis frühe Neuzeit"; in: Historisches Wörterbuch der Philosophie; hrsg. v. J. Ritter und K. Gründer; Bd. 9, Darmstadt 1995, Sp. 292-293, dort Sp. 293.) Vgl. zur Geschichte des Begriffes in der Neuzeit: W. H. Schrader: Artikel „Selbst, II. 17. bis 19. Jh.", a.a.O., Sp. 293-305. U. Schönpflug: Artikel "Selbst, III. Psychologie", a.a.O., Sp. 305-313.

[16] Vgl. dazu aus theologischer Sicht die für Paulus herausgearbeitete Unterscheidung von „Person" und „Eigenschaften" bei F. Vouga: An die Galater, z.B. S. 94f sowie aus philosophischer Sicht die Unterscheidung von Person und Mensch bei B. Gillitzer: Personen, Menschen und ihre Identität; (MPhS, Neue Folge Bd. 18) Stuttgart 2001.

[17] Auch für den Ich-Begriff gilt, obwohl er für Paulus, wie zu zeigen sein wird, zumindest im Röm eine zentrale Rolle spielt, dass er gemeinhin als moderner Begriff verstanden wird, der in antiken Texten in seiner tieferen aktuellen Bedeutung angeblich noch nicht vorkommt. „In der klassischen antiken und mittelalterlichen Philosophie ist der philosophische Begriff des Ich kaum vorhanden; er erhellt mittelbar aus den Begriffen der Seele, des Leibes, der Selbstanschauung, des Bewußtseins. [...] Erst DESCARTES gibt einen distinkten Begriff des Ich: Der Satz ,ego sum ego existo' in der Bedeutung von 'sum [...] res cogitans' ist – in der Abhebung von allem uns umgebenden Kontingenten – notwendig wahr." (H. Herring: Artikel „Ich. I"; in: H. Historisches Wörterbuch der Philosophie, Bd. 4; Basel 1976, Sp. 1-6, dort Sp. 1) Der aktuelle Ich-Begriff wird dabei vor allem durch die Psychologie des 19. und 20. Jahrhunderts geprägt. Vgl. dazu U. Schönpflug: Artikel „Ich: II"; in: Historisches Wörterbuch der Philosophie, Bd. 4; Basel 1976, Sp. 6-18.

Varianten mit reflektiert. Es geht dabei auch um die Frage, wie der einzelne Mensch angesichts seiner Existenz im Spannungsfeld von Bezug auf sich selbst und Bezug auf andere, externe Größen – z.B. auf gesellschaftliche Differenzierungen, aber auch auf Gott und auf bestimmte transzendente Mächte – mit sich selbst identisch sein und der ständigen Bedrohung der Selbstzerrissenheit entgehen kann. Die Beeinflussung durch Fremde(s) und das gleichzeitige Verwiesensein des Menschen an sich selbst erzeugen einen Konflikt, der die Geteiltheit des Menschen in verschiedene Teile, seine „Dividualität" in theologischer Perspektive zu einer entscheidenden Problemstellung und zur bedrückenden Erfahrung des einzelnen Menschen werden lässt. Er sieht sich dadurch vor die Frage gestellt, wie dabei sein „Ich", seine eigene unverwechselbare Identität und In-Dividualität (neu) begründet und gewahrt werden kann. Was „Ich" im hier nur kurz angedeuteten paulinischen Sinne konkret bedeutet, muss dann die Analyse der einzelnen Texte ergeben.

Die genannte Fragestellung kann dabei, neben älteren Arbeiten wie denen R. Bultmanns,[18] auch an einige neuere Paulusinterpretationen anknüpfen. H. Hübner hat in seiner Theologie des Neuen Testaments darauf hingewiesen, dass die Theologie des Paulus deutlich an der Frage nach dem einzelnen Menschen orientiert ist. „In all seinen theologischen Begriffen denkt ja Paulus den Menschen mit. Oder soll man gar sagen: All seine theologischen Begriffe sind vom Menschen her gedacht, wobei jedoch wiederum der Mensch in seiner Relationalität verstanden ist, nämlich in seiner Relation zu Gott, sei sie gut, sei sie schlecht."[19] Ähnlich betont U. Schnelle, dass die Struktur paulinischen Denkens untrennbar mit der Identitätsfrage verbunden ist. „Die innere Logik des paulinischen Denkens und ihre Wirkungen hängen ursächlich mit dem von Paulus vertretenen *Identitätskonzept* zusammen. Als unmittelbarer Ausdruck seiner Sinnbildung ist die paulinische Konstruktion einer christlichen Identität ein Schlüssel zum Verständnis der paulinischen Theologie und des frühen Christentums."[20]

H. D. Betz hat ebenfalls betont, dass es Paulus mit seinem anthropologischen Ansatz besonders im Röm auf der Basis der Analyse der Selbstwidersprüchlichkeiten des Menschen um eine Neukonstitution des Individuums geht: „if Paul's aim is on the one hand, to take seriously the antagonisms and contradictions of human existence, it is, on the other hand, to maintain the unity of the human person in all respects. It is his view that the integrity of the human person can only be maintained by affirming the goodness of God's creation and upholding the responsibility of the individual as a whole person before God."[21]

Die spezielle Frage nach der eigenen Person und dem Selbstverständnis des Paulus wird von ihm ausgeweitet und bildet als allgemeine Frage nach dem Menschen und seinem Selbstverhältnis eine wesentliche Grundlage seiner Theologie. Auf die Bedeutung anthropologischer Erkenntnisse und Fragestellungen für Paulus hat in

---

[18] Vgl. z.B. die Hervorhebung des Zusammenhanges von Selbst- und Gotteserkenntnis durch R. Bultmann: Welchen Sinn hat es, von Gott zu reden? In: ders.: Glauben und Verstehen, Bd. 1; 8. Aufl. Tübingen 1980, S. 26-37.

[19] H. Hübner: Theologie des Neuen Testaments, Bd. 2: Die Theologie des Paulus und ihre neutestamentliche Wirkungsgeschichte; Göttingen 1993, S. 292.

[20] U. Schnelle: Paulus. Leben und Denken; Berlin, New York 2003, S. 23.

[21] H. D. Betz: The Concept of the ‚Inner Human Being' (ὁ ἔσω ἄνθρωπος) in the Anthropology of Paul; in: NTS 46 (2000), S. 315-341, dort S. 341.

diesem Zusammenhang aus kulturanthropologischer Sicht[22] C. Strecker hingewiesen. Er versucht, ausgehend von der Bekehrung oder Berufung des Paulus, die Veränderung des paulinischen Selbstverständnisses als Eröffnung eines Initiationsprozesses zu verstehen und dessen Zusammenhang mit seiner Theologie aufzuzeigen. „Die Initiationsform der mystischen Berufung beinhaltet zum einen den Aspekt der umfassenden Transformation der individuellen Person; darin gleicht sie einer Konversion. Sie schließt aber auch das Moment der Instruktion durch göttliche Wesen und Menschen ein; darin gleicht sie einer Berufung."[23]

Von philosophischer Seite hat A. Badiou, aus atheistischer und marxistischer Tradition kommend, hervorgehoben, dass die Theologie des Paulus damit ein entscheidender Punkt bei der Entwicklung von "Subjektivität" in einem durchaus modernen Sinne gewesen ist.[24] Für ihn ist die Offenbarung des auferstandenen Jesus Christus, auf die sich Paulus in seinen Briefen bezieht, nicht einfach Grundlage einer Konversion oder Berufung des Menschen Paulus, sondern die Konstitution eines neuen Subjektes. „Le sujet chretien ne préexiste pas à l'événement qu'il déclare (la Résurrection du Christ). [...] C'est un foudroiement, une césure, et non un retournement dialectique. C'est une réquisition, qui institue un nouveau sujet".[25]

Die konstitutive Bedeutung der paulinischen Theologie für das abendländische Verständnis des Menschen hat unter Aufnahme der Gedanken Badious vor allem F. Vouga in seinem Kommentar des Gal herausgearbeitet. „Die These dieses Kommentars ist es, dass der Brief des Paulus an die Galater nicht nur für die Geschichte des frühen Christentums, sondern auch für die Entstehung des geistigen Lebens des Individuums im Abendland grundlegenden Charakter hat."[26] Auch für den Röm hat Vouga bereits auf die durchgehende existenzielle Fragestellung hingewiesen.[27]

Der Röm soll im Folgenden in Fortführung solcher Ansätze als eine theologische Beschäftigung mit dem einzelnen Menschen und seinem Selbstverhältnis im Allgemeinen bzw. als theologische Selbstreflexion des Paulus im Besonderen verstanden werden. Bei diesem letzten Aspekt ist methodisch allerdings die Unterscheidung zwischen autorbezogener (extratextueller) und textbezogener (innertextueller) Seite zu beachten, auf die A. Reichert aufmerksam gemacht hat. Mit dieser Unterscheidung „ist die entscheidende Differenz zu dem [...] traditionellen Modell angesprochen, das zwischen historischer und literarischer Problemseite

---

[22] Zur möglichen Bedeutung des kulturanthropologischen Ansatzes für die neutestamentliche Forschung siehe W. Stegemann: Kulturanthropologie des Neuen Testaments; in: VF 44 (1999), S. 28-54.

[23] C. Strecker: Die liminale Theologie des Paulus. Zugänge zur paulinischen Theologie aus kulturanthropologischer Perspektive; (FRLANT 185) Göttingen 1999, S. 95.

[24] A. Badiou: Saint Paul. La fondation de l'universalisme; Les essais du collège international de philosophie; 3. Aufl. Paris 1999. Man kann dabei natürlich diskutieren, ob der im Wesentlichen erst in der Moderne geprägte Begriff des Subjektes hier angemessen ist, aber wichtiger als solche terminologischen Erwägungen ist die von Badiou zu Recht hervorgehobene Bedeutung der paulinischen Theologie für die Entwicklung des Selbstverständnisses des Menschen.

[25] Badiou, a.a.O., S. 15 und 18, dort mit Bezug auf I Kor 15,10.

[26] F. Vouga: An die Galater; (HNT 10) Tübingen 1998, S. V. Auch hier ist m.E. relativ unerheblich, ob der Begriff des Individuums, der im heutigen Verständnis ebenfalls erst in der Moderne geprägt wurde, bereits für Paulus angemessen ist. Entscheidend ist vielmehr die These, dass grundlegende Gedanken für die Entwicklung des menschlichen Selbstverständnisses nicht erst in der Moderne, sondern bereits von Paulus geprägt wurden.

[27] Vgl. F. Vouga: Çe Dieu qui m'a trouvé. Vingt lettres inédites sur l'épître de Paul aux Romains; Aubonne 1990.

unterscheidet. [...] Dabei fließen die Fragen nach der Autorintention und Textfunktion ineinander, obwohl sie sich doch auf theoretisch klar unterscheidbare Gegenstände richten, nämlich auf die Person des Texterzeugers einerseits und auf eine bestimmte Ebene des Textes als eines sprachlichen Zeichens andererseits."[28] Insofern wird im Folgenden zwischen der im Text sich vollziehenden Reflexion eines „Ich" über sich selbst und der Person des Paulus als Verfasser unterschieden werden müssen.

Im Anschluss an diese Überlegungen soll im Hauptteil dieser Untersuchung der Versuch unternommen werden, sich anhand des Röm mit dem paulinischen Verständnis vom einzelnen Menschen und seinem Verhältnis zu sich selbst – und auch speziell mit der Selbstreflexion des Paulus – zu beschäftigen um von dort aus einen klaren theologischen Standpunkt bei der aktuellen Frage nach dem Verständnis und Selbstverständnis des einzelnen Menschen, des „Ich", zu finden.

---

[28] A. Reichert: Der Römerbrief als Gratwanderung, S. 73. Reichert führt dies zu einem doppelten methodischen Einstieg, bei dem zunächst die Intention des Paulus und dann die Funktion des Textes untersucht und miteinander verglichen werden.

4. Zum Aufbau des Römerbriefes

Wenn sich die in den beiden vorherigen Abschnitten dargestellte doppelte Hypothese verifizieren lässt, so spricht das zum einen für die literarische Einheitlichkeit des Briefes[1] und zum anderen für die innere Stringenz der Argumentation.[2] Eine solche Einheitlichkeit kann jedenfalls nicht schon dadurch für unmöglich gehalten werden, dass aufgrund von Röm 16,21ff angenommen wird, Paulus habe solch einen langen Text einfach nicht im Diktat stringent formulieren können.[3] Vielmehr wird man eher davon ausgehen müssen, dass Paulus keineswegs einfach einen Brief diktiert hat und dabei Inkonsistenzen und inhaltliche Brüche in Kauf genommen hat, sondern dass er in einem komplexen Kommunikationsprozess unter Verwendung fremder, vor allem alttestamentlicher Texte[4] und eigener Vorarbeiten z.B. aus anderen Briefen,[5] einen außerordentlich dichten Text geschaffen hat, der einen längeren Bearbeitungsprozess erforderte. Man wird sehr wohl vermuten können, dass Paulus bei diesem für seine eigene Theologie, sein Selbstverständnis und seine weiteren Pläne so wichtigen Brief im Detail und im Ganzen sorgfältig strukturiert hat. Es liegt sowohl formal als auch inhaltlich eine einheitliche Disposition des Briefes vor, die schwerlich erst durch eine Redaktion oder Addition einzelner Teile hergestellt werden konnte. Nur wenige Verse

---

[1] Der der vorliegenden Untersuchung zugrundeliegende Ansatz widerspricht deshalb auch den gängigen Teilungshypothesen, die vor allem im Anschluss an W. Schmithals davon ausgehen, dass der Röm aus einer Kombination mehrerer Briefe besteht. So unterscheidet Schmithals zwischen insgesamt drei Briefen: A. Lehrschreiben nach Rom (1,1-4,25; 5,12-11,31; 15,8-12; 11,32-36; 15,13), B. Brief nach Rom (12,1-21; 13,8-10; 14,1-15,4a. 7. 5-6. 14-32; 16,21-23; 15,33), C. Empfehlungsschreiben nach Ephesus (16,1-20). Röm 6,17b; 13,11-12a; 13,1-7 sowie 16,25-27 sind für ihn redaktionelle Zusätze, die vom „Redaktor und Herausgeber der paulinischen ‚Hauptsammlung'" stammen (vgl. W. Schmithals: Die Briefe des Paulus in ihrer ursprünglichen Form; Zürich 1984, S. 125-160). Die noch fehlenden Teile Röm 5,1-11 und 13,12b-14 werden von Schmithals dann einer umfangreichen Korrespondenz des Paulus mit der Gemeinde in Korinth zugerechnet, die aus 13 Briefen besteht und bei der Röm 13,12b-14 zum 10. und Röm 5,1b-10 zum letzten Brief gehören. Röm 5,11 ist für ihn eine vom Redaktor gebildete Überleitung zu Röm 5,12, das sich ursprünglich an 4,25 anschloss und 5,1a eine Verbindung zwischen Kap. 4 und 5 (vgl. a.a.O., S. 63-85).

[2] Zu den Schwierigkeiten, eine innere Stringenz der Argumentation aufzuzeigen siehe z.B. die Übertragung des Röm ins Deutsche von W. Jens: Der Römerbrief; Stuttgart 2000. Er fügt dort an verschiedenen Stellen in Klammern eigene Überleitungen ein, um den Übergang von einem Gedanken zum anderen zu verdeutlichen, z.B. a.a.O. S. 12, 22f, 33, 48, 49, 50.

[3] J. Becker begründet den von ihm beobachteten Aufbau in Blöcken (Kap. 1,18-8,39; 9-11; 12-15,13; 16,1ff sowie der briefliche Rahmen 1,1-17 und 15,14ff) mit dem vermuteten mehrtägigen Diktat des Briefes. „Der Röm gerät nun zudem dem Paulus so lang, dass man sich schwer vorstellen kann, der Apostel habe den Brief in allen Einzelheiten im Kopf, als er zu diktieren anfing, und reproduzierte nun, über Tage verteilt, was er im Gedächtnis im einzelnen schon fertig formuliert hat. [...] So hat Paulus sich also offenbar innerhalb des Briefrahmens so orientiert, dass er sich relativ geschlossene Blöcke beim Diktat vornahm." (J. Becker: Paulus. Der Apostel der Völker; 3. Aufl. Tübingen 1998, S. 362.)

[4] Zu der Fülle der alttestamentlichen Bezüge, die ohne Zweifel eine Verwendung schriftlicher Texte voraussetzt, vgl. H. Hübner (Hrsg.): Vetus Testamentum in Novo, Bd.2: Corpus Paulinum; Tübingen 1997, S. 1-219.

[5] Die zahlreichen Parallelen zu anderen Paulusbriefen sind schon oft bemerkt und aufgelistet worden. Vgl. z.B. J. Becker: Paulus, S. 363ff und U. Wilckens: Der Brief an die Römer; EKK VI, 1, S. 47f.

fallen aus diesem stringenten Zusammenhang heraus und müssen als sekundäre Zusätze aufgefasst werden: 2,16; 7,25b; 16,24 und 25-27.[6]

Wenn die hier vorgelegten beiden Hypothesen überzeugen können, relativiert dies zugleich Tendenzen, die Selbständigkeit und Geschlossenheit des Briefes zu unterschätzen und ihn vor allem wegen Kap. 16 im Zusammenhang einer größeren Briefsammlung zu interpretieren.[7] Diese Annahme ist recht spekulativ und durch die vorhandenen Quellen nicht mehr verifizierbar.[8] Im Hinblick auf die Einbindung des Briefes in eine oder mehrere Sammlungen von Paulusbriefen sprechen die hohe formale und inhaltliche Konsistenz und die damit zusammenhängende einzigartige Geschlossenheit der Gedankenführung vielmehr dafür, dass Paulus den Brief einschließlich Kap. 16 als Ganzes und unabhängig von seinen weniger systematischen, anderen Briefen verfasst hat.[9] Er ist dann später – aber eben nicht von Paulus selbst – zusammen mit anderen Briefen gesammelt und vielleicht sogar gemeinsam herausgegeben worden, aber nicht so, dass dies im Röm deutliche Spuren hinterlassen hätte.[10] Durch seine konsequente inhaltliche und formale Ausführung ist er vielmehr innerhalb der Paulusbriefsammlung(en) herausragend geblieben, wenn vielleicht auch andere Briefe bereits ansatzweise eine ähnliche formale Doppelstruktur und eine inhaltliche Orientierung am einzelnen Menschen und speziell an Paulus selbst aufweisen.[11] Die folgende Untersuchung wird sich deshalb mit dem Text des Röm als Ganzem[12] beschäftigen und weder nur einzelne Briefteile noch die Stellung des Briefes im gesamten Corpus Paulinum speziell in den Blick nehmen.

Die oben erläuterte Orientierung der paulinischen Argumentation am einzelnen Menschen und seinem Selbstverständnis im Allgemeinen bzw. an der Selbstreflexion

---

[6] Vgl. die Untersuchung der genannten Stellen unten im Hauptteil sowie R. Bultmann: Glossen im Römerbrief; ThLZ 72 (1947), S. 197-202; neu abgedruckt in ders.: Exegetica, S. 278-284, der allerdings neben den genannten auch noch 2,1; 6,17b; 8,1; 10,17; 13,5 für Glossen hält.

[7] Röm 16 ist für Trobisch ein sekundärer Zusatz, den Paulus im Rahmen einer ersten Paulusbriefsammlung nach Ephesus schickt. „Paulus sendet eine Abschrift des Röm nach Ephesus. Diese Abschrift endet mit Röm 15. Röm 16 ist von Paulus persönlich nach Ephesus gerichtet." (D. Trobisch: Die Entstehung der Paulusbriefsammlung; [NTOA 10] Göttingen 1989, S. 118, vgl. auch S. 130) In seiner späteren Untersuchung über „Die Paulusbriefe und die Anfänge der christlichen Publizistik" schreibt er zu Röm 16: „Ich meine, dieser Abschnitt sieht wie ein Privatbrief aus, weil er ein Privatbrief ist. Paulus grüßt hier diejenigen namentlich, für die er die Autorenrezension des Römerbriefes, der Korintherbriefe und des Galaterbriefes angefertigt hat." (D. Trobisch: Die Paulusbriefe und die Anfänge der christlichen Publizistik; Gütersloh 1994, S. 104)

[8] Vgl. dazu die Rezension der Dissertation von Trobisch durch A. Lindemann in: ThLZ 115 (1990), Sp. 682f.

[9] Ein Spezialproblem stellt dabei das Verhältnis des Röm zum Gal dar, der ebenfalls recht systematisch gebaut ist. Er kann entweder als Vorentwurf oder als Zusammenfassung des Röm aufgefasst werden. (Vgl. zur Frage der Datierung F. Vouga: An die Galater; HNT 10, Tübingen 1998, S. 9-12). Die noch systematischere, differenziertere und ausführlichere Form des Röm spricht m.E. jedoch dafür, dass er nach dem Gal verfasst ist.

[10] Trobisch meint, in der Streichung der römischen Adressaten Röm 1,7 und 15 durch Codex Boernerianus (G 012) Indizien für eine über Rom hinausgehende „katholische" Fassung des Röm im Rahmen einer Paulusbriefsammlung zu finden. (Ders.: Die Entstehung der Paulusbriefsammlung, S. 66ff und 134)

[11] Für den Gal vgl. F. Vouga: An die Galater; HNT 10. Zur Doppelstruktur in II Kor 3 vgl. D. Starnitzke: Der Dienst des Paulus. Zur Interpretation von Ex 34 in 2Kor 3; in: WuD 25 (1999), S. 193-207. Siehe grundsätzlich auch unten die Überlegungen in der Zusammenfassung.

[12] Vorausgesetzt wird dabei bis auf die jeweils zur Stelle begründeten Abweichungen der Text des Novum Testamentum Graece, 27. Aufl. bzw. des Greek New Testament, 4th Edition.

des Paulus im Besonderen hat auch für den Aufbau des Röm einige Bedeutung. So beginnt Paulus einen Abschnitt, wie oben bereits erwähnt, zumeist in der 1. Person Singular (oder im schriftstellerischen Plural). In selteneren Fällen richtet er eine persönliche Anrede an die Adressaten in der 2. Person Singular oder Plural. Insofern bildet die Orientierung am „Ich" nicht nur einen inhaltlichen Leitfaden des Röm, sondern sie ist auch für die Gliederung des Römerbrieftextes mit bestimmend.

Schon in der Makrostruktur fällt auf, dass der Brief insgesamt durch sehr persönliche Bemerkungen des Paulus (1,1-15 und 15,14-33) und ein Empfehlungsschreiben einer Person (16,1f) mit persönlichen Grüßen des Paulus an Einzelne (16,3-16), Schlussmahnungen (16,17ff) und anschließenden Grüßen einzelner Personen im Umfeld des Paulus (16,21ff) gerahmt ist. Der argumentative Hauptteil 1,16-15,13 beginnt ebenfalls mit einer persönlichen Bemerkung (οὐ γὰρ ἐπαισχύνομαι). Der größere Abschnitt über Israel Kap. 9-11 wird von sehr auf die Person des Paulus bezogenen Eingangsbemerkungen (9,1-3) eingeleitet, während Kap. 12,1ff durch παρακαλῶ wiederum in der 1. Person Singular deutlich ein paränetischer Neuansatz signalisiert wird. Dadurch ergibt sich bereits eine Grobgliederung des Briefes in einzelne Teile, die durch die genannten Formulierungen in der 1. Person Singular miteinander verbunden und zusammengehalten werden.

Diese grobe Unterteilung kann bis ins Detail fortgeführt werden, wenn man Formulierungen in der 1. Person Singular oder Plural oder eine persönliche Anrede in der 2. Person jeweils als Beginn eines neuen Abschnittes auffasst, an dem sich Paulus erneut persönlich zu Wort meldet.[13] Daraus ergibt sich für die größeren Argumentationszusammenhänge folgender Aufbau, wobei die Eingangsformulierungen mit zitiert sind:[14]

---

[13] Einen beachtenswerten Versuch, diesen Aufbau aufzuzeigen hat F. Siegert für den begrenzten Textabschnitt Röm 9-11 vorgelegt (F. Siegert: Argumentation bei Paulus: gezeigt an Röm 9-11; [WUNT 34] Tübingen 1985) Er zeigt, dass die Kapitel durch charakteristische Einleitungsformeln in einzelne Abschnitte gegliedert werden, die oft in der 1. Person formuliert sind.

[14] Zu einer fast identischen Gliederung des Röm kommt F. Vouga: Römer 1,18-3,20 als narratio; in: ThGl 77 (1987), S. 225-236, dort S. 225f. Die einzigen größeren Unterschiede bestehen darin, dass Vouga den ersten größeren Argumentationsabschnitt des Briefkorpus nicht in 1,16, sondern erst in 1,18 beginnen lässt und dass dieser für ihn in 3,20 und nicht bereits in 3,18 endet. Interessant ist bei Vouga vor allem die Orientierung des Aufbaus des gesamten Röm und der Argumentation von Röm 1,18-3,20 an der Selbstreflexion des Paulus, die auf der verallgemeinerungsfähigen Ebene einer Selbstreflexion des Ich geschieht: „Die narratio ist nach den Dispositionen und Regeln der Rhetorik aufgebaut. [...] Aber die Geschichte, die erzählt wird, und die verwendet wird, um die Argumentation zu stützen, ist genau die Geschichte der Bekehrung des Paulus neu verstanden von dem νυνὶ δέ in 3,21 her." (A.a.O., S. 234)

Briefanfang (1,1-15)
Präskript (1,1-7: Παῦλος δοῦλος Χριστοῦ Ἰησοῦ)
Proömium (1,8-15: Πρῶτον μὲν εὐχαριστῶ)

Briefkorpus (1,16-15,13)
Einführung (1,16-32: Οὐ γὰρ ἐπαισχύνομαι)
1. Argumentationsgang: Die Unmöglichkeit der Existenzbegründung durch eigene Taten, Eigenschaften oder Fähigkeiten (2,1-3,18: Διὸ ἀναπολόγητος εἶ, ὦ ἄνθρωπε)
2. Argumentationsgang: Die Begründung der Existenz des einzelnen Menschen nicht durch ihn selbst, sondern durch seinen Glauben an Gott und Christus (3,19-4,25: Οἴδαμεν δὲ ὅτι)
3. Argumentationsgang: Die Begründung der Existenz durch eigene Taten, Eigenschaften und Fähigkeiten oder durch den Glauben an Gott als zwei alternative Lebenskonzeptionen (5,1-8,39: Δικαιωθέντες οὖν ἐκ πίστεως εἰρήνην ἔχομεν)
4. Argumentationsgang: Die Individualisierung des Glaubens am Beispiel Israels (9,1-11,36: Ἀλήθειαν λέγω ἐν Χριστῷ, οὐ ψεύδομαι)
Ethische Folgerungen aus der vorhergehenden Argumentation:
Das Verhalten des Glaubenden als Konsequenz der Neubegründung der Ex-istenz „in Christus" (12,1-15,13: Παρακαλῶ οὖν ὑμᾶς)
Abschluss des Briefkorpus: Die universale Gemeinschaft der Glaubenden (15,8-13: λέγω γὰρ)

Briefschluss (15,14-16,23)
Die universale Verkündigungsabsicht und die individuellen Pläne des Paulus (15,14-29: Πέπεισμαι δέ, ἀδελφοί μου)
Erste Schlussparänese (15,30-33: Παρακαλῶ δὲ ὑμᾶς)
Empfehlung der Phöbe (16,1-2: Συνίστημι δὲ ὑμῖν Φοίβην)
Persönliche Grüße des Paulus (16,3-16: Ἀσπάσασθε)
Zweite Schlussparänese (16,17-20: Παρακαλῶ δὲ ὑμᾶς)
Schlussgrüße der Mitarbeiter des Paulus (16,21-23: Ἀσπάζεται ὑμᾶς)[15]

An dieser Einteilung wird sich die Textinterpretation im folgenden Hauptteil orientieren. Die grobe Gliederung lässt sich dabei gerade unter Beachtung der 1. Person als Kennzeichnung eines neuen Abschnittes noch wesentlich verfeinern.

---

[15] In 16,22 erscheint dabei erneut eine 1. Person Singular, diesmal jedoch für den Briefschreiber Tertius: ἀσπάζομαι ὑμᾶς ἐγὼ Τέρτιος. Die Briefschlüsse in 16,24 und 25-27 sind sekundäre Ergänzungen.

Hauptteil: Interpretation des Römerbrieftextes

Eine wichtige methodische Vorentscheidung des Hauptteiles dieser Untersuchung besteht darin, für den gesamten Brief eine durchgehende formale und inhaltliche Grundstruktur aufzuzeigen. Es wäre ein wesentlich begrenzteres und leichter zu handhabendes Vorhaben, die beiden Arbeitshypothesen an einigen besonders charakteristischen Teilen des Röm aufzuzeigen. Das würde jedoch den gesamten Gedanken- und Argumentationsgang zerstückeln. Demgegenüber besteht der Anspruch der beiden vorgestellten Hypothesen gerade darin, dass die paulinische Argumentation und Denkweise im gesamten Röm sich von dorther erschließen sollen. Die Analyse der einzelnen Texte kann anhand eines quantitativ und qualitativ so anspruchsvollen Textes, wie ihn der Röm darstellt, nicht so umfassend wie etwa in einem Kommentar oder gar wie bei der speziellen Untersuchung einzelner Abschnitte geschehen. Darauf kommt es im Zusammenhang der gewählten Aufgabenstellung aber auch nicht an. Es geht vielmehr darum zu zeigen, dass sich die oben erläuterte formale Grundstruktur und inhaltliche Ausrichtung in allen Teilen des Röm finden und sich von daher so etwas wie ein Gesamtverständnis, Gesamtduktus des Briefes ermitteln lässt. Wenn dies bei der Analyse der einzelnen Abschnitte deutlich würde, wäre das Ziel der vorliegenden Untersuchung erreicht.

Briefanfang (1,1-15)

Präskript (1,1-7)

Das Präskript bildet den typischen Eingangsteil paulinischer Briefe, der in seinen Grundelementen aus superscriptio, adscriptio und salutatio besteht und im Röm in charakteristischer Weise erweitert wird.

Die Selbstvorstellung des Paulus (1,1)

Mit den ersten Worten des Röm wird Paulus als alleiniger Verfasser[1] und Absender des Briefes genannt. Bemerkenswert ist dabei, dass der Selbstvorstellung durch den eigenen Namen sogleich eine zweite Charakterisierung folgt, die deutlich von theologischen und christologischen Termini geprägt ist. Der üblichen Selbstbezeichnung durch den eigenen Namen wird eine theologische Qualifikation gegenübergestellt, die darin besteht, dass Paulus sich als Diener Christi Jesu (V. 1a) versteht.

Bereits das erste Wort des Röm enthält einige Besonderheiten und schwerwiegende Voraussetzungen, die beachtet werden müssen. Paulus ist der einzige Verfasser neutestamentlicher Schriften, von dessen Namen, Identität und persönlicher Biographie man Genaueres weiß. Aus dem Röm selbst lassen sich einige wichtige

---

[1] Vgl. aber Röm 16,22, wo Tertius als Schreiber des Röm genannt wird. In der Antike besaßen die Schreiber zum Teil erheblichen Einfluss auf die Gestaltung des Textes. Der Einfluss des Tertius auf den Röm kann aber kaum eingeschätzt werden. Aufgrund der sehr persönlichen Motivation und Argumentation des Paulus wird er als gering einzustufen sein. Siehe dazu auch unten die ausführlichen Überlegungen zu Röm 16,22.

biographische Angaben entnehmen (vgl. z.B. 1,1-15; 9,1-3; 11,1; 15,14ff). Kombiniert man dies mit anderen, ebenfalls sehr persönlichen Informationen aus anderen Paulusbriefen wie z.B. I Kor 16,1-9; II Kor 1,8-10; 1,15-2,13; 7,5-16; 11,22-12,10; Gal 1,10-2,21; Phil 1,12-26; 3,4-9; 4,14-18, so ergibt sich daraus eine recht konkrete Selbstdarstellung und Vorstellung von einer bestimmten Person. Diese zunächst trivial erscheinende Feststellung hat im Kontext des Neuen Testamentes in mehrfacher Hinsicht einzigartige Bedeutung.

1. In den wahrscheinlich sieben unbestritten echten Paulusbriefen (Röm, I und II Kor; Gal, Phil, I Thess, Phlm) findet sich das für die neutestamentliche Literatur wohl einzigartige Phänomen der Authentizität des Verfassers. Es ist eine bestimmte, historisch qualifizierbare Person, die diese Briefe schreibt. Deren Lebensgeschichte lässt sich durch die Briefe selbst und durch fremde Zeugnisse (z.B. Act) für einen antiken Menschen und biblischen Schriftsteller außergewöhnlich detailliert ermitteln.[2] Wenn man Verfasserauthentizität als eine Voraussetzung für die Entwicklung eines sich seiner selbst bewussten „Ich" ansieht, dann ergeben sich daraus erste Hinweise darauf, dass sich der Gedanke eines solchen „Ich" bereits bei Paulus finden lässt.[3]

2. Das im Röm und den anderen authentischen Paulusbriefen dargelegte Evangelium ist offenbar an die Person des Paulus gebunden und durch sie geprägt. Im Gegensatz zu den anderen Verfassern des NT findet bei Paulus in bestimmter Weise eine Identifikation des vermittelten Inhaltes mit seiner eigenen Person statt. Die Verfasser oder Redaktoren der Evangelien und der Apostelgeschichte kommen zwar an einigen Stellen persönlich zu Wort (z.B. Lk 1,1-4; Joh 21, 24f; Act 1,1-3; eventuell Mk 13,14), sie treten jedoch nicht persönlich in Erscheinung. Die nachpaulinischen Briefschreiber (Kol, Eph, II Thess; I+II Tim; Tit; Hebr; I-III Joh; I Petr; Jud; II Petr) schreiben anonym oder pseudonym. In der Apk stellt sich zwar ein gewisser Johannes als Verfasser vor, von seiner Person ist jedoch allenfalls das möglicherweise persönliche Erlebnis bekannt, das den Inhalt der Apk bildet. In den Paulusbriefen hingegen tritt der Verfasser selbst an zahlreichen Stellen für die Glaubwürdigkeit seines Evangeliums ein (vgl. z.B. I Kor 4,14f; II Kor 11,5ff; Gal 4,13ff; Phil 1,22ff; Phlm 8ff, zumeist mit dem Hinweis auf seine eigene Schwäche). Die Person des Paulus abzulehnen bedeutet seine Botschaft abzuweisen und umgekehrt.[4] Das im Röm und den anderen Paulusbriefen dargelegte Evangelium ist also eine persönliche Botschaft, die von einer bestimmten, identifizierbaren Person übermittelt wird. Es handelt sich – jedenfalls nach dem Selbstverständnis des Autors – nicht um eine bestimmte Lehre im Sinne der Mitteilung von Inhalten, die unabhängig von der Person des Paulus vorgetragen werden könnte. In den anderen unbestritten authentischen Paulusbriefen

---

[2] Zur Rekonstruktion paulinischer Biographie vgl. E. Lohse: Paulus. Eine Biographie; München 1996; K. Haacker: Paulus. Der Werdegang eines Apostels; (SBS 171) Stuttgart 1997, U. Schnelle: Paulus. Leben und Denken; Berlin, New York 2003, S. 27-431.

[3] Vgl. z.B. für die neuere geschichtliche Erforschung des Mittelalters A. J. Gurjewitsch: "Die Veränderungen der Persönlichkeitsstruktur während des Mittelalters können [...] sichtbar gemacht werden [...] am Übergang von der anonymen zur namentlichen Urheberschaft in Literatur und Kunst". (ders.: Das Individuum im europäischen Mittelalter; München 1994, S. 23). Allerdings betont Gurjewitsch, dass es sich dabei immer nur um die Analyse von Texten handeln kann, die keine unmittelbaren, z.B. psychologischen Schlüsse auf die Person des Verfassers zulassen.

[4] Zwar kann Paulus dabei zwar gelegentlich auch ansatzweise eine Differenzierung zwischen dem von ihm gepredigten Evangelium und ihm selbst vornehmen wie etwa Gal 1, 8 (wobei die 1. Person Plural entweder schriftstellerisch gebraucht ist und Paulus meint oder sich auf die 1,2 genannten Mitadressaten bezieht), aber Paulus geht dabei grundsätzlich, wie die folgende Argumentation zeigt, von der Übereinstimmung seiner persönlichen Rede mit dem Evangelium aus.

nennt er zwar Mitabsender, argumentiert dann aber über weite Strecken selbständig als Einzelperson. Nur im I Thess finden sich nicht mehr als drei Stellen in der 1. Person Singular (2,18; 3,5; 5,27).[5]

3. Diese allgemeine Beobachtung spitzt sich im Röm noch dadurch zu, dass hier im Gegensatz zu allen anderen unbestritten echten Paulusbriefen keine Mitabsender angegeben werden, sondern Paulus sich als alleiniger Verfasser zu erkennen gibt. Mit dem Röm handelt es sich somit um das einzige Schreiben des Neuen Testamentes, für das man einen einzigen und klar identifizierbaren Verfasser angeben kann.[6] Zwar wird man sich die konkrete Situation beim Verfassen des Briefes gemäß der in der Antike üblichen Praxis des Briefschreibens komplexer vorstellen müssen – und es war zumindest der Schreiber Tertius (Röm 16, 22) unmittelbar am Schreiben des Briefes mit beteiligt – die Verantwortung für die im Brief entwickelten Gedanken übernimmt jedoch in einer mindestens für die neutestamentlichen Schriften ungewöhnlichen Weise Paulus selbst als einzelne Person.

Diese enge Verknüpfung der Argumentation des Briefes mit der Person des Paulus ist sicherlich nicht zufällig und hat für das Verständnis des Textes unmittelbare Konsequenzen. Indem Paulus die Verkündigung des im Röm dargelegten Evangeliums an seine eigene Person bindet, bekommen sämtliche theologischen Aussagen selbstreferenziellen Charakter. Sie müssen einerseits von der Person selbst plausibilisiert werden und drücken andererseits umgekehrt deren Selbstverständnis aus. Indem Paulus über das Evangelium redet und schreibt, beschreibt er zugleich sich selbst und seine persönlichen Erfahrungen und umgekehrt. Diese selbstreferenzielle Situation der Kommunikation ist im NT offenbar einzigartig. Die intensive Verbindung von Botschaft und Person erklärt die umfangreichen Erläuterungen, die Paulus in seinen Briefen zu seiner eigenen Person gibt. Für den Röm bedeutet dies zunächst, dass er die Botschaft, die er im Brief schriftlich, also ohne persönlich anwesend sein zu können, vorausgeschickt hat, im eigentlichen Wortsinn durch die eigene Person einholen muss und möchte. Damit ist die kommunikative Situation des Röm paradox. Paulus vermittelt darin eine von seiner Person nicht trennbare Botschaft,[7] die in Rom zunächst unabhängig von seiner Person verstanden und angenommen werden soll.[8]

---

[5] Für M. Crüsemann ist dies ein Hinweis darauf, dass der Brief nicht authentisch ist. Vgl. dies.: Die Briefe nach Thessaloniki und das gerechte Gericht. Studien zu ihrer Abfassung und zur jüdisch-christlichen Sozialgeschichte; Dissertation Kassel 1999, S. 70-87.

[6] In seinen anderen Briefen nennt Paulus als Mitabsender: Sosthenes (I Kor), Timotheus (II Kor, Phil und Phlm), „alle Brüder, die bei mir sind" (Gal), Silvanus und Timotheus (I Thess). Die Pastoralbriefe (I und II Tim sowie Tit) geben zwar als Verfasser Paulus als einzelne Person an, sind aber zweifelsohne nicht von Paulus selbst geschrieben oder diktiert. Sie setzen offensichtlich eine spätere Gemeindesituation voraus, die sich grundsätzlich von derjenigen unterscheidet, die in den von Paulus geschriebenen Briefen deutlich wird (vgl. z.B. I Tim 3,1-13; II Tim 1,6; Tit 1,5-9). Auch der Eph, wo Paulus ebenfalls als alleiniger Verfasser erscheint, ist mit großer Wahrscheinlichkeit nicht paulinisch, weil er literarisch offensichtlich vom Kol abhängt, schon der Kol weist aber unter anderem in der Christologie, der Ekklesiologie und dem dort dargelegten paulinischen Selbstverständnis erhebliche Differenzen zu den unbestritten echten Paulusbriefen auf; diese Unterschiede schreibt der Eph fort. Die Angabe der alleinigen Verfasserschaft ist daher, wenn man den Röm als unbestreitbar authentischen Paulusbrief ausnimmt, geradezu ein Zeichen für Pseudographie!

[7] Er betont deshalb auch in 1,11-13, dass er den sehnlichen Wunsch hegt, die Adressaten persönlich zu sehen.

[8] Zu dieser paradoxen Kommunikationssituation vgl. auch für den II Kor B. Bosenius: Die Abwesenheit des Apostels als theologisches Programm. Der zweite Korintherbrief als Beispiel für die Brieflichkeit der paulinischen Theologie; (TANZ 11) Tübingen und Basel 1994.

Dabei ist jedoch zu beachten, dass bei Paulus im besonderen und bei der Gattung des Briefes im allgemeinen schreibendes und geschriebenes „Ich" nicht einfach miteinander identifiziert werden können.[9] Die Selbstdistanzierung und Selbstunterscheidung des schreibenden „Ich" von einem geschriebenen „Ich" beinhaltet dabei auch spezifische Chancen. „1. Die Unterscheidung zwischen dem schreibenden ‚Ich' und dem geschriebenen ‚Ich' gibt dem ersteren die Möglichkeit, sich selbst wie einen anderen zu betrachten und sein eigenes Selbstverständnis zu thematisieren. 2. Die Unterscheidung zwischen dem schreibenden ‚Ich' und dem geschriebenen ‚Ich' gibt dem ersteren die Möglichkeit, sich hinter den Gegenstand der Kommunikation zurückzuziehen. Was den Brief dabei von der mündlichen Kommunikation unterscheidet, ist seine Fähigkeit, die digitale Kommunikation von der analogen abzukoppeln bzw. die beiden so zu unterscheiden, dass analoge Elemente der Kommunikation weitgehend unter Kontrolle bleiben. 3. Die Unterscheidung zwischen dem schreibenden ‚Ich' und dem geschriebenen ‚Ich' gibt dem ersteren die Möglichkeit, das zweite als Identifikationsangebot für das ‚Du' zu entfalten."[10]

Bemerkenswert ist unter diesen Voraussetzungen, dass Paulus seinem Eigennamen sogleich eine zweite Bestimmung hinzufügt: δοῦλος Χριστοῦ Ἰησοῦ. Damit ist gleich zu Beginn klargestellt, dass der Verfasser seine Identität in doppelter Weise bestimmt: anthropologisch und theologisch bzw. christologisch. Als Mensch wird er von anderen Menschen mit einem bestimmten Namen bezeichnet und kann sich deshalb auch selbst so nennen. Theologisch gesehen versteht er sich jedoch als Diener oder Knecht Christi Jesu. Der Begriff δοῦλος ist dabei nicht in Bezug auf den sozialen Status zu verstehen.[11] Der Begriff ist von Paulus vielmehr christologisch gemeint und bezeichnet damit jene eigentümliche Verbindung von Abhängigkeit gegenüber Christus und daraus resultierender Freiheit, die im Röm insgesamt entfaltet werden wird.

Der Verfasser des Röm stellt sich damit in gewisser Weise mit einer doppelt bestimmten Identität vor. Diese Selbstbezeichnung ist nicht zufällig. Sie initiiert die durchgehende Doppelstruktur des Briefes, nach der einer geläufigen menschlichen Sicht (hier die Benennung mit dem Eigennamen Paulus) jeweils eine theologisch bzw. christologisch geprägte, zweite Sicht gegenübergestellt wird (hier „Knecht Christi Jesu usw.). Die Selbstbestimmung des Paulus als δοῦλος verweist bereits auf die Argumentation in 6,15-7,6, nach der jeder Mensch entweder der Sünde dient und der Gerechtigkeit gegenüber frei ist oder umgekehrt. Mit Hilfe des Begriffspaares δοῦλος – ἐλεύθερος wird diese Situation dort reflektiert. Damit wird eine grundsätzliche Doppelstruktur menschlicher Existenz deutlich, die eingehend in 7,7ff reflektiert wird und deren kommunikative und praktische Konsequenzen für Paulus Röm 15,17f

---

[9] Diese Differenz hat A. Reichert erneut mit der methodischen Unterscheidung einer autorbezogenen, extratextuellen und einer textbezogenen, innertextuellen Seite verdeutlicht. Vgl. dies.: Der Römerbrief als Gratwanderung, (FRLANT 194) Göttingen 2001, besonders S. 71ff.

[10] F. Vouga: Der Brief als Form der apostolischen Autorität; in: K. Berger, F. Vouga, M. Wolter, D. Zeller: Studien und Texte zur Formgeschichte; (TANZ 7) Tübingen und Basel 1992, S. 7-58, dort S. 37.

[11] K. Haacker geht hier etwas zu weit, wenn er den Begriff ausdrücklich positiv auffasst. Für ihn sollte der Begriff „hier nicht mit ‚Knecht' (so die Übersetzungstradition) oder gar ‚Sklave' wiedergegeben werden, weil das die negative Vorstellung einer entwürdigenden Abhängigkeit weckt. Die Fortsetzung verlangt, daß eine ausschließlich positiv zu verstehende Funktionsbezeichnung gemeint ist." (K. Haacker: Der Brief des Paulus an die Römer; ThHK 6, S. 21.) Deshalb übersetzt Haacker zu frei: „im Dienste des Christus Jesus".

formuliert werden wird.[12] Röm 7 und 8 wird die Doppelidentität der Menschen im allgemeinen und der an Christus Glaubenden im besonderen durch Gegenüberstellungen wie „Ich – nicht mehr Ich" (7,17 und 20) oder πνεῦμα – σάρξ (8,4ff) analysiert. Diese doppelte Qualifikation der Identität gilt nicht nur für die Person des Paulus selbst oder generalisiert für das ἐγώ in Röm 7, sondern auch die anderen im Briefrahmen genannten Personen (vgl. Kap. 16,1ff) – mit Ausnahme des Erastus in 16,23 – werden in entsprechender Weise doppelt qualifiziert: durch ihren geläufigen Namen und ihre zusätzliche theologische und christologische Benennung.[13] Auch die anderen unbestritten authentischen Paulusbriefe weisen diese doppelte Qualifizierung der Person des Paulus auf (ἀπόστολος im I und II Kor, Gal; δοῦλος im Phil; δέσμιος im Phlm). Allein der I Thess macht eine Ausnahme, was entweder Zweifel an seiner Authentizität aufkommen lassen kann[14] oder vielleicht damit erklärt werden kann, dass Paulus bei diesem möglicherweise frühesten Brief die genannte Doppelstruktur noch nicht programmatisch entwickelt hatte.

Dieser ersten christologisch-theologischen Selbstcharakterisierung des Paulus wird mit κλητὸς ἀπόστολος V. 1b eine zweite hinzugefügt. Der Terminus ἀπόστολος ist dabei im allgemeinen Sprachgebrauch zunächst nicht besonders theologisch qualifiziert, sondern bezeichnet zunächst „die Sendung eines Boten".[15] „Die Voraussetzungen für den Apostelbegriff liegen in der antiken Praxis und Theorie des Botendienstes".[16] Hier im Röm geschieht aber deutlich eine Theologisierung des Begriffs, und zwar erstens durch das κλητός und zweitens durch die folgende, nähere Bestimmung der Nachricht, mit der Paulus ausgesandt wurde als Evangelium Gottes. Charakteristisch für den neutestamentlichen Gebrauch des Begriffes ἀπόστολος ist dabei, dass er sich nicht mehr, wie außerhalb des NT, auch auf den Akt der Sendung bezieht, sondern lediglich auf den Boten selbst.[17] Es ist die gute Botschaft Gottes, die aus Paulus einen Boten macht, der sich von anderen unterscheidet und sich deshalb nun auch in einem speziellen theologischen Sinne Apostel nennen kann. Das wird durch das hinzugefügte κλητός unterstrichen. Damit verweist Paulus zum einen auf seine persönliche Berufung, durch die sich seine Existenzweise radikal veränderte und durch die er das Evangelium empfangen hat (vgl. Gal 1,11f), zum anderen wird καλέω im folgenden im Röm generell als terminus technicus für die Berufung durch Gott verwendet (vgl. 1,6.7.; 8, 28.30; 9, 7.12.24.25.26). Der Apostelbegriff bezieht sich dabei für Paulus nicht auf einen

---

[12] Vgl. dazu auch den ersten Teil der Einführung dieser Untersuchung.

[13] Vgl. dazu besonders unten die Ausführungen zum Kapitel 16.

[14] Siehe dazu neuerdings wieder M. Crüsemann: Die Briefe nach Thessaloniki und das gerechte Gericht. Studien zu ihrer Abfassung und zur jüdisch-christlichen Sozialgeschichte; Dissertation Kassel 1999.

[15] Bei Josephus findet sich der Begriff zweimal (Antiquitates 1,146 und 17,300), wobei die erste Stelle textkritisch nicht ganz sicher ist. "Hier (Ant 17,300) hat es die Bedeutung *Absendung von Gesandten* [...] An der zweiten Stelle (Ant 1,146) ist ἀπόστολος synonym mit [...] ἀποστολή". (K.H. Rengstorf: Artikel ἀποστέλλω (πέμπω) κτλ.; in: ThWNT, Bd. 1, hrsg. v. G. Kittel; Nachdruck Stuttgart 1949, S. 397-448, dort S. 413.)

[16] K. Haacker: Der Brief des Paulus an die Römer, S. 22, mit Bezug auf J. A. Bühner: Der Gesandte und sein Weg im vierten Evangelium; Tübingen 1977. Vgl. dazu auch für die damalige jüdische Briefpraxis I. Taatz: Frühjüdische Briefe. Die paulinischen Briefe im Rahmen der offiziellen religiösen Briefe des Frühjudentums; (NTOA 16) Göttingen 1991, S. 113f.

[17] „Völlig verschwunden ist der Gebrauch von ἀπόστολος, der der außerbiblischen Literatur einschließlich Josephus geläufig ist [...] ἀπόστολος bezeichnet im NT niemals den Sendeakt oder in übertragenem Sinne den Gegenstand der Sendung, sondern ist überall die *Bezeichnung eines Menschen, der gesandt ist*, eines Gesandten, und zwar eines *bevollmächtigten Gesandten*." (K. H. Rengstorf: Artikel ἀποστέλλω κτλ., a.a.O., S. 421, Hervorhebungen von Rengstorf.)

bestimmten Personenkreis (etwa die zwölf Jünger Jesu) und einen damit verbundenen Titel wie etwa Mt 10,2 oder Lk 22,14 und 24,10.[18] So kann er Röm 16,7 auch die sonst im NT unbekannten Andronikos und Junia (als Frau) als „Angesehene unter den Aposteln" bezeichnen.

Der Ausdruck ἀφωρισμένος εἰς εὐαγγέλιον θεοῦ leitet schließlich eine dritte theologische Selbstcharakterisierung ein. Speziell die Kombination mit καλέω erinnert an den autobiographischen Bericht Gal 1,15f, nach dem Paulus schon vom Mutterleibe an von Gott ausgesondert und berufen worden ist (ὁ ἀφορίσας με [...] καὶ καλέσας ...). Gegenüber der geläufigen Bedeutung des Briefbotens wird dann die theologische Perspektive durch den Ausdruck des „Evangeliums Gottes"[19] eingebracht. Der Begriff des Evangeliums bildet einen zentralen Terminus der christlichen Theologie (vgl. z.B. Mk 1,1), der zum Teil aus alttestamentlich-jüdischer Tradition,[20] zum Teil aus hellenistischem Sprachmilieu[21] abgeleitet wird. Der Stellenbefund im Röm spricht jedoch nicht unbedingt dafür, dass dem Begriff hier eine besonders zentrale Bedeutung zukommt. Er kann hier entweder absolut stehen (1,16; 10,16; 11,28) oder durch einen Genitiv näher erläutert werden, und zwar theologisch qualifiziert 1,1 und 15,16, christologisch 15,19 und in christologisch-theologischer Kombination 1,9 (εὐαγγέλιον τοῦ υἱοῦ αὐτοῦ) und 1,3 (περὶ τοῦ υἱοῦ αὐτοῦ).[22] Das Verb εὐαγγελίζεσθαι findet sich 1,15; 10,15 und 15,20. Wenn man berücksichtigt, dass 10,15 aus einem alttestamentlichen Zitat stammt, das 10,16 wieder aufgenommen wird, findet sich der Begriff also nur an einer einzigen Stelle (11,28)[23] im Briefkorpus und ist sonst ganz auf den Briefanfang 1,1-17 und Briefschluss 15,14ff beschränkt. Röm 1,16f bildet dabei einen Übergang vom Briefanfang zum ersten argumentativen Teil. Es leitet einerseits in der 1. Person Singular die Argumentation des Briefkorpus ein, ist dabei andererseits aber noch deutlich im persönlichen Stil des Briefanfanges geschrieben. Es geht Paulus also offenbar in der ausführlichen Argumentation des Briefkorpus von 1,18-15,13 nicht thematisch zentral um eine inhaltliche Darlegung des Evangeliums Gottes bzw. Christi, sondern der Begriff bezieht sich einfach im brieflichen Rahmen auf seine bisherige Missionstätigkeit und seine zukünftigen Missionspläne.[24] Mit dem Begriff ist also vor allem die konkrete Reisetätigkeit des Paulus gemeint, die dann allerdings christologisch und theologisch qualifiziert wird. Es geht Paulus offenbar nicht nur ums Reisen und Predigen, sondern um eine Tätigkeit Gottes und Christi durch ihn (vgl. 15,17f und die Einführung der vorliegenden Untersuchung). Er meint, die Botschaft, die er als

---

[18] I Kor 15,4 wird sogar explizit zwischen den Zwölfen und „allen Aposteln" unterschieden.

[19] „In εὐαγγέλιον τοῦ θεοῦ Röm 1,1 aus bezeichnet der Gen. den Urheber (erläutert V 3 mit περὶ τοῦ υἱοῦ αὐτοῦ)." (vgl. Blass, Debrunner, Rehkopf: Grammatik des neutestamentlichen Griechisch, § 163, 2)

[20] Vgl. P. Stuhlmacher: Das paulinische Evangelium I. Vorgeschichte; (FRLANT 95) Göttingen 1968.

[21] Vgl. G. Strecker: Das Evangelium Jesu Christi; in: ders. (Hrsg.): Jesus Christus in Historie und Theologie. Festschrift für Hans Conzelmann; Tübingen 1975, S. 503-548.

[22] In der sekundären Glosse 2,16 und im sekundären Briefschluss 16,25 wird außerdem vom εὐαγγέλιον μου gesprochen, eine zweifellos unpaulinische Wendung.

[23] An dieser einzigen Stelle wird die Bedeutung des Begriffes sogar noch durch den der Auswahl Gottes relativiert.

[24] Z.B. gegen P. Stuhlmacher: Das paulinische Evangelium; I. Vorgeschichte; (FRLANT 95) Göttingen 1968, der diese unmittelbare Bindung des Begriffes an die persönlichen Verkündigungs- und Reiseabsichten nicht thematisiert. Die Behauptung, dass es im Röm insgesamt und grundsätzlich um eine Darlegung des paulinischen Evangeliums gehe, lässt sich nur dadurch konstruieren, dass man 1,16f als Thema des gesamten Briefes auffasst. V. 16f ist nach der unten vorgeschlagenen Interpretation aber lediglich als Anfang des ersten Argumentationsteiles aufzufassen.

Gesandter zu überbringen habe, stamme von Gott (1,1) und handle von Christus (1,3). Er habe schon länger versucht, nach Rom zu reisen und auch dort zu verkündigen (1,9f). Nun endlich wolle er dieses Reisevorhaben wahr machen und in Rom predigen, wobei er sich der Verkündigung dieser Botschaft nicht schäme (1,16). Nicht alle Menschen seien von seiner Botschaft überzeugt (10,16). Die Ablehnung durch die Juden habe ihm Gelegenheit gegeben, die Botschaft an die Nichtjuden zu richten (11,28). Seine Verkündigung sei mit einem Priesterdienst vergleichbar (15,16). Die Missionstätigkeit habe ihn bislang von Jerusalem bis Illyrien geführt (15,19) und er habe dabei dort verkündigt, wo Christus noch nicht bekannt gewesen wäre.

Insofern ist der Begriff des Evangeliums inhaltlich nicht unmittelbar für den Röm zentral, er spielt aber mittelbar eine wichtige Rolle, weil Paulus durch die Argumentation im Briefkorpus erreichen möchte, dass er nach Rom und darüber hinaus reisen und dort predigen kann.

Die drei genannten christologisch-theologischen Selbstbeschreibungen sind einerseits als „Autorisierung des Absenders durch die Behauptung seines apostolischen Auftrages"[25] ein festes Formelement des Apostelbriefes. Andererseits drückt sich darin aber auch ein bestimmtes Selbstverständnis des Paulus aus. Das wie hier im Präskript von nun an ständig wiederkehrende Thematisieren der eigenen Person des Paulus besitzt, wie im Schlussteil der Einführung gezeigt wurde, zugleich eine wichtige Funktion für die Strukturierung der einzelnen Briefteile. Die relativ selbständigen Teile Kap 1-4; Kap. 5-8; Kap. 9-11; 12,1 - 15,13 werden durch persönliche Bemerkungen des Paulus eingeleitet und miteinander verbunden. „Röm 1,13-17 würde in 1,18-4,25 thematisiert werden, Röm 5,3-5 den Ausgangspunkt für Röm 5,6-8,39 bilden, Röm 9,1-5 die Kapitel 9-11 einleiten und 12,1 den apostolischen paränetischen Teil von Röm 12,1-15,13."[26]

---

[25] Vgl. F. Vouga: Der Brief als Form der apostolischen Autorität, S. 8.
[26] F. Vouga: Argumentation und Logik. Der Aufbau des Römerbriefes; Zwischenspiel I, S. 8. In: F. Vouga; Pierre-André Stucki: Das christliche Paradox und die Rationalität; unveröffentlichtes Manuskript.

Das Verhältnis des paulinischen Evangeliums zu den heiligen Schriften (1,2)

Durch ὅ wird an diese erste Selbstdefinition des Paulus durch die Abhängigkeit von Christus Jesus, die Berufung zum Apostel und die Beauftragung zur Evangeliumsverkündigung eine nähere Bestimmung dieses von Paulus gepredigten Evangeliums angefügt. Es wird wiederum durch eine Gegenüberstellung charakterisiert, die sich an der Doppelperspektive von geläufiger menschlicher und theologisch-christologisch bestimmter Sicht orientiert. Das grundsätzliche Verhältnis alttestamentlicher Texte zur paulinischen Botschaft wird unten speziell für den Begriff des νόμος zu Röm 2,12 und in den ausführlichen Überlegungen zu Röm 10,4 behandelt werden. V. 2 liefert jedoch bereits eine erste Verhältnisbestimmung zwischen Heiligen Schriften (undeterminiert) offenbar der Juden und dem von Paulus gepredigten Evangelium Christi. Durch den Ausdruck διὰ τῶν προφητῶν αὐτοῦ ἐν γραφαῖς ἁγίαις soll zunächst ausgedrückt werden, dass der Inhalt der heiligen Schriften von Menschen vermittelt wurde, nämlich von Gottes Propheten. Es handelt sich insofern um menschliche Worte, die zunächst als bekannte Texte eine geläufige Sicht wiedergeben, die dann zusätzlich theologisch interpretiert werden muss. Das ἐν γραφαῖς ἁγίαις meint, wie die zahlreichen im Röm vorfindbaren Schriftbezüge zeigen, offensichtlich vor allem die Schriften, die uns heute unter der etwas fragwürdigen Bezeichnung „Altes Testament" geläufig sind. Das Verhältnis von heiligen, also biblischen Schriften[1] und Evangelium des Sohnes Gottes wird gleich zu Beginn des Briefes in theologischer bzw. christologischer Perspektive durch die Vorstellung des vorher Verheißens oder Versprechens oder Ankündigens beschrieben (ὃ προεπηγγείλατο). In den folgenden Kapiteln kann Paulus deshalb auf diese Schriften zurückgreifen und sie unter dem Aspekt der Verheißung auf Christus hin deuten.

Der Röm ist der paulinische Text, in dem sich bei weitem die meisten Bezüge auf das Alte Testament finden.[2] Einen Schlüssel für deren Verständnis bietet V. 2: Die Texte weisen für Paulus auf das von ihm gepredigte Evangelium Christi hin, wenn sie unter dem Aspekt der Verheißung verstanden werden. In diesem Sinne wird Paulus im folgenden an zahlreichen Stellen alttestamentliche Texte aufnehmen. Er führt sie zumeist in geläufiger menschlicher Sicht als den Menschen bekannte und durch Menschen (Propheten) mitgeteilte Texte ein, um sie dann in einer durch sein Evangelium spezifisch theologisch bzw. christologisch geprägten zweiten Perspektive unter dem Verheißungsaspekt auf Christus hin zu interpretieren. D.-A. Koch hat diesbezüglich darauf hingewiesen, dass ein großer Teil der alttestamentlichen Zitate im Röm nicht durch die theologische Einleitungsformel ὁ θεὸς λέγει oder ähnliches

---

[1] Vgl. dazu die Materialsammlung bei H Hübner (Hrsg.): Vetus Testamentum in Novo, Bd. 2: Corpus Paulinum; Tübingen 1997. Zur Bezeichnung „Altes Testament" vgl. kritisch F. Crüsemann: Wie alttestamentlich muß evangelische Theologie sein? In: EvTh 57 (1997), S. 10-18. Ihm geht es darum: "das Alte Testament wieder in die Rolle einzusetzen, die es für die neutestamentlichen Autoren – und noch lange danach – gehabt hat, nämlich als *die Schrift* bzw. *die Schriften*. Damit findet zugleich der leidige Streit um die Bezeichnung (Altes/Neues Testament, hebräische Bibel) eine sachgemäße Lösung." (A.a.O., S. 16, Hervorhebungen von Crüsemann). Zur Verwendung der Schrift bei Paulus vgl. exemplarisch an einer der Kernstellen II Kor 3 D. Starnitzke: Der Dienst des Paulus. Zur Interpretation von Ex 34 in 2 Kor 3; in: WuD 25 (1999), S. 193-207.

[2] Vgl. H. Hübner (Hrsg.): Vetus Tetamentum in Novo, S. 1-219 (!), der dort die zahlreichen Bezüge zum AT im Detail aufführt.

gekennzeichnet ist, sondern durch zurückhaltende Formulierungen wie καθὼς γέγραπται oder ἡ γραφὴ (oder Mose oder Jesaja) λέγει. Diese legen den Schwerpunkt deutlich auf die Geläufigkeit der Texte und nehmen demgegenüber den Aspekt des Gotteswortes zurück. „Hieraus ist sicher nicht auf eine von Pls beabsichtigte Relativierung der Autorität der angeführten Zitate zu schließen, aber für ihn steht offenbar die Schrift als vorgegebener Text im Vordergrund, in dem jetzt Gottes Wort zugänglich ist."[3] Diese Texte müssen deshalb für Paulus in einem zweiten Schritt jeweils theologisch bzw. christologisch von ihrem Verheißungsaspekt her ausgelegt werden. Das geschieht im folgenden im Röm an zahlreichen Stellen in der Form, dass Paulus zunächst eine Schriftstelle in ihrem bekannten Wortlaut zitiert und dieser dann in theologischer Perspektive eine Deutung gegenüberstellt, die vom Aspekt der Verheißung und dem Bezug auf Christus bestimmt ist (vgl. 10,4 und unten die Ausführungen zu dieser Stelle). Zusätzlich können Zitate aus dem AT jedoch auch die Funktion haben, einen Argumentationsabschnitt zu beenden (vgl. z.B. 3,10-18; 9,25-29 und öfter). Welche Schrifttexte Paulus konkret verwendet und wie er sie aus der genannten Sicht (re-) interpretiert, wird unten zu den jeweiligen Stellen im Detail zu untersuchen sein.

Bei der Frage nach dem Umgang des Paulus mit alttestamentlichen Schriftstellen ist darauf zu achten, dass es nicht nur um hermeneutische Probleme geht, sondern mit diesen Problemen stellen sich auch Fragen der Kontinuität oder Diskontinuität des Paulus in seiner persönlichen Lebensgeschichte. Es fragt sich, ob Paulus die Neubegründung seines Glaubens an Christus noch im Rahmen des Überzeugungssystems des Judentums fassen kann,[4] aus dem er stammt und von dem her er sein Selbstverständnis zumindest in der Vergangenheit definiert hat (vgl. Phil 3,4-6; Gal 1,13f). Es geht also über hermeneutische Probleme hinausgehend um die Frage der Identität des Paulus. Die intensive Auseinandersetzung mit den heiligen Schriften, die im Röm in einem Umfang geschieht, der sich von den anderen Paulusbriefen deutlich unterscheidet, bedeutet in diesem Kontext, dass Paulus sich bemüht, über weite Strecken der Argumentation die Kontinuität[5] und Diskontinuität seiner Christologie und Theologie mit den heiligen jüdischen Schriften aufzuzeigen.[6] Es ist Paulus also insofern im Röm auch daran gelegen, die Integrität und zugleich die Brüche seiner Lebensgeschichte zu reflektieren (vgl. dazu besonders die grundsätzlichen Ausführungen zu 7,7-25a und 8,1ff).

---

[3] D.-A. Koch: Die Schrift als Zeuge des Evangeliums. Untersuchungen zur Verwendung und zum Verständnis der Schrift bei Paulus; (BHTh 69) Tübingen 1986, S. 32. Siehe dazu auch unten die Ausführungen zu Röm 11,7.

[4] Das ist unter anderem auch die Fragestellung von D. Boyarin: A radical Jew. Paul and the politics of identity; London 1994. Boyarin meint dazu a.a.O., S. 2: „I would like to reclaim Paul as an important Jewish thinker. On my reading of the Pauline corpus, Paul lived and died convinced that he was a Jew living on Judaism."

[5] Im Phil (3,7ff) und Gal (1,11f und 15f) betont er demgegenüber viel deutlicher die Diskontinuität mit der jüdischen Tradition, die sich für ihn durch die Offenbarung Jesu Christi ergab. Vgl. dazu auch für den Gal F. Vouga: An die Galater; HNT 10, z.B. S. 95.

[6] Zu der ungeheuren Fülle der alttestamentlichen Bezüge vgl. die bei H. Hübner (Hrsg.): Vetus Testamentum in Novo, S. 1-219 genannten Belege.

Christologische Definition (1,3f)

V. 3f bringen eine nähere Definition Jesu Christi als des *Inhalts* (περί)[1] des Evangeliums, nachdem bereits 1,1 Gott als *Urheber* des Evangeliums genannt worden war. „Die beiden Partizipialsätze werden seit Weiß weithin als von Paulus erweitertes Zitat eines urchristlichen Bekenntnisses angesehen."[2] Als Grundbestand dieses Bekenntnisses konnte etwa die deutlich parallele Konstruktion

τοῦ γενομένου   ἐκ σπέρματος Δαυὶδ   κατὰ σάρκα
τοῦ ὁρισθέντος   υἱοῦ θεοῦ   κατὰ πνεῦμα ἁγιωσύνης

angenommen werden,[3] wobei die Vorstellung von der davidischen Abstammung und die sonst bei Paulus fehlenden Ausdrücke ὁρίζειν und πνεῦμα ἁγιωσύνης als vorpaulinische Formulierungen angesehen werden.[4] An diese Annahme eines traditionellen christologischen Bekenntnisses schlossen sich verschiedene Versuche an, die Redaktionsgeschichte bis zur im Röm vorliegenden Fassung zu rekonstruieren. „Das Signal dazu gab E. Schweizer 1955 mit seiner These einer ‚Zweistufenchristologie' in Röm 1,3 f. Danach wird die davidische Messianität von V. 3 durch die pneumatische nachösterliche Gottessohnschaft von V. 4 überhöht. Diese These fand breite Zustimmung und wurde von P. Stuhlmacher 1967 weiter ausgebaut im Sinne einer ‚Dreistufenchristologie', indem das περὶ τοῦ υἱοῦ αὐτοῦ von V. 3a als Ausdruck einer vorgeschalteten Präexistenzchristologie erklärt wurde."[5] Bereits E. Linnemann hat jedoch diese Konstruktion einer mehrstufigen Christologie in Frage gestellt. „Sohn Gottes" sei für sich kein Ausdruck für Präexistenz, dessen syntaktische Überordnung spreche nicht für ein zeitliche Vorordnung und V. 3 rede nicht von Messianität, sondern nur von Davidssohnschaft.[6] K. Haacker meint, dass die genannten Kriterien für eine vorpaulinische Formel zum großen Teil nicht stichhaltig sind.[7] Es bleibt als Indiz für eine vorpaulinische Formel aber vor allem der etwas eigenartige Ausdruck πνεῦμα ἁγιωσύνης. Wenn man denjenigen Interpreten des Röm folgt, die annehmen, dass Paulus die Formel nicht selbständig gebildet hat, entbindet das jedoch gerade nicht davon, diese im Rahmen der paulinischen Theologie zu interpretieren. Denn wenn Paulus sie an dieser markanten Stelle zu Beginn des Röm aufnimmt und möglicherweise in bestimmter Weise modifiziert, macht er sie sich damit zugleich zu eigen und verändert sie für seine Zwecke.

Mit V. 3f wird das christologische Konzept dargestellt, an dem sich das paulinische Evangelium orientiert. Von der zentralen Stelle Röm 15,17f her (vgl. dazu die Einführung) wird damit schon zu Beginn des Briefes gesagt, wie dieser Jesus Christus verstanden werden muss, der durch Paulus wirkt. Auf der Basis des in der

---

[1] Das περί bezieht sich auf εὐαγγέλιον V. 1, vgl. Blass, Debrunner, Rehkopf: Grammatik des neutestamentlichen Griechisch, § 163,2.

[2] K. Haacker: Der Brief des Paulus an die Römer; ThHK 6, S. 25, mit Bezug auf J. Weiß: Das Urchristentum; hrsg. und ergänzt von R. Knopf; Göttingen 1917, S. 89.

[3] K. Haacker betont jedoch dabei: "Ein Konsensus über den Wortbestand der Vorlage und die Zutaten des Paulus ist bis heute nicht in Sicht, was der Plausibilität der These Abbruch tut: die Abgrenzungsprobleme verraten eine Unsicherheit in den Kriterien." (Haacker, a.a.O., S. 25)

[4] Siehe z.B. U. Wilckens: Der Brief an die Römer; EKK VI,3, S. 56f.

[5] K. Haacker: Der Brief des Paulus an die Römer; ThHK 6, S. 26, mit Bezug auf E. Schweizer: Röm 1,3 f und der Gegensatz von Fleisch und Geist vor und bei Paulus; in: EvTh 15 (1955), S. 563-571 und P. Stuhlmacher: Theologische Probleme des Römerbriefpräskriptes; in: EvTh 27 (1967), S. 374-389.

[6] E. Linnemann: Tradition und Interpretation in Röm 1,3 f; in: EvTh 31 (1971), S. 264-271.

[7] K. Haacker: Der Brief des Paulus an die Römer; ThHK 6, S. 25.

Einführung vorgeschlagenen Ansatzes bei einer geläufigen menschlichen und einer theologisch geprägten Doppelperspektive sind V. 3f relativ einfach zu strukturieren. Es geht in V. 3 zunächst um eine menschliche Sicht, die in V. 4 theologisch modifiziert wird. Leitend ist durch den Anschluss von V. 3a an V. 1 und 2 zunächst der Begriff des Sohnes (περὶ τοῦ υἱοῦ αὐτοῦ), also eine aus familiären Beziehungen bekannte Bezeichnung.[8] Diese wird jedoch durch einen doppelten Genitiv V. 3b und 4a in sich differenziert. Das geschieht mit Hilfe eines Begriffspaares, das im folgenden an wichtigen Stellen wieder aufgenommen wird: σάρξ – πνεῦμα. R. Bultmann hat hier mit Recht gemeint, dass zumindest das Gegensatzpaar κατὰ σάρκα – κατὰ πνεῦμα (zusammen mit ἁγιωσύνης) von Paulus selbst eingefügt worden sein muss,[9] denn die beiden Begriffe σάρξ und πνεῦμα sind für den Brief grundlegend.[10] Πνεῦμα ist dabei durch den Zusatz ἁγιωσύνης näher bestimmt und gibt damit eindeutig die theologische Perspektive wieder. Mit diesem Gegensatzpaar sind in der dortigen Gegenüberstellung einer geläufigen menschlichen und einer theologisch geprägten Perspektive in V. 3f durch einen Parallelismus der Glieder zwei weitere Gegensatzpaare verbunden: τοῦ γενομένου – τοῦ ὁρισθέντος sowie ἐκ σπέρματος Δαυὶδ – ἐξ ἀναστάσεως νεκρῶν. Des weiteren entsprechen sich περὶ τοῦ υἱοῦ αὐτοῦ und υἱοῦ θεοῦ ἐν δύναμει. Man gelangt damit, wenn man in V. 3 τοῦ γενομένου und in V. 4 ἐξ ἀναστάσεως νεκρῶν vorzieht, zu folgender Parallelstruktur:

(τοῦ γενομένου)	τοῦ υἱοῦ αὐτοῦ	ἐκ σπέρματος Δαυὶδ
κατὰ σάρκα		
τοῦ ὁρισθέντος	υἱοῦ θεοῦ ἐν δυνάμει	(ἐξ ἀναστάσεως νεκρῶν)
κατὰ πνεῦμα ἁγιωσύνης.		

Der Parallelismus ist nicht antithetisch, sondern der zweite Teil ergänzt und steigert den ersten.[11] Damit wird gezeigt, dass Jesus Christus grundsätzlich doppelt qualifiziert ist. Er ist Sohn, diese Sohnschaft wird nun jedoch nicht nur auf einen Menschen, sondern auch auf Gott bezogen. Die Verse erläutern das, indem einerseits die Sohnschaft Christi als Nachkommenschaft aus dem Samen Davids verstanden wird (τοῦ γενομένου) und dieser andererseits die direkte Relation zu Gott gegenübergestellt wird. Möglicherweise

---

8 Zu den von Paulus verwendeten Metaphoriken und speziell zur „Oikos-Metaphorik", die sich auch auf die Verwandtschaftsverhältnisse bezieht, vgl. P. von Gemünden und G. Theißen: Metaphorische Logik im Römerbrief. Beobachtungen zu dessen Bildsemantik und Aufbau; in: R. Bernhardt, U. Link-Wieczorek (Hrsg.): Metapher und Wirklichkeit. Die Logik der Bildhaftigkeit im Reden von Gott, Mensch und Natur; Dietrich Ritschl zum 70. Geburtstag; Göttingen 1999, S. 108-131, besonders S. 121ff.

9 Vgl. R. Bultmann: Theologie des Neuen Testaments, S. 52. Dem widerspricht U. Wilckens, weil der Ausdruck seiner Meinung nach unpaulinisch sei und auf hebräische Formulierungen zurückgehe (vgl. U. Wilckens: Der Brief an die Römer; EKK VI, 3, S. 57). Die palästinisch-jüdische Herkunft der paulinischen Terminologie betont neuerdings auch mit Verweis auf die Texte aus Qumran J. Frey: Die Antithese von Fleisch und Geist und die palästinisch-jüdische Weisheitstradition; in: ZNW 90 (1999), S. 44-77.

10 Σάρξ taucht im Röm noch auf in 2,28; 3,20; 4,1; 6,19; 7,5.18.25 (sekundär); 8,3.4.5.6.7.8.9.12.13; 9,3.5.8; 11,14; 13,14, der Begriff πνεῦμα in 1,9; 2,29; 5,5; 7,6; 8,2.4.5.6.9.10.11.13.14.15.16.23.26.27; 9,1; 11,8; 12,11; 14,17; 15,13.16.19.30. Eine Kombination der beiden Begriffe findet sich also neben 1,3f; 2,28f und 7,5f vor allem in Röm 8,2ff.

11 Vgl. J. M. Scott: Adoption as Sons of God. An Exegetical Investigation into the Background of ΨOIΘEΣIA in the Pauline Corpus; (WUNT 2,48); Tübingen 1992, S. 239: „The second attribute participial clause does not, as most scholars assume, stand in *antithetical* parallelism to the first, but rather in *climatic* parallelism." (Hervorhebungen von Scott)

meint dabei das τοῦ ὁρισθέντος den Akt der Adoption,[12] so dass die Verbindung der leiblichen und pneumatischen Sohnschaft dadurch geschieht, dass Gott Jesus, den Davidssohn, als seinen Sohn annimmt (vgl. Mk 1,9-11). Diese Vorstellung könnte dann auch die Adoption der an Christus Glaubenden als Kinder Gottes (Röm 8,15) und als jüngere Geschwister Jesu Christi (Röm 8,29) präfigurieren.

Um die nähere Zuordnung der beiden Seiten der in 1,3f ausgeführten Gegenüberstellung bemühten sich besonders die christologischen Streitigkeiten des 4. und 5. Jahrhunderts.[13] Wie immer man die dort gefundenen dogmatischen Formulierungen beurteilen mag, sie zeigen doch deutlich das Problem, dass sich durch die in Röm 1,3f eingeführte Gegenüberstellung ergibt. Es besteht darin, die beiden Seiten aufeinander beziehen zu können, ohne damit Jesus Christus selbst in zwei Teile zu teilen. Paulus behauptet hier jedoch, dass es derselbe Sohn Gottes ist, der einerseits aus dem Samen Davids „geworden" und andererseits als Auferstandener „eingesetzt" ist. Die Identität und In-Dividualität Jesu Christi wird durch die genannten Begriffspaare problematisiert. Es handelt sich dabei um Gegensatzpaare, die jeweils eine geläufige menschliche und eine theologisch geprägte Sicht enthalten. In geläufiger Sicht wurde Jesus gemäß seiner leiblichen Herkunft als Nachkomme Davids geboren, er kann aber zugleich in theologischer Sicht dem Heiligen Geist gemäß (κατὰ πνεῦμα ἁγιωσύνης) als von den Toten Auferstandener und zum Sohn Gottes Eingesetzter verstanden werden. Er ist somit nicht mit Hilfe einer eindeutigen begrifflichen Formulierung beschreibbar, sondern nur in Form einer Gegenüberstellung, die eine geläufige menschliche Sicht einerseits und eine theologisch geprägte andererseits enthält. Der von Paulus V. 4b verwendete Ausdruck „Jesus Christus" fasst programmatisch diese doppelte Perspektive zusammen, in der Paulus seinen Herrn (vgl. 1,1) sieht: „Jesus" bezeichnet in geläufiger menschlicher Sicht seine leibliche Herkunft als Mensch, „Christus" seine soteriologische Bedeutung als Messias und Sohn Gottes. Diese doppelte Qualifikation ist auffällig parallel zur paulinischen Selbstvorstellung in Röm 1,1. Die doppelte Sicht Jesu Christi wird damit zum Paradigma für das paulinische Selbstverständnis (und das aller anderen Christinnen und Christen).

Differenztheoretisch betrachtet bekommt Jesus Christus damit für das Problem der grundsätzlichen Verhältnisbestimmung von geläufiger menschlicher und theologisch bestimmter Sicht entscheidende Bedeutung. Die hier eingeführte christologische Denkfigur ist diejenige, die von sich aus als einzige auf beiden Seiten der Gegenüberstellung erscheinen kann und die damit zugleich die Verbindung wie

---

[12] So J. M Scott, a.a.O., S. 242: „Hence τοῦ ὁρισθέντος υἱοῦ θεοῦ in Rom 1:4a [...] can be translated ,who was set/appointed as Son of God,' it is a circumlocution for the Adoption formula in 2 Sam 7:14a."

[13] In der damaligen Fassung wurden sie als die zwei „Naturen" (φύσεις) Jesu Christi aufgefasst, die in bestimmter Weise in Christus zusammenkommen. Die Kompromissformel von Chalcedon aus dem Jahre 451, die die Bekenntnisse von Nizäa 325 und Konstantinopel 381 rezitierte und interpretierte, lautete: „(Wir bekennen ihn als) einen und denselben Christus [...] in zwei Naturen unvermischt, unverwandelt, ungetrennt, ungesondert erkannt (ἕνα καὶ τὸν αὐτὸν Χριστὸν [...] ἐν δύο φύσεσιν ἀσυγχύτως ἀτρέπτως ἀδιαιρέτως ἀχωρίστως γνωριζόμενον), wobei keineswegs die Verschiedenheit der Naturen um der Einung willen aufgehoben wird, sondern die Eigentümlichkeit (ἰδιότης) einer jeden Natur erhalten bleibt und sich zu einer Person (πρόσωπον) und einer Hypostase verbindet. (Wir bekennen ihn) nicht als in zwei Personen gespalten und getrennt, sondern als einen und denselben Sohn, Eingeborenen, Gott Logos, Herrn, Jesus Christus." (Zitiert nach: Kirchen- und Theologiegeschichte in Quellen; hrsg. v. H. A. Oberman, A. M. Ritter und H.-W. Krumwiede; Band I: Alte Kirche, ausgewählt, übersetzt und kommentiert von A. M. Ritter; Neukirchen-Vluyn 1977, S. 221, mit Bezug auf E. Schwartz: Acta Conciliorum Oecumenicorum; tom. II, vol. I, 1933, S. 126-130).

auch das Unterscheidende zwischen geläufiger menschlicher und theologisch geprägter Sicht definieren kann. Jesus Christus vereinigt per definitionem beide Perspektiven in seiner Person. Die christologische Definition Röm 1,3f wird damit nicht nur für das 1,1 ausgeführte Selbstverständnis des Paulus, sondern im Grunde für alle weiteren Gegenüberstellungen im Röm, die sich an der genannten Doppelperspektive orientieren, formgebend.

Paulus wird deshalb im folgenden an wichtigen Stellen des Röm, an denen es um die Handhabung der beiden Perspektiven geht, nicht nur theologische, sondern auch christologische Argumente einführen[14] und damit dort die inneren Bezüge der geläufigen menschlichen und der theologisch geprägten Sichtweise „in Christus" aufzuzeigen versuchen. Es ist dabei relativ gleichgültig, ob sich Paulus hier einer traditionellen Formel bedient oder ob er diese selbst entwickelt hat. Entscheidend ist vielmehr, dass die paulinische Formulierung des christologischen Gedankens in Röm 1,3f, welche Jesus Christus in geläufiger menschlicher und in theologischer Sicht gleichermaßen wahrnimmt, einen neuen Umgang mit der in der Einführung unter 2. im Anschluss an Luhmann so genannten „Realitätsverdoppelung" ermöglicht. Jesus Christus repräsentiert zum einen durch seine physische Abstammung als Nachkomme Davids sämtliche Aspekte der Transzendenz in der weltimmanenten Wirklichkeit. Er transzendiert zum anderen durch die Auferstehung von den Toten und die Einsetzung als Gottessohn eine rein weltimmanente Existenz als Nachkomme Davids. Damit wird er zum zentralen Bezugspunkt, von dem her die immanente Realitätswahrnehmung einerseits und die Wahrnehmung einer zweiten, transzendenten Realität andererseits zueinander in Relation gesetzt werden.

Die formale Doppelperspektive einer menschlichen und theologischen Sicht läuft in Jesus Christus also in einer Person zusammen. Im Hinblick auf die inhaltliche Konzentration des Röm auf den einzelnen Menschen bildet Jesus Christus den Angelpunkt für die Verbindung von formaler Doppelperspektive und Interesse am Einzelnen. In dem einzelnen Menschen Jesus ist zugleich die andere, theologische Perspektive als Christus und Herr jederzeit mit präsent. In ihm können deshalb beide Perspektiven gebündelt werden. Die theologisch geprägte Sichtweise, die – wie zu zeigen sein wird – der geläufigen menschlichen im Laufe des Röm permanent gegenübergestellt ist, wird daher an entscheidenden Stellen am Anfang oder Ende eines längeren Argumentationsganges christologisch gebündelt werden.

Diese Kombination von durchgehender theologischer Perspektive und teilweise vorhandener christologischer Argumentation wirft die Frage nach dem Verhältnis von Christologie und Theologie im Röm auf. Quantitativ ergibt sich zunächst eine deutliche Dominanz der theologischen Perspektive gegenüber christologischen (oder pneumatologischen und anderen, die transzendente Sicht hervorhebenden) Gedanken. Paulus argumentiert insofern im Röm hauptsächlich im eigentlichen Wortsinn theologisch.[15] Diese paulinische Zentrierung auf die theologische Perspektive ist nicht

---

[14] Die Bezeichnung Jesus Christus taucht an folgenden Stellen im Röm auf: 1,1.4.6-8; 2,16 (sekundär); 3,22.24; 4,24; 5,1.11.15.17.21; 6,3.11.23; 7,25; 8,1f.11.34.39; 13,14; 15,5f.16f.30; 16,3.24.27 (sekundär). Daneben findet sich 10.9; 14,14; 16,20 die Formulierung κύριος Ἰησοῦς. Darüber hinaus steht Ἰησοῦς in Röm 3,26 allein, während Χριστός 5,6.8; 6,4.8f; 7,4; 8,9f.17.35; 9,1.3.5; 10,4.6f.17; 12,5; 14,9.15.18; 15,3.7f.18-20.29; 16,3.5.7.9f.16.18 absolut erscheint. Zur zentralen Stellung der christologischen Argumente im Röm insgesamt siehe unten den Anfang des Fazits.

[15] Dunn stellt richtig fest: „God is the fundamental presupposition of Paul's theology, the starting point of his theologizing, the primary subtext of all his writing. The word „God" itself occurs 548 times in the

immer angemessen wahrgenommen worden.[16] Die christologische Sichtweise wird demgegenüber im Röm zwar seltener angeführt, sie findet sich aber zumeist an wichtigen Weichenstellungen der Argumentation.

So stellt sich Paulus 1,1 mit einer christologischen Formulierung vor, 1,3f geschieht eine erste Zuordnung der den Röm durchziehenden menschlichen und theologischen Doppelperspektive eben durch die Christologie, 1,6 werden die Adressaten christologisch qualifiziert, und das Präskript schließt 1,7 mit einer christologischen Formel. Das Proömium beginnt 1,8 gleichfalls mit einem christologischen Gedanken und 1,9 wird das paulinische Evangelium christologisch bestimmt. Der große Abschnitt 1,16-3,18 enthält zwar keine christologischen Formulierungen, aber 2,16 bringt (allerdings sekundär) die dort entwickelte Existenzbeschreibung in die Perspektive eines göttlichen Gerichtes, das durch Christus Jesus geschieht.[17] Der nächste größere Teil 3,18-4,25 wird durch einen christologischen Gedankengang eingeleitet (3,22.24.26) und beendet (4,24f). In 5,1-11, wo der große Zusammenhang Kap. 5-8 eingeleitet wird, findet sich eine Anhäufung christologischer Gedanken (5,1.6.8.10.11). Der Abschnitt 5,12-21, in dem die beiden Existenzweisen skizziert werden, die die folgende Argumentation im Röm bestimmen, handelt von der Gegenüberstellung Adams und Christi. 6,1-14 wird die christliche Existenz durch die Taufe εἰς Χριστόν Ἰησοῦν (6,3, vgl. auch 6,4.8.9.11) definiert, und der Abschnitt 6,15-23 zielt auf den Hinweis der Gabe des ewigen Lebens in Christus Jesus (6,23). Auch das 7. Kapitel ist durch christologische Sätze gerahmt (7,4+25). Die Zusage der Befreiung aus der dort analysierten Situation des Menschen geschieht in 8,1-11 durch eine dreifache christologische Formulierung am Anfang (8,1.2.3) und am Ende (8,9.10.11). Die neue Identität der Glaubenden wird im Abschnitt 8,12-17 christologisch definiert (8,17). Die Hoffnung der Glaubenden beruht nach 8,18-30 darin, Christus gleichgestaltet zu werden (8,29). Der Schlussteil von Kap. 5-8 (8,31-39) enthält dann wiederum eine Anhäufung christologischer Gedanken (8,32.34.35.39). Auch den großen Zusammenhang Kap. 9-11 beginnt Paulus 9,1-13 mit einer dreifachen christologischen Formulierung (9,1.3.5). Die Kap 9-11 prägende Verhältnisbestimmung von Israeliten und Nichtisraeliten hat ihr Zentrum in der christologischen Interpretation des Gesetzes (10,4.6.7.9, vgl. auch V. 17).

Zu Beginn der Paränese wird die Gemeinschaft der Glaubenden, um deren Verhalten es im Folgenden geht, christologisch definiert (12,5f). Das Ende dieses ersten allgemeinen ethischen Teiles bildet wiederum ein christologischer Gedanke (13,14). Der die spezielle Paränese einleitende Teil 14,1-13 mit seiner Verwendung des Begriffes κύριος enthält in seinem Zentrum V. 7-9 eine christologische Beschreibung

---

Pauline corpus, 153 in Romans alone. Only two chapters of the extensive Pauline writings lack any explicit mention of ‚God'." (J. D. G. Dunn: The Theology of Paul the Apostle, S. 28.)

[16] A. Lindemann meint dazu: „Es gibt Themen der paulinischen Theologie, die von der exegetischen Forschung bevorzugt behandelt werden – beispielsweise das Gesetzesverständnis, die Rechtfertigungslehre, die Christologie. Andere Themen stehen eher am Rande, und dazu gehörte über einen langen Zeitraum auch die ‚Theologie' im eigentlichen Sinne, die Rede von Gott." (A. Lindemann: Paulus, Apostel und Lehrer der Kirche. Studien zu Paulus und zum frühen Paulusverständnis; Tübingen 1999, S.3). Vgl. dazu bereits den Aufsatz Lindemanns: Die Rede von Gott in der paulinischen Theologie; in: A. Lindemann: Paulus, Apostel und Lehrer der Kirche, S. 9-26; erstmals publiziert in: Theologie und Glaube 69 (1979), S. 357-376. Eine der wenigen monographischen Darstellungen der paulinischen Rede von Gott hat P.-G. Klumbies vorgelegt. Ders.: Die Rede von Gott bei Paulus in ihrem zeitgeschichtlichen Kontext; (FRLANT 155) Göttingen 1992.

[17] Zur Frage, ob dieser Vers eine sekundäre Hinzufügung ist, siehe die Ausführungen zur Stelle.

der Existenz der Glaubenden. Auch die Ausführungen zur Selbstprüfung der Glaubenden bringen wesentlich christologische Gedanken (14,14.15.18). Am Abschluss des großen ethischen Abschnittes 12,1-15,13 findet sich dann wiederum eine christologische Argumentation: Man soll sich in seinem Verhalten an Christus orientieren (15,3.5.6.7.8). Im Briefschluss 15,14ff entwickelt Paulus zunächst sein Selbstverständnis durch einen christologischen Gedanken (15,16) und kommt dann zu einer ebenfalls christologischen Charakterisierung seiner Evangeliumsverkündigung (15,17-20). Die Ankündigung seiner Reisepläne endet 15,29 christologisch und die erste Schlussparänese wird einleitend christologisch begründet (15,30). Die Empfehlung der Phöbe arbeitet 16,2 mit einem christologischen Argument. In der anschließenden Grußliste werden die meisten der Genannten christologisch qualifiziert (16,3.5.7.8.9.10.11.12.13). Der abschließende Gruß durch alle Kirchen endet wiederum christologisch (16,16). In der zweiten Schlussparänese 16,17-20 werden diejenigen, vor denen Paulus warnt, durch ein christologisches Argument disqualifiziert (16,18). Der abschließende Gnadenwunsch enthält eine christologische Formel (16,20), und auch das Schreiben des Briefes durch Tertius wird am Ende christologisch qualifiziert (16,22). In gewissem Sinne kann man deshalb sagen, dass es sich im Röm fast durchgehend um eine theologische Argumentation und Kommunikation im engeren Sinne handelt, die dann aber an entscheidenden Stellen – vor allem am Anfang und Ende der größeren Argumentationszusammenhänge – christologisch qualifiziert wird. Insofern bildet das in Röm 1,3f skizzierte christologische Modell so etwas wie den Rahmen um die theologische Argumentation.

Für die Frage nach dem Selbstverständnis des Paulus im Besonderen und des Menschen im Allgemeinen bildet Jesus Christus den entscheidenden Ansatzpunkt. Wenn die menschliche Existenz in der besagten Doppelperspektive einer geläufigen menschlichen und einer theologisch geprägten Sicht beschrieben werden kann, dann kann die Integration beider Sichtweisen in ganz besonderer Weise durch die Annahme der Begründung des eigenen Lebens „in Christus" geschehen, weil Jesus Christus in sich beide Perspektiven vereint. Weitere Verhältnisbestimmungen der beiden Perspektiven, etwa in Bezug auf die Existenz des Christen κατὰ σάρκα und κατὰ πνεῦμα in Kap. 8, können sich deshalb an Jesus Christus orientieren, der in einer „Person"[18] die beiden Aspekte zusammenfasst, und der deshalb denjenigen, die „in ihm" leben (vgl. Röm 8,1f) auch eine Zusammenfassung der beiden Aspekte ermöglicht.

Die Formulierung Ἰησοῦ Χριστοῦ τοῦ κυρίου ἡμῶν ist parallel zu V. 3-4a gebaut und fasst die dortige doppelte Perspektive noch einmal in einer Kurzformel zusammen. Durch die abschließenden Worte τοῦ κυρίου ἡμῶν möchte Paulus zeigen, dass es sich bei Jesus Christus nicht einfach um eine spekulative, immanente und zugleich transzendente Betrachtung eines interessanten Phänomens handelt, sondern in diese doppelte Sichtweise ist derjenige Mensch, der über diesen Jesus Christus kommuniziert, zugleich selbst mit einbezogen. Jesus kann nur als Christus betrachtet und kommuniziert werden, wenn er zugleich von „uns"[19] als Herr anerkannt wird. Κύριος verwendet Paulus offenbar nur selten als Gottesbezeichnung, es wird vor allem auf Christus bezogen.[20]

---

[18] Vgl. dazu den oben genannten Personbegriff in der christologischen Formulierung aus Chalcedon.

[19] Wie die folgenden Verse zeigen, meint Paulus dabei mit ἡμῶν im schriftstellerischen Plural vor allem sich selbst.

[20] Zur variablen Verwendung dieses Begriffes vgl. Röm besonders 14,4-12.

Die Adressaten (1,5-7)

Nach der Beschreibung des Paulus selbst (V. 1), seines Evangeliums (V. 2) und dessen
Inhaltes (V. 3f) folgt zunächst V. 5 eine nähere Erläuterung des bereits V. 1b
angesprochenen paulinischen Selbstverständnisses als Apostel. Δι᾽ οὗ bezieht sich auf
Jesus Christus und schafft damit die Verbindung zur christologischen Formel V. 3f.[1]
Paulus betont dann, dass er Gunst und einen Sendungsauftrag erhalten habe (ἐλάβομεν).
Paulus spricht hier immer noch als Individuum. "Der Plural ist zweifellos
schriftstellerisch [...] Es gehört zu den Merkwürdigkeiten des Briefes, dass nicht wie
sonst Mitarbeiter erwähnt werden".[2] Ähnlich wie bereits in V. 1 ἀπόστολος[3] werden
dabei jedoch die im geläufigen Sprachgebrauch nicht unbedingt theologisch besetzten
Begriffe ἀποστολή (Aussendung)[4] und χάρις (Gunst)[5] durch eine theologische
Bestimmung anders gefüllt. Die Gunst und Aussendung des Paulus beziehen sich auf
den Glaubensgehorsam (εἰς ὑπακοὴν πίστεως)[6] und werden damit in theologischer Sicht
zur durch Christus empfangenen „Gnade" und zum „Apostelamt."

Dieses Apostelamt richtet sich an alle Völker. Durch den Ausdruck ἐν πᾶσιν
τοῖς ἔθνεσιν wird hier bereits deutlich, dass die Verkündigung des Evangeliums einen
Charakter hat, der per definitionem jeden sozialen Kontext, etwa den der römischen
christlichen Gemeinschaft, überschreitet und sich universal an die gesamte Menschheit,
von Jerusalem bis Spanien und darüber hinaus richtet, in gewisser Weise sogar an den
gesamten Kosmos (Röm 8,18ff). Jede konkrete christliche Gemeinschaft kann sich
deshalb nur innerhalb dieser universalen Glaubensgemeinschaft verstehen. Sie muss der
Kontingenz ihrer konkreten sozialen Zusammenhänge jederzeit den Kontext der
Universalität der christlichen Gemeinschaft gegenüberstellen und die eigenen
Strukturen von dorther relativieren und kritisch hinterfragen können. Adressaten des
von Paulus im Röm dargelegten Evangeliums sind deshalb grundsätzlich alle
Menschen.[7]

---

[1]   „Durch Christus selbst hat Paulus seine Sendung empfangen." (U. Wilckens, Der Brief an die Römer;
      EKK VI, 3, S. 66.)

[2]   E. Käsemann: An die Römer; HNT 8a, S. 11f. Eine andere Interpretationsmöglichkeit schlägt A.
      Reichert: Der Römerbrief als Gratwanderung, S. 116 vor. Sie meint, es sei „naheliegend, das
      pluralistische ἐλάβομεν in V. 5 im Zusammenhang mit dem vorangehenden ἡμεῖς zu sehen", wodurch
      die Adressaten in den Plural mit eingeschlossen sein könnten. Beide Möglichkeiten sind für Reichert
      denkbar.

[3]   Zur synonymen Bedeutung von ἀπόστολος und ἀποστολή zum Beispiel bei Josephus vgl. K.H.
      Rengstorf: Artikel ἀποστέλλω (πέμπω) κτλ.; in: ThWNT, Bd. 1, hrsg. v. G. Kittel; Nachdruck Stuttgart
      1949, S. 397-448, dort S. 413.

[4]   „In der Profangräzität relativ häufig in den verschiedensten, von ἀποστέλλειν abhängigen Bedeutungen
      so a. für die *Aussendung von Schiffen* b. für *Aussendung* und *Abschickung* schlechthin bis zur
      Aussendung etwa *eines Geschosses*, aber auch etwa zur aktiven *Trennung von einem Menschen* [...]
      Auf jüdischem Boden zeigt sich neben der Beibehaltung der gewöhnlichen Wortbedeutung [...] der
      stärker werdende Einfluß von שׁלח/ ἀποστέλλειν im technischen Sinne [...] in der Bedeutung *Abgabe*".
      (Rengstorf, a.a.O., S. 447, Hervorhebungen von Rengstorf)

[5]   „Die profane Bedeutung des Subst *Gunst, Gefallen* mit dem Beigeschmack des Fragwürdigen liegt Ag
      24,27; 25,3.9 vor. Profan ist auch die Verwendung in Ag 22,47; 4,33: die chr Gemeinde genießt beim
      Volk *Gunst*, ferner χάριν ἔχω *dankbar sein* Lk 17,9." (H. Conzelmann: Artikel χαίρω κτλ.; in:
      ThWNT, Bd. 9, S. 350-405, dort S. 382.)

[6]   Der Genitiv πίστεως ist auf ὑπακοή bezogen. Vgl. Blass, Debrunner, Rehkopf: Grammatik des
      neutestamentlichen Griechisch, § 163,5.

[7]   Vgl. dazu unten die Ausführungen zu Röm 1,14 und 16.

Diese Charakterisierung leitet über zu den Adressaten des Röm selbst. Den Übergang vom weiteren Kreis der Adressaten des paulinischen Evangeliums im allgemeinen zum inneren der Adressaten des Briefes V. 5f im speziellen (ἐν πᾶσιν τοῖς ἔθνεσιν - ἐν οἷς ἐστε καὶ ὑμεῖς) könnte man zunächst so verstehen, dass die an Christus Glaubenden in Rom[8] in der Zeit, in der Paulus schreibt, im wesentlichen nichtjüdischer Herkunft waren. Wenn man die Entstehung des Röm in der zweiten Hälfte des sechsten Jahrzehntes ansetzt, so ist zu beachten, dass das früheste Dokument, aus dem wir Kenntnis über die Zusammensetzung der römischen christlichen Gemeinschaft besitzen, der Brief selbst ist.[9] Die geschichtliche Analyse ist insofern zirkulär. Sie setzt für den Brief eine Situation voraus, die sie aus dem Brief selbst ableiten muss. In Kap. 16 lässt Paulus einige Christen jüdischer Herkunft in Rom explizit grüßen, was deutlich dafür spricht, dass es in Rom nicht nur Christen nichtjüdischer Herkunft gegeben hat (vgl. 16,7 und 11 und unten die Ausführungen zu dieser Stelle).

Wenn man τὰ ἔθνη im herkömmlichen Sinne mit Heiden, also Nichtjuden übersetzt, fehlt an dieser Stelle der Gegenbegriff ‚Juden'. Wie die Analyse der Unterscheidung Griechen/Barbaren zu Röm 1,14 und 16 zeigen wird, richtet sich Paulus jedoch mit seinem Evangelium universal an alle Menschen, Juden wie Nichtjuden, Griechen wie Barbaren. Es ist deshalb wahrscheinlich zutreffender, den Begriff der ἔθνη nicht von der in Gal 2,1-10 entfalteten Einteilung der Wirkungsgebiete her zu verstehen. Danach wurde Kephas gemeinsam mit Jakobus und Johannes auf dem sogenannten Apostelkonvent in Jerusalem die Verkündigung unter den Juden zugeteilt und Paulus mit seinen Mitarbeitern die Evangeliumsverkündigung unter den Nichtjuden. Die Unterscheidung lautet dort ἀκροβυστία – περιτομή (Gal 2,7) bzw. περιτομή – τὰ ἔθνη (Gal 2,9) In Röm 1,5f fehlt jedoch der entsprechende Gegenbegriff. Der Ausdruck ἐν πᾶσιν τοῖς ἔθνεσιν steht vielmehr absolut für sich und meint damit schlicht alle Menschen (vgl. dazu im Detail unten die Ausführungen zu Röm 1,14). Im Gegensatz zum Gal wird deshalb der Wirkungsbereich hier nicht auf die Nichtjuden begrenzt, sondern für alle Völker geöffnet, also auch für die Juden. Sonst könnte Paulus nur zu den römischen Christen nichtjüdischer Herkunft reden. Dem widersprechen aber die Teile des Briefes, in denen er sich an der Differenz Juden-Nichtjuden orientiert (z.B. 2,9f) und dann nicht nur die Christen nichtjüdischer Herkunft (2,12ff) anredet, sondern auch die jüdischer Herkunft (2,17ff). „In keinem anderen Paulusbrief begegnen die Wörter ‚alle', ‚jeder' oder auch negativ ‚keiner' so häufig wie in dem an die Römer. Adressat [...] ist demnach die Welt und zugleich jeder einzelne, der eingeladen wird, die frohe Botschaft im vertrauenden Glauben anzunehmen."[10]

Der Ausdruck ὑπὲρ τοῦ ὀνόματος αὐτοῦ stellt die universale, an alle gerichtete Botschaft des Paulus wiederum in eine christologische Perspektive. Indem Paulus das Evangelium verkündigt, tut er dies stellvertretend für Christus. „Ὑπὲρ τοῦ ὀνόματος

---

[8] Aus den im folgenden näher ausgeführten Gründen wird der Begriff der Gemeinde für die Gemeinschaft der Christinnen und Christen in Rom vermieden.

[9] Vgl. R. Brändle, E. W. Stegemann: Die Entstehung der ersten ‚christlichen Gemeinden' Roms im Kontext der jüdischen Gemeinden; in: NTS 42 (1996), S. 1-11, dort S. 7. Vgl. auch B. Corsani: „e fuori del Nuovo Testamento troviamo solo una testimonianza indiretta, la frase di Svetoni sull'espulsione dei Guidei durante il regno di Claudio, che abbiamo già citato (cap. II, nota 25)" (Ders.: Introduzione al Nuovo Testamento, II. Epistole e Apocalisse; Seconda edizione; Torino 1998, S. 153).

[10] E. Lohse: Das Präskript des Römerbriefes als theologisches Programm; in: M. Trowitzsch (Hrsg.): Paulus, Apostel Jesu Christi. Festschrift für Günter Klein zum 70. Geburtstag; Tübingen 1998, S. 65-78, dort S. 73. Zum Gebrauch des πᾶς bei Paulus vgl. auch H. S. Hwang: Die Verwendung des Wortes „πᾶς" in den paulinischen Briefen; Dissertation Erlangen 1985.

αὐτοῦ ist mehrdeutig, weil ὑπέρ mit Gen. wie deutsches *für* Stellvertretung und Begünstigung meinen kann; wahrscheinlich steht hier ersteres im Vordergrund (vgl. 2. Kor. 5,20): der Apostel wirkt als Legat des Christus."[11] In welcher Weise dabei zugleich Christus durch ihn wirken und sprechen kann, wird Paulus – wie bereits in der Einführung unter 1. erläutert – in Röm 15,17f entfalten.

Eine Eingrenzung des universalen Ausdruckes aus ἐν πᾶσιν τοῖς ἔθνεσιν V. 5b geschieht dann V. 6 nicht durch die Gegenüberstellung von Ἰουδαῖος oder περιτομή, sondern durch den Zusatz ἐν οἷς ἐστε καὶ ὑμεῖς. Die Formulierung ist nicht ganz eindeutig. Sie könnte auch bedeuten, dass sich die römischen Christen inmitten (ἐν) der Heiden bzw. Völker befinden oder dass sie wiederum exklusiv mit ihrer nichtjüdischen Herkunft aus ihnen hervorgegangen sind. Aber das πᾶσιν weist auf eine universale Perspektive hin. Damit kommen die Mitglieder der christlichen Gemeinschaft in Rom von V. 5 her als Teil der gesamten Menschheit, Juden wie Nichtjuden, in den Blick, an die sich das paulinische Evangelium richtet.[12] „Mit dem Hinweis auf ‚alle' wird der weltweite Rahmen, wie ihn die Predigt der guten Nachricht ausfüllt, nun in seiner konkreten Bedeutung des näheren bestimmt; wie dies allen Völkern gilt, so möchte der Apostel allen Christen in Rom gleichsam in einer Summe des Evangeliums darlegen, wie er dessen Auslegung vollzieht."[13] Die hier zugrundeliegende Unterscheidung ἐν πᾶσιν τοῖς ἔθνεσιν – ἐν οἷς ἐστε καὶ ὑμεῖς lautet also im Übergang von V. 5 nach 6 nicht: Römer – andere Nichtjuden, wobei dann auch die römischen Christen als Teil der Nichtjuden aufzufassen wären, sondern: die Christen in Rom – alle Menschen.

Die Unterscheidung Juden – Heiden (Nichtjuden) wird demgegenüber erst 1,16 eingeführt und ist dann für die folgenden Kapitel konstitutiv. Damit ist deutlich, dass Paulus seinen Brief nicht an eine völlig oder hauptsächlich aus Nichtjuden bestehende, christliche Gemeinschaft[14] in Rom richtet. Die Mitglieder dieser Gemeinschaft werden dann V. 6b wiederum aus christologischer Perspektive qualifiziert, analog zur Selbstbezeichnung des Paulus in V. 1a und zur christologischen Charakterisierung seiner universalen Beauftragung in V. 5b. Das geschieht durch den Ausdruck κλητοὶ Ἰησοῦ Χριστοῦ.[15]

Nach den umfangreichen Einfügungen, die Paulus V. 1b-6 in das übliche Briefschema von superscriptio, adscriptio und salutatio einschiebt, nennt V. 7 endlich die konkreten Adressaten des Briefes. Nach den Eingangsworten richtet sich der Brief zunächst an alle Römer. Dieser Kreis wird jedoch durch ein theologisches Kriterium eingegrenzt. Es sind nicht alle in Rom befindlichen Menschen angesprochen und angeschrieben, sondern nur solche, die in Rom Geliebte Gottes und berufene Heilige sind (ἀγαπητοῖς θεοῦ, κλητοῖς ἁγίοις). Die Struktur ist damit völlig parallel zu V. 6b (siehe unten die Tabelle). Diese theologische Beschreibung entspricht zum einen als

---

[11] K. Haacker: Der Brief des Paulus an die Römer; ThHK 6, S. 28, Hervorhebung von Haacker.

[12] Dieses Hineinstellen der Konversation von Paulusbriefen in einen universalen Kommunikationskontext der ökumenischen Christenheit findet sich bei Paulus öfter, z.B. Röm 16,16, I Kor 1,2b; vgl. dazu auch unten die Ausführungen zu Röm 1,14.

[13] E. Lohse: Das Präskript des Römerbriefes als theologisches Programm, S. 75.

[14] So etwas wie eine römische Gesamtgemeinde wird dabei offenbar nicht vorausgesetzt. Offenbar waren die Christen in Rom in mehreren Hausgemeinden organisiert (vgl. Röm 16,5 sowie 10.11.14.15). Siehe dazu auch unten die Ausführungen zu Kap. 16.

[15] So auch A. Reichert: Der Römerbrief als Gratwanderung, S. 115 in der ersten von ihr vorgeschlagenen Interpretationsvariante: „Zu übersetzen wäre dann etwa folgendermaßen: ‚unter denen seid auch ihr, Berufene Jesu Christi'."

„Qualifizierung der Adressaten durch die Erwähnung der Heilstaten Gottes an ihnen"[16] einem Formelement des Apostelbriefes, zum anderen kommt dadurch aber auch das grundsätzliche Verständnis des Paulus zum Ausdruck, das bereits bei seiner Selbstvorstellung in 1,1 leitend gewesen war. Alle Glaubenden sind danach in doppelter Weise zu verstehen und zu beschreiben (vgl. z.B. besonders deutlich 16,3ff): einerseits in geläufiger menschlicher Sicht mit ihrem Namen, ihrer sozialen, lokalen Zugehörigkeit (z.B. in V. 7: ἐν Ῥώμῃ) usw. und andererseits in theologischer Perspektive als diejenigen, an denen Gott handelt, die er liebt und berufen hat.

So ungewöhnlich wie der Absender ist nun allerdings im Kontext der anderen authentischen Paulusbriefe auch die Nennung der Adressaten. Ist der Röm als einziger von Paulus allein geschrieben (1,1), so ist er auch als einziger nicht kollektiv an eine oder mehrere bestimmte Gemeinden, sondern an die in Rom lebenden Menschen adressiert, die von Jesus Christus berufen und von Gott geliebt sind. Zwar werden in Kap. 16 mehrere Hausgemeinden erwähnt, diese werden aber wiederum über Einzelpersonen definiert. Der Brief insgesamt ist nicht an diese Gemeinden gerichtet, sondern nur die abschließenden Grüße. Es handelt sich also nicht im üblichen Sinne um einen Gemeindebrief, sondern um die Kommunikation eines Menschen, nämlich Paulus, mit anderen Menschen, Personen, Individuen, nämlich den Christinnen und Christen in Rom. Alle anderen unbestritten authentischen Paulusbriefe richten sich an Kollektive: an die Gemeinde der Korinther (I Kor 1,2 und II Kor 1,1: τῇ ἐκκλησίᾳ τοῦ θεοῦ τῇ οὔσῃ ἐν Κορίνθῳ, jeweils mit Ergänzungen), die Gemeinden in Galatien (Gal 1,2: ταῖς ἐκκλησίαις τῆς Γαλατίας), (falls der I Thess authentisch ist) an die Gemeinde in Thessalonich (I Thess 1,1: τῇ ἐκκλησίᾳ Θεσσαλονικέων), und sogar im Phlm über die Person des Philemon hinausgehend an dessen Hausgemeinde (Phlm 2: τῇ κατ' οἶκόν σου ἐκκλησίᾳ). Nur die Philipper werden zwar eingangs nicht als Gemeinde angesprochen (Phil 1,2: πᾶσιν τοῖς ἁγίοις ἐν Χριστῷ Ἰησοῦ τοῖς οὖσιν ἐν Φιλίπποις), aber die Hinzufügung von σὺν ἐπισκόποις καὶ διακόνοις bezieht sich offensichtlich auf bestimmte Funktionen innerhalb der Gemeinde von Philippi, und am Ende des Briefes werden dann die Philipper im Zusammenhang des Dankes für ihre Gabe explizit als Gemeinde bezeichnet (Phil 4,15: οὐδεμία μοι ἐκκλησία ἐκοινώνησεν [...] εἰ μὴ ὑμεῖς μόνοι). Nicht nur die Individualität des Absenders, sondern auch die persönliche Ansprache der Adressaten unabhängig von einer Institution „Gemeinde" weist damit darauf hin, dass es Paulus im Röm zentral um den einzelnen Menschen geht und nicht um einzelne Hausgemeinden oder die Gemeinde in Rom oder gar die ganze Christenheit als Kollektiv.[17]

Für die weitere Strukturierung der Kommunikation des Briefes ist zunächst die Beobachtung wichtig, dass der in V. 7 gemeinte Kreis der Adressaten nicht nur aus Nichtjuden besteht (wie man vielleicht aufgrund von V. 5 und 11,13 vermuten könnte), sondern dass sich offenbar innerhalb der römischen christlichen Gemeinschaft aus dem Judentum und nicht aus dem Judentum Stammende befinden. Dass das paulinische Evangelium sich nicht nur an die Heiden (=Nichtjuden), sondern universal an alle Menschen – also auch an diejenigen jüdischer Herkunft – richtet, wurde schon zu V. 5 angedeutet und wird zu 1,14 und 16f ausführlich begründet werden. So orientiert sich

---

[16] F. Vouga: Der Brief als Form der apostolischen Autorität, S. 8.
[17] Siehe dazu auch G. Klein: Der Abfassungszweck des Römerbriefes, S. 129-144, dort S. 142. Gegen K. Haacker: Der Brief des Paulus an die Römer; ThHK 6, S. 11, der den Verzicht auf ἐκκλησία in der Adresse unter anderem durch die Mehrzahl der Hausgemeinden erklärt.

die Argumentation des Briefes über weite Strecken an der Unterscheidung Juden – Heiden und damit scheinbar an der Verhältnisbestimmung zwischen diesen beiden Gruppierungen. Einige Abschnitte sind sogar explizit in Form eines Dialogus cum Judaeos geführt (vgl. z.B. die Anrede in 2,17), obwohl inhaltlich durch den Brief gerade eine Ausweitung der Geltung des Evangeliums in den nichtjüdischen Bereich begründet werden soll. Der Brief richtet sich damit, wenn man zunächst im vereinfachten Modell von Sender, Mitteilung und Empfänger bleibt, an eine Gemeinschaft, in der offensichtlich Christen jüdischer und nichtjüdischer Herkunft zusammen sind.

Die genaue geschichtliche Situation der Adressaten ist aufgrund der anderen Quellen außerhalb des Röm selbst nicht leicht zu ermitteln. Sueton zufolge hatte Kaiser Claudius ein Edikt erlassen, nach dem alle Juden Rom verlassen mussten: „Ioudaeos impulsore Chresto assidue tumultuantes Roma expulit."[18] Orosius datiert dieses Edikt unter Aufnahme der Angaben Suetons allerdings erst im 5. Jahrhundert und mit Verweis auf eine nicht verifizierbare Stelle bei Josephus auf das neunte Jahr der Regierungszeit des Claudius, also 49 oder 50.[19] Das scheint auch den Angaben von Act 18,2 zu entsprechen, nach denen mit allen anderen Juden (πάντας τοὺς Ἰουδαίους) auch Priszilla und Aquila von Claudius aus Rom vertrieben worden sind.[20] Die Datierung dieses Geschehens wird durch die Gallio-Inschrift anscheinend bestätigt.[21] Cassius Dio berichtet jedoch, dass Claudius bereits zu Beginn seiner Regierung im Jahre 41[22] ein die Juden betreffendes Edikt erlassen habe, welches aber gerade nicht den Verweis aller Juden aus der Stadt, sondern lediglich ein Versammlungsverbot beinhaltet habe. Nach Cassius Dio sei es aufgrund ihrer großen Zahl auch gar nicht möglich gewesen, sie allesamt aus der Stadt zu weisen.[23] Diese Angaben zur großen Zahl von Juden in Rom werden auch durch die archäologischen Ausgrabungen und antiken Inschriften bestätigt.[24]

Eine weitere wichtige Quelle für die Einschätzung der Situation der Adressaten ist schließlich der Röm selbst. Nach der Grußliste Kap. 16[25] und der inhaltlichen Argumentation, die sich über weite Strecken an der Differenz Juden/Nichtjuden orientiert, bestand die römische Christenheit zur Zeit der Abfassung des Briefes, also etwa Mitte der fünfziger Jahre, (wieder) zumindest zu einem Teil aus Christen jüdischer Herkunft. Es ist recht unwahrscheinlich, dass so viele Vertriebene in den wenigen Jahren seit der Aufhebung des Ediktes durch Nero im Jahre 54 wieder nach Rom gezogen sein sollen. Entgegen einer gängigen Interpretation wird man deshalb

---

[18] Sueton: De vita Caesarum, Liber V: Claudius 25,4. Hier zitiert nach C. Suetoni Tranquilli Opera, vol. 1: De vita Caesarum libri VIII, recensuit M. Ihm; Stuttgart 1973, S. 209.

[19] Pauli Orosii historiam adversum paganos libri septem; 6,15f.

[20] Vgl. dazu P. Lampe: Die stadtrömischen Christen in den ersten beiden Jahrhunderten. Untersuchungen zur Sozialgeschichte; (WUNT 2,18) Tübingen 1987, S. 4f.

[21] Vgl. K. Haacker: Der Brief des Paulus an die Römer; ThHK 6, S. 10f, Anm. 37.

[22] Zu den verschiedenen Datierungen des Ediktes vgl. auch F. Vouga: Geschichte des frühen Christentums; Tübingen und Basel 1994, S. 81f.,

[23] Vgl. Cassius Dio: Römische Geschichte 60,6,6: „Τούς τε Ἰουδαίους πλεονάσαντας αὖθις, ὥστε χαλεπῶς ἂν ἄνευ ταραχῆς ὑπὸ τοῦ ὄχλου σφῶν τῆς πόλεως εἰρχθῆναί, οὐκ ἐξήλασε μέν, τῷ δὲ δὴ πατρίῳ βίῳ χρωμένους ἐκέλευσε μὴ συναθροίζεσθαι. τάς τε ἑταιρείας ἐπαναχθείσας ὑπὸ τοῦ Γαΐου διέλυσε. (zitiert nach: Dio's Roman History with an English translation by E. Cary on the basis of the version of H. B. Foster, vol. VIII; Norwich 1981, S. 382).

[24] Vgl. P. Lampe: Die stadtrömischen Christen in den ersten beiden Jahrhunderten, S. 26f.

[25] Dass Kap. 16 zum Röm gehört, wird unten zur Stelle eingehend begründet werden. Von den dort in der Grußliste genannten Personen sind mindestens Maria, Andronikus und Junia jüdischer Herkunft gewesen, vielleicht auch noch andere, vgl. dazu Lampe, a.a.O., S. 6f.

annehmen müssen, dass wohl allenfalls ein Teil der Juden aufgrund des besagten Ediktes aus Rom ausgewiesen worden ist.[26] Wenn sich das „Chresto" bei Sueton auf Christus bezieht, betraf das Edikt vor allem diejenigen, die wegen Christus Aufstand machten. Offenbar wurde dabei auf Seiten der römischen Herrschaft noch nicht grundsätzlich zwischen Juden und Christen jüdischer Herkunft unterschieden, so dass Christen wie Priska und Aquila von dem Edikt betroffen waren, vertrieben wurden und später wieder nach Rom zurückkehrten (vgl. Röm 16,3). Erst während der späteren Christenverfolgung unter Nero im Jahre 64 konnte man in Rom offenbar zwischen Juden und Christen genauer unterscheiden. Möglicherweise hat das Claudiusedikt selbst auch zu einer solchen Differenzierung beigetragen.[27] Von dieser Verfolgung gibt es einen – allerdings wesentlich späteren – Bericht bei Tacitus. Er schreibt: Nero „belegte sie mit den ausgesuchtesten Strafen: diejenigen nämlich, die bei der ungebildeten Menge, wiewohl ihrer Schandtaten wegen verhaßt, die ‚Biedermänner' (Chrestianos) hießen. Der Name leitet sich (indes) von Christus her, welcher unter Tiberius vom Prokurator Pontius Pilatus hingerichtet worden war; (dadurch) für den Augenblick unterdrückt, brach der verderbliche Aberglaube wieder aus, (diesmal jedoch) nicht nur in Judäa, von wo das Unheil ausgegangen, sondern auch in Rom, wo sich ja die Greuel und Gemeinheiten aus aller Welt ein Stelldichein geben und begeisterten Anklang finden."[28]

Das Präskript wird V. 7 – wie immer bei Paulus – von einem Segenswunsch abgeschlossen. I. Taatz hat zu zeigen versucht, dass Paulus mit seinen Briefen formal und inhaltlich an die Tradition jüdischer Schreiben Jerusalemer Autoritäten an die Juden in der Diaspora anknüpfen konnte, die vor allem gemeindeleitende Interessen hatten.[29] Mag auch diese Analyse und Herleitung des paulinischen Briefformulars durch Taatz grundsätzlich zu bedenken sein, so wird man doch, im Unterschied zu den anderen unbestritten echten Paulusbriefen, speziell für den Röm feststellen müssen, dass es sich hier nicht einfach – analog zu den jüdischen Briefen aus Jerusalem – um einen Brief

---

[26] Z.B. gegen K. Haacker: Der Brief des Paulus an die Römer; ThHK 6, S. 11.

[27] Vgl. P. Lampe: Die stadtrömischen Christen in den ersten beiden Jahrhunderten, S. 8f.

[28] Tacitus: Annales 15,44, 2+3, Übersetzung zitiert nach: Kirchen- und Theologiegeschichte in Quellen; hrsg. v. H. A. Oberman, A. M. Ritter und H.-W. Krumwiede; Band I: Alte Kirche, ausgewählt, übersetzt und kommentiert von A. M. Ritter; Neukirchen-Vluyn 1977, S. 6f.. Vgl. auch F. Vouga: Geschichte des frühen Christentums; S. 86. Mit dem textkritisch gegenüber „Christianos" gut bezeugten „Chrestianos" liegt dabei wohl ein Wortspiel vor, denn wörtlich bedeutet Chrestiani eigentlich „die Wackeren" oder ähnliches. Dieser Begriff wird hier offensichtlich ironisch auf die Christen angewandt. (Vgl. Ritter, ebd., mit Bezug auf A. Wlosok: Rom und die Christen. Zur Auseinandersetzung zwischen Christentum und römischem Staat; in: Der altsprachliche Unterricht, Beiheft 1 zur Reihe XIII, 1970, S. 7-26).

[29] I. Taatz: Frühjüdische Briefe. Die paulinischen Briefe im Rahmen der offiziellen religiösen Briefe des Frühjudentums; (NTOA 16) Göttingen 1991, S. 8f: „Er verwandte die orientalische Form des Präskripts, in der nach der Angabe von Absender (Superskriptio) und Adresse (Adskriptio) die Grußformel (Salutatio) in einem selbständigen Satz folgt, veränderte diese Form jedoch durch weitgehende inhaltliche Auffüllung. Im Ergebnis erinnern die Titularien der Absender in fast allen Superskriptionen an amtliche Behördenschreiben, während die Salutationen wie auch die Schlußgrüße im Eschatokoll eher privaten Charakters sind. Auch das auf das Präskript folgende Proömium wurde von Paulus verändert. In Abwandlung der pagan-hellenistischen Konvention, an dieser Stelle einen Gesundheitswunsch zu formulieren, gestaltete er diesen Abschnitt zu einer Danksagung zum Stand der Adressatengemeinde um." Taatz meint dazu abschließend: „Diese Feststellungen zu Form und Funktion der Paulusbriefe machen die Annahme wahrscheinlich, dass Paulus nicht nur das Formular hellenistisch-orientalischer Briefe, sondern ebenso eine jüdische Tradition gemeindeleitender Briefe bei der Gestaltung seiner Schreiben vor Augen hatte."

religiöser Autoritäten an eine christliche Gemeinschaft handelt, der von kybernetischem Interesse geprägt ist. Vielmehr schreibt Paulus hier vor allem – wie oben bereits ausgeführt – in ganz unüblicher Weise als einzelne Person an eine Vielzahl einzelner Personen[30] in Rom.

Der Segenswunsch am Ende des Präskriptes kann am ehesten als Aufnahme und selbständige theologische Modifikation verschiedener Elemente herkömmlicher jüdischer und pagan-hellenistischer Briefformulare durch Paulus verstanden werden. Das Wort εἰρήνη nimmt das hebräische schalom auf, das einerseits im persönlichen Kontakt üblich ist und andererseits bereits traditionell deutlich in einem weiteren theologischen Sinne gemeint ist, und χάρις modifiziert das pagan-hellenistische χαίρειν.[31] Das Besondere der paulinischen salutatio besteht darin, dass er die geläufigen Begriffe εἰρήνη und χάρις bzw. χαίρειν durch die Formulierung ἀπὸ θεοῦ πατρὸς ἡμῶν καὶ κυρίου Ἰησοῦ Χριστοῦ ergänzt. Der übliche Wunsch, Freude bzw. Frieden zu haben, wird damit in eine zweite, theologische und christologische Perspektive gestellt. Es geht nicht einfach nur in geläufiger menschlicher Sicht um persönliche Freude (χαίρειν) oder Gunst (χάρις), sondern vor allem auch um Gnade von Gott und Christus. Ebenso geht es nicht nur um persönlichen Frieden, sondern vor allem auch um denjenigen von Gott und Christus. Diese „Ersetzung der Grußform durch eine Segensformel"[32] entspricht zum einen der Form des Apostelbriefes, zum anderen drückt sich darin aber auch bei Paulus eine Existenzhaltung aus, die das Leben nicht nur durch persönlichen Frieden (vgl. 5,1) und menschliches Wohlwollen, sondern immer zugleich in einer theologischen Zweitperspektive durch Gott und Christus bestimmt weiß. Durch die Anfügung des zweiten Teiles wird also deutlich, dass dieser Wunsch theologisch und christologisch gemeint ist und sich deshalb keineswegs nur auf immanente Erfahrungen des Friedens mit und der Gunst durch andere Menschen richtet. Das Leben der Adressaten und der gesamte Brief an sie wird damit schon durch diesen Gruß in eine transzendente Perspektive gestellt, die den immanenten Erfahrungen, möglicherweise auch solchen des Unfriedens und der Ungnade, entgegengestellt wird. Es handelt sich hier also nicht einfach um persönliche Grüße des Paulus. „Die beiden Gaben der Gnade und des Friedens, die als Segensformeln den Kommunikationszusammenhang herstellen, haben in Gott ihren Ursprung und ihren eigentlichen Absender. Dieser ἀπό-Zusatz läßt sich in keiner Weise aus von Paulus vorausgesetzten Briefformalien ableiten."[33]

Die Formulierung „unser Vater" bezieht sich auf das intime menschliche Verhältnis zwischen Kindern und Vater und interpretiert dieses in theologischer Perspektive metaphorisch im Hinblick auf das Verhältnis der Glaubenden zu Gott. Die Vorstellung von der Gotteskindschaft aller Glaubenden, die z.B. auch der Gebetsunterweisung Jesu Mt 5,9 und Lk 11,2[34] zugrunde liegt, wird von Paulus Röm 8,14-17 pneumatologisch und 8,29 christologisch begründet werden. Dass Jesus

---

[30] Taatz schlägt deshalb vor, den Römerbrief mit der Tradition frühjüdischer prophetischer Schreiben in Verbindung zu bringen (a.a.O., S. 113f).

[31] Taatz versucht zwar auch hier, den paulinischen Gruß auf ein jüdisches Grußformular zurückzuführen, ihre Argumentation ist jedoch in Bezug auf die Herleitung des Wortes χάρις nicht besonders überzeugend (Taatz, a.a.O., S. 112).

[32] F. Vouga: Der Brief als Form der apostolischen Autorität, S. 8.

[33] Vouga, a.a.O., S. 16f.

[34] Das ἡμῶν in Lk 11,2 ist textkritisch unsicher.

Christus wie bereits V. 4b auch hier κύριος genannt werden kann, weist auf eine Verschiebung dieses traditionell für Gott gebrauchten Begriffs zur Christologie hin.

Aufgrund der bisherigen Ausführungen ergibt sich damit für das Präskript insgesamt eine Doppelperspektive. Die entsprechenden Gegenüberstellungen werden im folgenden, wie dann auch im ganzen weiteren Hauptteil, mit Hilfe einer Tabelle wiedergegeben, die den griechischen Text enthält.[35] Dieser basiert bis auf wenige Änderungen, die jeweils an der entsprechenden Stelle textkritisch begründet werden, auf der 4. Edition des Greek New Testament. Er entspricht also – abgesehen von kleinen Abweichungen z.B. bei der Groß- und Kleinschreibung – dem Text der 27. Aufl. von Nestle-Aland. Die dortige Interpunktion und die dort vorgeschlagenen Absätze, Zeilenformatierungen und Satzzeichen werden in der Tabelle jedoch in der Regel weggelassen,[36] um die Interpretation dadurch nicht im Voraus festzulegen.

Die im folgenden genannten Gegenüberstellungen bringen jeweils im Sinne des oben Erläuterten in der ersten Spalte die geläufige, weltimmanente menschliche Sicht und in der zweiten die transzendente, theologisch bzw. christologisch geprägte Sichtweise. Eine vorangestellte Spalte gibt die Textstelle an und benennt diejenigen Worte oder Formulierungen, die den Abschnitt unterteilen und die einzelnen Gegenüberstellungen miteinander verknüpfen. Beginnt der jeweilige Satz in der zweiten Spalte der Gegenüberstellung, so ist diese mit (1) und die vorhergehende Spalte mit (2) bezeichnet. Im Präskript des Röm lassen sich unter diesen Voraussetzungen folgende Gegenüberstellungen benennen und in einer Tabelle zusammenstellen:

Textstelle und sprachl. Anschluss	Geläufige menschliche Sicht	Theologisch bzw. christologisch geprägte Perspektive
1,1:	Παῦλος	δοῦλος Χριστοῦ Ἰησοῦ κλητὸς ἀπόστολος ἀφωρισμένος εἰς εὐαγγέλιον θεοῦ
2:	διὰ τῶν προφητῶν αὐτοῦ ἐν γραφαῖς ἁγίαις (2)	ὃ προεπηγγείλατο (1)
3+4: περὶ	τοῦ υἱοῦ αὐτοῦ τοῦ γενομένου ἐκ σπέρματος Δαυὶδ κατὰ σάρκα	τοῦ ὁρισθέντος υἱοῦ θεοῦ ἐν δυνάμει κατὰ πνεῦμα ἁγιωσύνης ἐξ ἀναστάσεως νεκρῶν
	Ἰησοῦ	Χριστοῦ τοῦ κυρίου ἡμῶν
5: δι' οὗ	ἐλάβομεν χάριν καὶ ἀποστολὴν	εἰς ὑπακοὴν πίστεως
	ἐν πᾶσιν τοῖς ἔθνεσιν	ὑπὲρ τοῦ ὀνόματος αὐτοῦ
6:	ἐν οἷς ἐστε καὶ ὑμεῖς	κλητοὶ Ἰησοῦ Χριστοῦ
7:	πᾶσιν τοῖς οὖσιν ἐν Ῥώμῃ	ἀγαπητοῖς θεοῦ κλητοῖς ἁγίοις
	χάρις ὑμῖν καὶ εἰρήνη	ἀπὸ θεοῦ πατρὸς ἡμῶν καὶ κυρίου Ἰησοῦ Χριστοῦ

---

[35] Zu solcher tabellarischen Strukturierung vgl. exemplarisch für Röm 5,15-21 auch O. Hofius: Die Adam-Christus-Antithese und das Gesetz. Erwägungen zu Röm 5,12-21; In: J. D. G. Dunn (Hrsg.): Paul and the Mosaic Law, (WUNT 89) Tübingen 1996, S. 165-206, dort S. 167.

[36] Interpunktionen sind nur an wenigen Stellen eingefügt, wo sich aufgrund der Auslegung eine wesentliche Sinnverschiebung gegenüber dem Text von Nestle-Aland (27. Aufl.) ergibt.

Proömium (1, 8-15)

Dem Präskript folgt, wie in den anderen authentischen Paulusbriefen, das Proömium, das in der 1. Person Singular mit εὐχαριστῶ eingeleitet wird (vgl. I Kor 1,4; Phil 1,3; Phlm 4; I Thess 1,2 allerdings im Plural). Das πρῶτον unterstreicht noch den Neuansatz. Im Röm erstreckt sich das Proömium m.E. nicht bis V. 17, sondern nur bis V. 15.[1] Dafür spricht auch, dass sich die für den Briefrahmen charakteristische Anrede der Adressaten in der 2. Person nur bis zu diesem Vers findet.[2] V. 16ff beginnt dann mit einer erneuten persönlichen Bemerkung der argumentative Hauptteil.[3] Die oft vorgeschlagene Gliederung, nach der der Briefeingang erst mit V. 17 endet,[4] muss erklären, warum dieser Eingangsteil des Briefes in sonst unüblicher Weise mit einem Zitat abschliesst. Vielmehr weist das Zitat von Hab 2,4 in V. 17 eher darauf hin, dass hier bereits argumentiert wird.[5] Gegen einen Anfang des Briefcorpus in V. 18 spricht auch, dass sich dort keine markante Eingangsformulierung findet. Durch das γάρ und das ἀποκαλύπτεται ist der Vers vielmehr fest mit V. 16f verbunden und setzt nicht grundsätzlich neu ein.

Innerhalb des V. 8-15 umfassenden Proömiums ergibt sich eine Untergliederung dadurch, dass V. 14 ohne Konjunktion anschließt und damit einen gewissen Neuanfang signalisiert. V. 8-13 geht Paulus demnach auf seine persönliche Situation und sein Verhältnis zu den Adressaten ein, um dies V. 14f abschließend in eine universale Perspektive zu stellen.[6]

Die persönliche Situation des Paulus (1, 8-13)

Paulus dankt zunächst – wie in den meisten seiner Briefe[7] – zu Beginn des Proömiums. Der Dank gilt aber nicht den Adressaten selbst, sondern Gott. Der Anfang des Briefes hat somit eine doppelte kommunikative Ebene. Einerseits ist er von einer einzelnen Person geschrieben und richtet sich in geläufiger menschlicher Sicht an die römischen Christinnen und Christen, für die Paulus dankt (πρῶτον εὐχαριστῶ ... περὶ πάντων ὑμῶν), und andererseits richtet sich dieser Dank in theologischer Perspektive an Gott

---

[1] Anders z.B. W. Schmithals, der Römerbrief. Ein Kommentar; Gütersloh 1988, der das Proömium nur bis V. 12 gehen lässt und U. Wilckens: Der Brief an die Römer; EKK VI, der V. 8-17 als Proömium auffasst. Vgl. zum Problem auch L. Legrand: Rm 1.11-15(17),: Proemium ou Propositio?; in: NTS 49 (2003), S. 566-572.

[2] Vgl. A. Reichert: Der Römerbrief als Gratwanderung; (FRLANT 194) Göttingen 2001, 119f.

[3] Sehr beachtlich ist hier die von M. Theobald zur Diskussion gestellte Gliederung des Briefes. Aufgrund von Überlegungen zur rhetorischen Disposition fasst er 1,16f als propositio auf und lässt das Briefkorpus entgegen der geläufigen Meinung schon in 1,16 beginnen. Vgl. M. Theobald: Der Römerbrief; (EdF 294) Darmstadt 2000, S. 61.

[4] So z.B. u.a. die Kommentare und Auslegungen von K. Barth, K. Haacker, E. Käsemann, W. Schmithals, U. Wilckens. Anders C. K. Barrett, der V. 16f als transition bezeichnet.

[5] Zu dieser Einteilung vgl. näher die Einführung und unten die Erläuterungen zu 1,16.

[6] Anders Reichert, die in V. 8-12 und 13-15 unterteilt. Vgl. dies.: Der Römerbrief als Gratwanderung, S. 119: „während der erste Unterabschnitt (1,8-12) die Adressaten an die Seite des Adressanten stellt, stehen sie im zweiten Unterabschnitt an der Seite der übrigen Verkündigungsempfänger."

[7] Wo er singulär von dieser Form abweicht, hat er gute Gründe: In Gal 1,6, wo er sich mit θαυμάζω direkt an die Adressaten wendet, deutet er damit schon den im Brief behandelten Konflikt an und in II Kor 1,3 deutet das εὐλογητός ebenfalls auf eine Störung des Verhältnisses zur korinthischen Gemeinde hin.

durch Jesus Christus (τῷ θεῷ μου διὰ Ἰησοῦ Χριστοῦ). Dieser Gott wird von Paulus als „mein" Gott bezeichnet. Damit wird zum Ausdruck gebracht, dass es sich im paulinischen Evangelium um einen persönlichen Gott handelt, der jeweils in Relation zu einem einzelnen Menschen verstanden werden muss, der von sich selbst als „Ich" reden kann und sich zu diesem Gott bekennen kann. Diese Beziehung wird „durch Jesus Christus" ermöglicht. Noch deutlicher wird das durch die Formulierung ὁ θεός ᾧ λατρεύω (V. 9). Das weist zugleich auf Röm 12,1 voraus, wo zu Beginn des ethischen Teiles betont wird, dass die λογικὴ λατρεία in der Selbstbereitstellung der Glaubenden besteht.[8]

Der Dank des Paulus an diesen Gott bezieht sich V. 8b mit einer captatio benevolentiae auf die weltweite Bekanntheit der römischen Christen (angeschlossen mit ὅτι). Die Perspektive ist wiederum, wie bereits anfangs 1,5 (ἐν πᾶσιν τοῖς ἔθνεσιν)[9] und dann auch später durchgehend (z.B. 1,14 und 1,16) universal. Damit ist aber nicht die Berühmtheit bestimmter persönlicher Eigenschaften der Römer gemeint, sondern in theologischer Perspektive ihr Paulus zufolge in aller Welt bekannter Glaube.[10] Nicht ihre Zugehörigkeit zu Rom als Zentrum des römischen Reiches oder irgendwelche anderen profanen Qualitäten, sondern die Berühmtheit ihres Glaubens, also ihre persönliche Relation zum von ihm verkündigten Gott, ist damit für Paulus Grund zum Dank.[11]

V. 9f versuchen (angeschlossen mit γάρ) eine erste persönliche Verbindung zu den Adressaten aufzubauen, indem Paulus versichert, dass er schon seit längerem an die römischen Christen denke und im Sinn habe, sie zu besuchen. Er beginnt diese Versicherung, indem er zugleich in theologischer Perspektive Gott als Zeuge anführt. Die folgenden Gegenüberstellungen wechseln jeweils in einer schnellen Pendelbewegung zwischen zwei Perspektiven. V. 9b benennt zunächst die persönliche Sicht des Paulus. Der Ausdruck ἐν τῷ πνεύματί μου meint dann zunächst einfach ihn selbst. Man sieht, „dass Paulus eben auch vom menschlichen πνεῦμα reden kann. Wie σῶμα und ψυχή kann auch πνεῦμα in diesem Sinne die Person bedeuten und ein Personalpronomen vertreten."[12] Wie bereits in V. 1 und 5 kommt Paulus erneut auf die Verbindung des Evangeliums mit seiner eigenen Person zu sprechen. Er dient (λατρεύω) zwar persönlich mit seinem Geist, dabei handelt es sich jedoch nicht um ein Dienstverhältnis zu anderen Menschen, sondern er dient in theologischer Sicht Gott.

Paulus beteuert gegenüber dieser theologischen Sicht wiederum auf zwischenmenschlicher Ebene (angeschlossen mit ὡς), dass er sich ständig über die römischen Christen Gedanken mache (V. 9c). Die Art, wie das geschieht, ist dann jedoch erneut theologisch qualifiziert: er bete allezeit für sie (V. 10a). Menschlich gesehen hoffe er, dass es ihm selbst gelingen werde, endlich zu den Römern zu kommen

---

8 Vgl. A. Reichert: Gottes universaler Heilswille und der kommunikative Gottesdienst. Exegetische Anmerkungen zu Röm 12,1-2; in: M. Trowitzsch (Hrsg.): Paulus, Apostel Jesu Christi. Festschrift für Günther Klein; Tübingen 1998, S. 79-95, dort S. 95.

9 Ἔθνεσιν meint hier nicht die Heiden (Nichtjuden), sondern die ganze Menschheit. Zur Begründung vgl. die Ausführungen zu Röm 1,14.

10 U. Wilckens: Der Brief an die Römer; EKK VI, 1, S. 77: „Doch gilt der Ruhm Gott, dem Geber der πίστις."

11 K. Haacker: Der Brief des Paulus an die Römer; ThHK 6, S. 32 geht hier wohl zu weit, wenn er die Berühmtheit aus den Turbulenzen zwischen Christen und Juden und der daran anschließenden Vertreibung der Juden durch das Claudiusedikt ableitet.

12 R. Bultmann: Theologie des Neuen Testaments, S. 207.

(εὐοδωθήσομαι, V. 10b, angeschlossen mit εἴ πως). Die Ankunft in Rom stellt er jedoch in theologischer Perspektive unter den Vorbehalt, dass es dem göttlichen Willen auch entspricht (ἐν τῷ θελήματι τοῦ θεοῦ). Es geht also nicht nur um rein persönliche Gedanken des Paulus und um ein Gelingen seines Vorhabens, sondern um eine im Gebet und im Willen Gottes begründete Verbindung zu den Adressaten, die ihn hoffen lässt, sie auch demnächst einmal besuchen zu können.

V. 11f erläutern den zuvor ausgedrückten Wunsch des Paulus, nach Rom zu kommen (erneut angeschlossen mit γάρ). Er habe einerseits persönlich Sehnsucht, die Adressaten zu sehen (ἐπιποθῶ ἰδεῖν ὑμᾶς), aber nicht allein wegen dieses persönlichen Bedürfnisses, zu ihnen zu kommen, sondern um ihnen an seinen Gnadengaben Anteil zu geben und sie damit zu stärken (ἵνα τι μεταδῶ χάρισμα ὑμῖν πνευματικὸν εἰς τὸ στηριχθῆναι ὑμᾶς). Der geplante Besuch des Paulus bekommt demnach sowohl eine persönliche als auch eine geistliche Dimension. Es geht ihm nicht nur darum, als Person zu beeindrucken und akzeptiert zu werden, sondern vor allem christliche Gemeinschaft zu pflegen. Das στηριχθῆναι ist dabei als passivum divinum zu verstehen. Subjekt der Stärkung ist nicht allein Paulus, sondern letztlich durch ihn Gott.[13] V. 12 schließt dann an 11 mit τοῦτο δέ ἐστιν an. Paulus setzt V. 12a zunächst auf zwischenmenschlicher Ebene ein. Er erhofft sich von seinem Besuch gegenseitige Ermutigung bzw. Tröstung (συμπαρακληθῆναι ἐν ὑμῖν). Auch diese soll jedoch nicht nur auf persönlicher Ebene, von Mensch zu Mensch, geschehen, sondern vor allem in theologischer Sicht durch den gegenseitig vorhandenen Glauben.

Mit einer längeren rhetorischen Einleitungsformel (vgl. auch Röm 11,25) spricht Paulus V. 13 erneut die Adressaten persönlich an (angeschlossen mit δέ). Der Zusatz ἀδελφοί zeigt jedoch gleich, dass er sich an die Adressaten nicht nur persönlich, sondern zugleich in theologischer Sicht geistlich als Brüder und Schwestern wendet. Er bekräftigt dann V. 13b zunächst in geläufiger menschlicher Sicht nochmals (vgl. V. 10), dass er schon oft vorgehabt habe, nach Rom zu kommen. Die Formulierung ἐκωλύθην ἄχρι τοῦ δεῦρο, eingeleitet mit adversativem καί, ist nicht einfach nur eine Parenthese, sondern bringt wiederum substantiell die theologische Sicht ein und weist voraus auf den Briefschluss 15,22 (ἐνεκοπτόμην). Wie dort interpretiert auch hier die passive Formulierung sein bisheriges Fernbleiben als Verhinderung durch eine transzendente Macht, entweder durch Gott[14] oder durch seinen Gegner.[15] V. 13c beschreibt (angeschlossen mit ἵνα) Paulus sein Vorhaben in Rom zunächst in geläufiger Sicht durch einen agrarischen Vorgang. Er wolle in Rom eine Ernte einfahren (τινὰ καρπὸν σχῶ). Der Bezug auf die Adressaten am Versende stellt dies jedoch in eine theologische Perspektive. Der Verweis auf die Ernte wird dadurch zur Metapher für den Ertrag geistlicher Arbeit (vgl. Röm 6,20-22; Phil 1,22).[16] Das ἔθνη bezieht sich, wie im folgenden ausführlich zu zeigen sein wird, nicht nur auf die Nichtjuden,[17] sondern auf alle Menschen und stellt die Verkündigung des Evangeliums in Rom in den Kontext einer universalen Verkündigung (vgl. bereits V. 5).

---

[13] Vgl. auch K. Haacker: Der Brief des Paulus an die Römer; ThHK 6, S. 33.

[14] So U. Wilckens: Der Brief an die Römer; EKK VI,1, S. 79, Anm. 84.

[15] Vgl. dazu I Thess 2,18: διότι ἠθελήσαμεν ἐλθεῖν πρὸς ὑμᾶς, ἐγὼ μὲν Παῦλος καὶ ἅπαξ καὶ δίς, καὶ ἐνέκοψεν ἡμᾶς ὁ Σατανᾶς. Es handelt sich V. 13 gegen K. Haacker: Der Brief des Paulus an die Römer; ThHK 6, S. 34 also nicht um persönliche, sondern um theologische Verhinderungsgründe.

[16] Vgl. auch K. Barth: Der Römerbrief; Zweite Fassung, S. 10.

[17] Gegen Haacker, a.a.O. , S. 35.

Die Universalität und Individualität des paulinischen Evangeliums (1,14f)

V. 14+15 bilden den Schluss des Proömiums und leiten zugleich langsam zum ersten argumentativen Hauptteil 1,16-32 über. Formal ist das dadurch erkennbar, dass nach einer längeren Kette von sprachlichen Anschlüssen V. 8-13 (μέν, ὅτι, γάρ, ὡς, ἔι πως, γάρ, τοῦτο δέ ἐστιν, δέ, ὅτι, ἵνα) nun eine Konjunktion fehlt, die eine Verbindung mit dem Vorhergehenden herstellt. Die folgenden Verse sind einerseits immer noch von persönlichen Äußerungen des Paulus geprägt, stellen andererseits das persönlich von Paulus gepredigte Evangelium in seiner Universalität dar, die alle kulturellen Grenzen überschreitet. V. 14f beziehen sich dabei auf die kulturelle Differenzierung zwischen Griechen und Nichtgriechen.[1] V. 16f wird daran anschließend (γάρ) auf eine zweite Differenzierung eingehen: die kulturell-religiöse zwischen Juden und Nichtjuden.[2]

Bevor mit Ἰουδαῖος–Ἕλλην in Röm 1,16 eine der wichtigsten Unterscheidungen des Röm und der paulinischen Theologie insgesamt eingeführt wird, bezeichnet sich Paulus bei der Verkündigung seines Evangeliums als Griechen und Barbaren gleichermaßen verpflichtet. Paulus verwendet also zunächst V. 14 eine geläufige menschliche Differenzierung, die – wie im folgenden zu zeigen sein wird – zur Selbstdefinition des hellenistischen Sprach- und Kulturraumes gehört. Dieser Unterscheidung stellt er jedoch mit ὀφειλέτης εἰμί eine zweite, theologisch bestimmte Sicht gegenüber. Der Begriff ὀφειλέτης meint hier nicht moralisch oder ökonomisch „Schuldner", als sei Paulus Griechen oder Barbaren irgend etwas schuldig, sondern er bezeichnet eine geistliche Verpflichtung, die Paulus verspürt.[3] Diese Unterscheidung von Griechen und Barbaren ist für die weitere Argumentation nicht unwichtig, beschreibt sie doch in einem ersten Gang – der zweite wird 1,16f erfolgen – die eigentlichen Adressaten des paulinischen Evangeliums. Zwar ist der Röm nach 1,7 zunächst in einem engeren Sinne an die Christinnen und Christen in Rom gerichtet, das in diesem Schreiben dargelegte Evangelium richtet sich darüber hinaus jedoch letztlich an einen Adressatenkreis, der weit über diese begrenzte Gemeinschaft hinausgeht (vgl. bereits V.5 und 13: τὰ ἔθνη). Die mit dem Brief in Gang kommende Kommunikation weist von vornherein über die Beziehung des Paulus zu den Römern hinaus. Im Briefschluss stellt es Paulus so dar, dass durch die Kontaktaufnahme mit den Römern die weitere Verbreitung seines Evangeliums bis nach Spanien vorbereitet werden soll (vgl. 15,24 und 28). Und am Ende des Briefes vermittelt er in 16,16 Grüße von allen Gemeinden Christi an die Römer. Die Verkündigung des paulinischen Evangeliums ist so ausgerichtet, dass sie sich von den Adressaten in Rom ausgehend im Prinzip an die gesamte Menschheit richtet. Paulus schreibt den Römerbrief also nicht nur als

---

[1] R.M. Thorsteinsson hat vorgeschlagen, die gängige Punktuation der Verse zu ändern. Er zieht Ἕλλησίν τε καὶ βαρβάροις σοφοῖς τε καὶ ἀνοήτοις als Apposition zu V. 13 und ὀφειλέτης εἰμι als Einleitung des neuen Satzes zu V. 15 Dieser Vorschlag kann aber das οὕτως in V. 15 kaum erklären und ist deshalb unwahrscheinlich. Siehe R.M. Thorsteinsson: Paul's Missionary Duty Towards Gentiles in Rome: A Note on the Punctuation and Syntax in Rom 1.13-15; in: NTS 48 (2002), S. 531-547, dort besonders S. 543ff.

[2] In ähnlicher Weise wird I Kor 1,18-2,9 zu Anfang des Briefes parallel von Juden und Griechen (also Nichtjuden) gesprochen, um dort die Torheit bzw. Weisheit des paulinischen Evangeliums aufzuzeigen.

[3] Vgl. F. Hauck: Artikel ὀφείλω κτλ.; in: ThWNT, Bd. 5, S. 565. Im Röm erscheint ὀφειλέτης noch in 8,12 und 15,27. Das Verb ὀφείλω findet sich 13,8 sowie 15, 1 und 27, vgl. auch ὀφειλή 13,7.

persönlichen Brief an die römische Gemeinschaft, sondern er möchte damit zugleich theologisch seine universal ausgerichtete Missionsabsicht begründen und gewissermaßen sogar initiieren.[4] Zur Bezeichnung dieser Universalität verwendet er unter anderem die Unterscheidung von Hellenen und Barbaren und damit verbunden die von Weisen und Unverständigen. Auch im brieflichen Rahmen anderer Paulusbriefe kommt diese Universalität der Kommunikation des Evangeliums bereits zur Sprache, z.B. I Kor 1,2; II Kor 13,12; Phil 4,22. Um die hier von Paulus (vor der von Juden und Nichtjuden V. 16) vorausgesetzte Differenz Griechen – Barbaren besser zu verstehen, soll im Folgenden kurz auf deren Genese eingegangen werden.[5]

Die Unterscheidung von Griechen und Barbaren

Ἕλληνες markiert nach damaligem Verständnis den Bereich der gesamten (römisch-) hellenistischen Kultur. Diese lässt auf verschiedene Weise definieren, z.B. territorial, ethnisch, moralisch-kulturell oder sprachlich. Der Begriff, der sich bereits etwa 700 v. Chr. findet,[6] entwickelt und festigt sich allmählich durch den als Gegensatz gebrauchten Terminus βάρβαρος. So wird die Unterscheidung Griechen – Barbaren z.B. in der 1. Hälfte des 5. Jahrhunderts bei Aischylos anlässlich der Erfahrungen der Griechen während der Perserkriege zunächst territorial verwendet[7] und in der 2. Hälfte des 5. Jahrhunderts bei Herodot zunächst ethnisch[8] und dann moralisch-kulturell.[9] Auf der Basis dieses im 5. Jahrhundert entwickelten Verständnisses der Begriffe ‚Grieche‘ und ‚Barbar‘ wird die Unterscheidung in den nächsten Jahrhunderten im Sinne eines kulturellen Selbstverständnisses des Griechentums erweitert. Maßgeblich wird nun die griechische Bildung und Erziehung. Diese Vorstellung findet sich z.B. schon bei

---

[4] In gewissem Sinn kann man sagen, dass der Brief selbst der Anfang dieser universalen paulinischen Verkündigung in Rom ist. Und in seiner Rezeptionsgeschichte wirkt er als prominenter Teil der Bibel bis heute in diesem Sinne – was Paulus sicherlich so nicht erwarten konnte.

[5] Als Vorstudie zu dem folgenden Abschnitt siehe bereits D. Starnitzke: „Griechen und Barbaren ... bin ich verpflichtet" (Röm 1,14). Die Selbstdefinition der Gesellschaft und die Individualität und Universalität der paulinischen Botschaft; in: WuD 24 (1997), S. 187-207.

[6] H. Windisch: Artikel Ἕλλην, Ἑλλάς κτλ.; in: ThWNT, Bd. 2; hrsg. v. G. Kittel; Stuttgart 1935, S. 501-514.

[7] Aischylos stellt im 5. Jahrhundert in seinem Drama „Perser" diese Unterscheidung als territoriale Grenze dar, die von den Göttern gesetzt wurde. Βάρβαροι fungiert dort als Selbstbezeichnung der Perser. Die Unterscheidung Grieche – Barbar ist hier also wertneutral im Sinne einer territorialen Differenzierung zwischen griechischem und persischem Herrschaftsgebiet, zwischen Europa und Asien gemeint. Vgl. zu den Quellenbelegen D. Starnitzke: „Griechen und Barbaren ... bin ich verpflichtet" (Röm 1,14), S. 188f.

[8] Siehe Herodot: Historien. Auch bei ihm wird der Begriff βάρβαρος zunächst noch nicht polemisch gebraucht. Er versteht es vielmehr, zwischen verschiedenen nichtgriechischen Völkern zu unterscheiden und dadurch den Begriff zu differenzieren und über die Perser hinaus auf andere Volksstämme auszuweiten. Nüchtern schildert Herodot die Eigenarten der verschiedenen nichtgriechischen Völker, ohne dass damit eine negative Wertung derselben verbunden wäre. Er zeigt dabei auch die kulturellen und theologischen Verbindungen zwischen Hellenen und Barbaren auf. Vgl. Starnitzke, a.a.O., S. 189ff.

[9] Erst bei der näheren Beschäftigung mit den Perserkriegen findet sich eine polemische Zuspitzung der Unterscheidung Griechen – Barbaren im Sinne einer moralischen Abwertung des Verhaltens der Perser und eines ausgeprägten moralischen Selbstbewusstseins der Griechen, vgl. z.B. Herodot, Historien IX, 79.

Isokrates.[10] Das Programm eines durch (politische) Bildung und Erziehung – nicht nur durch militärische Siege – geprägten griechischen Selbstbewusstseins gewinnt in der Folgezeit deutlich an Einfluss. Anknüpfend an solche Vorstellungen kann sich das Selbstverständnis des Griechentums von der geburtsmäßigen Herkunft und von territorialen Definitionen abkoppeln und statt dessen auf griechische Weisheit, auf Philosophie, Rhetorik und andere Künste konzentrieren. Barbaren sind dann diejenigen, die keine griechische Bildung besitzen.

Auf dieser Grundlage kann der Gebrauch der Unterscheidung Ἕλληνες – βάρβαροι immer noch erheblich variieren. Barbaren können z.B. die Bewohner der von Alexander dem Großen, einem Schüler des Aristoteles, eroberten Gebiete genannt werden, die dann gewissermaßen zu einem gemeinsamen hellenistischen Kulturkreis zusammengefasst werden.[11] Es können aber auch die außerhalb dieses Kulturkreises lebenden Völker gemeint sein, die kein Griechisch sprechen und deshalb von den Griechen nicht verstanden werden konnten. Die Unterscheidung Griechen - Barbaren ist dann sprachlich gemeint, was der eigentlichen Bedeutung des Wortes βάρβαρος ja auch entspricht.[12]

Das Wort Barbar kann schließlich auch in der lateinischen Sprache übernommen werden. Je mehr sich das Römische Reich in den hellenistischen Kulturkreis hinein ausweitet, desto mehr kann es zu einer Verbindung von römischer Herrschaft und griechischer Kultur kommen. Der Begriff βάρβαρος bzw. barbarus kann als Selbstabgrenzung der hellenistisch-römischen Welt von allen anderen Völkern verwendet werden und ist dann meist mit einem bestimmten kulturellen und moralischen Selbstbewusstsein und einer entsprechenden Erziehung verbunden.[13] Aelius Aristides behauptet schließlich als Grieche in seiner wohl 143 n. Chr. gehaltenen Romrede, dass die Unterscheidung Griechen – Barbaren zu seiner Zeit von Seiten der Römer durch die von Römern und Nichtrömern ergänzt und ersetzt worden sei.[14] Die Unterscheidung in Römer und Nichtrömer dient dabei nicht nur zur Abgrenzung des Römischen Reiches von seinen Feinden, sondern auch als interne Differenzierung zwischen den mit römischem Bürgerrecht versehenen Menschen und allen anderen Bewohnern.[15]

---

[10] Durch seine rhetorische Tätigkeit versuchte er nach dem für die Griechen ungünstigen Friedensschluss mit den Persern im Jahre 386 v. Chr., die hellenischen Völker neu zu einigen. In seinen Ausführungen im Panegyrikos behauptet er eine grundsätzliche Überlegenheit der Griechen über die Barbaren (Perser) vor allem im Hinblick auf deren Bildung und politische Ordnung: „τους οὕτω τρεφομένους καὶ πολιτευομένους". (Isokrates: Panegyrikos, Abschnitt 150)

[11] Zur Rezeption und Ablehnung von griechischer Kultur im Judentum seit 333 v. Chr. vgl. M. Hengel: Juden, Griechen und Barbaren. Aspekte der Hellenisierung des Judentums in vorchristlicher Zeit; Stuttgart 1976 (SBS 76).

[12] Vgl. dazu die von H. Windisch gegebenen Belege. Ders.: Artikel βάρβαρος; in: ThWNT, Bd. 1, S. 544-551. Windisch unterscheidet vier Bedeutungen des Wortes βάρβαρος: 1. unverständliche Laute von sich gebend; 2. fremdsprachig; 3. fremdrassig, nichtgriechisch; 4. ungebildet. Siehe a.a.O., S. 544-547.

[13] Vgl. Windisch, a.a.O., S. 546 sowie die dort angegebenen Stellen z.B. bei Cicero und Seneca, die von der Unterscheidung docti – barbari ausgehen.

[14] "Nicht in Griechen und Barbaren trennt ihr jetzt die Völker [...] Ihr habt dagegen die Menschen in Römer und Nichtrömer eingeteilt (οὐ γὰρ εἰς Ἕλληνας καὶ βαρβάρους διαιρεῖτε νῦν τὰ γένη ... ἀλλ' εἰς Ῥωμαίους τε καὶ οὐ Ῥωμαίους ἀντιδιείλετε) und den Namen der Stadt so weit ausgedehnt." (Die Romrede des Aelius Aristides; herausgegeben, übersetzt und mit Erläuterungen versehen von R. Klein; Darmstadt 1983, S. 38f.)

[15] Mit der Verwendung dieser zweiten Differenz signalisiert Aelius Aristides, dass aus seiner Sicht die in den vorherigen Jahrhunderten gebräuchliche Unterscheidung Griechen – Barbaren unmittelbar in die Unterscheidung Römer – Nichtrömer übergehen kann. „Mit Überraschung wird man am Kaiserhof

Für die Zeit, in der der Röm verfasst wurde, wird man davon ausgehen können,
dass vor allem während der Regierung Neros eine enge Verbindung von römischer
Politik und griechischer Kultur vorhanden war, und dass Nero auch der griechischen
Bevölkerung äußerst wohlgesinnt war.[16] Im 1. Jahrhundert wurde dabei nicht nur in
Griechenland und in den östlichen Reichsgebieten, sondern auch in Rom[17] und anderen
Teilen des Imperium Romanum mit einiger Sicherheit von einem guten Teil der
Bevölkerung neben der jeweiligen Landessprache auch Griechisch gesprochen.[18] Mit
einigem Recht wird man deshalb zu dieser Zeit von einem gemeinsamen römisch-
hellenistischen Kulturkreis sprechen können, der sich nicht nur moralisch-kulturell,
sondern vielmehr auch aufgrund der gemeinsam gebrauchten Sprache definieren lässt.
Wenn Paulus zunächst mit der Unterscheidung Griechen – Barbaren beginnt, so setzt er
damit beim Selbstverständnis des römisch-hellenistischen Kulturkreises an, das für die
Adressaten als Bewohner der Hauptstadt Rom wichtige Bedeutung gehabt haben dürfte.

Die Missionstätigkeit des Paulus war bis zum Verfassen des Römerbriefes
ausschließlich auf den von griechischer Kultur und Sprache besonders geprägten
östlichen Mittelmeerraum beschränkt. Er schrieb sämtliche uns überlieferten Briefe in
Griechisch. Weil er durchgehend die alttestamentlichen Schriften nach der Septuaginta
zitiert,[19] stellt sich darüber hinaus die Frage, ob er möglicherweise gar kein Hebräisch
konnte.[20] Mit der in Röm 1,14 vorausgesetzten Unterscheidung schickt sich Paulus nun
erstmals an, die Grenze des hellenistischen Sprach- und Kulturkreises von Rom
ausgehend in Richtung Spanien zu überschreiten. Zwar gab es auch in Spanien bereits
zahlreiche römische (griechischsprachige?) Siedlungen, Paulus hegt jedoch offenbar
die Absicht, sein Evangelium nun darüber hinaus auch bei den Barbaren (den nicht
Griechisch sprechenden Menschen?)[21] zu verbreiten, und zwar aus theologischen
Gründen, die in der Universalität seiner Botschaft selbst liegen. Diese Absicht ist
offenbar eine wesentliche Voraussetzung für das Verfassen des Römerbriefes.

Auf dem Hintergrund des skizzierten traditionellen Gebrauches der Differenz
Griechen - Barbaren ist nun differenztheoretisch zu fragen, wie Paulus diese
Unterscheidung in Röm 1,14 gebraucht. Im Kontext gesehen fällt auf, dass der Begriff
Ἕλλην zwei Verse später in der Unterscheidung Ἰουδαῖος – Ἕλλην ebenfalls auftaucht.
Es ist deshalb zunächst zu untersuchen, ob er an beiden Stellen das Gleiche meint und

---

vernommen haben, daß nunmehr ein grundlegender politischer Gegensatz von Griechen und Römern
nicht mehr vorhanden sei." (Richard Klein: Die Romrede des Aelius Aristides. Einführung; Darmstadt
1981, S. 129)

[16] So verkündete Nero z.B. im Jahre 67 in Korinth Freiheit und Immunität für die gesamte Provinz
Achaja und brachte damit seine ausgesprochen progriechische Gesamthaltung zum Ausdruck. Vgl.
dazu R. Klein: Die Romrede des Aelius Aristides. Einführung, S.17.

[17] Nicht zuletzt die Tatsache, dass der Brief des Paulus an die römischen Christen auf Griechisch
geschrieben ist, zeigt, dass sie Griechisch gesprochen haben müssen.

[18] Für diese Annahme spricht auch, dass die Schriften des NT sämtlich in Griechisch überliefert sind und
damit, unabhängig von ihrer lokalen Herkunft, offenbar dem allen gemeinsamen griechischen
Sprachraum entstammen.

[19] Vgl. dazu H. Hübner (Hrsg.): Vetus Testamentum in Novo, Bd. 2: Corpus Paulinum; Göttingen 1997.
In den dortigen Aufstellungen lässt sich beobachten, dass Paulus fast durchgehend der Fassung der
Septuaginta folgt.

[20] Allerdings sagt Paulus Phil 3,5 von sich, dass er Ἑβραῖος ἐξ Ἑβραίων sei.

[21] Auch an der anderen Stelle, wo sich der Begriff βάρβαρος bei Paulus findet, ist offensichtlich eine
sprachlich unverständliche Rede gemeint (vgl. I Kor 14,11).

wie die Unterscheidung Ἰουδαῖος – Ἕλλην an Ἕλλην – βάρβαρος anschließt. Grundsätzlich ergeben sich vier Möglichkeiten.
1. Der Begriff Ἕλλην in 1,14 wird durch die Unterscheidung Ἰουδαῖος – Ἕλλην in 1,16 weiter differenziert. Innerhalb der hellenistischen Welt würde also nochmals zwischen Juden und Griechen unterschieden. Damit ist insgesamt eine dreiteilige Unterscheidung vorausgesetzt: Juden und andere Griechen/ Barbaren.
2. Die zweite Unterscheidung ist als eine Umkehrung der ersten und als weitere Differenzierung des Begriffes βάρβαρος zu verstehen. Die Definition Griechen - Barbaren fasst in dieser Sicht unter die Barbaren auch die Juden, weil sie sich in ihrem kulturellen Kern vom römisch-hellenistisch geprägten Bereich unterscheiden. Man kommt dann zu einer dreigliedrigen Unterscheidung Griechen, Juden und andere Barbaren.
3. Die Unterscheidung Ἕλλην – βάρβαρος wird auf der Basis der Unterscheidung Ἰουδαῖος – Ἕλλην bzw. τὰ ἔθνη getroffen.[22] Der in 1,5 und 1,13 eingeführte Begriff τὰ ἔθνη bezeichnet dabei alle Nichtjuden in Unterscheidung zu den Juden. Die Differenz Griechen – Barbaren würde dann den Begriff der Völker, der in 1,13b unmittelbar vorangestellt ist, voraussetzen und weiter differenzieren. Für das Verhältnis der beiden Unterscheidungen von 1,14 und 16 bedeutet das: „Beide Formeln sind nach dem gleichen Gesichtspunkt konstruiert, dh Ἰουδαῖος entspricht den Ἕλληνες und Ἕλλην dem βάρβαρος: Das eine bevorzugte Volk steht den anderen Völkern gegenüber. Das Ἕλλην in der jüdischen Formel muß dann die βάρβαροι einschließen (also = τὰ ἔθνη)".[23] Man kommt damit zu der dreiteiligen Formel Juden, Griechen und andere Heiden.
4. Die beiden Unterscheidungen unterteilen jeweils die gesamte Menschheit in zwei Teile: in Griechen und Nichtgriechen bzw. in Juden und Nichtjuden. Ἰουδαῖος – Ἕλλην wäre dann als Selbstdefinition des Judentums zu verstehen (also auch des griechischsprachigen), das sich von allen anderen Religionen und Kulturen abgrenzt. Der Nichtjude wird dabei als Ἕλλην bezeichnet. Ἕλληνες – βάρβαροι wäre demgegenüber nicht primär eine religiöse, sondern vor allem eine sprachlich-kulturelle Selbstdefinition der römisch-hellenistischen Gesellschaft in Unterscheidung zu allen anderen. Die Unterscheidungen Griechen-Barbaren und Juden-Nichtjuden wären damit voneinander unabhängig zu verstehen.

Unter den vier Möglichkeiten scheiden zunächst die beiden erstgenannten aus. Bei der ersten blieben alle Juden außerhalb des griechisch geprägten Bereiches außer acht, bei der zweiten wäre die große Zahl der Griechisch sprechenden und von hellenistischer Kultur geprägten Juden unberücksichtigt – nicht zuletzt Paulus selbst. Welchen der beiden verbleibenden Möglichkeiten der Vorzug zu geben ist, entscheidet sich am Verständnis des Begriffes τὰ ἔθνη in 1,5 und 13. Meist wird wie selbstverständlich angenommen, dass von der Gal 2,7ff berichteten Beauftragung des Paulus zur Heidenmission her τὰ ἔθνη den Gegenbegriff zu Ἰουδαῖος oder Ἰσραήλ oder περιτομή bildet, und dass damit die Mission des Paulus unter den Nichtjuden bezeichnet wird. Dann kann man, wie z.B. U. Wilckens, behaupten: „Mit τὰ ἔθνη sind bei Paulus durchweg die nichtjüdischen Völker, die ‚Heiden', gemeint."[24] Das spräche für die dritte Möglichkeit, nach der dann die Unterscheidung Griechen – Barbaren eine weitere

---

[22] Diese dritte Sichtweise vertreten Windisch: Artikel βάρβαρος; in: ThWNT, Bd. 1, S. 550 und mit ihm die meisten Exegeten.
[23] Ebd.
[24] U. Wilckens: Der Brief an die Römer; EKK VI,1, S. 67.

Differenzierung des Begriffes der Heiden (Nichtjuden) wäre und damit die Unterscheidung Juden – Nichtjuden voraussetzt.

Demgegenüber erscheint es jedoch wesentlich wahrscheinlicher, dass τὰ ἔθνη in 1,5 und 13 alle Völker der gesamten Menschheit (einschließlich der Juden) meint, und dass deshalb die vierte genannte Möglichkeit vorzuziehen ist. Für diese These lassen sich einige gute Gründe anführen.

1. Ἕλληνες – βάρβαροι ist, wie dargestellt, eine in der hellenistischen Tradition fest geprägte Formel, die von sich aus die gesamte Menschheit in Griechen und Nichtgriechen unterteilt. Sie setzt eine selbständige Sicht der Völker aus hellenistischer Perspektive voraus und lässt sich nicht einfach in eine zweite Unterscheidung wie Juden – Nichtjuden integrieren.[25] Paulus gibt hier also zunächst eine geläufige Selbstdefinition des römisch-hellenistischen Kulturkreises wieder.

2. Die Unterscheidung Griechen – Barbaren wird in 1,14 durch eine zweite aufgenommen und erläutert: σοφός – ἀνόητος. Auch hier ist offensichtlich eine universale Perspektive vorausgesetzt. Es sind nicht nur die Nichtjuden, sondern alle Menschen, die in Verständige und Unverständige unterschieden werden. Diese Differenz fungiert als zusätzliche Definition des römisch-hellenistischen Sprach- und Kulturkreises. Sie folgt damit einer oben erwähnten älteren Tradition, nach der der Hellenismus sich selbst über seine angeblich höhere Bildung und Kultur definiert und alle anderen Völker für entsprechend weniger gebildet hält.

3. Die Stellen 1,5 und 13 zeichnen sich gegenüber anderen Verwendungen von τὰ ἔθνη bei Paulus dadurch aus, dass dort von *allen* Völkern gesprochen wird (ἐν πᾶσιν τοῖς ἔθνεσιν; V. 13). Die Formulierung ἐν ὑμῖν καθὼς καὶ ἐν τοῖς λοιποῖς ἔθνεσιν in V. 5 läuft ebenfalls darauf hinaus. Zudem findet sich hier kein Gegenbegriff wie Israel, Jude oder ähnliches. Damit ist in 1,5 und 13 gerade keine Gegenüberstellung von Juden und Nichtjuden vorausgesetzt, sondern es sind alle Völker der Menschheit gemeint.

4. Würde man τὰ ἔθνη hier als „Heiden" übersetzen, so müsste man annehmen, dass die römische Gemeinschaft, die in 1,5 und 13 zu τὰ ἔθνη gezählt wird, nur aus Nichtjuden besteht. Diese Annahme wurde aber bereits oben widerlegt.

5. Unter der Voraussetzung, dass sich Paulus mit seinem Brief im Besonderen und mit seiner Botschaft im Allgemeinen nur an Nichtjuden wendet, wird die im Römerbrief geführte Argumentation völlig unverständlich. Denn weite Teile des Briefes stellen sich ja schon formal als Dialog mit einem Juden dar. Warum aber sollte Paulus gegenüber Juden argumentieren, wenn seine Botschaft sich nur an die Nichtjuden richtet? Das Argument, Paulus habe für seine Mission unter den Heiden auch die Anerkennung und Unterstützung der Juden nötig, kann m.E. nicht den Eindruck entkräften, dass es sich mit dem Röm insgesamt um den Versuch handelt, ein Evangelium zu vermitteln, das ausnahmslos für alle Menschen, Juden wie Nichtjuden, Griechen wie Nichtgriechen gilt. Ein großer Teil der Argumentation des Briefes versucht in diesem Sinne gerade, die geläufige Unterscheidung zwischen Juden und Heiden in der Perspektive des Glaubens aufzuheben.[26] Das Evangelium ist eine Kraft Gottes zur Rettung aller Glaubenden, der Juden wie der Nichtjuden (1,16f). Alle Menschen, Juden wie Nichtjuden haben

---

[25] Eine ähnliche Aneinanderreihung von Unterscheidungen, die jeweils die Totalität der Menschheit aus verschiedenen Perspektiven meinen, findet sich bei Paulus z.B. noch in Gal 3,28: Ἰουδαῖος -Ἕλλην, δοῦλος - ἐλεύθερος, ἄρσεν - θῆλυ. Vgl. auch I Kor 12,13.

[26] Aufheben meint dabei nicht, dass die Differenz ignoriert wird, sondern sie wird in theologischer Perspektive neu betrachtet und damit auf eine andere Ebene gehoben, die nach dem Selbstverständnis des einzelnen Menschen fragt.

gesündigt (1,18-3,18) und können durch den Glauben an Christus gerechtfertigt werden (3,19-31). Abraham ist Vater aller Glaubenden, der Beschnittenen wie der Unbeschnittenen (4,1-4,25). Wie die Sünde Adams für alle Menschen Verdammnis und Tod brachte, so kann die Neubegründung der Existenz „in Christus" für alle Menschen Gerechtigkeit und Leben (5,1-8,39) bringen. Das Erbarmen Gottes gilt somit für alle Menschen, für Israel wie für die Heiden (9,1-11,36). Das führt dazu, dass die Gläubigen sich nicht nur gegenüber anderen Christen, sondern gegenüber allen Menschen liebevoll und friedlich verhalten sollen (12,1-15,13). Alle Teile des Briefes sind damit deutlich universal ausgerichtet. Eben das soll der Begriff πάντα τὰ ἔθνη gleich am Anfang zum Ausdruck bringen.

Setzt man aufgrund der genannten Argumente voraus, dass die Unterscheidung Ἕλλην – βάρβαρος in 1,14 unabhängig von Ἰουδαῖος – Ἕλλην gebraucht wird und die gesamte Menschheit meint,[27] so lassen sich aus der Verwendung der beiden genannten Unterscheidungen einige wichtige sprachliche Beobachtungen ableiten.
1. Ein Begriff kann bei Paulus innerhalb eines eng begrenzten Kontextes offenbar zwei verschiedene Bedeutungen haben. Ἕλλην kann zunächst „Grieche" und wenig später „Nichtjude" heißen.
2. Der Sinn des jeweiligen Begriffes ergibt sich aus seinem Gegenbegriff. Bezeichnet Ἕλλην in der ersten Unterscheidung die Menschen griechischer Sprache und Kultur im Gegensatz zu den Barbaren, so meint er in der zweiten Unterscheidung die Menschen jüdischen Glaubens bzw. jüdischer Herkunft im Gegensatz zu den Juden.
3. Die Differenzen sind asymmetrisch gebaut. Sie bezeichnen die erste Seite der Unterscheidung näher und lassen die zweite Seite offen.
4. Die zweite Seite der Unterscheidung fungiert als Negativwert der ersten. Zu übersetzen wäre deshalb βάρβαροι in 1,14 mit „Nichtgriechen" und Ἕλλην in 1,16 mit „Nichtjude".
5. Bei den genannten Unterscheidungen Grieche – Nichtgrieche sowie Jude – Nichtjude handelt es sich traditionell um Selbstdefinitionen eines sozialen Zusammenhanges. Es wird also herkömmlicher Weise nicht aus der Distanz eines Beobachter heraus eine Differenz zwischen Griechen und Barbaren bzw. Juden und Griechen konstatiert. Vielmehr fungiert die erste Unterscheidung schon aufgrund der skizzierten Begriffsgeschichte als (Selbst-) Definition der römisch-hellenistischen Gesellschaft aus der Innenperspektive, während die zweite offenbar eine (Selbst-) Definition des Judentums ebenfalls von innen her voraussetzt.

Wenn man demgegenüber die Unterscheidung Ἕλληνες – βάρβαροι in Röm 1,14 betrachtet, so wird deutlich, dass diese dort eindeutig inklusiven Charakter hat (τε καί). Sie unterscheidet sich von dem herkömmlichen Gebrauch im hellenistischen Kontext dadurch, dass sie in theologischer Perspektive, nämlich in bezug auf die Verpflichtung, das Evangelium zu verkündigen, nicht die Griechen (bzw. die Verständigen) einschließen und die Barbaren (bzw. die Unverständigen) ausgrenzen möchte. Die Selbstdefinition des hellenistisch geprägten Kulturkreises wird durch die Evangeliumsverkündigung transzendiert. Sie wird in theologischer Perspektive auf einen universalen Kontext hin ausgeweitet, der potenziell die ganze Menschheit als Adressat der Evangeliumsverkündigung einschließt. Dieses Transzendieren der

---

[27] Auch der Wechsel im Numerus von Ἕλληνες – βάρβαροι (im Plural) nach Ἰουδαῖος – Ἕλλην (im Singular) spricht schließlich dafür, dass mit Griechen und Barbaren eine von 1,16 selbständige Unterscheidung gemeint ist.

Perspektive gilt nicht zuletzt für Paulus selbst. Er hat bislang wohl nur im hellenistischen Kontext für das Evangelium gewirkt und möchte diesen nun als Konsequenz seines universalen Evangeliumsverständnisses selbst überschreiten.

Griechen wie Nichtgriechen möchte also Paulus das Evangelium predigen. Diese Aufhebung der Unterscheidung ist jedoch sehr wichtig. Denn der Übergang von Ἕλληνες nach βάρβαροι bezeichnet genau denjenigen schwierigen Schritt einer universalen Ausweitung der paulinischen Mission über die Grenzen der hellenistischen Welt hinaus, der mit dem Römerbrief, und das bedeutet: mit der gesamten folgenden Argumentation des Briefes begründet werden soll. Es wird gleichsam eine weltweite Verkündigung intendiert, die weder an die griechische Sprache noch an den römisch-hellenistischen Kulturraum gebunden ist. Sie richtet sich per definitionem an die ganze Welt und die gesamte Menschheit und überschreitet damit die üblichen Formen einer Selbstdefinition von gesellschaftlichen Gruppierungen unter Ausschließung aller anderen – sei es z.B. die Differenzierung von Griechen und Nichtgriechen im hellenistischen Kontext oder die von Juden und Nichtjuden im jüdischen Kontext oder irgendwelche anderen.[28]

Die Unterscheidung Griechen – Barbaren kann man formal als binäre Unterscheidung im systemtheoretischen Sinne auffassen. Betrachtet man die hier untersuchte Unterscheidung von Griechen und Barbaren mit Hilfe der Differenztheorie N. Luhmanns und G. Spencer Browns, so wird von Paulus die gesamte Menschheit durch den bestimmten Begriff der Griechen und den unbestimmten Begriff der Barbaren in zwei Seiten unterteilt.[29] Der Begriff „Griechen" bezeichnet dabei die Innenseite der Unterscheidung, der Begriff „Barbaren" alle anderen Menschen. In der von G. Spencer Brown vorgeschlagenen und von Niklas Luhmann übernommenen Notation[30] lautet die in Röm 1,14 getroffene Unterscheidung damit:

Griechen $\quad\overline{}\Big|$ alle anderen Menschen.

Die Differenz in 1,16 lässt sich dementsprechend wiedergeben als:

Juden $\quad\overline{}\Big|$ alle anderen Menschen.

Soziologisch gesehen setzt diese paulinische Perspektive gewissermaßen eine ‚Weltgesellschaft' voraus, also einen universalen sozialen Zusammenhang aller Menschen, von dem – jedenfalls unter dem Aspekt der Verkündigung des Evangeliums – niemand ausgeschlossen wird. Der Begriff der Weltgesellschaft ist dabei allerdings

---

[28] Vgl. dazu auch noch die genannten Differenzierungen in Gal 3,28.

[29] Vgl. G. Spencer Brown: Laws of Form; Neudruck New York 1979 sowie die sich daran anschließenden Publikationen Luhmanns seit 1986. Zur Diskussion dieser Unterscheidungstechnik vgl. D. Baecker (Hrsg.): Kalkül der Form; Frankfurt/Main 1993; ders.: Probleme der Form; Frankfurt/Main 1993.

[30] H. von Foerster beschreibt den Sinn des hier wiedergegeben mathematischen Zeichens von G. Spencer Brown folgendermaßen: "Diese Markierung ist ein Zeichen für das Treffen einer Unterscheidung, etwa indem man einen Kreis auf einem Blatt Papier zeichnet, der eine Unterscheidung zwischen den Punkten innerhalb des Kreises und denen außerhalb des Kreises schafft; ihre Asymmetrie (die konkave Seite als die Innenseite) liefert die Möglichkeit von Bezeichnungen". (H. von Foerster: "Die Gesetze der Form", aus dem Englischen übersetzt von Dirk Baecker, in: Baecker, Kalkül der Form, S. 9-11, dort S. 10.)

erst im 20. Jahrhundert geprägt worden.[31] In irgendeiner Weise setzt jedoch Paulus bereits einen universalen Zusammenhang aller Menschen für seine Botschaft theologisch voraus. Die von ihm gleich zu Anfang des Röm entwickelte, universale Perspektive der Kommunikation seines Evangeliums thematisiert eine sehr allgemeine Abgrenzungs- und Inklusionsproblematik und rechnet grundsätzlich mit der Möglichkeit der Inklusion aller Menschen im Hinblick auf die von ihm im Röm dargelegte Botschaft.

Die Frage ist jedoch, wie dieser universale Zusammenhang von Paulus begründet wird. In differenztheoretischer Sicht kommt an dieser Stelle das Problem des Beobachters und seines Standpunktes in den Blick. Unterscheidungen werden, soweit wird man Spencer Brown und Luhmann folgen können, immer von einem bestimmten Beobachtungsstandpunkt aus getroffen.[32] Für die klassischen Unterscheidungen Griechen – Barbaren (bzw. Nichtgriechen) und Juden – Heiden (bzw. Nichtjuden) liegt dieser Punkt offenbar, sofern sie als Selbstdefinition des Hellenismus und des Judentums gebraucht werden, innerhalb der Unterscheidung, genauer: auf der bezeichneten Seite. Der Hellenismus definiert sich mit Hilfe der Unterscheidung Griechen – Barbaren, indem er sich mit der Innenseite der Unterscheidung identifiziert. Entsprechendes gilt auch für die Selbstdefinition des Judentums. Auf die Zirkularitätsprobleme, zu denen es kommt, wenn man den Beobachter, der die Unterscheidung trifft, in die Unterscheidung selbst einführt, kann an dieser Stelle nicht näher eingegangen werden. In jedem Falle ist jedoch die Wahl des Beobachtungsstandpunktes entscheidend für das, was man sehen und nicht sehen kann. Für die paulinische Verwendung der Unterscheidung Griechen – Barbaren ist dabei charakteristisch, dass er sich selbst nicht innerhalb der Differenz verortet, sondern sich in theologischer Perspektive von ihr distanziert und sie von außen beobachtet (ὀφειλέτης εἰμί). Damit verweist er zugleich individuell auf seine eigene Person und seine persönliche Verpflichtung zur Evangeliumsverkündigung. Der Ausdruck ὀφειλέτης (vgl. 8,12 und 15,27) und das entsprechende Verb ὀφείλω (13,8 sowie 15,1 und 27) meint aber im Röm immer eine spezifische Verpflichtung in theologischer Perspektive.

Es ist auffällig, dass Paulus in Röm 1,14 sich selbst als Einzelperson der Unterscheidung von Hellenen und Barbaren (im Plural!) gegenüberstellt. „Hellenen und Barbaren, Weisen und Unverständigen bin *ich* verpflichtet."[33] Paulus versteht sich hier also nicht nur als Teil der aus Griechen und Nichtgriechen bestehenden antiken Gesellschaft. Vielmehr ist er zusätzlich in der Lage, sich selbst von dieser Gesellschaft zu unterscheiden. Er ist gewissermaßen der Beobachter, der diese dort zentrale Unterscheidung in theologischer Perspektive wahrnimmt und sich dadurch in seiner individuellen Sicht von ihr distanziert. Gewissermaßen definiert er sich in theologischer Perspektive mit seiner Verpflichtung zur Evangeliumsverkündigung als Einzelperson gerade in Abgrenzung von gängigen gesellschaftlichen Differenzierungen. Dadurch ist er in der Lage, seine persönliche Aufgabe der universalen Verkündigung des Evangeliums allen in menschlicher Sicht geläufigen, sozialen Unterscheidungen gegenüber zu stellen. Nur indem er sich selbst von gesellschaftlichen Differenzierungen

---

[31] Vgl. zu diesem Begriff H. Braun: Artikel „Welt"; in: Geschichtliche Grundbegriffe. Historisches Lexikon zur politisch-sozialen Sprache in Deutschland; hrsg. v. O. Brunner, W. Conze und R. Koselleck; Bd. 7; Stuttgart 1992, 433-510, dort S. 495f und besonders Anm. 214.

[32] Welche interessanten Verschiebungen sich für eine Unterscheidung aus dem Wechsel der Beobachtungsposition ergeben können, erläutert G. Spencer Brown: Laws of Form, S. 102f.

[33] Das Ich wird dabei allerdings nicht explizit mit ἐγώ benannt.

theologisch und individuell distanziert, kann er sich der gesamten Menschheit gegenüber verantwortlich fühlen. Seine Person gewinnt gewissermaßen gerade dadurch Kontur, dass sie sich aus dem universalen Zusammenhang, der durch die Unterscheidung von Hellenen und Barbaren gesetzt wird, heraushebt und sich zugleich auf ihn bezieht. Die unverwechselbare Person des Paulus mit seiner unverwechselbaren Botschaft wird gerade erst durch dessen Selbstdistanzierung von den maßgeblichen Unterscheidungen und Selbstdefinitionen der antiken Gesellschaft sichtbar.

Diese Konzentration des Paulus auf sich selbst und die Fähigkeit, den sozialen Zusammenhängen, in denen er sich befindet, gegenüberzutreten, sind nicht nebensächlich. Vielmehr bilden sie einen konstitutiven Bestandteil des im Röm entfalteten Evangeliums. Paulus wird als sich seiner selbst bewusste Person für sich selbst und für andere erst dort sichtbar, wo er aus der Konformität der sozialen Zusammenhänge, z.B. seiner pharisäischen Herkunft, heraustritt und dabei die Spannung von sozialer Verhaltenserwartung und persönlichem Verhalten akzeptiert. Nach den Eingangsformulierungen in 1,14f und 16f stellt der Röm gerade den Versuch dar, die individuelle Sicht des Paulus darzulegen und sich selbst dadurch von vorgeprägten Verhaltenserwartungen – z.B. der Christen jüdischer und nichtjüdischer Herkunft in der römischen Gemeinschaft – abzugrenzen.

Individualität und Universalität scheinen hier für Paulus in bestimmter Weise zu korrespondieren. Er grenzt sich selbst mit seiner individuellen Botschaft von bestehenden gesellschaftlichen Unterscheidungen ab. Das kann dadurch geschehen, dass die herkömmlichen und geläufigen Grenzen bestimmter Kulturen prinzipiell transzendiert werden, und dass Paulus dadurch für sein Evangelium gerade einen Anspruch auf universelle Geltung und Verbreitung erhebt.

V. 15 enthält eine letzte das Proömium abschließende Gegenüberstellung (angeschlossen mit οὕτως), in der es um die Konsequenzen dieser universalen Sicht für das Verhältnis des Paulus zu den Adressaten geht. Auf dem Hintergrund der dargestellten individuellen und universalen Verkündigungsabsicht möchte Paulus nun auch seinen geplanten persönlichen Besuch in Rom verstanden wissen. Die Formulierung τὸ κατ' ἐμὲ πρόθυμον in V. 15a meint zunächst wiederum in geläufiger menschlicher Sicht den persönlichen Wunsch, nach Rom zu kommen. Dieser wird jedoch durch das καὶ ὑμῖν τοῖς ἐν Ῥώμῃ εὐαγγελίσασθαι wiederum in die theologische Perspektive einer Verpflichtung zur Evangeliumsverkündigung gestellt.

Mit dem Abschluss dieses ersten Teiles des brieflichen Rahmens stellt sich damit das Problem des Abfassungszweckes des Röm. Von V. 15 her stellt sich dieser so dar, dass Paulus persönlich nach Rom kommen und dort verkündigen möchte. Der Röm soll diesen Besuch vorbereiten. Der Wunsch, die römischen Christen zu besuchen, ist aber, wie der Briefschluss zeigt, eingefasst in eine universale Verkündigungsabsicht, aufgrund derer Paulus vor hat, nach Spanien weiter zu reisen. Dies soll gemäß dem in 15,20 formulierten Prinzip geschehen, vor allem dort das Evangelium zu verkündigen, wo Christus noch unbekannt ist. A. Reichert hat in gründlicher Auseinandersetzung mit gängigen Hypothesen zum Abfassungszweck des Röm gemeint, dass Paulus „mit dem Röm die römischen Christen zu einer gegebenenfalls an seiner Stelle missionierenden Gemeinde machen wollte".[34] Die Schwierigkeit dieses angenommenen Briefzweckes besteht jedoch darin, dass er im Röm nirgendwo explizit zum Ausdruck gebracht wird. Vielmehr argumentiert Paulus im brieflichen Rahmen und an den entscheidenden

---

[34] A. Reichert: Der Römerbrief als Gratwanderung, S. 333.

Nahtstellen des Briefkorpus allein auf der Basis persönlicher Einsichten und Absichten. Dass dabei zwischen der Intention des empirischen Verfassers Paulus und der Funktion des Textes selbst unterschieden werden muss, ist mit Reichert auf jeden Fall zu beachten.[35] Der Brief bekommt durch diese den Text durchziehenden, persönlichen Formulierungen jedoch vor allem den Charakter einer reflektierenden Selbstdarstellung des Paulus. Die besondere Wirkung des Röm erklärt sich nicht allein dadurch, dass die römische Gemeinde die Missionsabsichten des Paulus weitergeführt hat. Vielmehr hat Paulus hier vor allem ein Verständnis der Neubegründung seiner eigenen Existenz vorgelegt, welches offenbar viele andere Menschen überzeugen konnte und welches für das Verständnis ihrer eigenen Existenz hilfreich war und vielleicht auch heute noch hilfreich sein kann. Aufgrund der aufgeführten Überlegungen lässt sich das Proömium durch folgende Gegenüberstellungen strukturieren:

8: μέν	Πρῶτον εὐχαριστῶ ... περὶ πάντων ὑμῶν	τῷ θεῷ μου διὰ Ἰησοῦ Χριστοῦ
ὅτι	καταγγέλλεται ἐν ὅλῳ τῷ κόσμῳ (2)	ἡ πίστις ὑμῶν (1)
9: γάρ	μάρτυς μού ἐστιν	ὁ θεός
	ᾧ λατρεύω ἐν τῷ πνεύματί μου	ἐν τῷ εὐαγγελίῳ τοῦ υἱοῦ αὐτοῦ
9+10: ὡς	ἀδιαλείπτως μνείαν ὑμῶν ποιοῦμαι	πάντοτε ἐπὶ τῶν προσευχῶν μου δεόμενος
εἴ πως	ἤδη ποτὲ εὐοδωθήσομαι	ἐν τῷ θελήματι τοῦ θεοῦ ἐλθεῖν πρὸς ὑμᾶς
11: γάρ	ἐπιποθῶ ἰδεῖν ὑμᾶς	ἵνα τι μεταδῶ χάρισμα ὑμῖν πνευματικὸν εἰς τὸ στηριχθῆναι ὑμᾶς
12: τοῦτο δέ ἐστιν	συμπαρακληθῆναι ἐν ὑμῖν	διὰ τῆς ἐν ἀλλήλοις πίστεως ὑμῶν τε καὶ ἐμοῦ.
13: δέ	οὐ θέλω ὑμᾶς ἀγνοεῖν	ἀδελφοί
ὅτι	πολλάκις προεθέμην ἐλθεῖν πρὸς ὑμᾶς	καὶ ἐκωλύθην ἄχρι τοῦ δεῦρο
ἵνα	τινὰ καρπὸν σχῶ	καὶ ἐν ὑμῖν καθὼς καὶ ἐν τοῖς λοιποῖς ἔθνεσιν
14:	Ἕλλησίν τε καὶ βαρβάροις σοφοῖς τε καὶ ἀνοήτοις	ὀφειλέτης εἰμί
15 οὕτως	τὸ κατ' ἐμὲ πρόθυμον	καὶ ὑμῖν τοῖς ἐν Ῥώμῃ εὐαγγελίσασθαι

---

[35] Für Reichert sind beide Aspekte aber miteinander kompatibel.

Briefkorpus (1,16-15,13)

Erste Kurzdarstellung des Problems und seiner Lösung (1,16-32)

Die Notwendigkeit der Verkündigung des paulinischen Evangeliums (1,16+17)

V. 16+17 leiten den ersten argumentativen Hauptteil ein.[1] Sie beginnen wiederum mit einer persönlichen Bemerkung in der 1. Person Singular: Οὐ γὰρ ἐπαισχύνομαι.[2] Die längere und grundlegende Argumentation V. 18-32 schließt mit γάρ unmittelbar an diesen Eingangsteil an. Die Verbindung zwischen V. 16f und 18ff ist so konstruiert, dass in den ersten Versen die Notwendigkeit der Verkündigung des paulinischen Evangeliums kurz charakterisiert wird (εἰς σωτηρίαν) und V. 18ff das dahinterstehende Problem der Menschen verdeutlicht.

Wenn man Röm 1,16f nach einem geläufigen Gliederungsvorschlag als selbständig stehende Angabe des Briefthemas[3] versteht, so grenzt das die Perspektive zum einen einseitig auf das Verhältnis von Juden und Nichtjuden ein. Zum anderen wird dabei möglicherweise der Terminus der δικαιοσύνη θεοῦ, der V. 17 eingeführt wird, zu sehr überbewertet (vgl. unten die Ausführungen zum Ausdruck δικαιοσύνη θεοῦ). Was den Anschluss an die vorhergehenden Verse betrifft, sind V. 16f von V. 14f und dem universalen Anspruch des Briefes her betrachtet jedoch eine Fortsetzung des Gedankens, dass sich das paulinische Evangelium universal an alle und individuell an jeden einzelnen Menschen richtet, unabhängig von dessen sozialen, kulturellen oder auch religiösen Einbindungen. Was die Fortsetzung durch V. 18ff angeht, so ergibt sich zwischen V. 17 und 18 kein grundsätzlicher Neuansatz, vielmehr wird die Argumentation, angeschlossen mit γάρ, unmittelbar fortgeführt.[4] „Was in Röm 1,16

---

[1] Gegen K. Haacker: Der Brief des Paulus an die Römer; ThHK 6, S. 30f, für den V. 16f noch zum Proömium gehören. Haacker spricht allerdings von einem rhetorisch schulmäßigen, gleitenden Übergang vom Proömium zum Briefkorpus.

[2] C.E.B. Cranfield meint hingegen, dass diese persönliche Formulierung noch zum Proömium gehöre und die eigentliche Argumentation erst mit 1,16b beginne (Vgl. ders.: The Epistle to the Romans; ICC, vol. 1, S. 86f)

[3] So z.B. E. Käsemann: An die Römer; HNT 8a, S. 18ff; U. Wilckens: Der Brief an die Römer; EKK VI, 1, S. 82ff; W. Schmithals: Der Römerbrief; S. 61ff; P. Stuhlmacher: Der Brief an die Römer; NTD 6, S. 29ff. Auch das Druckbild der 27. Aufl. des Novum Testamentum Graece von Nestle-Aland legt diese Gliederung nahe.

[4] Den Zusammenhang von Röm 1,16 mit V. 17 und 18 hat F. Siegert hervorgehoben. Unter der Berücksichtigung der verschiedenen syntaktischen Ebenen gliedert er den Anfang des Röm folgendermaßen (F. Siegert: Argumentation bei Paulus, gezeigt an Röm 9-11, S. 118):

„1,1   Παῦλος δοῦλος ...

1,8   πρῶτον μὲν εὐχαριστῶ ...

1,16   οὐ γὰρ ἐπαισχύνομαι ...
              δύναμις γὰρ Θεοῦ ἐστιν ...

1,17   δικαιοσύνη γὰρ Θεοῦ ...

1,18   ἀποκαλύπτεται γὰρ ὀργή ... (Explizierung zu 1,16b)"

gesagt ist, steht in einer Begründungssequenz [...] Das sechsmalige γάρ in Röm 1,16-20 ist für den theologischen Argumentationswillen des Paulus bezeichnend."[5]

V. 16 wird mit Jude – Nichtjude ('Ιουδαῖος – Ἕλλην) zu Beginn des argumentativen Hauptteiles eine Unterscheidung eingeführt, der für die Argumentation des Röm wichtige Bedeutung zukommt. Die Kommunikation des paulinischen Evangeliums ist aber, wie 1,14, aber auch I Kor 12,13 und Gal 3,28 (mit Erweiterung um die Geschlechterdifferenz) zeigen, nicht allein auf diese Unterscheidung festgelegt. Sie ist aus zwei Gründen für den Röm so wichtig: erstens, weil es Paulus im Röm zentral um sein Selbstverständnis geht und er dies von seiner Herkunft aus dem kulturell-religiösen Kontext des Judentums her entwickelt und zweitens, weil er davon ausgehen kann, dass auch ein guter Teil der an Christus Glaubenden in Rom in diesem Kontext steht. Im Anschluss an das theologische Transzendieren des römisch-hellenistischen Kulturkreises durch das Evangelium orientiert sich Paulus damit in 1,16 an einer weiteren Unterscheidung, die die (Selbst-) Definition des Judentums betrifft. Darin sind sicherlich auch kulturelle Aspekte enthalten. Die Differenz 'Ιουδαῖος – Ἕλλην ist jedoch im Unterschied zu Ἕλληνες – βάρβαροι vor allem religiös.

Paulus leitet den Vers jedoch mit einer persönlichen Bemerkung ein. Das οὐ γὰρ ἐπαισχύνομαι τὸ εὐαγγέλιον knüpft an τὸ κατ' ἐμὲ πρόθυμον aus V. 15 an[6] und bezeichnet zunächst die persönliche Gesinnung des Paulus. Wenn er behauptet, dass er sich nicht schäme, so bezeichnet er damit nicht sein ausgeprägtes Selbstbewusstsein. Diese psychologisch anmutende Selbstcharakterisierung wird vielmehr V. 16b in theologischer Perspektive näher beschrieben. Der mit γάρ angeschlossene Teilvers bietet die nähere Explikation: Das von Paulus gepredigte Evangelium sei eine Kraft Gottes. Sie könne jeden erretten, der glaubt. Ähnlich wie in V. 14 bei der Unterscheidung von Griechen und Barbaren wird hier diejenige von Juden und Nichtjuden einerseits offenbar aufgenommen und andererseits zugleich in einem bestimmten Sinne aufgehoben. Das εἰς σωτηρίαν soll zeigen, dass Paulus im folgenden ab 1,18 ein grundsätzliches Problem menschlicher Existenz aufzeigen wird, auf das er eine Antwort zu geben versucht.

Die Differenz 'Ιουδαῖος – Ἕλλην wird in 1,16 eingeführt und bildet von dort an für den Argumentationsgang des Briefes eine der Hauptstrukturen. Sie interpretiert das paulinische Evangelium als Kraft zur Rettung παντὶ τῷ πιστεύοντι, 'Ιουδαίῳ τε πρῶτον καὶ Ἕλληνι. Damit ist parallel zu Hellenen – Barbaren zunächst eine in geläufiger menschlicher Sicht bekannte Differenz zwischen Juden und Nichtjuden gemeint, die von den Juden selbst jedoch auch als theologisch begründete und religiöse Differenz aufgefasst werden kann. Paulus bringt diese Unterscheidung jedoch offenbar nicht als theologische, sondern in einem allgemeineren Sinne als kulturell-religiöse ein. Er transzendiert sie dann aber – analog zu Griechen/Barbaren in 1,14 – in theologischer Perspektive durch das von ihm gepredigte Evangelium und erklärt damit, dass sich die im Evangelium zu tage tretende, rettende Kraft Gottes über die Selbstdefinition des Judentums hinaus an jeden Menschen richtet (παντὶ τῷ πιστεύοντι). Der vermeintlich theologischen Unterscheidung Juden – Heiden setzt er seinerseits in einer durch das Evangelium von Christus bestimmten, speziellen theologischen Sicht die universale Gemeinschaft aller Glaubenden als diese Unterscheidung transzendierende Größe entgegen.

---

[5] H. Hübner: Biblische Theologie des Neuen Testaments, Bd. 1: Prolegomena; Göttingen 1990, S. 176f.
[6] Vgl. K. Haacker: Der Brief des Paulus an die Römer; ThHK 6, S. 37.

Formal handelt es sich bei der zugrunde gelegten Unterscheidung Ἰουδαῖος – Ἕλλην, analog zu Hellenen – Barbaren, wiederum um eine nach dem bereits oben zu V. 14 beschriebenen Typus von G. Spencer Brown.[7] Das bedeutet, dass die erste Seite der Unterscheidung näher bezeichnet wird und dadurch von allem anderen unterschieden wird. Sie wird in diesem Falle sogar explizit so genannt (πρῶτον). Die Totalität der Wirklichkeit, in diesem Falle also die Gesamtheit der Menschheit, wird dadurch in einen näher bestimmten Teil, die Juden, und in alle anderen Menschen unterschieden.

Hier wird jedoch über V. 14 hinausgehend nicht mehr der Plural, sondern bereits der Singular verwendet. Es kommt also zentral der einzelne Mensch in den Blick. Die Formulierung Ἰουδαῖος – Ἕλλην im Singular deutet dabei darauf hin, dass es unter dem Aspekt des Glaubens nicht mehr um die Zugehörigkeit zu bestimmten sozialen Gemeinschaften geht, sondern um den einzelnen Menschen. Übersetzen müsste man diese für die Argumentation des Briefes leitende Differenz als Jude – Nichtjude. Mit Ἕλλην handelt es sich also nicht um einen näher bestimmten Begriff, der, wie etwa in der vorhergehenden Unterscheidung Ἕλληνες – βάρβαροι, die griechisch sprechenden und gebildeten Menschen im Unterschied zu anderen bezeichnet. Ἕλλην fungiert hier vielmehr im Sinne Luhmanns und Spencer Browns' als nicht näher bezeichneter Gegenbegriff, der gewissermaßen die Negativfolie, die Außenseite der Unterscheidung liefert, von dem sich die positive Bestimmung Ἰουδαῖος als Innenseite abheben lässt. Die Unterscheidung ist damit zunächst asymmetrisch konzipiert. Die Juden bilden die bestimmte, die Griechen die nicht bestimmte Seite der Unterscheidung. Die universale Perspektive, die in 1,14 durch die Aufhebung der Unterscheidung von Barbaren und Griechen formuliert worden war, wird hier aus der Sicht des Paulus und der römischen christlichen Gemeinschaft durch eine analoge Differenzierung ersetzt. Paulus selbst wendet sich als gebürtiger Jude mit seinem Evangelium an alle anderen Menschen, aus seiner Perspektive an Juden wie an Nichtjuden. Für ihn ist im Folgenden weniger die Unterscheidung zwischen Griechen und Nichtgriechen als Selbstdefinition des römisch-hellenistischen Kulturkreises, sondern hauptsächlich die zwischen Juden und Nichtjuden relevant, also die Selbstdefinition des Judentums. Diese Differenz prägt die Argumentation des Röm in wichtigen Teilen und ist, wie oben ausgeführt, zum einen für die Gemeinschaft, an die Paulus schreibt, von Bedeutung.[8] Sie reflektiert aber zum anderen auch die persönliche Herkunft des Paulus und sein aktuelles Selbstverständnis.

Die Unterscheidung Ἰουδαῖος – Ἕλλην wird in 1,16 scheinbar eingeführt, um sie sogleich aufzuheben. Das Evangelium sei eine Kraft zur Rettung für jeden Glaubenden, den Juden wie den Nichtjuden, heißt es. Berücksichtigt man differenztheoretische Einsichten, so ist es jedoch nicht möglich, eine Differenz einfach aufzuheben und durch eine universale Aussage zu ersetzen. Denn jede Aufhebung einer Differenz geschieht unter einem bestimmten Kriterium, das wiederum die Totalität von Wirklichkeit selektiert und dadurch eine neue Differenz setzt. In 1,16 besteht diese neu gesetzte Differenz in der Bezeichnung παντὶ τῷ πιστεύοντι. Damit wird zwar einerseits behauptet, dass die von Paulus vertretene Botschaft ohne Ausnahme allen gelte, diese Botschaft schafft dabei jedoch anscheinend sogleich eine neue Differenz zwischen denjenigen Menschen, die diese Botschaft im Glauben annehmen und den anderen. Πιστεύειν fungiert also als Abgrenzungs- und Definitionskriterium der neuen

---

[7] Vgl. G. Spencer Brown: Laws of Form; Neudruck New York 1979.
[8] Vgl. dazu oben die Überlegungen zu den Adressaten des Briefes in der Interpretation des Präskriptes 1,1-7.

Gemeinschaft der Christen und löst bestimmte kulturelle und religiöse Grenzziehungen und damit verbundene, kodifizierte Verhaltensnormen ab. M. Wolter meint dazu: „Von entscheidender Bedeutung ist in diesem Zusammenhang zunächst, dass Paulus die Abgrenzungsfunktion des Ethos von der Ebene des Handelns ablöst und auf das πιστεύειν überträgt. [...] In der außerchristlichen Literatur ist diese Verwendung von οἱ πιστεύοντες als Gruppenbezeichnung völlig unbekannt. [...] Es ist mithin das ‚Ethos' des Glaubens, das die Christen nach außen abgrenzt und dadurch die Exklusivität ihrer Identität repräsentiert. Dies ist möglich, weil durch den Glauben eine Gemeinsamkeit markiert wird, die die Differenz zwischen Juden und Heiden hinter sich läßt (Röm 1,16; Gal 5.6) und die Christen von diesen wie jenen signifikant unterscheidet."[9]

Wenn in dieser Weise der Glaube als entscheidendes Kriterium der Zugehörigkeit zur christlichen Gemeinschaft eingeführt wird, so muss gefragt werden, in welchem Verhältnis diese neue Gemeinschaft zu der geläufigen Unterscheidung in Juden und Nichtjuden steht. Die Antwort basiert V. 16, formal parallel zu V. 14, auf einer Individualisierung des Beobachtungsstandpunktes in theologischer Sicht. Der Glaube definiert nicht nur, wie Wolter meint, die christliche Gemeinschaft, sondern vor allem im Singular den Glaubenden als einzelnen Menschen neu. Er bewirkt, dass der einzelne aus dem Schema bekannter sozialer, kultureller und auch religiöser Differenzen heraustreten kann und zu ihnen einen individuellen Standpunkt einnehmen kann, der durch den Glauben geprägt ist. Die Gemeinschaft der Glaubenden ist damit sozusagen als Gemeinschaft von Individuen definiert (vgl. dazu eingehend unten die Erläuterungen zu Röm 12,3ff). Diese individuelle Sicht, die durch die Formulierung (im Singular!) zum Ausdruck gebracht wird, relativiert die religiöse, kulturelle und abstammungsmässige Differenz Jude – Nichtjude grundsätzlich und setzt sie in ein neues Licht. Der Begriff Ἰουδαῖος zeigt, dass es sich, wie bereits V. 14, um einen Akt der individuellen Selbstdistanzierung des Paulus in einer speziellen theologischen Perspektive handelt. „Diese Bezeichnung, die sonst eher als Fremdbezeichnung im Munde von Nichtjuden begegnet, wird von Paulus stets dann gewählt, wenn er direkt oder indirekt von der Beziehung ‚Juden und Heiden' (bzw. ‚Juden und Griechen') spricht."[10] Man wird einerseits der These von Boyarin zustimmen müssen, dass Paulus sich selbst nach wie vor im Rahmen des Überzeugungssystems des Judentums verstanden hat,[11] aber er ist dabei zugleich in der Lage, sich von der durch die Unterscheidung Jude – Grieche geprägten Selbstdefinition des Judentums zu distanzieren und in Bezug auf sie einen individuellen Standpunkt einzunehmen. Diese individuelle Sicht sprengt dabei aber in gewisser Weise zugleich sein jüdisches Überzeugungssystem. Den Gegenbegriff zu Ἰουδαῖος bietet V. 16 im Singular Ἕλλην. Damit wird nicht an Ἕλληνες in V. 14 angeknüpft, sondern der Begriff bietet hier umgekehrt die andere, negative und unbezeichnete Seite einer Unterscheidung. In der oben zu V. 14 bereits erläuterten Notation G. Spencer Browns:

Ἰουδαῖος ⌐   Ἕλλην

---

[9] M. Wolter: Ethos und Identität in den paulinischen Gemeinden; in: NTS 43 (1997), S. 430-444, dort S. 439f.

[10] A. Lindemann: Israel im Neuen Testament; in: WuD 25 (1999), S. 167-192, dort S. 174, mit Verweis auf W. Gutbrod: Artikel Ἰσραήλ κτλ.; in: ThWNT, Bd. 3, S. 370.

[11] Vgl. D. Boyarin: A radical Jew. Paul and the politics of identity; London 1994, siehe z.B. S. 2.

Dass Ἕλλην hier in einem anderen Sinne gebraucht wird als V. 14 und der Singular statt des dortigen Plurals verwendet wird, ist ein weiteres Indiz für die Annahme, dass V. 14f das Proömium abschließen und V. 16 mit der im folgenden zentralen Unterscheidung Jude – Nichtjude den Briefkorpus beginnt.

V. 17 bringt, mit γάρ angeschlossen, eine Gegenüberstellung, die im zweiten Teilvers zunächst an die bekannte Schriftstelle aus Hab 2,4 anknüpft und von dieser her das paulinische Evangelium interpretiert. Das hermeneutische Verfahren, das hier erstmals und dann im Folgenden im Röm immer wieder von Paulus verwendet wird, folgt den grundsätzlichen Ausführungen von 1,2. Nach ihnen ist das von Paulus verkündigte Evangelium bereits in heiligen Schriften durch Propheten im voraus angekündigt worden. Alttestamentliche Texte können deshalb von Paulus in geläufiger Sicht als bekannt vorausgesetzt und zitiert oder erwähnt werden. Wenn man sie dann jedoch in einem zweiten Schritt in einer spezifischen theologischen Perspektive liest, wird von ihnen her und in ihnen das paulinische Evangelium sichtbar. Dieser Zusammenhang wird zu Beginn des argumentativen Hauptteils des Briefes V. 17a an der δικαιοσύνη θεοῦ exemplifiziert. Die Formulierung ist in ihrer Wichtigkeit immer wieder hervorgehoben worden[12] und soll deshalb im Folgenden näher untersucht werden.

Der Ausdruck δικαιοσύνη θεοῦ

Aus dem Habakuktext nimmt Paulus Röm 1,17 den Terminus δίκαιος auf und entwickelt daraus einen seiner theologischen Zentralbegriffe, nämlich den der δικαιοσύνη (θεοῦ). Der Begriff der Gerechtigkeit ist sonst bei Paulus eher selten,[13] kommt aber im Röm an zahlreichen Stellen vor: 1,17; 3,5.21.22.25.26; 4,3.5.6.9.11 (zweimal). 13.22; 5,17.21; 6,13.16.18.19.20; 8,10; 9,30 (dreimal). 31; 10,3 (dreimal). 4.5.6.10; 14,17. Daneben finden sich noch, bei Paulus nur im Röm, die beiden Begriffe δικαίωμα in 1,3; 2,26; 5,16.18; 8,4 und δικαίωσις 4,25 und 5,18. Das Verb δικαιόω erscheint Röm 2,13; 3,4.20.24.26.28,30; 4,2.5; 5,1.9; 6,7; 8,30 und 33, und δίκαιος findet sich neben 1,17 in 2,13; 3,10.26; 5,7.19 und 7,12.

Der Ausdruck „Gerechtigkeit Gottes" wird gern als entscheidender terminus technicus des Römerbriefes aufgefasst.[14] So beschreibt schon M. Luther in der Vorrede zu seinen gesammelten lateinischen Schriften von 1545 die Auseinandersetzung mit diesem Ausdruck als zentral für sein Verständnis des Röm.[15] Es wird kontrovers

---

[12] So meint z.B. E. Lohse: Der Brief an die Römer; (KEK 4) 15. Aufl. Göttingen 2003, S. 54: „Alle Teile des Röm sind mithin durch den Bezug auf die leitende Thematik (1,16f.) miteinander verbunden und von einem sie aufgreifenden, weiten Spannungsbogen zusammengehalten."

[13] Außerhalb des Röm vgl. noch I Kor 1,30; II Kor 3,9; 5,21; 6,7.14; 9,9.10; 11,15; Gal 2,21; 3,6.21; 5,5; Phil 1,11; 3,6+9 (zweimal).

[14] Vgl. zu diesem Ausdruck z.B. G. Quell, G. Schrenk: Artikel δίκη κτλ. In: THWNT, Bd. 2, S. 176-229. U. Wilckens: Exkurs: "Gerechtigkeit Gottes"; in ders.: Der Brief an die Römer; EKK VI, 1; S. 202ff. P. Stuhlmacher: Exkurs III; in ders.: Gottes Gerechtigkeit bei Paulus; NTD 6, S. 30ff. K. Haacker: Exkurs 4: "Gerechtigkeit Gottes" bei Paulus; in ders.: Der Brief des Paulus an die Römer, ThHK 6, S. 39ff.

[15] M. Luther: WA 54, S. 185f.

diskutiert, ob es sich bei θεοῦ um einen genitivus relationis (M. Luther)[16], subiectivus (Käsemann) oder auctoris (Bultmann) handelt. Damit zusammenhängend wird erörtert, ob der Ausdruck eher den Machtaspekt (im Anschluss an Käsemann und P. Stuhlmacher) betont oder den Geschenkcharakter (im Anschluss an Bultmann z.B. H. Conzelmann, G. Klein und E. Lohse). Bultmann schreibt zu seiner Kontroverse mit Käsemann (und Stuhlmacher): „Ernst Käsemann hat in ZThK 58 (1961), S. 367-378 einen bedeutsamen Aufsatz ‚Gottesgerechtigkeit bei Paulus‘ veröffentlicht. Er meint, dass der Genitiv θεοῦ der Gen. subj. sei und dass δικαιοσύνη θεοῦ nicht die (dem Glaubenden) geschenkte Gerechtigkeit sei, sondern ‚Gottes Heilshandeln‘ (S.370) bzw. Gottes ‚heilsetzende Macht‘ (S. 378). Diese These ist in einer Tübinger Dissertation von Peter Stuhlmacher durchgeführt und ausführlich begründet worden [...] Ich kann Käsemanns Interpretation nicht für richtig halten und glaube vielmehr, dass die bei Paulus herrschende Bedeutung von δικ. θεοῦ die der Gabe ist, die Gott den Glaubenden schenkt, und dass der Gen. ein Gen. auctoris ist.“[17]

Bei diesen Fragen ist zunächst zu beachten, dass der Begriff der Gerechtigkeit im Röm in sehr verschiedener Weise gebraucht werden kann. Lediglich 1,17; 3,5+21-26 und 10,3 (in Gegenüberstellung zur „eigenen Gerechtigkeit“) wird er durch den Genitiv direkt, 6,13 durch den Dativ indirekt auf Gott bezogen. Röm 6,16ff und 8,10 wird er dem der Sünde entgegengesetzt, und Kap. 5 wird er mit dem (ewigen) Leben in Verbindung gebracht. An den anderen Stellen dominiert eine Beifügung, die sich auf die Art des Zugangs zur Gerechtigkeit bezieht und durch die positive Verbindung mit πίστις bzw. durch negative Abwehr des Gegenteils der πίστις (χωρὶς ἔργων, 4,6; νόμος δικαιοσύνης, 9,31; ἡ δικαιοσύνη ἡ ἐκ τοῦ νόμου, 10,5) charakterisiert ist: Kap. 4; 9,30; 10,4.6.10. Bei der ersten Nennung von δικαιοσύνη in 1,17 werden der erste (auf Gott bezogener Genitiv) und der letztgenannte Aspekt (Erläuterung des Zuganges) kombiniert. Es geht zum einen um die Gerechtigkeit Gottes, diese wird zum anderen mit der Formulierung ἐκ πίστεως εἰς πίστιν verknüpft.

Aufgrund dieses uneinheitlichen Gebrauches wird man D. Lührmann zustimmen müssen. „‚Gerechtigkeit Gottes‘ ist nicht als ‚Formel‘ zu isolieren, weder bei Paulus selber noch in der schmalen jüdischen und christlichen Tradition. [...] Vor allem ließen sich verbale Wendungen mit δικαιοῦν im Passiv, dessen logisches Subjekt Gott ist, [...] umsetzen in die substantivische Wendung Gerechtigkeit Gottes.“[18] Auch P. Stuhlmacher ist deshalb, nachdem er zunächst den Ausdruck als Formel verstanden hatte, die aus der jüdischen Apokalyptik stammt, dazu übergegangen, die Akzentuierungen an den einzelnen Stellen in den Paulusbriefen genauer zu berücksichtigen. „In der Paulusexegese wird seit langer Zeit darüber debattiert, ob man die Gottesgerechtigkeit bei Paulus von Phil 3,9 her vor allem als Gabe Gottes, als Glaubensgerechtigkeit bzw. ‚Gerechtigkeit, die vor Gott gilt‘ (Luther) verstehen soll, oder ob der Akzent mit Schlatter u.a. auf Gottes eigenes Rechts- und Heilshandeln (in und durch Christus) zu

---

[16] „Auffällig ist, dass schon Luthers Bibelübersetzung Röm 1,17 [...] von der 'Gerechtigkeit, die vor Gott gilt' spricht (‚Gen. relationis' statt ‚Gen. auctoris')." (K. Haacker: Der Brief des Paulus an die Römer; ThHK 6, S. 39.)

[17] R. Bultmann: ΔΙΚΑΙΟΣΥΝΗ ΘΕΟΥ; in: JBL 83 (1964), S. 12-16, neu abgedruckt in R. Bultmann: Exegetica;: Aufsätze zur Erforschung des Neuen Testaments; Tübingen 1967, 470-475, dort S. 470, mit Bezug auf P. Stuhlmacher: Gerechtigkeit Gottes bei Paulus; (FRLANT 87) 2. Aufl. Göttingen 1965.

[18] D. Lührmann: Artikel „Gerechtigkeit, III. Neues Testament"; in: TRE, Bd. 12; Berlin und New York 1984, S. 414-420, dort S. 417.

legen ist (vgl. Röm 3, 5.25f; 10,3). Nach unseren Überlegungen zur Wortgeschichte und -bedeutung sollte man hier keine falschen Alternativen aufstellen. Der Ausdruck umfaßt beides, und es ist von Textstelle zu Textstelle zu prüfen, wo Paulus den Akzent setzt.[19]

J.C. Beker hat gemeint, dass man δικαιοσύνη (θεοῦ) aufgrund dieser nicht besonders eindeutigen und auch nur sehr eingeschränkten Verwendung auf keinen Fall als den Zentralbegriff der paulinischen Theologie verstehen dürfe, sondern lediglich als ein „symbol" unter anderen, die jeweils auf die kontingente Situation bezogen sind, in der der jeweilige Brief geschrieben ist.[20] Wenn der Ausdruck in den sonstigen Paulusbriefen nur selten und im Röm nur an bestimmten Stellen auftaucht, so wird man seine grundsätzliche Bedeutung für die paulinische Theologie im Allgemeinen und für den Römerbrief im Besonderen nur aufrecht erhalten können, wenn man davon ausgeht, dass er implizit dem ganzen Brief zugrunde liegt. P. Stuhlmacher begründet z.B. diese grundlegende Bedeutung mit der kosmischen Dimension der Gerechtigkeit Gottes und schließt dabei andere Interpreten mit ein. „Geht man von dieser kosmischen Dimension des Evangeliums aus, kann der Römerbrief als ein Ganzes verstanden werden, das von Kapitel 1 bis 16 von Gottes Gerechtigkeit in Christus zum Heil der ganzen Welt handelt. Diese umfassende Perspektive schließt die Luthers ein, geht aber weit über sie hinaus. Sie ist von verschiedenen neueren Paulusauslegern (vor allem A. Schlatter, E. Käsemann und U. Wilckens) exegetisch erprobt und einleuchtend durchgeführt worden."[21]

Dieses implizite Verständnis des Begriffes der Gerechtigkeit hat zu berücksichtigen, dass der Gerechtigkeitsbegriff im Unterschied zu dem sehr vielgestaltigen alttestamentlichen Begriff der צדקה,[22] von Beginn an vor allem eine juridische Metaphorik voraussetzt.[23] Der paulinische Begriff der δικαιοσύνη ist deshalb oft im Kontext einer Gerichtsmetaphorik als forensischer Begriff verstanden worden,[24] der dann in bestimmter Weise theologisch interpretiert werden muss. Schon Luther hatte Röm 1,17 von V. 18 her im Kontext des göttlichen Strafgerichtes gedeutet[25] und

---

[19] P. Stuhlmacher: Der Brief an die Römer; NTD 6, S. 32.

[20] J.C Beker: Paul the Apostle. The Triumph of God in Life and Thought; Edinburgh 1980. Dort heißt es S. 16: „I refer to the range of symbols like rigtheousness, justification, reconciliation, freedom, adoption, being in Christ, being with Christ, and so on, that in their totality constitute Paul's symbolic structure but in their particularity interpret the gospel according to the contingent needs of a particular situation."

[21] P. Stuhlmacher: Der Brief an die Römer; NTD 6, S. 32f.

[22] U. Wilckens meint zum Begriff צדק bzw. צדקה: „Zum Verständnis des biblischen Gerechtigkeitsbegriffes ist es sehr wichtig, dass es sich hier nicht um einen richterlichen Norm-, sondern um einen sozialen Verhältnisbegriff handelt". (Ders.: Der Brief an die Römer; EKK VI,1, S. 212) K. Haacker bemerkt dazu: „Die semantische Inkongruenz zwischen der Normalbedeutung von δικαιοσύνη und dem V. 17a gemeinten Begriff der צְדָקָה Gottes läßt fragen, ob die deutsche Vokabel ‚Gerechtigkeit' zur Übersetzung dieser Stelle brauchbar ist." (K. Haacker: Der Brief des Paulus an die Römer; ThHK 6, S. 42)

[23] „Die Wortbildung steht zumal im Zusammenhang mit der kräftigen Entwicklung des griechischen Rechtsgefühls. Daß aber ein ganz enger Zusammenhang waltet zwischen juridischer, ethischer und religiöser Begriffsbildung, ergibt sich schon daraus, daß im Mittelpunkt frühgriechischen Denkens die δίκη steht, das Recht als eine nicht bloß juristische, sondern auch politische, rein ethische, in erster Linie aber zentral religiöse Größe". (Quell, Schrenk: Art. δίκη κτλ.; in ThWNT, Bd. 2, S. 176-229, dort S. 194)

[24] Vgl. Quell, Schrenk, a.a.O. z.B. S. 207 und S. 219: „Bei Paulus ist der forensische Gebrauch einhellig und unbestreitbar."

[25] M. Luther: WA 54, S. 185f.

damit die Auslegung seit der Reformation wesentlich beeinflusst.[26] *Es geht dann zumeist um die Vorstellung einer Schuld des Menschen vor Gott, die in bestimmter Weise durch Gott oder Christus getilgt wird. Gemeint ist dann die Rechtfertigung des eigentlich schuldigen Menschen im göttlichen Gericht.*

In Bezug auf diese gängige forensische Interpretation des Problems der Gerechtigkeit und Rechtfertigung ist zunächst zu beachten, dass zwar „den ganzen Röm eine juridische Metaphorik" durchzieht, dass sie jedoch keineswegs die einzige ist. Denn zusätzlich finden sich Metaphern[27] *aus anderen Zusammenhängen,*[28] *die deshalb nicht mehr unmittelbar mit dem Begriff der Gerechtigkeit in Verbindung stehen und dennoch auf ihre Weise das „in Christus" begründete Geschehen in anderer Weise und mit anderer Begrifflichkeit zum Ausdruck bringen. So bietet etwa der Briefrahmen Ansätze einer politischen Metaphorik.*[29] *An der zentralen Stelle 3,25 und dann auch in Teilen von Kap. 12-15 verwendet und modifiziert Paulus kultische Metaphorik.*[30] *Kap. 4 und Teile von Kap. 6-8 enthalten eine „Oikos-Metaphorik", durch die die christliche Existenz anhand der Verhältnisse zwischen Sklave und Herr, Frau und Mann bzw. Kind und Vater charakterisiert wird.*[31] *In den weiteren Umkreis des antiken* οἶκος *gehören auch die Metaphern vom Töpfern und vom Ölbaum in Kap. 9+11.*[32] *Kap. 12-15 schließlich zeichnen sich durch eine gemischte Metaphorik aus, die sich aber unter dem Begriff des Dienstes zusammenfassen lässt.*[33]

Dieser komplexen Metaphorik, die einerseits aus dem öffentlichen und andererseits aus dem privaten Bereich entstammt,[34] *ist ein Interesse am Grundgedanken der Freiheit gemeinsam. "Der Christ wird als ‚Sklave' befreit von der Sünde, als ‚Frau' befreit vom Gesetz, als ‚Kind' befreit von der Vergänglichkeit. Das Stichwort ‚Freiheit' verbindet öffentliche und private Bildlichkeit. [...] Im Römerbrief ist die Freiheit von Sünde, Gesetz und Tod aber weniger Teil einer politischen Metaphorik. Gott wird im Zentrum des Briefes nicht mehr als ‚Herrscher', sondern als ‚Vater' angesprochen. Eine Deutung der paulinischen Theologie primär in ‚Macht-' und*

---

[26] U. Wilckens meint dazu: „Wie immer einseitig Luthers Auskunft ist, er habe diese Auslegung von 1,17 nach 1,18 ‚usu et consuetudine omnium doctorum' gelernt, so trifft dies der Sache nach nicht nur auf die dogmatische Tradition seiner Zeit zu, sondern auch auf die exegetische insofern, als durchweg – gerade in der Auslegung von 1,17f – die Strafgerechtigkeit Gottes *neben* seiner Gnadengerechtigkeit als ein wesentlicher Aspekt der iustitia dei behauptet wurde." (U. Wilckens: Der Brief an die Römer; EKK VI,1, S. 226f, Kursivsetzung von Wilckens.)

[27] Zum Begriff der Metapher vgl. grundsätzlich P. von Gemünden: Vegetationsmetaphorik im Neuen Testament und seiner Umwelt; (NTOA 18) Freiburg (Schweiz), Göttingen 1993, S. 4-49.

[28] Zu den verschiedenen Metaphoriken im Röm vgl. P. von Gemünden und G. Theißen: Metaphorische Logik im Römerbrief, S. 108-131.

[29] P. von Gemünden und G. Theißen meinen dazu a.a.O., S. 109: „Jesus erscheint am Anfang und am Ende (Röm 1,1-5 und 15,9-13) als messianischer ‚König'."

[30] A.a.O., S. 116ff.

[31] A.a.O., S. 121ff.

[32] A.a.O., S. 125ff.

[33] A.a.O., S. 127ff.

[34] Trotz dieser wichtigen Beobachtungen von Gemündens und Theißens zur Metaphorik im Röm kann deren These aus den in der vorliegenden Untersuchung dargelegten Gründen keine Zustimmung finden, nach der sich durch eine Unterscheidung zwischen öffentlicher und privater Metaphorik eine Gliederung des Röm in Kap. 1-5 und 6-8 ergibt, vgl. a.a.O., S. 129f. Das Gliederungsprinzip ist aber m.E. weniger öffentlich – privat, sondern es orientiert sich eher an der Struktur, die in der hier vorliegenden Untersuchung aufgezeigt werden soll.

'Herrschaftskategorien' würde dieser Seite der paulinischen Gedanken- und Bilderwelt nicht gerecht werden. "[35]

Das gilt auch für die Gerichtsmetaphorik. Folgt man der paulinischen Argumentation im Röm, dann geht es Paulus zunächst um das Aufzeigen des Sündigseins des einzelnen Menschen und seiner Unfähigkeit, im göttlichen Gericht bestehen zu können (1,16-3,18), die durch Gottes rechtfertigende Tat in Christus aufgehoben wird (3,19-26). Die Rechtfertigung des Menschen durch Gott in juridischer und kultischer Metaphorik ist jedoch nicht bereits selbst das Ziel, sondern es geht Paulus damit implizit – wie auch in den anderen Metaphoriken – am Ende des großen Argumentationszusammenhanges Kap. 1-8, der dann in den folgenden Kapiteln weitergeführt wird, um die Befreiung des einzelnen Menschen zum Kind Gottes, des Vaters (vgl. Röm 8,12ff). Dieser Grundgedanke kann dann unter anderem auch durch die juridische Metaphorik des Freispruchs im göttlichen Gericht und durch den Begriff der Gerechtigkeit argumentativ entfaltet werden. Der Akzent liegt damit für Paulus nicht auf der gnädigen Nichtanrechnung der Schuld des Menschen, sondern auf einem Zuspruch der Freiheit durch Gott,[36] der den Menschen als freies Wesen – in juridischer Metaphorik gesprochen – das Gericht Gottes verlassen lässt (vgl. Röm 8,1f).

Der Begriff der δικαιοσύνη lässt sich deshalb mit Hilfe des deutschen Begriffes der 'Gerechtigkeit' nur unzureichend wiedergeben. Der umfassenden Bedeutung der Rechtfertigungsthematik im Röm angemessener ist demgegenüber ein Verständnis, das sich an der Befreiung des Menschen orientiert. „Die paulinische Rechtfertigungslehre ist nicht eine imputative Versöhnungslehre, in dem Sinn, daß die δικαιοσύνη θεοῦ dem Menschen nur 'angerechnet' würde, sondern trotz ihrer juridischen Terminologie ist sie recht zu verstehen nur auf der Basis der ihr zeitlich und sachlich vorausgehenden Erlösungslehre des Paulus, der ontologischen Interpretation des Christusgeschehens als eines Aktes der Befreiung aus der Versklavung durch die Mächte σάρξ, ἁμαρτία und θάνατος. Eben dies ermöglicht, die Rechtfertigung als ein effektives Geschehen zu verstehen. "[37] In diesem Sinne ist im Folgenden darauf zu achten, inwiefern die verschiedenen Metaphoriken auf dem Hintergrund dieser Freiheitsthematiken zu verstehen sind. In apologetischer Hinsicht geht es Paulus dabei darum, Tendenzen abzuwehren, die diese Freiheit, die dem an Christus glaubenden Menschen gilt, bestreiten.

Zur Verdeutlichung des hier herausgearbeiteten Aspektes wird die Wurzel δικ- mit ihren verschiedenen Begriffsbildungen vom Grundgedanken der Freiheit bzw. Befreiung her interpretiert werden müssen. Das Verb δικαιόω bedeutet dann – von Bedeutungsvarianten abgesehen, die an den jeweilige Stellen analysiert werden müssen – in der Grundtendenz das Zusprechen der Freiheit bzw. im Passiv das freigesprochen Werden.[38] „Dies δικαιοῦν ist das in der Heilsgegenwart erfolgende richterliche

---

[35] A.a.O., S. 131.

[36] Zum paulinischen Freiheitsbegriff vgl. z.B. F.S. Jones: „Freiheit" in den Briefen des Apostels Paulus. Eine historische, exegetische und religionsgeschichtliche Studie; (GTA 34) Göttingen 1987 und S. Vollenweider: Freiheit als neue Schöpfung. Eine Untersuchung zur Eleutheria bei Paulus und in seiner Umwelt; (FRLANT 147) Göttingen 1989 sowie unten die Ausführungen zu Röm 8,1ff.

[37] G. Strecker: Befreiung und Rechtfertigung. Zur Stellung der Rechtfertigungslehre in der Theologie des Paulus; in: J. Friedrich, W. Pöhlmann, P. Stuhlmacher (Hrsg.): Rechtfertigung (Festschrift für Ernst Käsemann zum 70. Geburtstag); Göttingen und Tübingen 1976, S. 479-508, dort S. 508.

[38] Vgl. z.B. W. Bauer: Griechisch-Deutsches Wörterbuch, Sp. 391f.

Freisprechen."[39] Δίκαιος bezeichnet folglich, sofern es nicht auf Gott, sondern auf den Menschen bezogen ist, den Freigesprochenen: „im göttl. Urteil e. Freispruch erlangen und dadurch z. δίκαιος werden."[40] Δικαίωσις meint dann den Freispruch, „den Akt der Rechtfertigung durch freisprechendes göttliches Urteil".[41] Auch der vieldeutige Begriff des δικαίωμα kann vereinzelt in diesem Sinne gebraucht werden (z.B. Röm 5,16).[42] Schließlich kann auch der Ausdruck δικαιοσύνη (θεοῦ) bei allen Variationen im Detail grundsätzlich vom Grundgedanken des göttlichen Freispruches her verstanden werden. „Die δικαιοσύνη θεοῦ ist Gottes Gerechtigkeit als Einheit von Gericht und Gnade, die er hat, die er handelnd erweist, indem er Gerechtigkeit herausstellt und im Freispruch als sein Urteil mitteilt."[43]

Die Wurzel δικ- bezeichnet dann insgesamt im Röm die Begründung der Freiheit des einzelnen Menschen vor Gott und durch Gott.[44] Diese kann auf zwei Wegen versucht werden:

1. Durch Bezug auf den νόμος bzw. die ἔργα, also durch persönliche Taten, Eigenschaften oder Fähigkeiten und damit durch den Menschen selbst (1,18-3,18). Die Konsequenz dieses Weges ist in paradoxer Weise die Unfreiheit, die Beherrschung durch die Sünde (3,8; 19f und 23) und als deren Konsequenz der Tod (6,23).

2. Durch den Glauben (1,17 und 3,19 - 4,25), d.h. unter Verzicht auf eine eigene Begründung der Freiheit und im Vertrauen darauf, dass Gott den Menschen durch Christus mit sich versöhnt und freispricht. Die Konsequenzen dieses Weges sind die „Anrechnung zur Gerechtigkeit" durch Gott (4,3ff), die Befreiung vom Gesetz der Sünde und des Todes (8,2) und die Verheißung des ewigen Lebens (5,17 und 21 im Futur und 6,23).

Die hier vorgeschlagene Konzentration traditioneller Problemstellungen der Rechtfertigungslehre auf die Frage nach der Begründung des eigenen Frei-Spruches und der daraus resultierenden eigenen Freiheit des einzelnen Menschen mag in dem Verdacht stehen, im Sinne der reformatorischen Formel der incurvatio des Menschen bereits völlig falsch anzusetzen. Nicht selten wird in der theologischen Tradition und Diskussion die Besonderheit christlicher Existenz gerade darin gesehen, von dieser Frage nach sich selbst und nach der persönlichen Freiheit absehen zu können und statt dessen im Bezug auf den anderen Menschen den zentralen theologischen Ansatz zu finden.[45] Dieser Vorstellung soll im folgenden die dezidierte These entgegengehalten werden, dass es Paulus im Röm zentral um die Frage der theologischen Begründung der Freiheit des einzelnen Menschen geht, die vom einzelnen für sich im Selbstbezug angenommen wird.

Dieses von Paulus auf die einzelne Person und seine Freiheit zentrierte Glaubensverständnis hat aber auch für die Definition der Gemeinschaft der Glaubenden

---

[39] G. Quell, G. Schrenk: Art. δίκη κτλ.; in: ThWNT, Bd. 2, S. 219.

[40] W. Bauer: Griechisch-Deutsches Wörterbuch, Sp. 392.

[41] G. Quell, G. Schrenk: Art. δίκη κτλ., in: ThWNT, Bd. 2, S. 228.

[42] Vgl. Quell, Schrenk, a.a.O., S. 226f.

[43] Quell, Schrenk, a.a.O., S. 205.

[44] Der Begriff ἐλευθερία kommt im Röm explizit in 8,2 vor, ἐλεύθερος erscheint in 6,20 und 7,3 und das Verb ἐλευθερόω in 6,18.22; 8,2.21.

[45] ·Vgl. zum Beispiel W. Pannenberg: „Der um seine eigene Identität bemühte Mensch ist offenbar der Mensch der Sünde. Statt sich dem Dienst an den Sachaufgaben der christlichen Gemeinschaft zu widmen und in solchem Dienst den Sinn des eigenen Lebens zu erfahren, ist er vor allem um sich selbst bekümmert." (W. Pannenberg: Anthropologie in theologischer Perspektive; Göttingen 1983, S. 259.)

entscheidende Konsequenzen. Die Unterscheidung Jude – Nichtjude wird nämlich, im Unterschied zu Griechen – Barbaren in 1,14, nicht im Plural zur Bezeichnung eines Kollektivs verwendet, sondern im Singular für einzelne Menschen. Entsprechend ist auch das bekannte Zitat aus Hab 2,4 im Singular formuliert und wird von Paulus so übernommen. Dadurch soll verdeutlicht werden, dass sich das von Paulus verkündigte Evangelium zwar an die gesamte Menschheit wendet, dass es dabei jedoch jeweils an einen einzelnen Menschen gerichtet ist und von ihm im Glauben angenommen werden kann. „Damit ist eine radikale Individualisierung gesetzt: Die Botschaft trifft den Einzelnen und isoliert ihn. Man kann nicht stellvertretend hören und glauben."[46] Der Unterscheidung in Juden und Nichtjuden wird also keine dritte Gemeinschaft der Christen gegenübergestellt, sondern diese kollektiv ansetzende Unterscheidung wird auf eine andere, individuelle Ebene transformiert und dadurch (im doppelten Wortsinn) „aufgehoben". Es geht Paulus nicht um die Definition einer neuen Religionsgemeinschaft der Christen, sondern um die Einzigartigkeit seines persönlichen Verständnisses des Evangeliums, das auch jedem anderen Menschen, und zwar als Einzelperson, offen stehen soll. Die „Rettung" (σωτηρία), die das paulinische Evangelium bewirkt, besteht demnach darin, dass sie dem einzelnen Menschen mit Hilfe verschiedener Metaphern seine Befreiung von der Herrschaft durch fremde Mächte zuspricht und dass diese Freiheit der einzelne Mensch für sich im Glauben annehmen kann.

Damit ergibt sich das Problem, in welcher Weise dieser persönliche, individuelle Glaube des einzelnen Christen zu verstehen ist. Paulus zitiert an dieser Stelle Hab 2,4 mit einer charakteristischen Abweichung. Aus dem Vergleich des hebräischen und des griechischen Habakuktextes ergibt sich die Frage, wer als Subjekt dieses Glaubens aufzufassen ist. Nach dem hebräischen Text wird der Gerechte in bzw. aus seiner eigenen Treue leben (וצדיק באמונתו יחיה), nach der Septuaginta jedoch aus der Treue bzw. dem „Glauben" Gottes (ἐκ πίστεώς μου). Paulus kürzt sein Zitat durch die Formulierung ἐκ πίστεως ζήσεται und lässt damit die Frage nach dem Subjekt offen. Wenn der Eindruck stimmt, dass im Röm Glaube und Selbstverständnis (des Paulus im besonderen und des Menschen im allgemeinen) aufs engste miteinander verbunden sind, dann kommt der Frage nach dem Subjekt des Glaubens jedoch eine wichtige Bedeutung zu. Mindestens drei Möglichkeiten sind dabei zu beachten:

1. Man könnte die Auslassung des Possessivpronomens zunächst als paulinischen Harmonisierungsversuch zwischen hebräischer und griechischer Bibel verstehen. Das aber setzt voraus, dass Paulus den hebräischen Text kannte und Hebräisch konnte, wofür es aber allgemein in den Paulusbriefen kaum Anhaltspunkte gibt.[47] Vielmehr orientiert er sich, obwohl er sich Phil 3,5 als „Hebräer aus Hebräern" bezeichnet, praktisch durchgehend am griechischen Bibeltext, der jedoch mitunter vom hebräischen Text her revidiert sein kann.[48]

2. Die paulinische Streichung des Subjektes könnte dadurch motiviert sein, dass er das Subjekt des Glaubens bewusst offen lassen wollte. Betrachtet man die weiteren Vorkommen von πίστις, so fällt auf, dass diese im Röm offensichtlich verschiedene

---

[46] H. Conzelmann: Grundriß der Theologie des Neuen Testaments; S. 189.

[47] Dass Paulus in Jerusalem von Gamaliel ausgebildet worden sei, ist eine Behauptung der Apostelgeschichte (vgl. Act 22,3).

[48] Vgl. zur paulinischen Verwendung der alttestamentlichen Schriften im Detail D.-A. Koch: Die Schrift als Zeuge des Evangeliums. Untersuchungen zur Verwendung und zum Verständnis der Schrift bei Paulus; (BHTh 69) Tübingen 1986.

Subjekte haben kann. In Röm 3,3 ist offensichtlich von der πίστις Gottes die Rede. Röm 3, 22 spricht von der πίστις Jesu Christi, wobei nicht eindeutig ist, ob es sich um einen genitivus obiectivus oder subiectivus handelt.[49] Und an zahlreichen anderen Stellen wird vom Glauben der Menschen geredet. Man könnte dann vermuten, dass es ein genuiner Bestandteil paulinischer Theologie ist, zwischen verschiedenen Aspekten der πίστις unterscheiden zu können und deshalb in dem programmatischen Abschnitt Röm 1,16f die Frage nach dem Subjekt des Glaubens offen zu halten.

3. Geht man jedoch davon aus, dass Paulus, wie sonst auch,[50] die Septuaginta benutzt hat, so hat die Streichung des Possessivpronomens an dieser Stelle deutlich den Sinn, Gott als Subjekt des hier gemeinten Glaubens zu eliminieren und damit jedenfalls an dieser Stelle (zwar in sachlicher Übereinstimmung mit dem hebräischen Text, aber ohne diesen in seiner Formulierung aufzunehmen) den Glauben des einzelnen Menschen hervorzuheben.[51] Glaube ist damit diejenige Lebenshaltung des Menschen, die die Begründung der eigenen Freiheit vertrauensvoll dem Frei-Spruch Gottes, also dem Zuspruch der Freiheit durch Gott und dem Akt der Befreiung „in Christus" überlässt. Diese Lebenshaltung zeichnet sich dadurch aus, dass der Mensch seine Bemühungen, die persönliche Freiheit ständig neu durch entsprechende Leistungen und Eigenschaften beweisen und sichern zu müssen, Gott gegenüber unterlassen kann. Er kann diesen Bemühungen eine bestimmte theologische Perspektive gegenüberstellen, die durch das Vertrauen zu Gott geprägt ist. Das zeigt auch die Formulierung ἐκ πίστεως εἰς πίστιν, die die Haltung des Menschen aus dem Glauben heraus und auf den Glauben hin, also als ganz von der Perspektive des Glaubens erfüllt, kennzeichnet.[52] Dieses Lebenskonzept und Selbstverständnis des einzelnen Menschen[53] stellt Paulus im folgenden einem Leben gegenüber, das die Differenz zwischen menschlicher und

---

[49] Unten bei der Interpretation von 3,22 wird der Ausdruck im Sinne eines genitivus obiectivus gedeutet.

[50] Vgl. C. D. Stanley: „Pearls before Swine": Did Paul's audiences understand his biblical quotations? In: NT 41 (1999), S. 124-144, S. 136: „While scholars normally assume that Paul knew and studied the Hebrew text, his quotations offer no support for this position. Paul drew his quotations exclusively from the Greek text (the ‚LXX'), even in places, where it diverged significantly from the Hebrew, and even when the Hebrew text would have better supported his argument." (Siehe z.B. I Kor 2,16 und Jes 40,13) Vgl. auch die Belege bei H. Hübner (Hrsg.): Vetus Testamentum in Novo, S. 2-219. Dabei muss man berücksichtigen, dass im 1. Jahrhundert n. Chr. ein einheitlicher Septuagintatext noch gar nicht feststand. „In Paul's days, ‚the Septuagint' was a diverse collection of scrolls containing Greek versions of variety of Jewish works translated over the course of two centuries or more in a wide variety of times and circumstances." (Stanley, a.a.O., S. 126)

[51] So auch D.-A. Koch: Die Schrift als Zeuge des Evangeliums, S. 127f, der zunächst zur Verwendung des Zitates in Gal 3,11 meint: „Paulus beschreibt also mit πίστις nicht Gottes Verhalten zu dem Gerechten, seine Treue ihm gegenüber, sondern [...] die jeweilige Zugehörigkeit des Menschen". Koch fährt dann fort: „Das gleiche Verständnis von Hab 2,4b liegt auch der Verwendung des Zitates in Röm 1,17 zugrunde. [...] Als Bestätigung und Fortführung von Röm 1,16.17a ist es auch hier nur verwendbar, wenn es – wie zuvor die eigenständige Formulierung des Paulus (vgl. V. 17a: ἐκ πίστεως εἰς πίστιν!) – ἐκ πίστεως absolut enthält."

[52] Gegen C.L. Quarles: From Faith to Faith: A Fresh Examination of the Prepositional Series in Romans 1:17; in: NT 45 (2003), S. 1-21. Quarles spricht sich im Anschluss an Chrysostomus dafür aus, „that the revelation of the rigtheousness of God extends from the faith of the Old Testament believer to the faith of the New Testament believer." (A.a.O., S. 21).

[53] Gegen J.W. Taylor: From Faith to Faith: Romans 1.17 in the Light of Greek Idiom; in: NTS 50 (2004), S. 337-348, der Glauben hier nicht individuell, sondern kollektiv versteht. Vgl. a.a.O., S. 337: „This study focuses on one disputed phrase, ἐκ πίστεως εἰς πίστιν, suggesting that it should be read, in the light of Greek idiom, as indicating growth. In the context of Rom 1 the growth Paul is celebrating is not individual faith."

theologischer Perspektive eliminiert oder sie verwechselt. Solche problematische Lebenshaltung wird zunächst in V. 18-32 erläutert und dann ausgiebig in 2,1-3,18 analysiert.

Die erstmalige Verwendung einer alttestamentlichen Schriftstelle in V. 17 folgt dem V. 2 entwickelten hermeneutischen Schema, nach dem die heiligen Schriften das paulinische Evangelium bereits im Voraus verheißen haben. Das Schriftzitat V. 17b wird durch die Einleitung mit καθὼς γέγραπται als solches gekennzeichnet und gibt eine geläufige Schriftstelle wieder. Diese wird von Paulus V. 17a unmittelbar auf das von ihm verkündigte Evangelium bezogen. Er behauptet aus einer bestimmten theologischen Perspektive, die durch das Evangelium von Jesus Christus geprägt ist, dass der „Gerechte" und der Glaube, von dem Habakuk hier spricht, auf das von ihm verkündigte Verständnis von Gerechtigkeit und Glaube vorausweisen. An diesem hermeneutischen Muster wird sich Paulus im folgenden durch den ganzen Röm hindurch orientieren.

V. 16f sind aufgrund der aufgeführten Überlegungen folgendermaßen strukturiert:

16: γὰρ	Οὐ ἐπαισχύνομαι τὸ εὐαγγέλιον	δύναμις γὰρ θεοῦ ἐστιν εἰς σωτηρίαν
	Ἰουδαίῳ τε πρῶτον καὶ Ἕλληνι (2)	παντὶ τῷ πιστεύοντι (1)
17: γὰρ	καθὼς γέγραπται Ὁ δὲ δίκαιος ἐκ πίστεως ζήσεται (2)	δικαιοσύνη θεοῦ ἐν αὐτῷ ἀποκαλύπτεται ἐκ πίστεως εἰς πίστιν (1)

Das Grundproblem: Das Verwechseln und Ignorieren des Gegenübers von geläufiger menschlicher und theologisch geprägter Perspektive (1,18-32)

Die Abgrenzung des Abschnittes nach vorn und hinten ist nicht ganz eindeutig. Häufig wird V. 18 als Neuansatz angesehen, der nach der Kurzcharakterisierung des paulinischen Evangeliums V. 16 und 17 den eigentlichen argumentativen Hauptteil des Briefes einleitet. Formal fungieren 1,18ff jedoch nicht als eigener Argumentationsabschnitt. Es fehlt eine persönliche Eingangsbemerkung des Paulus, und V. 18 schließt durch begründendes γάρ unmittelbar an V. 17 an.[1] Ἀποκαλύπτεται V. 18 nimmt das identische Wort V. 17 wieder auf, wobei es sich diesmal nicht auf die δικαιοσύνη, sondern auf den „Zorn Gottes" bezieht. 1,18-32 bekommen durch diese Verbindung den Sinn, die Notwendigkeit der Verkündigung des paulinischen Evangeliums zur Rettung für alle Glaubenden zu erklären. Sie zeigen deshalb für Juden wie Nichtjuden drei wesentliche Gründe auf, warum sie solcher Rettung bedürfen: erstens, weil sie Immanenz und Transzendenz bzw. geläufige menschliche und theologisch geprägte Perspektive miteinander vertauschen oder die Differenz zwischen ihnen eliminieren, zweitens, weil sie sich als Konsequenz daraus falsch verhalten und drittens, weil sie deshalb als Menschen bzw. als einzelner Mensch vor Gott nicht zu verteidigen sind (1,20, vgl. auch 2,1).

V. 18ff geht es zunächst in universeller Sicht in Fortsetzung von V. 17 um alle Menschen, wie der Genitiv ἀνθρώπων ohne Artikel zeigt.[2] Paulus möchte aufzeigen, dass alle Menschen von solcher im folgenden erklärten Vertauschung bzw. Ignorierung einer doppelten Sicht der Wirklichkeit und den daraus resultierenden Folgen betroffen sind. Eine Differenzierung in Juden und Nichtjuden ist dabei noch nicht vorausgesetzt, so dass der Abschnitt nicht über die Nichtjuden redet, sondern undeterminiert über „Menschen" im Allgemeinen.[3] Die Differenz Juden – Heiden wird nach 1,16 erst wieder 2,9ff aufgenommen. V. 18ff beschreibt also nicht nur die Verwechslung bzw. Vertauschung von Geschöpf und Schöpfer unter Nichtjuden, sondern auch bei den Juden.[4]

Was die Abgrenzung des Abschnittes nach hinten betrifft, sehen die meisten Interpreten dessen Ende in 1,32. F. Vouga lässt den Abschnitt jedoch bereits mit dem

---

[1] Hübner erkennt zwar die enge Verbindung von V. 18ff mit 17, schließt sich dann aber dennoch der konventionellen Gliederung in V. 16f und V. 18ff an, "wobei jedoch die Schwierigkeit auftaucht, dass 1,18 als antithetische Aussage zu 1,17 auf derselben Aussageebene zu liegen scheint (δικαιοσύνη γάρ θεοῦ [...] ἀποκαλύπτεται - ἀποκαλύπτεται γάρ ὀργὴ θεοῦ, sogar chiastische Stellung!). V 18 scheint in der mit V. 16 einsetzenden Begründungssequenz (mehrfaches γάρ) zu liegen." (H. Hübner: Biblische Theologie des Neuen Testaments; Bd. 2: Die Theologie des Paulus; Göttingen 1993, S. 239.) Die Einheit von V. 16f mit V. 18ff betont hingegen G. N. Davies: Faith and Obedience in Rom. A Study in Romans 1-4; (JStNT.SS 39) Sheffield 1990, vgl. besonders S. 49ff.

[2] Der Artikel fehlt bei solchen abstrakten Aussagen häufiger. Vgl. Blass, Debrunner, Rehkopf: Grammatik des neutestamentlichen Griechisch, § 258.

[3] Gegen E. Käsemann: An die Römer; HNT 8a, S. 32ff. Er überschreibt 1,18-32 „Gottes Zornesoffenbarung über den Heiden" und den größeren Zusammenhang 2,1-3,20 „Das Gericht über die Juden" (A.a.O., S. 48ff). Das ἀνθρώπων übersetzt er: „über jede Gottlosigkeit und Ungerechtigkeit der Menschen". (A.a.O., S. 32) Zur teilweise problematischen Rezeptionsgeschichte dieses Textes siehe K. C. Gaca: Paul's Uncommon Declaration in Romans 1:18-32 and Its Problematic Legacy for Pagan and Christian Relations; in: HThR 92 (1999), S. 165-198.

[4] Texte wie Dtn 5,6ff oder Ex 20,2ff sprechen nicht dagegen, sondern sie zeigen, dass die von Paulus V. 18ff angesprochenen Probleme natürlich auch im Judentum bekannt sind.

Katalog V. 29-31 enden und erblickt in οἵτινες einen neuen Anfang.[5] W. Schmithals versucht das Problem des Überganges von Kap. 1 nach 2 durch eine Umstellung der Verse zu lösen.[6]

Gegenüber diesen abweichenden Gliederungen ist jedoch zu beachten, dass sich durch das doppelte οἵτινες in 1,32 und 2,15 ein paralleler Abschluss von 1,18-32 und 2,1-15 ergibt.[7] Abgesehen von dieser formalen Einteilung in 1,16-32; 2,1-15 sind jedoch die inhaltlichen Bezüge der Abschnitte aufeinander wahrzunehmen. Es handelt sich in V. 18ff sicherlich nicht einfach um eine abstrakte Betrachtung, sondern die Argumentation zielt, nach der allgemeinen Behauptung der Unentschuldbarkeit der Menschen in 1,20 auf die Verantwortung des einzelnen Menschen vor Gott, die im nächsten Abschnitt 2,1ff näher ausgeführt wird. So heißt es in 2,1 in auffällig paralleler Formulierung zu 1,20: Διὸ ἀναπολόγητος εἶ ὦ ἄνθρωπε.

Bei der Frage nach dem inneren Aufbau des Abschnittes wird häufig die These vertreten, dass V. 18ff zwei größere Teile besitzt: V. 18ff und V. 23ff. „Hinter der Zweiteilung (Zäsur vor V. 24) steht die Auffassung, dass in V. 18-23 die Schuldfeststellung und in 24-32 die Gerichtsaussage dominiert, was an die Zweiteilung prophetischer Gerichtsworte im AT erinnert."[8] E. Klostermann hat jedoch überzeugend dargelegt, dass der Abschnitt vor allem durch die drei gleichlautenden Formulierungen παρέδωκεν αὐτοὺς ὁ θεός in V. 24, 26 und 28 strukturiert ist. Das Zweierschema von Schuld und Gericht trägt dagegen externe Kriterien an den Text heran, die der dreifachen Formulierung der Selbstüberlassenheit des Menschen nicht Rechnung tragen. Die verschiedenen Gliederungsvorschläge lassen sich bis in die einzelnen Textausgaben des Griechischen Neuen Testaments verfolgen.[9] Klostermann hat gezeigt, dass die drei parallelen Formulierungen jeweils mit den vorhergehenden Versen zusammen gesehen werden müssen: „trotz aller kleinen Konstruktionsabweichungen im einzelnen zwingt die dreifache Wiederholung des (διό, διὰ τοῦτο) παρέδωκεν αὐτοὺς ὁ θεός dazu, die jedesmal vorausgehenden Wortgruppen als einleitende Vorbereitung [...] zu werten, also auch dazu, V. 25 als einen selbständigen Satz und sein einführendes οἵτινες nicht als Rückbeziehung, sondern als relativen Anschluß zu fassen."[10] Auf der Basis der Beobachtung Klostermanns ergibt sich innerhalb des Argumentationsabschnittes 1,18-32 folgender Aufbau:[11]

---

[5] F. Vouga: Çe Dieu, qui m'a trouvé; Aubonne 1990, S. 28.

[6] Schmithals zieht 1,32 zu 2,2 und setzt 2,1 in 2,3ff fort. Vgl. W. Schmithals: Der Römerbrief. Ein Kommentar; Gütersloh 1988, S. 81f.

[7] 2,16 ist dabei mit R. Bultmann als sekundäre Erweiterung anzusehen, siehe unten zur Stelle.

[8] K. Haacker: Der Brief des Paulus an die Römer; ThHK 6, S. 46f. So auch z.B. die Einteilung von J. Calvin, E. Kühl, P. Althaus, O. Kuss, H.W. Schmidt, H. Schlier. Haacker selbst folgt im Prinzip ebd. auch dieser Zweiteilung, wobei er V. 19-23 und V. 24 ff nicht als Abfolge von Schuldfeststellung und Gerichtsaussage, sondern von Schuld und Verhängnis auffasst.

[9] Gegenüber der Textgestaltung in der 25. Aufl. von E. Nestle, die die Aufteilung in drei Abschnitte berücksichtigte und durch Zäsuren nach V. 24 und 26 andeutete, orientiert sich das Greek New Testament an der verbreiteten Zäsur vor V. 24. Der Text der 27. Aufl. von Nestle-Aland bringt neben dem Einschnitt vor V. 24 zwei weitere vor 26 und 28.

[10] E. Klostermann: Die adäquate Vergeltung in Rm 1,22-31; in: ZNW 32 (1933), S. 1-6, dort S. 2.

[11] U. Wilckens fasst demgegenüber V. 25-27 als Wiederholung von V. 22-24 und V. 28-31 von V. 19-21 auf (U. Wilckens: Der Brief an die Römer; EKK VI, 1, S. 95). Einen Überblick über die verschiedenen Gliederungsvorschläge bietet W. Popkes: Zum Aufbau und Charakter von Römer 1.18-32; in: NTS 28 (1982), S. 490-501, dort S. 490f.

Nach einer einleitenden These[12] wird in zwei parallelen Begründungsgängen, die jeweils mit διότι eingeleitet werden, in V. 19-20 und 21 erklärt, warum der Zorn Gottes über die hier charakterisierten Menschen offenbar wird: Sie kennen Gott (τὸ γνωστὸν τοῦ θεοῦ φανερόν ἐστιν ἐν αὐτοῖς, V.19; γνόντες τὸν θεὸν, V.21), erkennen ihn aber nicht als solchen an, weshalb sie nicht verteidigt werden können (εἰς τὸ εἶναι αὐτοὺς ἀναπολογήτους, V.20). V. 22 setzt dann neu und ohne sprachlichen Anschluss mit einer Konjunktion oder ähnlichem bei der Selbsteinschätzung der Menschen ein. Sie halten sich selbst für schlau, sind aber in theologischer Perspektive dumm. Diese Aussage wird in V. 23ff erläutert.[13] V. 23-24, 25-27[14] und 28 bieten drei parallele Argumentationsgänge, die jeweils mit der Darstellung einer Vertauschung bzw. eines Ignorierens der Differenz von Immanenz der Welt und Transzendenz Gottes einsetzen (ἤλλαξαν bzw. μετήλλαξαν) und dann mit der Formel παρέδωκεν αὐτοὺς ὁ θεός zeigen, dass Gott sie aufgrund dieser Vertauschung sich selbst überlässt und dass diese Selbstüberlassung entsprechende ethische Konsequenzen hat. Diese werden in V. 29-31 mit einer langen Auflistung von problematischen Verhaltensweisen charakterisiert. V. 32 bietet eine mit οἵτινες eingeleitete abschließende Klimax, die darin besteht, dass die in V. 18ff charakterisierten Menschen nicht nur selbst die in V. 29-31 genannten Laster ausüben, sondern dasselbe Verhalten auch noch bei anderen Menschen gutheißen.

Wie bereits J. Weiß beobachtet hat, finden sich in den Versen zahlreiche Gegensätze, die den Abschnitt mit strukturieren. „Weiterhin drängen sich geradezu die zugespitzten Worte, Gegensätze, Paronomasien. Das entspricht dem Inhalt, der den Contrast zwischen der göttlichen Offenbarung und dem menschlichen Verhalten und dann wieder die göttliche Strafe über die menschliche Sünde schildert. So folgen Schlag auf Schlag aufeinander: ὀργὴ θεοῦ - ἀδικίαν ἀνθρώπων, ἀλήθειαν ἐν ἀδικίᾳ, φανερόν ἐστιν - ἐφανέρωσεν, ἀόρατα - καθορᾶται, τὸν θεὸν - οὐχ ὡς θεόν, σοφοὶ - ἐμωράνθησαν, ἀφθάρτου θεοῦ - φθαρτοῦ ἀνθρώπου, τῶν καρδιῶν - τὰ σώματα, ἀλήθειαν - ψεύδει, κτίσει - κτίσαντα, φυσικὴν - παρὰ φύσιν, ἄρσενες ἐν ἄρσεσιν, ἐδοκίμασαν - ἀδόκιμον."[15]

Das einleitende ἀποκαλύπτεται[16] in V. 18a schließt an den identischen Begriff V. 17 an und setzt die theologische Perspektive fort, die diesmal nicht die δικαιοσύνη θεοῦ, sondern die ὀργή θεοῦ benennt. Der Bezug dieses Zorns auf das menschliche Verhalten und Erkennen wird dann in V. 18b genannt. Die Gegenüberstellung von göttlicher Offenbarung und menschlicher Einsicht bzw. menschlichem Verhalten bietet die formale Grundstruktur des gesamten Abschnittes. Das Problem, um das es in V. 18ff

---

[12] Dazu Popkes: „Der Charakter von 1.18 steht außer Zweifel. Paulus eröffnet den Diskurs mit der Aussage, dass ,Gottes Zorn über alle Gottlosigkeit und Ungerechtigkeit offenbar ist'. Von dieser thetischen Generalaussage her ist die gesamte Lage zu bewerten und zu beurteilen." (W. Popkes: Zum Aufbau und Charakter von Römer 1.18-32, S. 495)

[13] Hier ergibt sich seine kleine Differenz zum Gliederungsvorschlag von Klostermann, weil dieser bereits V. 22 im Zusammenhang mit 24 versteht.

[14] V. 26b und 27 führt dabei das eigentliche Argument der Übergabe des Menschen an sich selbst durch Gott mit Hilfe konkreter Beispiele aus der Sexualität weiter aus.

[15] J. Weiß: Beiträge zur Paulinischen Rhetorik; in: Theologische Studien, Festschrift zum 70. Geburtstag von Bernhard Weiß; Göttingen 1897, S. 165-247, dort S. 213, die Fehler, die sich bei Weiß im Griechischen finden, wurden für das Zitat korrigiert.

[16] H.-J. Eckstein versteht das im Präsens formulierte Verb futurisch als Offenbarung des Zornes Gottes ἀπ' οὐρανοῦ in der Endzeit (H.-J. Eckstein: „Denn Gottes Zorn wird vom Himmel her offenbar werden". Exegetische Erwägungen zu Röm 1,18; in: ZNW 78, 1987, S 74-89). Die Verbindung mit V. 17 spricht jedoch dafür, beide dort genannten Offenbarungsvorgänge präsentisch zu verstehen.

offenbar geht, und das eingangs als ἀσέβεια καὶ ἀδικία ἀνθρώπων bezeichnet wird, ist – etwas allgemeiner als bei Weiß formuliert – die Vertauschung einer immanenten, auf diese Welt bezogenen Sicht mit der transzendenten, auf Gott bezogenen.[17] In V. 18ff wird also das Grundproblem dargestellt, um das es im ganzen Brief gehen wird und auf welches das paulinische Evangelium eine Antwort bieten möchte (vgl. V. 16f): die Notwendigkeit und Schwierigkeit einer doppelten, einerseits geläufigen menschlichen und andererseits theologisch geprägten Sichtweise, die auch eine Differenzierung zwischen den aus beiden Perspektiven betrachteten „Gegenständen"[18] zur Folge hat. V. 18b drückt diese eindimensionale Sicht der Wirklichkeit, die die Göttlichkeit Gottes außer Acht lässt und auf eine einfache, immanente Beobachtungsposition reduziert ist, programmatisch aus: Die Wahrheit Gottes[19] wird durch Ungerechtigkeit niedergehalten, wenn er selbst nicht als der jede immanente Wirklichkeit Transzendierende erkannt und anerkannt wird.

V. 19f bieten eine erste, doppelt gefasste Begründung für die These von V. 18. Darin wird behauptet, dass die zweite, theologische Perspektive von den Menschen bewusst ignoriert wird und dass sie – mit der Gerichtsmetaphorik gesprochen – deshalb verurteilt werden können (eingeleitet mit διότι).[20] Die Erkenntnis Gottes ist den Menschen nämlich Paulus zufolge möglich, weil sie „in ihnen" offenbar ist.[21] E. Käsemann hat sich gegen die Auffassung gewandt, dass Paulus hier eine inwendige Fähigkeit des Menschen bezeichne, durch die er in der Lage ist, Gott zu erkennen: "ἐν αὐτοῖς meint natürlich nicht bloß das Inwendige [...], sondern ‚unter ihnen' oder besser die Umschreibung des Dativs".[22] Dem ist jedoch entgegenzuhalten, dass mit dem ἐν der Ort benannt ist, an dem den Menschen ein γνωστὸν τοῦ θεοῦ möglich ist. An diese Formulierung lassen sich die bekannten Problemstellungen der sogenannten „natürlichen Theologie"[23] anschließen. Dieses Innere, das von Paulus auch mit καρδία, συνείδησις (2,15 u.ö.) oder ὁ ἔσω ἄνθρωπος bezeichnet werden kann, ist einerseits der Punkt in jedem Menschen, der sich für die Offenbarung des Transzendenten, Göttlichen öffnen kann. Gegenüber einer Überbewertung dieser menschlichen inneren Einsicht wird dann jedoch in V. 19b die theologische Perspektive eingebracht: Die Menschen

---

[17] Zu dieser spezifischen Doppelperspektive der Religion vgl. N. Luhmann: Die Ausdifferenzierung der Religion; in: ders.: Gesellschaftsstruktur und Semantik. Studien zur Wissenssoziologie der modernen Gesellschaft; Bd. 3; Frankfurt/Main 1989, S.259-357; ders.: Die Religion der Gesellschaft; Frankfurt/Main 2000, S. 77ff. Siehe dazu auch oben die Einführung dieser Untersuchung unter 2.

[18] Mit Gegenstand sind dabei nicht nur Sachen gemeint, sondern alles, was in dieser doppelten Perspektive gesehen und zur Sprache gebracht werden kann, also auch Menschen, Christus und in gewissem Sinne auch Gott.

[19] Einige Textzeugen ergänzen deshalb sinngemäß richtig του θεοῦ.

[20] Popkes spricht V. 19-20 wohl zutreffend von einem Unentschuldbarkeitsnachweis. „Der Nachweis zielt auf das εἰς τὸ εἶναι αὐτοὺς ἀναπολογήτους (v. 20) hin." (W. Popkes: Zum Aufbau und Charakter von Römer 1.18-32, S. 495) Anders Haacker, der V. 19f als „retardierende Parenthese" versteht. (K. Haacker: Der Brief des Paulus an die Römer; ThHK 6, S. 47)

[21] Von solch einer positiven Einsichtsfähigkeit des Menschen wird dann auch der zentrale Text Röm 7,7ff ausgehen, vgl. z.B. Röm 7,19.

[22] E. Käsemann: An die Römer; HNT 8a, S. 35.

[23] Vgl. z.B. die Auseinandersetzung zwischen Karl Barth und Emil Brunner (K. Barth: Nein! Antwort an Emil Brunner; TEH 14; München 1934) sowie M. Lackmann, C. Gestrich: Neuzeitliches Denken und die Spaltung der dialektischen Theologie. Zur Frage der natürlichen Theologie; Tübingen 1977. Speziell zur Stelle siehe auch: H. Ott: Röm 1,19ff als dogmatisches Problem; in: ThZ 15 (1959), S. 40-50; D.M. Coffey: Natural knowledge of God. Reflections on Romans 1,18-32; TS 31 (1970), S. 674-691.

können nicht aufgrund eigener Fähigkeiten etwas von Gott in sich selbst erkennen, sondern weil Gott es ihnen offenbart hat (ὁ θεὸς γὰρ αὐτοῖς ἐφανέρωσεν).[24]

V. 20 setzt, angeschlossen mit γάρ, die erste Begründung der These von V. 18 fort. Zwar ist Gottes transzendente Wirklichkeit (seine ewige Kraft und Gottheit), wie V. 20b behauptet, prinzipiell unerkennbar, durch die Schöpfung der immanenten Welt wird er selbst jedoch, wie Paulus in V. 20a meint, in bestimmter Weise an den Werken sichtbar (τοῖς ποιήμασιν νοούμενα καθορᾶται). Damit ist zu Beginn des Röm eine schwierige Verhältnisbestimmung von geläufiger menschlicher Sichtweise und Erkennbarkeit Gottes in theologischer Perspektive beschrieben. Gott kann nur an seinen Geschöpfen, nicht unmittelbar erkannt werden. Die Wahrnehmung der transzendenten Wirklichkeit Gottes, die im Grunde für den Menschen unsichtbar ist, kann von den Menschen jedoch zum einen „in" ihnen selbst und zum anderen „an" den Geschöpfen geschehen. Dabei muss allerdings zugleich immer mit reflektiert werden, dass dasjenige, in und an dem Gott sichtbar wird, nicht selbst Gott ist; es muss also theologisch jederzeit zwischen Schöpfung und Geschöpf differenziert werden. Sofern das nicht geschieht, sofern also die Menschen entweder ihre innere Einsicht oder die sie umgebende Schöpfung mit Gott identifizieren, können sich die Menschen nicht vor Gott entschuldigen, weil sie prinzipiell die Möglichkeit haben, zwischen Geschöpf und Schöpfer zu unterscheiden und die doppelte Perspektive einer geläufigen menschlichen und einer theologisch geprägten Sicht einzunehmen. Der Abschluss des ersten Argumentationsganges der Einleitung lautet deshalb: εἰς τὸ εἶναι αὐτοὺς ἀναπολογήτους (vgl. 2,1).

V. 21 beginnt die zweite Begründung der These V. 18, wiederum eingeleitet mit διότι. V. 21a schließt in theologischer Perspektive an die Aussage von V. 20b an: Die Menschen kennen Gott (γνόντες τὸν θεόν). Das bewusste Niederhalten der Wahrheit durch die Menschen (vgl. V. 18b) besteht aber darin, Gott nicht in rechter Weise die Ehre zu geben (οὐχ ὡς θεὸν ἐδόξασαν ἢ ηὐχαρίστησαν). Sie beachten also offenbar die Differenz zwischen immanenter und transzendenter Perspektive nicht und ehren Gott nicht als Schöpfer der Schöpfung. Diese Reduktion auf eine rein immanente, menschliche Perspektive beschreibt Paulus in V. 21b (verbunden durch ἀλλά): Ihre Gedanken und ihr Herz,[25] die Punkte, an denen sie Gott „in sich" wahrnehmen könnten, werden auf nichtige Dinge gerichtet (ἐματαιώθησαν), also ausschließlich auf eine immanente Sicht der Wirklichkeit reduziert, und dabei verfinstert (ἐσκοτίσθη). V. 21a benennt also im ersten Teil in theologischer Perspektive die reduzierte Sicht der Menschen, die die Differenz zwischen Schöpfer und Schöpfung ignorieren und Gott nicht als solchen anerkennen, obwohl sie es eigentlich besser wissen können. Im zweiten Teil werden dann V. 21b die Konsequenzen genannt, denen sie damit ausgeliefert werden: eine eindimensionale Fixierung auf die rein immanente Wahrnehmung der Wirklichkeit.

V. 22 bietet im Anschluss an die ersten beiden Begründungen einen Neuansatz, was sich formal vor allem durch eine fehlende Konjunktion zeigt. Paulus setzt nun beim Selbstverständnis der Menschen an. Der Vers handelt von einer falschen

---

[24] Insofern setzt der Ausdruck das ἀποκαλύπτεται aus V. 17 (und im oben beschriebenen Sinne auch aus V. 18) fort

[25] Zu den anthropologischen Begriffen der Gedanken und des Herzens vgl. unten ausführlich die Erläuterungen zu Röm 2,15.

Selbsteinschätzung der oben charakterisierten Menschen.[26] In ihrer rein immanent orientierten Perspektive meinen sie selbst, weise zu sein. In theologischer Sicht sind sie jedoch dumm,[27] weil sie nicht in der Lage sind, zwischen Immanenz und Transzendenz in rechter Weise zu unterscheiden und damit durch ihre auf sich selbst und die Dinge um sie herum bezogene, reduzierte Sicht der Wirklichkeit gefangen sind.

Mit V. 23 beginnt die erste von drei parallel gebauten, längeren Gegenüberstellungen, die die Dummheit und falsche Selbsteinschätzung der Menschen verdeutlichen sollen. Sie bilden den Kern der Argumentation des gesamten Abschnittes. Das καί schließt an V. 22 an und erläutert insofern dessen Aussage. Paulus führt einen Terminus ein, der die Ignorierung bzw. Vertauschung der doppelten, immanenten und transzendenten, der geläufigen menschlichen und theologisch geprägten Sicht der Wirklichkeit charakterisiert: ἀλλάσσω bzw. μεταλλάσσω. V. 23 kann entgegen einer gängigen Interpretation nicht als Beweis dafür angesehen werden, dass Paulus in V. 18ff exklusiv über die Nichtjuden spricht.[28] Der Vers gibt nicht nur die übliche jüdische Polemik gegen die Götterverehrung der Nichtjuden wieder,[29] sondern die Verwechslung Gottes mit irgendwelchen Bildern oder Geschöpfen ist nicht zuletzt auch ein jüdisches Problem (vgl. aus der Vielzahl der hier zu nennenden Texte z.B. Ex. 20,2ff; 32,1ff; Dtn 5,6ff). Paulus beschreibt in V. 23 zunächst die geläufige menschliche Sicht, die dadurch charakterisiert ist, dass vergängliche Wesen wie Menschen oder Tiere mit Gott identifiziert werden, wodurch Gottes δόξα ignoriert bzw. „vertauscht" wird. Gerade die oft beißende Polemik gegen solche Identifikationen innerhalb des Judentums und der griechischen Religionskritik beweist, dass dies Problem auf beiden Seiten sehr bekannt war.[30] Paulus beschreibt solche Vertauschung sehr konkret: ἐν ὁμοιώματι εἰκόνος φθαρτοῦ ἀνθρώπου καὶ πετεινῶν καὶ τετραπόδων καὶ ἑρπετῶν. Die Dummheit (ἐμωράνθησαν) der Menschen besteht darin, dass sie die immanenten Gegenstände und Lebewesen ihrer Welt mit dem Ruhm Gottes vertauschen. Die Differenz immanent – transzendent wird hier vor allem durch die Gegenüberstellung φθαρτός – ἄφθαρτος wiedergegeben. Sie ist im Röm einmalig.[31]

Eine angemessene Wirklichkeitswahrnehmung müsste sich demgegenüber nach dem Röm dadurch auszeichnen, dass sie erstens Gegenstände oder Lebewesen in einer immanenten Perspektive betrachtet und als endliche Wesen identifiziert und dass sie dabei zweitens diesen eine transzendente, auf Gott bezogene Wirklichkeitssicht gegenüberstellen kann, sie also von der Transzendenz her „anders"[32] sehen kann. Der geläufige menschliche Umgang mit der vorgegebenen, vergänglichen Wirklichkeit muss jederzeit gewissermaßen eine zweite, transzendente Sicht der Wirklichkeit präsent halten und von dorther die Welt als vergängliche identifizieren und reflektieren können. Das Spezifische dieser theologischen Sichtweise besteht also darin, allen Gegenständen menschlicher Erfahrung eine transzendente Perspektive gegenüberstellen zu können.

---

[26] Klostermann (Die adäquate Vergeltung in Rm 1,22-31, a.a.O., S. 1) und Cranfield (The Epistle to the Romans, vol. 1, S. 123) ziehen V. 22 zu 23f und nicht zu V.21. Die Parallelität des ἤλλαξαν und μετήλλαξαν V.23 und 25 spricht jedoch für die Einteilung in V.23f und V. 25-27.

[27] Zum Gegensatzpaar σοφός – μωρός vgl. auch I Kor 1,18ff.

[28] Vgl. dazu differenzierter K. Haacker: Der Brief des Paulus an die Römer; ThHK 6, S. 50f.

[29] So E. Käsemann: An die Römer; HNT 8a, S. 41f.

[30] Zu den antiken Belegen vgl. K. Haacker: Der Brief des Paulus an die Römer; ThHK 6, S. 50f. Er nennt z.B. Josephus: Contra Apionem 2,139; Iuvenal: Satiren 15,1-3; Philon von Alexandrien: De Decalogo 76-79 und Legatio ad Gaium 162f.

[31] Vgl. jedoch in den authentischen Paulusbriefen noch I Kor 9,25 und 15,52ff.

[32] Vgl. Luhmann: Die Ausdifferenzierung der Religion, a.a.O., S. 313 und oben die Einführung unter 2.

Problematisch ist demgegenüber, wenn eine Vertauschung der beiden Perspektiven geschieht. Die zweite Sicht, also diejenige, die die Unvergänglichkeit (Gottes) hervorhebt, wird dann in die erste Perspektive hinein verlagert, der es eigentlich um die vergänglichen Dinge gehen sollte. Oder es wird umgekehrt die erste Sicht, die es mit vergänglichen Gegenständen und Lebewesen zu tun hat, auf die zweite des unvergänglichen Gottes übertragen. In der Terminologie Luhmanns, die an die Unterscheidungstechnik G. Spencer Browns[33] anknüpft, könnte man sagen, dass damit ein unerlaubtes Überschreiten der Grenze zwischen Immanenz und Transzendenz bzw. Vergänglichkeit und Unvergänglichkeit stattfindet. Die korrekte Unterscheidung müsste demgegenüber in der Notation Spencer Browns folgendermaßen aussehen:[34]

vergänglich | unvergänglich

Wenn die zweite Seite der Differenz, die die Transzendenz und Unvergänglichkeit Gottes verdeutlicht, in die erste überführt wird, werden weitere Differenzierungen jedenfalls unter dem Gesichtspunkt einer doppelten, immanenten und transzendenten Sicht der Wirklichkeit unmöglich. Wenn die Transzendenz und Unvergänglichkeit Gottes preisgegeben wird, gibt es nur noch Immanenz, Vergänglichkeit. Der Gegenbegriff, durch den Immanenz als solche erst erkannt und reflektiert werden kann, steht nicht mehr zur Verfügung. Die Menschen nehmen sich damit die Möglichkeit, ihre immanenten Welterfahrungen und ihre Erfahrungen von Vergänglichkeit theologisch in die Perspektive der Transzendenz und der Unvergänglichkeit stellen zu können. Ihnen wird ihre Außenperspektive genommen, durch die sich erst angesichts solcher Erfahrungen „Sinn" (d.h. Außenkontakt) erschließen kann.

Die Folge dieser Vertauschung der beiden Seiten der Unterscheidung wird durch die dreimalige Formulierung παρέδωκεν αὐτοὺς ὁ θεός angegeben (1,24, 26 und 28),[35] wobei diese explizit als Konsequenz gegenübergestellt wird (διό, διὰ τοῦτο). Dadurch werden drei Argumentationsgänge strukturiert. Nachdem Paulus V. 23 eine reduzierte menschliche Sicht dargestellt hat, bringt er in V. 24 seinerseits die zweite, theologische Perspektive ein. Gott überlässt danach Menschen den Begehrlichkeiten ihrer Herzen (ἐν ταῖς ἐπιθυμίαις τῶν καρδιῶν αὐτῶν, V. 24), unehrenhaften Leidenschaften (εἰς πάθη ἀτιμίας, V. 26) und einer uneinsichtigen Vernunft (εἰς ἀδόκιμον νοῦν, V. 28). Sein Zorn (1,18) äußert sich also nicht in einer bestimmten Bestrafung, sondern darin, dass er den Menschen an sich selbst ausliefert, so dass er ganz sich selbst überlassen bleibt.[36] Die daran anschließenden, von Paulus genannten problematischen Verhaltensweisen wie Entehrung des eigenen Körpers, Homosexualität und der in 1,29-31 aufgeführte Katalog sind ihrerseits nur Konsequenzen der Selbstüberlassenheit des Menschen. Offensichtlich ist hier die leitende Vorstellung, dass der Mensch, wenn er sich selbst überlassen bleibt, mit sich selbst nicht zurecht kommt und notwendigerweise in daraus folgende ethische Verirrungen gerät.

---

[33] Vgl. G. Spencer Brown: Laws of Form; Neudruck New York 1979.
[34] Zu dieser Unterscheidungstechnik vgl. oben die Erläuterungen zu 1,14f.
[35] Vgl. dazu bereits E. Klostermann: Die adäquate Vergeltung in Rm 1,22-31, S. 1-6.
[36] So zutreffend auch E. Käsemann: AN die Römer; HNT 8a, S. 43. Anders K. Haacker: Der Brief des Paulus an die Römer; ThHK 6, S. 52, der zwar auch die Problematik der Selbstüberlassenheit des Menschen erkennt, aber zusätzlich meint, dass nach dieser Passivität Gottes die Enthüllung seines Zornes noch aussteht, das παραδιδόναι bezeichne nur „deren Vorspiel".

Konsequenz dieser Selbstüberlassenheit ist in V. 24b ein gestörtes Verhältnis des Menschen zu sich selbst, das durch die Begriffe σῶμα und καρδία verdeutlicht wird. Καρδία meint dabei das „Person-Zentrum des Menschen"[37] (vgl. V. 21), das, wenn es auf sich selbst gestellt bleibt, von Leidenschaften gequält wird.[38] Der Begriff σῶμα impliziert die Fähigkeit zur Selbstreflexion. Durch die Differenz τὰ σώματα αὐτῶν - ἐν αὐτοῖς wird auf dieser Grundlage eine innere Gespaltenheit des Menschen behauptet,[39] die dazu führt, dass er mit sich selbst nicht im Einklang ist und sein σῶμα verächtlich behandelt. Dabei ist keine Trennung von Leib und Seele vorausgesetzt, sondern die Trennung findet innerhalb des Menschen in seiner Gesamtheit statt (vgl. dazu auch 4,19; 6,6.12; 8,10.11.13.23; 12,1). Röm 7,7-25 wird diese Selbstgespaltenheit des Menschen auf einer grundsätzlicheren Ebene analysieren und mit V. 24 in dem Ruf enden: τίς με ῥύσεται ἐκ τοῦ σώματος τοῦ θανάτου τούτου;

Die Charakterisierung der „Vertauschung" bzw. Ignorierung der Differenz von immanenter und transzendenter Perspektive orientiert sich in einem zweiten Argumentationsgang V. 25-27 ebenfalls zunächst am Verb ἀλλάσσω. Die Menschen vertauschen die Verehrung des Schöpfers mit der einzelner Geschöpfe. Das παρά im Sinne von „anstatt"[40] zeigt, dass die Verehrung des Geschöpfes nicht neben die des Schöpfers tritt, sondern diese ersetzt. Das Problem besteht dann darin, dass keine eindeutige Trennung von Schöpfer und Geschaffenem mehr stattfinden kann. Dieser Eindimensionalität der Wirklichkeitswahrnehmung, die das Geschöpf als Schöpfer verehrt und nicht mehr zwischen beiden unterscheidet, wird in theologischer Perspektive zunächst eine Eulogie entgegengestellt (V. 25b), bevor mit der Wiederholung der Formel παρέδωκεν αὐτοὺς ὁ θεός wiederum die Preisgabe der Menschen an sich selbst durch Gott ins Spiel gebracht wird (V. 26a). Die „unwürdigen Leidenschaften" sind innere Regungen des Menschen, die ihn terrorisieren und mit sich selbst uneins machen. „Πάθη ἀτιμίας nimmt ἀτιμάζεσθαι aus V. 24 auf und ist mit den ἐπιθυμίαι von V. 24 sinnverwandt."[41]

Bevor in V. 28 eine dritte Gegenüberstellung eingeführt wird, die völlig parallel zu V. 23f und 25f arbeitet, wird jedoch in V. 26b-27 die Konsequenz dieser Selbstüberlassenheit an die eigenen Leidenschaften charakterisiert (angeschlossen mit γάρ). Die genannte Vertauschung von Geschöpf und Schöpfer führt zu einer Vertauschung der Geschlechter (V. 26b-27a), die ebenfalls mit μεταλλάσω bezeichnet wird. Zumindest V. 27 meint dabei eindeutig homosexuellen Verkehr. Die Formulierung αἵ τε γὰρ θήλειαι αὐτῶν μετήλλαξαν τὴν φυσικὴν χρῆσιν εἰς τὴν παρὰ φύσιν in V. 26b ist jedoch nicht eindeutig. Die Disqualifikation lesbischer Sexualität ist für die Zeit des Paulus weniger gut belegt. Deshalb wird vermutet, in V. 26 könnten auch andere sexuelle Praktiken gemeint sein, z.B. im Anschluss an Lev 18,23 der

---

[37] So U. Wilckens: Der Brief an die Römer; EKK VI, 1, S. 138.
[38] Zur desintegrierenden Funktion der ἐπιθυμία siehe ausführlich Röm 7,7ff.
[39] R. Bultmann hat diesen selbstreflexiven Charakter des Begriffes hervorgehoben: „Er (sc. der Mensch) kann also σῶμα genannt werden, sofern er ein Verhältnis zu sich selbst hat, sich in gewisser Weise von sich selbst distanzieren kann; genauer: als der, gegen den er sich in seinem Subjektsein distanziert, mit dem er als dem Objekt seines eigenen Verhaltens umgehen und den er wiederum auch als einem fremden, nicht dem eigenen Wollen entsprungenen Geschehen unterworfen erfahren kann - als solcher heißt er σῶμα." (Ders.: Theologie des Neuen Testaments, S. 196.)
[40] Vgl. Blass, Debrunner, Rehkopf: Grammatik des neutestamentlichen Griechisch, § 236,4.
[41] K. Haacker: Der Brief des Paulus an die Römer; ThHK 6, S. 53.

Verkehr mit Tieren.[42] Aufgrund des Anschlusses von V. 27 mit ὁμοίως liegt jedoch die Annahme näher, dass auch V. 26 bereits den lesbischen Verkehr unter Frauen bezeichnet. Mit dieser Darstellung verschiedener sexueller Praktiken gibt Paulus zunächst durchaus eine geläufige Sicht der Antike wieder, die Homosexualität – vor allem mit Knaben – durchaus akzeptieren konnte.[43] In der Homosexualität (und möglicherweise anderen ungewöhnlichen sexuellen Praktiken) des Menschen findet jedoch für Paulus ein ähnlicher Vorgang statt wie bei der „Vertauschung" und Ignorierung der Differenz von Geschöpf und Schöpfer. Die Unterscheidung Mann – Frau bzw. Frau – Mann wird wiederum in unangemessener Weise vertauscht bzw. aufgegeben, so dass Männer mit Männern und Frauen mit Frauen oder anderen Geschlechtspartnern sexuell verkehren.[44] Nach der Beschreibung dieser Vertauschung bringt Paulus erneut die theologische Perspektive ein, wenn er in V. 27b sagt, dass die Betroffenen dafür den ihnen gebührenden Lohn empfangen. K. Haacker meint, das der Ausdruck ἐν αὐτοῖς dabei nicht wesentlich sei und deshalb unübersetzt bleiben könne: „im Griechischen kaum mehr als eine Nuance zur Aussage beitragend (wohl im Sinne von persönlich oder leibhaftig) bekommt die Wendung bei wörtlicher Nachahmung zuviel Gewicht."[45] Im Gegenteil bezeichnen jedoch die Worte gerade den Punkt, an dem der Lohn (ἀντιμισθία) für ihren Irrtum (πλάνη) sichtbar wird, nämlich „in" den Menschen selbst, d.h. in ihrem Selbstverhältnis (vgl. zu ἐν αὐτοῖς auch V. 19). Die Konsequenzen der Vertauschung werden also wie bereits V. 24 und 26a von den besagten Menschen an ihnen selbst wahrgenommen.

Das in 1,18-32 benannte Grundproblem der Menschen besteht also in einem rechten Gebrauch der Differenz Immanenz – Transzendenz bzw. der geläufigen menschlichen und theologisch geprägten Doppelperspektive. Das gilt zum einen für den Bereich der Schöpfung, indem dort die Grenze zwischen Vergänglichkeit und Unvergänglichkeit (d.h. immanenter menschlicher und transzendenter theologischer Sichtweise) beachtet werden muss, zum anderen gilt es für den sexuellen Bereich, indem nach Meinung des Paulus z.B. die Unterscheidung zwischen „natürlichem" und „widernatürlichem Verkehr" in rechter Weise zu beachten ist. Es handelt sich hier ohne Frage um eine kontingente Sichtweise, der keine prinzipielle und zeitlose theologische Bedeutung zukommen kann. Homosexualität wird innerhalb eines bestimmten historischen Kontextes in dieser Weise beurteilt, ohne dass daraus eine grundsätzliche theologische Disqualifikation für alle anderen denkbaren Kontexte abgeleitet werden könnte. Paulus ist vielmehr hier seinen eigenen traditionellen Moralvorstellungen verhaftet. Vom Ansatz der paulinischen Ethik beim Liebesgebot her, wie ihn Paulus in

---

[42] So meint Haacker: „Paulus kann sich in diesem Punkt (sc. der Verurteilung von Homosexualität) mit seinen Adressaten und einer breiten Tradition einig wissen. Eine Verurteilung lesbischer Beziehungen findet sich dagegen in der Literatur erstmals bei Pseudo-Phokylides (192) und nur selten bei den Rabbinen. So verstanden ist die allgemeine Forderung in V. 26 nur schwer als Anspielung auf eine als bekannt und anerkannt vorausgesetzte Tradition erklärbar. Ich verstehe sie darum in Aufnahme der Warnung vor Geschlechtsverkehr mit Tieren, die in Lev 18,23 unmittelbar auf die Verurteilung des Verkehrs zwischen Männern folgt und dort ausdrücklich Frauen einbezieht." (Haacker, ebd.)

[43] Vgl. E. Lohse: Der Brief an die Römer (KeK 4), 15. Aufl. Göttingen 2003, S. 90. Siehe dazu auch den Exkurs über Homosexualität bei M. Theobald: Der Römerbrief, Erträge der Forschung, Bd. 294; Darmstadt 2000, S. 142-145. Theobald sieht den wesentlichen Gedanken von V. 26f darin, dass sich Paulus hier gegen Formen von Sexualverkehr ausspricht, die nicht die Fortpflanzung zum Ziel haben.

[44] Und wenn V. 26 den Verkehr mit Tieren meint, wird sogar in dieser Hinsicht die Differenz zwischen Tier und Mensch aufgehoben.

[45] K. Haacker: Der Brief des Paulus an die Römer; ThHK 6, S. 46, Anm. 8.

13,8-10 entwickelt, wären Fragen der Homosexualität nochmals in ethischer Hinsicht völlig neu zu erörtern.

Es erscheint kaum möglich und nötig, dieses Verständnis von Homosexualität als Konsequenz der Sünde unter heutigen Bedingungen zu vertreten. Wichtig ist jedoch die formale und logische Struktur, die dieser Argumentation zugrunde liegt. Sowohl auf der theologischen als auch auf der zwischenmenschlichen Ebene wird das Grundproblem des Menschen als unsachgemäßer Gebrauch von Differenzen bzw. als Eindimensionalität der Sicht von Wirklichkeit dargestellt. Dabei ist zusätzlich zu beachten, dass das Fehlverhalten im zwischenmenschlichen Bereich nicht Ursprung sondern die Folge der Verwechslungen von Geschöpf (Immanenz) und Schöpfer (Transzendenz) ist. Anders formuliert ist das in Röm 1,18-32 bezeichnete Grundproblem eine eindimensionale Sicht der Wirklichkeit, die durch das Ignorieren einer transzendenten Perspektive und damit der Göttlichkeit Gottes gekennzeichnet ist. Aus dieser einseitigen Sicht resultiert dann im zweiten Schritt ein falsches Verhalten. Die konkrete Konsequenz besteht in V. 27 vor allem darin, dass die Differenz zwischen den Geschlechtern nicht beachtet wird und Frauen und Männer innerhalb des eigenen Geschlechtes Sexualität praktizieren.

V. 28 bringt nach V. 23f und 25-27, angeschlossen mit καί, den dritten Argumentationsgang, in dem die Dummheit und falsche Selbsteinschätzung der Menschen verdeutlicht werden soll (vgl. V. 22). V. 28 a geht nochmals auf die geläufige, eindimensionale menschliche Sicht ein, die darin besteht, dass sie Gott nicht „im Auge behalten".[46] Das οὐκ ἐδοκίμασαν setzt voraus, dass sie diese Möglichkeit für sich geprüft und dann verworfen haben,[47] dass dies also bewusst geschieht und die Menschen deshalb dafür verantwortlich sind (vgl. V. 20b). Das Problem der Menschen besteht also nicht nur in der Vertauschung der Geschlechter, sondern vor allem darin, dass sie es für unnötig halten, Gott anzuerkennen. V. 28b bringt demgegenüber mit παρέδωκεν αὐτοὺς ὁ θεός zum dritten Mal die theologische Sicht zur Geltung. Die besagte menschliche Haltung veranlasst Gott, die Menschen ihrer unbrauchbaren Vernunft zu überlassen. Mit der Differenz αὐτοὺς – εἰς ἀδόκιμον νοῦν wird dabei wiederum eine innere Spaltung des Menschen vorausgesetzt. Er selbst wird an seine Vernunft preisgegeben, die einerseits offenbar als Teil des Menschen vorgestellt wird, andererseits aber auch als Beherrscher, der vom Menschen in bestimmter Weise unterschieden werden kann.

Bei der Argumentationsstrategie V. 18ff zeigt sich also, dass hier das Problem des Verhältnisses der Menschen zu sich selbst offengelegt wird, auf das dann innerhalb des Römerbriefes immer wieder eingegangen wird. Die Kenntnis Gottes ist „in" (V.19) den Menschen selbst offenbar. Sie nehmen diese aber nicht ernst und wahr (V. 21), sondern wenden sich dem Vergänglichen zu. Indem sie sich selbst für Weise halten, werden sie zu Toren (V. 22). Sie verwechseln Vergängliches und Unvergängliches (V. 23), Geschöpf und Schöpfer (V. 25) und ihre Liebespartner (V. 26f). In theologischer Perspektive führt das zu einer Überlassenheit des Menschen an sich selbst (V. 24, 26, 28). Paulus geht es damit zentral um das problematische Verhältnis des Menschen zu sich selbst, das dadurch charakterisiert ist, dass er seinen eigenen Leidenschaften, Sehnsüchten und seiner Vernunft ausgesetzt ist. Dieses problematische Selbstverhältnis des Menschen wird mit Hilfe der Begriffe σῶμα, καρδία (24), πάθος (V. 26) und νοῦς (V.

---

[46] So die Übersetzung von ἔχειν ἐν ἐπιγνώσει bei Haacker, a.a.O., S. 46.
[47] So auch Haacker, ebd., Anm. 9.

28) thematisiert. Der einzelne Mensch wird also aufgrund seiner Unfähigkeit, in rechter Weise zwischen Immanenz und Transzendenz zu unterscheiden, nicht einem höchsten Gericht übergeben. Er wird vielmehr von Gott an sich selbst, an seine Leiblichkeit, sein eigenes Herz, seine Leidenschaften und seinen Verstand ausgeliefert. Er wird seiner eigenen incurvatio überlassen und muss erfahren, dass in seinem Herzen Kräfte wirksam sind, die ihn zur Desintegration mit sich selbst führen (können). Man kann deshalb in gewissem Sinne sagen, dass die klassische Vorstellung des göttlichen Gerichtes von Paulus auf den Menschen selbst zurückgewendet wird. Seine Verfehlungen und inneren Widersprüche sind Konsequenz einer einfachen, eindimensionalen Weltsicht, die die theologisch geprägte, alternative Sicht der Wirklichkeit ausblendet. Auf diese Weise zeigt sich gleich zu Beginn der Argumentation des Röm der Zusammenhang zwischen den beiden in der Einführung dargestellten Arbeitshypothesen: Eine einfache, eindimensionale Weltsicht korrespondiert[48] mit der inneren Zerrissenheit des Menschen und seinem Tun des Bösen, wie an der zentralen Stelle in Röm 7,7ff eingehend analysiert werden wird. Umgekehrt wird Paulus im Verlauf der Argumentation – besonders deutlich in Kap. 8 – zeigen, dass gerade die von ihm vorgeschlagene, doppelte Sicht der Wirklichkeit, die jeweils einer geläufigen menschlichen eine theologisch bzw. christologisch geprägte Perspektive gegenüberstellt, mit einer Integrität des einzelnen Menschen mit sich selbst zusammenhängt, die ihn befähigt, das Gute zu tun.

Systemtheoretisch formuliert handelt es sich in V. 18ff um die Darstellung einer selbstreferentiellen Geschlossenheit der Menschen, um ihre rein selbstzentrierte Existenz, welche Fremdreferenz, ein Überschreiten der eigenen Existenz auf den anderen Menschen und auf Gott hin verhindert. Dementsprechend ist es ein Selbstbetrug, wenn sie sich als „weise" einschätzen (V. 22). Weisheit bestünde demgegenüber in einem rechten Gebrauch einer doppelten, nämlich immanenten und transzendenten Sicht der Wirklichkeit und der sich daraus ergebenden Differenzierungen zwischen Geschöpf und Schöpfer usw. Das aber ist nur möglich, wenn neben der Referenz des Menschen auf sich selbst und seine eigenen Vorstellungen Fremdreferenz ermöglicht wird. Der Abschnitt 1,16-32 kommt aber gerade zu dem Schluss, dass der Mensch in seiner Selbstreferentialität derart gefangen ist, dass er sich selbst den Bezug auf anderes und andere nicht ermöglichen kann. Er behandelt die Schwierigkeit des Menschen, das Verhältnis von Selbstreferenz (Verhältnis zu sich selbst und seinen Vorstellungen) und Fremdreferenz (Verhältnis zu anderen Menschen, anderen Dingen und zu Gott) in rechter Weise zu handhaben (zu einem ausgewogenen Verhältnis von Selbst- und Fremdbezug vgl. unten die Ausführungen zum Liebesgebot in Röm 13,8-10).

Am Schluss des Abschnittes benennt Paulus, wie bereits in V. 26b und 27a, weitere Konsequenzen der dreifachen Selbstüberlassenheit des Menschen. V. 29-31 enthalten eine Liste von Verfehlungen, die in I Clem 35,5 wieder aufgenommen ist.[49] Die Aufzählung ist nicht als eine geschlossene Reihe aufgebaut, sondern sie enthält zwei Teile, die durch zwei verschiedene Perspektiven entstehen. Die Ausdrücke am Ende von V. 29 und in V. 30f geben eine geläufige menschliche Sicht wieder, die die Personen mit ihren Taten identifiziert. Weil sie so handeln, *sind* sie zugleich Zuträger,

---

[48] Diese Korrespondenz wird zu Beginn von V.28 durch das καθώς zum Ausdruck gebracht.

[49] „Der zweite Teil von V. 5 ist ein Lasterkatalog, der trotz einiger Kürzungen ganz offensichtlich direkt von Röm 1,29-32 abhängig ist". (A. Lindemann: Die Clemensbriefe; HNT 17, 1, S. 109).

Verleumder, Gotthasser Gewalttäter, Hochmütige, Prahler, erfinderisch im Bösen, den Eltern ungehorsam, unverständig, unbeständig, lieblos, erbarmungslos.

Dieser Sichtweise wird in V. 29 (ausgenommen das letzte Wort) eine zweite, theologische gegenübergestellt. Nach ihr wird zwischen Tat und Person genau unterschieden. Die beiden Begriffe πεπληρωμένος und μεστός signalisieren, dass die Menschen in theologischer Perspektive mit diesen schändlichen Taten „angefüllt" und „voll" sind: πεπληρωμένους πάσῃ ἀδικίᾳ πορνείᾳ πονηρίᾳ πλεονεξίᾳ κακίᾳ μεστοὺς φθόνου φόνου ἔριδος δόλου κακοηθείας. Bei dem von den Textzeugen sehr uneinheitlich überlieferten ersten Teil der Reihe ist es am einleuchtendsten, der Lesart des Mehrheitstextes zu folgen und vor πονηρίᾳ πλεονεξίᾳ κακίᾳ das Wort πορνείᾳ zu ergänzen. „Bedenkenswert ist daran, dass das nachfolgende πλεονεξία nicht selten mit sexuellen Sünden zusammengestellt wird (vgl. Mark. 7,22; Eph. 4,19; 5,3; Kol. 3,5; 2. Petr. 2,14). Der kürzere Text könnte hier auf einem Lesefehler wegen der Ähnlichkeit von πονηρία und πορνεία beruhen."[50] Man kommt dann zu einer symmetrisch strukturierten Reihe von zweimal fünf Begriffen.

Die Menschen werden also gewissermaßen als Gefäße vorgestellt, in die hinein böse Taten geschüttet werden können, nachdem Gott sie sich selbst und ihrer unbrauchbaren Vernunft überlassen hat. Die Selbstüberlassenheit des Menschen setzt ihn in theologischer Sicht dem Einfluss fremder Mächte aus, die ihn „erfüllen" und negativ auf ihn wirken können. Die hier implizierte Differenz zwischen den Taten und der Person und das Gefühl des Innewohnens fremder Mächte wird in Röm 7,7ff eingehend analysiert werden. Die Vorstellung vom Menschen als Gefäß (diesmal Gottes) findet sich auch in Röm 9,21ff.

Der Anschluss mit οἵτινες V. 32 (vgl. auch V. 25) zeigt, dass sich der Vers zum einen auf die Aufzählung von V. 29-31 bezieht und damit zum anderen den Abschnitt zu Ende führt (vgl. auch 2,15). I Clem 35 hat nach dem Katalog aus V. 29-31 auch V. 32 übernommen.[51] Der abschließende V. 32 steigert die V. 29-31 genannten Verfehlungen nochmals. In menschlicher Sicht werden sie dadurch noch schlimmer, dass die Menschen sich nicht nur selbst so verhalten, sondern auch noch denen applaudieren, die das Gleiche tun (V. 32b). Dabei wird wiederum behauptet, dass sie zugleich fähig sind, in theologischer Sicht zu erkennen, was von Gott als rechtmäßiges Verhalten erwartet wird (V. 32a).

Das in V. 29-31 beschriebene Fehlverhalten der Menschen wird also abschließend in V. 32 nochmals auf die Eingangsbehauptung des Abschnittes zurückbezogen,[52] dass die Menschen Gott (und seine Forderungen) – und damit auch ihr Fehlverhalten – erkennen können (vgl. V. 19f) und die Konsequenzen eines solchen Verhaltens kennen. Sie wissen deshalb auch, dass die Folge ihres Fehlverhaltens der Tod ist. (Auf die grundsätzliche Problematik von Leben und Tod in einem transzendenten Sinne wird dabei in Kap. 5-8 eingegangen werden.) Offensichtlich hindert sie das aber nicht daran, diese theologische Sicht auszublenden und in einer reduzierten menschlichen Sicht der Dinge die genannten Fehlverhalten zu praktizieren,

---

[50] K. Haacker: Der Brief des Paulus an die Römer; ThHk 6, S. 55, Anm. 75.

[51] I Clem 35,6 „übernimmt Röm 1,32 weithin wörtlich; nur das scharfe οἱ τὰ τοιαῦτα πράσσοντες ἄξιοι θανάτου εἰσίν ist ersetzt durch ein das Urteil nicht aussprechendes [...] στυγητοὶ τῷ θεῷ ὑπάρχουσιν". (A. Lindemann: Die Clemensbriefe; HNT 17, S. 109f)

[52] K. Haacker meint: „V. 18 und 32 bilden eine Art inclusio, indem beide Sätze von der Auflehnung gegen erkannte Wahrheiten handeln." (K. Haacker: Der Brief des Paulus an die Römer; ThHK 6, S. 47, Kursivierung von Haacker)

ja sogar anderen, die ebenso handeln, Beifall zu spenden. Damit ist eine Diskrepanz von innerer Einsicht und konkretem Verhalten aufgezeigt, die im Folgenden weiter erläutert werden wird.

Aufgrund der vorhergehenden Ausführungen hat der Abschnitt damit die folgende Struktur, wobei diejenigen Wörter, die das Zentrum des Abschnittes strukturieren, hervorgehoben sind:

18: γάρ	ἐπὶ πᾶσαν ἀσέβειαν καὶ ἀδικίαν ἀνθρώπων τῶν τὴν ἀλήθειαν ἐν ἀδικίᾳ κατεχόντων (2)	Ἀποκαλύπτεται ὀργὴ θεοῦ ἀπ' οὐρανοῦ (1)
19: διότι	τὸ γνωστὸν τοῦ θεοῦ φανερόν ἐστιν ἐν αὐτοῖς	ὁ θεὸς γὰρ αὐτοῖς ἐφανέρωσεν
20: γάρ	τὰ ἀόρατα αὐτοῦ ἀπὸ κτίσεως κόσμου τοῖς ποιήμασιν νοούμενα καθορᾶται	ἥ τε ἀΐδιος αὐτοῦ δύναμις καὶ θειότης εἰς τὸ εἶναι αὐτοὺς ἀναπολογήτους
21: διότι	ἀλλ' ἐματαιώθησαν ἐν τοῖς διαλογισμοῖς αὐτῶν καὶ ἐσκοτίσθη ἡ ἀσύνετος αὐτῶν καρδία (2)	γνόντες τὸν θεὸν οὐχ ὡς θεὸν ἐδόξασαν ἢ ηὐχαρίστησαν (1)
22:	φάσκοντες εἶναι σοφοὶ	ἐμωράνθησαν
23+24: καὶ	*ἤλλαξαν* τὴν δόξαν τοῦ ἀφθάρτου θεοῦ ἐν ὁμοιώματι εἰκόνος φθαρτοῦ ἀνθρώπου καὶ πετεινῶν καὶ τετραπόδων καὶ ἑρπετῶν	*διὸ παρέδωκεν αὐτοὺς ὁ θεὸς* ἐν ταῖς ἐπιθυμίαις τῶν καρδιῶν αὐτῶν εἰς ἀκαθαρσίαν τοῦ ἀτιμάζεσθαι τὰ σώματα αὐτῶν ἐν αὐτοῖς
25+26a: οἵτινες	*μετήλλαξαν* τὴν ἀλήθειαν τοῦ θεοῦ ἐν τῷ ψεύδει καὶ ἐσεβάσθησαν καὶ ἐλάτρευσαν τῇ κτίσει παρὰ τὸν κτίσαντα	ὅς ἐστιν εὐλογητὸς εἰς τοὺς αἰῶνας ἀμήν *διὰ τοῦτο παρέδωκεν αὐτοὺς ὁ θεὸς* εἰς πάθη ἀτιμίας
26b+27: γάρ	αἵτε θήλειαι αὐτῶν *μετήλλαξαν* τὴν φυσικὴν χρῆσιν εἰς τὴν παρὰ φύσιν ὁμοίως τε καὶ οἱ ἄρσενες ἀφέντες τὴν φυσικὴν χρῆσιν τῆς θηλείας ἐξεκαύθησαν ἐν τῇ ὀρέξει αὐτῶν εἰς ἀλλήλους, ἄρσενες ἐν ἄρσεσιν τὴν ἀσχημοσύνην κατεργαζόμενοι	καὶ τὴν ἀντιμισθίαν ἣν ἔδει τῆς πλάνης αὐτῶν ἐν ἑαυτοῖς ἀπολαμβάνοντες
28: καὶ	καθὼς οὐκ ἐδοκίμασαν τὸν θεὸν ἔχειν ἐν ἐπιγνώσει	*παρέδωκεν αὐτοὺς ὁ θεὸς* εἰς ἀδόκιμον νοῦν ποιεῖν τὰ μὴ καθήκοντα
29-31:	ψιθυριστὰς καταλάλους θεοστυγεῖς ὑβριστὰς ὑπερηφάνους ἀλαζόνας, ἐφευρετὰς κακῶν γονεῦσιν ἀπειθεῖς ἀσυνέτους ἀσυνθέτους ἀστόργους ἀνελεήμονας (2)	πεπληρωμένους πάσῃ ἀδικίᾳ πορνείᾳ πονηρίᾳ πλεονεξίᾳ κακίᾳ μεστοὺς φθόνου φόνου ἔριδος δόλου κακοηθείας (1)
32: οἵτινες	οὐ μόνον αὐτὰ ποιοῦσιν ἀλλὰ καὶ συνευδοκοῦσιν τοῖς πράσσουσιν (2)	τὸ δικαίωμα τοῦ θεοῦ ἐπιγνόντες ὅτι οἱ τὰ τοιαῦτα πράσσοντες ἄξιοι θανάτου εἰσίν (1)

Die Unmöglichkeit der Existenzbegründung durch eigene Taten, Eigenschaften oder Fähigkeiten (2,1-3,18)

Röm 2,1ff zieht einerseits mit einleitendem διό die Konsequenzen aus dem Vorhergehenden. Andererseits markieren der Wechsel in den Singular und die direkte Anrede eines „Du" einen deutlichen Neuanfang.[1] Der große Argumentationsabschnitt handelt von dem Versuch des Menschen, seine Existenz durch eigene Taten, Eigenschaften oder Fähigkeiten begründen zu wollen und zeigt, dass dieser Versuch scheitern muss. Dementsprechend ist der erste Teil des Abschnittes 2,1-3,4 (mit den beiden Teilen 2,1-15[2] und 2,17-3,4) von Formulierungen durchzogen, die das menschliche Tun charakterisieren: τὰ γὰρ αὐτὰ πράσσεις ὁ κρίνων (2,1), ἐπὶ τοὺς τὰ τοιαῦτα πράσσοντας (2,2), ὁ κρίνων τοὺς τὰ τοιαῦτα πράσσοντας καὶ ποιῶν αὐτά, (2,3), θησαυρίζεις σεαυτῷ ὀργὴν (2,5), ἑκάστῳ κατὰ τὰ ἔργα αὐτοῦ (2,6), καθ' ὑπομονὴν ἔργου ἀγαθοῦ (2,7), τοῦ κατεργαζομένου τὸ κακόν (2,9), τῷ ἐργαζομένῳ τὸ ἀγαθόν (2,10), ἀνόμως ἥμαρτον, ἐν νόμῳ ἥμαρτον (2,12), οἱ ποιηταὶ νόμου (2,13), τὰ τοῦ νόμου ποιῶσιν (2,14) τὸ ἔργον τοῦ νόμου (2,15), διδάσκων ἕτερον, σεαυτὸν οὐ διδάσκεις, ὁ κηρύσσων μὴ κλέπτειν, κλέπτεις (2,21), ὁ λέγων μὴ μοιχεύειν, μοιχεύεις, ὁ βδελυσσόμενος, ἱεροσυλεῖς (2,22), ἐὰν νόμον πράσσῃς, ἐὰν δὲ παραβάτης νόμου ᾖς (2,25) ἐὰν [...] τὰ δικαιώματα τοῦ νόμου φυλάσσῃ (2,26), τὸν παραβάτην νόμου (2,27). Der zweite Teilabschnitt (3,5-18) verdeutlicht demgegenüber, dass dieses menschliche Tun grundsätzlich durch Sünde gekennzeichnet ist.

2,1-15 betrachten unter dieser Fragestellung zunächst die individuelle Beurteilung eines jeden Menschen aufgrund seiner Taten, unabhängig davon, ob es sich um einen Juden oder Nichtjuden handelt. Von dieser Aussage her wird das traditionelle Verständnis des Judentums und der Beschneidung 2,17-24 individualisiert und dadurch neu definiert. 2,25-3,4 zeigen dann, dass dem Kriterium des rechten Verhaltens des Einzelnen in theologischer Sicht von sich aus kein Mensch genügen kann und dass dies zur Selbsterkenntnis der eigenen Lüge führt (3,4: πᾶς δὲ ἄνθρωπος ψεύστης, im Singular!). 3,5-8 weisen aufgrund dieser Feststellung verschiedene Einwände ab. 3,9-18 verstärken am Ende mit einer langen Zitatreihe die Schlussthese des ersten großen Argumentationsabschnittes, dass alle Menschen „unter der Sünde" sind (πάντας ὑφ' ἁμαρτίαν εἶναι, V. 9) und es deshalb niemanden geben kann, der durch sich selbst vor Gott gerecht sein kann. In der hier verwendeten Gerichtsmetaphorik ausgedrückt: Kein Mensch kann durch eigene Taten oder Eigenschaften den Freispruch im göttlichen Gericht erlangen.

Die individuelle Beurteilung der Taten des einzelnen Menschen (2,1-16)

Mit διό wird also ein neuer Argumentationsgang eingeleitet, der durch die sekundäre Einfügung in V. 16 abgeschlossen wird. Er lässt sich in einen ersten, allgemeinen Abschnitt (V. 1-10) unterteilen, der die Vorstellung vom individuellen Gericht der

---

[1] Gegen K. Haacker: Der Brief des Paulus an die Römer; ThHK 6, S. 59, der durch das Wortfeld κρίνειν in V. 1.2.3.5.12.16.27 eine große Kontinuität zum Vorhergehenden sieht.

[2] 2,16 handelt es sich um eine sekundäre Einfügung. Siehe dazu unten die Begründung zur Stelle.

Taten eines jeden Menschen behandelt (V. 6), und in einen zweiten (V. 11-15)[3], der die These vom Nichtansehen des Äußeren durch Gott (V. 11) reflektiert. Den Hintergrund dieser Überlegungen bilden in Aufnahme von 1,16f die Unterscheidungen Juden – Nichtjuden bzw. ἐν νόμῳ – ἀνόμως.[4] Die hier aufgeworfenen Fragen werden dann im nächsten größeren Argumentationsteil 2,17-3,4 weiter verfolgt.

2,1 beginnt nach der sehr allgemein geführten Argumentation in 1,18ff mit einer persönlichen Anrede eines einzelnen Menschen (ὦ ἄνθρωπε). Hier wird erstmals ein dialogisches Element eingebaut, in dem, wie R. Bultmann meinte, Ähnlichkeiten mit dem Stil der kynisch-stoischen Diatribe vorhanden sind.[5] Bultmann meinte, dass dieser dialogische Stil für die paulinische Predigt insgesamt charakteristisch sei. Genau betrachtet ist der Dialogcharakter jedoch eine Besonderheit des Röm.[6] Dass es Paulus speziell im Röm um den einzelnen Menschen geht, äußert sich stilistisch darin, dass er hier erstmals und dann immer wieder mit einem fiktiven Gesprächspartner (im Singular) ins Gespräch eintritt. Es sind nicht allgemein die Menschen schlechthin (V. 18: ἀνθρώπων ohne Artikel), die sich vor Gott für ihre Vertauschung von Immanenz und Transzendenz, von geläufiger menschlicher und theologisch geprägter Perspektive verantworten müssten, sondern die Einsicht in die Unmöglichkeit, sich vor Gott dafür verteidigen zu können, zielt bei Paulus auf den Einzelnen.

Der Anschluss von 2,1 an Kap. 1 und die Abfolge der folgenden Verse sind nicht besonders flüssig[7] und hat die Interpreten zu verschiedenen Umstellungen oder Streichungen veranlasst.[8] 2,1ff ziehen jedoch, entgegen der Meinung R. Bultmanns und anderer, die Konsequenzen aus der vorherigen Argumentation V. 18ff (διό). Die Unentschuldbarkeit des Menschen vor Gott rührt aus einer Verwechslung bzw. aus dem Ignorieren von Immanenz und Transzendenz, von Schöpfung und Geschöpf, die die Selbstüberlassenheit des Menschen und die entsprechenden Taten zur Folge hat. War in

---

[3] Wurde 1,18-32 durch einen mit οἵτινες eingeführten Schlusssatz beendet, so schließt 2,1-15 (mit der sekundären Einfügung V.16) ebenfalls mit einem durch οἵτινες eingeleiteten Satz.

[4] Es sind hier auch andere Einteilungen vorgeschlagen worden. Das Druckbild der 27. Aufl. von Nestle-Aland setzt eine Zäsur nach V. 11. K. Haacker: Der Brief des Paulus an die Römer; ThHK 6, S. 59 gliedert dagegen in V. 1-13 und 14-16. Für solche Einschnitte gibt es jedoch innerhalb des Abschnittes keine ausreichenden Hinweise.

[5] Vgl. R. Bultmann: Der Stil der paulinischen Predigt und die kynisch-stoische Diatribe; FRLANT 13, besonders S. 10ff. Bultmann setzt hier allerdings eine etwas pauschale Vorstellung der Diatribe voraus.

[6] Vgl. S. K. Stowers: The Diatribe and Paul's Letter to the Romans; Chicago 1981.

[7] W. Jens fügt deshalb in seiner Römerbriefübersetzung zwischen Kap. 1 und 2 folgende Ergänzung ein: „Wie rasch die Fluchworte kommen: Scheltreden, die sich jagen, Verdammungen, leichthin aneinander gereiht, immer den Anderen, nie den Eigenen geltend, immer dem Fremden, nie dem Ich." (W. Jens.: Der Römerbrief; Stuttgart 2000, S. 12.)

[8] So meint R. Bultmann: „Jeder Exeget weiß, welche Schwierigkeiten das διό macht, mit dem der Vers beginnt, der doch wirklich keine Folgerung aus dem Vorhergehenden sein kann. Welche Versuche sind gemacht worden, um dieses διό zu erklären! – bis zu seiner Entwertung zu einer ‚farblosen Übergangspartikel' (Anmerkung Bultmanns: So Lietzmann; vgl. besonders die ausführliche Diskussion durch Einar Molland, Serta Rudbergiana, Oslo 1931, S. 44-52) oder bis zur konjezierenden Änderung in διό (Anmerkung Bultmanns: Anton Fridrichsen, Symb. Arct. [bzw. Osl.] I [1922], 40.) Alle Schwierigkeiten verschwinden, wenn man den Vers als Glosse heraushebt, die den Sinn von V. 2 f zusammenfassen will bzw. die Konsequenz aus V. 3 zieht. Man sieht dann: V. 1 gehört eigentlich hinter V. 3". (R. Bultmann: Glossen im Römerbrief; ThLZ 72 (1947), S. 197-202; neu abgedruckt in ders.: Exegetica, S. 278-284, dort S. 281.) Eine andere Lösung schlägt W. Schmithals vor, wenn er V. 1 und 2 umtauscht, so dass die ursprüngliche Reihenfolge für ihn V. 2.1.3 lautet. Wie diese Umstellung geschehen sein soll, vermag er jedoch nicht zu erklären. (Vgl. W. Schmithals: Der Römerbrief, S. 84f)

1,18ff ganz allgemein von „Menschen" (V.18) die Rede,[9] so wird hier die Argumentation individualisiert, indem gleich zu Anfang ein einzelner Mensch angesprochen wird. Das ist nicht nur ein rhetorisches Mittel oder ein Stilmittel der Diatribe, um die Aufmerksamkeit der Leser zu steigern, sondern Paulus geht es, nachdem er allgemein das Problem der Verwechslung und des Ignorierens von menschlicher und theologischer Perspektive und von Geschöpf und Schöpfer dargestellt hat, zentral um den einzelnen Menschen. Das ἀναπολόγητος εἶ in V. 1 setzt die allgemeine Aussage aus 1,20 (εἰς τὸ εἶναι αὐτοὺς ἀναπολογήτους) individuell fort. Mit der Unentschuldbarkeit des einzelnen Menschen vor Gott wird aber zugleich der vorhergehende Argumentationsteil 1,16-32 aufgenommen und individualisiert: Die Notwendigkeit einer universellen Verkündigung des paulinischen Evangeliums ergibt sich daraus, dass der einzelne Mensch sich vor Gott aufgrund seiner Taten nicht verteidigen kann.

Der Sinn des Abschnittes 2,1-15 ist, die Selbstreflexion des Einzelnen in Gang zu bringen. Das geschieht, indem in den folgenden Versen herausgearbeitet wird, dass der Einzelne individuell für seine Taten vor Gott verantwortlich ist, und dass die Maßstäbe, die er an das Verhalten anderer anlegt, auch für ihn selbst gelten.[10] Rhetorisch wird das dadurch unterstützt, dass gezielt ein einzelner mit „Du" angesprochen wird. Damit ist zugleich ein Neuansatz signalisiert.[11]

V. 1a und b enthalten eine erste Gegenüberstellung, die in Kurzform die Argumentation des vorhergehenden Abschnittes zusammenfasst (διό) und auf den einzelnen Menschen appliziert. Das ὦ ἄνθρωπε πᾶς ὁ κρίνων (V. 1b) geht zunächst in geläufiger menschlicher Sicht von dem bekannten Vorgang aus, dass ein Mensch einen anderen anklagt. Dieser Vorgang wird jedoch durch die vorangestellte Formulierung ἀναπολόγητος εἶ (V. 1a) in theologischer Perspektive modifiziert: Derjenige Mensch, der über einen anderen richtet, sitzt zugleich selbst auf der Anklagebank.[12] Damit wird die These von 1,18-32 und besonders 1,20 aufgenommen, nach der vor Gott niemand verteidigt werden kann (εἰς τὸ εἶναι αὐτοὺς ἀναπολογήτους).

V. 1c und d erläutern das durch begründendes γάρ mit einem einsichtigen Argument. Ausgegangen wird zunächst wiederum von der bekannten Situation, dass ein Mensch einen anderen anklagt (ἐν ᾧ κρίνεις τὸν ἕτερον). Dem wird jedoch in V. 1d in theologischer Perspektive ein selbstreflexiver Gedankengang entgegengehalten: Wer das Verhalten anderer verurteilt und selbst so handelt, verurteilt damit zugleich sich selbst. „Daß die Selbsterkenntnis in der Regel hinter dem Urteilen über andere zurückbleibt, kann heute wie damals als Erfahrung vorausgesetzt werden."[13] Bereits in diesem ersten Vers wird demnach eine eigentümliche Verbindung von Gottesgericht und Selbstgericht (σεαυτὸν κατακρίνεις) hergestellt, die im folgenden leitend sein wird. Kontrovers wird dabei das Verständnis des ἐν ᾧ diskutiert. Es wird entweder auf das

---

[9] Wie oben erläutert, waren damit alle Menschen gemeint.

[10] Diesen Aspekt benennt auch die Überschrift Haackers über Röm 2: „Sind nur ‚die anderen' Sünder und unter Gottes Gericht?" (K. Haacker: Der Brief des Paulus an die Römer; ThHK 6, S. 57)

[11] Dagegen meint K. Haacker: „Der Wechsel zur Duform, der in 2,1 die traditionelle Kapiteleinteilung veranlaßt haben wird, signalisiert keinen scharfen Einschnitt in der Thematik oder Zielsetzung der Argumentation." (Haacker, a.a.O., S. 59)

[12] Siehe dazu auch die Übertragung von W. Jens: Der Römerbrief, S. 13: „Dann sitzt der Richter auf der Anklagebank."

[13] K. Haacker: Der Brief des Paulus an die Römer, S. 60.

Urteilen selbst bezogen (im Sinne von ἐν τούτῳ ὅτι: damit, dass)[14] oder auf das Tun derselben Taten, die man verurteilt (ἐν τούτῳ, ἐν ᾧ: worin).[15] Die zweite Auffassung, der auch die Lutherübersetzung und die Einheitsübersetzung folgen, ist vorzuziehen, weil bereits am Ende des Verses die eigenen Taten und die des anderen aufeinander bezogen werden (τὰ γὰρ αὐτὰ πράσσεις ὁ κρίνων).

V. 2f, verbunden mit δέ, bringen eine weitere Gegenüberstellung, die in V. 3 eine reduzierte, menschliche Sicht wiedergibt, die nicht nach den Konsequenzen des eigenen Tuns fragt und dieser in theologischer Perspektive das gerechte Gericht Gottes gegenüberstellt, das alle Taten des einzelnen berücksichtigt. V. 3 formuliert, mit adversativem δέ an V. 2 angeschlossen, in menschlicher Sicht die falsche Meinung (λογίζῃ), dass man vielleicht dem göttlichen Gericht entweichen können wird, obwohl man sich so verhält.[16] Dem wird jedoch V. 2 in theologischer Perspektive entgegengehalten, dass das Gottesurteil wahrhaftig (κατὰ ἀλήθειαν) ist und deshalb auch niemanden übergehen wird.

V. 4f wird, angeschlossen mit ἤ, in einer parallelen Grundstruktur jeweils einer menschlichen Haltung in theologischer Perspektive eine Beschreibung Gottes gegenübergestellt. Die menschliche Seite wird im Anschluss an λογίζῃ durch καταφρονεῖς und ἀγνοῶν charakterisiert, die theologische durch die anderen beiden Teile des Verses. Die theologische Sicht zielt dabei auf die Beschreibung der Geduld und Güte Gottes, die der Mensch jedoch ignoriert.

V. 5 zieht daraus, verbunden durch δέ, die Konsequenzen. Der Mensch häufe sich selbst am „Tage des Zorns" Zorn an (θησαυρίζεις σεαυτῷ ὀργήν, V. 5). Hier wird offenbar eine Korrespondenz von Gottesgericht und Selbstgericht des Menschen vorausgesetzt, die bereits mit dem σεαυτὸν κατακρίνεις in V. 1 angedeutet worden war. Das doppelte ὀργή bezieht sich dabei mit ἐν ἡμέρᾳ ὀργῆς einerseits auf den 1,18ff ausgeführten Zorn Gottes und verbindet andererseits diesen mit dem Selbstverhältnis des „Du". Der Zorn wird am „Tage des Zorns" also nicht nur in theologischer Sicht durch Gottes Strafgericht, sondern vor allem auch durch die Härte und Unfähigkeit des Menschen zur Umkehr selbst verursacht. Diese Korrespondenz von göttlichem Gericht und problematischem Selbstverhältnis knüpft damit unmittelbar an die Ausführungen zu Röm 1,18ff an. Die Argumentation ist hier wiederum deutlich auf den Menschen und sein Selbstverhältnis konzentriert. Er bewirkt das, was ihm am Tage des Gerichtes von Gott gegeben wird, im Grunde selbst, was Paulus mit dem polemischen θησαυρίζεις σεαυτῷ ausdrückt. Der Grund dafür liegt ebenfalls in ihm selbst verborgen, was der Begriff καρδία verdeutlicht.[17] Er erscheint hier, nachdem er bereits Röm 1,21 und 24 zur Bezeichnung des problematischen Selbstverhältnisses gebraucht worden war, zum dritten Mal. „Herz" meint im übertragenen Sinne im Unterschied zu seinem Äußeren (vgl. z.B. 2,29 und die Ausführungen dazu) hier das Innere des Menschen, in dem Empfindungen, Affekte, Begierden und Leidenschaften ihren Sitz haben, aber auch der

---

[14] So z.B. Althaus: „Indem du über den Andern urteilst (P. Althaus: Der Brief an die Römer; NTD 6, S. 19) Vgl. auch Barrett: „for in judging someone else, you condemn yourself". (C. K. Barrett: The Epistle to the Romans; BNTC, S. 41) und K. Haaker: Der Brief des Paulus an die Römer; ThHK 6, S. 57.

[15] So z.B. P. Stuhlmacher: Der Brief an die Römer; NTD 6, S. 38 und U. Wilckens: Der Brief an die Römer; EKK VI, 1, S. 122.

[16] Vgl. C. K. Barrett, The Epistle to the Romans, S. 43: „The objector doubtless did suppose this".

[17] Zum Begriff καρδία und seinem Verhältnis zu συνείδησις und λογισμός vgl. grundsätzlich unten die Ausführungen zu 2,15.

Verstand und die Entschlusskraft.[18] Καρδία ist jedoch „vor allen Dingen die eine zentrale Stelle im Menschen, an die Gott sich wendet".[19] Das „umkehrwidrige Herz"[20] des „Du" besteht folglich im Verkennen (καταφρονεῖς, ἀγνοῶν) der in V. 4 entfalteten theologischen Perspektive, die Gottes Güte und Geduld hervorhob, und in der Reduktion auf die immanente Perspektive der Beurteilung fremder und eigener Taten. Demgegenüber bringt V. 4 in theologischer Perspektive den Gedanken ein, dass Gott sein Gericht noch nicht über den Menschen kommen lässt, um ihm eine Möglichkeit zur Umkehr zu geben: „ἄγειν εἰς steht im präs. de conatu".[21] Der Begriff der μετάνοια[22] ist Gegenbegriff zu ἀμετανόητος V. 5 und meint hier nicht den eigenen Sinneswandel, sondern in theologischer Perspektive das Handeln Gottes am einzelnen Menschen.

V. 6 gibt Ps 61,13 (LXX) wieder, wobei von der dortigen Anrede Gottes in der 2. Person hier in die 3. gewechselt wird.[23] Dieser alttestamentliche Verweis berücksichtigt, wie meistens bei Paulus, den Kontext der Stelle. Dort wird – wie bereits in Röm 2,3 – gesagt, dass man nicht auf Ungerechtigkeit hoffen soll, weil letztlich Gott die Macht hat. Trotz dieser Macht Gottes, jedem, also auch dem Ungerechten, seinen Taten entsprechend zu geben, wird aber auch hier im Psalm bereits sein Erbarmen hervorgehoben: ὅτι τὸ κράτος τοῦ θεοῦ, καὶ σοί, κύριε, τὸ ἔλεος ὅτι σὺ ἀποδώσεις ἑκάστῳ κατὰ τὰ ἔργα αὐτοῦ.

Die V. 6ff vorausgesetzte Vorstellung knüpft deutlich an den aus dem Alten Testament bekannten Tun - Ergehen - Zusammenhang an, nach dem eine bestimmte Tat gewissermaßen automatisch eine entsprechende Folge hat: die bösen Taten wenden sich selbst auf den Täter zurück.[24] Sie geht aber andererseits über diesen Zusammenhang hinaus, weil hier nicht ein gleichsam magischer Zusammenhang von Tun und Ergehen gemeint ist, sondern Gott erscheint als souverän Handelnder, der die Taten des einzelnen prüft. Was Gott am Tag des Zorns dem Menschen gibt, hängt aber nicht zuletzt an seinem eigenen, persönlichen Verhalten, seinen individuellen Taten (ἑκάστῳ κατὰ τὰ ἔργα αὐτοῦ, V.6). Der Mensch bestimmt damit selbst durch seine Taten, was er bekommt.

Die Gegenüberstellungen in V. 7-10 zeigen in chiastischer Stellung, für welches menschliche Verhalten dabei in theologischer Perspektive die entsprechenden „Gaben" Gottes zu erwarten sind. Es fällt auf, dass für schlechtes Verhalten relativ gemäßigte Konsequenzen genannt sind: Zorn, Unmut, Druck und Bedrängnis. Das sind Begriffe, die nicht unbedingt auf eine definitive Verurteilung im Gericht Gottes hinweisen. Eine endgültige Verdammnis durch Gott wegen der bösen Taten des Einzelnen ist

---

[18] Vgl. dazu J. D. G. Dunn: „the innermost part of the person, the seat of emotions, but also of thought and will." (J. D. G. Dunn: The Theology of Paul the Apostle, S. 74f)

[19] J. Behm: Artikel καρδία, καρδιογνώστης, σκληροκαρδία; in ThWNT, Bd. 3, S. 609-616, dort S. 615.

[20] So übersetzt U. Wilckens: Der Brief an die Römer; EKK VI, 1, S. 122.

[21] E. Käsemann: An die Römer; HNT 8a, S. 51.

[22] Der Begriff kommt sonst bei Paulus nur II Kor 7,9 vor. Vgl. dazu auch Käsemann, ebd.

[23] „Als rein stilistisch bedingt sind die Abänderungen von Ψ 61,13b in Röm 2,6 [...] zu beurteilen". (D.-A. Koch: Die Schrift als Zeuge des Evangeliums, S. 111) Paulus musste die direkte Anredeform ändern, weil er ohne Einleitungsformel zitiert und den Text so in die eigene Darstellung einbezieht.

[24] K. Haacker sieht in diesem Zusammenhang eine „biblische (aber auch außerbiblisch verbreitete, mehr oder weniger allgemeinmenschliche) Grundauffassung vom menschlichen Handeln als einem *Handel* mit zwei Seiten, einer gebenden und einer nehmenden Seite, und dies bis in die ethische Dimension hinein: Wer anderen Leid zufügt, handelt sich damit eigene Leiderfahrungen ein". (K. Haacker: Der Brief des Paulus an die Römer; ThHK 6, S. 61, Kursivsetzung von Haacker.)

offensichtlich nicht vorgesehen.[25] Umgekehrt werden für gute Taten die Gaben des ewigen Lebens, der Herrlichkeit, der Ehre und des Friedens in Aussicht gestellt. V. 7-10 sind formal parallel gebaut. V. 7f betonen im Dativ Plural zunächst die Universalität des Geschehens, während V. 9f mit Formulierungen im Singular eher die Individualität herausheben (ἐπὶ πᾶσαν ψυχήν, παντὶ τῷ ἐργαζομένῳ). Auch hier findet sich – wie bereits in V. 7f – insofern eine Asymmetrie zugunsten des Guten und eine Abschwächung der negativen Formulierungen, also der „Zurückgabe" entsprechend den bösen Taten. Wie bereits in V. 4 die Güte und Geduld Gottes betont wurde, die lediglich vom einzelnen, hier angesprochenen Menschen ignoriert wird, so setzt Paulus auch in V. 6-10 keineswegs ein reines Vergeltungsprinzip voraus, sondern die Gabe für das Gute überwiegt hier deutlich die Vergeltung für das Schlechte. Sie weist deshalb auf die Definition Gottes als sich Erbarmender in Röm 9,15 (Ex 33,19, LXX) voraus. Die Verse sind keineswegs ein Fremdkörper innerhalb der paulinischen Rechtfertigungslehre,[26] sondern sie weisen schon deutlich auf die Hervorhebung der Güte Gottes hin, die Paulus später im Röm ausführlich darstellen wird.[27]

Diese universelle und individuelle Beurteilung der Taten des Einzelnen steht zu der Unterscheidung von Juden und Nichtjuden quer, weil sie bei jedem Menschen unabhängig von dessen sozialer Zugehörigkeit berücksichtigt, was er getan hat. Wenn die Beurteilung des Verhaltens im Röm grundsätzlich auf den einzelnen Menschen verlagert wird, so lassen sich bereits im Alten Testament zumindest Vorläufer für die Vorstellung benennen, dass jeder Mensch sich individuell für seine Werke vor Gott verantworten muss. Das semantische Feld „Gott vergilt nach seinen Werken" findet sich speziell in der Septuaginta an zahlreichen Stellen.[28] Die zuspitzende Individualisierung auf die Taten des einzelnen durch die Begriffe ἕκαστος oder ἄνθρωπος bzw. ἁμαρτολός gibt es dabei in folgenden Texten: Ps 61,13; Sir 11,26; 16, 12-14; 35,12-24; Prv 24,12; Jer 39,19a; Ez 18,30; 33,20, II Chr 6,23; Hi 33,26; 34,11. „Aus der Übersicht über das Wortfeld kann man ersehen, daß in der Regel ἕκαστος bzw. ἄνθρωπος den strengen, individuellen Zusammenhang von menschlichem Tun und göttlicher Vergeltung signalisieren."[29] Die paulinische Argumentation in 2,6ff knüpft an solche Formulierungen des Alten Testamentes an und nimmt sie im Sinne des grundlegenden Interesses am einzelnen Menschen und seinem Selbstverständnis auf. Ein kollektives Gericht, das nach anderen Kriterien wie etwa der Volkszugehörigkeit oder der zu einer bestimmten Religion (z.B. Jude – Nichtjude) verfährt, ist damit ausgeschlossen. Vielmehr empfängt jeder einzelne Mensch von Gott gemäß seinen eigenen Taten.

Als Kriterium des Gerichtes der Taten wurde bereits in Röm 1,32 das δικαίωμα τοῦ θεοῦ genannt, das den Menschen bekannt ist (vgl. 2,12ff). In V. 7-10 wird ein moralischer Code gut – böse als Kriterium eingeführt, an dem sich die Beurteilung des

---

[25] Vgl. dazu auch die Argumentation I Kor 5, 5, nach der die σάρξ des Unzüchtigen dem Satan übergeben werden soll, damit sein πνεῦμα am Tage des Herrn gerettet wird.

[26] Zu den Versuchen z.B. von J. C. O'Neill und E. P. Sanders, das 2. Kapitel wegen seines Vergeltungsgedankens aus dem Röm herauszunehmen vgl. K. Haacker: Der Brief des Paulus an die Römer; ThHK 6, S. 59.

[27] Zu dieser Problemstellung vgl. auch die Ausführungen unten am Ende des Abschnittes.

[28] Ps 17,21+25; 27,4; 61,13; 93,23; 102,10; Sir 11,26; 16,12-14; 17,15ff; 35,12-24; Prov 19,17; 24,12; Thr 3,64; Tob 4,14; I Makk 7,42; Jer 16,18; 25,14; 27,29; 39,19a; Ez 18,30; 33,20; 36,19; II Chr 6,23; Hos 12,15; I Reg 8,32; Hi 33,26; 34,11. Vgl. dazu die Aufstellung bei R. Heiligenthal: Werke als Zeichen. Untersuchungen zur Bedeutung der menschlichen Taten im Frühjudentum, Neuen Testament und Frühchristentum; Tübingen 1983 (WUNT 2,9), S. 149.

[29] Heiligenthal, a.a.O., S. 151.

Verhaltens des Einzelnen orientiert (καθ' ὑπομονὴν ἐργοῦ ἀγαθοῦ, V. 7; ἀδικία, V. 8; τὸ κακόν, V. 9; τὸ ἀγαθόν, V. 10).[30] Bemerkenswert ist zunächst, dass κακόν, nachdem es 1,29 (κακία) und 30 eingeführt wurde, von nun an nur noch in Gegenüberstellungen auftaucht. Paulus denkt den Begriff des Bösen also im Röm prinzipiell in Verbindung mit seinem Gegenteil, dem Guten (ἀγαθόν) oder Schönen (καλόν) oder der Liebe.[31] Es stellt sich dann jedoch die Frage, wie dieses Gute (bzw. Schöne) und Böse konkret bestimmt werden kann. Man könnte zunächst daran denken, dass es sich durch eine andere, besser objektivierbare Größe erläutern ließe, etwa durch bestimmte Gesetzesbestimmungen. Man würde dann zu einer relativ eindeutigen Bestimmung von gut und böse nach bestimmten kodifizierten Verhaltensregeln gelangen.

Für den Röm kann jedoch eine solche eindeutige Festlegung auf bestimmte, objektiv gegebene und überprüfbare Normen, nach denen gut und böse zu beurteilen wären, nicht vorausgesetzt werden. Vielmehr orientiert sich das, was gut und böse ist, deutlich an den im einzelnen Menschen befindlichen und vom Menschen selbst gesetzten Kriterien. Der Gebrauch des Begriffes „Gesetz" (νόμος), meint deshalb weniger objektive Verhaltensnormen, sondern er ist bei Paulus in diesem Zusammenhang deutlich subjektiviert und auf den einzelnen Menschen und sein Verhältnis zu sich selbst (vgl. auch 7,21ff sowie zum anderen (siehe z.B. 13, 8-10) bezogen.[32] So meint er in 2,15, dass die Nichtjuden, sofern sie sich dem Gesetz entsprechend verhalten, zeigen, dass sie das Gesetz in sich selbst vorfinden, was mit Begriffen wie Herz, Gewissen und Gedanken verdeutlicht wird. Auch für den Juden wird jedoch in 2,17ff das Gesetz nicht nur als objektiver Verhaltenskodex eingeführt, der gutes und böses Verhalten bestimmt, sondern es wird vor allem als vom einzelnen Juden subjektiv für sich zu übernehmender Verhaltensmaßstab behandelt. Auch in der weiteren Argumentation des Briefes wird diese Subjektivierung von gut und böse bzw. des Gesetzesbegriffes durchgehalten. Das Gute ist gemäß 7,19ff dasjenige, welches das Ich eigentlich will und welches mit dem Gesetz übereinstimmt (7,12). Das Ich kann das Gute aber – wie in Röm 7,14ff gezeigt wird – aufgrund seiner inneren Gespaltenheit nicht tun. Die Differenz ἀγαθόν – κακόν wird dann vor allem im ethischen Teil 12,1ff erneut aufgenommen werden und dort zentral von der Selbsteinschätzung des Einzelnen her interpretiert werden. Das gesamte Gesetz (νόμος als Zusammenfassung des guten Verhaltens) wird 13,8ff in dem Grundgedanken aus Lev 19,18 gebündelt, dass man den anderen Menschen nicht anders behandeln soll als sich selbst – vorausgesetzt, dass man sich selbst liebt. Dementsprechend wird das liebevolle Verhältnis des einzelnen Menschen zu sich selbst in einem unten zur Stelle näher zu erläuternden Sinne zum Ansatzpunkt für die Frage nach einem guten Verhalten. Wer seinen Nächsten so liebt wie sich selbst, der fügt ihm nichts Böses zu. Insofern ist die Erfüllung des doppelt zu verstehenden Liebesgebotes (13,8f), als Gebot der Selbst- und der Nächstenliebe,

---

[30] Zur Differenz gut – böse als spezifischer „Zweitcodierung" der Religion vgl. N. Luhmann: Die Ausdifferenzierung der Religion, S. 259-357, besonders S. 298: „Der Religion geht es nach ihren Traditionen primär um die Differenz von Immanenz und Transzendenz, und diese Differenz wird mit Hilfe einer moralischen Zweitcodierung ergänzt und operationalisiert."

[31] Der Begriff κακόν erscheint im Röm als Gegenteil von ἀγαθόν in 2,9; 3,8; 7,19; 12,21; 13,4; 16,19 und von καλόν in 7,21; 12,17; 14,20f. Einen besonderen Fall stellt die Gegenüberstellung zu ἀγάπη 13,10 dar. Vgl. dazu unten die Erläuterungen zur Stelle.

[32] Der Begriff ist von Paulus außerdem vieldeutig und nicht nur im moralischen Sinne gebraucht. Vgl. dazu grundsätzlich unten die Ausführungen zu 2,12.

Kriterium für das gute Verhalten. Die Formulierung ist dabei in 13,10 negativ: es geht um das Nichttun des Schlechten.

Es entspricht dieser Subjektivierung des Verständnisses von gut und böse, das sich aus dem liebevollen Selbstverhältnis und Verhältnis zum Nächsten herleitet, wenn Paulus es in konkreten ethischen Fragen des rechten Verhaltens der Selbsteinschätzung des Einzelnen und seiner Einschätzung der Freiheit oder Unfreiheit des Anderen überlässt, ob bestimmte Taten gut oder schlecht sind (14,20f).[33] An die Stelle solcher objektiven und für sich stehenden Verhaltensnormen z.B. erlaubter und unerlaubter Speisen, an denen sich die Unterscheidung gut – böse orientieren könnte, wird also zu Beginn des 2. Kapitels eine andere Denkfigur gesetzt, die sich von hier aus durch den gesamten Brief zieht. Sie wird meist mit Hilfe eines Reflexivpronomens signalisiert und basiert auf dem Grundgedanken, dass die Entscheidung über gut und böse und damit auch die Verantwortung für diese Entscheidung selbstreflexiv dem einzelnen Menschen zukommt bzw. ihm zugemutet wird. So wird bereits in 2,1 betont, dass die Beurteilung des Verhaltens des Anderen (im Singular!) auf eine Selbstbeurteilung des eigenen Verhaltens hinausläuft, weil an die eigenen Taten die gleichen Maßstäbe anzulegen sind. Die Unentschuldbarkeit des Menschen resultiert nach Paulus gerade daraus, dass jeder fähig ist, in diesem Sinne seine Taten selbst zu beurteilen. Die in 2,6 angeführte Regel, dass Gott jedem nach seinen eigenen Taten geben wird, setzt voraus, dass jeder Mensch sich vor sich selbst zu prüfen habe und dabei selbst sein eigenes Gutes und Böses beurteilen kann.

Nachdem in 2,1-6 zunächst der einzelne Mensch angeredet war, wechselt dann 2,7 in den Plural. Erst 2,9 nimmt schließlich die bereits in 1,16 vorausgesetzte und für die folgende Argumentation grundlegende Unterscheidung von Juden und Nichtjuden wieder auf und erklärt sie zugleich in Bezug auf die dargestellte Problematik für irrelevant. Weil sich – wie in 2,1-6 ausgeführt – der einzelne Mensch vor sich selbst zu beurteilen hat bzw. von Gott beurteilt wird, wird die kollektive Differenzierung Juden - Nichtjuden relativiert und individualisiert. Denn es heißt in V. 9f erneut wie bereits in 1,16 im Singular Ἰουδαίου τε πρῶτον καὶ Ἕλληνος (ebenso V. 10 im Dativ), wobei das πρῶτον wiederum die erste und näher bestimmte Seite dieser binären Unterscheidung gegenüber der zweiten, unbestimmten bezeichnet.[34] Die dahinter stehende Unterscheidung ἐν νόμῳ – ἀνόμως (vgl. V. 12ff) fungiert nicht mehr als Abgrenzungskriterium zwischen Juden und Nichtjuden. Sie wird durch die Selbstbeurteilung des Menschen einerseits und durch die individuelle Beurteilung der Taten durch Gott andererseits ersetzt.

2,1ff findet also erstens eine Verlagerung der Unterscheidung gut – böse von der Ebene überprüfbarer „objektiver" Normen auf die individuelle Beurteilung durch Gott statt. Damit wird zweitens der Gedanke der Selbstreflexion des Einzelnen verbunden, dem diese Beurteilung durch Gott klar wird und der von daher sein eigenes Verhalten kritisch zu beurteilen hat. Diese beiden Grundgedanken sind in ihren theologischen und ethischen Konsequenzen nicht zu unterschätzen ist. Durch die Aufforderung zur Selbstprüfung wird dem einzelnen Menschen ein hohes Maß an Selbstkontrolle, an mitlaufender Selbstreflexion des Handelns zugemutet. Das Kriterium der guten Taten kann nicht allein als objektiver ethischer Maßstab verwendet werden, sondern es muss zusätzlich subjektiv durch solche selbstreflexiven Gedankengänge angereichert werden.

---

[33] Vgl. dazu auch unten die Ausführungen zu den genannten Stellen.
[34] Vgl. zu dieser Unterscheidungstechnik oben die Ausführungen zu 1,16 und in der Einführung unter 2. sowie G. Spencer Brown: Laws of Form; Neudruck New York 1979.

Damit wird zugleich eine Differenzierung zwischen öffentlicher, objektiv überprüfbarer, rechtlich durchsetzbarer Verhaltensregeln der Menschen unter einander einerseits und subjektiver, persönlicher Einstellung zu ihnen andererseits vorgenommen. Entscheidend für die Beurteilung des Verhaltens des Einzelnen ist nicht mehr nur die Einhaltung der öffentlichen Vorstellungen von gut und böse, sei es als jüdisches Gesetz, als römisches Recht, als gängiges Ethos[35] oder ähnliches. Vielmehr muss der einzelne diese Kriterien zugleich in sich selbst wiederfinden, sie innerlich bestätigen und sich selbst zu eigen machen.[36] Die Entscheidung über das Gute und Böse der eigenen Taten wird nicht nur objektiven „Gerichten" zugewiesen, sondern zusätzlich vor allem dem Menschen selbst zugemutet. Der moralische Code gut – böse und die Geltung des Gesetzes, sei es in einem engeren Sinne als jüdische Tora oder in einem weiteren als juristisch oder moralisch gebotenes Verhalten, werden einerseits in ihrem sinnvollen Kern grundsätzlich bestätigt. Sie werden aber andererseits dadurch grundlegend modifiziert und auch relativiert, dass sie in die Verantwortung und Selbstbeurteilung des Einzelnen gestellt werden. Das signalisieren bereits die selbstreflexiven Ausdrücke σεαυτὸν κατακρίνεις (V.1) und θησαυρίζεις σεαυτῷ ὀργὴν (V. 5) und später 2,15 καρδία, συνείδησις, λογισμοί. Damit erklärt Paulus die jüdische Tora, die geltenden Gesetze oder die öffentliche Moral keineswegs für hinfällig. Aber die Erfüllung dieser verschiedenen – und ja durchaus miteinander konkurrierenden – Verhaltensnormen wird für Paulus erst dadurch möglich, dass der einzelne Mensch sie auf sich selbst (und dann auch auf sein Verhältnis gegenüber anderen) bezieht.

Es fragt sich von daher, ob es sich bei dem in V. 5 verwendeten Ausdruck des „Tages des Zorns und der Offenbarung des gerechten Gerichtes Gottes" einfach nur um einen bestimmten Zeitpunkt am Ende der Zeiten handeln kann. Wenn man den in V. 1-10 entwickelten Zusammenhang von Selbstbeurteilung und Beurteilung durch Gott berücksichtigt, dann ist die 2,1-10 zugrundeliegende Vorstellung eines „Gerichtes Gottes" als juridische Metapher zu verstehen,[37] die vor allem zwei Funktionen hat: sie soll erstens die Selbstgerechtigkeit des Menschen in Frage stellen, der meint, sich zum Richter über andere erheben zu können, indem sie ihr ein transzendentes Gericht Gottes gegenüberstellt, und sie soll zweitens den Menschen jederzeit daran erinnern, dass er sich für die Einhaltung der selbstgesetzten Maßstäbe durch ihn selbst in theologischer Perspektive verantworten können muss. Auch der Aufschub der „Vergeltung" Gottes in die Zukunft hat gemäß V. 4 eher die Funktion, eine Revision des eigenen Verhaltens zu ermöglichen, als dem Menschen mit göttlicher Strafe zu drohen. „So wird deutlich: Mit einer forensischen Vergeltungsvorstellung von eschatologischer talio hat der Gerichtsgedanke in Röm 2 nichts zu tun."[38] Ziel dieser Gerichtsmetaphorik ist deshalb nicht, beim einzelnen Menschen Angst vor der Strafe Gottes zu erzeugen, sondern in

---

[35] Paulus bleibt dabei in manchen konkreten Fragen eng geläufigen moralischen Vorstellungen seiner Zeit verhaftet, z.B. bei der Beurteilung von Homosexualität (1,24ff) oder der Obrigkeit (13,1ff) oder des angemessenen Verhaltens der Frau im Gottesdienst (vgl. I Kor 11,2ff).

[36] Vgl. dazu auch die Ausführungen zum ethischen Teil Kap. 12,1ff, besonders zum Ende von Kap. 14.

[37] Zum Gebrauch der verschiedenen Metaphoriken vgl. P. von Gemünden und G. Theißen: Metaphorische Logik im Römerbrief, S. 113-116.

[38] So nach der Erläuterung der religionsgeschichtlichen Hintergründe U. Wilckens: Der Brief an die Römer; EKK VI, 1, S. 130 gegen E. Käsemann: An die Römer; HNT 8a, S. 56, der meint, „dass kommendes Gericht in Segen und Fluch bereits in die Gegenwart hineinreicht". Man müsse V. 7-10 deshalb „als Geschehen heiligen Rechts deuten, wie immer man die religionsgeschichtlichen Hintergründe erklärt".

grundsätzlicher positiver Grundintention zu einer Reflexion des eigenen Verhaltens und zum Tun des Guten anzuleiten.[39]

Auf V. 1-10, die das individuelle Gericht der guten und bösen Taten des einzelnen Menschen erläutern, folgt in V. 11-15 eine längere Kette von Begründungen, durch die die Unterscheidung gut – böse mit dem Gesetzesbegriff verknüpft wird (V. 11,12, 13, 14, jeweils angeschlossen mit γάρ). Die gängige Übersetzung von V. 11, dass es bei Gott „kein Ansehen der Person"[40] gäbe, ist missverständlich. Denn die Behauptung des Paulus ist im Gegenteil, dass Gott gerade die Person im Sinne des Inneren des einzelnen Menschen ansieht und nicht die äußere Erscheinung. Vor Gott zählen nicht die äußeren Bestimmungen und Eigenschaften (wörtlich: das Gesicht), sondern er achtet auf das Innere, also auf die Person, die sich für ihn gerade durch ihre Taten zeigt (vgl. V. 12ff). Der Ausdruck προσωπολημψία ist Gegenbegriff zu καρδία, συνείδησις und λογισμοί in V. 15[41] und muss von daher im Zusammenhang mit den nachfolgenden Versen gelesen werden und nicht mit den vorhergehenden.[42] V. 11 verdeutlicht also, dass es für den Menschen nicht die Möglichkeit gibt, sein „Ansehen", vor Gott zur Geltung zu bringen. Damit wird der geläufigen menschlichen Sicht, die sich am Äußeren des Menschen, an seiner Erscheinung, seinen Eigenschaften und Fähigkeiten orientiert, eine theologische gegenübergestellt (παρὰ τῷ θεῷ), die die inneren Vorgänge des Menschen in den Blick nimmt.

Man kann angesichts dieser hohen Anforderungen an den einzelnen Menschen im Hinblick auf die genannten Kriterien des rechten Verhaltens schon ahnen, wohin die Argumentation führen wird. Die durch die Metapher des göttlichen Gerichtes provozierte Selbstprüfung des einzelnen Menschen soll diesen letztlich zu der Erkenntnis führen, dass er die gern an andere angelegten Kriterien von gut und böse, von Einhalten und Nichteinhalten des Gesetzes für sich selbst nicht erfüllen kann (vgl. 2,17ff und 3,1-18, aber bereits auch 2,1) und dass er sich deshalb auch nicht durch sein Verhalten ewiges Leben „verdienen" kann (2,7). Die Konsequenz daraus wird aber gerade nicht sein, dass Gott ihn durch die Versöhnung durch Jesus Christus vom Anspruch befreit, das Gute zu tun und das Böse zu lassen. Die in 3,19ff beschriebene Existenz aus Glauben soll vielmehr gerade dazu befähigen, sich gut und dem „Gesetz" entsprechend (und zwar vom Liebesgebot her verstanden) zu verhalten (vgl. z.B. 3,31 und 13,8-10).

Νόμος im Römerbrief

In 2,12 wird erstmals νόμος als einer der zentralen Begriffe des Römerbriefes verwendet. Es empfiehlt sich deshalb, einige grundsätzliche Überlegungen zu diesem

---

[39] Bedenkenswert ist hierzu die Überlegung von G. Theißen und P. von Gemünden: „Diese Gerichtsmetaphorik wird in charakteristischer Weise abgewandelt: Sie wird aus der Erwartung eines neutralen Gerichts, in dem alle Menschen als Sünder nur Unheil zu erwarten haben, zu einem Forum der Heilszusage." (Dies.: Metaphorische Logik im Röm, a.a.O., S. 116.) Dies wird man noch nicht unbedingt für Röm 2,1ff festhalten können, die Gesamttendenz des Röm geht aber sicherlich in diese Richtung (vgl. 11,32).

[40] So z.B. die Einheitsübersetzung und die Lutherübersetzung, aber auch E. Käsemann: An die Römer; HNT 8a, S. 49.

[41] Gegen Haacker, Der Brief an die Römer; ThHK 6, S. 63, der als Gegenbegriff δικαιοκρισία in V. 5 sieht und V. 11 deshalb dem Vorhergehenden zuordnet.

[42] Die 27. Aufl. von Nestle-Aland zieht V. 11 ebenfalls zu V. 1-10.

Begriff zwischen zu schalten. Es ist in diesem Rahmen nicht möglich, die Fülle der Aspekte des Gesetzesbegriffes und die theologische Diskussion dazu auch nur annähernd zu skizzieren.[43] Auf die grundsätzliche theologische Fragestellung wird unten auch noch zu Röm 10,4 und 13,8 ausführlich eingegangen werden. Statt dessen soll im Folgenden nur ein erster Zugang zu diesem Begriff eröffnet werden, der sich an der eingangs dargelegten Hypothese einer doppelten Perspektive und der daraus resultierenden Doppelstruktur der paulinischen Sprache orientiert (vgl. die Einführung unter 2.).

Νόμος erscheint im Röm an zahlreichen Stellen: 2,12 (zweimal). 13 (zweimal). 14 (viermal). 15.17.18.20.23 (zweimal). 25 (zweimal). 26.27 (zweimal); 3,19 (zweimal). 20 (zweimal). 21 (zweimal). 27 (zweimal). 28. 31 (zweimal); 4,13.14.15 (zweimal). 16; 5,13. 20; 6,14.15; 7,1 (zweimal). 2 (zweimal). 3.4.5.6.7 (dreimal). 8.9.12.14. 16.21.22.23 (dreimal). 25; 8,2 (zweimal). 3.4.7; 9,31 (zweimal); 10,4.5; 13,8.10. Der Begriff ἐντολή findet sich noch 7,8.9.10.11.12.13 und 13,9. Paulus bringt das Wort dabei in der Mehrzahl der Fälle ohne Artikel (ausgenommen 2,14.15.17.18.20.23.26.27; 3,19.21; 4,15.16; 7,1.2.3.4.5.6. zweimal in V.7.12.14.16.21.22.23; zweimal in 8,2.3.4.7; 10,5; 13,8). Daraus lässt sich jedoch nicht ableiten, dass sich schon aus der Verwendung mit oder ohne Artikel zwei verschiedene Gesetzesverständnisse ergeben.[44]

Es scheint zunächst so, dass Paulus – von einigen Ausnahmen abgesehen – mit νόμος im allgemeinen die Tora meint. So definiert Bultmann: „Unter νόμος (ob mit oder ohne Artikel gebraucht) versteht Paulus das Gesetz des AT bzw. das ganze als Gesetz aufgefaßte AT, abgesehen von einigen Stellen, in denen νόμος den allgemeinen Sinn von Norm oder Zwang; Gebundenheit hat, wie Rm 7,2f. 22-8,1, wo mit dem Begriff νόμος gespielt wird [...]; ferner Rm 3,27 (νόμος πίστεως); Gal 6,2 (ὁ νόμος τοῦ Χριστοῦ). Sonst ist der νόμος das alttest. Gesetz bzw. das ganze AT."[45] Bei einer näheren Betrachtung fällt jedoch auf, dass Paulus noch an zahlreichen anderen Stellen νόμος in einem übertragenen und nicht direkt auf die Tora beziehbaren Sinne gebraucht. Neben den von Bultmann genannten Belegen finden sich im Röm eine Fülle von Formulierungen, die insgesamt deutlich zeigen, dass Paulus νόμος nicht im eindeutigen Sinne von Tora mit einigen wenigen Ausnahmen versteht, sondern dass der Begriff jedenfalls im Röm einerseits in geläufiger Sicht die Tora meint und andererseits in theologischer Perspektive ein übertragenes Verständnis, das an der jeweiligen Stelle erläutert wird. Der Gesetzesbegriff wird also von Paulus nicht in einem eindeutigen

---

[43] Siehe dazu grundsätzlich z.B. H. Kleinknecht, W. Gutbrod: Artikel νόμος κτλ. in: ThWNT, Bd. 4, S. 947-1016, besonders S. 1061ff; H. Hübner: Das Gesetz bei Paulus. Ein Beitrag zum Werden der paulinischen Theologie; (FRLANT 119) Göttingen 1978; E.P. Sanders: Paul, the Law and the Jewish People; Philadelphia 1983; G. Klein: Artikel „Gesetz III. Neues Testament"; in: TRE, Bd. 13, S. 58-75, besonders S. 64ff. Zur neueren Diskussion vgl. beispielsweise J. D. G. Dunn (Hrsg.): Paul and the Mosaic Law. The Third Durham-Tübingen Research Symposium on Earliest Christianity and Judaism (Durham, September, 1994); (WUNT 89) Tübingen 1996. Ders.: The Theology of Paul the Apostle; Grand Rapids, Cambridge 1998, S. 128-161. F. Vouga: Une théologie du Nouveau Testament; (MoBi 43) Genf 2001, S. 147-157. S. Pedersen: Paul's Understanding of the Biblical Law; in: NT 44 (2002). S. 1-34. E. Lohse: Der Brief an die Römer; (KEK 4) 15. Aufl. Göttingen 2003, S. 209-211.

[44] „Gern läßt Paulus den Artikel aus bei ἁμαρτία und νόμος [...] νόμος zB nach einer Präp. im Röm 9mal mit, 14mal ohne Artikel." (Blass, Debrunner, Rehkopf: Grammatik des neutestamentlichen Griechisch, § 258,2)

[45] R. Bultmann: Theologie des Neuen Testaments; S. 260. Ähnlich auch W. Gutbrod: Artikel νόμος κτλ., a.a.O., S. 1061, der trotz eines darüber hinausgehenden Gebrauchs meint: „Der Ausgangspunkt ist aber [...] eben die herkömmliche Verwendung des Worts für das bestimmte at.liche Gesetz."

Sinn gebraucht.⁴⁶ Die Stellen, an denen ein übertragenes theologisches Verständnis vorliegt, werden in der unten folgenden Aufzählung genannt und kurz erläutert.

Bei der Verwendung des Begriffes νόμος *ergibt sich damit eine eigenartige Doppeldeutigkeit.⁴⁷ Wenn man unter Gesetz die konkreten Torabestimmungen wie Beschneidung, Speisegebote und anderes versteht, wird auf der einen Seite klar, dass die Offenbarung der* δικαιοσύνη θεοῦ, *die aufgrund des Glaubens angenommen wird, unabhängig vom Gesetz geschieht (vgl. z.B. 3,21a). Das Gesetz hat vielmehr, wie auch die reformatorische Rechtfertigungslehre hervorgehoben hat, zunächst die Funktion, die Sünde sichtbar werden zu lassen (vgl. z.B. 3,20; 7,13). Es hat, wenn man es im Sinne konkreter Gesetzesbestimmungen versteht, allenfalls die wichtige Aufgabe, dem Einzelnen seine Sündhaftigkeit zu verdeutlichen. Darüber hinaus besitzt es jedoch zunächst in diesem Verständnis keine positive Bedeutung für die Glaubenden, so dass Paulus behaupten kann, dass die Glaubenden dem Gesetz gestorben und von ihm befreit sind (Röm 7,4-6).*

Auf der anderen Seite lässt Paulus keinen Zweifel daran, dass es ihm positiv in einem bestimmten Sinne um eine Erfüllung und Bestätigung des νόμος *geht.⁴⁸ Das wird schon bei der ersten und letzten Verwendung des Begriffes im Röm deutlich: Die Aussagen, dass die Täter des Gesetzes gerechtfertigt werden (2,12f) und dass die Glaubenden verpflichtet sind, das Liebesgebot aus Lev 19,18 und durch dieses alle anderen Gebote zu erfüllen (13,8-10), bilden einen Rahmen um alle weiteren Ausführungen über das Gesetz im Röm. Auf dieser Basis kann Paulus dann an verschiedenen Stellen durch den ganzen Röm hindurch gerade für die an Christus Glaubenden bzw. „in Christus" Lebenden in einem bestimmten theologischen Sinne die positive Relevanz des* νόμος *hervorheben. Im Folgenden werden deshalb kurz die Stellen erläutert, an denen* νόμος *im Röm in diesem zweiten Sinne vorkommt. Die detaillierten Differenzierungen, die sich ergeben, wenn das erste und zweite Gesetzesverständnis kombiniert wird, sind unten in der Interpretation der einzelnen Stellen behandelt.*

2,13: οἱ ποιηταὶ νόμου δικαιωθήσονται. *Es kommt vor Gott nicht auf das Hören des Gesetzes an, sondern darauf, dass das Gesetz tatsächlich getan wird. Und das Tun des Gesetzes hängt in einer näher auszuführenden Weise mit der* δικαιοσύνη *zusammen.*

2,14a: ὅταν [...] ἔθνη [...] φύσει τὰ τοῦ νόμου ποιῶσιν. *Offenbar geht Paulus davon aus, dass es bestimmte Nichtjuden (ohne Artikel) gibt, die das, worum es im Gesetz wesentlich geht, „natürlicherweise" sinngemäß tun, obwohl sie den Wortlaut des alttestamentlichen Gesetzes nicht kennen.*

---

⁴⁶ P. Vos hat diese „Vieldeutigkeit" des Gesetzesbegriffes im Röm präzise beschrieben und als bewusste Irreführung im Rahmen einer sophistischen Argumentation interpretiert (vgl. P. Vos: Sophistische Argumentation im Römerbrief des Apostels Paulus; in: NT 43, 2001, S. 224-244, dort S. 232-236). Dem kann entgegengehalten werden, dass die Mehrdeutigkeit des Begriffes nicht einfach als Argumentationsstrategie fungiert, um die Gegner zu verwirren, sondern dass sie – wie im Folgenden erläutert – positiv aus der doppelten Perspektive des Paulus heraus verstanden werden kann.

⁴⁷ Mit den hier genannten, verschiedenen Aspekten des Gesetzes beschäftigt sich in einem bestimmten Sinne auch die dogmatische Diskussion über die verschiedenen Gebräuche des Gesetzes (z.B. usus elenchticus, usus politicus, tertius usus legis).

⁴⁸ Auf diese doppelte Bedeutung des Gesetzesbegriffes im Röm weist auch F. Vouga hin: „Son (sc. l'apôtre) premier présupposé est que les croyants, libérés de la loi, ont à accomplir la loi. La question qui s'ensuit est alors la suivante: que prescrit donc la loi, si on la lit comme l'expression de la volonté du Dieu qui justifie par la confiance?" (F. Vouga: Une théologie du Nouveau Testament, S. 154) Paulus beantwortet diese Frage Vouga zufolge mit dem doppelten Gebot der Selbst- und Nächstenliebe aus Lev 19,18. Vgl. dazu auch die Ausführungen unten zu Röm 13,8-10.

2,14b: ἑαυτοῖς εἰσιν νόμος. Die oben Genannten sind in der Lage, „sich selbst Gesetz" zu sein, sich also in Bezug auf sich selbst an einem Gesetz zu orientieren und dies offenbar auch zu halten. Was das genau meint, wird im Folgenden erläutert:
        2,15: οἵτινες ἐνδείκνυνται τὸ ἔργον τοῦ νόμου γραπτὸν ἐν ταῖς καρδίαις αὐτῶν. Das, was gemäß dem Gesetz zu tun ist, ist den oben Genannten ins Herz geschrieben. Das heißt, sie wissen gewissermaßen von innen heraus, wie man sich angemessen verhält, ohne die konkreten Bestimmungen des alttestamentlichen Gesetzes zu kennen. Das wird Paulus noch durch die Begriffe des Gewissens und der Gedanken erläutern. Die das Gesetzesthema im Röm einleitenden Verse 12-15 zielen damit auf ein Verständnis von νόμος, dass deutlich über die konkreten Gesetzesbestimmungen hinausgeht. Sie gehen in einer bestimmten theologischen Perspektive von vornherein positiv auf einen tieferen Sinn des νόμος ein, den auch die Nichtjuden ohne Kenntnis der Tora und ihrer einzelnen Gebote erfüllen können.
        2,17: δοκιμάζεις τὰ διαφέροντα κατηχούμενος ἐκ τοῦ νόμου. Der in diesem Vers angesprochene Jude prüft, was im Gesetz wesentlich ist. Auch hier ist offenbar von Paulus eine Differenz zwischen dem konkreten νόμος (den einzelnen Gesetzesbestimmungen) und dem daraus zu ermittelnden, entscheidenden Sinn vorausgesetzt.
        2,26: ἐὰν οὖν ἡ ἀκροβυστία τὰ δικαιώματα τοῦ νόμου φυλάσσῃ. Analog zu V. 12-15 geht Paulus davon aus, dass auch die Nichtjuden in diesem tieferen Sinne die Rechtsforderungen des Gesetzes beachten können.
        2,27: ἡ ἐκ φύσεως ἀκροβυστία τὸν νόμον τελοῦσα. Der hier gemeinte Nichtjude erfüllt die Tora offenbar nicht ihren wörtlichen Bestimmungen entsprechend (dann müßte er sich gemäß Gen 17 beschneiden lassen), sondern in theologischer Perspektive in einem übertragenen Sinne.
        3,21b: χωρὶς νόμου δικαιοσύνη θεοῦ πεφανέρωται μαρτυρουμένη ὑπὸ τοῦ νόμου καὶ τῶν προφητῶν. Die δικαιοσύνη θεοῦ als einer der zentralen Begriffe zur Charakterisierung des paulinischen Evangeliums wird zwar einerseits ohne Gesetz sichtbar, sie wird aber andererseits vom Gesetz und den Propheten bezeugt, [49] so dass in einem bestimmten Sinne die alttestamentlichen Schriften positiv auf die δικαιοσύνη verweisen (vgl. Röm 1,2).
        3,27: διὰ νόμου πίστεως. Der Gesetzesbegriff ist hier deutlich im übertragenen Sinne gebraucht. Die Formulierung ist aber nicht einfach ein „uneigentlicher Ausdruck" im Sinne von „Norm, Maßstab",[50] sondern Paulus verwendet bewusst den Begriff νόμος, um hier mit der Gegenüberstellung von „Gesetz der Werke" und „Gesetz des Glaubens" den doppelten Sinn seines Gesetzesbegriffes hervorzuheben: einen ersten, der sich an der Erfüllung der konkreten Gesetzesforderungen orientiert und einen zweiten, der aus Glauben heraus nach dem höheren Sinn der konkreten Bestimmungen fragt (, welcher sich im Liebesgebot erschließt, vgl. 13,8-10).
        3,31: νόμον ἱστάνομεν. In diesem zweiten Sinne, kann Paulus deshalb behaupten, dass er das Gesetz aufrichtet. Der νόμος wird als νόμος also von Paulus

---

[49] Vgl. dazu auch die umfassende, gleichlautende Untersuchung von D.-A. Koch: Die Schrift als Zeuge des Evangeliums. Untersuchungen zur Verwendung und zum Verständnis der Schrift bei Paulus; (BHTh 69) Tübingen 1986. Koch untersucht hier unter der genannten Themenstellung detailliert eine Fülle von Textstellen. Ein systematisches Konzept der Zuordnung von Schrift und Evangelium wird dabei jedoch nicht entwickelt.

[50] Gegen K. Haacker: Der Brief des Paulus an die Römer; ThHK 6, S. 93.

explizit bestätigt, allerdings in einem Sinne, der vom Begriff des Glaubens ausgeht und deshalb in einer spezifischen theologischen Sicht über die einzelnen Torabestimmungen (und die anderen Gesetzestexte) hinausgeht.

4,16: παντὶ τῷ σπέρματι οὐ τῷ ἐκ τοῦ νόμου μόνον ἀλλὰ καὶ τῷ ἐκ πίστεως Ἀβραάμ. Die Formulierung verdeutlicht erneut den positiven Zusammenhang von Glaube und Gesetz. Die Verbindung von Gesetz und Glaube durch „nicht nur, sondern auch" setzt voraus, dass das Gesetz nach wie vor eine wichtige Bedeutung hat. Diese zeigt sich aber nicht – wie die vorhergehende Argumentation zeigte – durch die Erfüllung der konkreten Beschneidungsforderung von Gen 17, sondern durch den Glauben Abrahams, der gemäss Gen 15 (als Toratext!) auf die Verheißung der Nachkommenschaft vertraute (vgl. Röm 4,3).

7,12: ὁ νόμος ἅγιος καὶ ἡ ἐντολὴ ἁγία καὶ δικαία καὶ ἀγαθή. Diese Behauptung überrascht nach 7,1-6, wo gerade von der Befreiung vom Gesetz gesprochen worden war. Die gesamte daran anschließende Argumentation V. 7ff hat jedoch die Funktion, aufzuzeigen, dass das Gesetz selbst positiv zu verstehen ist und dass nicht das Gesetz selbst, sondern die Sünde das Ich betrogen hat.

7,14: ὁ νόμος πνευματικός ἐστιν. An die oben genannte Aussage knüpft Paulus auch zu Beginn der neuen Argumentation V. 14ff an: Das Gesetz ist geistlich, und die Schwierigkeiten des Ich mit dem Gesetz rühren nicht vom Gesetz selbst her, sondern sie bestehen darin, dass das Ich fleischlich, das heißt der Sünde unterworfen, ist. Damit wird deutlich, dass der Grund für die Nichteinhaltung des an sich guten und heiligen Gesetzes und für die Probleme im Umgang mit dem Gesetz beim Ich zu suchen ist.

7,21: εὑρίσκω ἄρα τὸν νόμον. In 7,21 bis 8,2 spielt Paulus nicht einfach mit dem Begriff, sondern hier wird die auch sonst vorhandene Doppeldeutigkeit des νόνος besonders deutlich. Paulus unterscheidet hier zwischen „Gesetz Gottes" (V. 22 und 25) bzw. „Gesetz der Vernunft" (V. 23) bzw. „Gesetz des Geistes des Lebens" (8,2) einerseits und dem „anderen Gesetz in meinen Gliedern" (V.23) bzw. dem „Gesetz der Sünde" (V. 23, 25 und 8,2) andererseits. Diese Doppeldeutigkeit bezeichnet Paulus zu Beginn der Ausführungen selbst wiederum als „Gesetz". Das zeigt, dass Paulus hier ganz bewusst mit einem doppelten Verständnis arbeitet und in der Ambivalenz des Gesetzesbegriffes selbst eine „Gesetzmäßigkeit" sieht.

7,22: συνήδομαι γὰρ τῷ νόμῳ τοῦ θεοῦ κατὰ τὸν ἔσω ἄνθρωπον. Die Formulierung verdeutlicht, dass das Gesetz in einem bestimmten Sinne nach wie vor von Paulus positiv gesehen werden kann, obwohl im Vorhergehenden deutlich wurde, dass gerade das konkrete Gebot, nicht zu begehren, den Einfluss der Sünde auf das Ich ermöglichte (vgl. V. 7). Offenbar ist hier ein weitergehendes theologisches Verständnis von Gesetz gemeint, das über das konkrete Gebot hinausgeht und an dem das Ich trotz der vorher dargestellten, negativen Erfahrungen mit dem Gesetz im tiefsten Innern seine Freude haben kann.

7,23b: ἀντιστρατευόμενον τῷ νόμῳ τοῦ νοός μου. Hier wird erneut deutlich, dass Paulus mit νόμος nicht nur die konkreten Gesetzesbestimmungen der Tora meint, sondern ein Gesetz im übertragenen Sinne, das im Inneren des Menschen verortet ist (vgl. V. 22: „gemäß dem inneren Menschen") und das mit Hilfe der Vernunft die wesentlichen Aspekte des Verhaltens verstehen und beachten kann (vgl. 2,12ff). Dies steht in Konkurrenz zu einem anderen Verständnis des Gesetzes, das lediglich auf das Äußere (vgl. V. 23a: „in meinen Gliedern") und das konkrete Gebot (z.B. nicht zu begehren) achtet, und deshalb, wie in V. 7-20 eingehend analysiert, der Sünde unterworfen ist (νόμος τῆς ἁμαρτίας).

7,25b: αὐτὸς ἐγὼ τῷ μὲν νοΐ δουλεύω νόμῳ θεοῦ Die Formulierung ist zwar sekundär (vgl. dazu die Begründung unten zur Stelle), sie nimmt jedoch nochmals das in V. 22 entwickelte Verständnis des guten Gesetzes Gottes im Gegenüber zum Gesetz der Sünde auf.

Mit der ausführlichen Argumentation in Röm 7,7-25 wird insgesamt deutlich, dass Paulus sein Gesetzesverständnis vom Verhältnis des einzelnen Menschen zu sich selbst her entwickelt (vgl. bereits 2,12ff). Die Ambivalenz des Gesetzes gründet für Paulus in der Selbstgespaltenheit des Ich, das einerseits Gottes gutes Gesetz kennt und anerkennt und diesem andererseits permanent durch sein Handeln nach einem „anderen Gesetz" widerspricht.

8,2: ὁ γὰρ νόμος τοῦ πνεύματος τῆς ζωῆς ἐν Χριστῷ Ἰησοῦ ἠλευθέρωσέν με.[51] Hier wird die positive Bedeutung des Gesetzes für die Glaubenden besonders deutlich. Die Befreiung vom „Gesetz der Sünde und des Todes", die bereits in 7,4-6 ausführlich beschrieben worden war, geschieht nicht ohne Gesetz, sondern durch ein anderes Gesetz, das des Geistes des Lebens in Christus Jesus. Offenbar meint Paulus hier nicht einfach die konkreten Bestimmungen der Tora, sondern in einer bestimmten theologischen Perspektive ein übertragenes Gesetzesverständnis, das christologisch qualifiziert ist. Die Neubegründung des Lebens „in Christus" führt also nicht zur prinzipiellen Aufhebung des Gesetzes, sondern zu seiner Bestätigung in einem spezifischen christologischen und im Glauben sich erschließenden Sinne (vgl. 3,27 und 31).

8,4: ἵνα τὸ δικαίωμα τοῦ νόμου πληρωθῇ ἐν ἡμῖν. Die Sendung Christi durch Gott geschah deshalb nicht in der Absicht, das Gesetz prinzipiell aufzuheben, sondern damit die Rechtsforderung des Gesetzes (vgl. zu diesem Ausdruck auch 2,26) durch die „in Christus" Lebenden erfüllt wird. Gemeint ist hier erneut offenbar nicht die Summe der konkreten alttestamentlichen Gebote, sondern das Gesetz in seinem tieferen, theologisch und besonders christologisch zu verstehenden Sinn (vgl. Röm 10,4).

8,7: τῷ γὰρ νόμῳ τοῦ θεοῦ οὐχ ὑποτάσσεται. Eine Gesinnung, in der sich Menschen dem Gesetz Gottes nicht in der von Paulus neu bestimmten Weise unterordnen, wird deshalb von ihm als Feindschaft gegen Gott verurteilt.

10,4: τέλος γὰρ νόμου Χριστός. Dies ist als Abschluss der längeren Argumentation 9,30ff eine programmatische Aussage. Sie kann von den oben genannten Stellen und dann auch von den abschließenden Ausführungen in 13,8-10 her so verstanden werden, dass Christus nicht das Ende, sondern das Ziel des Gesetzes ist (vgl. dazu unten zur Stelle die ausführliche Begründung dieser Übersetzung von τέλος). Alle Aussagen des νόμος können also in einem bestimmten Sinne auf Christus bezogen werden. Das kann Paulus in den folgenden Versen an Texten aus dem Dtn exemplifizieren. Diese Vorstellung liegt auch der Verwendung zahlreicher Schriftzitate im Röm zugrunde, die von Paulus entweder konkret auf Christus oder auf das paulinische Evangelium von Christus bezogen werden können (vgl. dazu grundsätzlich auch 1,2).

13,8b-10: ὁ γὰρ ἀγαπῶν τὸν ἕτερον νόμον πεπλήρωκεν. τὸ γὰρ Οὐ μοιχεύσεις, Οὐ φονεύσεις, Οὐ κλέψεις, Οὐκ ἐπιθυμήσεις, καὶ εἴ τις ἑτέρα ἐντολὴ ἐν τῷ λόγῳ τούτῳ ἀνακεφαλαιοῦται ἐν τῷ Ἀγαπήσεις τὸν πλησίον σου ὡς σεαυτόν. [...] πλήρωμα οὖν νόμου ἡ ἀγάπη. Diese Sätze bilden den Abschluss der paulinischen Ausführungen

---

[51] Zur textkritischen Entscheidung, hier nicht σε, sondern με zu lesen, siehe unten die ausführliche Begründung zu 8,2.

über das Gesetz und dürfen deshalb in ihrer Bedeutung nicht unterschätzt werden. Die vorhergehenden Überlegungen zu diesem Thema zielen gewissermaßen auf die Aussage, dass die Glaubenden das Gesetz erfüllen sollen. Dies meint Paulus allerdings nicht so, dass sie jede einzelne der Gesetzesbestimmungen der Tora einhalten sollen – z.B. mit Sicherheit nicht das Beschneidungsgebot. Sie sollen vielmehr in einer bestimmten Perspektive nach dem impliziten Prinzip dieser Bestimmungen fragen, welches Paulus im Liebesgebot von Lev 19,18 erblickt, also wiederum in einem Toragebot! Paulus verwendet dieses Gebot nicht zuletzt deshalb als alle Torabestimmungen zusammenfassendes Prinzip, weil es die Ethik individuell auf das Verhältnis zwischen zwei einzelnen Menschen konzentriert und dabei neben der Frage des Verhältnisses zum Nächsten vor allem auch den Gedanken des Selbstverhältnisses (ὡς σεαυτόν) zum zentralen Bezugspunkt aller ethischen Überlegungen macht (vgl. dazu unten die Ausführungen zur Stelle).

Aufgrund der oben erläuterten Stellen wird man davon ausgehen müssen, dass Paulus im Röm den Gesetzesbegriff nicht eindeutig – etwa im Sinne von ‚Tora‘ – gebraucht, sondern im Ansatz und grundsätzlich doppeldeutig: Einerseits für konkrete Gesetzesbestimmungen der Tora und die damit zusammenhängende Funktion, die Macht der Sünde aufzuzeigen; dies geschieht mit dem Ziel, das Gesetz in diesem Sinne zu beenden. Andererseits in einem auf das Wesentliche der Einzelbestimmungen, auf Christus und schließlich auf das Liebesgebot bezogenen Sinne, der durch den Glauben erschlossen werden kann; das geschieht mit dem Ziel, das Gesetz ausdrücklich zu bestätigen.

Die umfangreiche theologische Diskussion über das sogenannte „Gesetz" bei Paulus belegt, wie schwierig es ist, auf der Basis dieses komplexen Befundes zu einem Ergebnis zu kommen. Wie auch beim Begriff der δικαιοσύνη ist es kaum möglich, ein eindeutiges Verständnis des Begriffes νόμος zu entwickeln, das ausnahmslos alle Varianten abdeckt. Vielmehr kann das jeweilige Verständnis nur durch eine gründliche Analyse der entsprechenden Textstelle geklärt werden. Besonders erschwert wird dies noch dadurch, dass Paulus nicht selten sogar an derselben Stelle mit einem doppelten und doppeldeutigen Gesetzesbegriff arbeitet (z.B.: 7,21-8,2). „Im Röm hat er (sc. Paulus) dieses im Vollzug des Dialektischen gründende Denken verfeinert; die Dialektik ist nun in den Begriff des νόμος hineingenommen und dieser so zum dialektischen Begriff in sich selbst geworden."[52] Es lassen sich jedoch vorweg einige wichtige Beobachtungen thesenartig benennen, die für die folgenden Untersuchungen zumindest gewisse Leitlinien aufzeigen können.

1. Paulus geht in der dargestellten Weise im Ansatz von einem doppelt angelegten Gesetzesbegriff aus.

2. Aufgrund der nicht eindeutigen Verwendung des Gesetzesbegriffes kann die Frage, wann das Gesetz von Gott gegeben wurde, von Paulus je nach Kontext verschieden beantwortet werden. Nach der Argumentation von Röm 7 war das offenbar schon in Gen 2 und 3 der Fall, als Adam verboten wurde, die Früchte des Baumes der Erkenntnis zu begehren (7,7: οὐκ ἐπιθυμήσεις). In Kap. 4 dagegen meint νόμος die Beschneidungsforderung an Abraham aus Gen 17. In Röm 5 geschieht jedoch die Einführung des Gesetzes erst mit Moses (5,13f). Auf dieser Basis lässt sich im jeweiligen Argumentationszusammenhang nach Paulus eine Zeit angeben, die der

---

[52] H. Hübner: Biblische Theologie des Neuen Testaments, Bd. 2, S. 292.

konkreten Gesetzgebung vorausgeht und von der zugleich im Pentateuch berichtet wird. Nach Röm 4 empfing Abraham die Verheißung der Nachkommenschaft (Gen 15) vor der Beschneidungsforderung (Gen 17). Die Definition seiner Nachkommenschaft ist deshalb vom Beschneidungsgebot unabhängig. Nach Röm 5 konnte von Adam bis Moses die Sünde nicht als solche zugerechnet werden (5,13).[53] Erst mit der Gesetzgebung am Sinai (Ex 19ff) wird die Sünde identifizierbar (5,20). Nach Röm 7 lebte das Ich (Adam)[54] zunächst ohne Sünde (7,9a). Erst mit dem Gebot, nicht zu begehren, wurde die Sünde erweckt und bewirkte für ihn (und alle folgenden Menschen) den Tod (7,7ff). Auch in dieser zeitlichen Differenzierung drückt sich eine doppelte Sicht des νόμος bei Paulus aus.

3. Das Gesetz enthält also genuin zwei Aspekte. Es meint zum einen eine bestimmte Gesetzgebung, die in den Menschen die Sünde weckt und den Tod bewirkt. Es benennt zum anderen immer eine Zeit, die dieser Gesetzgebung und ihren problematischen Konsequenzen vorausgeht (oder auch nachfolgt, vgl. z.B. 8,2) und die im Zeichen der Verheißung und des Lebens steht.

4. Damit lässt sich nach Paulus aus dem alttestamentlichen Gesetz selbst ablesen, dass sich das ihm angemessene Verständnis nicht aus der Einhaltung der Gesetzesforderungen ergibt, sondern aus den der Gesetzgebung vorausgehenden oder sich an sie anschließenden Verheißungen Gottes.

5. Die Form, in der dieser doppelte Aspekt des alttestamentlichen Gesetzes kommuniziert werden kann, ist die Gegenüberstellung zweier Begriffe. Entweder wird der Gesetzesbegriff selbst in sich differenziert (z.B. 7,21-8,2), oder es wird der konkreten Gesetzesforderung, die mit νόμος wiedergegeben wird, ein anderer Aspekt gegenübergestellt, der zwar nicht den Begriff des νόμος enthalten muss, aber doch einen wesentlichen Aspekt des νόμος wiedergibt. So kann dem Gesetzesbegriff der Aspekt des Glaubens, und zwar als Aspekt des Gesetzes (Röm 3,27, 3,31 und 4,3), gegenübergestellt werden. Oder es kann der Verheißungsaspekt des Gesetzes, der als ἐπαγγελία bezeichnet werden kann und im Glauben wahrgenommen wird, dem Gesetzesbegriff gegenübergestellt werden (vgl. z.B. 4,13f).

6. Damit ergibt sich für das Gesetzesverständnis im Röm eine Zweideutigkeit, die durch eine doppelte Perspektive begründet ist. Es geht Paulus einerseits um eine Wahrnehmung des Gesetzes aus menschlicher Perspektive, die sich an den „Buchstaben" des Gesetzes orientiert und die zur Erkenntnis der Sünde führt. Andererseits eröffnet Paulus aber auch eine Sicht, die die konkreten Bestimmungen aus einer bestimmten theologischen bzw. christologischen Perspektive „im Geiste" wahrnimmt und von daher zu einem vertieften Verständnis des Gesetzes gelangt (vgl. 2,29: ἐν πνεύματι οὐ γράμματι). In diesem tieferen Sinne kann das Gesetz deshalb im Prinzip auch von Nichtjuden (2,12ff und 25ff) und dann erst recht von den Glaubenden verstanden und gehalten werden (vgl. 13,8-10).

7. Pointiert wird das zweite, spezifisch theologische Verständnis des Paulus in Röm 10,4 formuliert: Ziel des Gesetzes ist Christus. Die Tora und noch allgemeiner das gesamte Alte Testament kann deshalb auf Christus hin bzw. auf das Evangelium von Christus hin interpretiert werden, was Paulus im Röm in aller Ausführlichkeit demonstriert. Wenn erkannt wird, dass das Gesetz auf Christus als dessen Ziel bezogen

---

[53] Gleichwohl herrschte jedoch bereits seit Adam der Tod als Konsequenz der noch nicht anrechenbaren Sünde.

[54] Vgl. unten die ausführliche Untersuchung von Röm 7,7ff.

werden kann, dann ist damit zugleich ein Gebrauch des Gesetzes beendet, der sich in
eindimensionaler Sicht auf die konkreten Gesetzesbestimmungen beschränkt und daraus
das eigenen Selbstverständnis ableitet (vgl. 2,17ff und 10,1ff)

8. Die abschließende Formulierung zum Gesetz in Röm 13,8-10 zeigt, dass die
Glaubenden in diesem übertragenen zweiten Sinne das Gesetz beachten und erfüllen
sollen, und zwar durch das Liebesgebot von Lev 19,18. Das Doppelgebot von Liebe zum
einzelnen Nächsten und Liebe zu sich selbst bildet für Paulus das interne Prinzip, von
dem her alle Gesetzesbestimmungen und die gesamte Tora in ihrer wesentlichen
Intention verstanden werden können.

9. Durch diesen abschließenden Bezug auf das Liebesgebot wird das paulinische
Gesetzesverständnis auf das Verhältnis des einzelnen Menschen zu sich selbst und damit
zusammenhängend zum einzelnen anderen Menschen konzentriert (ὡς σεαυτόν). Das ist
ein Hinweis darauf, dass Paulus den Begriff des Gesetzes im Röm vor allem dadurch
bestimmt, dass er ihn reflexiv auf das Verhältnis des Menschen zu sich selbst bezieht. So
meint er schon bei der ersten Erwähnung des Begriffes, dass Nichtjuden „sich selbst"
Gesetz sein und damit die wesentlichen Anliegen des Gesetzes erfüllen können (vgl.
2,12ff). Im Zentrum des Briefes wird der Gesetzesbegriff dann detailliert vom
Selbstverhältnis des „Ich" her entwickelt und differenziert (vgl. 7,8-8,2). Und im
abschließenden Liebesgebot wird das Gebot der Nächstenliebe an das der Selbstliebe
gekoppelt.

10. Das Problem, ob die Einhaltung einzelner Torabestimmungen für die
Glaubenden geboten oder beendet ist, lässt sich deshalb ebenfalls nur ambivalent
beurteilen. Es gibt einerseits kein einziges Gebot, dass die an Christus Glaubenden auf
jeden Fall isoliert vom Liebesgebot an und für sich halten müssten. Andererseits sind
jedoch bestimmte Gebote, sofern sie dabei hilfreich sind, das Liebesgebot im täglichen
Umgang zu realisieren, sinnvoll und deshalb zu beachten (vgl. z.B. die in Röm 13,9
genannten vier Gebote aus dem Dekalog).

2,12 und 13 bilden eine größere Gegenüberstellung, in der zunächst in geläufiger
menschlicher Sicht von der Differenz Jude – Nichtjude ausgegangen wird, um diese
dann in V. 13 in theologischer Perspektive vom Kriterium des Tuns des Gesetzes her
kritisch zu hinterfragen. 2,12 fungiert der Gesetzesbegriff dem geläufigen Wortsinn
entsprechend zunächst als Variation der Differenz Jude – Nichtjude (vgl. V. 9f). Der
Ausdruck ἐν νόμῳ bezeichnet demnach jene Menschen, die sich nach den
Bestimmungen des jüdischen Gesetzes richten, während ἀνόμως alle anderen meint. Die
Differenz ist also zunächst analog zur Differenz Jude – Nichtjude streng binär gebaut.
Eine Seite der Differenz wird näher bezeichnet und dadurch von allem anderen
unterschieden. Sie ließe sich in der Notation Spencer Browns also folgendermaßen
wiedergeben:[55]

ἐν νόμῳ	⌐	ἀνόμως

Durch V. 13 wird die Differenz ἐν νόμῳ – ἀνόμως, die in geläufiger menschlicher Sicht
synonym zu Ἰουδαῖος – Ἕλλην aufgefasst werden kann, jedoch in theologischer

---

[55] Zu dieser Unterscheidungstechnik vgl. oben die Erläuterungen zu 1,14f sowie G. Spencer Brown:
     Laws of Form; Neudruck New York 1979.

Perspektive durch das Kriterium des Tuns des Gesetzes relativiert. Dadurch ergibt sich ein paralleler Aufbau von V. 12a und b: die ohne Gesetz sündigen, werden auch ohne Gesetz zugrunde gehen und die im Gesetz gesündigt haben, werden durch das Gesetz gerichtet werden. Erstmals findet sich hier neben νόμος auch das Verb ἁμαρτάνω, womit deutlich wird, dass für Paulus beide zusammenhängen. Das Verb meint hier, wie von V. 13 her deutlich wird, einfach in geläufiger menschlicher Sicht die konkrete Gesetzesübertretung, während das Nomen ἁμαρτία z.B. in Kap. 7, besonders V.17 und 20 in theologischer Perspektive als transzendente Macht vorgestellt wird. „Die Art, wie das Thema eingeführt wird, entspricht seiner Bedeutung in der Argumentation dieses Briefes und darüber hinaus in der Theologie des Paulus: Die Wirklichkeit der Sünde im Menschen überbrückt die Unterschiede zwischen Juden und Nichtjuden (für die summarisch der Hinweis auf das Gesetz stehen kann); vgl. 3,9.23 und 5,12."[56] Die beiden zentralen Begriffe der Sünde und des Gesetzes werden hier also in einem unmittelbaren Zusammenhang eingeführt, so dass man zunächst meinen könnte, Paulus meine mit Sünde einfach grundsätzlich, wie in V. 12 mit dem Verb „sündigen", die Übertretung bzw. das Nichttun des Gesetzes. Röm 7,7ff werden jedoch zeigen, in welchem Verhältnis Sünde und Gesetz zueinander stehen. Das Gesetz macht die Sünde lediglich als Übertretung des Gesetzes sichtbar. Die Sünde ist jedoch nicht Übertretung des Gesetzes, sondern der Grund des Widerspruches des Menschen mit sich selbst (7,14ff).

V. 13a setzt zunächst (angeschlossen mit γάρ) die Formulierungen aus 12a und c fort. Der Ausdruck οἱ ἀκροαταὶ νόμου ist äquivalent zu ὅσοι ἀνόμως bzw. ἐν νόμῳ ἥμαρθον. V. 13b bringt demgegenüber (durch ἀλλά entgegengesetzt) die theologische Perspektive zur Geltung, nach der es vor Gott (παρὰ τῷ θεῷ) nicht um das „Hören" des Gesetzes geht, sondern allein um dessen Tun. V. 13 a und b sind, wie bereits V. 12, parallel gebaut. Anscheinend wird dabei V. 13b zugestanden, dass diejenigen, die das Gesetz tun, vor Gott dadurch ihre Rechtfertigung – metaphorisch gesprochen ihren Frei-Spruch im göttlichen Gericht – begründen könnten (οἱ ποιηταὶ νόμου δικαιωθήσονται). Wenn jedoch am Ende des Abschnittes 3,9 definitiv festgestellt wird, dass alle Menschen gesündigt haben, und dass niemand aus Werken des Gesetzes vor Gott gerecht werden kann,[57] so wird spätestens dann klar, dass 2,13 nur eine hypothetische Möglichkeit geschildert wurde: Die Menschen könnten zwar durch ihr Tun ihren Freispruch begründen, aber aus Gründen, die in 7,7-25 zu analysieren sein werden, gelingt es ihnen nicht, sich dem Gesetz entsprechend zu verhalten.[58]

Entscheidend für das Verständnis des Begriffes „Gesetz" in den nun folgenden Versen ist, dass durch νόμος ein bestimmtes Verhältnis des Menschen zu sich selbst beschrieben wird. Die Selbstreflexivität des Gesetzes wird zunächst in 2,14-15 für die Nichtjuden aufgezeigt und dann V. 17ff für den Juden (im Singular!) verdeutlicht

---

[56] K. Haacker: Der Brief des Paulus an die Römer; ThHK 6, S. 63.

[57] Diese Aussage wird 3,19 und 23 nochmals bestätigt.

[58] N.T. Wright hat versucht, dieses Problem dadurch zu lösen, dass er die Formulierung in V. 13 durch eine Zeitdifferenz von der später in Kap. 3 her entfalteten Rechtfertigung durch den Glauben unterscheidet: „It is vitale to note, first, that the justification and the judgement spoken of in this paragraph are inalienably *future*. This is not *present* justification; Paul will come to that in chapter 3. Nor can the two be played off against one nother [...] present iustification, as Romans makes clear, is the true anticipation of future justification." (N.T. Wright: The Law in Romans 2; in: J.D.G. Dunn: Paul and the Mosaic Law; Tübingen 1996, S. 131-150, dort S. 143f) Vgl. dazu auch die Ausführungen zum paulinischen Verständnis des νυνί in 3,21.

werden. V. 14 zeigt (angeschlossen mit γάρ), dass zum Tun des Gesetzes in diesem hypothetischen Sinne nicht nur die Juden, sondern auch Nichtjuden (ἔθνη) grundsätzlich fähig sind. Der fehlende Artikel zeigt, dass sich Paulus dabei in Bezug auf die Anzahl derjenigen Nichtjuden, für die diese Aussage gilt, nicht näher festlegt.[59] Die Kombination des Neutrum Plural ἔθνη mit einem Verb im Plural weist dabei darauf hin, dass der Ausdruck nicht einfach unpersönlich gemeint ist, sondern Personen bezeichnet.[60]

V. 14a bestimmt die Nichtjuden zunächst wiederum in geläufiger menschlicher Sicht, also im Sinne von V. 12, als diejenigen, die das jüdische Gesetz nicht haben. V. 14b meint demgegenüber in theologischer Perspektive, dass sie sich dennoch den wesentlichen Aspekten des Gesetzes entsprechend verhalten können (τὰ τοῦ νόμου ποιῶσιν). Dem V. 13 eingeführten Kriterium des Tuns des Gesetzes entsprechend sind sie also einerseits in einer bestimmten menschlichen Sicht ἀνόμως, weil sie die konkreten Bestimmungen des jüdischen Gesetzes nicht kennen, und andererseits erfüllen sie dieses zugleich in theologischer Perspektive in einem übertragenen Sinne. Das oben ausgeführte, doppelte Verständnis von νόμος ist hier offensichtlich.[61] Das Tun des Gesetzes ist ihnen „natürlicherweise" (φύσει) möglich, weil sie zu einem bestimmten Verhältnis zu sich selbst, zur Selbstreflexion in der Lage sind.[62]

V. 14c und d verdeutlicht dies mit einer weiteren Gegenüberstellung. Der Teilvers setzt erneut zunächst in geläufiger menschlicher Sicht beim herkömmlichen Gesetzesverständnis an, nach dem die Nichtjuden das jüdische Gesetz nicht haben (νόμον μὴ ἔχοντες). Die folgende Formulierung stellt dem eine theologische Sicht gegenüber: Sie kennen zwar nicht die konkreten Bestimmungen des Gesetzes, können jedoch „sich selber Gesetz"[63] werden und sich dadurch dem Gesetz entsprechend verhalten (2,14d: ἑαυτοῖς εἰσιν νόμος). Die Konstruktion von V. 14a und b ist dabei völlig parallel. Beachtet man diesen parallelen Aufbau, so erläutert das selbstreflexive ἑαυτοῖς in V. 14b das φύσει aus V. 14a: „Le verset semble être construit de telle façon que le mot φύσει est à lire en relation avec le mot ἑαυτοῖς. Il y a un certain parallelisme entre 14a und 14b: ἔθνη/ οὗτοι, τὰ μὴ νόμον ἔχοντα/νόμον μὴ ἔχοντες, φύσει/ἑαυτοῖς, τὰ τοῦ νόμου/ νόμος, ποιῶσιν/εἰσιν."[64]

V. 15 erläutert mit zwei weiteren Gegenüberstellungen diese selbstreflexive Definition des Gesetzes. Der Vers wird parallel zu 1,32 mit οἵτινες und ohne Konjunktion eingeleitet und damit als Schlusssatz dieses Abschnittes gekennzeichnet.

---

[59] Vgl. auch P. Maertens: Une étude de Rm 2.12-16; in: NTS 46 (2000), S 504-519, dort S. 519: „Paul reste cependant imprécis sur le nombre de païens qui pratiquent les exigences de la loi, ainsi que sur le contenue de la loi qu'ils pratiquent."

[60] Vgl. Blass, Debrunner, Rehkopf: Grammatik des neutestamentlichen Griechisch, § 133,1.

[61] Vgl. dazu die Formulierung von Maertens, a.a.O., S: 518f: „comme d'une part la pratique de la loi est décisive et non sa possession, et que d'autre part, il y a des païens – qui, rappele Paul, n'ont pas la Torah – qui pratiquent la loi, il serait faux de dire qu'ils sont ἀνόμως: ils sont νόμος (v.14)!"

[62] Wright hat gegen diese geläufige Auslegung den Einwand eingebracht, dass φύσει nicht zu τὰ τοῦ νόμου ποιῶσιν, sondern zu τὰ μὴ νόμον ἔχοντα zu ziehen sei und dass damit nicht eine natürliche Disposition zur Gesetzeserfüllung, sondern die Unkenntnis des Gesetzes von Geburt an gemeint ist. Er beruft sich dabei auf die Formulierung in 2,27: ἡ ἐκ φύσεως ἀκροβυστία. (Vgl. N.T. Wright: The Law in Romans 2, S. 145) Demgegenüber entspricht das φύσει im Sinne einer dem Menschen natürlicherweise gegebenen, inneren Einsichtsfähigkeit in das Gute bzw. in das Wesen Gottes den Aussagen von 7,19 und 1,19ff.

[63] So übersetzt auch W. Jens: Der Römerbrief; Stuttgart 2000, S. 15.

[64] P. Maertens: Une étude de Rm 2.12-16, S. 511.

V. 15a knüpft dabei wie V. 12, 14a und c an das geläufige Verständnis des jüdischen Gesetzes an. Die Nichtjuden können das „Werk des Gesetzes" erweisen. Sie werden dazu in die Lage versetzt, weil sie es in sich selbst, in ihren Herzen vorfinden können. War V. 12 νόμος noch offensichtlich als Begrenzungskriterium zwischen Juden und Nichtjuden gemeint, so wird in V. 14f in theologischer Perspektive ein zweites, übertragenes Gesetzesverständnis entwickelt. Dieses wird in V. 15b am Abschluss des Abschnittes erneut durch einen selbstreflexiven Gedanken verdeutlicht, der sich an den Begriffen des Herzens, des Gewissen und der Gedanken orientiert: γραπτὸν ἐν ταῖς καρδίαις αὐτῶν, συμμαρτυρούσης αὐτῶν τῆς συνειδήσεως καὶ μεταξὺ ἀλλήλων τῶν λογισμῶν κατηγορούντων ἢ καὶ ἀπολογουμένων (2,15). Herz,[65] Gewissen[66] und Gedanken[67] werden dabei offenbar als bestimmte Instanzen innerhalb des Menschen vorgestellt, die ihn in die Lage versetzen, zu sich selbst in Distanz zu treten und sich selbst und das eigene Verhalten in theologischer Perspektive anzuklagen und zu verteidigen.

Im Gegensatz zum Begriff der συνείδησις, der die Distanzierungsfähigkeit des Menschen von sich selbst hervorhebt, bezeichnet καρδία zunächst das Innere des Menschen in seiner Integrität, seiner Authentizität mit sich selbst, „the innermost part of person, the seat of emotions, but also of thought and will."[68] Dies Innere kann dann auch in besonderer Weise mit Gott in Verbindung stehen (vgl. Röm 5,5 und 8,27) oder sich ihm gegenüber verschließen (vgl. 2, 5). „Wie in LXX לב durch καρδία oder durch νοῦς wiedergegeben wird, so gebraucht Paulus καρδία weithin in dem gleichen Sinne wie νοῦς, nämlich zur Bezeichnung des Ich als eines wollenden, planenden, trachtenden."[69] Ähnlich wie die Regel in 2,6 kann auch die Vorstellung eines ins Herz geschriebenen Gesetzes an alttestamentliche Traditionen anknüpfen, vor allem an Jer 31,31ff. Paulus schreibt hier jedoch nicht, dass das Gesetz ins Herz geschrieben sei, sondern τὸ ἔργον τοῦ νόμου. Damit signalisiert er erneut, dass es nicht auf die Kenntnis, sondern auf das Tun des Gesetzes ankommt. Die Diskrepanz zwischen Wissen und Tun wird Röm 7,7ff eingehend analysiert werden.

Die selbstreflexive Definition des Gesetzes wird durch die Begriffe des Gewissens und der Gedanken weiter vertieft. Den selbstreflexiven Charakter des Gewissensbegriffes hat vor allem R. Bultmann deutlich hervorgehoben: „Paulus hat, wie Rm 2,15 zeigt, das Gewissen für ein allgemein menschliches Phänomen gehalten, was nur seiner bisher entwickelten Auffassung vom Sein des Menschen entspricht. Denn wenn es zum Menschen gehört, um sich selbst zu wissen, und wenn andrerseits das Leben, das er zu leben hat, vor ihm liegt und er es gewinnen oder verlieren kann (...) und wenn deshalb das Gute, das er erstrebt, den Charakter der Forderung annimmt (...),

---

[65] Der Begriff καρδία erscheint im Röm 1,21.24; 2,5.15.29; 5,5; 6,17; 8,27; 9,2; 10,1.6.8.9.10 und 16,18.

[66] Zum Gewissensbegriff bei Paulus und zu den Überschneidungen mit dem hebräischen Begriff des Herzens (לב) vgl. H.-J. Eckstein: Der Begriff der Syneidesis bei Paulus. Eine neutestamentlich-exegetische Untersuchung zum „Gewissensbegriff"; (WUNT 2, 10) Tübingen 1983.

[67] Der Begriff λογισμός taucht noch II Kor 10,4 auf, dort im Sinne überheblicher Gedanken, die sich gegen die Erkenntnis Gottes richten. Hier in Röm 2,15 ist er anknüpfend an die geläufige Bedeutung jedoch positiv gebraucht. Siehe dazu auch H.-W. Heidland: Artikel λογίζομαι, λογισμός; in ThWNT, Bd. 4, S. 287-295, dort S. 289, mit Verweis auf IV Makk 1,15 und 30. Vgl. auch die enge Verbindung zum Verb λογίζομαι, sofern es sich auf die Urteilsfähigkeit des Menschen bezieht (z.B. Röm 2,3; 3,28; 6,11; 8,18; 14,14).

[68] J. D. G. Dunn: The Theology of Paul the Apostle, S. 74f.

[69] R. Bultmann: Theologie des Neuen Testaments, S. 221.

so gehört es zum Menschen, Gewissen zu haben."[70] Der Begriff des Gewissens[71] findet sich bei Paulus im Röm noch 9,1 und 13,5, in den authentischen Paulusbriefen I Kor 8,7 (zweimal).10.12; 10,25.27.28.29 (zweimal); II Kor 1,12; 4,2; 5,11, ist dort also auf die Korrespondenz mit den Römern und Korinthern beschränkt.[72] Συνδείδησις bezeichnet bei ihm:

1. die Fähigkeit des Menschen zur Selbstreflexion, der dadurch die in ihm selbst vorgegebenen Kriterien sinnvollen Verhaltens aus distanzierter theologischer Perspektive bestätigen und sich ihnen entsprechend verhalten kann (Röm 2,15),

2. eine Instanz innerhalb des Menschen, die dessen Aussagen gewissermaßen aus der Fähigkeit zur Selbstdistanzierung heraus mit bezeugen kann (Röm 9,1),

3. die Fähigkeit des Menschen, nicht nur durch Strafandrohung, sondern auch aus der Prüfung seiner selbst heraus das Gute zu tun (Röm 13,5),

4. die innere Instanz des anderen Menschen, die für das eigene Verhalten jeweils mit zu berücksichtigen ist, also gewissermaßen eine Selbstreflexion über die Selbstreflexion des anderen (z.B. I Kor 10, 29 und insgesamt häufig in I Kor 8 und 10).

,Gewissen' ist damit in seiner absoluten Stellung ein im NT wesentlich von Paulus mit geprägter Begriff, der die Fähigkeit zur Selbstreflexion, zur Selbstdistanzierung und zur Anerkennung des anderen als zur Selbstreflexion Fähigen enthält. Diese paulinische Begriffsprägung ist ein weiteres Indiz dafür, dass es Paulus auf der Basis der grundlegenden menschlichen und theologischen Doppelperspektive um das Verhältnis des Menschen zu sich selbst (und damit zusammenhängend zu Gott und dem Nächsten) geht. U. Wilckens hat diesbezüglich auf den Zusammenhang des Gewissensbegriffes mit der Identitätsproblematik hingewiesen. „Das Wort συνείδησις [...] bezeichnet die Instanz im Innern des Menschen, die seine Verantwortlichkeit begründet und je und je wahrnimmt. Darin ist die συνείδησις von der καρδία unterschieden. Das ‚Herz' ist das Person - Zentrum des Menschen, sein ‚Ich - Selbst'; es kann ἀσύνετος (Röm 1,21) und ἀμετανόητος (2,5) sein, das Gewissen nicht. Denn dieses ist, wiewohl konstitutiv zum Menschen gehörig, als *sein* Gewissen (durchweg mit Possesiv-Bestimmungen), eine Stimme, die von seinem eigenen Wollen und Urteilen unterschieden ist (...) Es ist Repräsentant des Willens Gottes im Menschen, durch den dieser letztlich seine Identität gewinnt".[73] Gemeint ist dabei von Paulus sicherlich nicht einfach eine göttliche Instanz im Menschen, aber doch die Fähigkeit, in theologischer

---

[70] Bultmann, a.a.O., S. 218.

[71] In Act wird der Begriff ebenfalls mit Paulus in Verbindung gebracht (23,1 und 24,16). Außerhalb der echten Paulusbriefe kommt der Begriff im NT vor allem in den deuteropaulinischen Briefen vor: I Tim 1,5; 1,19; 3,9; 4,3; II Tim 1,3; Tit 1,15. Hier ist συνείδησις selten absolut verwendet, meist hingegen mit ἀγαθά oder καθαρά zur Bezeichnung der guten Gesinnung. Der Gebrauch im Hebr scheint sich auf die Beschreibung der Innerlichkeit des Menschen im Gegensatz zum Äußeren (Hebr 9,9.14; 10,2.22; 13,18) zu konzentrieren. Im I Petr wird der Begriff mit der Taufe verbunden (I Petr 3,21: βάπτισμα ... συνειδήσεως ἀγαθῆς ἐπερώτημα εἰς θεόν) und meint von daher eine Befähigung zu einem guten Verhalten der Christen (vgl. I Petr 3,16 und 2,19). Das Verb σύνοιδα findet sich in Act 5,2 im Sinne des Mitwissens eines anderen. Selbstreflexiv ist nur von Paulus in I Kor 4,4 verwendet.

[72] Vgl. H.-J. Eckstein: Der Begriff der Syneidesis bei Paulus, a.a.O., S. 311.

[73] U. Wilckens: Der Brief an die Römer; EKK VI, 1, S. 138. Vgl. dazu aber Eckstein, der meint: „Für den Apostel ist ἡ συνείδησις kein spezifisch theologischer, sondern ein anthropologischer Begriff, womit jegliche Bestimmung der Instanz Syneidesis als vox dei, als spiritus sacer oder semen divinum ausgeschlossen ist. Die Syneidesis hat bei Paulus weder im Hinblick auf Heiden noch auf Christen als solche Anteil am Göttlichen oder eine göttliche Herkunft und wird entsprechend auch nicht als Vermittler oder Empfänger der göttlichen Offenbarung oder Verkündigung verstanden." (H.-J. Eckstein: Der Begriff der Syneidesis bei Paulus, S. 313f.)

Perspektive zu sich selbst eine Distanz einzunehmen und von dort aus das eigene Verhalten kritisch beurteilen zu können.

Als dritten Begriff, der in theologischer Perspektive das Gesetzesverständnis von der Fähigkeit des Menschen zur Selbstreflexion her definiert, nennt Paulus schließlich die λογισμοί. Für V. 15c ergibt sich dabei ein Übersetzungsproblem. Man kann entweder καὶ μεταξὺ ἀλλήλων τῶν λογισμῶν zu αὐτῶν in Opposition bringen und den Ausdruck im Sinne des Urteilens der Menschen übereinander verstehen oder als sinngemäße Fortführung der Ausführungen über das Gewissen, so dass die Gedanken parallel zum Gewissen als zweites Subjekt aufzufassen sind. Für die zweite Variante sprechen der Anschluss mit καί und die grundsätzliche Überlegung, dass es Paulus hier offenbar durchgehend um das Verhältnis des Menschen zu sich selbst geht. Das bedeutet: „Beide haben Zeugenfunktion, das Gewissen zusammen mit den Gedanken (συμμαρτυρούσης)."[74] Die damit entwickelte Vorstellung, nach der das Anklagen und Verteidigen in den Gedanken der Menschen stattfinden, beschränkt also, wie bereits in V. 1-10 angedeutet, das Gericht und die Beurteilung der Taten des Menschen nicht auf ein zukünftiges Gericht Gottes, sondern verortet sie zusätzlich in den Menschen selbst. Die Gedanken sind, analog zum Gewissen, eine Instanz innerhalb des Menschen, die ihn in die Lage versetzen, zu sich selbst in ein kritisches Verhältnis zu treten und die eigenen Taten im Sinne der eigentlichen Intention des Gesetzes, also des guten Verhaltens, zu prüfen und sich selbst dabei sogar anzuklagen und zu verteidigen.

Mit diesem den Abschnitt ursprünglich abschließenden Vers wird deutlich, dass die Argumentation von V. 1-15 auf das Selbstverhältnis des Menschen zielt, dass mit den Begriffen des Herzens, des Gewissens und der Gedanken beschrieben werden soll. Es handelt sich dabei um Ausdrücke, die die Fähigkeit des Menschen beschreiben, zu sich selbst in ein Verhältnis zu treten und eine theologische Perspektive einzunehmen, in der sie ein Wissen um Gut und Böse bekommen können. Diese Fähigkeit des Menschen zur Selbstreflexion und Selbstdistanzierung ist für Paulus einerseits Grund für das Wissen um das Gute und andererseits auch die Voraussetzung für die ständige Verfehlung dieses Guten (vgl. dazu eingehend Röm 7,7ff).

Die Formulierung ἐν ἡμέρᾳ ὅτε κρίνει[75] ὁ θεὸς τὰ κρυπτὰ τῶν ἀνθρώπων κατὰ τὸ εὐαγγέλιόν μου διὰ Ἰησοῦ Χριστοῦ[76] (V. 16) ist als sekundäre Glosse anzusehen, die diesen Gedanken der kritischen Selbstprüfung, der V. 1-15 zugrunde liegt, verschleiert. „Der Anstoß erwächst zunächst daraus, dass das ἐν ᾗ ἡμέρᾳ κρινεῖ (bzw. κρίνει) das συμμαρτυρεῖν der συνείδησις und das κατηγορεῖν und ἀπολογεῖσθαι der λογισμοί (V.15) als einen Vorgang bezeichnet, der sich dereinst beim Gericht abspielen wird, während es doch ein Phänomen der Gegenwart sein muß, als Beweis dafür, dass die Heiden, denen das Mosegesetz fehlt, faktisch auch das Gesetz kennen."[77] Neben

---

[74] U. Wilckens: Der Brief an die Römer; EKK VI,1, S. 136.

[75] Es ist nicht ganz eindeutig, ob hier präsentisch κρίνει oder mit dem Mehrheitstext futurisch κρινεῖ zu lesen ist. Welche Lesart man auch vorziehen mag, es ist deutlich, dass es sich vom Sinn her um eine Aussage über die Zukunft handelt, so dass auch das Präsens als futurisches aufgefasst werden muss. Vgl. auch Blass, Debrunner, Rehkopf: Grammatik des neutestamentlichen Griechisch, § 323.

[76] Dieser alternativen Lesart ist aufgrund ihrer Bezeugung durch die überwiegende Mehrheit der Handschriften deutlich der Vorzug zu geben, gegen B. M Metzger: A textual Commentary on the Greek New Testament, S. 448 und die Textausgabe von Nestle-Aland (27. Aufl.).

[77] R. Bultmann: Glossen im Römerbrief; in: ders.: Exegetica, S. 278-284, S. 282, wobei er offensichtlich die Lesart von B bevorzugt. Bultmann kritisiert a.a.O., S. 282f verschiedene Erklärungen, die sich bemühen, V. 16 in den Abschnitt zu integrieren: „Unmöglich ist die Parenthesierung von V. 14 f oder gar von V. 13-15, die V. 16 mit V. 13 bzw. mit V. 12 verbinden will. Dann wäre es schon besser, V. 14

dem inhaltlichen Bruch der Argumentation lassen sich einige weitere gute Gründe dafür angeben, den Vers als sekundär anzusehen.[78] Paulus schreibt sonst nie τὸ εὐαγγέλιόν μου, die christologische Formel διὰ Ἰησοῦ Χριστοῦ kommt völlig überraschend, weil Paulus im Briefkorpus bis 3,22ff überhaupt nicht christologisch argumentiert. Weiter ist im paulinischen Denksystem der Gedanke völlig unverständlich, dass das Evangelium der Maßstab des Gerichtes sein könnte. Auch formal fügt sich der Vers nicht in das sonst fast durchgängig eingehaltene Doppelschema einer menschlichen und theologischen Sichtweise.

P. von Gemünden und G. Theißen halten demgegenüber neuerdings den Vers wieder für ursprünglich zum Text gehörig. Sie ziehen daraus einen m.E. zu weit gehenden Schluss: „Diese Gerichtsmetaphorik wird in charakteristischer Weise abgewandelt. Sie wird aus der Erwartung eines zentralen Gerichts, in dem alle Menschen als Sünder nur Unheil zu erwarten haben, zu einem Forum der Heilszusage. Ermöglicht wird diese Umstrukturierung der Gerichtsszene durch die Aktivierung der Rolle Christi in ihm."[79] Zum Abschnitt V. 1-15 ergibt sich damit wohl unausweichlich das theologische Problem, in welchem Verhältnis das hier entfaltete Prinzip des individuellen Gerichtes entsprechend den Werken zum später (3,18ff) entfalteten Gedanken des Freispruches durch Gott aufgrund des Glaubens steht. Für dieses Problem ist entscheidend, dass es Paulus auch auf der Basis des Freispruches im göttlichen Gericht (Rechtfertigung), der durch den Glauben ermöglicht wird, gerade um die Erfüllung des Gesetzes in einem bestimmten Sinne geht (vgl. Röm 13,8-10 und die Ausführungen dazu). Paulus weicht insofern auch in der ab 3,18 folgenden Argumentation nicht vom hier in 2,1-15 entwickelten Prinzip der Gesetzeserfüllung als Kriterium der positiven Beurteilung durch Gott ab. Die entscheidende Frage ist dabei jedoch, welche Bedeutung den guten Taten für das Selbstverständnis des Menschen zukommt. Wenn der Mensch durch sie seine positive Beurteilung durch Gott (und durch sich selbst, vgl. V. 1ff) begründen möchte, dann führt dies nach Paulus zu der Erfahrung, dass weder die eigenen Taten noch die persönlichen Fähigkeiten und Eigenschaften dafür ausreichen, weil der Mensch das Gute, das er einsieht, aufgrund seiner inneren Gespaltenheit nicht zu tun in der Lage ist (vgl. 7-7-25a). Vielmehr wird ein umfassendes „Tun des Gesetzes" paradoxerweise gerade erst dadurch möglich, dass die Glaubenden durch Christus davon befreit worden sind, ihre Selbst- und Fremdbeurteilung aus ihren Taten, Fähigkeiten und Eigenschaften abzuleiten und dass sie deshalb frei sind, das Gesetz in seinem eigentlichen Sinne, der sich in Christus und

---

als Glosse zu streichen (J. Weiß) oder das Problem dadurch zu beseitigen, dass man ἐν ᾗ ἡμέρᾳ tilgt (V.16), welch letzterer Versuch freilich zur Folge hätte, dass der so reduzierte V. 16 völlig unmotiviert dasteht. Unmöglich ist es ebenfalls, die ἡμέρα des κρίνειν Gottes nicht als den Tag des eschatologischen Gerichtes, sondern als ,jeden beliebigen Tag der Gegenwart' aufzufassen (v. Hofmann, H. E. Weber). Aber viel besser ist es doch auch nicht, umgekehrt das ἐνδείκνυνται V. 15 futurisch zu nehmen (was grammatisch natürlich wohl möglich ist) und damit den ganzen V. 16 als Aussage über die Zukunft des Gerichtstages zu verstehen (Lietzmann). Denn V. 14 und V. 15 gehören zusammen als der Beweis dafür, dass Gottes Gericht dereinst mit vollem Recht auch über diejenigen ergehen wird, die ἀνόμως (dh ohne Mosegesetz) gesündigt haben . [...] Steht es aber so, dass V.15 von der Gegenwart und V. 16 von der Zukunft redet, so bleibt nur noch die Möglichkeit, zwischen V. 15 und V. 16 einen Zwischengedanken zu ergänzen: ,Das wird sich zeigen an jenem Tage ... ' (Jülicher, Althaus)." Bultmann kommt zu dem Urteil: „Alle solche Bemühungen zeigen nur, dass V. 16 ein Fremdkörper im Text ist".

[78] Vgl. W. Schmithals: Der Römerbrief, S. 95. Ob diese, wie Schmithals meint, „von der Hand des Herausgebers der ältesten Sammlung der Paulusbriefe" stammt, lässt sich dabei nicht näher ermitteln.

[79] P. von Gemünden, G. Theißen: Metaphorische Logik im Römerbrief, S. 116.

im Liebesgebot erschließt, zu erfüllen. (vgl. dazu unten Röm 8,4; 10,4 und 13,8-10 sowie die Erläuterungen dazu).

Der Abschnitt 2,1-15 (und 16) lässt sich damit wie folgt strukturieren:

2,1: Διὸ	ὦ ἄνθρωπε πᾶς ὁ κρίνων (2)	ἀναπολόγητος εἶ (1)
γὰρ	ἐν ᾧ κρίνεις τὸν ἕτερον	σεαυτὸν κατακρίνεις τὰ γὰρ αὐτὰ πράσσεις ὁ κρίνων
2+3: δὲ	λογίζῃ δὲ τοῦτο ὦ ἄνθρωπε ὁ κρίνων τοὺς τὰ τοιαῦτα πράσσοντας καὶ ποιῶν αὐτά ὅτι σὺ ἐκφεύξῃ τὸ κρίμα τοῦ θεοῦ(2)	οἴδαμεν ὅτι τὸ κρίμα τοῦ θεοῦ ἐστιν κατὰ ἀλήθειαν ἐπὶ τοὺς τὰ τοιαῦτα πράσσοντας(1)
4: ἢ	καταφρονεῖς	τοῦ πλούτου τῆς χρηστότητος αὐτοῦ καὶ τῆς ἀνοχῆς καὶ τῆς μακροθυμίας
	ἀγνοῶν ὅτι	τὸ χρηστὸν τοῦ θεοῦ εἰς μετάνοιάν σε ἄγει
δὲ	κατὰ τὴν σκληρότητά σου καὶ ἀμετανόητον καρδίαν θησαυρίζεις σεαυτῷ ὀργὴν	ἐν ἡμέρᾳ ὀργῆς καὶ ἀποκαλύψεως δικαιοκρισίας τοῦ θεοῦ
6:	ἑκάστῳ κατὰ τὰ ἔργα αὐτοῦ (2)	ὃς ἀποδώσει (1)
7: μὲν	τοῖς καθ᾽ ὑπομονὴν ἔργου ἀγαθοῦ δόξαν καὶ τιμὴν καὶ ἀφθαρσίαν ζητοῦσιν	ζωὴν αἰώνιον
8: δὲ	τοῖς ἐξ ἐριθείας καὶ ἀπειθοῦσι τῇ ἀληθείᾳ πειθομένοις δὲ τῇ ἀδικίᾳ	ὀργὴ καὶ θυμός
9:	ἐπὶ πᾶσαν ψυχὴν ἀνθρώπου τοῦ κατεργαζομένου τὸ κακόν Ἰουδαίου τε πρῶτον καὶ Ἕλληνος (2)	θλῖψις καὶ στενοχωρία (1)
10: δὲ	παντὶ τῷ ἐργαζομένῳ τὸ ἀγαθόν, Ἰουδαίῳ τε πρῶτον καὶ Ἕλληνι (2)	δόξα καὶ τιμὴ καὶ εἰρήνη (1)
11: γὰρ	οὐ ἐστιν προσωπολημψία	παρὰ τῷ θεῷ
12+13: γὰρ	ὅσοι ἀνόμως ἥμαρτον	ἀνόμως καὶ ἀπολοῦνται
12c+d: καὶ	ὅσοι ἐν νόμῳ ἥμαρτον	διὰ νόμου κριθήσονται
13: γὰρ	οὐ οἱ ἀκροαταὶ νόμου δίκαιοι παρὰ τῷ θεῷ	ἀλλ᾽ οἱ ποιηταὶ νόμου δικαιωθήσονται
14a+b: γὰρ	ὅταν ἔθνη τὰ μὴ νόμον ἔχοντα	φύσει τὰ τοῦ νόμου ποιῶσιν
14c+d:	οὗτοι νόμον μὴ ἔχοντες	ἑαυτοῖς εἰσιν νόμος
15: οἵτινες	ἐνδείκνυνται τὸ ἔργον τοῦ νόμου	γραπτὸν ἐν ταῖς καρδίαις αὐτῶν συμμαρτυρούσης αὐτῶν τῆς συνειδήσεως καὶ μεταξὺ ἀλλήλων τῶν λογισμῶν κατηγορούντων ἢ καὶ ἀπολογουμένων

16: ἐν ἡμέρᾳ ὅτε κρίνει ὁ θεὸς τὰ κρυπτὰ τῶν ἀνθρώπων κατὰ τὸ εὐαγγέλιόν μου διὰ Ἰησοῦ Χριστοῦ (sekundärer Einschub am Ende dieses Abschnittes)

Die Modifikation des Verständnisses von Judentum im Hinblick auf das Kriterium der individuellen Beurteilung der Taten (2,17-3,4)

Analog zur Argumentation V. 1-16 konzentrieren sich auch V. 17-24 auf das problematische Selbstverhältnis des Menschen und interpretieren den Begriff des νόμος bzw. des Judeseins von diesem Verhältnis her. Diese Argumentation ist aber nicht abstrakt zu verstehen, sondern es ist dabei zu bedenken, dass Paulus selbst jüdischer Herkunft ist und sich wohl in einem gewissen Sinne immer noch als Jude versteht und dass er sich deshalb dem Gesetz in modifizierter Weise verpflichtet fühlt (vgl. unten die Ausführungen zu 10,4 und 13,8ff). Die folgenden Ausführungen enthalten insofern nicht nur allgemeine theologische Überlegungen und versuchen auch nicht nur einen fingierten Gesprächspartner zu überzeugen, sondern sie sind zugleich als Selbstreflexion der Herkunft des Paulus aus dem Judentum zu verstehen. Das „Du" enthält insofern im Abschnitt nicht nur ein dialogisches, sondern auch ein selbstreflexives Element.[1]

Der Argumentationsabschnitt lässt sich in drei Teile gliedern. 2,17-24 hinterfragen, analog zur allgemeinen Ansprache eines Menschen 2,1 (ὦ ἄνθρωπε) nun speziell einen Juden ('Ιουδαῖος im Singular) darauf, ob er die an andere angelegten Verhaltensmaßstäbe selbst einhält und disqualifizieren die Diskrepanz von Selbstverständnis und konkretem Verhalten. V. 25-29 entwickeln auf dieser Basis ein vertieftes Verständnis des Judeseins, das sich am Kriterium der Selbsteinhaltung der an andere angelegten Maßstäbe orientiert. 3,1-4 stellen abschließend – obwohl eingestanden wird, dass es einen gewissen Vorzug des Juden gibt – fest, dass jeder Mensch ein Lügner ist.

Der erste Teilabschnitt V. 17-24 ist dadurch strukturiert, dass jeweils einem geläufigen Selbstverständnis aus theologischer Perspektive ein selbstreflexiver Gedankengang gegenübergestellt wird. Durch ihn wird jeweils gefragt, ob das eigene Verhalten den an andere angelegten Maßstäben und dem Selbstverständnis entspricht.

V. 17a und b beschreiben zunächst das Selbstverständnis eines Juden (im Singular). Es handelt sich um einen durchgehenden, mit dem gut bezeugten εἰ δέ eingeleiteten Nebensatz,[2] der am Ende von V. 20 abrupt und etwas unklar endet. „Mit einem Konvolut von εἰ-Sätzen türmt sich VV 17-20 Zug um Zug ein umfassender Anspruch des Juden gegenüber dem Heiden auf, den Paulus in der folgenden Reihe von Fragesätzen VV 21-23 entsprechend Schlag auf Schlag zerbricht".[3] Das δέ schließt an V. 15 an und behandelt nun nach den Ausführungen über die Nichtjuden in V. 12-15 gleichsam adversativ den Juden. Dabei wird, wie bereits in 2,1 und 3, ein Mensch im Singular angesprochen. Diese Anrede hat nicht nur, dem Stil der Diatribe entsprechend, rhetorische Funktion,[4] sondern es geht Paulus wiederum zentral um den einzelnen

---

[1]　Vgl. zu dieser grundlegenden Fähigkeit des Ich, zu sich selbst in Distanz zu treten und sich gewissermaßen wie im Spiegel selbst zu betrachten F. Vouga: Das Evangelium als kreative Freiheit; in: H.-H. Brandhorst, D. Starnitzke, M. Wedek (Hrsg.): Die Freiheit bestehen. Beiträge zum Jahresthema 2000 der v. Bodelschwinghschen Anstalten Bethel; Bielefeld 2001, S. 25ff.

[2]　„Das einleitende εἰ δέ ist im Mehrheitstext [...] zu ἴδε geworden, was über die Lutherbibel (bis 1956) und die Authorized Version das thetische Mißverständnis dieser Verse gefördert haben wird." (K. Haacker: Der Brief des Paulus an die Römer; ThHK 6, S. 67, Anm. 62.)

[3]　U. Wilckens: Der Brief an die Römer; EKK VI,1, S. 146f.

[4]　„Der Einstieg mit einer individuellen Anrede entspricht dem Stil der Diatribe, der auch Beispiele für die Infragestellung einer stolzen Selbstbezeichnung (vergleichbar mit 'Ιουδαῖος ἐπονομάζῃ) liefert; vgl. Epiktet, Diss. 2,19,19 (Στωικὸν ἔλεγες σεαυτόν) und Diss. 3,24,41 (Στωικὸν σεαυτὸν εἶναι λέγεις),

Menschen.[5] Angesprochen wird nicht der Jude an sich im Gegensatz zum Nichtjuden, sondern ein einzelner Mensch, der kritisch auf sein Selbstverhältnis und damit zusammenhängend auf sein Verhältnis zum anderen und zu Gott hin befragt wird. Angesetzt wird in V. 17 zunächst in geläufiger menschlicher Perspektive mit der (Selbst-) Bezeichnung dieses einzelnen als Ἰουδαῖος (vgl. 1,16), der sich selbst durch seine Beziehung zur Tora definiert und dadurch von den Nichtjuden abgrenzt.[6] Das ἐπαναπαύῃ νόμῳ ist (ebenso wie das ἐπονομάζῃ) keineswegs gleich negativ gemeint,[7] sondern bestimmt nach einer geläufigen menschlichen Sicht das Judesein durchaus angemessen.

Es folgen V. 17c und 18a, verbunden mit καί, zwei weitere Bestimmungen dieses Juden, die jedoch durch das θεός deutlich die theologische Perspektive wiedergeben: Der angesprochene Jude zeichnet sich dadurch aus, dass er Gott lobt und seinen Willen kennt. Auch das καυχᾶσαι τῷ θεῷ ist dabei keineswegs polemisch gemeint.[8] V. 18a setzt diese theologische Qualifikation des Judeseins fort. Der Ausdruck γινώσκεις τὸ θέλημα bezieht sich auf den Willen Gottes.[9]

V. 18b-20 bildet eine längerer Gegenüberstellung, in der wiederum auf der einen Seite das Selbstverständnis des angesprochenen Juden dargestellt und diesem auf der anderen Seite in theologischer Perspektive die Frage nach den wesentlichen Dingen gegenübergestellt wird. Das δοκιμάζεις τὰ διαφέροντα in Verbindung mit κατηχούμενος ἐκ τοῦ νόμου setzt V. 18b zunächst mit der theologischen Perspektive ein. Vorausgesetzt ist auch hier ein übertragenes Gesetzesverständnis, das nicht nach dem konkreten Einzeltext fragt, sondern nach den wesentlichen Dingen, die sich aus diesem Text ergeben und die jeweils in theologischer Perspektive genau zu überprüfen sind. Der Ausdruck τὰ διαφέροντα könnte sich entweder neben der Qualifikation als Jude zusätzlich speziell auf Pharisäer beziehen, zu denen Paulus ja nach Phil 3,5 selbst gehörte, oder er könnte in Abgrenzung zu ἀδιάφορα gemeint sein.[10]

ähnlich Diss. 3,7,17 über einen, der ein Philosoph sein will." (K. Haacker: Der Brief des Paulus an die Römer; ThHK 6, S. 67, vgl. auch S. K. Stowers: The Diatribe and Paul's Letter to the Romans, S. 96)

[5] Gegen N.T. Wright, der meint: „But this claim would be quite misunderstood if we were to imagine that it referred to the *individual* Jew, boasting on his (or, less likely, her) moral achievements."(N.T. Wright: The Law in Romans 2, S. 139, Hervorhebung von Wright)

[6] Eigentlich fungiert Ἰουδαῖος sonst eher als Fremdbezeichnung durch einen Nichtjuden, bei Paulus wird der Begriff jedoch häufig verwendet, wenn es um die Entgegensetzung zu einem Nichtjuden geht, (siehe V. 12ff). Vgl. A. Lindemann: Israel im Neuen Testament; in: WuD 25 (1999), S. 167-192, dort S. 174.

[7] Vgl. W. Schmithals: Der Römerbrief; EKK VI, 1, S. 97: "Der Jude verläßt sich als solcher auf das Gesetz (eigentlich ‚ruht sich auf dem Gesetz aus'..)". Nach K. Haacker: Der Brief des Paulus an die Römer; ThHK 6, S. 68 „kann ἐπαναπαύῃ νόμῳ auch nur positiv gemeint sein, zumal es in V. 23 mit ἐν νόμῳ καυχᾶσαι wieder aufgenommen wird.".

[8] „‚Sich Gottes rühmen' (vgl. 5,11; 1. Kor. 1,31; 2. Kor. 10,17) ist in atl. Tradition (vgl. Jer. 9,22 f.; Deut. 10,21: Jer. 7,14: Ps. 5,12; 89,18; Ps.Sal. 17,1) ein oft mit Freude und Jubel assoziierter Ausdruck für Israels dankbare und vertrauensvolle Verbundenheit mit Gott." (Haacker, a.a.O., S. 68)

[9] „In ihr (sc. der Tora) hat Gott seinen Willen kundgetan, sodass der Jude ihn kennt". (U. Wilckens: Der Brief an die Römer; EKK VI,1, S. 148) Vgl. auch F.-J. Leenhart: L'Épître de saint Paul aux Romains; CNT 6, S. 51: „au sens absolue: la volonté de Dieu".

[10] K. Haacker: Der Brief des Paulus an die Römer; ThHK 6, S. 68, meint zu τὰ διαφέροντα: „Hier könnte es auf ein Anliegen der Pharisäer anspielen, deren Gruppenname vielleicht (unter anderem) im Sinne von parôschîm (‚Differenzierer') zu verstehen ist. Auf jeden Fall nahmen die Pharisäer die Unterweisung aus dem Gesetz (κατηχούμενος ἐκ τοῦ νόμου) besonders ernst und beanspruchten dabei besonderen Scharfsinn; vgl. Joseph., Bell. 2,162; Ant. 7,41." Anders Wilckens, der τὰ διαφέροντα als stoischen Gegenbegriff zu τὰ ἀδιάφορα versteht. (U. Wilckens: Der Brief an die Römer; EKK VI, 1, S.

Dieser durchaus sachgemäßen und nicht polemisch gemeinten, theologischen Qualifikation des angesprochenen Juden wird jedoch, angeschlossen durch ein alleinstehendes τέ,[11] in V. 19f eine übersteigerte Selbsteinschätzung gegenübergestellt (πέποιθάς τε σεαυτόν [...] ἔιναι). Der Ausdruck bezeichnet zunächst einfach neutral das eigene Zutrauen.[12] Die Frage ist jedoch, worauf sich dieses Selbstvertrauen gründet. In V. 19f resultiert es aus einem Überlegenheitsgefühl gegenüber Nichtjuden, d.h. die Identität wird durch das Judesein, die Zugehörigkeit zu einer sozialen Größe, bestimmt und führt zur Abgrenzung gegenüber jenen, die nicht dieser sozialen Gruppierung angehören. Das wird durch polemische und abwertende Genetive zum Ausdruck gebracht: τυφλῶν, τῶν ἐν σκότει, ἀφρόνων, νηπίων. Ihnen gegenüber wird die eigene Identität durch das Entgegenstellen positiver Begriffe definiert (ὁδηγός, φῶς, παιδευτής, διδάσκαλος). Das dargestellte Selbstverständnis ist nicht einfach nur polemisch gemeint, sondern gibt durchaus auch eine geläufige Sicht wieder. „Das Bild des Blindenführers (V. 19a) erscheint in der Auseinandersetzung mit den Pharisäern Matth. 5,14; 23,16.24 in polemischer Verzerrung, dürfte also zu deren Selbstverständnis gehört haben (vgl. auch Joh. 9,40f.)."[13] Auch die Formulierung φῶς τῶν ἐν σκότει gibt durchaus jüdisches Selbstverständnis wieder. „Das Bild taucht so auch im Kontext jüdischer Heidenbekehrung auf."[14] Die Vorstellung des Erziehers von Ungebildeten findet sich z.B. ebenfalls dort.[15] Der Ausdruck μόρφωσις τῆς γνώσεως καὶ τῆς ἀληθείας ἐν τῷ νόμῳ ist eigentümlich. Νόμος meint hier offenbar im engeren Sinne die Tora.[16]

Diese Selbsteinschätzung wird V. 21f mit einer längeren Sequenz von Gegenüberstellungen in ihrer Problematik entlarvt. „Diese Verse werden häufig als Pauschalurteil gegenüber 'den Juden' schlechthin verstanden, sind aber analog zu V. 14-16 als gesetzter Fall zu verstehen, und zwar als das negative Gegenbeispiel."[17] Die Ausführungen sind jedoch insofern verallgemeinerungsfähig, als sie auf die grundsätzliche Problematik des Selbstverhältnisses des Menschen schlechthin hinweisen, der selbst nicht tut, was er als richtig erkannt hat (vgl. Röm 7,14ff). Die Verse 21f (eingeführt mit οὖν) sind jeweils so aufgebaut, dass zunächst im Anschluss an das in V. 19f entwickelte Selbstverständnis eine daraus abgeleitete Forderung an die anderen dargestellt wird und dann aus distanzierter theologischer Perspektive die Diskrepanz zwischen dem eigenen Verhalten und dem Selbstverständnis bzw. dem Anspruch an andere offengelegt wird. „V. 21-24 wendet [...] den Anspruch der Hörer

---

148, Anm. 380) Vgl. auch E. Käsemann: An die Römer; HNT 8a, S. 65: „im Unterschied zu ἀδιάφορα [...] das, worauf es ankommt, das Entscheidende."

[11] Zur verbindenden Funktion dieses τέ mit dem Vorhergehenden vgl. Blass, Debrunner, Rehkopf: Grammatik des neutestamentlichen Griechisch, § 443,2.

[12] So verstehen ihn z.B. K. Barth, Der Römerbrief, Zweite Fassung, S. 51; U. Wilckens: Der Brief an die Römer; EKK VI,1, S. 146.

[13] K. Haacker: Der Brief des Paulus an die Römer; ThHK 6, S. 68.

[14] U. Wilckens: Der Brief an die Römer; EKK VI,1, S. 149: „vgl. Jos As 8,10f und besonders ebd. 6,5, wo Aseneth zu Joseph sagt: νῦν οὖν ὡς ἥλιος ἐκ τοῦ οὐρανοῦ ἥκει πρὸς υμας ... καὶ λάμβει εἰς αὐτὴν (scil οἰκίαν) ὡς φῶς ἐπὶ τῆς γῆς."

[15] So wiederum Wilckens, a.a.O., S. 149, Anm. 383: „Vgl. im selben Kontext Jos As 6,15 das Selbstbekenntnis der Aseneth: „ἐγὼ δὲ ἄφρων εἰμὶ [...] καὶ οὐκ ᾔδειν ὅτι Ἰωσὴφ υἱὸς θεοῦ ἐστίν."

[16] So auch Wilckens, ebd. und E. Käsemann: An die Römer; HNT 8a, S. 66: „νόμος könnte sogar das Gesetzbuch meinen, [...] das in der Diaspora unter dem Aspekt der göttlichen Paideia gelesen wird".

[17] K. Haacker: Der Brief des Paulus an die Römer; ThHK 6,, S. 66f, gegen das Verständnis von Cranfield, Käsemann, Wilckens u.a.

gegen diese selbst."[18] Dabei ist nicht einfach eine distanzierte und polemische Kritik des Juden von außen gemeint, sondern die von Paulus aufgezeigte Diskrepanz zwischen dem Anspruch an andere und dem eigenen Verhalten entspricht durchaus einer auch in der rabbinischen Tradition belegten, jüdischen Selbstkritik.[19] Aufgrund der verschiedenen Anspielungen an das Pharisäertum ist der Gedanke nicht abwegig, dass es sich bei dem hier begonnenen Dialog mit einem Juden implizit auch um eine Auseinandersetzung des Paulus mit seiner eigenen Vergangenheit handeln könnte.

Die in V. 21ff implizit geforderte Übereinstimmung des eigenen Verhaltens mit dem Selbstverständnis und dem Anspruch an andere knüpft einerseits an 2,1 an und weist andererseits auf 13,8-10 voraus. Entscheidend für die Argumentation ist auch in diesem Abschnitt nicht einfach die Übertretung der konkreten Vorschriften des Gesetzes und damit verbunden die Disqualifikation jüdischer Sonderansprüche, sondern das daraus resultierende oder ihm zugrundeliegende problematische Selbstverhältnis des Menschen (in diesem Falle konkret eines Juden), der sich nicht seinen eigenen Vorstellungen, seinem Selbstverständnis und seinem Wissen um das Gute entsprechend verhält.[20] Dazu wird in V. 21 die 2,1 eingeführte Gegenüberstellung ἕτερον – σεαυτόν erneut aufgenommen[21] und der dort aufgezeigte Zusammenhang von Verhältnis zum Anderen und zu sich selbst weiter ausgeführt.

V. 21a nimmt διδάσκαλον νηπίων aus V. 20 wieder auf. Das Selbstverständnis drückt sich zunächst in dem geläufigen Vorgang aus, dass das angesprochene Du einen anderen etwas lehren möchte (ὁ οὖν διδάσκων ἕτερον). Dem wird aus theologischer Perspektive ein selbstreflexiver Gedanke gegenübergestellt, der nach der Konformität des eigenen Verhaltens mit der Erwartung an andere fragt: σεαυτὸν οὐ διδάσκεις; Die Frage ist rhetorisch gemeint und unterstellt bereits, dass diese Konformität nicht besteht.[22]

Die drei anschließenden Gegenüberstellungen in V. 21b und 22a.b arbeiten nach dem gleichen Schema, wobei jeweils wiederum die selbstreflexiv ansetzende, theologische Perspektive durch die rhetorische Frage in der 2. Person zum Ausdruck gebracht wird. Das Verbot von Diebstahl und Ehebruch erscheint in anderer Reihenfolge im Dekalog (Ex 20f; Dtn 5,18f). Etwas unklarer ist V. 22b. „Nach dem Satzgefüge u. dem Zusammenhang kann als Objekt zu ἱεροσυλεῖς nur εἴδωλα ergänzt werden, d.h. mit anderen Worten, der Apostel hat bei ἱεροσυλεῖν nicht an Beraubungen des jüdischen Tempels, sondern an solche heidnischer Gottheiten u. heidnischer

---

[18] W. Schmithals: Der Römerbrief, S. 98.

[19] Vgl. H.L. Strack, P. Billerbeck: Kommentar zum Neuen Testament aus Talmud und Midrasch, Bd. 3, S. 107ff.

[20] Gegen Wright, der diese individualistische Sicht ablehnt: „The charges of 2.22f are not individualistic, because the passage is not simply about the sinfulness of every human being. It is about the impossibility [...] of Israels claiming a ‚favoured nation clause' on the grounds of the Torah-based covenant." (N.T. Wright: The Law in Romans 2, S. 142)

[21] Die Problematik des Selbstverhältnisses wird dann vor allem grundsätzlich in 7,7ff und für die Ethik in 13,8-10 behandelt werden.

[22] Zu den rabbinischen Parallelen dieses Gedankenganges siehe H. L. Strack, P. Billerbeck: Kommentar zum Neuen Testament aus Talmud und Midrasch, Bd. 3, S. 107: „Abba Schaul b. Nannos (ein Tannaaït) sagte: ... Der andere lehrt und sich selbst nicht lehrt. Wie zB? Es lernt ein Mensch ein Lehrstück zwei- oder dreimal, dann lehrt er es andere, darauf beschäftigt er sich nicht weiter damit u. vergißt es; das ist einer, der andre lehrt u. sich selbst nicht lehrt." Vgl. dazu auch C.H. Dodd: The Epistle of Paul to the Romans; MNTC 6, S. 38f.

Kultstätten gedacht."[23] Dieser Gedanke ist nicht abwegig, weil die antiken Tempel auch als Banken fungierten.[24] Die drei genannten Verbote finden sich jedoch nicht nur im Judentum, sondern auch in der paganen Umwelt. „Alle drei Beispiele – Diebstahl, Ehebruch und Tempelraub – werden auch bei Seneca, Ep. Mor. XI 87,23 in einem Atemzug genannt."[25]

Es geht Paulus hier offenbar nicht nur um spezifische Gebote des Judentums, sondern wohl vor allem allgemeiner um selbstgesetzte Verhaltensregeln. Wenn das Kriterium des Einhaltens von Verboten wie Diebstahl, Ehebruch und Tempelraub konkret auf die eigene Person und nicht nur auf den anderen Menschen angewandt wird, zeigt sich – ähnlich wie bereits positiv V. 1ff – daran zugleich negativ die Problematik des Selbstverhältnisses. Der Mensch, in diesem Falle ein Jude, der in theologischer Perspektive (in der Beurteilung durch Gott, vgl. 2,6) die an andere angelegten Maßstäbe auf sich selbst anwendet, muss dabei die Erfahrung machen, dass seine Taten mit seinen konkreten Ansprüchen an andere (und damit auch konsequenterweise an sich selbst) nicht übereinstimmen. V. 21ff wird noch nicht prinzipiell behauptet, dass dies für jeden Juden oder gar für jeden Menschen gelte, die hier angesprochene Divergenz wird jedoch später in Kap. 3,4 und 9 als grundsätzliches Lügnersein und Sündersein aller Menschen und Kap. 7,14ff als grundsätzliche anthropologische Diskrepanz zwischen Wollen und Tun identifiziert.

Das problematische Selbstverhältnis des Juden, das sich V. 21f in konkretem Verhalten äußerte, wird V. 23f in einer weiteren Gegenüberstellung mit Hilfe eines Schriftzitates reflektiert. Paulus folgt dabei wie bereits in 1,17 dem hermeneutischen Schema von Röm 1,2, an dem er sich auch im folgenden häufig orientieren wird. Diesem zufolge wird eine bekannte Stelle aus der Schrift von ihm zitiert (V. 24) und dann gewissermaßen als vorher verkündete Verheißung (ὃ προεπηγγείλατο) unmittelbar auf die von ihm verkündete Botschaft bezogen. Paulus nimmt zunächst in geläufiger Sicht ein Zitat aus Jes 52,5 auf, dass sich deutlich an der Septuagintafassung im Unterschied zum hebräischen Text orientiert.[26] Das Zitat ist durch γάρ mit V. 23 verknüpft. Das Personalpronomen in der Gottesrede des Jesajatextes (μου) wird durch den veränderten Kontext in τοῦ θεοῦ geändert. „Die Voranstellung von τὸ ὄνομα gibt – zusammen mit der ausdrücklichen Setzung von τοῦ θεοῦ – diesem Zitatteil ein besonderes Gewicht. Dies entspricht voll dem paulinischen Kontext."[27] Die Textstelle meint eigentlich in Jes 53 den Beginn einer bevorstehenden Rettung des Gottesvolkes, hier wird es jedoch durch die fast nahtlose Voranstellung von V. 23 im Sinne der Entlarvung der Gesetzesübertretung durch den angesprochenen Juden gebraucht.

V. 23 interpretiert das Schriftzitat aus V. 24 dem besagten hermeneutischen Schema entsprechend in theologischer Perspektive. „In Röm 2,23 steigert Paulus seine Anklage an die Adresse des Ἰουδαῖος (vgl. 2,27) zu der Aussage: διὰ τῆς παραβάσεως τοῦ νόμου τὸν θεὸν (!) ἀτιμάζεις. Hieran fügt er das Zitat von Jes 52,5c unmittelbar an, und zwar so eng, dass er die Einleitungsformel zunächst übergeht (lediglich γάρ ist eingeschoben) und diese ausnahmsweise am Schluß nachträgt."[28] Das bereits in V. 17

---

[23] Strack, Billerbeck, a.a.O., S. 113. Vgl. dazu auch die Übertragung von W. Jens: Der Römerbrief, S. 16: „Dich ekelt vor den Götzen – und Du plünderst ihren Schrein?"

[24] Vgl. K. Haacker: Der Brief des Paulus an die Römer; ThHK 6, S. 70.

[25] Haacker, a.a.O., S. 69.

[26] Δι' ὑμᾶς findet sich nur in der Septuagintafassung.

[27] D.-A. Koch: Die Schrift als Zeuge des Evangeliums, S. 105.

[28] Koch, ebd.

theologisch gefüllte καυχᾶσαι wird erneut aufgenommen und nun mit dem νόμος in Verbindung gebracht. Dieses sich des Gesetzes Rühmen wird jedoch von der oben aufgezeigten, faktischen Übertretung der eigenen Maßstäbe her theologisch entlarvt. Der selbstreflexive Gedankengang wird damit durch V. 23f abschließend in einen theologischen Horizont gestellt. Wer den eigenen Verhaltensmaßstäben durch sein Verhalten widerspricht, gerät damit nicht nur in eine Diskrepanz zu sich selbst, sondern auch zu Gott. Für V. 17-24 ergibt sich damit aufgrund des oben Ausgeführten folgende Struktur:

17+18a: δέ	Εἰ σὺ Ἰουδαῖος ἐπονομάζῃ καὶ ἐπαναπαύῃ νόμῳ	καὶ καυχᾶσαι ἐν θεῷ καὶ γινώσκεις τὸ θέλημα
18b-20: καὶ	πέποιθάς τε σεαυτὸν ὁδηγὸν εἶναι τυφλῶν φῶς τῶν ἐν σκότει παιδευτὴν ἀφρόνων διδάσκαλον νηπίων ἔχοντα τὴν μόρφωσιν τῆς γνώσεως καὶ τῆς ἀληθείας ἐν τῷ νόμῳ (2)	δοκιμάζεις τὰ διαφέροντα κατηχούμενος ἐκ τοῦ νόμου (1)
21: οὖν	ὁ διδάσκων ἕτερον	σεαυτὸν οὐ διδάσκεις;
	ὁ κηρύσσων μὴ κλέπτειν	κλέπτεις;
22:	ὁ λέγων μὴ μοιχεύειν	μοιχεύεις;
	ὁ βδελυσσόμενος τὰ εἴδωλα	ἱεροσυλεῖς;
23+24:	τὸ γὰρ ὄνομα τοῦ θεοῦ δι' ὑμᾶς βλασφημεῖται ἐν τοῖς ἔθνεσιν καθὼς γέγραπται (2)	ὃς ἐν νόμῳ καυχᾶσαι διὰ τῆς παραβάσεως τοῦ νόμου τὸν θεὸν ἀτιμάζεις (1)

Der Teilabschnitt V. 25-29 setzt die persönliche Anrede im Dialogstil fort (ἐὰν πράσσῃς). Formal wird in V. 25 nach wie vor der einzelne Jude aus V. 17 angesprochen, wobei sich erneut die Frage stellt, ob Paulus hier nicht auch seine eigene pharisäische Vergangenheit reflektiert.[29] Mit περιτομή wird dabei einerseits in Fortführung von V. 21f ein weiteres konkretes Gebot behandelt, das aber andererseits als eines der wichtigsten Kriterien für die Selbstdefinition des Judentums gelten kann.[30] 2,25-29 knüpft zwar an die Unterscheidung Ἰουδαῖος – Ἕλλην an, modifiziert bzw. vertieft diese jedoch in ganz bestimmter Weise. Die Unterscheidung Ἰουδαῖος – Ἕλλην wird mit Hilfe einer weiteren variiert, die ebenfalls deutlich binär strukturiert ist und die

---

[29] Auch hier betont N.T. Wright, dass dies nicht individuell gemeint sei: „again the singular is obviously to be read as collective". Wright gesteht jedoch zu, dass in diesem Kollektiv zumindest Paulus in seiner vorchristlichen Existenz mitgedacht werden muß: „The singular ('the Jew') is a rhetorical device, through which Paul adresses all Jews to whom this applies, presumably including his own pre-conversion self." (N.T. Wright: The Law in Romans 2, S. 133)

[30] „Die Beschneidung erscheint im AT von Anfang an als exklusives Zeichen der Zugehörigkeit zu Jahwe und zu Israel." (A. Blaschke: Beschneidung. Zeugnisse der Bibel und verwandter Texte; [TANZ 8] Tübingen 1998, S. 318, unter anderem mit Verweis auf Ex 4,24-26; Jos 5,2f.8f; Gen 34; Hab 2,15-17; Jer 4,1-4; 6,10; 9,24f.) Das gilt umso mehr für die neutestamentliche Zeit und danach: „Wie in atl. Zeit die Katastrophe des Exils zu einem Bedeutungsgewinn der Beschneidung geführt hatte (Gen 17), so auch die drei folgenden Katastrophen: Die antijüdische Gesetzgebung unter Antiochus IV. Epiphanes (vor 167 v. Chr.), die Zerstörung des Jerusalemer Tempels (70 n. Chr.) und das Scheitern des Bar-Kochba-Aufstandes (132-135 n. Chr.). Wo Nation und Religion des Judentums in Gefahr waren, gewann das nationale wie religiöse Gesichtspunkte vereinigende Zeichen der Beschneidung an Wichtigkeit". (Blaschke, a.a.O., S. 320)

deshalb mit Hilfe der oben eingeführten Differenztheorie verstanden werden kann: περιτομή – ἀκροβυστία oder in der Notation Spencer Browns: [31]

περιτομή ⌐ ἀκροβυστία

Die „Beschnittenheit" ist zunächst in geläufiger Sicht synonym mit „Jude", die „Vorhaut" bzw. „Unbeschnittenheit" mit „Grieche". Hier wird deutlich, dass es sich bei der zweiten Seite der Unterscheidung um eine Negativformulierung der ersten handelt. Durch die Unterscheidung wird die Totalität der Menschheit in beschnittene und alle anderen Menschen unterteilt. Allerdings ist auch diese Definition interpretationsbedürftig.[32]

Obwohl die Unterscheidung beschnitten – unbeschnitten herkömmlicher Weise synonym zu Jude – Nichtjude verwendet wird, wird sie von Paulus vom Kriterium der Einhaltung des Gesetzes her modifiziert.[33] Der Gesetzesbegriff wurde aber selbstreflexiv definiert (vgl. V. 14). In Fortführung der Gedanken von V. 21f bedeutet dies, dass die Übertretung des Gesetzes sich nicht nur gegen Gott richtet (V. 23f), sondern vor allem auch gegen die selbstgesetzten Verhaltensmaßstäbe. Der Ausdruck παραβάτης νόμου nimmt dabei παραβάσεως νόμου aus V. 23 auf und führt den dortigen Gedanken weiter. „Daß die Beschneidung nur als Zeichen und Beginn eines Lebens nach der Torah von Bedeutung ist, entspricht jüdischer Tradition; vgl. Joseph. Ant. 13, 257 [...] Die These von V. 25b, dass Gesetzesübertretung die Beschneidung praktisch aufhebt, ist jedoch ungewöhnlich rigoros."[34] Verständlich wird diese Rigorosität von der vorhergehenden selbstreflexiven Argumentation her: Wer aus dem Vollzug der Beschneidung sein Selbstverständnis ableitet und sich damit verpflichtet, die Tora zu halten (εἰ δὲ σὺ Ἰουδαῖος ἐπονομάζῃ καὶ ἐπαναπαύῃ νόμῳ), diese dann doch nicht vollständig beachtet, widerspricht damit sich selbst. Die Gesetzesübertretung läuft also nicht nur auf Ungehorsam gegenüber Gott hinaus, sondern letztlich auf eine innere Diskrepanz, die Röm in 7,7-25a eingehend analysiert werden wird.

Der Beschneidungsbegriff wird V. 25 und auch in den folgenden Versen also offenbar – wie auch der Gesetzesbegriff insgesamt im Röm (vgl. oben die Ausführungen zu V. 12) – in doppelter Weise gebraucht. Er wird zunächst in V. 25a in geläufiger menschlicher Sicht auf das konkrete Toragebot, also das physische Abschneiden der Vorhaut bezogen (περιτομή μὲν ὠφελεῖ ἐὰν νόμον πράσσῃς). Dieser Sicht wird jedoch V. 25b, durch adversatives δέ miteinander verbunden, ein zweites Verständnis von Beschneidung gegenübergestellt, das sich auf die Einhaltung des gesamten Gesetzes und damit zusammenhängend selbstreflexiv auf die Übereinstimmung des eigenen Verhaltens mit den an sich selbst und andere angelegten

---

[31] Zu dieser Unterscheidungslogik vgl. G. Spencer Brown: The Laws of Form, 2. Aufl. New York 1979. Siehe auch die Erläuterungen oben zu Röm 1,14f.

[32] Gemeint sind mit περιτομή zweifellos nicht nur die beschnittenen Männer, sondern auch sämtliche nach den entsprechenden Bestimmungen als jüdisch geltenden Frauen. Andere Formen der Beschneidung, z.B. als üblicher Brauch bei den Israel benachbarten Völkern oder aus medizinischen Gründen, fallen sicherlich nicht unter diesen Begriff, sondern allein die nach Gen 17 durchgeführte jüdische Beschneidung. Vgl. zur damaligen Beschneidungspraxis sehr umfassend A. Blaschke: Beschneidung; TANZ 8.

[33] Erst in Röm 13,8-10 wird deutlich, dass das Gesetz für Paulus nur vom Liebesgebot her eingehalten werden kann. Dieses setzt aber eine Entsprechung von Selbstverhältnis und Verhältnis zum anderen voraus. Siehe dazu unten die Ausführungen zu dieser Stelle.

[34] K. Haacker: Der Brief des Paulus an die Römer; ThHK 6, S. 72.

Verhaltensmaßstäben bezieht (V. 25b: ἐὰν δὲ παραβάτης νόμου ᾖς ἡ περιτομή σου ἀκροβυστία γέγονεν). Wer die Tora als Beschnittener übertritt und damit den selbstgesetzten Verhaltensmaßstäben widerspricht, nimmt aus theologischer Sicht gewissermaßen selbst seine Beschneidung zurück und macht sich selbst zum „Unbeschnittenen". Analog zu περιτομή wird also auch ἀκροβυστία doppelt verstanden: in geläufiger Sicht in Bezug auf das Beschneidungsgebotes gemäß Gen 17 (V. 26a) und in theologischer Perspektive im Hinblick auf die Übereinstimmung des eigenen Handelns mit dem Selbstverständnis und der Erwartung an andere.

V. 26 betrachtet, angeschlossen mit οὖν, unter der Voraussetzung dieses doppelten Verständnisses von Beschneidung und Unbeschnittenheit nun den Fall, dass im Sinne von Gen 17 Unbeschnittene die wesentlichen Bestimmungen des Gesetzes einhalten (ἐὰν ἡ ἀκροβυστία τὰ δικαιώματα τοῦ νόμου φυλάσσῃ). Unter Voraussetzung des theologischen Beschneidungsverständnisses im Sinne der Konformität des Verhaltens mit den an sich selbst und andere angelegten Verhaltensmaßstäben (V. 25b) erweisen sich also diejenigen, die die wesentlichen Bestimmungen der Tora in sich selbst vorfinden und sich dementsprechend verhalten (vgl. V. 14f), gemäß der in V. 26b vorgetragenen theologischen Sichtweise als „Beschnittene". Das λογισθήσεται ist dabei als passivum divinum zu verstehen und unterstreicht die theologische Perspektive im Unterschied zur geläufigen menschlichen Sicht. Die Frage ist erneut, wie bereits in V. 21f, rhetorisch gemeint und unterstreicht die Bedeutung des Gesagten.

V. 27 radikalisiert die V. 25f vorgetragenen Gedanken, angeschlossen mit καί, nochmals. Es geht dabei nicht einfach nur um den geläufigen Gedanken eines zusätzlichen, geistlichen Verständnisses, das die körperliche Beschneidung erst in ihrem eigentlichen Sinne erfasst, sondern durch die von Paulus vorgeschlagene Interpretation wird die physische Beschneidung (ἡ ἐκ φύσεως περιτομή, V. 27a) in theologischer Sicht überflüssig.[35] Zwar gibt es auch im Judentum die Möglichkeit, dass der Vollzug der Beschneidung bei einer gewährleisteten Beachtung der Tora auch unterbleiben kann, aber dabei wird die prinzipielle Bedeutung der körperlichen Beschneidung nicht in Frage gestellt.[36] Paulus geht es jedoch ausschließlich um eine theologische Beurteilung und nicht um das Physische. „In den Vv. 26f geht Paulus noch eine Schritt weiter: Nicht nur wird der (physisch) Beschnittene zum (übertragen) Unbeschnittenen, sondern auch umgekehrt der (physisch) Unbeschnittene zum (übertragen) Beschnittenen, wenn dieser ‚das Gesetz erfüllt' (vgl. 2,14). Das geht bis dahin, dass der Unbeschnittene – unter Umkehrung der traditionellen jüdischen Vorstellung – im Endgericht den Beschnittenen ‚richten' (κρίνειν) wird (vgl. 2,1)."[37]

---

[35] Zur an zahlreichen alttestamentlichen Stellen belegten Spiritualisierung der Beschneidungsterminologie meint A. Blaschke: „Die Spiritualisierung läßt also auf die Wertschätzung des (richtig verstandenen) Ritus der Beschneidung schließen, und nicht etwa auf seinen Unwert. Deshalb ist im AT auch nie die Rede von einer Abschaffung der realen Beschneidung zugunsten der übertragenen des Herzens." (Blaschke: Beschneidung, S. 53)

[36] „Auch eine flexiblere jüdische Missionsstrategie konnte auf die Beschneidung von Nichtjuden verzichten, wenn die Verehrung des einen wahren Gottes und ein Streben nach jüdischer Lebensweise gegeben waren; vgl. Joseph., Ant. 20,41: Izates von Adiabene erhält den Bescheid, ‚er könne auch ohne die Beschneidung die Gottheit verehren, wenn er wirklich entschlossen sei, der jüdischen Tradition nachzueifern; das sei entscheidender (κυριώτερον) als das Beschnittenwerden.'" (K. Haacker: Der Brief des Paulus an die Römer; ThHK 6, S. 72)

[37] A. Blaschke: Beschneidung, S. 411 mit Verweis auf die jüdische Vorstellung z.B. in Dan 7, LXX; äthHen 90,9; Weisheit 3,7f. Vgl. auch Lk 11,31f par. und 22,30. Bei Paulus findet sich noch I Kor 6,2 die These, dass die Heiligen den Kosmos (die Menschheit?) richten werden.

Durch die vorherigen Ausführungen werden in V. 28f, angeschlossen mit γάρ, mehrere weitere Gegenüberstellungen strukturiert. In ihnen wird unterschieden zwischen sichtbarem und verborgenem Juden (ὁ ἐν τῷ φανερῷ Ἰουδαῖος – ὁ ἐν τῷ κρυπτῷ Ἰουδαῖος),[38] zwischen einer Beschneidung im Fleisch und im Geist (ἐν σαρκὶ περιτομή – περιτομὴ ἐν πνεύματι)[39] sowie zwischen Lob durch Menschen und durch Gott (ἐξ ἀνθρώπων – ἐκ τοῦ θεοῦ).[40] Alle diese Unterscheidungen sind antithetisch formuliert und schließen sich gegenseitig aus (mit ἀλλά verknüpft). Die Formulierung ἐν πνεύματι οὐ γράμματι fügt sich hier nicht ein: sie ist mit οὐ verbunden und es fehlt das ἐν. Sie stellt deshalb, entgegen anderen Stellen bei Paulus,[41] keine eigene Gegenüberstellung dar, sondern οὐ γράμματι erläutert ἐν πνεύματι. Damit zeigt sich, dass als letzte Glieder in den parallel gebauten Gegenüberstellungen in V. 28f das zweite ἐν τῷ φανερῷ und καρδίας einander entsprechen. Demgegenüber ist ἐν σαρκί nicht Gegensatz zu καρδίας, sondern zu ἐν πνεύματι.[42]

Paulus nimmt dabei mit περιτομὴ καρδίας eine im AT geläufige Vorstellung auf,[43] nach der die Beschneidungsterminologie nicht nur auf die Vorhaut bezogen werden kann, sondern auch übertragen auf andere Körperteile. "Die gesamte Beschneidungsterminologie wird im AT auch im übertragenen Sinne verwendet [...] Läßt man den Sonderfall Lev 19,23 [...] einmal unberücksichtigt, werden diese übertragen gebrauchten Worte immer mit Termini für Teile des menschlichen Körpers kombiniert, die – concretum pro abstracto – für bestimmte geistige Fähigkeiten des Menschen stehen: Das Ohr steht für das Hören, die Lippen für das Reden und das Herz für das Wollen, Fühlen und Denken, also den Wesenskern des Menschen."[44]

Durch die Gegenüberstellung von καρδίας zu ἐν τῷ φανερῷ wird deutlich, dass es Paulus zunächst um eine Innen-Außen-Differenz geht. Der Ausdruck der „Beschneidung des Herzens" hat bei Paulus jedoch nicht einfach nur die Funktion einer Verinnerlichung, sondern es soll dadurch erneut das Selbstreflexive des Gedankensganges unterstrichen werden. Es geht damit auch um eine Individualisierung der Argumentation. Die „Beschneidung" wird nicht mehr durch die – wie auch immer näher zu verstehende – Zugehörigkeit zu einer sozialen Gruppierung der Juden definiert, sondern durch das Selbstverhältnis des Menschen, welches durch den Begriff des

---

[38] Der Gegensatz sichtbar – verborgen findet sich bei Paulus noch I Kor 4,5. „Wie in Röm 2,28f geht es auch hier um den Maßstab für das Lob Gottes im Endgericht, und wie dort ist es das ‚Verborgene' (vgl. Röm 2,16), im Herzen befindliche, was zählt." (Blaschke, a.a.O., S. 412)

[39] Damit ist eine für Paulus zentrale Unterscheidung vorausgesetzt, die vor allem in Röm 8 behandelt werden wird.

[40] Durch diese den kleinen Abschnitt abschließende Gegenüberstellung wird die dem gesamten Brief zugrundeliegende Gegenüberstellung einer menschlichen und theologischen Perspektive formuliert.

[41] Das Begriffspaar Fleisch – Geist verwendet Paulus noch Röm 7,6 und II Kor 3,6. An der letztgenannten Stelle geht V. 7ff ebenfalls um ein Verständnis des Gesetzes, das gegenüber dem wörtlichen Sinn den eigentlichen, geistigen beachtet und sich damit für den „neuen Bund" (καινὴ διαθήκη) öffnet. Vgl. dazu D. Starnitzke: Der Dienst des Paulus. Zur Interpretation von Ex 34 in II Kor 3; in: WuD 25 (1999), S. 193-207.

[42] Anders Blaschke, der als ἐν σαρκί und καρδίας sowie (ἐν) γράμματι und ἐν πνεύματι einander gegenüberstellt. Vgl. dazu auch die Tabelle bei A. Blaschke: Beschneidung, S. 412. Ebenso auch K. Haacker: Der Brief des Paulus an die Römer; ThHK 6, S. 73, der als Gegensatzpaare nennt: „‚sichtbar – verborgen', ,Beschneidung am Fleisch – Beschneidung des Herzens' und ,Geist – Buchstabe'".

[43] Vgl. z.B. Dtn 10,16; 30,6 u.ö. Die Kombination von Beschneidung des Herzens und des Fleisches findet sich in der LXX explizit nur Ez 44,7.9 sowie Jer 9,25. Vgl. auch Blaschke, a.a.O., S. 413.

[44] Blaschke, a.a.O., S. 50. Zur alttestamentlichen Vorstellung der Beschneidung und Unbeschnittenheit des Herzens vgl. z.B. Jer 9,25f LLX; Ez 44,7+9.

Herzens zum Ausdruck gebracht wird. Bewusst wird deshalb V. 28f erneut der Singular verwendet. Mit dem Begriff des Herzens wird der in V. 15 eingeführte Gedanke wieder aufgenommen, dass es eine Reflexionsinstanz innerhalb des Menschen gibt, die ihn in die Lage versetzt, seine eigenen Taten zu beurteilen und sich deshalb im Sinne des Gesetzes zu verhalten. Nur die Beschneidung des Herzens ist im eigentlichen Sinne Beschneidung. Alle anderen Beschnittenen sind unbeschnitten, wenn sie dem in V. 14f und 21f von Juden wie Nichtjuden eingesehenen Kriterium des guten, dem νόμος gemäßen Verhaltens nicht folgen.

Diese Verinnerlichung und Individualisierung des Beschneidungsverständnisses ist letztlich theologisch begründet. Die genannten Unterscheidungen geben allesamt auf der ersten Seite eine menschliche und auf der zweiten eine übertragene, theologische Sicht wieder. Sie zielen aber auf die abschließende Gegenüberstellung einer menschlichen Anerkennung (ἔπαινος) und einer Anerkennung durch Gott hin. Am Ende des Kapitels wird somit die Differenz zwischen menschlicher und theologischer Sichtweise explizit benannt (οὐκ ἐξ ἀνθρώπων ἀλλ' ἐκ τοῦ θεοῦ). Entsprechend ist der Begriff Ἰουδαῖος im eigentlichen, „verborgenen" Sinne für Paulus nicht mehr durch die Zugehörigkeit zum Judentum und durch die Anerkennung des Judeseins durch andere Menschen bestimmt. Die Formulierung meint vielmehr eine Haltung, die gerade auf solche äußeren Zugehörigkeiten und Identifikationsmöglichkeiten verzichtet und die eigene Identität nicht als dem Judentum Zugehöriger vom Zuspruch durch andere Menschen abhängig macht, sondern sie sich als einzelner Mensch, als Individuum, von Gott schenken lässt. Nicht zufällig wird hier abschließend der Singular gewählt. Es ist der einzelne Mensch, der sich in dieser Weise im Verborgenen als Jude erweisen muss. Kollektive Klassifikationen nach Volks- oder Religionszugehörigkeit sind dadurch ausgeschlossen.[45]

Diese Neudefinition der Identität ist nicht mehr durch das äußere Kriterium (der Erfüllung) des Buchstabens des Gesetzes bestimmt (οὐ γράμματι), sondern durch das innere des individuellen Erfüllens des Gesetzes „im Geiste", d.h. durch ein Verhalten, das den eigenen, im Herzen vorfindbaren Verhaltensmaßstäben entspricht und deshalb mit sich selbst im Einklang ist. Die Gegenüberstellung von Geist und Fleisch (ἐν σαρκί – ἐν πνεύματι) verweist auf die Argumentation in Röm 7 und 8. Dort wird ausführlich analysiert werden, was schon in Röm 2,1ff deutlich wurde: Eine Orientierung an der σάρξ kann nur in der Verzweiflung enden, weil sie zu der Erkenntnis führt, dass das Ich mit seinem Tun nicht seinem Wollen entsprechen kann. Den Ausweg aus dieser mit sich selbst nicht identischen Existenz bietet das Leben „im Geist" bzw. „in Christus", wie es in Röm 8 ausgeführt wird und hier mit der Formulierung περιτομὴ καρδίας ἐν πνεύματι bereits kurz formuliert wird. Es geht Paulus deshalb letztlich um eine Existenz des einzelnen „im Geist", die jede Orientierung an äußeren Zugehörigkeiten relativiert und neu definiert. Zu betonen ist dabei allerdings, dass diese Neudefinition der Existenz des Menschen die Begriffe der (wahren) Beschneidung und des (wahren) Juden[46] nicht grundsätzlich aufgibt, sondern diese explizit verwendet und zugleich theologisch bzw. pneumatologisch grundlegend modifiziert. Paulus argumentiert damit hier wie auch sonst häufig im Röm, indem er jüdische Tradition einerseits aufnimmt und andererseits

---

[45] Gegen N.T. Wright: The Law in Romans 2, a.a.O., S. 132ff.
[46] So übersetzt auch W. Jens in V. 28f „der wahre Jude" und „die wahre Beschneidung". (Vgl. W. Jens: Der Römerbrief, S. 17)

markant verändert. [47] Gemäß den ausgeführten Überlegungen ist damit der zweite Teilabschnitt Röm 2,25-29 folgendermaßen strukturiert:

25: γάρ	περιτομὴ μὲν ὠφελεῖ ἐὰν νόμον πράσσῃς	ἐὰν δὲ παραβάτης νόμου ᾖς ἡ περιτομή σου ἀκροβυστία γέγονεν
26: οὖν	ἐὰν ἡ ἀκροβυστία τὰ δικαιώματα τοῦ νόμου φυλάσσῃ	οὐχ ἡ ἀκροβυστία αὐτοῦ εἰς περιτομὴν λογισθήσεται;
27: καί	κρινεῖ ἡ ἐκ φύσεως ἀκροβυστία τὸν νόμον τελοῦσα	σὲ τὸν διὰ γράμματος καὶ περιτομῆς παραβάτην νόμου
28+29: γάρ	οὐ ὁ ἐν τῷ φανερῷ Ἰουδαῖός ἐστιν οὐδὲ ἡ ἐν τῷ φανερῷ ἐν σαρκὶ περιτομή	ἀλλ᾽ ὁ ἐν τῷ κρυπτῷ Ἰουδαῖος καὶ περιτομὴ καρδίας ἐν πνεύματι οὐ γράμματι
οὗ	ὁ ἔπαινος οὐκ ἐξ ἀνθρώπων	ἀλλ᾽ ἐκ τοῦ θεοῦ

Nachdem in 1,16 die Unterscheidung Jude – Nichtjude erstmals thematisiert wurde und in 2,1ff; 2,12ff sowie 2,17ff durch die Grundgedanken der Selbstreflexivität, der Verinnerlichung und der Übereinstimmung von Selbstverständnis und Verhalten (gegenüber anderen) modifiziert und in gewisser Weise aufgehoben wurde, fasst Paulus in 3,1-4 mit schlussfolgerndem οὖν die bisherige Argumentation zusammen.[48] Zumeist werden V. 1-4 im Zusammenhang mit V. 5-8 interpretiert,[49] wobei sich das Problem ergibt, dass V. 1-4 sich offensichtlich auf das Vorhergehende beziehen, während V. 5-8 auf V. 9ff Bezug nehmen und diese einleiten.[50] V. 5 wird deshalb im folgenden als Beginn eines neuen Zusammenhanges aufgefasst.

Am Ende des Abschnittes 2,17-3,4 wird ein Einwand mit zwei parallel gebauten Fragen in V. 1 und 3 formuliert, die jeweils in V. 2 und 4 beantwortet werden. Das Wechselspiel von Frage und Antwort in den Gegenüberstellungen V. 1f und 3f hat nicht nur rhetorische Funktion und entspricht auch nicht einfach „sokratischer Gesprächsführung"[51] oder dem Stil der Diatribe,[52] sondern in der Frage wird jeweils,

---

[47] In dieser positiven Aufnahme der jüdischen Begrifflichkeit, die für den Röm konstitutiv ist, ergibt sich ein Unterschied zum Gal. Dort wird z.B. in Gal 6,15 (οὔτε γὰρ περιτομή τί ἐστιν οὔτε ἀκροβυστία ἀλλα καινὴ κτίσις) deutlich: „Die Unterscheidung zwischen περιτομή und ἀκροβυστία gehört zur Ordnung des κόσμος bzw. zur alten Zeit des Gesetzes." (F. Vouga: An die Galater; HNT 10, S. 157)

[48] So auch ansatzweise K. Barth. Er behandelt zwar V. 1-4 und 5-8 innerhalb des größeren Abschnittes „3. Kapitel: Gottesgerechtigkeit; 3,1-20 Gottes Gesetz", aber er erkennt dabei die entscheidende Bedeutung von V. 4 und interpretiert V. 1-4 und 5-8 deshalb getrennt. (K. Barth: Der Römerbrief, Zweite Fassung 1922, S. 56ff)

[49] So meint z.B. U. Wilckens: „Die Zweiteilung (VV 1-4.5-8) ist zwar deutlich; doch ist VV 1-4 im Sinne des Gegners nur die Prämisse für den eigentlichen Angriff VV 5-8, während für Paulus V 4 die Basis ist, von der aus allein er den Angriff abwehren kann." (U. Wilckens: Der Brief an die Römer; EKK VI, S. 163)

[50] Diese Schwierigkeit erkennt auch E. Käsemann: An die Römer; HNT 8a, S. 73. Obwohl er ebenfalls V. 1-8 zusammen behandelt und „wie ein Atemholen vor dem Abschluß" auffasst, sieht er doch auch eine gewisse Zäsur nach V. 4. Paulus gebe "zwei gegnerischen Einwänden Raum. Der erste fragt, ob nach 2,12-29 der heilsgeschichtliche Vorrang der Juden völlig aufgehoben ist [...] Der zweite Einwand wendet sich gegen die paulinische Rechtfertigungslehre." Diese wird aber erst im folgenden entfaltet.

[51] So S. K. Stowers: Paul's Dialogue with a Fellow Jew in Romans 3:1-9; in: CBQ 46 (1984), S. 707-722, siehe dazu auch unten zu V. 5ff.

[52] R. Bultmann meint zu den Parallelen mit der von ihm allerdings etwas pauschal dargestellten Diatribe: „Auch Paulus benutzt für den Fortgang seiner Rede das Mittel des Einwands in direkter Rede und seine Zurückweisung [...] Meist aber wird der Einwand ohne Formel eingeführt, einfach als

dem in der Einführung erläuterten Schema entsprechend, eine menschliche Sicht hypothetisch vorgestellt, die in der Antwort aus theologischer Perspektive entschieden abgelehnt wird.[53]

V. 1 nimmt, verbunden durch οὖν, mit den beiden die Juden charakterisierenden Begriffen Ἰουδαῖος und περιτομή die zentralen Gedanken der vorherigen Argumentation wieder auf. Ἰουδαῖος bezieht sich dabei auf 2,17-24 und περιτομή auf 2,25-29.[54] Es findet sich keine einleitende Formulierung in der 1. Person oder eine explizite Anrede in der 2. Person, weshalb der Abschnitt zum Vorhergehenden zu ziehen ist. Aufgrund des dort Gesagten liegt aus menschlicher Sicht der V. 1 formulierte Einwand nahe, worin denn nun der Vorzug (τὸ περισσόν) und Vorteil (ἡ ὠφέλεια) des Juden liege, wenn die Berufung auf das Gesetz (V. 17ff) und der Vollzug der Beschneidung (V. 25ff) an sich diese nicht begründen können. Bemerkenswert ist hier erneut der Singular Ἰουδαῖος. Es geht Paulus in Fortführung des Vorhergehenden nicht um eine Verhältnisbestimmung von Kollektiven wie Juden und Nichtjuden, sondern um den einzelnen Menschen.

Die in der doppelten Frage implizit zum Ausdruck gebrachte These von einem gewissen Vorzug des Juden, wird in der Antwort in V. 2 aus theologischer Perspektive zunächst bestätigt (πολὺ κατὰ πάντα τρόπον). Die Besonderheit des Juden wird dann jedoch (angeschlossen mit μὲν γάρ)[55] nicht mehr, wie in geläufiger Sicht, durch die Kenntnis des Gesetzes und den Vollzug der Beschneidung begründet, sondern durch das Anvertrautsein der λόγια τοῦ θεοῦ, also durch ein Geschenk Gottes. Der Ausdruck ist wie „in LXX, bei Philon und Apg 7,38 eine pauschale Bezeichnung der Offenbarungsworte in der Schrift."[56] Das πρῶτον wird hier nicht weiter fortgesetzt (vgl. aber Röm 9,4f).[57] Durch diesen Hinweis verdeutlicht Paulus erneut, dass die Bestimmungen der Tora wie die Beschneidung (V. 25ff) oder das Verbot des Diebstahls oder des Ehebruches (V. 21f) sinnvoll sind, wenn sie in ihrem tieferen Sinne verstanden (vgl. Röm 13,8-10) und dann tatsächlich auch eingehalten werden. Das Verb ἐπιστεύθησαν und führt ein Wortfeld ein, das V. 2f viermal erscheint. Es meint zum einen Gottes Treue (ἡ πίστις τοῦ θεοῦ), zum anderen den Unglauben der Menschen, die sich auf die Treue Gottes nicht verlassen (ἠπίστησαν, ἡ ἀπιστία αὐτῶν). Πίστις ist bei Paulus terminus technicus für „Glauben" (vgl. bereits Röm 1,5.8.12.17, dreimal) und bedeutet hier die entsprechende Eigenschaft Gottes, auf die sich der menschliche Glaube beziehen kann. Entsprechend meint πιστεύω fast immer „glauben" im theologischen Sinne (eine der wenigen Ausnahmen: Röm 14,2). Die hier genannten

---

Zwischenfrage". (R. Bultmann: Der Stil der paulinischen Predigt und die kynisch-stoische Diatribe, S. 66f, mit Verweis auf Röm 3,1 und 3)

[53] Eine ähnliche Struktur findet sich dann auch Röm 3,5-9. Vgl. dazu auch G. Bornkamm: Theologie als Teufelskunst; in: ders.: Geschichte und Glaube II, S. 140-148.

[54] Vgl. K. Haacker: Der Brief des Paulus an die Römer; ThHK 6, S. 76.

[55] Diese Lesart ist durch אAD[2] u.a. gut bezeugt. Das γάρ fungiert dabei als Begründung für den vorhergehenden Satz. Das μέν scheint zunächst ohne Beziehung zu sein, es findet aber in δέ V. 4 seine Entsprechung. Vgl. zur Verwendung des μέν grundsätzlich Blass, Debrunner, Rehkopf: Grammatik des neutestamentlichen Griechisch, § 447,2.

[56] U. Wilckens: Der Brief an die Römer; EKK VI,1, S. 164. Gegen Sanday und Headlam, die den Ausdruck eingeschränkt verstehen: „as most unmistakably Divine; the Law as given from Sinai and the promise relating to the Messiah." (W. Sanday, A. C. Headlam: The Epistle to the Romans; ICC, S. 70)

[57] K. Haacker: Der Brief des Paulus an die Römer; ThHK 6, S. 76.

Worte meinen einfach das Gegenteil dieser Glaubenshaltung[58] und nicht die „Untreue" der Menschen im Gegensatz zur „Treue Gottes".[59]

Die Formulierung εἰ ἠπίστησάν τινες schafft, verbunden durch τί γάρ, den Übergang zur zweiten Formulierung des Einwandes in V. 3. Der Satz enthält nur scheinbar einen theologischen Gedanken,[60] setzt aber in Wahrheit eine ausgesprochen menschliche Sicht voraus, nach der durch den Unglauben gewisser Juden Gott zur Untreue veranlasst wird. Wenn Paulus dabei τινές formuliert, meint er dabei nicht lediglich eine kleine Zahl von Leuten. Paulus „liebt es, von seinen Gegnern selbst bei einer Überzahl unbestimmt als τινές zu sprechen."[61] V. 3 gibt also durch die genannten Antithesen eine menschliche Ansicht wieder, die darin besteht, dass das mangelnde Vertrauen des einen die Treue des anderen gefährdet. Dieser Sicht wird aus theologischer Perspektive mit V. 4a entschieden widersprochen (μὴ γένοιτο).

V. 4b und c erläutern mit einer abschließenden Gegenüberstellung die in V. 4a kategorisch formulierte These. Das Arrangement der Verse orientiert sich wie bereits in 1,17 und 2,23f an dem bereits in Röm 1,2 entfalteten hermeneutischen Schema, nach dem bestimmte Schriftstellen als vorherige Verheißung des von Paulus gepredigten Evangeliums aufgefasst werden können. Paulus bezieht sich deshalb in geläufiger Sicht V. 4c auf eine Psalmstelle, die er in V. 4b in theologischer Perspektive im Hinblick auf seine eigene Botschaft interpretiert. Paulus gibt in V. 4c mit ausführlicher Zitationsformel Ps 50,6 (LXX) wieder. In diesem Psalm geht es nicht um einen Rechtsstreit des Menschen mit Gott, in dem sich Gott als gerecht erweisen müsste.[62] Die zentrale Aussage liegt auch nicht auf dem eschatologischen Gericht Gottes mit den Menschen und der ganzen Welt.[63] Vorausgesetzt ist vielmehr die kritische Selbsterkenntnis Davids, der, nachdem ihm Nathan die Zurechtweisung Gottes für sein Verhalten gegenüber Bathseba mitgeteilt hat,[64] seine Sünde einsieht (V. 6a: σοὶ μόνῳ ἥμαρθον καὶ τὸ πονηρὸν ἐνώπιόν σου ἐποίησα) und zugibt, dass Gott mit seinen

---

[58] So z.B. W. Sanday, A. C. Headlam: The Epistle to the Romans; ICC (1902), S. 71 und C.E.B. Cranfield: The Epistle to the Romans; ICC (1990), vol. 1, S. 180, die beide „unbelief" übersetzen: „,unbelief' is the constant sense of the word (ἀπιστέω occurs seven times, in which the only apparent exception to this sense is 2 Tim. ii. 13, and ἀπιστία eleven times, with no clear exception)". (Sanday, Headlam, ebd.) Außerdem finde sich in Röm 11,20 explizit nochmals die Antithese πίστις – ἀπιστία im Sinne von Glauben und Unglauben.

[59] Dagegen K. Haacker: „Mindestens für das Substantiv ἀπιστία ist wegen der Gegenüberstellung zur πίστις τοῦ θεοῦ (was nur die Treue Gottes meinen kann) die Bedeutung 'Untreue' so gut wie sicher." (K. Haacker: Der Brief des Paulus an die Römer; ThHK 6, S. 77) Ähnlich formuliert schon K. Barth das für ihn zentrale Anliegen dieser Verse: "in der menschlichen Untreue die Treue Gottes". (K. Barth: Der Römerbrief; Zweite Fassung, a.a.O., S. 60.)

[60] Zu dieser Argumentationsstrategie vgl. G. Bornkamm: Theologie als Teufelskunst; in: ders.: Geschichte und Glaube II, S. 140-148.

[61] E. Käsemann: An die Römer; HNT 8a, S. 75.

[62] Gegen U. Wilckens: „Der Parallelismus membrorum des Zitats aus ψ 50,6 zeigt, das δικαιωθῇς im formgeschichtlichen Sinn als Erweis der Gerechtigkeit und also als Prozeßsieg Gottes gegen seine menschlichen Ankläger gemeint ist". (U. Wilckens: Der Brief an die Römer; EKK VI,1, S. 165)

[63] Gegen E. Käsemann, der meint: „Das Schuldbekenntnis des Psalmisten, der Gottes Strafgericht anerkennt, wird erneut, wie es erst der Wortlaut der Septuaginta erlaubte, eschatologisch interpretiert. So ist der [...] ursprüngliche Konjunktiv der LXX durch das Futur νικήσεις und der mediale Sinn von ἐν τῷ κρίνεσθαι durch den passivischen ersetzt, wie aus der Situation des Prozesses und der Parallele in 7 hervorgeht". (E. Käsemann: An die Römer; HNT 8a, S. 76)

[64] Ps. 50,1f (LXX) heißt es: ψαλμὸς τῷ Δαυιδ ἐν τῷ ἐλθεῖν πρὸς αὐτὸν Ναθαν τὸν προφήτην, ἡνίκα εἰσῆλθεν πρὸς Βηρσαβεε.

Worten recht gehabt hat und in seinem Gericht „siegreich" war (ὅπως ἂν δικαιωθῇς ἐν τοῖς λόγοις σου καὶ νικήσῃς ἐν τῷ κρίνεσθαί σε, V. 6b).

Sprach 1,18ff noch unbestimmt von der „Gottlosigkeit und Ungerechtigkeit von Menschen" (V. 18) und ihrer Unentschuldbarkeit (V. 20) und wurde Kap. 2,13 noch die potentielle Chance eines – in juridischer Metaphorik - „Freispruches im göttlichen Gericht" durch das Erfüllen des Gesetzes, also durch eigene Taten, eingeräumt und 3,3 lediglich vom Unglauben einiger Menschen gesprochen, so ist von V. 4 an klar, dass jeder Mensch, wenn er sich aufrichtig selbst betrachtet, wie David ein Lügner und Sünder (V. 9,20,23 u.ö.) ist. Die 2,7.10.13 durchgespielte Szenerie, nach der bestimmte Menschen von sich aus aufgrund ihrer guten Taten reiche Belohnung und sogar ewiges Leben von Gott bekommen könnten, erweist sich also insofern als Fiktion. Denn sie können in ihrem Handeln dem von ihnen als gut Erkannten jedenfalls nicht völlig entsprechen. Diese Schwierigkeit wird in Röm 7,7-25a als grundsätzliche anthropologische Selbstgespaltenheit des Ich in Wollen und Tun identifiziert werden. Die Argumentation zielt hier in 3,4 aber nicht einfach auf eine pauschale Disqualifikation aller Menschen als Sünder, sondern auf den einzelnen Menschen, von dem festgestellt wird und der vor allem von sich selbst feststellen muss, dass er den von ihm als gut eingesehenen und an andere angelegten Verhaltensmaßstäben selbst nicht genügen kann. Paulus ändert im Zitat das zweite Verb zu νικήσεις,[65] um die Verbindung zu der vorhergehenden Argumentation und der futurischen Formulierung καταργήσει herzustellen. Das Zitat wurde in der alternativen Lesart von B,G,L,Ψ u.a. wieder an den LXX-Text angeglichen.

V. 4b interpretiert Paulus dieses Psalmzitat in theologischer Perspektive nochmals deutlich vom Gedanken der Selbsterkenntnis her. Durch das erste δέ wird die Aussage von V. 4b zunächst mit dem μέν in V. 2 in Verbindung gebracht: Gott hat den Menschen zwar seine Worte anvertraut, aber obwohl damit seine Wahrhaftigkeit deutlich ist, erweisen sie sich als Lügner. Die Formulierung πᾶς ἄνθρωπος ψεύστης übernimmt Paulus, allerdings ohne Zitationsformel, aus Ps 115,2 (LXX).[66] Vorausgesetzt ist dort ebenfalls eine Situation, in der der Mensch zur Erkenntnis seiner selbst gelangt. Die Verbindung des Psalmes mit Röm 3,2f ergibt sich dadurch, dass in Ps 115,1 (LXX) bereits das Verb πιστεύω erscheint, das in Röm 3,2f thematisiert worden war. K. Barth hat die Bedeutung dieses Psalms und der dort zum Ausdruck gebrachten Selbsterkenntnis des Menschen für die Argumentation des Paulus deutlich hervorgehoben. „‚Ich glaubte, darum redete ich, ich wurde aber tief erniedrigt', bekennt er [...] und fährt fort: ‚Ich sprach in meinem Entsetzen (in meiner Ekstase, LXX): Jeder Mensch ist ein Lügner!' Jeder Mensch! Eben aus dieser Einsicht in diesen umfassenden Gegensatz des Menschen zu Gott, aus ihr allein, entspringt Gotteserkenntnis, neue Gottesgemeinschaft."[67] Die Argumentation des abschließenden Teilabschnittes 3,1-4 und damit auch des größeren Zusammenhanges seit 2,1ff zielt also auf die angemessene Selbsterkenntnis des Menschen, der einsehen muss, dass er selbst im Vergleich mit Gottes Zuverlässigkeit und Treue und in Bezug auf seine eigenen, von entsprechenden Taten nicht bestätigten, guten Absichten ein Lügner ist. „Das Sündenbekenntnis des

---

[65] Dem Text der 27. Aufl. von Nestle-Aland ist damit zu folgen. D.-A. Koch meint demgegenüber, Paulus habe den Septuagintatext unverändert übernommen. Vgl. D.-A. Koch: Die Schrift als Zeuge des Evangeliums, S. 102.

[66] Zur Verwendung der Psalmen im ersten Teil des Röm vgl. O. Hofius: Der Psalter als Zeuge des Evangeliums; in: ders.: Paulusstudien II, S. 38-57.

[67] K. Barth: Der Römerbrief; Zweite Fassung, S. 60.

Beters von ψ 50,6 ist deshalb nicht mitzitiert, weil der Gegensatz zur Sünde der Menschen bereits in V. 4 ausgedrückt ist und Paulus im Kontext den Ich-Stil nicht gebrauchen kann."[68]

Die Erkenntnis in die eigene Sündhaftigkeit aus Ps 50,6 (LXX) (und unzitiert auch aus Ps 115,2, LXX) wird von Paulus in Röm 3,4b universalisiert. Bereits in 1,18 sprach Paulus noch undeterminiert von der ἀδικία ἀνθρώπων, womit er wahrscheinlich alle Menschen meinte. Seit 2,1ff wurde jedoch konsequent ein einzelner Mensch bzw. ein Jude (V. 17ff) im Singular angesprochen und auf die Übereinstimmung seines Verhaltens mit seinem Selbstverständnis hin kritisch befragt. Dies führt in V. 4 zu der abschließenden Formulierung, dass ein jeder Mensch (im Singular!) ein Lügner ist. Gott möge sich demgegenüber, durch ein zweites, adversatives δέ miteinander verbunden, als „zuverlässig" (ἀληθής) erweisen.[69] Analog zu V. 3 wird also dem menschlichen ψεύστης mit ἀληθής der entsprechende theologische Gegenbegriff entgegengestellt. Zur Lüge der Menschen, d.h. ihrem ungeklärten Selbstverhältnis, durch das sie, wie 2,1ff zeigte, etwas anderes sagen und tun als sie eigentlich wollen, wird damit die Wahrheit und Zuverlässigkeit Gottes in Kontrast gesetzt. Der Abschnitt endet also, wie bereits 2,29 der vorhergehende Teilabschnitt, mit der Betonung der grundsätzlichen Differenz zwischen Mensch und Gott. Damit wird jedoch nicht einfach eine universale Disqualifizierung aller Menschen vorgenommen. Vielmehr zielt die paulinische Argumentation auf jeden einzelnen Menschen (πᾶς ἄνθρωπος), der in Auseinandersetzung mit sich selbst und coram Deo zu dieser Selbsterkenntnis kommt. Es geht Paulus am Ende zentral um die individuelle Selbsterkenntnis des Menschen. Wenn Paulus von jedem Menschen spricht, ist zugleich klar, dass er damit auch sich selbst mit einschließt. Es handelt sich insofern mit den vorhergehenden Ausführungen auch um eine Selbstreflexion des Paulus in einem bestimmten Sinne, der in der eingehenden Analyse des Ich in Röm 7,7-25a endgültig deutlich werden wird. Der letzte Teilabschnitt lässt damit folgendermaßen strukturieren:

3,1+2: οὖν	Τί τὸ περισσὸν τοῦ Ἰουδαίου ἢ τίς ἡ ὠφέλεια τῆς περιτομῆς	πολὺ κατὰ πάντα τρόπον πρῶτον μὲν γὰρ ὅτι ἐπιστεύθησαν τὰ λόγια τοῦ θεοῦ
3+4a: τί γὰρ	εἰ ἠπίστησάν τινες μὴ ἡ ἀπιστία αὐτῶν τὴν πίστιν τοῦ θεοῦ καταργήσει	μὴ γένοιτο
3,4b+c: δὲ	καθὼς γέγραπται Ὅπως ἂν δικαιωθῇς ἐν τοῖς λόγοις σου καὶ νικήσεις ἐν τῷ κρίνεσθαί σε (2)	γινέσθω ὁ θεὸς ἀληθής πᾶς δὲ ἄνθρωπος ψεύστης (1)

---

[68] U. Wilckens: Der Brief an die Römer; EKK VI, 1, S. 165.

[69] So versteht auch Haacker mit Verweis auf Röm den Begriff: „‚Zuverlässigkeit' Gottes (Paulus gebraucht ἀλήθεια im Sinne des hebräischen אֱמֶת)." (K. Haacker: Der Brief des Paulus an die Römer; ThHK 6, S. 77, mit Verweis auf Röm 15,8) E. Käsemann dagegen zieht ἀληθής eigenartiger Weise zu γινέσθω und übersetzt: „es möge wahr werden." (E. Käsemann: An die Römer; HNT 8a, S. 76) Und W. Jens bezieht das γινέσθω m.E. unsachgemäß nur auf den Menschen: „Mögen die Menschen Lügner sein – auf Gott ist Verlaß." (W. Jens: Der Römerbrief, S. 18)

Das „unter der Sünde"- Sein aller Menschen (3,5-18)

Durch das nachgestellte τί ἐροῦμεν wird wiederum in der 1. Person ein letzter Abschnitt des ersten großen Argumentationszusammenhanges 1,16-3,18 eingeleitet, der nicht nur 3,5ff, sondern zugleich die gesamte vorhergehende Argumentation mit einer universalen Aussage (V. 9) und einer langen Reihe von Zitaten V. 10-18 zu Ende führt.

V. 5-8 behandeln drei aufgrund der bisherigen Argumentation sehr naheliegende Einwände, die beiden ersten werden jeweils mit εἰ δέ eingeleitet, der letzte mit καὶ μή angeschlossen.[1] „Die Rückfragen in V. 5 nehmen mögliche Reaktionen auf das Vorangehende vorweg und werden von Paulus sogleich als ‚typisch menschlich' relativiert. Es geht dabei um den Eindruck, daß Gott anscheinend „etwas davon hat', dass er den Menschen in den Schatten stellt –, woraus sich ein absurder Anspruch auf Belohnung statt Bestrafung für die Sünde ableiten ließe."[2] Die Einwände sind folgende:

1. Wenn „unsere" Ungerechtigkeit (ἡμῶν bezieht sich dabei wohl auf πᾶς ἄνθρωπος V. 4) Gottes Gerechtigkeit herausstellt, dann ist es von Gott nicht gerecht, über den Menschen zornig zu sein (V. 5).[3]

2. Wenn „meine" Lüge, Gottes Wahrhaftigkeit herausstellt, warum werde „ich" dann wie ein Sünder gerichtet (V. 7)? Die Worte ἐμῷ und κἀγώ meinen einerseits ein rhetorisch-generelles Ich, in das sich Paulus aber zugleich mit einbeziehen kann (vgl. auch Röm 7,7ff).

3. „Tun wir das Böse, damit das Gute dabei herauskommt"[4] (V. 8, als Paulus in den Mund gelegte Unterstellung).

Bemerkenswert ist zunächst, dass alle Einwände in der 1. Person formuliert werden. Sie stellen damit die Reaktion auf das in 2,1-3,4 Gesagte dar. Der Mensch, der dort in theologischer Perspektive dessen überführt wurde, dass er ein Lügner ist, weil er sich nicht dem von ihm selbst eingesehenen Guten entsprechend verhält, formuliert aus dieser bedrückenden Erkenntnis heraus verschiedene Einwände, die den Sinn haben, sich selbst zu entlasten.

Die Einwände werden in Form rhetorischer Fragen artikuliert, denen dreimal geantwortet wird: in V. 6 wird ihnen eine kategorische Antwort (eingeleitet mit μὴ γένοιτο) entgegengehalten, in V. 7b wird die Antwort implizit in den zweiten Teil der Frage eingebaut, und in V. 8b findet sich schließlich als Antwort eine Art „Fluch".[5] Alle Antworten enthalten den Verweis auf das Gericht Gottes. Dieses Wechselspiel von Frage und Antwort hat, wie bereits 3,1ff und später z.B. 3,27, nicht nur rhetorische oder stilistische Funktion, sondern mit jedem Einwand ist jeweils eine problematische, rein

---

[1] Das εἰ δέ im Text von V. 7 der 27. Aufl. von Nestle-Aland ist zwar relativ schwach bezeugt, aber dennoch zu bevorzugen, weil V. 7 einen neuen Gedanken bringt, der nur schwer mit γάρ an V.6 angeschlossen werden kann. Vgl. B. M. Metzger: A textual Commentary on the Greek New Testament, S. 448, gegen K. Haacker: Der Brief des Paulus an die Römer; ThHK 6, S. 74.

[2] Haacker, a.a.O., S. 77. Eine noch weiter gehende Argumentationsstrategie vermutet Stowers. Er meint, dass es sich hierbei im Anschluss an die sokratische Gesprächsführung um gekonnte rhetorische Induktion handle, nach der zunächst V. 1ff einige Fragen gestellt werden, die bejaht werden müssen und dann am Ende die eigentliche Frage in Entsprechung zu dem vorher bereits Zugestandenen beantwortet werden muss. (S. K. Stowers: Paul's Dialog with a Fellow Jew in Romans 3:1-9, S. 711)

[3] Zum Begriff ὀργή vgl. 1,18ff. Der V. 5 bezieht sich auf die dortige Argumentation zurück.

[4] So U. Wilckens: Der Brief an die Römer; EKK VI, 1, S. 167.

[5] E. Käsemann: An die Römer; HNT 8a, S. 79: „Der Schluß von 8 ist zutiefst ein Fluch". (Mit Bezug auf den Kommentar von O. Kuss.)

menschliche Perspektive ausgedrückt,[6] die durch die Erwiderung des Einwandes in theologischer Sicht abgelehnt wird.[7] Die theologische Sicht wird dabei durch den dreimaligen Hinweis auf Gottes Richten gekennzeichnet (κρινεῖ, V. 6; κρίνομαι, V. 7b; κρίμα, V. 8b).

Der erste Einwand (V. 5) wird explizit als menschliche Sichtweise bezeichnet, der in V. 6 also als Erwiderung eine spezifisch theologisch geprägte gegenübergestellt wird. Die Formulierung κατὰ ἄνθρωπον λέγω ist ein expliziter Hinweis auf diejenige Doppelstruktur einer geläufigen menschlichen und einer theologisch geprägten Doppelperspektive, die – mit wenigen Ausnahmen – für den gesamten Brief vorausgesetzt werden kann.[8] Gemeint ist damit nicht die persönliche Sicht des Paulus, sondern eine reduzierte Sicht des Menschen an sich, der die zweite, theologische, von Gott her gedachte Perspektive ignoriert und Gott wie einen Menschen oder ein anderes Geschöpf betrachtet (vgl. 1,18ff). Deshalb wird diesem Einwand, nachdem er zunächst energisch mit μὴ γένοιτο verneint wird, in theologischer Sicht – an 2,1ff anknüpfend – entgegengehalten, dass Gott die Menschen aber dennoch richten wird. Das ἐπεί bedeutet wie auch 11,6 kausal „denn sonst",[9] und die Antwort meint insgesamt: Wie wird Gott sonst überhaupt noch richten (wenn er nicht einmal die Ungerechtigkeit richtet)?[10] Hier scheint eine axiomatische[11] oder dogmatische[12] Vorstellung vorzuliegen, nach der Gott in jedem Falle Böses verurteilt und die ganze Welt richten wird. Das τὸν κόσμον meint damit wohl weniger kosmologisch die ganze Welt[13] als anthropologisch die ganze Menschheit.[14]

Der zweite Einwand (V. 7) wiederholt im Grunde genommen das Argument des ersten mit anderen Worten: Wenn „meine" Lüge doch Gottes Wahrheit als übergroß erweist, was ist dann schlimm daran? Der Wechsel in die 1. Person Singular hat dabei nicht nur rhetorisch intensivierende Funktion.[15] Er hat vor allem den Sinn, einen selbstreflexiven Gedanken einzuführen. Die 1. Person bezieht sich zum einen allgemein auf alle Menschen. Sie kann zum anderen aber auch konkret Paulus als einen derjenigen meinen, die sich gegen die V. 4 formulierte Einsicht in die eigene Sündigkeit wehren. Die Auseinandersetzung bekommt dann den Charakter eines Selbstgespräches (vgl.

---

[6] Vgl. dazu G. Bornkamm: Theologie als Teufelskunst; in: ders.: Geschichte und Glaube II, S. 140-148, der S. 141 die von Paulus aufgeführten und abgelehnten Einwände als „pseudotheologische Gedanken" bezeichnet.

[7] Etwas anders strukturiert K. Haacker: Der Brief des Paulus an die Römer; ThHK 6, S. 78: „Es geht in V. [...] 5a.7a zunächst um den ethischen Gegensatz zwischen Gott und Mensch und erst in 5c.6b.7b um Gottes richtende Reaktion."

[8] Ähnlich heißt es 6,19 ἀνθρώπινον λέγω. Vgl. auch I Kor 9,8; Gal 3,15. Gal 1,11 schreibt Paulus über das von ihm verkündigte Evangelium ὅτι οὐκ ἔστιν κατὰ ἄνθρωπον.

[9] Blass, Debrunner, Rehkopf: Grammatik des neutestamentlichen Griechisch, § 456,3.

[10] Nach Blass, Debrunner, Rehkopf, a.a.O., § 385,1 tritt das Futur κρινεῖ hier an die Stelle des Optativus potentialis.

[11] W. Sanday, A. C. Headlam: The Epistle to the Romans; ICC, S. 73: „St. Paul and his readers alike held as axiomatic the belief that God would judge the world."

[12] K. Haacker: Der Brief des Paulus an die Römer; ThHK 6, S. 77f: „das – für ihn (sc. Paulus) jedenfalls – nicht hinterfragbare Dogma von Gott als dem kommenden Weltenrichter."

[13] So z.B. E. Käsemann: An die Römer; HNT 8a, S. 78 und Haacker, a.a.O., S. 77f.

[14] So U. Wilckens: Der Brief an die Römer; EKK VI,1, S. 166. Vgl. auch W. Sanday, A. C. Headlam: The Epistle to the Romans; ICC, S. 73: „all mankind".

[15] Wilckens, meint a.a.O. S. 166, „daß der Gegner nachhakt und sein Argument – nunmehr vom ‚Wir'- in den ‚Ich'-Stil übergehend – verschärft wiederholt". Ähnlich auch W. Jens: Der Römerbrief, S. 19: „Mein Widersacher aber gibt nicht auf: Ich wiederhole!"

Röm 7,7ff). Hieß die Antithese in V. 5 ἀδικία – δικαιοσύνη, so hier, ganz ähnlich wie bereits in V. 4, ψεῦσμα – ἀλήθεια. Die Lüge wird hier nicht, wie in V. 4, allgemein von einem jedem Menschen ausgesagt, sondern von Paulus auf ein Ich bezogen (vgl. bereits Ps 50,6 LXX in Bezug auf David), das den Einwand für sein persönliches Leben und Gottesverhältnis vorbringt.

V. 7b bringt gegenüber dem Einwand aus V. 7a, der die typisch menschliche Sicht wiedergibt, implizit die theologische Perspektive ein (τί ἔτι κἀγὼ ὡς ἁμαρτωλὸς κρίνομαι;). Auf der Basis des in 2,1ff Gesagten wird daran erinnert, dass das Ich sich im Gericht vor Gott zu verantworten hat. Der Satz ist zwar als Frage formuliert, setzt aber die vorher (2,1-3,4) ausgeführte, theologische Einsicht in die eigene Sündigkeit voraus. Das κἀγώ wirkt noch zusätzlich betonend:[16] „gerade Ich".[17] Ob Paulus damit sich selbst oder rhetorisch alle Menschen oder speziell den Juden[18] oder schließlich lediglich diejenigen meint, die diesen Einwand vorbringen, wird nicht gesagt. Am ehesten wird man wie in Röm 7,7ff an ein allgemeines Ich denken können, in das sich Paulus mit einbezieht. V. 7b antwortet also dem vorherigen Einwand wie bereits V. 6 implizit mit dem Verweis auf Gottes Gericht.

Ein dritter Einwand (V. 8) wird Paulus offenbar von dritter Seite in den Mund gelegt. Der Plural ἡμᾶς meint hier deutlich ihn selbst. „Hier kommt Paulus in seltener Offenheit auf eine gegen ihn gerichtete Polemik zu sprechen."[19] Ob diese Unterstellung von judenchristlichen Missionaren stammt, die ihren Einfluss auch in Rom gelten machen könnten,[20] oder ob damit allgemein „Juden (innerhalb und außerhalb der Kirche) vorzustellen"[21] sind oder ob es sich dabei um einen generellen Einwand gegen die libertinistischen Konsequenzen[22] der von Paulus angeblich propagierten Freiheit vom Gesetz handelt, ist am Text nicht zu entscheiden. Der Einwand schließt aber inhaltlich nahtlos an die vorher geäußerten an: Wenn „unser" böses Verhalten gerade Gottes gute Gerechtigkeit und damit die Richtigkeit des Zitates von Ps 50,6 (LXX) in V. 4 erweist, warum sollen „wir" dann nicht das Böse weiterhin tun?

Zum dritten Mal wird darauf von Paulus V. 8b in theologischer Perspektive mit dem Hinweis auf das Gericht Gottes erwidert: Wer so, wie in V. 8a ausgeführt, denkt, wird dafür gerechterweise gerichtet werden. Der in V. 8a formulierten Unterstellung wird also aus theologischer Sicht diesmal mit einem fluchartigen Ausspruch das Gericht Gottes gegenübergestellt (ὧν τὸ κρίμα ἔνδικόν ἐστιν).

V. 9 bietet innerhalb des Abschnittes V. 5-18 einen gewissen Kulminationspunkt der Argumentation. Er wird mit τί οὖν und durch die 1. Person Plural (προεχόμεθα) unmittelbar mit dem Vorhergehenden verbunden.[23] Er bildet zugleich die Einleitung zu der großen Zitatreihe V. 10-18 und schließt damit zugleich den großen Argumentationsabschnitt 1,16-3,18 mit einem programmatischen Satz ab. Der Vers bietet sowohl textkritisch als auch im Hinblick auf die Zeichensetzung und die

---

[16] Gegen K. Haacker: Der Brief des Paulus an die Römer; ThHK6, S. 78.

[17] So U. Wilckens: Der Brief an die Römer; EKK VI,1, S. 166, Anm. 445.

[18] Wilckens, ebd.

[19] K. Haacker: Der Brief des Paulus an die Römer; ThHK6, S. 78.

[20] So P. Stuhlmacher: „Die Kritiker sind wahrscheinlich judenchristliche Missionare, wie wir sie aus dem Galater-, dem 2. Korintherbrief und dem Philipperbrief kennen." (Ders.: Der Brief an die Römer; NTD 6, S. 49)

[21] So K. Haacker: Der Brief des Paulus an die Römer; ThHK6, S. 78.

[22] Vgl. E. Käsemann: An die Römer; HNT 8a, S. 79.

[23] Gegen die Aufteilung von Nestle-Aland (27. Aufl.) und die meisten Gliederungsvorschläge der Interpreten, die mit V. 9 einen neuen Abschnitt beginnen lassen.

Interpretation erhebliche Probleme.[24] Die von Nestle-Aland gebotene Lesart und Zeichensetzung sind hier jedoch überzeugend. Die Abfolge der Worte ist am besten bezeugt (א B [D²] Mehrheitstext u.a.).[25] Ein alleinstehendes τί οὖν; findet sich im Röm noch 6,15 und 11,7. Προεχόμεθα stellt daraufhin eine Frage, die mit οὐ πάντως verneint wird. Für die Bedeutung des Satzes stellt sich die schwierige Frage, wer mit der 1. Person Plural gemeint ist. Zumeist wird angenommen, dass προεχόμεθα die Juden meint.[26] Der Ausdruck ist in dieser Sicht als Medium im Sinne von V. 1 etwa „im Vorteil sein" zu verstehen.[27] Dass sich V. 9a auf das Selbstverständnis der Juden bezieht, könnte aus dem Zusammenhang mit 2,17ff, 3,1ff und besonders V. 9b geschlossen werden. Allerdings ergibt sich dann die Schwierigkeit, wie sich V. 9 zu V. 1 verhält, wo ja ein gewisser Vorzug des Juden zugestanden worden war.[28] Dieses Problem lässt sich nur dann bewältigen, wenn οὐ πάντως keine rigorose Ablehnung meint, sondern vorsichtiger nur eine teilweise, etwa im Sinne von „nicht überhaupt"[29].

Gegenüber dieser geläufigen Interpretationsweise ist jedoch zu beachten, dass V. 9 in Fortsetzung von V. 8 gelesen werden muss. In V. 8 meinten ἡμᾶς und die Formulierungen in der 1. Person Plural jedoch Paulus selbst. Von daher liegt es nahe, dass sich auch die 1. Person Plural in V. 9 als schriftstellerischer Plural wie an vielen anderen Stellen im Röm auf Paulus selbst bezieht: „bis hierhin hat Paulus im Römerbrief nur in der dritten Person von Juden gesprochen, und die Wirform in V. 8 und 9b meint Paulus selbst als lehrendes und argumentierendes Subjekt. Es ist sprachlich möglich, das προεχόμεθα auf derselben ,Meta-Ebene' im Sinne von ,Weichen wir aus?' o.ä. zu verstehen."[30] Von V. 8 und 9b her gibt es keinen zwingenden Grund, dass in V. 9a ein Subjektwechsel vorliegen soll und plötzlich das „Wir" die Juden meint.[31] Es ist deshalb offenbar so, dass Paulus den langen Argumentationsgang in 1,16-3,18 in der 1. Person mit einer selbstreflexiven Aussage beendet, die schon durch die Ausführungen über das Ich in V. 7 vorbereitet worden war. Die Bedeutung ist dann, dass Paulus sich mit προεχόμεθα zunächst auf den Einwand aus V. 8 und dessen Abwehr

---

[24] Vgl. dazu C.E.B. Cranfield: The Epistle to the Romans; ICC, vol.1, S. 187f. „First the main textual variations may be shown as follows (mit Verweis auf den textkritischen Apparat, D. S.) [...] Secondly, there are the following questions concerning punctuation [...] (i) Should a question mark or no punctuation be placed after οὖν? (ii) Should no punctation mark be placed after οὐ and a colon after πάντως, or a comma after οὐ and nothing after πάντως? Thirdly, there are the problems of interpretation. These are centred on προεχόμεθα and οὐ πάντως."

[25] Die von K. Haacker: Der Brief des Paulus an die Römer; ThHK6, S. 79, Anm. 1 bevorzugte Streichung von οὐ πάντως ist nur schwach bezeugt und höchst unwahrscheinlich.

[26] So z.B. die aktuelle Lutherübersetzung und die Einheitsübersetzung oder die Deutung von E. Käsemann: An die Römer; HNT 8a, S. 81.

[27] Vgl. W. Haubeck, H. von Siebenthal: Neuer sprachlicher Schlüssel zum Griechischen Neuen Testament, Bd. 2, S. 10, die diese Übersetzung allerdings nicht favorisieren. Vgl. auch die zweite von Cranfield vorgeschlagene Möglichkeit: "middle with an active force". (Cranfield, a.a.O., S. 188) Ähnlich übersetzt auch U. Wilckens: Der Brief an die Römer; EKK,VI, 1, S. 170: „Haben wir einen Vorzug?"

[28] Die Schwierigkeit hat der westliche Text mit seiner Lesart τί οὖν προκατέχομεν περισσόν und durch die Auslassung von οὐ πάντως zu umgehen versucht. Vgl. auch Wilckens, a.a.O., S. 172.

[29] Vgl. Blass, Debrunner, Rehkopf: Grammatik des neutestamentlichenn Griechisch, § 433, Anm. 3, wo aber beide Übersetzungsmöglichkeiten genannt werden. Ähnlich übersetzen z.B. in ihren Kommentaren auch Cranfield („not in every aspect"), Käsemann („nicht entscheidend").

[30] K. Haacker: Der Brief des Paulus an die Römer; ThHK6, S. 80f. Vgl. auch die Übersetzung von K. Barth: Der Römerbrief; Zweite Fassung, S. 64: „Wie steht es nun? Können wir einen Vorwand nehmen? Keineswegs!"

[31] Das ποιήσομεν in V. 8b ist deutlich als Zitat einer angeblich paulinischen Meinung gekennzeichnet.

bezieht. Nach V. 8 könnte es so scheinen, als ob er sich mit der Abwehr des Einwandes und der Verfluchung der Gegner aus der Feststellung von V. 4, nach der *alle* Menschen Lügner sind, selbst herausnehmen möchte. Der Ausdruck προεχόμεθα kann in diesem Sinne übersetzt werden: „machen wir Ausflüchte?".[32]

Diese Sichtweise, nach der Paulus in menschlicher Weise sich verteidigen und ausweichen möchte, wird mit οὐ πάντως aber sogleich in theologischer Perspektive entschieden verneint. Der Ausdruck meint also in der Übersetzungstradition Luthers eine rigorose Ablehnung.[33] (wobei Luther allerdings die Verneinung auf den möglichen Vorzug der Juden bezog). Die Begründung dieser Verneinung und die Ausführung dieser theologischen Perspektive erfolgt am Ende des Verses (angeschlossen mit γάρ): Paulus hatte mit der gesamten vorherigen Argumentation bewiesen, dass alle Menschen Lügner und „unter der Sünde" sind. Er kann sich deshalb nicht selbst aus dieser Aussage herausnehmen. Das προῃτιασάμεθα in der 1. Person Plural[34] bezieht sich hier erneut wie προεχόμεθα auf Paulus selbst und seine vorhergehende Argumentation in 1,16-3,8. Der Ausdruck πάντας ὑφ' ἁμαρτίαν εἶναι deutet bereits an, dass Paulus die Sünde (im Singular) nicht primär in geläufiger Sicht als Verfehlung, als falsche Tat versteht, sondern dass er darin vor allem in theologischer Perspektive eine Macht sieht,[35] „unter" der der Mensch steht. Der Begriff der Sünde wird also nicht in Bezug auf die vorher ausführlich in 1,18-3,4 dargestellten Verfehlungen der Menschen verwendet, sondern er bezieht sich auf den selbstreflexiven Schluss des Abschnittes in 3,4. Sünde bezeichnet damit für Paulus nicht in geläufiger Sicht die konkrete moralische Verfehlung, sondern bekommt einen übertragenen theologischen Sinn, der sich auf das Selbstverhältnis des Menschen bezieht: Die ἁμαρτία ist dasjenige, was bewirkt, dass der Mensch sich nicht seiner natürlichen (Röm 2,14f) oder durch das Gesetz eröffneten (2,17ff) Einsicht in das Gute entsprechend verhält. Sie ist es, die verhindert, dass er mit sich selbst im Einklang leben kann. Das wird Röm 7,7ff unter Wiederaufnahme der Begriffe „Sünde" und „Ich" eingehend erläutert werden.

Der erste große Abschnitt 1,16ff scheint zunächst in V. 9 zu der universalen und kollektiven Aussage zu führen, dass aus den genannten Gründen alle Menschen Sünder seien. Die Differenzierung Juden – Nichtjuden und der 3,1ff zugestandene gewisse Vorteil der Juden sind damit in Bezug auf die Sünde aufgehoben. Dies geschieht aber auf der Basis einer abschließenden, selbstreflexiven Aussage des Paulus über sich selbst. Es geht Paulus nicht um eine pauschale Feststellung der Sündhaftigkeit aller Menschen, sondern, wie in der gesamten vorhergehenden Argumentation zu verfolgen war, um eine angemessene Selbsterkenntnis des Einzelnen, also auch des Paulus, der von sich und deshalb von einem jeden einzelnen Menschen sagen muss, dass er „unter der Sünde" ist.

---

[32] So übersetzen W. Haubeck, H. von Siebenthal: Neuer sprachlicher Schlüssel zum Griechischen Neuen Testament, Bd. 2, S. 10.

[33] So im Anschluss an die Vulgata (nequaquam) M. Luther: „gar keinen" (in Bezug auf den vermeintlichen Vorteil). Ihm folgen z.B. in ihren Kommentaren P. Althaus („ganz und gar nicht"), U. Wilckens („durchaus nicht") und P. Stuhlmacher („ganz sicher nicht").

[34] Das Verb setzt erneut juridische Metaphorik (vgl. 2,1ff) voraus, was bedeutet, das Paulus zugleich als Kläger und Angeklagter fungiert.

[35] Der Begriff taucht im Röm bewusst erst hier auf, obwohl bereits in der gesamten vorherigen Argumentation auf die Verfehlungen der Menschen eingegangen worden war. Das Verb ἁμαρτάνειν fand sich bereits 2,1 und ἁμαρτωλός in 3,7.

Die nur scheinbar pauschale Aussage von V. 4 und 9 wird deshalb durch die anschließende Zitatreihe 3,10ff (eingeleitet mit καθὼς γέγραπται ὅτι) erneut individualisiert. Der Sünder wird zunächst mit Prov 7,21 und Ps 13,1f (LXX) als einzelner benannt (3,10+11): Οὐκ ἔστιν δίκαιος οὐδὲ εἷς οὐκ ἔστιν ὁ συνίων οὐκ ἔστιν ὁ ἐκζητῶν τὸν θεόν.[36] Durch die Weiterführung des Zitates Ps 13,3 (LXX) wird dann der bereits aus vorhergehenden Abschnitten bekannte Zusammenhang von Universalisierung und Individualisierung erneut aufgenommen (Röm 3,12). Zunächst heißt es universell: πάντες ἐξέκλιναν ἅμα ἠχρεώθησαν, dann, auf das Individuum bezogen: οὐκ ἔστιν ὁ ποιῶν χρηστότητα οὐκ ἔστιν ἕως ἑνός.[37]

Die anschließenden Formulierungen in 3,13-18 finden sich im Septuagintatext von Ps 13 ursprünglich nicht, sie sind vielmehr aus dem Römerbrief in spätere Septuagintaausgaben im Anschluss an Ps 13,3 eingeflossen und stellen damit ein seltenes Beispiel für die Beeinflussung der Septuaginta durch Texte des NT dar.[38] Gibt das Zitat von Ps 13 (LXX) noch die eigentliche Intention des Psalms wieder, nach der kein Mensch vor Gott bestehen kann, so geschieht bei der Zitation von Ps 5,10 (LXX) und Ps 139,4 (LXX) in V. 13 sowie von Ps 9,28 (LXX) in V. 14 eine Ausweitung und Universalisierung der im Psalm bezeichneten Personengruppen. Meinte Ps 5 die Feinde des Psalmisten David, Ps 139 lediglich bestimmte böse Menschen und Ps 9 nur den Gottlosen, so ist die Aussage im Röm durch die Voranstellung von Ps 13 auf alle Menschen bezogen. Auch die folgenden Zitate aus Jes 59,7f und Ps 35,2 (LXX) folgen dieser universalisierenden Tendenz. „Neben dem Umfang und der unterschiedlichen Herkunft der einzelnen Schrifttexte zeigt somit auch der Aufbau von Röm 3,10-18, daß hier keine ad hoc erfolgte Bildung vorliegt. Daher wird häufig vermutet, daß Paulus hier auf eine bereits vorgegebene Zusammenstellung dieser Texte zurückgreift."[39] Dabei wird angenommen, dass Paulus entweder ein urchristliches „Florilegium"[40] verwendet oder eine urchristliche, liturgische Bildung.[41] Die bei Justin (Dialog mit Tryphon 27,3) vorhandene Parallele ist deutlich von Röm 3,10ff literarisch abhängig.

Gegenüber dieser Annahme einer literarischen Vorfassung liegt jedoch der Gedanke näher, dass Paulus die Zitate selbst kombiniert hat. „Auch Röm 3,10-18 selbst enthält kein Anzeichen dafür, dass Paulus hier auf ein bereits existierendes Florilegium zurückgreift [...] Die Annahme einer liturgischen Entstehung von Röm 3,10-18 kann sich allenfalls darauf stützen, dass die meisten der hier zusammengestellten Texte liturgische Funktion besaßen. Doch läßt sich keine liturgische Gattung angeben, der

---

[36] Zu den alttestamentlichen Parallelen von 3,10-18 vgl. H. Hübner (Hrsg.): Vetus Testamentum in Novo; Bd. 2; Göttingen 1997, zur Stelle.

[37] Das letzte οὐκ ἔστιν wird dabei lediglich von B und einigen wenigen anderen Textzeugen weggelassen und ist deshalb wohl ursprünglich. Vgl. auch B. M. Metzger: A textual Commentary on the Greek New Testament, S. 448f.

[38] „Im Anschluß an Ψ 13,3a.b ist in die gesamte Überlieferung die Zitatkombination Röm 3,13-18 eingedrungen, die in Röm 3,10ff mit Ψ 13,1-3 einsetzt. Die Zufügung fehlt in A 55 L [...], doch dürfte dies bereits eine sekundäre Korrektur darstellen." (D.-A. Koch: Die Schrift als Zeuge des Evangeliums, S. 56)

[39] Koch, a.a.O., S. 180.

[40] So z.B. E. Käsemann: An die Römer; HNT 8a, S. 81; siehe auch U. Wilckens: Der Brief an die Römer; EKK VI, 1, S. 171: „Solche Zitatenkatenen sind auch in der Qumranüberlieferung bezeugt." (mit Verweis auf 4Q Test und 4Q Flor)).

[41] Vgl. O. Michel: Der Brief an die Römer; KEK 4; S. 14ff; H.-M. Schenke: Aporien im Römerbrief, S. 881-888, dort S. 886f. U. Wilckens kombiniert beide Annahmen: „ein vorgegebenes Traditionsstück exhomologetischen Charakters aus wohl liturgischem Gebrauch". (Wilckens, a.a.O., S. 171)

Röm 13,10-18 entsprechen könnte."[42] Die Verknüpfung der Zitate ist vielmehr deutlich von der Intention der Individualisierung gekennzeichnet, die für die Gestaltung des gesamten Röm grundlegend ist. Es ist deshalb m.E. sehr wahrscheinlich, dass sie von Paulus selbst stammt. „Zwar trägt die Ergänzung kein ‚christliches Gepräge', doch weist die Zitatkombination insgesamt die gleiche Tendenz auf wie die pln Umgestaltung von Ψ 13,1-3. So wird in Röm 3,10-18 sowohl Ψ 13,1-3 als auch Jes 59,7f jeweils so verkürzt, daß das Thema der Torheit ausgeblendet ist. Auch die Tatsache, daß alle übrigen Abänderungen der hier aufgenommenen Texte ohne jede Abweichung sowohl in Röm 3,13-18 als auch in Ψ 13,3c-k begegnen, spricht eher dagegen, daß diese Ergänzung schon vor Pls zu Ψ 13,3a.b zugewachsen ist. Umgekehrt bestehen zwischen der Zitatkombination und dem paulinischen Kontext keinerlei Spannungen, die auf eine vorpln Herkunft hinweisen könnten."[43] 3,13+14 sind dabei von Paulus offenbar durch das Motiv des Mundes verbunden und 3,15-17 durch das des Weges.

Die Zitatreihe hat insgesamt die Funktion, das Ende des ausführlichen Argumentationsabschnittes zu markieren und dessen Grundaussage nochmals mit entsprechenden Schriftzitaten zusammen zu fassen.[44] Dies geschieht auf der Basis des in Röm 1,2 eingeführten hermeneutischen Schemas, nach dem die Schrift bereits vorherige Verheißungen des von Paulus verkündeten Evangeliums enthält. Weil die Sätze selbst jedoch nicht von Paulus geprägt sind, sondern von ihm übernommen wurden, findet sich in V. 10-18 nicht, wie vorher im Text durchgehend, eine Gegenüberstellung von geläufiger menschlicher und theologisch geprägter Sicht. In V. 19 beginnt dann nach der Zitatreihe ein neuer größerer Argumentationsabschnitt, der sich bis 4,25 erstreckt.

Der Abschnitt 3,5-18 lässt sich damit folgendermaßen strukturieren:

5+6: εἰ δέ	ἡ ἀδικία ἡμῶν θεοῦ δικαιοσύνην συνίστησιν τί ἐροῦμεν μὴ ἄδικος ὁ θεὸς ὁ ἐπιφέρων τὴν ὀργήν κατὰ ἄνθρωπον λέγω	μὴ γένοιτο ἐπεὶ πῶς κρινεῖ ὁ θεὸς τὸν κόσμον
7: εἰ δέ	ἡ ἀλήθεια τοῦ θεοῦ ἐν τῷ ἐμῷ ψεύσματι ἐπερίσσευσεν εἰς τὴν δόξαν αὐτοῦ	τί ἔτι κἀγὼ ὡς ἁμαρτωλὸς κρίνομαι
8: καὶ μή	καθὼς βλασφημούμεθα καὶ καθὼς φασίν τινες ἡμᾶς λέγειν ὅτι Ποιήσωμεν τὰ κακὰ ἵνα ἔλθῃ τὰ ἀγαθά	ὧν τὸ κρίμα ἔνδικόν ἐστιν
9: Τί οὖν	προεχόμεθα	οὐ πάντως προῃτιασάμεθα γὰρ Ἰουδαίους τε καὶ Ἕλληνας πάντας ὑφ' ἁμαρτίαν εἶναι

---

[42] D.-A. Koch: Die Schrift als Zeuge des Evangeliums, S. 182f.

[43] Koch, a.a.O., S. 56. Hanhart hatte aufgrund des fehlenden christlichen Gepräges eine vorchristliche Herkunft der Zitatkombination vermutet. Vgl. R. Hanhart: Die Bedeutung der Septuaginta in neutestamentlicher Zeit; ZThK 81 (1984), S. 395-416.

[44] E. Lohse: Der Brief an die Römer; (KEK 4) 15. Aufl. Göttingen 2003, S. 123 vermutet, „daß die in V. 10-18 dargebotene Folge von Zitaten in der mündlichen Unterweisung des Paulus verschiedentlich verwendet worden ist und in seinem Schulvortrag einen festen Platz eingenommen hat."

Es folgen am Ende des Abschnittes Zitate ohne Doppelstruktur:

10: καθὼς γέγραπται ὅτι Οὐκ ἔστιν δίκαιος οὐδὲ εἷς,

11: οὐκ ἔστιν ὁ συνίων, οὐκ ἔστιν ὁ ἐκζητῶν τὸν θεόν.

12: πάντες ἐξέκλιναν ἅμα ἠχρεώθησαν· οὐκ ἔστιν ὁ ποιῶν χρηστότητα, οὐκ ἔστιν ἕως ἑνός.

13: τάφος ἀνεῳγμένος ὁ λάρυγξ αὐτῶν, ταῖς γλώσσαις αὐτῶν ἐδολιοῦσαν, ἰὸς ἀσπίδων ὑπὸ τὰ χείλη αὐτῶν·

14: ὧν τὸ στόμα ἀρᾶς καὶ πικρίας γέμει,

15: ὀξεῖς οἱ πόδες αὐτῶν ἐκχέαι αἷμα,

16: σύντριμμα καὶ ταλαιπωρία ἐν ταῖς ὁδοῖς αὐτῶν,

17: καὶ ὁδὸν εἰρήνης οὐκ ἔγνωσαν.

18: οὐκ ἔστιν φόβος θεοῦ ἀπέναντι τῶν ὀφθαλμῶν αὐτῶν.

Die Begründung der Existenz des einzelnen Menschen nicht durch den Menschen selbst, sondern durch seinen Glauben an Gott und Christus (3,19-4,25)

Der nächste große Argumentationsabschnitt erstreckt sich von 3,19-4,25. Nachdem in 2,1-3,18 gezeigt wurde, dass – in juridischer Metaphorik gesprochen – kein Mensch durch eigene Taten seinen Freispruch im göttlichen Gericht begründen kann, sondern dass sie allesamt den eigenen Ansprüchen und Überzeugungen zuwider handeln und dafür in Gottes Gericht die Verurteilung zu erwarten haben, wird in 3,19ff von Paulus ein Weg vorgestellt, wie der einzelne Mensch in Gottes Gericht bestehen kann, indem er auf eine Verteidigung seiner selbst und seiner Taten verzichtet und an den Freispruch Gottes, der durch Christus bewirkt wurde, glaubt.

Der Anfang dieses größeren Zusammenhanges wird gewöhnlich erst in V. 21 gesehen. Dabei wird davon ausgegangen, dass sich die Formulierung δικαιοσύνη θεοῦ πεφανέρωται in 3,21 antithetisch[1] auf ἀποκαλύπτεται γὰρ ὀργὴ θεοῦ in 1,18 und positiv auf δικαιοσύνη γὰρ θεοῦ ἐν αὐτῷ ἀποκαλύπτεται in 1,17 zurückbezieht.[2] Die formalen Indizien sprechen jedoch für einen Neubeginn in V. 19. Die lange Zitatreihe V. 10-18 zeigt – wie auch sonst am Ende einiger anderer Abschnitte vor allem in Kap. 9-11 – dass damit ein längerer Argumentationsabschnitt zu Ende geht. V. 19 setzt, wie zumeist am Beginn eines neuen Abschnittes, in der 1. Person neu ein. Und die Parallele in Gal 2, 15-21 zeigt, dass Paulus auch dort nach der Schilderung seines Konfliktes mit Petrus den allgemeinen Reflexionsteil mit der fast identisch formulierten, pauschalen Aussage beginnt, dass niemand durch sein Tun vor Gott gerecht werden kann.[3] Das διότι in V. 20 kann von daher nicht als schlussfolgerndes Fazit des gesamten Abschnittes 1,18-3,20 verstanden werden, sondern es begründet die These, mit der der neue Abschnitt in V. 19 begann. „Denn διότι steht kurz für διὰ τοῦτο ὅτι, d.i. ‚deshalb, weil'. Διότι hat nicht folgernde, sondern im Gegenteil begründende Funktion [...] Recht übersetzt, formuliert Röm 3,20 also nicht die Schlussfolgerung aus 1,18-3,19 [...] V. 19 konstatiert Paulus, daß der ganze Kosmos vor Gott schuldig ist. In V. 20 sagt er, warum: weil aus Werken (des Gesetzes) kein Mensch vor Gott gerecht wird."[4]

Der erste Teil des Argumentationsabschnittes umfasst 3,19-31. In ihm werden zwei Verständnisse des Gesetzes (Gesetz der Werke und des Glaubens) und damit zusammenhängend zwei verschiedene Lebenskonzeptionen entwickelt. Daran schließt sich ein zweiter Teil 4,1-25 an, der diese beiden Konzeptionen und Gesetzesverständnisse am Beispiel Abrahams erläutert.

---

[1] So meint z.B. E. Käsemann: „In scharfer Antithese zu der (sc. 1,18-3,20) geschilderten Ausweglosigkeit des Menschen sprechen 3,21-31 von der Manifestation der Glaubensgerechtigkeit und ihrer Begründung." (E. Käsemann: An die Römer; HNT 8a, S. 85)

[2] Dazu U. Wilckens: „Paulus führt nun seine These 1,16f positiv aus. Die Aufhebung der Offenbarung des Zornes Gottes durch die Offenbarung der Gerechtigkeit Gottes ist das neue Thema." (U. Wilckens: Der Brief an die Römer; EKK VI, 1, S. 181)

[3] In Gal 2,16 heißt es: ὅτι οὐ δικαιοῦται ἄνθρωπος ἐξ ἔργων νόμου, in Röm 3,20 mit deutlicherem Bezug auf Ps 142,2 (LXX): διότι ἐξ ἔργων νόμου οὐ δικαιωθήσεται πᾶσα σάρξ.

[4] W. Reinbold: Gal 3,6-14 und das Problem der Erfüllbarkeit des Gesetzes bei Paulus, in: ZNW 91 (2000), S. 91-106, dort S. 102f.

Die Existenz „aus Glauben" als alternatives Lebenskonzept zur Begründung der eigenen Existenz "aus Werken" (3,19-31)

Die Wörter mit der Wurzel δικ- ziehen sich fast durch alle Verse und strukturieren in einem bestimmten Sinne den gesamten Abschnitt. Sie geben jeweils eine spezifische theologische Perspektive wieder, die nach der Gerechtigkeit Gottes bzw. coram Deo fragt. In diesem Sinne werden die Verse 19b (ὑπόδικος), 20a (δικαιωθήσεται), 21a. 22a (δικαιοσύνη θεοῦ), 24 (δικαιούμενοι), 25 und 26 (τῆς δικαιοσύνης αὐτοῦ), 28a (δικαιοῦσθαι) und 30 (δικαιώσει) als theologische Perspektive markiert.

Dadurch wird zugleich eine Gegenüberstellung zweier Gesetzesverständnisse generiert. Diese knüpfen an das bereits oben zu Röm 2,12 ausgeführte, doppelte Verständnis des νόμος im Röm an. Paulus unterscheidet in V. 19-31 durchgehend zwischen zwei Gesetzesverständnissen: einem, das sich am Wortlaut des Textes und an den eigenen Taten orientiert und einem zweiten, das nach dem eigentlichem Sinn des Gesetzes fragt, der sich im Glauben erschließt. Dieses doppelte Verständnis wird an Lev 16 exemplifiziert

Paulus eröffnet den Abschnitt wiederum mit einer Eingangsbemerkung in der 1. Person Plural (οἴδαμεν). Der Plural ist auch hier als schriftstellerischer zu verstehen und meint Paulus selbst. Das im Folgenden Gesagte gibt damit eine persönliche Einsicht und Überzeugung des Paulus wieder, die er den Adressaten und Lesern bzw. Leserinnen eröffnen möchte. Das δέ ist adversativ gemeint und signalisiert, dass Paulus nach der Feststellung des „unter der Sünde Seins" aller Menschen in 3,9 nun ein Gegenkonzept vorstellt, welches die Befreiung von der Sünde beinhaltet. V. 19ff wird mit den Worten νόμος,[5] δικαιοσύνη θεοῦ bzw. δικαιόω dieses alternative Konzept erläutert. In diesen Versen geht es um eine Gegenüberstellung zweier Existenzhaltungen, die durch die Gegenüberstellung ἐξ ἔργων νομου – ἐκ bzw. διὰ πίστεως charakterisiert werden. Es soll gezeigt werden, dass die Existenzweise „aus" bzw. „durch Glauben" von den Schwierigkeiten befreien kann, die mit der in Röm 2,1-3,18 charakterisierten Existenzweise verbunden sind, welche auf die Erfahrung hinausläuft, dass die eigenen Taten dem als gut Erkannten widersprechen. Der Ausdruck ἐξ ἔργων νόμου und der Begriff δικαιόω werden dabei bereits in V. 20 eingeführt, διὰ πίστεως erscheint im Abschnitt erstmals in V. 22.

V. 19a scheint zunächst tautologisch zu sein und das vorher Gesagte zu wiederholen. P. Stuhlmacher hat deshalb gemeint, dass das ὁ νόμος λέγει in V. 19a sich auf die Zitatreihe V. 10-18 bezieht.[6] Das ist aber extrem unwahrscheinlich, weil Paulus nie falsch zitiert[7] und die vorangehenden Zitate nicht aus dem Gesetz, sondern aus den Psalmen stammen. Der Satz ist also nicht einfach eine redundante Wiederholung des Vorhergehenden, sondern er setzt neu an. Zunächst wird in einer ganz geläufigen menschlichen Sicht festgestellt, dass die Anforderungen des (von Gott gegebenen) Gesetzes nur für diejenigen gelten, die sich selbst unter die Geltung des Gesetzes stellen

---

[5] Der Begriff erscheint jeweils zweimal in V. 19,20, 21,27,31 sowie einmal in V. 28.

[6] „Da er in Rom Adressaten vor sich weiß, die im Gesetz wohlbewandert sind (vgl. 7,1), resümiert er im Wir-Stil: Wir wissen, daß das, was das Gesetz sagt, denen gesagt ist, die unter dem Gesetz leben. Nach 2,17-24 sind dies zuerst die Juden, aber nach 1,20f. 32; 2,14f. 16 auch die heidnischen Griechen. ,Was das Gesetz sagt' meint in unserem Falle alles, was in dem Schriftzeugnis von V. 10-18 angesprochen wird." (P. Stuhlmacher: Der Brief an die Römer; NTD 6, S. 53)

[7] Vgl. D.-A. Koch: Die Schrift als Zeuge des Evangeliums; S. 249.

(τοῖς ἐν τῷ νόμῳ). Νόμος meint deshalb in V. 19a in beiden Fällen einerseits konkret die jüdische Tora, die als solche für Juden das Handeln und damit die Selbstdefinition bestimmen kann. Andererseits wird aber auch darüber hinausgehend auf jede Form von Gesetz Bezug genommen, sofern man sich selbst diesem Gesetz unterstellt.[8]

V. 19b nennt in theologischer Perspektive die Konsequenz aus 19a (ἵνα): wenn man sich unter ein bestimmtes Gesetz stellt und das Selbstverständnis aus dessen Erfüllung ableitet, so wird man die Erfahrung machen müssen, dass man den selbstgesetzten Kriterien mit seinem Verhalten nicht entsprechen kann und sich damit vor dem Gesetz, vor sich selbst und auch vor Gott schuldig macht.[9] Die kurze Formulierung in V. 19b nimmt also den Grundgedanken des vorhergehenden Abschnittes wieder auf. Die Unterteilung in στόμα und κόσμος verdeutlicht dabei wiederum die einerseits individuelle und andererseits universale Perspektive. Der Mund jedes einzelnen Menschen verstummt,[10] und die gesamte Welt oder Menschheit erweist sich als schuldig. Das ὑπόδικος eröffnet die lange Reihe der Wortbildungen mit der Wurzel δικ- in diesem Abschnitt. Hier ist offenbar wiederum juridische Metaphorik vorausgesetzt. Die Kombination von Mensch und Kosmos in ihrem Schuldigsein gegenüber Gott weist voraus auf die vom einzelnen Glaubenden ausgehenden und für den gesamten Kosmos geltende Erlösung (8,18ff). Die Aussage von V. 19b wird im Röm dann später an weiteren Stellen (z.B. 7, 7 und 13) aufgenommen. Es wird dort gezeigt, dass eine wesentliche Funktion des Gesetzes darin besteht, dem einzelnen Menschen eine Einsicht in seine eigene Sündigkeit zu ermöglichen.

V. 20 stellt, wie oben bereits erwähnt, die Begründung der Eingangsthese von V. 19 dar (angeschlossen mit διότι). Paulus knüpft in V. 20b an eine geläufige menschliche Einsicht an, dass nämlich durch das Gesetz eine Einsicht in die eigene Sündigkeit möglich wird. Der νόμος-Begriff ist hier offenbar analog zu V. 19a nicht nur auf das jüdische Gesetz bezogen, sondern darüber hinaus für alle Gesetze formuliert, die ein Erkennen des eigenen Fehlverhaltens ermöglichen.

Dieser geläufigen Erfahrung stellt Paulus in V. 20a eine spezifisch theologische Sicht gegenüber, die erneut mit der Wurzel δικ- nach den Kriterien fragt, die im göttlichen Gericht gelten (οὐ δικαιωθήσεται πᾶσα σὰρξ ἐνώπιον αὐτοῦ). Paulus nimmt hier ohne Zitationsformel auf Ps 142,2 (LXX) Bezug.[11] Die Ausgangssituation des Psalmes ist, wie bereits in Ps 50,6 (LXX), der in Röm 3,4 zitiert wurde, eine selbstreflexive. David äußert hier wie dort im Gebet die Selbsterkenntnis, dass er gesündigt und vor Gott deshalb nicht bestehen kann. Es wird festgestellt, dass er durch seine Taten seine Rechtfertigung, in juridischer Metaphorik gesprochen: seinen Freispruch durch Gott, nicht begründen kann (δικαιωθήσεται ist passivum divinum). Mit Bedacht ist dabei πᾶς ζῶν aus dem Psalm in πᾶσα σάρξ verändert worden. Denn

---

[8] Gegen E. Käsemann; An die Römer, S. 82, der hier νόμος nur auf die Tora bezieht.

[9] Um mit Gal 3,10 zu sprechen, stehen damit diejenigen, die sich entscheiden, „aus Gesetzeswerken" zu leben (ἐξ ἔργων νόμου εἰσίν), unter einem Fluch.

[10] „Mit dem ‚Verschließen des Mundes' ist die Überführung des Schuldigen gemeint; denn nach römischem Recht galt das Schweigegebot eines Angeklagten als Geständnis, ja sogar als Ersatz für einen richterlichen Schuldspruch." (K. Haacker: Der Brief des Paulus an die Römer; ThHK 6, S. 83, mit Bezug auf W. Kunkel: Prinzipien des römischen Strafverfahrens; Symbolae Juridicae et Historicae Martino David Dedicatae I; Leiden 1968, S. 111-133, dort S. 120)

[11] Es handelt sich jedoch nicht um ein Zitat, sondern um die Aufnahme und Weiterverarbeitung eines Psalmtextes. Vgl. auch D.-A. Koch: Die Schrift als Zeuge des Evangeliums, S. 18: „Dagegen ist für Röm 3,20a [...] der Zitatcharakter eher zu verneinen."

σάρξ wird in 7,18 als terminus technicus derjenige Teil des Menschen genannt werden, der durch die (von der Sünde bestimmten) Taten definiert ist und dem eigentlichen guten Willen des Ich widerstreitet. Der Begriff σάρξ und die These aus V. 20b (und 19b), dass das Gesetz die Erkenntnis der Sünde bewirke, verweisen also auf den Abschnitt 7,7-25, wo die gleiche Problematik wie in 3,20 aus der Perspektive des Ich erneut verhandelt werden wird. Zusätzlich zu dem im Psalm Ausgesagten[12] führt Paulus eine Formulierung ein, die die Basis für die anschließende Argumentation bildet: ἐξ ἔργων νόμου.[13] Der Ausdruck bezeichnet das in 2,1ff beschriebene Selbstverhältnis des Menschen, der sich selbst und die anderen Menschen allein durch ihre Taten, Eigenschaften und Fähigkeiten definiert. Die Aussage ist damit also nicht, dass der Mensch an sich vor Gott nicht gerecht werden könne. Sondern er kann nur insofern vor Gott nicht bestehen, als er versucht, seine Rechtfertigung, in juridischer Metaphorik: seinen Freispruch im göttlichen Gericht, dadurch zu begründen, dass er ein Gesetz, dem er sich selbst unterstellt (V. 19a), durch seine Taten erfüllt. Denn Paulus hatte bereits in 2,1-3,18 gezeigt, dass seine Taten nicht mit seinem Wollen übereinstimmen, und dass er deshalb die selbst als gut eingesehenen Verhaltenskriterien faktisch nicht erfüllt (vgl. 3,9). Der Ausdruck ἐξ ἔργων νόμου meint also in theologischer Perspektive eine bestimmte Existenzhaltung und ein bestimmtes Selbstverständnis des Menschen. Der Begriff des νόμος bezieht sich damit nicht wie in V. 20b auf konkrete Gesetzesbestimmungen, sondern er wird hier in einem bestimmten, theologischen Sinne übertragen gebraucht. Es liegt also in V. 20a und b erneut ein doppeltes Gesetzesverständnis vor, einmal in geläufiger Sicht bezogen auf konkrete Gesetze und deren Übertretung und zum anderen in theologischer Perspektive bezogen auf die Frage des Selbst- und Gottesverhältnisses.

Wurde in 3,19f einleitend und die Ergebnisse aus 2,1-3,18 wieder aufnehmend die Existenz des einzelnen Menschen zentral unter dem Aspekt seiner Tätigkeiten und seiner von ihm selbst als gut erkannten, aber nicht eingehaltenen Verhaltensmaximen dargestellt, so wechseln nun in V. 21ff auf die Darstellung des Gegenkonzeptes: Die Betrachtung des einzelnen Menschen unter dem Aspekt des Glaubens (vgl. bereits 1,16). Der Begriff πίστις findet sich, nachdem er als πίστις τοῦ θεοῦ 3,3 eingeführt worden war, in 3,22.25.26.27.28.30,31; 4,5.9.11.12.13.14.16.19.20. Das Verb πιστεύω verwendet Paulus, nachdem es 3,2 auf das Anvertrauen der göttlichen Worte bezeichnete, in 3,22; 4,3.5.11.17.18.24. Gemeint ist damit hier eine alternative Lebenshaltung, die die eigene Identität nicht durch persönliche Fähigkeiten, Taten oder Eigenschaften bestimmt, sondern dies Gott anvertraut. Dadurch wird der Glaubende aber gerade in die Lage versetzt, die als gut erkannten Verhaltensmaßstäbe zu erfüllen.

Am Ende des großen Argumentationsabschnittes 2,1-3,18 stand die Frage im Raum, wie der Mensch seine „Gerechtigkeit" (in juridischer Metaphorik: seinen Freispruch im Gericht) vor Gott begründen kann. Die Antwort formulierte Paulus zunächst negativ V. 19f: ohne Werke des Gesetzes, und sie lautet V. 21ff positiv: durch den Glauben. Zumeist wird mit 3,21ff der Beginn des nächsten großen

---

[12] Zu den exakten Differenzen zwischen Röm 3,20 und der Psalmstelle vgl. H. Hübner (Hrsg.): Vetus Testamentum in Novo, Bd. 2, S. 56. Vor allem wird aufgrund des veränderten Kontextes die direkte Anrede Gottes im Psalm in eine Aussage über Gott verändert.

[13] Der Ausdruck ist undeterminiert und nicht nur auf die Tora bezogen, sondern auf jedes Handeln, dass sich bestimmten Normierungen unterstellt und daraus sein Selbstbewusstsein zieht. P. Stuhlmacher reduziert ihn zu sehr auf das Judentum und die Tora (vgl. P. Stuhlmacher: Der Brief an die Römer; NTD 6, S. 53, vgl. auch E. Käsemann: An die Römer; HNT 8a, S. 82).

Argumentationsabschnittes gesehen.[14] Man bezieht dann δικαισύνη θεοῦ πεφανέρωται zurück auf die Formulierung in V. 1,17: δικαιοσύνη θεοῦ [...] ἀποκαλύπτεται.[15] Das ἀποκαλύπτεται wird jedoch bereits in Röm 1,18 wieder aufgenommen. Einleuchtender ist deshalb, dass 3,21 nicht primär an 1,16f, sondern vor allem unmittelbar an 3,20 anschließt.[16] Denn durch das χωρὶς νόμου ergibt sich ein unmittelbarer Anschluss an die vorhergehenden Aussagen über das Gesetz mit der zentralen Formulierung ἐξ ἔργων νόμου. Das δέ ist also zwar adversativ gemeint, bezieht sich aber auf V. 20b und nicht auf Röm 1,17 oder 18. Den Interpretationen, die in V. 21 einen grundsätzlichen Neuanfang sehen, ist jedoch insofern zuzustimmen, als in V. 21 ein markantes Zeitverständnis entwickelt wird. Es empfiehlt sich deshalb, einige grundsätzliche Überlegungen über Zeit einzufügen.

Νῦν bzw. νυνί und das Zeitverständnis im Römerbrief

Das scheinbar unscheinbare Wort wird im Röm fast immer im temporalen Sinne verstanden werden, allerdings nicht primär im Sinne einer zeitlichen Abfolge von Einst und Jetzt, sondern als Eröffnung eines völlig neuen Zeitverständnisses. Dieses wird radikal von der Gegenwart aus konstituiert,[17] und legt den Schwerpunkt auf die Gegenwärtigkeit des Heils, der Rettung oder wie immer man dies näher bezeichnen mag. Von dort ausgehend werden bei Paulus nicht primär Vergangenheit, Gegenwart und Zukunft im Sinne eines kontinuierlichen Zeitverlaufes entwickelt, sondern es geht Paulus zentral um die Existenz in der Gegenwart des Heils und die sich daraus ergebenden zeitlichen Unterscheidungen. Dieser Begriff führt also, so verstanden, ein neues Verständnis von Zeit ein, hinter dem ein alternatives Verständnis von Existenz steht. Das νυνί ist nicht „in heilsgeschichtlich-epochalem Sinn gemeint",[18] sondern es bezeichnet eine bestimmte, radikal von der Gegenwart ausgehende Zeitvorstellung. Das soll im Folgenden in einem kurzen Durchgang durch die Stellen erläutern.

Eine erste markante Stellung des νυνί findet sich zu Beginn des großen Argumentationsabschnittes 3,19-4,25 in 3,21.[19] Es ist kontrovers diskutiert worden, wie

---

[14] Auch das Druckbild in der 27. Aufl. des Textes von Nestle-Aland mit dem deutlichen Absatz vor V. 21 setzt diese Aufteilung voraus.

[15] So meint z.B. K. Haacker: „Mit diesem Abschnitt kehrt Paulus zu seiner These von 1,17 zurück: Im Evangelium offenbart und vollzieht sich die ‚Gerechtigkeit Gottes', d.h. sein erfolgreiches Eingreifen zum Heil, auf der Basis des Glaubens." (K. Haacker: Der Brief des Paulus an die Römer; ThHK6, S. 86)

[16] Eine Kombination der beiden Bezüge von 3,21 zu 1,17 und 3,20 versucht J. Woyke: <Einst> und <Jetzt> in Röm 1-3? Zur Bedeutung von νυνὶ δέ in Röm 3,21; in: ZNW 92 (2001), S. 185-206, dort S. 196ff.

[17] Anknüpfungspunkte ergeben sich hier vor allem an O. Kuss: Der Römerbrief, 1. Lieferung (1,1-6,11), S. 112.

[18] Vgl. U. Wilckens: Der Brief an die Römer; EKK VI, 1, S. 184. Wilckens erkennt zwar die wichtige Bedeutung des νυνί auch an anderen Stellen im Röm, er interpretiert es aber auf dem Hintergrund seiner Vorstellung eines Äonenwechsels eschatologisch.

[19] Zur Bedeutung des νῦν für die neutestamentlichen Texte vgl. allgemein G. Stählin: Artikel: νῦν (ἄρτι); in: ThWNT, Bd. 4, S. 1099-1117. Stählin interpretiert das Wort jedoch entgegen dem im Folgenden entwickelten Verständnis nicht punktuell, sondern nach dem Zwei-Äonen-Schema als „Übergangszeit zwischen zwei Zeiteinschnitten, und zwar zwischen den beiden Parusien, von denen die erste den Anfang des neuen und die zweite das (endgültige) Ende des alten Aeons markiert". (A.a.O., S. 1107)

*νυνί hier zu verstehen ist.[20] Zumeist wird es **temporal** aufgefasst: Entweder wird es im Sinne einer epochalen Wende interpretiert, die ein apokalyptisches Zwei-Äonen Schema voraussetzt,[21] oder es wird in Bezug auf 3,21b nach dem zeitlichen Schema „einst in der Schrift verheißen – jetzt erfüllt"[22] verstanden, oder mit Bezug auf 3,24ff als „Geschichtlichwerden der Gerechtigkeit Gottes im Christusgeschehen".[23] J. Woyke hat sich demgegenüber dafür ausgesprochen, das νυνί als Affirmation der Hauptthese von Röm 1,17 und zugleich als Progression gegenüber 1,18-3,20 rein **rhetorisch** zu verstehen.[24] Er muss allerdings zugestehen, dass Paulus sehr wohl ein temporales Verständnis von νυνί δέ kennt, z.B. in II Kor 6,2.[25] Im Folgenden wird gegen Woyke davon ausgegangen, dass das Wort hier wie an fast allen anderen Stellen (ausgenommen 7,17) temporalen Sinn hat.*

Wie oben erläutert wurde, beginnt der Abschnitt nicht in 3,21, sondern bereits in 3,19 (der Beginn eines Abschnittes ist im Röm zumeist in der 1. Person markiert). Nachdem Paulus in 1,16-3,18 gezeigt hatte, dass die Menschen unter der Sünde sind, stellt er im nun folgenden Abschnitt sein Konzept der Glaubensgerechtigkeit vor. Es wird dabei sofort mit dem νυνί in Verbindung gebracht. Röm 3,21a wird man im Zusammenhang mit 3,21b verstehen müssen. Im zweiten Halbvers wird von diesem „Jetzt" aus eine zeitliche Perspektive in die Vergangenheit aufgebaut: Die im „Jetzt" offenbar gewordenen Gerechtigkeit sei bereits zuvor im Gesetz und den Propheten bezeugt worden. Daraus ergibt sich folgende Struktur des Verses.

μαρτυρουμένη ὑπὸ τοῦ νόμου καὶ τῶν προφητῶν (2)	νυνὶ δὲ χωρὶς νόμου δικαιοσύνη θεοῦ πεφανέρωται (1)

V. 21a ist deshalb möglichst stark zu übersetzen, etwa: „Jetzt aber, genau in diesem Augenblick ist die Gerechtigkeit Gottes offenbart worden."[26] Das bedeutet: Im „Jetzt" – und nur dort – erlebt der Mensch, dass er von Gott – in der hier vorliegenden juridischen Metaphorik gesprochen: im göttlichen Gericht – freigesprochen wird. Oder anders herum formuliert: In dem Moment, wo dem einzelnen Menschen der Frei-Spruch Gottes deutlich wird, erschließt sich das „Jetzt" als Gegenwart des Heils. Von diesem Augenblick her, der im Röm mit νῦν bzw. mit dem durch das Demonstrativsuffix ι verstärkten νυνί bezeichnet wird, werden deshalb alle anderen Zeitpunkte bestimmt.

Ausgehend von 3,21 lässt sich beobachten, dass sich das νῦν auch an anderen wichtigen Stellen der Argumentation findet. Noch im gleichen Abschnitt bezeichnet die Formulierung πρὸς τὴν ἔνδειξιν τῆς δικαιοσύνης αὐτοῦ ἐν τῷ νῦν καιρῷ (3,26a) ebenfalls das Sichtbarwerden der Gerechtigkeit Gottes in der Gegenwart. V. 25f sind dabei parallel gebaut, so dass sich zeitlich eine Unterscheidung zwischen dem ἐν τῇ

---

[20] Als instruktiven Überblick dazu vgl. J. Woyke: <Einst> und <Jetzt> in Röm 1-3?, S. 185-206.
[21] So z.B. A. Nygren: Der Römerbrief; S. 109f; E. Käsemann: An die Römer; HNT 8a, S. 86.
[22] J. Woyke: <Einst> und <Jetzt> in Röm 1-3?, S. 188, mit Bezug auf E. Kühl: Der Brief des Paulus an die Römer; Leipzig 1913, S. 107. Woyke hält allerdings die drei genannten zeitlichen Interpretationen für nicht zutreffend.
[23] Woyke, a.a.O., S. 188, mit Bezug auf C. E. B. Cranfield: The Epistle to the Romans; (ICC) vol. 1, S. 201. H. Schlier: Der Römerbrief; HThK 6, S. 103 und andere.
[24] Woyke, a.a.O., S. 199ff.
[25] Woyke, a.a.O., S. 206.
[26] Etwas eigenartig ist hier das Perfekt im Passiv πεφανέρωται in Verbindung mit dem νυνί. Aber das Perfektum hat auch einen präsentischen Aspekt und ist zugleich subjektiver als der Aorist. Vgl. Blass, Debrunner, Rehkopf: Grammatik des neutestamentlichen Griechisch, § 340 und 341.

ἀνοχῇ τοῦ θεοῦ in der Vergangenheit und dem ἐν τῷ νῦν καιρῷ, also der Gegenwart, ergibt. Wenn man διὰ τὴν πάρεσιν τῶν προγεγονότων ἁμαρτημάτων nachstellt, liegt eine analoge Struktur zwischen V. 25c, 26a einerseits und V. 26b andererseits vor. Von der Gegenwart der Rechtfertigung ausgehend erscheint damit die Vergangenheit als Zeit der Geduld Gottes:

εἰς ἔνδειξιν τῆς δικαιοσύνης αὐτοῦ ἐν τῇ ἀνοχῇ τοῦ θεοῦ διὰ τὴν πάρεσιν τῶν προγεγονότων ἁμαρτημάτων	πρὸς τὴν ἔνδειξιν τῆς δικαιοσύνης αὐτοῦ ἐν τῷ νῦν καιρῷ εἰς τὸ εἶναι αὐτὸν δίκαιον καὶ δικαιοῦντα τὸν ἐκ πίστεως Ἰησοῦ

Nachdem Paulus also bis 3,18 das unter der Sünde Sein der Menschen beschrieben hatte, stellt er in 3,19ff-4,25 die Rechtfertigung durch den Glauben dar. Gleich zu Beginn dieses Abschnittes wird dann an prominenter Stelle in 3,21 und 25f das durch νῦν bestimmte Zeitverständnis eingeführt, welches die Rechtfertigung charakterisiert.

Die nächsten Stellen, an denen sich das νῦν findet, sind 5,8f und 11. Dies ist der für die Komposition des Röm wichtige Abschnitt 5,1-11, mit dem nach der Darstellung der Glaubensgerechtigkeit 3,19-4,25 der Übergang zum neuen großen Zusammenhang 5,1-8,39 geschaffen wird. In V. 8f wird dabei wiederum eine zeitliche Unterscheidung eingeführt, diesmal ἔτι – νῦν. Die Aussage lautet zunächst: Christus ist bereits, als „wir" noch Sünder waren, für uns gestorben sind. In der Gegenwart aber gilt für die „Wir": δικαιωθέντες νῦν ἐν τῷ αἵματι αὐτοῦ (5,9a). Auch hier ist die Beschreibung der Gegenwart wieder mit dem terminus δικαιοσύνη bzw. δικαιοῦν verbunden. Es ergibt sich folgendes Arrangement:

ἔτι ἁμαρτωλῶν ὄντων ἡμῶν Χριστὸς ὑπὲρ ἡμῶν ἀπέθανεν	[...] δικαιωθέντες νῦν ἐν τῷ αἵματι αὐτοῦ

Dass dabei diese gegenwärtige Rechtfertigung auch einen Zukunftsaspekt hat, zeigt bereits die Fortsetzung des Satzes in V. 9b (σωθησόμεθα δι' αὐτοῦ ἀπὸ τῆς ὀργῆς). Dies wird im Folgenden noch weiter ausgeführt. V. 10f bildet deshalb am Ende des einführenden Abschnittes 5,1-11 eine weitere zeitliche Unterscheidung, die dieses Mal die gegenwärtige Versöhnung und die zukünftige Rettung der „Wir" miteinander in Verbindung bringt. Statt der Gegenwart der δικαιοσύνη wird hier also auf die καταλλαγή Bezug genommen. Es ergibt sich etwa folgende Struktur:

καταλλαγέντες σωθησόμεθα ἐν τῇ ζωῇ αὐτοῦ	[...] διὰ τοῦ κυρίου ἡμῶν Ἰησοῦ Χριστοῦ δι' οὗ νῦν τὴν καταλλαγὴν ἐλάβομεν

Die nächste Stelle, an der sich νῦν-Formulierungen finden, ist 6,19-22. Dort geht es Paulus darum, nach einer ersten parallelen Darstellung von Adam und Christus seit 5,12ff die Adressaten dazu zu bewegen, sich für eine Existenz gemäß Christus zur Verfügung zu stellen. Deshalb erinnert Paulus die Adressaten V. 19 zunächst an die vergangene Existenz unter der Knechtschaft der Ungesetzlichkeit, um dieser in der Gegenwart den Dienst an der Gerechtigkeit gegenüberzustellen. Die anschließende Komposition von 6,20-22 ist konzentrisch. In der Mitte findet sich V. 21 eine zeitliche Unterscheidung τότε – νῦν und als deren Rahmen V. 20 und 22 eine zweite mit ὅτε –

νυνί, die adversativem δέ verbunden wird. V. 20 bezeichnet das Leben in der Vergangenheit als Knechtschaft der Sünde und V. 22 demgegenüber die Existenz in der Gegenwart als Befreiung von der Sünde. Das bedeutet, dass Paulus auch hier von der gegenwärtigen Erfahrung der Befreiung von der Macht der Sünde ausgeht und von dort aus die Vergangenheit als eine Zeit unter der Knechtschaft der Sünde (re)konstruiert. V. 21 kommt dann auf die Belohnung dieser beiden Existenzweisen zu sprechen: Der Lohn des damaligen Lebens ist der Tod, der des Lebens in der Gegenwart das ewige Leben (vgl. V. 23). Es ergibt sich damit etwa folgende Struktur:

19:	ὥσπερ γὰρ παρεστήσατε τὰ μέλη ὑμῶν δοῦλα τῇ ἀκαθαρσίᾳ καὶ τῇ ἀνομίᾳ εἰς τὴν ἀνομίαν	οὕτως νῦν παραστήσατε τὰ μέλη ὑμῶν δοῦλα τῇ δικαιοσύνῃ εἰς ἁγιασμόν
20+ 22:	ὅτε γὰρ δοῦλοι ἦτε τῆς ἁμαρτίας ἐλεύθεροι ἦτε τῇ δικαιοσύνῃ	νυνὶ δέ ἐλευθερωθέντες ἀπὸ τῆς ἁμαρτίας δουλωθέντες δὲ τῷ θεῷ
21:	τίνα οὖν καρπὸν εἴχετε τότε	ἐφ' οἷς νῦν ἐπαισχύνεσθε τὸ γὰρ τέλος ἐκείνων θάνατος

Eine weitere zeitliche Differenzierung findet sich an der wichtigen Stelle 7,5f mit ὅτε – νυνί, wiederum verbunden mit adversativem δέ. Hier werden die Weichen für die beiden folgenden Kapitel 7 und 8 gestellt. Die in V. 5 mit ὅτε bezeichnete, vergangene Existenz „in der σάρξ" wird in 7,7-25 beschrieben, während die Existenz „in Christus" in 8,1ff mit νῦν charakterisiert wird. Für die erste gilt, dass sie das Ich (=Adam) in die Verzweiflung führt, für die zweite, dass sie in der Gegenwart vom Gesetz der Sünde und des Todes befreit worden ist. Die Struktur von 7,5f lässt sich damit folgendermaßen darstellen:

ὅτε γὰρ ἦμεν ἐν τῇ σαρκί τὰ παθήματα τῶν ἁμαρτιῶν τὰ διὰ τοῦ νόμου ἐνηργεῖτο ἐν τοῖς μέλεσιν ἡμῶν εἰς τὸ καρποφορῆσαι τῷ θανάτῳ	νυνὶ δὲ κατηργήθημεν ἀπὸ τοῦ νόμου ἀποθανόντες ἐν ᾧ κατειχόμεθα ὥστε δουλεύειν ἡμᾶς ἐν καινότητι πνεύματος καὶ οὐ παλαιότητι γράμματος

Innerhalb des Abschnittes 7,7-25 findet sich noch die Formulierung νυνὶ δὲ οὐκέτι ἐγὼ κατεργάζομαι αὐτὸ ἀλλὰ ἡ οἰκοῦσα ἐν ἐμοὶ ἁμαρτία. Das νυνί taucht hier jedoch, wie auch die parallele Formulierung V. 20 zeigt, nicht im Rahmen einer zeitlichen Differenzierung auf, und hat damit keinen temporalen, sondern eher als Konsequenz aus V. 15f einen schlussfolgernden Sinn.

Die zentrale Stelle 8,1 charakterisiert dann auf der Basis der Unterscheidung von 7,5f die neue Existenz des Glaubenden „in Christus Jesus" als eine Existenz im „Jetzt". Paulus beschreibt den gegenwärtigen Zeitpunkt, das „Jetzt", als Befreiung von der verzweifelten Existenz des Menschen unter der Herrschaft der Sünde (7,7-25), die durch die Gewissheit bestimmt ist, dass es für die „in Christus Jesus" Lebenden keine Verurteilung mehr gibt: Οὐδὲν ἄρα νῦν κατάκριμα τοῖς ἐν Χριστῷ Ἰησοῦ.

8,18ff thematisieren auf dieser Basis die Leiden, die die Glaubenden in der Gegenwart erfahren müssen, ebenfalls eine markante Stelle, die den Abschluss der Argumentation Röm 5-8 und darüber hinaus auch Röm 1-8 bildet. Die zeitliche Unterscheidung bezieht sich hier nicht wie vorher auf die Vergangenheit, sondern auf die Zukunft (vgl. 5,10f). Der Formulierung τὰ παθήματα τοῦ νῦν καιροῦ wird das πρὸς τὴν μέλλουσαν δόξαν ἀποκαλυφθῆναι εἰς ἡμᾶς hinzugefügt, so dass sich folgende zeitliche Struktur ergibt:

Λογίζομαι γὰρ ὅτι οὐκ ἄξια τὰ παθήματα τοῦ νῦν καιροῦ	*πρὸς τὴν μέλλουσαν δόξαν ἀποκαλυφθῆναι εἰς ἡμᾶς*

Analog wird auch in V. 22f von einem Stöhnen und Leiden in der Gegenwart gesprochen, dass aber in der Erwartung der Erlösung des Leibes sein zeitliches Gegenüber findet.

οἴδαμεν γὰρ ὅτι πᾶσα ἡ κτίσις συστενάζει καὶ συνωδίνει ἄχρι τοῦ νῦν	*[...] υἱοθεσίαν ἀπεκδεχόμενοι τὴν ἀπολύτρωσιν τοῦ σώματος ἡμῶν*

Mit diesen beiden genannten Stellen wird also am Ende des großen Zusammenhanges Kap. 5-8 von der Gegenwart ausgehend eine Zukunftserwartung entwickelt.

Auch am Ende des folgenden großen Zusammenhanges Röm 9-11 verwendet Paulus an prominenter Stelle das Wörtchen *νῦν*. Zunächst wird in 11,5 von der Gegenwart gesagt, dass es „jetzt" gemäß Gottes gnädiger Auswahl einen „Rest" gibt. Dies wird in V. 2-4 zu einer Stelle in I Reg 19 in Beziehung gesetzt, die sich auf Elia bezieht. Es ist also offenbar erneut eine zeitliche Differenzierung zwischen Gegenwart und Vergangenheit gemeint: *ἐν Ἠλίᾳ – ἐν τῷ νῦν καιρῷ*.
    Dann findet sich an sehr markanter Stelle eine Anhäufung des Wortes *νῦν* in 11,30f. Sie bildet den Abschluss der Argumentation von Röm 9-11, ja sogar der gesamten Argumentation von Kap. 1-11 und bringt vor Beginn der Paränese eine ganz auffällige Konzentration auf den gegenwärtigen Zeitpunkt (es folgt nur noch eine Schlusssatz in V. 32 und eine Doxologie V. 33-36). Hier fasst Paulus das gesamte Heilsgeschehen im gegenwärtigen Moment zusammen, der für Israeliten und Nichtisraeliten durch das umfassende Erbarmen Gottes gekennzeichnet ist.[27] Lautet die Differenzierung noch in V. 30 in gewohnter Weise *πότε – νῦν*, so verdichtet sie sich in V. 31 zu *νῦν – νῦν*. Damit kann man sagen, dass Paulus am Ende der gesamten Sachargumentation alle zeitlichen Unterscheidungen konzentriert und in eine massive, auf die Gegenwart des Erbarmens bezogene Schlussaussage einmünden lässt. Die vorherigen zeitlichen Unterscheidungen werden damit von ihrem Ende her aufgehoben. Die Sätze haben folgende Struktur.

30:	*ὥσπερ γὰρ ὑμεῖς ποτε ἠπειθήσατε τῷ θεῷ*	*νῦν δὲ ἠλεήθητε τῇ τούτων ἀπειθείᾳ*
31:	*οὕτως καὶ οὗτοι νῦν ἠπείθησαν τῷ ὑμετέρῳ ἐλέει*	*ἵνα καὶ αὐτοὶ νῦν ἐλεηθῶσιν*

---

[27] Das dritte *νῦν* ist zwar textkritisch nicht ganz gesichert, aus der Schlussfolgerung V. 32 ergibt sich jedoch zwingend, dass das Erbarmen „jetzt" auch den Israeliten gilt. Siehe unten die Erläuterungen zur Stelle.

Auf dieser Basis findet sich in 13,11 ein letztes Mal im Röm das νῦν in einem tieferen, theologischen Sinne. Auch dies ist eine markante Stelle der Argumentation, weil von der allgemeinen zur speziellen Paränese übergeleitet wird. Paulus beschreibt hier die Gegenwart der Glaubenden, die von der Nähe der Rettung geprägt ist. Die zeitliche Differenz ist wiederum ὅτε – νῦν, wobei das ὅτε diesmal nicht die vergangene Existenz unter dem Gesetz bzw. unter der Sünde bezeichnet, sondern den Beginn des Glaubens.

ἤ ὅτε ἐπιστεύσαμεν (2)	νῦν γὰρ ἐγγύτερον ἡμῶν ἡ σωτηρία (1)

Außerhalb der theologischen Argumentation verwendet Paulus das νῦν dann noch zweimal im brieflichen Rahmen in 15,23 und 25. Diese Stellen beziehen sich auf den Moment, in dem Paulus den Röm diktiert, also auf einen biographischen Wendepunkt, an dem die bisherige Verkündigungstätigkeit des Paulus und die Sammlung der Kollekte beendet ist und an dem er nach neuen Verkündigungsmöglichkeiten seiner Botschaft sucht: νυνὶ δὲ μηκέτι τόπον ἔχων ἐν τοῖς κλίμασι τούτοις [...] νυνὶ δὲ πορεύομαι εἰς Ἰερουσαλὴμ διακονῶν τοῖς ἁγίοις.

Im nicht ursprünglichen Schluss des Röm kommt in 16,25f noch im Rahmen eines Revelationsschemas die Formulierung: φανερωθέντος δὲ νῦν διά τε γραφῶν προφητικῶν vor.

Es geht bei dem Wort νῦν bzw. νυνί damit im Röm um ein Verständnis von Zeit, das nicht entsprechend unserem geläufigen Zeitempfinden strukturiert ist. Es wird hier nicht ein kontinuierlicher und irreversibler Verlauf der Zeit von der Vergangenheit über die Gegenwart in die Zukunft vorausgesetzt, welcher in verschiedene Teile geteilt und so gemessen werden kann. Vielmehr werden im Röm zeitliche Differenzierungen entwickelt, die sich deutlich am gegenwärtigen Moment orientieren und Vergangenheit und Zukunft von diesem Zeitpunkt her interpretieren und konstruieren.

Um zu verstehen, welche Vorstellung von Zeit hier vorausgesetzt wird, ist es sinnvoll, zunächst auf Augustin zu verweisen. Wesentlich für ein am einzelnen Menschen orientiertes Verständnis der Zeit ist die Beobachtung, die er in den Confessiones formuliert hat. „Soviel aber ist nun klar und deutlich: Weder die Zukunft noch die Vergangenheit ‚ist', und nicht eigentlich läßt sich sagen: Zeiten ‚sind' drei: Vergangenheit, Gegenwart und Zukunft; vielmehr sollte man, genau genommen, etwa sagen: Zeiten ‚sind' drei: eine Gegenwart von Vergangenem, eine Gegenwart von Gegenwärtigem, eine Gegenwart von Zukünftigem. Denn es sind diese Zeiten als eine Art Dreiheit in der Seele, und anderswo sehe ich sie nicht; und zwar ist da Gegenwart von Vergangenheit, nämlich Erinnerung; Gegenwart von Gegenwärtigem, nämlich Augenschein; Gegenwart von Künftigem, nämlich Erwartung."[28] Es ist also bei Augustin ein Verständnis von Zeit vorausgesetzt, das eigentlich nur von einer ständigen Gegenwart (praesens) ausgehen kann, die vom einzelnen Subjekt erlebt wird, und die Erinnerung und Erwartung als bestimmte Aspekte der Gegenwart entwickelt. In diesem Sinne ist Zeit streng auf das subjektive, existentielle Erfahren bezogen. Die

---

[28] A. Augustinus: Confessiones – Bekenntnisse. Eingeleitet, übersetzt und erläutert von Joseph Bernhart; München 1955; Buch 11,20; S. 640ff. Im Lateinischen heißt es: „Quod autem nunc liquet et claret; nec futura ‚sunt' nec praeterita, nec proprie dicitur: tempora ‚sunt' tria, praeteritum, praesens et futurum, sed fortasse proprie diceretur: tempora ‚sunt' tria, praesens de praeteritis, praesens de praesentibus, praesens de futuris. Sunt enim haec in anima tria quaedam et alibi ea non video, praesens de praeteritis memoria, praesens de praesentibus contuitus, praesens de futuris expectatio."

verschiedenen Aspekte von Zeit entfalten sich aus der erlebten Gegenwart des Augenblicks heraus. Man kann in diesem Sinne sagen, dass spätestens bei Augustin ein subjektives Verständnis der Zeit vorhanden ist. Mitunter wird Augustin sogar als Entdecker dieses Zeitverständnisses angesehen. „Augustin entdeckt [...] die gegenstandsdistanzierte subjektiv-existenzielle Zeiterfahrung in den drei Zeitekstasen, wovon die punktuell flüchtige Gegenwart eben doch der Bestimmungsort der zurückliegenden und ausstehenden Zeiterfahrung sein muß."[29]

Wenn man jedoch die paulinischen Äußerungen zum νῦν bzw. νυνί im Röm betrachtet, kann man wohl davon ausgehen, dass bereits bei Paulus jedenfalls für die Glaubenden ein ähnliches, subjektives und auf den Augenblick zentriertes Zeitverständnis vorhanden ist. Paulus geht es jedoch nicht einfach nur um eine Beschreibung der anthropologischen Einsicht, dass Zeit immer nur als gegenwärtige erlebbar ist, sondern sein Zeitverständnis ist vor allem theologisch geprägt. Es geht ihm um den gegenwärtigen Moment, der durch die Erfahrung der Rechtfertigung, der Versöhnung und des Erbarmens bestimmt ist. Von dort ausgehend wird einerseits die Vergangenheit als eine Zeit vor dieser Erfahrung (re)konstruiert. Und andererseits wird von dort aus eine Zukunftserwartung entwickelt, die gegenwärtigen Leidenserfahrungen gewissermaßen die Erwartung der endgültigen Durchsetzung der Gegenwart des Heils entgegensetzt. Alle zeitlichen Differenzierung werden dabei jedoch letztlich in der umfassenden Erfahrung von Gottes Erbarmen im „Jetzt" aufgehoben (vgl. Röm 11,31).

Im Kontext eines solchen, über das geläufige Zeitempfinden hinausgehenden Verständnisses von Zeit kommt dem vermeintlich unscheinbaren Wort νυνί im Röm eine wichtige Bedeutung zu. Dabei meint dieses νυνί ein theologisch bestimmtes „Jetzt", das für Paulus von Röm 3,21 her unmittelbar mit der Offenbarung und persönlichen Erfahrung der Rechtfertigung (in juridischer Metaphorik: des Frei-Spruches im göttlichen Gericht) verbunden ist.[30] In diesem „Jetzt" ist die christliche Existenz neu begründet. Zeitliche Differenzierungen, die mit der Existenz im Glauben zusammen hängen, werden von diesem νῦν ausgehend entfaltet. Das νῦν selbst ist jedoch in sich nicht teilbar bzw. differenzierbar. Es ist der nicht dividierbare, „in-dividuelle" Moment, in dem der glaubende Mensch lebt. Das νῦν bezeichnet die von der Rechtfertigung bestimmte Gegenwart, von der her alle zeitlichen Differenzierungen definiert werden.

Differenztheoretisch kann man sagen, dass das „Jetzt" innerhalb der Differenz νυνί – ὅτε oder νυνί – ποτέ oder νυνί – τότε die bezeichnete erste Seite der Unterscheidung darstellt. Die zweite Seite repräsentiert innerhalb der Unterscheidung die „Nicht-Gegenwart", also die Zeit, die von der Gegenwart der Rechtfertigung her als „alles Andere", als Außenseite verstanden werden kann. Zeit kann in diesem Sinne nicht als ein fest vorgegebener, kontinuierlicher und irreversibler Verlauf von der Vergangenheit über die Gegenwart in die Zukunft verstanden werden. Die Zeit wird gewissermaßen vom „Jetzt" her neu entworfen. Alle anderen Zeitpunkte befinden sich auf der anderen Seite der Unterscheidung. Sie bleiben für sich selbst unbestimmbar und erfahren ihre nähere Einordnung durch das theologisch bestimmte „Jetzt".

In der Notation G. Spencer Browns kann man dies folgendermaßen ausdrücken:[31]

---

[29] H. Deuser: Die Freude des gelebten Augenblicks; S. 158.
[30] Deshalb findet sich καιρός im Röm auch hauptsächlich in Verbindung mit νῦν. Vgl. 3,26; 8,18; 11,5; 13,11. Diesen Hinweis verdanke ich Oda Wischmeyer.
[31] Vgl. G. Spencer Brown: Laws of Form; 2. Aufl. New York 1979 sowie oben die Erläuterungen dieser Unterscheidungslogik zu Röm 1,14f.

νῦν	andere Zeiten

Gemeint ist mit ὅτε oder τότε oder ποτέ nicht einfach die Vergangenheit, sondern eine Existenzweise, die vom erlebten Augenblick der Rechtfertigung her als Leben außerhalb der Gegenwart, also im „Damals" zumeist negativ qualifiziert wird (vgl. z.B. Röm 6,20f; 7,5f; 7,7ff und 8,1ff insgesamt). Was umgekehrt die Zukunft betrifft, ist das paulinische Zeitverständnis nicht von einer futurischen, sondern von einer primär präsentisch orientierten Eschatologie geprägt. Zukunftserwartungen und futurisch eschatologische Aussagen werden von der erlebten Gegenwart der Rechtfertigung her konzipiert. Die leitende Fragestellung ist dabei, wie schon in der Gegenwart das Heil erfahrbar ist und wie von dort her Vergangenheit und Zukunft verstanden werden können. Diese starke theologische Betonung der Gegenwart mag zugleich als interessantes Gegenkonzept zum modernen Zeitempfinden verstanden werden, das von der Differenz Vergangenheit – Zukunft geprägt ist und bei dem sich mitunter der Eindruck aufdrängt, dass dabei die Gegenwart nur noch als Grenze zwischen Vergangenheit und Zukunft verstanden werden kann.[32]

Die zum νῦν oben ausgeführten Beobachtungen lassen sich damit folgendermaßen zusammenfassen.
1. Das scheinbar unscheinbare Wörtchen νῦν bzw. νυνί findet sich an prominenten und wichtigen Schaltstellen der Argumentation des Röm.
2. Das Wort wird vornehmlich im Kontext positiver Heilsaussagen über die Gegenwart der Rechtfertigung, des Erbarmens, der Gnade etc. gebraucht. Bei den wenigen eher negativen Gegenwartsaussagen wird durch Zukunftserwartungen dennoch eine positive Perspektive eröffnet, die sich bereits in der Gegenwart auswirkt.
3. Das Wörtchen νῦν wird theologisch im Röm fast immer im Rahmen zeitlicher Unterscheidungen gebraucht. Die Vergangenheit wird vom νῦν aus als Zeit außerhalb des Heils definiert und die Zukunft als endgültiges Offenbarwerden dieses Heils.
4. An der zentralen Stelle Röm 11,30f werden sämtliche zeitlichen Unterscheidungen in einer universalen Aussage von der Gegenwart des Erbarmens Gottes konzentriert und sogar aufgehoben. Paulus geht es damit letztlich um den Grundgedanken, dass in bestimmter Weise für die Glaubenden die Rettung im „Jetzt" angebrochen ist und in gewisser Weise auch nur im „Jetzt" erlebt werden kann: ἰδοὺ νῦν καιρὸς εὐπρόσδεκτος, ἰδοὺ νῦν ἡμέρα σωτηρίας (II Kor 6,2).

Das νυνί in Röm 3,21 hängt aus den genannten Gründen unmittelbar mit dem Terminus δικαιοσύνη θεοῦ zusammen. Der Begriff kommt außerhalb des Röm lediglich einmal

---

[32] N. Luhmann hat diesbezüglich beobachtet, dass das moderne Zeitverständnis stark an der Produktion von Neuem interessiert ist, was zur Konsequenz hat, dass die Gegenwart nur noch den Übergang zwischen Vergangenheit und Zukunft darstellt und sich zunehmend verflüchtigt. „Man erkennt den Effekt dieser semantischen Karriere des Neuen nicht daran, daß und wie es begriffen wird, wohl aber an Veränderungen der Vorstellung von Gegenwart, in der allein das Neue neu sein kann. Gegenwart ist jetzt nicht mehr die Anwesenheit der Ewigkeit in der Zeit [...] Sondern Gegenwart ist nichts anderes als die *Differenz von Vergangenheit und Zukunft*." (N. Luhmann: Die Gesellschaft der Gesellschaft, S. 1004, Hervorhebungen von Luhmann. Vgl. dazu auch ausführlich den Abschnitt „Temporalisierungen", a.a.O., S. 997ff.)

im I Kor vor. Er wurde oben in Röm 1,17 interpretiert als Zuspruch der Freiheit. Von diesem Verständnis ausgehend ist deshalb zu fragen, wie der Ausdruck innerhalb dieses Abschnittes weiter verwendet wird.

Δικαιοσύνη θεοῦ nimmt zunächst die Aussage von V. 20 wieder auf, nach der aus Werken des Gesetzes niemand vor Gott gerecht werden, d.h. im göttlichen Gericht freigesprochen werden kann (δικαιωθήσεται). Der Ausdruck erscheint, nachdem er in 1,17 eingeführt und in 3,5 kurz verwendet wurde, erstmals ausführlich in V. 21ff. Was „Gerechtigkeit Gottes" meint, wird in V. 21 zunächst mit Hilfe einer Gegenüberstellung zweier Verständnisse des νόμος erläutert. V. 21a bringt dabei eine spezifisch theologisch geprägte Perspektive ein, die an V. 20 anschließt. Das χωρὶς νόμου nimmt in verkürzter Form das ἐξ ἔργων νόμου aus V. 20a auf und charakterisiert damit ein alternatives Lebenskonzept, dass der in 2,1-3,18 beschriebenen Existenzhaltung entgegensteht, die die eigene Identität durch eigene Taten definieren möchte und dabei an den eigenen Verhaltensmaßstäben scheitert. Paulus meint, dass ihm eine δικαιοσύνη θεοῦ, d.h. eine Möglichkeit des Freispruchs im göttlichen Gericht offenbart worden sei, die „ohne Gesetz" auskommt, d.h. die nicht in der Notwendigkeit steht, das komplette in sich selbst vorfindbare (2,14f) oder gelernte Gesetz (2,17ff) in seinen einzelnen Bestimmungen zu tun. Das Verb πεφανέρωται bezeichnet das Offenbarwerden der Gerechtigkeit Gottes und kann als passivum divinum verstanden werden. Durch die Verbindung mit οἴδαμεν in V. 19, durch die das im folgenden Gesagte als persönliche Einsicht des Paulus erscheint, und durch die Darstellung der für ihn zentralen Offenbarung Christi in Gal 1,12.15f darf man vermuten, dass sich das πεφανέρωται eher auf das persönliche Offenbarungserlebnis des Paulus bezieht als auf das historische Geschehen von Jesu Tod und Auferstehung.[33] Zugleich ist zu beachten, dass, wie oben ausgeführt, durch das vorangestellte νυνί gerade mit dieser Offenbarung ein neues Zeitverständnis konstituiert wird, das von der permanenten Gegenwart her geprägt ist. Das πεφανέρωται ist deshalb grammatisch als präsentisches Perfekt zu verstehen.[34]

Mit V. 21a mag es scheinen, als ob das Gesetz in Bezug auf die Gerechtigkeit Gottes völlig irrelevant wäre. Dieser Ansicht widerspricht jedoch die andere Seite der Gegenüberstellung, in der die Bedeutung des Gesetzes und der Propheten (!) klar hervorgehoben wird (μαρτυρουμένη ὑπὸ τοῦ νόμου καὶ τῶν προφητῶν). Unter der Voraussetzung einer doppelten Perspektive, die auch zu einem doppelten Gesetzesverständnis führt, bezeichnet V. 21b gegenüber V. 21a in menschlicher Sicht eine geläufige Größe, nämlich die konkrete Sammlung von Schriften des Judentums, die als „Gesetz und Propheten"[35] zusammengefasst werden kann. Diese hat für Paulus ihren Sinn nicht in sich selbst, sondern sie verweist auf eine andere, spezifisch theologische Größe (μαρτυρουμένη),[36] die über ein geläufiges Verständnis des Gesetzes hinausgeht:

---

[33] Gegen K. Haacker: Der Brief des Paulus an die Römer; ThHK 6, S. 86: „Wenn es anstelle von ἀποκαλύπτεται (1,17) jetzt πεφανέρωται (3,21) heißt, so wird durch dieses Perfekt das, was in der Verkündigung des Evangeliums geschieht, auf einen historischen Anfang zurückgeführt, der die Gegenwart bestimmt. Dem entspricht, daß im folgenden der Begriff des Glaubens inhaltlich gefüllt wird durch den Bezug auf die Geschichte Jesu, nämlich auf seinen Tod."

[34] Vgl. Blass, Debrunner, Rehkopf: Grammatik des neutestamentlichen Griechisch, § 341.

[35] Der Ausdruck „Gesetz und Propheten" als Bezeichnung für die Schriften ist allerdings bei Paulus singulär. Vgl. jedoch Mt 5,17; 7,12; 11,13 par.; 22,40; Lk 16,16; 24,44; Joh 1,45; Act 24,14; 28,23.

[36] U. Wilckens unterstreicht hier wohl zurecht, dass erneut eine juridische Metaphorik vorausgesetzt wird: „μαρτυρεῖν hat forensische Bedeutung." (U. Wilckens: Der Brief an die Römer; EKK VI,1, S. 186) Möglicherweise wird damit auch auf die Zweizeugenregelung aus Dtn 19,15 angespielt.

die Gerechtigkeit Gottes. Gegenübergestellt wird damit ein doppeltes, einerseits geläufiges (als Text) und andererseits spezifisch theologisches Verständnis des Gesetzes (unter seinem Verheißungsaspekt). Dieses doppelte Gesetzesverständnis wird dann auch für die folgenden Kapitel grundlegend sein.[37] Die Gegenüberstellung in V. 21 orientiert sich damit erneut am hermeneutischen Schema von Röm 1,2, nach dem das von Paulus verkündete Evangelium von den Propheten in Heiligen Schriften vorher verheißen worden ist.

Die Formulierung V. 22 markiert eine weitere wichtige Gegenüberstellung, die mit kopulativ gebrauchtem δέ angeschlossen wird. Der Ausdruck εἰς πάντας τοὺς πιστεύοντας in Verbindung mit δικαιοσύνη θεοῦ ist wiederum zunächst parallel zu Röm 1,17: παντὶ τῷ πιστεύοντι. Hier wird die bereits 1,17 angedeutete und dort durch die Streichung des Genitivs im Habakukzitat offen gebliebene Frage des Subjektes der πίστις thematisiert. Subjekt des Glaubens sind im genannten Teil V. 22b die glaubenden Menschen, in V. 22a dagegen bezieht sich πίστις deutlich auf Jesus Christus selbst (διὰ πίστεως Ἰησοῦ Χριστοῦ). Paulus beginnt also V. 22a, markiert durch das Stichwort δικαιοσύνη, erneut mit der theologischen Sichtweise, die hier näher durch einen christologischen Gedanken spezifiziert wird. Die Frage, ob es sich hier um einen genitivus subiectivus handelt,[38] ob also Christus als Subjekt des Glaubens[39] aufgefasst werden kann und ob man den Ausdruck sogar mit „Treue Jesu Christi"[40] wiedergeben kann, wird kontrovers beurteilt. Gegen die subjektive Deutung „spricht, dass Jesus bei Paulus nirgends explizit das Prädikat πιστός/treu erhält, während von Glaubenden hier in V. 22 und im nächstliegenden Paralleltext Gal. 2,16 (dort mit dem Zusatz εἰς Χριστὸν Ἰησοῦν gesprochen wird."[41] Wenn man also den genetivus als obiectivus auffasst, so sind in V. 22b in menschlicher Sicht die Glaubenden selbst und in christologischer Perspektive in V. 22a der Inhalt ihres Glaubens einander gegenübergestellt.[42]

Gegenüber dieser christologisch-theologischen Aussage über die Gerechtigkeit Gottes, die durch den Glauben an Jesus Christus definiert ist, wird anschließend V. 22b im Hinblick auf den Menschen die angemessene Haltung zum Ausdruck gebracht, durch die diese Gerechtigkeit Gottes angenommen werden kann (εἰς πάντας τοὺς

---

[37] Vgl. dazu bereits die Ausführungen zu Röm 2,12 und die ausführliche Analyse des Gesetzesverständnisses in Kap. 4.

[38] Der Ausdruck erscheint nochmals in V. 26, die Frage muss sich also auch auf diesen Vers beziehen.

[39] So z.B. schon J. Haussleiter: Der Glaube Jesu Christi und der christliche Glaube. Ein Beitrag zur Erklärung des Römerbriefes; in: NKZ 2 (1881), S. 109-145. In neuerer Zeit vgl. z.B. S. K. Stowers: A Rereading of Romans, S. 201.

[40] Als Treue Jesu Christi interpretieren den Ausdruck z.B. M. D: Hooker: ΠΙΣΤΙΣ ΧΡΙΣΤΟΥ; in: NTS 35 (1989), S. 321-342; L. T. Johnson: Rom 3:21-26 and the Faith of Jesus; in: CBQ 44 (1982), S. 77-90; K. Williams: Again Pistis Christou; in: CBQ 49 (1987), S. 431-447.

[41] K. Haacker: Der Brief des Paulus an die Römer; ThHK 6, S. 87. Die Klammer wird bei Haacker nicht geschlossen. Gegen eine Unterscheidung in subjektiven und objektiven Genitiv bei Paulus spricht sich neuerdings R.B. Matlock aus. Vgl. ders.: Detheologizing the ΠΙΣΤΙΣ ΧΡΙΣΤΟΥ Debate: Cautionary remarks from a lexical semantic perspective; in: NT 42 (2000), S. 1-23, dort S. 16f: „Our very talk of an objective or subjective genitive ‚construction' subtly misleads us, I suspect. It is well to remind ourselves that the genitiv simply associates two nominals in a considerable variety of contextually determined relations, including those of ‚object' and ‚subject' of an implied ‚action'; our terms are simply our own convenient labels or glosses for such relations, and can hardly be thought to represent the perspective of the speaker or hearer".

[42] K. Barth deutet den Ausdruck dagegen nicht christologisch, sondern theologisch: „die Gerechtigkeit Gottes durch *seine* Treue in Jesus Christus". (K. Barth: Der Römerbrief; Zweite Fassung 1922, S. 72 und 77f, das von Barth hervorgehobene „seine" ist von ihm einfach eingefügt.)

πιστεύοντας). Damit wird nach dem Objekt des Glaubens in V. 22a nun in menschlicher Perspektive das Subjekt des Glaubens angegeben: der einzelne Mensch. Es handelt sich insofern durchaus um eine Subjektivierung in Bezug auf den einzelnen Menschen, der diesen Glauben an Christus tatsächlich für sich annehmen soll (vgl. auch 1,17 und oben die Ausführungen dazu).[43]

Die nächste Gegenüberstellung in V. 22c bis 24 (angeschlossen mit γάρ) benennt den Unterschied zwischen der in 2,1-3,18 analysierten Situation der Menschen und der von Paulus hier ins Spiel gebrachten Möglichkeit des Freispruches durch Gott. In Bezug auf das Kriterium der Sünde besteht – wie 2,1ff gezeigt wurde – zwischen allen Menschen, Juden wie Nichtjuden und Griechen wie Nichtgriechen oder zwischen allen anderen denkbaren Differenzierungen dann kein Unterschied (οὐ γάρ ἐστιν διαστολή), wenn sie die eigene Identität, in der Gerichtsmetaphorik: ihren Freispruch im Gericht Gottes, durch eigene Handlungen oder Eigenschaften begründen wollen. Denn dabei wird – wie oben bereits erläutert wurde – deutlich, dass sie die an sich selbst und andere angelegten Maßstäbe nicht einhalten können (πάντες γάρ ἥμαρτον).[44] Damit wird aber nicht nur das Ergebnis der Analyse 2,1-3,18 zusammengefasst, sondern zugleich eine geläufige menschliche Einsicht wiedergegeben, nach der alle Menschen sich in einer oder anderer Weise verfehlen.[45] Die Formulierung ὑστεροῦνται τῆς δόξης τοῦ θεοῦ ist nicht ganz eindeutig. Δόξα θεοῦ wird des öfteren auf die Ebenbildlichkeit des Menschen bezogen, die dieser durch die Sünde verloren habe.[46] Die Verbindung mit ὑστερεῖσθαι („Mangel haben")[47] spricht jedoch eher dafür, δόξα allgemeiner zu verstehen, etwa im Sinne von Anerkennung. Wenn der genitivus als obiectivus[48] verstanden wird (wie z.B. Röm 3,7; 4,20 und öfter), ist damit, wie schon in den vorherigen Formulierungen, einfach zusammengefasst, was 1,18-3,18 ausführlich dargelegt wurde: den Menschen mangelt es an einer Anerkennung Gottes, d.h. sie geben ihm zu wenig die Ehre.[49]

---

[43] Diese Subjektivierung ist von verschiedener Seite als eine neue Form der Werkgerechtigkeit oder als Überbetonung der Subjektivität des Menschen verurteilt worden. Vgl. dazu die bei R.B. Matlock: Detheologizing the ΠΙΣΤΙΣ ΧΡΙΣΤΟΥ Debate, S. 22 genannten Positionen von R. Hays und L. Keck. Demgegenüber bringen V. 22a und b deutlich den Zusammenhang von menschlichem Glauben und Christus als Inhalt dieses Glaubens, der in den folgenden Versen erläutert werden wird, zum Ausdruck. Eine Betonung des glaubenden Subjektes ist dabei m.E. bewusst von Paulus mit intendiert, weil der Glaube das menschliche Subjekt gerade neu konstituiert (vgl. 8,1f und unten die Ausführungen dazu).

[44] Vgl. dazu bereits 3,9 in Beziehung auf die Unterscheidung Juden – Nichtjuden das πάντας ὑφ' ἁμαρτίαν εἶναι.

[45] K. Haacker verweist dazu auf verschiedene lateinische Parallelen z.B. Seneca, De Clementia I 6.3: "Wir haben uns alle vergangen (peccavimus omnes), die einen schwerer, die anderen leichter". (Zitiert nach K. Haacker: Der Brief des Paulus an die Römer; ThHK 6, S. 87f, Anm. 12)

[46] So z.B. E. Käsemann: An die Römer; HNT 8a, S. 89, der hier eine Entsprechung von δόξα und δικαιοσύνη θεοῦ erblickt: „Daraus folgt weiter, dass mit der Gerechtigkeit dem Menschen in seiner Teilhabe an der Christusherrschaft die verlorene Ebenbildlichkeit zurückgegeben wird." Ähnlich auch W. Schmithals: Der Römerbrief, S. 119f: „Die ‚Herrlichkeit' ist ursprünglich der himmlische Lichtglanz, in dem Gott weilt, und dementsprechend die Ehre, die ihm gebührt [...] dann der von Gott herkommende Lichtglanz, mit dem die Gerechten bekleidet werden sollen [...] und der mit dem Lichtglanz identisch ist, der den Menschen vor dem Sündenfall umstrahlte."

[47] So W. Bauer, K. und B. Aland: Wörterbuch zu den Schriften des Neuen Testaments, Sp. 1692.

[48] Daneben wird auch die Interpretation als genitivus subiectivus vertreten, z.B. von H. Asmussen, der übersetzt: „und mangeln an dem Ruhmes, den sie bei Gott haben sollten". (H. Asmussen: Der Römerbrief, S. 71) Eine ganz eigene Deutung bringt K. Barth: „Die Herrlichkeit Gottes ist Gottes Anschaulichkeit [...] Diese Anschaulichkeit fehlt uns." (K. Barth: Der Römerbrief; Zweite Fassung 1922, S. 82)

[49] Diese Version favorisiert auch K. Haacker: Der Brief des Paulus an die Römer; ThHK 6, S. 88.

Diesem V. 23 genannten Versuch, den Freispruch im göttlichen Gericht durch eigene Taten und nicht durch die Ehrung Gottes herbeizuführen, wird nun aus einer spezifisch theologischen Sicht, erneut durch die Wurzel δικ- markiert, in V. 24 ein Freispruch (δικαιούμενοι) gegenübergestellt, der von Seiten Gottes als Geschenk und aus Wohlwollen (δωρεὰν τῇ αὐτοῦ χάριτι), also ohne Anrechnung der geleisteten Taten, erfolgt. Die Rechtfertigung des einzelnen und die Befreiung von Sünde, in der hier vorgeschlagenen Terminologie: die Neubegründung seines Lebens durch seinen Frei-Spruch im göttlichen Gericht, müssen für Paulus also nicht durch eigene Taten erfolgen, sondern sie geschehen umsonst, d.h. ohne die Taten des Menschen. Sie werden von Gott ohne eigenen Verdienst zugesprochen. V. 24 ist von einigen Interpreten dem Traditionsstück V. 25f zugerechnet worden.[50] Käsemann sieht hier einen „jähen Abbruch der Satzkonstruktion".[51] V. 24 wechsle von der Vergangenheitsform in eine präsentische Partizipialwendung und die in V. 24 vorkommenden Begriffe seien unpaulinisch gebraucht. Das spreche dafür, V. 24 zu dem Nachfolgenden zu ziehen und hier den Beginn einer vorpaulinischen Vorlage zu sehen.[52] Syntaktisch kann jedoch das Partizip Präsens δικαιούμενοι sehr wohl an V. 23 anschließen und eine nachfolgende Handlung bezeichnen.[53] Die in V. 24 genannten Begriffe sind bei Paulus keineswegs unüblich.[54] Δωρεάν findet sich bei Paulus noch positiv (im Sinne von unentgeltlich) II Kor 11,7 und negativ (im Sinne von vergeblich) Gal 2,21. Der Ausdruck ἡ δωρεά erscheint positiv im Sinne eines Geschenkes Gottes Röm 5,15.17 und II Kor 9,15. Χάρις als Bezeichnung für ein Geschenk Gottes oder Christi ist ein bei Paulus im Röm und auch sonst sehr häufig gebrauchter Begriff. Ἀπολύτρωσις wird Röm 8,23 im Sinne der endgültigen Befreiung von der Vergänglichkeit des Leibes gebraucht und I Kor 1,30 in Verbindung mit δικαιοσύνη θεοῦ verwendet. Der Begriff setzt im engeren Sinne die Metaphorik des Loskaufes eines Sklaven voraus,[55] kann aber auch in einem weiteren Sinne für „,Rettung' oder ,Befreiung' in verschiedenen Lebenszusammenhängen gebraucht werden."[56] In diesen weiteren Sinne fügt er sich auch in die Metaphorik des Freispruches im göttlichen Gericht. „Ferner ist ἐν Χριστῷ Ἰησοῦ wahrscheinlich paulinische Bildung."[57] Die Formel ist bei Paulus fest geprägt, und wenn man sie nicht ekklesiologisch oder modal versteht, meint sie in einem übertragenen Sinne lokal[58] die Neubegründung der Existenz des Menschen „in

---

[50] So z.B. R. Bultmann: Theologie des Neuen Testaments, S. 49; E. Käsemann: An die Römer; HNT 8a, S. 88f.

[51] Käsemann, a.a.O., S. 89.

[52] Käsemann, a.a.O., S. 90.

[53] Vgl. Blass, Debrunner, Rehkopf: Grammatik des neutestamentlichen Griechisch, § 339,2αβ. Vgl. dazu auch U. Wilckens: Der Brief an die Römer; EKK VI, 1, S. 184 und K. Haacker: Der Brief des Paulus an die Römer; ThHK 6, S. 89, Anm. 21: „Syntaktisch ist dieser Anschluß kein Problem". Zur partizipialen Satzfortführung bei Paulus siehe z.B. II Kor 5,12; 7,5; 10,14f.

[54] Vgl. Wilckens, a.a.O., S. 183f.

[55] So A. Deissmann: Licht vom Osten. Das Neue Testament und die neuentdeckten Texte der hellenistisch-römischen Welt; 4. Aufl. Tübingen 1923, S. 271-281.

[56] K. Haacker: Der Brief des Paulus an die Römer; ThHK 6, S. 90, mit Bezug auf W. Haubeck: Loskauf durch Christus. Herkunft, Gestalt und Bedeutung des paulinischen Loskaufmotivs; Gießen und Basel 1985; E. Pax: Der Loskauf. Zur Geschichte eines neutestamentlichen Begriffes; Antonianum 37 (1962), S. 239-78.

[57] U. Wilckens: Der Brief an die Römer; EKK VI, 1, S. 184.

[58] Zum Gebrauch der Formel vgl. H.-C. Meier: Mystik bei Paulus. Zur Phänomenologie religiöser Erfahrung im Neuen Testament; (TANZ 26) Tübingen und Basel 1998. Meier unterscheidet S. 31ff eine lokale, ekklesiologische und modale Deutung der Formel ἐν Χριστῷ (allerdings ohne Ἰησοῦ). Die

Christus" (vgl. die Ausführungen unten zu Röm 8,1f). Man wird also davon ausgehen können, dass Paulus V. 24 selbst und in Gegenüberstellung zu V. 23 formuliert hat.

Die These von dem Freispruch Gottes, der δωρεάν geschieht, wird V. 25f erläutert. Das geschieht durch die sehr dichte Formulierung, Gott habe Christus Jesus als ἱλαστήριον hingestellt. Dieses Wort ἱλαστήριον lässt sich hier sehr verschieden interpretieren. „Die vorherrschende Alternative ist die zwischen einer Aufnahme von frühjüdischer Märtyrertheologie (vgl. 4. Makk. 17,21 f.) und einer typologischen Identifikation Jesu mit der כַּפֹּרֶת, dem Deckel der Bundeslade im Allerheiligsten des ersten Tempels von Jerusalem, an dem nach Lev. 16 jährlich am ‚großen Versöhnungstag' ein Blutritus vollzogen wurde."[59] Die erste Deutung wird z.B. von C.E.B. Cranfield und K. Haacker vertreten,[60] die zweite z.B. von U. Wilckens und P. Stuhlmacher.[61] Die Deutung gemäß IV Makk 17 hängt jedoch wesentlich daran, ob man dort V. 22 mit א und Rahlfs τοῦ ἱλαστηρίου τοῦ θανάτου αὐτῶν liest oder alternativ τοῦ ἱλαστηρίου θανάτου αὐτῶν.[62] Nach der zweiten Lesart, die die wahrscheinlichere ist, muß ἱλαστηρίου aber wohl adjektivisch aufgefasst werden.[63] Ein Bezug auf das Nomen in Röm 3,25 wird dann extrem unwahrscheinlich.

Viel wahrscheinlicher ist demgegenüber, dass sich Paulus auf den großen Versöhnungstag Lev 16 bezieht.[64] Der Begiff ἱλαστήριον erscheint dort in V. 2 (zweimal), 13.14 (zweimal), 15.[65] Das αἷμα findet sich Lev 16,14 (zweimal), 15 (zweimal), 18.19.27 (vgl. Röm 3,25: ἐν τῷ αὐτοῦ αἵματι). Paulus gibt also mit der Formulierung ἱλαστήριον διὰ πίστεως ἐν τῷ αὐτοῦ αἵματι in V. 25b eine geläufige menschliche Sicht wieder, nach der gemäß Lev 16 durch das Blut auf dem Deckel der Lade Sühne geschieht. Die Metaphorik wechselt damit vom Juridischen ins Kultische.[66] In Lev 16 ist die Befreiung von Sünden durch den großen Versöhnungstag geregelt. Dieser wird in V. 25 auf Jesus Christus bezogen. Die Formulierung ἐν τῷ αυτοῦ αἵματι soll dabei verdeutlichen, dass es sich bei Christus um eine konkreten Menschen aus Fleisch und Blut gehandelt hat (vgl. zum menschlichen Aspekt Jesu Christi Röm 1,3). Der allgemeine Ritus der Befreiung von Sünde wird damit auf einen einzigen Menschen und sein „Opfer" konzentriert. Das entspricht sowohl dem Interesse des Röm am einzelnen Menschen als auch einer Interpretation der Schrift auf Christus hin (siehe grundsätzlich Röm 10,4 und unten die Ausführungen dazu). Der Ausdruck διὰ

---

lokale Deutung wurde bereits von A. Deissmann in bestimmter Weise vorgeschlagen: „Christus ist das Element, innerhalb dessen der Christ lebt." (A. Deissmann: Die neutestamentliche Formel „in Christo Jesu"; Marburg 1892, S. 81)

[59] K. Haacker: Der Brief des Paulus an die Römer; ThHK 6, S. 90.

[60] C.E.B. Cranfield: The Epistle to the Romans, (ICC) vol. 1, S. 217f; Haacker, a.a.O., S. 90f.

[61] U. Wilckens: Der Brief an die Römer; EKK VI,1, S. 190f; P. Stuhlmacher: Der Brief an die Römer; NTD 6, S. 57f.

[62] Vgl. C.E.B. Cranfield: The Epistle to the Romans, (ICC) vol. 1, S. 217, Anm. 4.

[63] So meint auch E. Lohse, obwohl er Röm 3,25 von IV Makk her deutet: „4. Makk. 17,22 ἱλαστήριος steht adjektivisch neben θάνατος". Er nimmt jedoch an: Die von Rahlfs aufgeführte Lesart „ist aber wohl als sekundär anzusehen". (E. Lohse: Märtyrer und Gottesknecht. Untersuchungen zur urchristlichen Verkündigung vom Sühntod Jesu Christi; FRLANT 64, Göttingen 1955, S. 71, Anm.2.)

[64] Es handelt sich mit Lev 16 um einen durchaus zentralen Text der Tora, den Paulus hier aufgreift. Siehe R. Rendtorff: Leviticus 16 als Mitte der Tora; in: Biblical Interpretation 11 (2003), S. 252-258.

[65] Eine ähnliche Häufung findet sich sonst nur noch Ex 25,16ff und 38,5ff.

[66] Zu den verschiedenen Metaphoriken vgl. P. von Gemünden, G. Theißen: Metaphorische Logik im Römerbrief, S. 108-131.

πίστεως⁶⁷ zeigt, in welcher Weise diese Setzung Jesu Christi als ἱλαστήριον von den Menschen angenommen werden kann. Die durch Christus ermöglichte Befreiung von Sünden (vgl. πάντες γὰρ ἥμαρτον, V. 23) wird durch den Glauben vom einzelnen Menschen für sich angenommen. Damit ist den Glaubenden die Möglichkeit und Notwendigkeit genommen, durch irgendeine Form eigener Opfer Erlösung von Sünden erlangen zu können und zu müssen. Die beiden Ausdrücke ἐν τῷ αὐτοῦ αἵματι und διὰ πίστεως sind damit zusammen zu sehen.⁶⁸

In V. 25a geschieht dann jedoch in einer spezifisch theologischen Perspektive eine Aufnahme und Modifikation dieses Ritus durch eine christologische Argumentation. Mit der Formulierung ὃν προέθετο ὁ θεός zeigt Paulus, dass die Lev 16 intendierte Befreiung von den Sünden im eigentlichen Sinne erst durch Jesus Christus geschieht (zu dieser Interpretation, nach der die Bestimmungen des Gesetzes auf Christus zielen, vgl. ausführlich die Erläuterungen zu Röm 10,4).⁶⁹ An die Stelle des Vollzugs des regelmäßigen Opfers wird damit in christologischer Sicht das Erlösungsgeschehen in Jesus Christus gesetzt. Dass ἱλαστήριον nicht, wie sonst immer in der Septuaginta und auch in Hebr 9,5 mit Artikel steht,⁷⁰ erklärt sich daraus, dass das Wort hier übertragen für Christus gebraucht wird und nicht im wörtlichen Sinne für *den* Deckel auf der Lade. Solche Identifikation eines alttestamentlichen Wortes mit Christus findet sich bei Paulus noch öfter, z.B. Gal 3,16 (dort wird Christus mit dem Abraham verheißenen Nachkommen gleichgesetzt) und I Kor 10,4 (dort wird Christus mit dem Fels identifiziert, aus dem die Israeliten getrunken haben). Die Übertragung des ἱλαστήριον auf Christus wird durch die Hinzufügung von διὰ πίστεως möglich: Durch den Glauben wird angenommen, dass Christus zum ἱλαστήριον geworden ist, d.h., dass er das, was am Großen Versöhnungstag jährlich geschehen muss, ein für allemal „in seinem Blut" erledigt hat.

Unter dem Aspekt einer doppelten, menschlichen und theologischen Sichtweise wird also in V. 25b auf den Deckel der Bundeslade und den damit verbundenen Ritus gemäß Lev 16 eingegangen, dieser in V. 25a in einer spezifischen theologischen Perspektive auf Christus bezogen und von dorther neu interpretiert: Christus wird jetzt als Deckel der Lade gemäß Lev 16 verstanden, d.h. er wurde von Gott als solcher eingesetzt (προέθετο ὁ θεός).⁷¹ Die Argumentation ist damit ganz auf die Person Jesu Christi und „sein Blut konzentriert". Paulus meint also offenbar, dass nicht das

---

⁶⁷ Διὰ πίστεως ist, wie Röm 3,2 und Gal 22,16 zeigen, eine bei Paulus feststehende Formel, weshalb τῆς zu streichen ist.

⁶⁸ „Die syntaktisch naheliegendste Anbindung von ἐν τῷ αυτοῦ αἵματι an διὰ (τῆς) πίστεως und nicht an ἱλαστήριον ist weder sprachlich unmöglich noch als unpaulinisch abzulehnen (vgl. die Konstrukution von πίστις mit ἐν in 1. Kor. 2,5; Gal. 3,26; Eph. 1,15; Kol. 1,4; 1. Tim. 3,13; 2. Tim. 3,15)." (K. Haacker: Der Brief des Paulus an die Römer; ThHK 6, S. 92)

⁶⁹ Die Hingabe des Blutes Christi am Kreuz fungiert insofern gewissermaßen als kosmischer Versöhnungstag nicht nur für Israel, sondern für alle Menschen. Gegen P. von Gemünden, G. Theißen: Metaphorische Logik im Römerbrief, S. 118.

⁷⁰ Dies Argument wird gewöhnlich gegen den Bezug von Röm 3 zu Lev 16 eingewendet, vgl. z.B. E. Lohse: Märtyrer und Gottesknecht, S. 151.

⁷¹ Προέθετο meint damit nicht einfach "öffentlich hinstellen", z.B. "das öffentliche Auflegen der Schaubrote" (U. Wilckens: Der Brief an die Römer; EKK VI,1, S. 192), sondern bezieht sich vielmehr theologisch auf die πρόθεσις Gottes. „Die Bedeutung des προέθετο ist nicht mit Sicherheit zu bestimmen; doch legen die ntl. Belege (vgl. 1,13; Eph 1,8) sowie die Verwendung von πρόθεσις in 8,28; 9,11 den Gedanken an den Geschichtsplan Gottes nahe." (K. Haacker: Der Brief des Paulus an die Römer; ThHK 6, S 91)

immanente Sühnopfer im Jerusalemer Tempel gemäß Lev 16 eine bleibende Befreiung von der Sünde bewirken kann, sondern dass dies allein durch Jesus Christus geschehen könne, der als ἱλαστήριον in einem transzendenten Sinne verstanden werden muss. Der Begriff meint dabei als pars pro toto den gesamten Vorgang der Sühne gemäß Lev 16. Christus ist dann gleichzeitig als Deckel auf der Lade, als Opfer, das dort geopfert wird und als Gesamtvorgang der Sündenvergebung vorgestellt.[72]

Die Setzung Christi als ἱλαστήριον ist also als Opfer des Opfers zu verstehen. Für diejenigen, die „in Christus Jesus" sind, entfällt jede Notwendigkeit einer ritualisierten Erlösung von den Sünden. Denn wenn dies eine bestimmte Handlung von Seiten der Glaubenden voraussetzen würde, dann wäre das eine Existenzhaltung ἐξ ἔργων νόμου und nicht διὰ πίστεως und würde damit den in 2,1-3,18 aufgezeigten Schwierigkeiten anheimfallen. Die sonst geläufige Verbindung von Religion und Opferkult wird damit grundsätzlich aufgehoben. Wenn man ἱλαστήριον hier als Bezeichnung für den gesamten Vorgang des Sühnopfers versteht, so kann man sagen, dass durch das einmalige „Opfer" Christi weitere Opfer ein für allemal überflüssig geworden sind. Alle alttestamentlichen Opfer finden ihr Ziel und ihr Ende in Christus als dem eigentlichen ἱλαστήριον[73] (vgl. Röm 10,4). Paulus knüpft damit an eine kultische Metaphorik an und überschreitet sie zugleich. „Das Bild vom ,Sühnopfer' wird bei der Übertragung auf Christus gesprengt."[74] Das hat unmittelbare Konsequenzen, sowohl für die christliche Beurteilung des Kultes als auch für die Ethik. Innerhalb des Kultus der christlichen Gemeinden sind zum einen Opferriten fortan nicht mehr nötig, ja sogar ausgeschlossen, weil sie die Einmaligkeit des Opfers Christi und seine Beendigung aller Opfer relativieren würden. Zum anderen werden Opferriten anderer Religionen dadurch in ihrer Bedeutung so stark relativiert, dass Opferfleisch und Libationswein unter bestimmten Voraussetzungen von Christen verzehrt werden können (vgl. I Kor 8-10 und Röm 14).

Auf der Basis dieses Bezuges zu Lev 16 sind auch V. 25c und 26 zu verstehen. Diese Verse werden, zum Teil mit V. 25a und b, zum Teil aber auch schon mit V. 24 beginnend,[75] häufig als vorgeprägte Formel verstanden, die von Paulus überarbeitet worden ist.[76] Kontrovers sind dabei jedoch der Umfang der Formel und damit zusammenhängend die Struktur der Verse. Folgende Versionen werden diskutiert:

---

[72] Gegen K. Haacker, der gerade in dieser Uneindeutigkeit der Bezüge ein Argument gegen die Verwendung von Lev 16 sieht. „Auch die doppelte typologische Identifikation Jesu mit dem Opfertier (durch ἐν τῷ αὐτοῦ αἵματι) und der כַּפֹּרֶת ist ein schwieriger Gedanke, den man nicht ohne sicheren Anhalt am Text postulieren sollte. Schwerer wiegt jedoch m.E. die Tatsache, dass der Sinn des Blutritus am Jom Kippur nach Lev. 16 die Entsühnung des Heiligtumes selbst ist". (Haacker, a.a.O., S. 91, mit Bezug auf W. Kraus: Der Tod Jesu als Heiligtumsweihe. Eine Untersuchung zum Umfeld der Sühnevorstellung in Röm 3,25-26a; WMANT 66, Neukirchen-Vluyn 1991.)

[73] Vgl. dazu M. Gaukesbrink: Die Sühnetradition bei Paulus. Rezeption und theologischer Stellenwert; (fzb 82) Würzburg 1999, S. 232f.

[74] P. von Gemünden, G. Theißen: Metaphorische Logik im Römerbrief, S. 117. Dieser Vorgang einer letztendlichen Sprengung der Metaphorik wird im Röm noch öfter erscheinen, z.B. in 6,23 und 8,31-39.

[75] R. Bultmann bestimmt für die traditionelle Formulierung folgenden Umfang, wobei er die paulinischen Zusätze in Klammern setzt: „δικαιούμενοι (δωρεὰν τῇ αὐτοῦ χάριτι) διὰ τῆς ἀπολυτρώσεως τῆς ἐν Χριστῷ Ἰησοῦ, ὃν προέθετο ὁ θεὸς ἱλαστήριον (διὰ πίστεως) ἐν τῷ αὐτοῦ αἵματι εἰς ἔνδειξιν τῆς δικαιοσύνης αὐτοῦ διὰ τὴν πάρεσιν τῶν προγεγονότων ἁμαρτημάτων ἐν τῇ ἀνοχῇ τοῦ θεοῦ". (R. Bultmann: Theologie des Neuen Testaments, S. 49)

[76] So sehen z.B. Conzelmann und Lindemann in V. 25 und 26a eine von Paulus verwendete „vor- bzw. ,neben'paulinische Formel, die von Christus als dem ,hingestellten ἱλαστήριον' sprach; er erweitert sie

Wilckens erkennt folgende Parallelkonstruktion:[77]
ὃν προέθετο ὁ θεὸς ἱλαστήριον　　διὰ πίστεως　　　　ἐν τῷ αὐτοῦ αἵματι
εἰς ἔνδειξιν τῆς δικαιοσύνης αὐτοῦ διὰ τὴν πάρεσιν
τῶν προγεγονότων ἁμαρτημάτων　　　　　　　　　ἐν τῇ ἀνοχῇ τοῦ θεοῦ.

Das τῶν προγεγονότων ἁμαρτημάτων ist dabei überschüssig.

J. Weiß fasst jedoch in seiner Untersuchung zum Parallelismus der Glieder bei Paulus διὰ τὴν πάρεσιν τῶν προγεγονότων ἁμαρτημάτων ἐν τῇ ἀνοχῇ τοῦ θεοῦ πρὸς τὴν ἔνδειξιν τῆς δικαιοσύνης αὐτοῦ ἐν τῷ νῦν καιρῷ als schwerfällige Zwischenbemerkung auf und parallelisiert lediglich den mittleren Teil von V. 25 und V. 26b:
εἰς ἔνδειξιν τῆς δικαιοσύνης αὐτοῦ
εἰς τὸ εἶναι αὐτὸν δίκαιον καὶ δικαιοῦντα τὸν ἐκ πίστεως Ἰησου.[78]
„Besonders muß man sich hüten, εἰς ἔνδειξιν und πρὸς τὴν ἔνδειξιν als Anfänge paralleler Sätze zu fassen, – es liegen keine Sinnzeilen vor."[79]

W. Schmithals ermittelt demgegenüber als Grundbestand des Traditionsstückes, das Paulus ergänzt hat:
„ ... den Gott öffentlich hingestellt hat zum Sühnemal
in seinem Blut
zur Erzeigung seiner Gerechtigkeit
durch die Sündenvergebung."[80]

Unter der Voraussetzung einer Doppelperspektive, die erstens die bekannte menschliche Sichtweise bietet und ihr zweitens eine theologisch bzw. christologisch geprägte Perspektive gegenüberstellt, ergibt sich jedoch eine andere Aufteilung. Wenn man διὰ τὴν πάρεσιν τῶν προγεγονότων ἁμαρτημάτων nachstellt, so findet sich – wie oben zu 3,21 bereits erläutert – eine vollständig parallele Struktur zwischen V. 25c, 26a einerseits und V. 26b andererseits:[81]

εἰς ἔνδειξιν　　　　　　　　　　πρὸς τὴν ἔνδειξιν
τῆς δικαιοσύνης αὐτοῦ　　　　　　τῆς δικαιοσύνης αὐτοῦ
ἐν τῇ ἀνοχῇ τοῦ θεοῦ　　　　　　ἐν τῷ νῦν καιρῷ
διὰ τὴν πάρεσιν τῶν προγεγονότων　εἰς τὸ εἶναι αὐτὸν δίκαιον καὶ δικαιοῦντα
ἁμαρτημάτων　　　　　　　　　　τὸν ἐκ πίστεως Ἰησοῦ

Mit Hilfe dieser Gegenüberstellung werden also zwei Zeitabschnitte unterschieden und einander zugeordnet, in denen Gott seine Gerechtigkeit erweist: ἐν τῇ ἀνοχῇ τοῦ θεοῦ –

---

durch den einleitenden V.24 und durch die geradezu gewaltsame Einsprengung von διὰ πίστεως in V.25." (H. Conzelmann, A. Lindemann: Arbeitsbuch zum Neuen Testament, S. 279.)

[77] U. Wilckens: Der Brief an die Römer; EKK VI,1, S. 190. Die Lesart διὰ πίστεως ist als gut bezeugte kürzere Lesart vorzuziehen.

[78] J. Weiß: Beiträge zur paulinischen Rhetorik, S. 222.

[79] Ebd.

[80] W. Schmithals: Der Römerbrief, S. 121.

[81] In den Ausführungen zum Zeitverständnis in 3,21 wurde deutlich, dass diese Aufteilung auch eine markante zeitliche Differenzierung beinhaltet.

ἐν τῷ νῦν καιρῷ. Das doppelte δικαιοσύνη αὐτοῦ meint dabei wie bereits V. 21 und 22 in beiden Fällen den Freispruch, der durch Gott geschieht, einmal durch das Erlassen der ἁμαρτήματα, das andere Mal durch Freispruch der ganzen Person.[82] Dadurch wird in die Argumentation eine zusätzliche zeitliche Differenzierung eingezogen (vgl. bereits das νυνί in V. 21). In beiden Fällen geht es um den Erweis (ἔνδειξις),[83] also das Sichtbarwerden der Gerechtigkeit, d.h. des Freispruches Gottes, im ersten Fall durch einen der Schrift gemäßen Ritus, im zweiten Fall durch den Glauben. Insofern sind die beiden mit εἰς ἔνδειξιν und πρὸς τὴν ἔνδειξιν beginnenden Teilsätze gegen das Votum von J. Weiß parallel konstruiert. Damit soll allerdings nichts über die Struktur einer möglichen vorpaulinischen Tradition gesagt sein.

Durch die Gegenüberstellung in V. 25c und 26 wird im Anschluss an V. 25a.b der konkrete Vollzug des Opfers am großen Versöhnungstag gemäß Lev 16 dem Rechtfertigungsgeschehen durch den Glauben parallelisiert. Die erste Gegenüberstellung meint in menschlicher Sicht einen bekannten Vorgang, der sich jährlich im ersten Jerusalemer Tempel wiederholen soll[84] und bei dem die Reinigung von Sünden vollzogen wird. Paulus interpretiert dies durch den Ausdruck διὰ τὴν πάρεσιν τῶν προγεγονότων ἁμαρτημάτων so, dass durch diesen Ritus ein „Erlass" der Verfehlungen geschieht. Kultische und juridische Metaphorik greifen hier ineinander. Denn πάρεσις[85] („Straferlass") und δικαιοσύνη sind juristische Begriffe, in die die kultische Metaphorik von Lev 16 eingebaut wird. Die Kombination des ersten Teils der Gegenüberstellung geschieht wiederum nach dem bereits Röm 1,2 eingeführten hermeneutischen Schema: Das von Paulus verkündete Evangelium von Jesus Christus ist bereits in Heiligen Schriften, diesmal in Lev 16, vorher verheißen worden. Obwohl sich der Begriff ἁμαρτία in Lev 16 (LXX) an zahlreichen Stellen findet (V. 3.5.6.9..11.15.16.21.25.27.30.34), schreibt Paulus hier mit Bedacht nicht ἁμαρτία, sondern ἁμάρτημα. Denn er wird in Kap. 7,7ff zeigen, dass ἁμαρτία nicht einfach Übertretungen meint, von denen man durch einen Ritus gereinigt werden könnte, sondern dass es dabei tiefer gesehen um die innere Widersprüchlichkeit der menschliche Existenz geht. Die Möglichkeit von Lev 16 bestand also für ihn lediglich darin, konkretes Fehlverhalten „erlassen" zu bekommen und nicht in der Befreiung von der Macht der Sünde, die zu einer Desintegration des Menschen führt (vgl. Röm 7,7ff und die Ausführungen dazu). Darin erweist sich zunächst in einer ersten, geläufigen, weil an Lev 16 orientierten menschlichen Sicht die „Geduld" Gottes gegenüber den vorher

---

[82]   Siehe unten die Erläuterungen zur Stelle. Dabei ist allerdings eine juridische Metaphorik vorausgesetzt, in die V. 24-26 eine zweite, kultische eingebaut ist.

[83]   So versteht auch Käsemann „ἔνδειξις, das zwar die ‚Beweisführung' meinen kann [...] hier jedoch wie 2K 8,24 der ‚Erweis' sein muß." (E. Käsemann: An die Römer; HNT 8a, S. 91)

[84]   Der Lev 16 geschilderte Vorgang der Sühne ist dabei äußert komplex und vielschichtig. Vgl. dazu E. G. Gerstenberger: Das 3. Buch Mose. Leviticus; (ATD 6) Göttingen 1993, S. 194ff. Im Zweiten Tempel befand sich allerdings kein ἱλαστήριον mehr, so dass nicht klar ist, ob zur Zeit des Paulus noch mit dem Vollzug des Ritus gemäß Lev 16 gerechnet werden kann.

[85]   Dazu U. Wilckens: „πάρεσις wird hellenistisch häufig im Unterschied zu ἄφεσις als ‚Hingehenlassen, Ungestraftlassen' aufgefaßt, bedeutet aber in allen Belegen durchweg ‚Erlaß'." (U. Wilckens: Der Brief an die Römer; EKK VI,1, S. 196) Noch pointierter betont E. Käsemann, dass „der technisch juridische Sinn ‚Straferlaß' als herrschend nachgewiesen wurde". (Käsemann, a.a.O., S. 91, beide mit Bezug auf W.G. Kümmel: πάρεσις und ἔνδειξις. Ein Beitrag zum Verständnis der paulinischen Rechtfertigungslehre; in ders.: Heilsgeschehen und Heilsgeschichte; MThSt 3, Marburg 1965, S. 260-270.)

geschehenen Verfehlungen.[86] Der Ausdruck ἀνοχή wurde dabei im Röm schon 2,4 für das „Ansichhalten", oder die „Zurückhaltung"[87] Gottes gebraucht, die es dem einzelnen Menschen ermöglicht umzukehren.

Die zweite Seite der Gegenüberstellung meint demgegenüber in einer spezifisch theologischen Perspektive das Geschehen der Rechtfertigung, das im „Jetzt" des Glaubens geschieht und durch Gott bewirkt wird. Es wird dabei also nicht grundsätzlich bestritten, dass Gott „in seiner Geduld" auch im Ritus des Versöhnungstages konkrete Verfehlungen erlassen hat. Diesem an den Vollzug bestimmter Handlungen gebundenen Vorgang wird jedoch in christologischer Perspektive die einmalige Versöhnung durch Christus gegenübergestellt, die sich nicht nur auf die Taten, sondern auf die gesamte Person bezieht. Sie aktualisiert für die Gegenwart der Glaubenden (ἐν τῷ νῦν καιρῷ) den eigentlichen Sinn des Versöhnungsritus, der am großen Versöhnungstag jährlich wiederholt werden sollte. Die Verbindung zwischen beiden wird durch das πρός hergestellt. Damit wird, entsprechend dem hermeneutischen Schema von Röm 1,2 und der programmatischen Aussage in Röm 10,4 signalisiert, dass die konkreten Bestimmungen des Versöhnungstages von Lev 16 auf das Kreuzesgeschehen hinzielen und in ihm vollendet werden.

Der von Paulus mit ἐν τῷ νῦν καιρῷ benannte Augenblick des Offenbarwerdens des göttlichen Freispruches ist kein bestimmter Zeitpunkt innerhalb des kontinuierlichen Verlaufes der Zeit, der sich klar terminieren ließe, etwa der Zeitpunkt der Bekehrung. Vielmehr ist dieser „jetzige Zeitpunkt" sozusagen allgegenwärtig. Es strukturiert in jedem Moment neu das Zeitverständnis.[88] Deshalb kann in 3,26 in permanenter Vergegenwärtigung der Rechtfertigung gesagt werden: es ist der jetzige Augenblick, in dem Gott seine Gerechtigkeit erweist. Mit diesem Augenblick ist weder der Zeitpunkt etwa im 6. Jahrzehnt unserer Zeitrechnung gemeint, in dem diese Zeilen geschrieben wurden, noch irgend ein anderer, klar bestimmbarer Moment in der Geschichte. Alle diese Momente verweisen jedoch auf den Tod dieses einen Menschen Jesus, der sich dadurch und durch seine Auferstehung als Christus erwiesen hat. Erstaunlich ist dabei, dass Paulus an dieser Stelle, wie auch überhaupt im Röm,[89] den sonst für ihn zentralen Begriff des Kreuzes nicht bringt.

Vom gegenwärtigen Erweis der Gerechtigkeit Gottes aus gesehen, erscheint die Vergangenheit als Zeit der Geduld Gottes, die auf den Moment der Rechtfertigung zielt. Damit ist nicht gemeint, dass es bestimmte Zeiten im kontinuierlichen Verlauf der persönlichen Geschichte oder der Menschheitsgeschichte gegeben habe, die von der Sünde geprägt gewesen seien und andere, in denen der Mensch davon frei wäre. Vom „Jetzt" (νῦν bzw. νυνί) der Annahme des Zuspruches der Freiheit („Rechtfertigung") her erscheint jede andere Zeit als eine, die auf dieses „Jetzt" verweist. Man kann hier in einem bestimmten Sinne von einer radikalen Subjektivierung[90] des Zeitverständnisses ausgehen. Der Zeitpunkt, von dem her der Gerechtfertigte seine persönliche Lebenszeit

---

[86] Gegen Wilckens, der aufgrund der oben aufgeführten, anderen Strukturierung ἐν τῇ ἀνοχῇ τοῦ θεοῦ nicht zu προγεγονότων ἁμαρτημάτων zieht. (Wilckens, a.a.O., S. 196f)

[87] So K. Haacker: Der Brief des Paulus an die Römer; ThHK 6, S. 92.

[88] Zu dieser paulinischen Hermeneutik der permanenten Aktualisierung von Schriftstellen vgl. auch unten Röm 15,4 und die Ausführungen dazu.

[89] In Röm 6,6 findet sich jedoch das Verb συνεσταυρώθη.

[90] Der Begriff der Subjektivierung meint dabei gerade nicht Subjektivität im modernen Sinne, sondern das menschliche Subjekt wird gerade im Augenblick der Rechtfertigung neu konstituiert. Vgl. oben die Ausführungen zu Röm 3,21.

versteht, ist das νῦν, das „Jetzt" der Rechtfertigung. Vergangenheit und Zukunft werden von dort aus konstituiert (siehe oben die Ausführungen zu Röm 3,21). Dieser Zeitpunkt ist dabei kein bestimmter Punkt auf einer Zeitskala, sondern er muss vom Glaubenden selbst jeweils neu aktualisiert werden.

Durch die zweite Seite der Gegenüberstellung in V. 26 wird zugleich eine Zuordnung Gottes und der Glaubenden vorgenommen. Die δικαιοσύνη αὐτοῦ, d.h. sein Freispruch richtet sich hier im Unterschied zu dem V. 25c aufgezeigten Weg nicht auf die Taten (ἁμαρτήματα), sondern auf die Person der Glaubenden selbst. Der Akt des Freisprechens (δικαιόω) bezieht sich dabei nicht auf alle oder einige Menschen, sondern jeweils auf den einzelnen im Singular (δικαιοῦντα τὸν ἐκ πίστεως Ἰησοῦ). Das vorangehende καί kann hier explikativ verstanden werden:[91] Gott erweist sich als gerecht, und zwar dadurch, dass er den Glaubenden freispricht. Der Freispruch kommt also nicht durch Jesus selbst zustande, sondern durch Gott, der denjenigen rechtfertigt, der an Jesus glaubt. Mit Bedacht ist hier der Name des Menschen Jesus und nicht der Hoheitstitel Christus angeführt.[92] Die 1,3f eingeführte doppelte Sicht Jesu Christi als gewordener Mensch und eingesetzter Sohn Gottes ermöglicht dem zu rechtfertigenden Menschen insofern einen Zugang, als er sich an der Menschlichkeit des Menschen Jesus orientieren kann und dessen Tod zugleich als eigentlichen Ort der Befreiung (ἱλαστήριον) von seinen Sünden im Glauben annehmen kann.

Durch diese christologische Argumentation geschieht eine doppelte Individualisierung der Erlösung. Die Befreiung von der Sünde und die Rechtfertigung durch Gott orientiert sich nun nicht mehr an bestimmten Riten, Opfertieren oder gemeinschaftlichen religiösen Vollzügen, sondern einerseits an einem einzelnen Menschen, eben Jesus von Nazareth, durch dessen individuellen Tod und dessen persönliches Blut der Freispruch durch Gott und damit neues Lebens möglich wird. Diese Möglichkeit wird andererseits vom einzelnen Menschen durch den Glauben angenommen.

Der Ausdruck ἐκ πίστεως Ἰησοῦ schließt den Vers ab und liefert damit das Gegenkonzept zu ἐξ ἔργων νόμου V. 20. Die beiden Konzeptionen sind jeweils durch ein ἐκ gekennzeichnet. Die entscheidende Frage ist damit für Paulus, „aus" was heraus der einzelne Mensch leben möchte. Lebt er „aus" dem Gesetz, das heißt: zieht er sein Selbstbewusstsein aus dem Befolgen der immanenten Vorschriften des jüdischen (oder auch eines anderen für die soziale Gemeinschaft, in der der Mensch lebt, konstitutiven) Gesetzes, so versucht er sich selbst zu rechtfertigen oder durch eigene Taten von Gott gerechtfertigt zu werden und verzichtet damit auf die geschenkte und ohne eigenes Zutun sich ereignende Rechtfertigung durch Gott. Er konzentriert sich in der Frage der Begründung der menschlichen Freiheit in einer rein auf die menschliche Perspektive reduzierten, einseitigen Sicht, auf bestimmte Leistungen und Eigenschaften. Lebt er dagegen „aus" Glauben an Jesus,[93] so öffnet er sich für eine schon im Gesetz bezeugte alternative, spezifisch theologische Perspektive. Er versteht die dortigen Bestimmungen (wie z.B. Lev 16) in ihrem christologischen Sinne und kann deshalb seine

---

[91] Vgl. Blass, Debrunner, Rehkopf: Grammatik des neutestamentlichen Griechisch, § 442,6 und E. Käsemann: An die Römer; HNT 8a, S. 94.

[92] Das zusätzliche Χριστοῦ und darüber hinaus das κυρίου ἡμῶν sind deutlich sekundäre Ergänzungen, die Auslassung von Ἰησοῦ oder die Veränderung zu Ἰησοῦν sind Abschreibfehler der scriptio continua. Vgl. B. M. Metzger: A Textual Commentary on the Greek New Testament, S. 449.

[93] Der genitivus ist hier, ebenso wie bereits V. 22, nicht als subiectivus, sondern als obiectivus zu verstehen.

Rechtfertigung, in der Gerichtsmetaphorik: seinen Freispruch, unabhängig von eigenen Tätigkeiten Gott überlassen.

V. 27 schließt an die Argumentation von V. 21-26 an (οὖν). Es beginnt kein neuer Abschnitt,[94] sondern es werden die Konsequenzen aus dem Vorhergehenden gezogen. Gemeint ist mit νόμος deshalb zunächst immer noch konkret das V. 25 eingeführte Gesetz über den großen Versöhnungstag. Von dort aus kann aber generell das Gesetz an sich und die menschliche Haltung dazu in den Blick genommen werden. V. 27 bietet erneut ein Wechselspiel von Frage und Antwort, das nicht nur rhetorisch oder durch den Diatribenstil motiviert ist, sondern in der Frage die menschliche Sicht und in der Antwort die theologische zum Ausdruck bringt (vgl. bereits 3,1ff und 3,5ff). Der Begriff καύχησις meint das Rühmen, das durch die Befolgung dieser konkreten Anweisungen aus Lev 16 (und damit auch anderer) erworben werden kann (vgl. Röm 2,17). Er wird 4,2ff (καύχημα) mit einem zweiten Beispiel aus Gen 15, verbunden mit dem Beschneidungsgebot aus Gen 17, noch näher erläutert werden. In theologischer Perspektive sind solche Möglichkeiten des Rühmens ausgeschlossen. Sie suchen nämlich in der konkreten Erfüllung von Gesetzesvorschriften – also in „Werken" – die Befreiung von Sünden und den Ruhm vor Gott und blenden dabei die spezifisch theologische Perspektive des Vertrauens auf Gott aus.

Auf dieser Basis werden die beiden in 3,19-26 eingeführten Interpretationsweisen des Gesetzes[95] in V. 27 näher entfaltet. Beide Seiten der dortigen Gegenüberstellung erscheinen als nähere Bestimmung zu νόμος. So werden in V. 27 zwei „Gesetze" unterschieden: νόμος τῶν ἔργων und νόμος πίστεως. Diese Differenzierung ist bereits J. Calvin aufgefallen.[96] Besonders der Ausdruck νόμος πίστεως ist kontrovers aufgefasst worden. Bultmann interpretiert den Begriff als Wortspiel[97] und K. Haacker versteht νόμος hier allgemein als „Norm, Maßstab".[98] Demgegenüber meinte G. Friedrich, dass sich auch νόμος πίστεως konkret auf die Tora beziehen müsse. Die Genitive würden dann zwei Aspekte des einen mosaischen Gesetzes meinen,[99] nämlich von Lev 16. Ähnlicher Auffassung ist auch C. Cranfield: „We may than understand Paul's meaning that the correct answer to the question ‚By what kind of law (has such a glorifying been excluded)?' is ‚By God's law' (i.e. the law of the OT) – that is, by God's law not misunderstood as a law with directs men to seek justification as a reward for their works, but properly understood as summoning men to faith'."[100] Im Anschluss daran wurde durch die Interpretation der vorherigen Verse deutlich, dass Paulus mit den beiden νόμοι hier zwei verschiedene Existenzhaltungen meint. Die zweite Existenzweise (νόμος πίστεως) lässt sich zwar einerseits ebenfalls auf die Tora beziehen, sie erblickt aber andererseits durch den Glauben in Christus das

---

[94] Gegen die Gliederung in der 27. Aufl. des Textes von Nestle-Aland.

[95] Bereits V. 20 findet sich der Ausdruck ἐξ ἔργων νόμου.

[96] J. Calvins Auslegung der Heiligen Schrift, hrsg. v. K. Müller; Neukirchen 1903, Der Brief an die Römer, S. 3-280, dort S. 65: „Des Glaubens Gesetz. Das ist eine uneigentliche Redeweise. Die Bezeichnung als Gesetz soll die Art des Glaubens durchaus nicht undeutlich machen [...] der Glaube hat sein eigenes Gesetz, und dieses läßt nicht zu, in irgendwelchen Werken irgendwelche Gerechtigkeit zu finden."

[97] R. Bultmann: Theologie des Neuen Testaments, S. 260: „wo mit dem Begriff νόμος gespielt wird".

[98] K. Haacker: Der Brief des Paulus an die Römer; ThHK 6, S. 93 mit Bezug auf O. Hofius: Das Gesetz des Mose und das Gesetz Christi; in ders.: Paulusstudien, S. 68.

[99] So bereits G. Friedrich: Das Gesetz des Glaubens Röm. 3,27; in: ThZ 10 (1954), S. 401-417.

[100] C.E.B. Cranfield: The Epistle to the Romans; ICC, vol. 1, S. 220.

eigentliche Ziel der Tora und geht deshalb über konkrete Torabestimmungen bei weitem hinaus (vgl. Röm 10,4). Die erste Existenzweise (νόμος τῶν ἔργων) bezieht sich demgegenüber auf die konkreten Bestimmungen von Lev 16 und gibt die geläufige Sicht wieder, nach der durch bestimmte Taten die Vergebung der Sünden erreicht werden kann. Dabei ist unerheblich, ob das konkrete ἱλαστήριον und der Opferkult zur Zeit des Paulus noch existierten. Es geht vielmehr um eine Haltung, die die Befreiung von Sünde von der Erfüllung irgendwelcher Gesetzescodices abhängig macht. Diese beiden Aspekte von νόμος, die die beiden genannten Existenzweisen verdeutlichen, werden Kap. 4 durch ein zweites Beispiel aus Gen 15,6 und Gen 17 erläutert werden. Gemeint ist hier wie dort ein Zugang zu den alttestamentlichen Schriften, der gemäß Röm 1,2 in der Lage ist, ihren Verheißungsaspekt herauszuheben und sie von Christus her zu interpretieren. Dieses doppelte Verständnis des νόμος wurde bereits zu Röm 2,12 dargestellt und durchzieht den ganzen Röm.[101]

Die V. 28ff werden in der 1. Person eingeleitet (λογιζόμεθα), was für einen gewissen Neuanfang spricht. Die Verse verstehen sich aber durch den Anschluss mit γάρ zugleich als Begründung des Vorhergehenden[102] und bilden insofern mit den V. 19-27 einen relativ geschlossenen Abschnitt. Der Ausdruck λογιζόμεθα meint nicht einfach nur „im Disput ein Urteil fällen"[103] oder eine bestimmte Lehrmeinung,[104] sondern es ergibt sich dadurch bereits eine Verbindung zu Kap. 4, wo das Verb die zentrale Rolle spielt. Es geht um eine bestimmte „Rechenweise", die den menschlichen „Rechnungen" grundsätzlich entgegen läuft und die damit „rechnet", dass Gott dem Menschen nicht seine Taten sondern den Glauben zum Freispruch „anrechnet". Paulus meint hier den Übergang „von einer altgewohnten zu einer unerhört neuen ‚Rechnungsweise' zwischen Gott und den Menschen."[105] Die 1. Person ist dabei wie bereits V. 19 οἴδαμεν als schriftstellerischer Plural zu verstehen und gibt damit erneut eine persönliche Einsicht des Paulus wieder.

An den doppelten Aspekt des Gesetzes, der in V. 27 mit der Gegenüberstellung νόμος πίστεως – νόμος τῶν ἔργων gemeint ist, knüpft V. 28 mit πίστει – χωρὶς ἔργων νόμου an. Es geht dabei immer noch in juridischer Metaphorik um die Fragestellung des Freispruches im göttlichen Gericht (δικαιοῦσθαι als passivum divinum). In Zusammenfassung und Verallgemeinerung der vorhergehenden kultischen Gedanken zum großen Versöhnungstag bringt Paulus jetzt in einem programmatischen Satz seine Überzeugung zum Ausdruck, dass die einem Menschen angemessene Haltung, um diesen Freispruch zu erlangen, grundsätzlich nicht die des Nachweises seiner Taten, sondern die des Glaubens ist (V. 28a: δικαιοῦσθαι πίστει ἄνθρωπον).

„Gesetz der Werke" bezeichnet in V. 28b demgegenüber in Fortführung von V. 25f den Versuch, den Zuspruch der Freiheit und die Vergebung von den Sünden durch eigene Handlungen (vgl. Lev 16), d.h. durch sich selbst, herzustellen. „Dass mit χωρὶς

---

[101] Vgl. dazu auch A. Ito: ΝΟΜΟΣ (ΤΩΝ) ἜΡΓΩΝ and ΝΟΜΟΣ ΠΙΣΤΕΩΣ. The Pauline Rhetoric and Theology of ΝΟΜΟΣ ; in: NT 45 (2003), S. 237-259. Ito schlägt dort S. 258 für das Verständnis von νόμος in Röm 3,27 vor: „the two levels of meaning, one on a superficial and simple level intended to convey to the reader initially and the other on a level of deeper theological thinking."

[102] Die alternative Lesart οὖν ist zwar kaum schlechter bezeugt, erscheint aber aufgrund des Kontextes (ein οὖν findet sich bereits vorher in V. 27) weniger wahrscheinlich. Vgl. B.M. Metzger: A Textual Commentary on the Greek New Testament, S. 450.

[103] So U. Wilckens: Der Brief an die Römer; EKK VI,1, S. 247.

[104] Vgl. P. Stuhlmacher: Der Brief an die Römer; NTD 6, S. 63.

[105] K. Barth: Der Römerbrief. Zweite Fassung, S. 93.

ἔργων νόμου nicht die Bedeutung der Ethik bestritten werden soll, sondern an die spezifischen Merkmale des Lebens nach der Torah gedacht ist, beweist die Fortsetzung in V. 29f. Die kontroverstheologischen Streitigkeiten, die sich an Luthers Übersetzung des πίστει mit ‚alleine durch den Glauben' anschlossen, haben darum nur insofern etwas mit der These des Paulus zu tun, als im Zusammenhang mit dem Ablaßwesen ebenfalls kultische Handlungen [...] zur Bedingung der Gnade Gottes gemacht wurden."[106] Der große Argumentationsteil 1,16-3,18 war abschließend zu dem Urteil gekommen, dass dieser Versuch einer Selbstrechtfertigung durch Taten jedenfalls vor Gott nicht gelingt (vgl. 3,9 und 20). Er mag zwar vor anderen zum Erfolg führen, nicht aber vor dem einzelnen Menschen selbst, wenn er sich selbstkritisch auf die Einhaltung der eigenen Maßstäbe befragt (2,1ff und 27ff, 3,1ff). Die paulinische Grundthese besteht demgegenüber darin, dass die endgültige Befreiung von der Sünde und der daraus resultierenden inneren Spaltung des Menschen nur durch Gott selbst und „in Christus" geschehen kann. Die existentielle Grundhaltung des Menschen, die das akzeptiert und an sich geschehen lässt, heißt Glaube (πίστις).

Diese Befreiung, dieser Freispruch geschieht jeweils für einen einzelnen Menschen (ἄνθρωπος)[107] und nicht für Kollektive (vgl. auch schon Röm 2,1: ὦ ἄνθρωπε). Es handelt sich hier, wie M. Luther zu Recht hervorgehoben hat, um einen anthropologischen Kernsatz. Für Luther hat die Bedürftigkeit, von Gott gerechtfertigt werden zu müssen, geradezu konstitutive Bedeutung für das Menschsein des Menschen. Der Mensch ist – offenbar auch gegenüber anderem Leben – gerade dadurch definiert, dass er ein von Gott freizusprechendes Wesen ist.[108] Das in V. 25f beschriebene und an Lev 16 anknüpfende Geschehen des Freispruches wird damit durch den Begriff des Glaubens individualisiert und zugleich universalisiert. Nicht nur die Juden, sondern jeder einzelne Mensch kann dieser Befreiung teilhaftig werden, sofern er an Jesus Christus (das eigentliche ἱλαστήσιον) glaubt. Man wird sogar sagen können, dass ein jeder Mensch jeweils individuell in seiner Existenz auf diesen Freispruch durch Gott ausgerichtet und angewiesen ist (vgl. Röm 8,1ff und die Ausführungen dazu).

Aus dieser paulinischen Interpretation ergibt sich einerseits eine grundsätzliche Aufhebung der Bestimmungen von Lev 16 und damit zusammenhängend aller anderen kultischen Bestimmungen als konkrete Verhaltensregeln. Andererseits bekommt damit das jüdische Gesetz in einem neu verstandenen, christologischen Sinne für einen jeden, der an Christus glaubt – weil Christus das wahre ἱλαστήριον ist – eine gewisse Relevanz (vgl. dazu die Ausführungen unten zu 10,4). Daraus ergibt sich die Frage, ob derjenige Gott, der auch den Nichtjuden Vergebung der Sünden in diesem ausgeweiteten, das jüdische Selbstverständnis transzendierenden Sinne ermöglicht, noch ein und derselbe Gott ist, den die Juden etwa in Dtn 6,4f bekennen. Paulus nimmt diese Frage (angeschlossen mit ἤ) auf, indem er zunächst in V. 29a eine geläufige menschliche Sicht wiedergibt, die Gott exklusiv als alleinigen Gott der Juden versteht (Ἰουδαίων ὁ θεὸς

---

[106] K. Haacker: Der Brief des Paulus an die Römer; ThHK 6, S. 94.

[107] Gegen E. Käsemann: An die Römer; HNT 8a, S. 96 und U. Wilckens: Der Brief an die Römer; EKK VI,1, S. 247, die meinen, ἄνθρωπος bedeute einfach allgemein „man" oder „jemand". Die Bedeutung des Einzelnen vor Gott hebt demgegenüber bereits G. Klein hervor. (G. Klein: Römer 4 und die Idee der Heilsgeschichte; in: ders.: Rekonstruktion und Interpretation. Gesammelte Aufsätze zum Neuen Testament; BevTh, 1969, S. 145-169, dort S. 149.)

[108] Vgl. M. Luther: Disputatio de Homine (1536); These 32: „Paulus Rom 3: Arbitramur hominem iustificari fide absque operibus, breviter hominis definitionem colligit, dicens, hominem iustificari fide." (WA 39, I, S. 176.)

μόνον;). Die rhetorische Form der Frage weist dabei zugleich auf das in V. 29b Folgende hin. Mit οὐχί wird dieser Ansicht eine zweite, spezifisch theologische Sicht entgegengestellt, die bekräftigt, dass Gott auch der Gott der Nichtjuden ist (οὐχὶ καὶ ἐθνῶν; ναὶ καὶ ἐθνῶν).

In V. 30 verdeutlicht Paulus diesen Gedankengang der Aufnahme und zugleich der Ausweitung des Gottesbegriffes über das spezifisch jüdische Verständnis hinaus. Er gibt zunächst in V. 30a eine Formulierung aus dem Bekenntnis von Dtn 6,4 wieder. Das εἷς ὁ θεός nimmt dabei die Fassung der Septuaginta auf: κύριος ὁ θεὸς ἡμῶν κύριος εἷς ἐστιν. Damit wird eine geläufige Auffassung wiedergegeben, die in Fortführung von V. 29a Gott vom Glaubensbekenntnis der Israeliten her versteht.

Diese Sichtweise wird in V. 30b dann erneut in eine bestimmte theologische Perspektive gestellt, die den Gottesbegriff über das Judentum hinaus ausweitet. Gott ist nämlich für Paulus aufgrund des Vorhergehenden (V. 24ff) dadurch gekennzeichnet, dass er Beschnittene wie Unbeschnittene aufgrund ihres Glaubens freispricht. Δικαιώσει ist mit Käsemann präsentisch zu verstehen,[109] denn vom Moment des Freispruches aus wird ja gerade die Gegenwart definiert (vgl. Röm 3,21 und 26). Auf die bereits geschehene Befreiung wird von Paulus noch öfter eingegangen (vgl. 5,1; 8,1f). Aus der in den vorhergehenden Versen geführten Interpretation heraus wird die in V. 30b aufgeführte Unterscheidung zwischen Juden und Nichtjuden (περιτομή – ἀκροβυστία)[110] in dieser theologischen Perspektive hinfällig. Die individuelle Annahme des Freispruches Gottes durch den Glauben (V. 28) hebt die kollektive Differenzierung in Juden und Nichtjuden unter diesem Aspekt auf. V. 30b zeigt demgegenüber mit einer redundanten Formulierung, dass diese Rechtfertigung für Juden wie Nichtjuden allein mit dem Glauben verbunden ist (ἐκ πίστεως – διὰ πίστεως). „Ein Unterschied zwischen beiden Präpositionen besteht der Sache nach nicht."[111] Der Freispruch Gottes geschieht zum einen für die Juden, wenn sie die alttestamentlichen Gesetze (z.B. Lev 16 oder auch das Gesetz der Beschneidung Gen 17) beachten, nicht einfach aus dem Vollzug selbst, sondern „aus" der Haltung des Glaubens, die nach dem transzendenten Sinn dieser Gesetze fragt, der sich durch Christus eröffnet. Sie geschieht zum anderen für die Nichtjuden, auch wenn sie die alttestamentlichen Gesetze nicht beachten, „durch" den Glauben (an Jesus Christus), der ihnen den eigentlichen Sinn dieser Gesetze erschließt. Die Unterscheidung zwischen der Beschnittenheit, also in diesem Falle dem Judentum, und der Unbeschnittenheit, also dem Nichtjudentum, wird folglich durch den Begriff des Glaubens aufgehoben. An deren Stelle tritt die Unterscheidung zwischen Glauben und nicht Glauben (vgl. bereits die Ausführungen zu Röm 1,16).

Der Anschluss von V. 29 an 30 mit εἴπερ ist nicht ganz eindeutig. Die Formulierung scheint eine Bedingung oder Einschränkung zu enthalten („wenn wirklich, wenn gilt").[112] Vom Kontext her ist jedoch wahrscheinlicher, dass es sich hier eher um eine „kausale Nebenbedeutung"[113] handelt (vgl. auch die alternative Lesart ἐπείπερ, die sicherlich sekundär ist, aber den kausalen Sinn aufnimmt). V. 30a schließt

---

[109] E. Käsemann: An die Römer; HNT 8a, S. 98: „δικαιώσει ist [...] logisches Futur, weil die Rechtfertigung bereits erfolgt."

[110] Περιτομή – ἀκροβυστία nimmt einerseits 2,25ff wieder auf und bereitet andererseits die Überlegungen zur Beschneidung Abrahams in Kap. 4 vor.

[111] U. Wilckens: Der Brief an die Römer; EKK VI,1, S. 248.

[112] So übersetzen W. Haubeck, H. von Siebenthal: Neuer sprachlicher Schlüssel zum Neuen Testament, Bd. 2, S. 12.

[113] So Blass, Debrunner, Rehkopf: Grammatik des neutestamentlichen Griechisch, § 454,2.

somit unmittelbar an V. 29b an. Die Formulierung meint offenbar: Denn es ist wirklich derselbe Gott, der Juden und Nichtjuden aufgrund ihres Glaubens an Christus freispricht. Bei der von Paulus angesprochenen Frage geht es also auch um die Individualität, die Unteilbarkeit Gottes.

Man wird dieses Problem jedoch nicht nur als abstrakte theologische Erörterung verstehen können. Vielmehr verdeutlichen die persönlichen Einleitungen in V. 19 und 28, dass es Paulus hier auch um die persönliche Frage geht, inwiefern der Gott, an den er nach der Offenbarung der durch Jesus Christus ermöglichten Rechtfertigung glaubt, noch derselbe ist, an den er vorher glaubte. Es geht also nicht nur abstrakt um das Problem der Identität des alttestamentlichen Gottes mit dem christlichen Gott, sondern um die persönliche Frage, ob Paulus mit dem Glauben an Jesus Christus gewissermaßen den Gott gewechselt hat oder diesen Glauben noch innerhalb seines alttestamentlichen Überzeugungssystems verstehen kann. Man wird aufgrund der bisherigen Argumentation festhalten können, dass Paulus bei der Beantwortung dieser Frage einerseits positiv von alttestamentlichen Gedanken und Begriffen ausgeht und diese andererseits von Christus her modifiziert. Sie werden dabei in einem engeren Sinne als reine Gesetzesbestimmungen aufgehoben und in einem weiteren Sinne als auf Christus bezogene Glaubensaussagen bestätigt. Diese doppelte Antwort reflektiert Paulus deshalb am Ende des Abschnittes in V. 31.

Das Fazit des Abschnittes in V. 31, das Gesetz sei durch den Glauben nicht aufgehoben, sondern aufgerichtet, ist von diesem doppelten Verständnis der alttestamentlichen Schriften her zu sehen. Das οὖν fasst dabei, wie bereits V. 27, die vorhergehenden Überlegungen zusammen und weist gleichzeitig (eingeleitet wiederum durch die 1. Person καταργοῦμεν bzw. ἱστάνομεν) auf die Interpretation einer konkreten Stelle aus dem Gesetz Kap. 4 voraus. „Umstritten ist, ob der Vers den Abschluß des Vorangehenden bildet oder die einleitende These des folgenden Kapitels darstellt. Der Ermessensspielraum, der sich darin zeigt, dürfte darin begründet sein, dass hier wie an anderen Stellen ein gleitender Übergang von einem Argumentationsgang zum nächsten stattfindet, vor allem, wenn das Thema dasselbe bleibt".[114]

Paulus beginnt in V. 31a wiederum in einer rein menschlichen Perspektive mit der Frage, ob durch den von ihm verkündeten Glauben an Christus das Gesetz außer Geltung gesetzt werde (νόμον καταργοῦμεν διὰ τῆς πίστεως;). Diese Ansicht ist insofern nicht abwegig, weil Paulus in V. 25 Christus als eigentliches ἱλαστήριον bezeichnet hatte und weil er hervorgehoben hatte, dass der Freispruch ohne das Tun des Gesetzes durch den Glauben an Jesus Christus erfolgt (vgl. 3,20: ἐξ ἔργων νόμου οὐ δικαιωθήσεται πᾶσα σὰρξ ἐνώπιον αὐτοῦ).

Dieser etwas oberflächlichen Sicht wird jedoch nach einem entschiedenen μὴ γένοιτο in V. 31b entgegengehalten, dass die von Paulus verkündete δικαιοσύνη θεοῦ vom Gesetz und den Propheten bezeugt wird (V. 21b) und dass durch sie das Gesetz, wie in V. 25f an Lev 16 gezeigt, gerade in seinem eigentlichen Sinn bestätigt wird (ἀλλὰ νόμον ἱστάνομεν). Paulus kann also aufgrund der Argumentation in V. 19ff an deren Schluss behaupten, dass durch den Glauben der eigentliche, auf Christus bezogene Sinn des Gesetzes gerade bestätigt wird. Damit leitet er zugleich zu Kapitel 4 und der dortigen Interpretation der Person Abrahams über. Was diese Gedanken für das Verhältnis des Beschneidungsgebotes aus Gen 17 zum in Gen 15 charakterisierten Glauben Abrahams bedeuten, soll die anschließende Argumentation verdeutlichen.

---

[114] K. Haacker: Der Brief des Paulus an die Römer; ThHK 6, S. 95.

Der Abschnitt V. 19-31 lässt sich aufgrund der ausgeführten Überlegungen folgendermaßen strukturieren, wobei in theologischer Perspektive die strukturbildenden Wörter mit der Wurzel δικ- sowie θεός hervorgehoben sind:

19: Οἴδαμεν δὲ ὅτι	ὅσα ὁ νόμος λέγει τοῖς ἐν τῷ νόμῳ λαλεῖ	ἵνα πᾶν στόμα φραγῇ καὶ *ὑπόδικος* γένηται πᾶς ὁ κόσμος *τῷ θεῷ*
20: διότι	διὰ γὰρ νόμου ἐπίγνωσις ἁμαρτίας (2)	ἐξ ἔργων νόμου οὐ *δικαιωθήσεται* πᾶσα σὰρξ ἐνώπιον *αὐτοῦ* (1)
21: δὲ	μαρτυρουμένη ὑπὸ τοῦ νόμου καὶ τῶν προφητῶν (2)	νυνὶ χωρὶς νόμου *δικαιοσύνη θεοῦ* πεφανέρωται (1)
22a+b: δὲ	εἰς πάντας τοὺς πιστεύοντας (2)	*δικαιοσύνη θεοῦ* διὰ πίστεως Ἰησοῦ Χριστοῦ (1)
22c-24: γάρ	οὐ ἐστιν διαστολὴ πάντες γὰρ ἥμαρτον καὶ ὑστεροῦνται τῆς δόξης τοῦ θεοῦ	*δικαιούμενοι* δωρεὰν τῇ *αὐτοῦ* χάριτι διὰ τῆς ἀπολυτρώσεως τῆς ἐν Χριστῷ Ἰησοῦ
25:	ἱλαστήριον διὰ πίστεως ἐν τῷ αὐτοῦ αἵματι (2)	ὃν προέθετο *ὁ θεός* (1)
25+26:	εἰς ἔνδειξιν τῆς δικαιοσύνης αὐτοῦ διὰ τὴν πάρεσιν τῶν προγεγονότων ἁμαρτημάτων ἐν τῇ ἀνοχῇ τοῦ θεοῦ	πρὸς τὴν ἔνδειξιν *τῆς δικαιοσύνης αὐτοῦ* ἐν τῷ νῦν καιρῷ εἰς τὸ εἶναι αὐτὸν *δίκαιον* καὶ *δικαιοῦντα* τὸν ἐκ πίστεως Ἰησοῦ
27: οὖν	ποῦ ἡ καύχησις;	ἐξεκλείσθη
	διὰ ποίου νόμου; τῶν ἔργων;	οὐχί, ἀλλὰ διὰ νόμου πίστεως
28: λογιζόμεθα γὰρ	χωρὶς ἔργων νόμου (2)	*δικαιοῦσθαι* πίστει ἄνθρωπον (1)
29+30a: ἤ	Ἰουδαίων ὁ θεὸς μόνον;	οὐχὶ καὶ ἐθνῶν; ναὶ καὶ ἐθνῶν
30b: εἴπερ	εἷς ὁ θεός	ὃς *δικαιώσει* περιτομὴν ἐκ πίστεως καὶ ἀκροβυστίαν διὰ τῆς πίστεως
31: οὖν	νόμον καταργοῦμεν διὰ τῆς πίστεως;	μὴ γένοιτο· ἀλλὰ νόμον ἱστάνομεν

Die Lebenshaltung „aus Glauben" am Beispiel Abrahams (4,1-8)

Die in 3,19-31 eingeführte Unterscheidung zwischen Gesetz der Werke und des Glaubens wird in 4,1-25 am für alle folgenden Menschen grundlegenden Beispiel Abrahams erläutert. Der Begriff der πίστις spielt deshalb die zentrale Rolle (vgl. V. 5.9.11.12.13.14. zweimal 16.19.20; πιστεύω V. 3.5.11.17.18.24). Die Analyse der einzelnen Verse wird zeigen, dass der Begriff des Glaubens in allen Gegenüberstellungen des argumentativen Hauptteils des Kapitels (V. 9-22)[1] jeweils die theologische Sicht wiedergibt. Durch ihn wird eine Lebenshaltung charakterisiert, in der der Mensch auf eigene Versuche verzichtet, vor Gott Ruhm zu erwerben (vgl. 4,2 und 3,27) und statt dessen auf Gott vertraut. Im Hinblick auf den inhaltlichen Hauptgedanken des Interesses am einzelnen Menschen und seinem Selbstverhältnis besteht die Pointe der Argumentation darin, zu zeigen, dass alle Glaubenden, Beschnittene wie Unbeschnittene, von einer einzigen Person, nämlich Abraham abstammen (εἰς τὸ εἶναι αὐτὸν πατέρα πάντων τῶν πιστευόντων, 4,11) und dass dieser durch den Glauben zu einer anderen Selbsteinschätzung gekommen ist (vgl. V. 19f und unten die Erläuterungen dazu). „Zugleich ist bei Paulus eine Reduktion der in der Schrift vorgegebenen Väterverheißungen festzustellen, und zwar a) hinsichtlich der Adressaten auf Abraham, und b) inhaltlich auf die Zusage einer πολλὰ ἔθνη (Gen 17,5c [Röm 4,17]) [...] umfassenden Nachkommenschaft".[2]

Die Argumentation von 4,1-25 arbeitet nach der Methode des Analogieschlusses (gezera schawa). Er ist von Hillel als zweite seiner sieben Auslegungsnormen aufgeführt worden. „Die Regel besagt, dass identische (oder gleichbedeutende) Wörter, die an verschiedenen Schriftstellen vorkommen, sich gegenseitig erläutern."[3] Das Wort, durch das in Kapitel 4 verschiedene Schriftstellen miteinander kombiniert werden, lautet λογίζομαι (vgl. V. 3, 4, 5, 8, 9, 10, 11, 22, 23, 24), die Schriftstellen sind vor allem Gen 15,6, Ps 31,1f (LXX) und Jes 52,13ff. Das entsprechende hebräische Wort lautet חשב.[4] Allerdings hat Paulus wohl auch hier den Text der Septuaginta verwendet.[5] Λογίζομαι bezeichnet an den verschiedenen Stellen die Vorstellung, dass Gott Menschen etwas „anrechnet". Wie dieses Anrechnen genau vorzustellen ist, wird an den einzelnen Stellen zu untersuchen sein.

Das Kapitel lässt sich in drei Teile unterteilen: V. 1-8 führt, wiederum mit einer Formulierung in der 1. Person Singular (τί οὖν ἐροῦμεν) eingeleitet und einem Zitat

---

[1] Zur Einteilung des Kapitels siehe unten. Die Formulierung ἐν ἀκροβυστία in V. 10b ist als Äquivalent für πίστις zu verstehen.

[2] D.-A. Koch: Die Schrift als Zeuge des Evangeliums; S. 310.

[3] J. Jeremias: Abba. Studien zur neutestamentlichen Theologie und Zeitgeschichte; Göttingen 1966, S. 271.

[4] Der Begriff setzt ursprünglich eine ökonomische Metaphorik voraus. חשב „ist im Geschäftsleben beheimatet". (K. Haacker: Der Brief des Paulus an die Römer, S. 102) Er ist dann aber im Hinblick auf emotionale Vorgänge erweitert worden. „Der hbr Begriff aber begegnet von 123 St nur insgesamt 7 mal [...] im Sinne der Handelssprache als *rechnen*, dgg 56 mal in einer λογίζεσθαι fremden Bdtg als emotionales ‚ersinnen', handwerkliches *erdenken* und voluntaristisches *planen* – und 43 mal in der bei λογίζεσθαι sonst seltenen Bedeutung *halten für, gerechnet werden zu etwas, jemandem etwas anrechnen als,* uz wieder ungriech im Sinne eines persönlichen, gefühlsmäßigen Werturteils." (H.-W. Heidland: Artikel „λογίζομαί, λογισμός"; in: ThWNT, Bd. 4, S. 287-295, dort S. 287, Hervorhebungen von Heidland). Vgl. dazu auch K. Seybold: Artikel חשׁב; in: ThWAT, Bd. 3, S. 243-261.

[5] Vgl. die bei H. Hübner (Hrsg.): Vetus Testamentum in Novo, Bd. 2; Tübingen 1997, S. 61ff aufgeführten Parallelen.

beendet, den vorbildlichen Glauben Abrahams ein, die V. 9-22 zeigen, ebenfalls mit οὖν und in der 1. Person (λέγομεν) beginnend und einem Zitat endend, dass Abraham damit Vater aller Glaubenden ist, und die V. 23-25 aktualisieren diese Gedanken, wiederum in der 1. Person Plural für „Wir" (ἡμᾶς), wobei durch die Formulierung οὐ μόνον ἀλλὰ καί die Verbindung zwischen ihnen und Abraham hergestellt wird.[6]

Der erste Abschnitt 4,1-8 ist im wesentlichen im Anschluss an 3,19-31 durch die Entgegensetzung der beiden Existenzweisen ἐξ ἔργων und διὰ τῆς πίστεως strukturiert, die den V. 1-3 und 4f das Gerüst zweier größerer Gegenüberstellungen bieten (in der Tabelle unten hervorgehoben). Der zentrale Begriff der πίστις wird von da aus auch den folgenden, größeren Abschnitt V. 9-22 bestimmen. In V. 1-8 werden abgeschlossen durch die Auslegung einer V. 7f zitierten Schriftstelle in V. 6, die sich an dem Röm 1,2 entwickelten, hermeneutischen Schema orientiert.

In V. 1 ist die ursprüngliche Fassung und damit der Sinn des Satzes aufgrund der divergierenden Textüberlieferungen nur schwer zu ermitteln:[7] „εὑρηκέναι erscheint an zwei verschiedenen Stellen – vor oder nach ‚Abraham unser (Vor-)Vater' – oder fehlt ganz, so in B, 6 und 1739 sowie bei Origines, Ephraem und in der Kommentierung des Chrysostomus (nicht im kommentierten Text)."[8] Wenn das εὑρηκέναι wie im Text der 27. Aufl. von Nestle-Aland nach vorn gestellt wird, dann bezieht sich τὸν προπάτορα ἡμῶν auf κατὰ σάρκα und εὑρηκέναι meint das Finden Abrahams, etwa in folgendem Sinn: „Was sollen wir nun sagen, hat Abraham, unser Vorfahr nach dem Fleische, gefunden?"[9] Das εὑρηκέναι könnte sich dann auf biblische Formulierungen wie εὑρίσκειν χάριν (Gen 18,3) beziehen.[10] Wenn man dagegen εὑρηκέναι mit dem Mehrheitstext nach hinten stellt, bezieht es sich auf κατὰ σάρκα und meint die Art und Weise des Findens, etwa in dem Sinne: „Was sollen wir nun sagen: dass Abraham unser Vorvater es (nämlich seine Rechtfertigung, vgl. V. 2 und 3,27-30) nach dem Fleisch gefunden hat?"[11] Diese Lesart hat den Vorteil, dass sie die im Röm feststehende Wendung τί οὖν ἐροῦμεν wie auch sonst als Einleitung eines neuen Gedankenabschnittes allein stehen lässt (vgl. Röm 3,5 ohne οὖν; 6,1; 7,7; 8,31; 9,14.30).

Das Fehlen des εὑρηκέναι ist gegenüber den genannten Varianten jedoch die kürzere und deshalb wahrscheinlichere Lesart. Bei den anderen, zum Teil sehr gut

---

[6] D.-A. Koch: Die Schrift als Zeuge des Evangeliums, S. 225 hat das Kapitel mit Homilie und Midrasch verglichen und dabei eine entsprechende Gliederung in drei Teile vorgeschlagen, wobei er V. 22 bereits zum Abschluss zählt:
„- V 1-5: Einleitung (V 1f), Ausgangstext (V 3: Gen 15,6) mit erster Interpretation (V 4f)
- V 6-8: Zusätzlicher Text, und zwar aus einem anderen Teil der Schrift (V 7f: Ψ 31,1f), der die bisherige Interpretation absichert
- V 9-21: Fortführung der Interpretation unter Verwendung weiterer Schriftzitate, die mit dem Ausgangstext thematisch verwandt sind (Gen 17,5; 15,5)
- V 22-25: Abschluß
     a) V 22: Abschließende (verkürzte) Anführung des inhaltlich nunmehr geklärten Ausgangstextes
     b) V 23-25: Applicatio des Textes auf ‚uns' (V 23.224a), wobei zugleich der Standort der Interpretation deutlich wird (V 24b.25: ... τοῖς πιστεύουσιν ἐπὶ τὸν ἐγείραντα Ἰησοῦν τὸν κύριον ἡμῶν ...)."

[7] U. Wilckens: Der Brief an die Römer; EKK VI, 1, S. 260, meint: „V 1 ist textkritisch eine crux."

[8] K. Haacker: Der Brief des Paulus an die Römer; ThHK 6, S. 99.

[9] So E. Käsemann: An die Römer; HNT 8a, S. 98. Vgl. U. Wilckens: Der Brief an die Römer; EKK VI,1, S. 260f. Siehe auch die Einheitsübersetzung von 1979 und die revidierte Lutherübersetzung von 1984, die den langen Satz in zwei kürzere teilen.

[10] Vgl. Wilckens, a.a.O., S. 261.

[11] So die von Wilckens, a.a.O., S. 261 erwogene, aber dann verworfene Möglichkeit.

bezeugten Varianten spricht die unterschiedliche Stellung des εὑρηκέναι deutlich für eine sekundäre Zufügung.[12] Zu lesen ist also der kurze Text von B u.a., etwa in dem Sinne: „Als was sollen wir nun Abraham [...] bezeichnen?"[13] Das τὸν προπάτορα ἡμῶν unterscheidet auch begrifflich zwischen einer leiblichen Nachkommenschaft nur der Juden und einer im Glauben begründeten, die im Folgenden mit πατήρ bezeichnet wird (vgl. V. 11. 12 [zweimal]. 16.17.18).

Was mit der Eingangsfrage gemeint ist, wird in V. 2 erläutert, angeschlossen mit γάρ. Es geht um die Meinung, dass Abraham durch seine Taten (ἐξ ἔργων) gerechtfertigt worden sei (ἐδικαιώθη). Durch die Einleitung mit εἰ ist dabei jedoch nicht ganz klar, ob Paulus hier im Irrealis spricht[14] oder mit der Formulierung ἔχει καύχημα die reale Möglichkeit einräumt.[15] Grammatisch gesehen drückt zwar εἰ mit Indikativ der Augmenttempora auch im neutestamentlichen Griechisch noch den Irrealis aus,[16] aber der Irrealis wäre nur dann eindeutig, wenn im Hauptsatz anstelle des Präsens das Präteritum stehen würde.[17] „Paulus verzichtet jedoch auch an anderen Stellen auf eine solche Verdeutlichung, besonders dort, wo die von ihm selbst als irreal eingestufte und nachdrücklich bekämpfte Möglichkeit von anderen für real gehalten wird, wenn der Wenn-Satz also sachlich Zitatcharakter hat."[18] Das ist jedoch in Bezug auf V. 2a durchaus der Fall. Denn in einer geläufigen jüdischen Tradition erweist sich die Gerechtigkeit Abrahams auch durch seine Taten, vor allem durch die Bereitschaft, seinen Sohn Isaak zu opfern (vgl. Gen 22,1ff). Die Formulierung ἐν πειρασμῷ εὑρέθη πιστός aus Sir 44,20 wird in I Makk 2,52 mit Gen 15,6 verbunden und versteht die Gerechtigkeit Abrahams gerade von der „Versuchung" Abrahams (der Aufforderung zur Opferung) her: Αβρααμ οὐχὶ ἐν πειρασμῷ εὑρέθη πιστός, καὶ ἐλογίσθη αὐτῷ εἰς δικαιοσύνην; Auf dieser Interpretationslinie einer Rechtfertigung Abrahams durch die Bereitschaft zur Opferung seines Sohnes liegt auch Jak 2,21ff.

Nachdem Paulus mit V. 1 und 2a zunächst mit ἐξ ἔργων an die eine Existenzhaltung angeknüpft hatte, die in Röm 3,19-31 entfaltet worden war, stellt er dieser nun in V. 2b und 3 die andere Existenzhaltung διὰ τῆς πίστεως entgegen. Die geläufige Sicht, nach der Abraham durch sein Tun, nämlich durch seine Bereitschaft Isaak zu opfern, gerechtfertigt wurde, zeigt Paulus, durch adversatives ἀλλά entgegengesetzt, V. 2b in theologischer Perspektive als irrelevant auf, weil sie aufgrund des 3,19-31 Ausgeführten nicht zum Freispruch im göttlichen Gericht führen kann (οὐ πρὸς θεόν). Das καύχημα meinte dabei in V. 2a eine Haltung, die rein selbstreferentiell aufgrund eigener Taten vor sich selbst und vor anderen nach Ruhm sucht. Ihr wird 5,2.3.11 ein anderes καυχᾶσθαι entgegengestellt, das sich auf Gott bezieht.

---

[12] So gesteht auch B. M. Metzger: A Textual Commentary on the Greek New Testament, S. 450, zu. „it can be argued that the variation of position of εὑρηκέναι [...] indicates that the word was added and that therefore the short text [...] is original".

[13] K. Haacker: Der Brief des Paulus an die Römer; ThHK 6, S. 99. Diese Lesart könnte man als kürzere und deshalb wahrscheinlichere vorziehen. Haacker weist jedoch darauf hin, dass „die nicht ganz eindeutige Konstruktion mit λέγω c. Inf. auch zur vereinfachenden Kürzung einlud."

[14] So Haacker, a.a.O., S. 99.

[15] So U. Wilckens: Der Brief an die Römer, S. 262: „V 2a ist also nicht schlechthin irreal, wie auch V 2b nur bedingt eine Antithese zu V 2a ist."

[16] Vgl. Blass, Debrunner, Rehkopf: Grammatik des neutestamentlichen Griechisch, § 371,3.

[17] So K. Haacker: Der Brief des Paulus an die Römer; ThHK 6, S. 99, Anm. 9.

[18] Haacker, a.a.O., S. 99, mit Verweis auf I Kor 15,13.16b.32c; Gal 3,18; 5,11.

V. 1-3 sind damit so strukturiert, dass V. 1 und 2a zunächst die menschliche Sicht zur Sprache bringen, nach der Abraham gemäß dem Fleisch Rechtfertigung „gefunden" habe. Diese Sichtweise wird V. 2a zwar als Möglichkeit zunächst noch theoretisch eingeräumt, dann aber in V. 2b in theologischer Sicht negiert. V. 3 setzt diese theologische Perspektive fort und führt dabei für die zweite Existenzhaltung den entscheidenden Begriff des Glaubens ein. Es wird erläutert, wie die Anerkennung bzw. „Anrechnung" zum – in juridischer Metaphorik gesprochen – Freispruch im Gericht durch Gott stattfindet. Die Formulierung τί γὰρ ἡ γραφὴ λέγει leitet eine längere Argumentation mit alttestamentlichen Schriftzitaten ein. Dazu wird zunächst fast wörtlich Gen 15,6 zitiert.[19] Für das Verständnis von Gen 15,6 ergibt sich zunächst die Frage, ob man dort tatsächlich mitten im Satz einen Subjektwechsel voraussetzen kann. Was den hebräischen Text betrifft, so ist dieser Wechsel nicht notwendig. Man könnte den ersten und zweiten Halbsatz vielmehr auch als synthetischen Parallelismus auffassen, durch den die Aussage verstärkt wird: „Abram glaubte Gott, und er (Abram) rechnete es ihm (Gott) zur Gerechtigkeit an." Die Stelle ist somit zumindest für den hebräischen Text „keineswegs eindeutig, sondern zumindest eindeutig zweideutig".[20] Eine Eindeutigkeit ergibt sich erst durch die Fassung der Septuaginta, die ויחשבה mit dem passivum divinum καὶ ἐλογίσθη wiedergibt. Dadurch ergibt sich eine dreifache Veränderung des Textes: „zum einen ist das hebräische perfectum consecutivum zum Aorist geworden und damit der frequentativ-durative Aspekt des Glaubens verschwunden (angemessener wäre das griechische Imperfekt gewesen). Von daher konnte die nachalttestamentlich-jüdische Exegese den Glauben mit gutem Grund als einmalige Tat, und in Verbindung mit Gen 22 als verdienstvolle Leistung interpretieren. Zum anderen ist das hebräische Qal ins griechische Passiv übertragen worden. Damit ist zwar die Einheit des grammatischen Subjektes von πιστεύειν und λογίζεσθαι (ein deponentium medium) bewahrt, aber zum logischen Subjekt des hier passiv verwendeten λογίζεσθαι (ἐλογίσθη) ist θεός geworden. Damit mußte notwendigerweise auch δικαιοσύνη als eine ‚Eigenschaft' Abrahams aufgefaßt werden. Drittens ist das vielfältige Konnotat von חשב einseitig verengt worden auf ein bloß ‚juristisch verstandenes Verhältnis zwischen Gott und Mensch und den Verdienstgedanken'."[21]

Durch diese Umstellungen thematisiert die von Paulus zitierte Septuaginta-fassung eine gegenseitige Beziehung: einerseits V. 3a der Glaube Abrahams in Bezug auf die göttliche Verheißung eines Nachkommen und andererseits die „Anrechnung" dieses Glaubens zur „Gerechtigkeit" durch Gott. Die Interpretation von Gen 15,6 durch Paulus basiert eindeutig auf der griechischen Fassung des Verses und bringt folglich die genannten Umstellungen gegenüber dem hebräischen Text mit sich. Bemerkenswert ist dabei noch die paulinische Hinzufügung des adversativen δέ (parallel zu ἀλλά V. 2a). Dadurch erscheint Gen 15,6 ausdrücklich als Gegenkonzept der in V. 1 und V. 2a

---

[19] Die Abweichung beschränkt sich im wesentlichen auf einen Buchstaben. Abraham wird nicht, wie in der Septuaginta, erst von der Umbenennung des Namens in Gen 17 an, sondern bereits hier 'Αβραάμ mit doppeltem α genannt. Das ist ein erster Hinweis darauf, dass Gen 15 hier in seinem inneren Zusammenhang mit Gen 17 verstanden werden muss.

[20] M. Oeming: Ist Gen 15,6 ein Beleg für die Anrechnung des Glaubens zur Gerechtigkeit? In: ZAW 95 (1983), S. 182-197, dort S. 196.

[21] Oeming, a.a.O., S. 195, mit Bezug auf H.-W. Heidland: Die Anrechnung des Glaubens zur Gerechtigkeit; (BWANT 71) Stuttgart 1936, S. 96.

entwickelten Sicht, die meint, dass Abraham durch „eigene Werke" vor Gott Ruhm erlangt haben könnte.[22]

V. 4f erläutern die Möglichkeiten des „Anrechnens" mit Hilfe zweier Alternativen, die durch eine weitere Gegenüberstellung ausgeführt werden: entweder geschieht es für den Tätigen (τῷ ἐργαζομένῳ) verdienstgemäß (κατὰ ὀφείλημα), oder für den Nichttätigen, aber Glaubenden (τῷ πιστεύοντι) gemäß der Gnade (κατὰ χάριν). Die beiden grundlegenden Existenzhaltungen ἐξ ἔργων und διὰ τῆς πίστεως sind also erneut einander gegenübergestellt und für V. 4f strukturbildend. Die dazu parallel gesetzte Unterscheidung τῷ ἐργαζομένῳ – τῷ δὲ μὴ ἐργαζομένῳ ist formal eine binäre Differenz. Sie setzt auf der ersten Seite einen „positiven" Wert[23], nämlich die Tätigen, und unterscheidet diesen zunächst von allen anderen, den nicht Tätigen. Die zweite Seite wird dann aber durch die nähere Bestimmung πιστεύοντι δὲ ἐπὶ τὸν δικαιοῦντα eingegrenzt. Bemerkenswert ist wiederum unter dem Gesichtspunkt der Individualität die Formulierung im Singular: Gott rechnet jedem einzelnen Menschen sein Tun bzw. Nichttun zu. Diese Differenzierung zwischen Tätigen und nicht Tätigen könnte so verstanden werden, als wenn damit jegliches Tun des Menschen in Bezug auf den Glauben ausgeschlossen werden soll. Wie die paränetischen Abschnitte Röm 12,1-15,13 zeigen, hat der von Paulus gemeinte Glaube jedoch konkrete Handlungen zur Folge. Die Formulierung von V. 4f zielt in eine andere Richtung. Es geht unter dem Aspekt der Individualität darum, inwiefern der einzelne Mensch – in juridischer Metaphorik gesprochen – seine Freiheit, seinen Freispruch im Gericht vor Gott begründet. Paulus zeigt diesbezüglich zwei grundsätzlich verschiedene Möglichkeiten auf: entweder definiert sich der Mensch durch seine Taten oder er verzichtet auf eine solche Selbstdefinition und er tut diesbezüglich nichts und überlässt Gott vertrauensvoll die Begründung seiner Freiheit (τῷ πιστεύοντι ἐπὶ τὸν δικαιοῦντα).

Damit wird die im vorhergehenden Abschnitt 3,19-31 eingeführte Alternative ἐξ ἔργων – ἐκ πίστεως weitergeführt und in Bezug auf das Tun und den Glauben Abrahams konkretisiert. Der Begriff μισθός (V. 4) zeigt dabei, dass Paulus keineswegs nur Gen 15,6 zitiert, sondern dass er den Zusammenhang des ganzen Kapitels berücksichtigt, denn der μισθός Abrams wird bereits in Gen 15,1 thematisiert (ο μισθός σου πολὺς ἔσται σφόδρα). Im Zusammenhang von Gen 15 geht es um die Verheißung des Lohnes an Abram. Die entscheidende Frage ist für Paulus, in welcher Weise dem Menschen dieser Lohn von Gott zuteil wird.[24] Die Antwort ergibt sich dadurch, dass das gleiche Wort λογίζομαι hier in V. 4 und 5 in verschiedener Weise gebraucht wird. V. 4 bezeichnet es aus geläufiger menschlicher Sicht den z.B. in ökonomischer Metaphorik geläufigen Zusammenhang von Arbeit und dafür entrichtetem Lohn, also eine Tauschlogik. V. 5 meint es dagegen in theologischer Perspektive das „Anrechnen" des

---

[22] So auch D.-A. Koch: Die Schrift als Zeuge des Evangeliums, S. 133: „Dieser antithetische Rückbezug des Zitats auf Röm 4,2 wird durch die Einfügung von δέ unterstrichen." Vgl. dazu auch Gal. 3,6, wo Paulus dem Zitat von Gen 15,6 das δέ nicht hinzufügt.

[23] „Positiv" meint hier in formaler Hinsicht die nähere Bestimmtheit der einen Seite der Unterscheidung im Sinne der Differenztheorie G. Spencer Browns und Niklas Luhmanns; vgl. G. Spencer Brown: Laws of Form; 2. Aufl. New York 1979. Siehe dazu auch die Darstellung dieser Differenztheorie oben in der Einführung unter 2.

[24] Auch die Zitation von Gen 15,5 in Röm 4,18 zeigt, dass es Paulus im Grunde im ganzen Kapitel um eine Interpretation von Gen 15 und dessen Zusammenhang mit Gen 17 geht.

Glaubens zur „Gerechtigkeit".[25] Das ist allerdings nicht mehr nur unmittelbar auf Abraham bezogen, sondern zugleich allgemein für jeden einzelnen Menschen gemeint. Das viel diskutierte δικαιοῦντα τὸν ἀσεβῆ muss wohl von V. 9 her auf Abraham bezogen werden. Dabei ergibt sich aber das Problem, wie man ihn als ἀσεβής bezeichnen kann.[26] Darüber hinaus sind jedoch allgemein alle Menschen gemeint, von denen 2,1-3,18 gezeigt worden war, dass sie alle „unter der Sünde" sind (vgl. Röm 5,6: Χριστός [...] ὑπὲρ ἀσεβῶν ἀπέθανεν). Insofern relativiert sich das Problem, Abraham gottlos oder unfromm zu nennen. Denn wenn die Argumentation von 2,1-3,18 überzeugt, nach der alle Menschen Lügner (3,4) und „unter der Sünde" (3,9) sind, dann muss das auch für Abraham gelten.

Diese einerseits allgemein menschliche und andererseits konkret auf Abraham bezogene Aussage von V. 4, dass kein Mensch sich aufgrund seiner Taten und verdienstgemäß Gerechtigkeit von Gott „anrechnen" lassen kann, soll das exakt wörtliche Zitat von Ps 31,1f (LXX) verdeutlichen. Es ist zunächst im Plural (V.7) und dann im Singular (V. 8) formuliert: Schon David preist diejenigen Menschen glücklich, denen Gott Sünden (ἁμαρτίαι) zudeckt und denjenigen Menschen glücklich, dem Gott Sünde (ἁμαρτία) nicht anrechnet.[27] Der Begriff ἁμαρτία weist dabei auf Röm 3,9 zurück. Die Aussage ist aber nicht nur universal zu verstehen, sondern sie ist zugleich auf einen bestimmten Menschen (ἀνήρ) und seine Selbsterkenntnis bezogen, nämlich auf David, der – ähnlich wie bereits in Röm 3,4 mit den Worten von Ps 50,6 (LXX) – seine Sünde eingesehen hat und sich nun freut, dass Gott ihm vergeben hat (vgl. Ps 31,5 LXX).[28] Bemerkenswert ist, dass auch dort von ἀσέβεια gesprochen wird.

Diese Schriftstelle, die Paulus V. 7f in geläufiger Formulierung zitiert, wird in V. 6 von ihm in theologischer Perspektive interpretiert. Paulus folgt dabei dem hermeneutischen Schema von Röm 1,2, nach dem sein Evangelium von Jesus Christus in Heiligen Schriften vorher verheißen worden ist. Dementsprechend wird nun die Aussage von David an die vorhergehende Argumentation über den Glauben Abrahams mit Hilfe des Analogieschlusses durch das λογίζεται (vgl. V. 8 λογίσηται und V. 3 ἐλογίσθη) angeschlossen und damit auf das paulinische Evangelium bezogen, das die Rechtfertigung ohne Werke und durch den Glauben verkündigt. Die Verbindung zu dem Vorhergehenden geschieht durch die Formulierung καθάπερ καὶ Δαυὶδ λέγει. Die hier vorgezogene Interpretation, die Paulus aus seiner spezifisch theologischen Perspektive bietet, bezieht sich auf die Hervorhebung des einzelnen Menschen (τὸν μακαρισμὸν τοῦ ἀνθρώπου). Das bedeutet, dass sich Paulus im Zitat vor allem an der singularischen Formulierung aus dem zweiten Teil von V. 8 orientiert. Es geht ihm gemäß dem Vorhergehenden um den einzelnen Menschen Abraham, der den „Freispruch" Gottes aufgrund seines Glaubens erhalten hat, und damit zusammen-

---

[25] So auch K. Haacker: Der Brief des Paulus an die Römer; ThHK 6, S. 101: „Also muß λογίζομαι in Gen 15,6 eine von der Alltagssprache abweichende Bedeutung haben, weil es in diesem Vers nicht um eine Arbeitsleistung, sondern um die dem Glaubenden zugerechnete ‚Gerechtigkeit' geht. Im Rahmen dieser Unterscheidung zweier Kontexte, in denen λογίζομαι eine je verschiedene Bedeutung hat", sei die Ablehnung der „Werktätigkeit" durch Paulus in V. 5 zu verstehen.

[26] Die vorgeschlagenen, aber wenig überzeugenden Interpretationsversuche erläutert Haacker, a.a.O., S. 101f.

[27] Der Parallelismus ist in Ps 31,1 synthetisch gebaut, die Teilverse ergänzen sich.

[28] Dort heißt es: „τὴν ἁμαρτίαν μου ἐγνώρισα καὶ τὴν ἀνομίαν μου οὐκ ἐκάλυψα [...] καὶ σὺ ἀφῆκας τὴν ἀσέβειαν τῆς ἁμαρτίας μου. διάψαλμα."

hängend um jeden anderen einzelnen Menschen, wie z.B. David, der für sich aufgrund seines Glaubens solchen Freispruch erfährt.

Das abschließende Zitat in V. 7f signalisiert zugleich, wie auch am Ende anderer Abschnitte (vgl. 3,4; 10-18 und öfter), dass damit der Argumentationsteil beendet ist, der die beiden grundsätzlichen Konzeptionen und Existenzhaltungen am Beispiel Abrahams erläuterte.

V. 1-8 sind damit folgendermaßen strukturiert, wobei die strukturbildenden Ausdrücke ἐξ ἔργων und πιστεύω hervorgehoben sind:

4,1-3: Τί οὖν	ἐροῦμεν Ἀβραὰμ τὸν προπάτορα ἡμῶν κατὰ σάρκα; εἰ γάρ Ἀβραὰμ *ἐξ ἔργων* ἐδικαιώθη ἔχει καύχημα	ἀλλ' οὐ πρὸς θεόν τί γὰρ ἡ γραφὴ λέγει; *Ἐπίστευσεν* δὲ Ἀβραὰμ τῷ θεῷ καὶ ἐλογίσθη αὐτῷ εἰς δικαιοσύνην
4+5: δὲ	*τῷ ἐργαζομένῳ* ὁ μισθὸς οὐ λογίζεται κατὰ χάριν ἀλλὰ κατὰ ὀφείλημα	τῷ δὲ μὴ ἐργαζομένῳ *πιστεύοντι* δὲ ἐπὶ τὸν δικαιοῦντα τὸν ἀσεβῆ λογίζεται ἡ *πίστις* αὐτοῦ εἰς δικαιοσύνην
6-8: καὶ	Μακάριοι ὧν ἀφέθησαν αἱ ἀνομίαι καὶ ὧν ἐπεκαλύφθησαν αἱ ἁμαρτίαι μακάριος ἀνὴρ οὗ οὐ μὴ λογίσηται κύριος ἁμαρτίαν (2)	καθάπερ Δαυὶδ λέγει τὸν μακαρισμὸν τοῦ ἀνθρώπου ᾧ ὁ θεὸς λογίζεται δικαιοσύνην *χωρὶς ἔργων* (1)

Abraham, der Vater aller Glaubenden (4,9-22)

Die beiden in V. 1-8 eingeführten Alternativen werden in V. 9ff anhand des Verhältnisses von Beschneidung oder Nichtbeschneidung konkretisiert. Die Beschneidungsproblematik wurde bereits in Röm 2,25-29 grundsätzlich behandelt und im Sinne einer „Beschneidung des Herzens" individualisiert und dadurch grundlegend modifiziert (vgl. die Ausführungen zur Stelle).[1] Aus anderen Paulusbriefen wird deutlich, dass es sich um ein akutes Problem innerhalb der paulinischen Gemeinden handelte,[2] dem Paulus mitunter äußerst polemisch begegnen konnte. Die dahinterstehende Frage ist, ob der Glaube an Jesus Christus den förmlichen Zutritt zur Glaubensgemeinschaft der Juden erforderte, der bei den Männern durch die Beschneidung vollzogen wurde. Die kategorische Antwort des Paulus ist regelmäßig, dass man sich nicht physisch – sondern allenfalls übertragen gemeint „im Herzen" – beschneiden lassen soll. Sie findet ihren Grund darin, dass der Glaube sich für ihn zum einen auf den einzelnen Menschen bezieht und nicht auf die religiöse Gemeinschaft und dass die neue Existenzweise, die durch den Glauben konstituiert wird, zum anderen unabhängig von jeder menschlichen Tat begründet ist.[3] Die im folgenden behandelte Frage knüpft unmittelbar an 3,30 an, wo diejenigen, die von Gott gerechtfertigt werden, in περιτομή ἐκ πίστεως und ἀκροβυστία διὰ τῆς πίστεως unterschieden werden.

Die V. 9-22 bilden einen geschlossenen Argumentationsabschnitt, der mit οὖν an die V. 1-8 anschließt und wiederum von Paulus mit einer persönlichen Bemerkung in der 1. Pers. eingeleitet wird (λέγομεν γάρ, V. 9b). Strukturbildend ist hier für alle Gegenüberstellungen das Wort πίστις bzw. πιστεύειν, das bereits in V. 3 im Zitat von Gen 15,6 und dann insgesamt in V. 1-8 als Gegenkonzept zu einer Existenzweise ἐξ ἔργων eingeführt worden war.[4] Es gibt jeweils die theologische Sicht an, nach der Abraham Gott glaubte und wird dabei permanent einem anderen Lebenskonzept entgegengesetzt, das sich selbst durch die eigenen Taten definiert (vgl. dazu die unten aufgezeigte Struktur des Textes mit den Hervorhebungen von πίστις bzw. πιστεύειν).

V. 9a nimmt zunächst den in V. 7f zitierten Makarismus wieder auf und bezieht diesen in V. 9b konkret auf das Ausgangszitat Gen 15,6 und damit auf Abraham zurück. Paulus formuliert dabei noch kein Entweder – Oder zwischen Beschneidung und Unbeschnittenheit (ἤ), sondern er meint zunächst vorsichtig, dass der Makarismus über die Beschneidung hinausgehend – für die er offenbar in einem bestimmten Sinne ohne Zweifel gilt – *auch* für die Unbeschnittenheit Geltung hat (ἤ καί). In V. 9a gibt Paulus also zunächst eine geläufige menschliche Sicht wieder, die wiederum zwischen

---

[1]　Der Begriff περιτομή erscheint im Röm neben 2,25-29 und 3,30 sowie den hier zu besprechenden Versen 4,9-12 noch 3,1, wo er von dem vorher entwickelten modifizierten Verständnis positiv aufgefasst wird, und 15,8, wo Christus als „Diener der Beschneidung" bezeichnet wird. Zur Beschneidung vgl. grundsätzlich A. Blaschke: Zeugnisse der Bibel und verwandter Texte; (TANZ 28) Tübingen und Basel 1998.

[2]　Vgl. z.B. Gal 5,2ff; 6,12ff; Phil 3,2ff; I Kor 7,18f.

[3]　Ob man in diesem Zusammenhang die Taufe als Beginn eines christlichen Lebens nicht auch als Tat verstehen muss, wird zu Röm 6,1ff zu fragen sein. Aber insofern Taufe dort als mit Christus sterben und begraben Werden aufgefasst wird, ist auch dort bei den Menschen Passivität vorausgesetzt. Dass auch diese neue Existenzweise auf eine Erfüllung des Gesetzes in einem bestimmten Sinne zielt, wird eingehend zu 13,8-10 ausgeführt werden.

[4]　Siehe dazu auch oben die einführenden Überlegungen zu diesem Kapitel. Die Formulierung οὐκ ἐν περιτομῇ ἀλλ᾽ ἐν ἀκροβυστίᾳ in V. 10 b umschreibt πίστις vom Standpunkt der Beschneidung aus als Unbeschnittenheit (vgl. V. 11).

Beschnittenheit und Unbeschnittenheit unterscheidet, während dem in V. 9b in theologischer Sicht durch ein weiteres, diesmal verkürztes Zitat von Gen 15,6 der Glaube Abrahams entgegengestellt wird.[5]

Mit der doppelten Frage in V. 10 setzt Paulus den Glauben Abrahams gemäß Gen 15,6 zu dem an ihn ergangenen Beschneidungsgebot von Gen 17,10f in Beziehung. Die Alternative von Tun und glaubendem Nichttun aus V. 4f wird jetzt deutlicher als noch in V. 9 durch die Antithese περιτομή – ἀκροβυστία konkretisiert (οὐκ [...] ἀλλά). Damit werden die beiden in V. 1-8 aufgezeigten Wege entweder der „Anrechnung" aufgrund von Taten (V.4) oder ohne Taten (V. 5) weitergeführt. Περιτομή bezeichnet jeweils V. 10a, 11a, 12a in der ersten Sicht eine geläufige Betrachtungsweise, nach der man für eine Belohnung etwas tun muss und nach der deshalb die Beachtung des konkreten Beschneidungsgebotes für das Selbstverständnis und die „Anrechnung" der „Gerechtigkeit" Voraussetzung ist. Demgegenüber bezeichnet ἀκροβυστία V. 10b, 11b, 12b die zweite Sichtweise, nach der für den – metaphorisch gesprochen – Freispruch im göttlichen Gericht nichts getan werden muss, sondern auf Gottes Wohlwollen (χάρις) vertraut werden kann.

Der Ausdruck περιτομή bedeutet konkret in Bezug auf Abraham die Erfüllung der Beschneidungsforderung von Gen 17,10f in Gen 17,23ff und 21,4. Paulus argumentiert hier mit einer zeitlichen Differenzierung:[6] Indem Abraham die Beschneidung an sich und den Seinen vollzog, erfüllte er zwar diese Forderung, die an ihn ergangene Verheißung der Nachkommenschaft und sein Glaube an diese Verheißung geschahen jedoch bereits davor, nämlich in Gen 15, also als Abraham noch nicht beschnitten war und auch noch niemanden beschnitten hatte.[7] Es ist deshalb gemäß dieser Argumentation nicht möglich, die Nachkommenschaft Abrahams exklusiv an die Erfüllung des Gesetzes der Beschneidungsforderung zu binden. Die Verheißung der Nachkommenschaft und der Glaube Abrahams daran gingen dem Gesetz der Beschneidung vielmehr im Text der Gen und der dort konstruierten Chronologie zeitlich *voraus*. Deshalb kann die legitime Nachkommenschaft Abrahams gemäß der Verheißung von Gen 15 für Paulus nicht von der Tat der Beschneidung, sondern nur durch den Glauben an Gottes Verheißung definiert werden.

Die Formulierung aus V. 11a σημεῖον ἔλαβεν περιτομῆς σφραγῖδα deutet die Beschneidung als späteres Zeichen und Siegel. Auf den Gebrauch dieser beiden Worte in einem sehr alten Segensspruch, der beim Vollzug der Beschneidung gesprochen wurde, haben D. Flusser und S. Safrani hingewiesen. Von Gott heißt es darin, er habe Abraham „*gesiegelt* mit dem *Zeichen* des heilgen Bundes."[8] Paulus modifiziert diese Terminologie, indem er statt Bund τῆς δικαιοσύνης τῆς πίστεως τῆς ἐν τῇ ἀκροβυστίᾳ

---

[5] In 2,25-29 hatte Paulus ohnehin bereits die beiden Begriffe περιτομή und ἀκροβυστία variabel gebraucht.

[6] Diese zeitliche Differenzierung findet sich bei Paulus auch an anderen Stellen, so z.B. Gal 3,15ff, wo das 430 Jahre nach der Verheißung der Nachkommenschaft an Abraham und seinen Nachkommen Christus (!) ergangene Gesetz diese Verheißung nicht aufheben kann. Vgl. dazu auch grundsätzlich oben zu Röm 2,12 die Ausführungen zum Begriff des νόμος.

[7] Auch die spätere, Gen 22 berichtete Bereitschaft zur Opferung des Sohnes, kann damit nicht zur Begründung des Anrechnens zur Gerechtigkeit herangezogen werden.

[8] D. Flusser und S. Safrai: „Der den Geliebten geheilt hat von Mutterleib an". Betrachtungen zum Ursprung der Beschneidung; hebräisch 1978; deutsch in: Immanuel VIII (1979), S. 2-6 und Freiburger Rundbrief XXXI (1979), S. 171-175, dort S. 172. Zitiert nach K. Haacker: Der Brief des Paulus an die Römer; ThHK 6, S. 104.

einsetzt.[9] Die äußere Beschneidung ist damit nur ein Zeichen für die Glaubensgerechtigkeit, die Abraham bereits in Gen 15 unbeschnitten erlangt hat.

Daher kann Abraham als Vater aller Glaubenden aufgefasst werden. Das gilt zum einen für die unbeschnittenen Glaubenden (V. 11b). Die Beschnittenen (V. 12a) hingegen können nur dann als Nachkommen Abrahams gemäß der Verheißung in Gen 15 aufgefasst werden, wenn diese auch gemäß Gen 15 denselben Glauben an die Verheißung Gottes zeigen wie Abraham (V. 12b). Mit dem Begriff des Vaters knüpft Paulus zwar im allgemeinen Verständnis an die Vorstellung leiblicher Nachkommenschaft an, er wird jedoch von ihm dann in theologischer Perspektive übertragen gebraucht und auf alle Glaubenden bezogen,[10] die sich eben durch den Glauben und nicht einfach abstammungsgemäß als Kinder Abrahams erweisen.[11] Der Glaube Abrahams hat dabei jedoch deutlich – innerhalb des Erzählzusammenhanges von Gen 15 und 17 – nicht nur zeitliche, sondern auch theologische Priorität. Die Formulierung οὐκ ἐκ περιτομῆς μόνον ἀλλὰ καὶ ist deshalb nicht exklusiv, sondern inklusiv gemeint.[12] In V. 12 wird demnach unterschieden zwischen einer äußeren Sicht, die sich lediglich an der Beschneidung orientiert (V. 12a) und einer zweiten, die zusätzlich zur Beschneidung noch den Glauben berücksichtigt und nur diejenigen Beschnittenen einschließt, die wie Abraham glauben (V. 12b). Abraham ist in dieser zweiten theologischen Sicht also nur als Vater derjenigen zu verstehen, die sich nicht nur durch ihre Beschnittenheit, sondern zusätzlich durch ihren Glauben als Nachkommen Abrahams auszeichnen (τοῖς στοιχοῦσιν τοῖς ἴχνεσιν τῆς ἐν ἀκροβυστίᾳ πίστεως). In V. 11b und 12b werden demnach durch die Parallelkonstruktion zwei Gruppen unterschieden, die Abraham ihren Vater nennen können:

1. die glaubenden Unbeschnittenen, denen ihr Glaube wie Abraham zur Gerechtigkeit angerechnet wird (πατέρα πάντων τῶν πιστευόντων δι' ἀκροβυστίας εἰς τὸ λογισθῆναι καὶ αὐτοῖς τὴν δικαιοσύνην),

2. die gemäß Gen 17 Beschnittenen, sofern sie Abraham zusätzlich in seinem Gen 15 beschriebenen Glauben – den er schon als Unbeschnittener bewies – folgen (καὶ πατέρα περιτομῆς [...] τοῖς στοιχοῦσιν τοῖς ἴχνεσιν τῆς ἐν ἀκροβυστίᾳ πίστεως) (vgl. auch die parallele Struktur in V. 16).

Alle, die wie Abraham glauben, gehören demnach für Paulus zu Abrahams Nachkommenschaft, unabhängig davon, ob sie nach jüdischer Sitte beschnitten sind oder nicht. Die in 4,11f getroffene Definition der Nachkommen Abrahams geschieht also ausschließlich durch den Bezug auf die πίστις Abrahams gemäß Gen 15.[13] Auf

---

9 So Haacker, ebd.: „Paulus nimmt diese Tradition auf, ersetzt aber den Begriff des Bundes durch den der Gerechtigkeit."

10 Vgl. jedoch das προπάτωρ in V. 1, das demgegenüber deutlich auf leibliche Nachkommenschaft bezogen ist.

11 Vgl. dazu auch die Adoptionsvorstellung unten in Röm 8,14ff.

12 So auch U. Wilckens: Der Brief an die Römer; EKK VI, 1, S. 265f: „Diejenigen Juden sind Abrahams Kinder, die dies nicht aufgrund der Beschneidung allein, sondern auch darin sind, dass sie den Weg des Glaubens gehen, den Abraham in seiner Unbeschnittenheit eingeschlagen hat [...] – die Formulierung ist schwierig, da das καί vor τοῖς στοιχοῦσιν genaugenommen ein neue, zweite Gruppe einleitet, was aber keinen Sinn gibt, ja den durch οὐ μόνον, ἀλλὰ καί angezeigten Zusammenhang zerstören würde."

13 K. Haacker: Der Brief des Paulus an die Römer; ThHK 6 weist S. 104 darauf hin, dass sich solche Kritik an einem auf die leibliche Nachkommenschaft Abrahams reduzierten Selbstverständnis zugunsten einer Hervorhebung des spirituellen und moralischen Anspruchs auch im jüdischen Kontext des öfteren findet.

dieser Basis wird dann jedoch eine zweite Differenzierung eingebaut: die zwischen Beschnittenen und Unbeschnittenen. Dadurch wird aber auch die Seite der Nichtglaubenden in zwei Teile unterschieden: zum einen gibt es die gemäß Gen 17 Beschnittenen, die aber nicht dem in Gen 15 erzählten Glauben Abrahams folgen, und zum anderen diejenigen, die weder wie Abraham glauben noch gemäß Gen 17 beschnitten sind.

Diese Differenzierung zeigt, dass das paulinische Verständnis des Glaubens, wie bereits zu Röm 1,14 und 1,16f ausgeführt, zu allen geläufigen sozialen und auch religiösen Unterscheidungen quer steht. Es geht ihm letztlich um den einzelnen Menschen. Er erweist sich, unabhängig von allen anderen Bedingungen, dadurch als gerechtfertigt, dass er Gottes Verheißung Vertrauen schenkt. Diese Individualität des Glaubens des Einzelnen zeigt Paulus exemplarisch am Beispiel Abrahams auf.

V. 13 wird oft als Anfang einer neuen Argumentation aufgefasst.[14] Dafür gibt es jedoch keine ausreichenden formalen Anhaltspunkte. Das γάρ schließt unmittelbar an V. 12 an. Beherrschend ist vielmehr V. 9-22 durchgehend der Glaubensbegriff, der sich außer in V. 10 und 21 in jedem Vers findet und deshalb V. 13ff mit dem Vorhergehenden verbindet. Und es findet sich weder V. 12 ein förmlicher Abschluss durch ein Zitat oder ähnliches noch in V. 13 eine einleitende Formulierung in der 1. Person.

Auf der Basis der Argumentation von 4,9-12 nimmt V. 13 die Situation von Gen 15 wieder auf, in der Abraham die Verheißung einer zahlreichen Nachkommenschaft empfing. Erstaunlich ist dabei die Formulierung τὸ κληρονόμον αὐτὸν εἶναι κόσμου.[15] Sie mag einerseits durch den kosmologischen Vergleich der Nachkommenschaft mit der Zahl der Sterne in Gen 15,5 veranlasst sein. Andererseits spiegelt sich darin aber auch die universale Perspektive wider, in der Paulus sein Evangelium verstanden wissen möchte. Richtete sich bereits laut Präskript (Röm 1,1-7) und Proömium (1,8-15) das Evangelium an die gesamte Menschheit, so bekommt spätestens mit dem Ende von Kap. 8 das von Paulus gemeinte Glaubensgeschehen kosmologische Dimensionen. Die Kinder Gottes (und Abrahams im Sinne von Kap. 4) seufzen dort mit der ganzen Schöpfung und erwarten die endgültige Erlösung (Röm 8,18ff).

Die Unterscheidung διὰ νόμου – διὰ δικαιοσύνης πίστεως ist eine Verkürzung und Modifizierung der bekannten Differenz νόμος τῶν ἔργων – νόμος πίστεως. Das Neue daran ist, dass nun das Gesetz nicht mehr auf beiden, sondern nur noch auf einer Seite der Unterscheidung auftaucht. Diese Umstellung scheint der in 3,27-31 aufgestellten Behauptung zu widersprechen, dass sowohl der Glaube als auch die Werke Aspekte desselben Gesetzes sind und dass deshalb das Gesetz durch den Glauben nicht aufgehoben wird. Glaube und Gesetz scheinen in V. 13 jedoch gegenübergestellt zu sein und einander auszuschließen. Dieser scheinbare Widerspruch lässt sich aufheben, wenn man – an die vorherigen Verse anknüpfend – νόμος als die Beschneidungsforderung von Gen 17 auffasst und δικαιοσύνη πίστεως auf Gen 15,6, also einen Text aus der Tora(!), bezieht. Der Sinn von V. 13 ist dann: Die Verheißung wurde Abraham nicht erst in

---

[14] Vgl. z.B. das Druckbild der 27. Aufl. von Nestle-Aland; aber auch U. Wilckens: Der Brief an die Römer; EKK VI, 1, S. 268ff; Haacker, a.a.O., S. 105ff; C. K. Barrett: The Epistle to the Romans, BNTC 7, S. 87ff; E. Käsemann; An die Römer; HNT 8a, S. 112, der meint: „13-25 werden durch das Stichwort der Verheißung zusammengehalten."

[15] So meint auch Haacker, a.a.O., S. 106. „Das klingt wie die Parole eines zionistischen Imperialismus [...] Es ist erstaunlich, dass Paulus im Brief an die Christen in der Reichshauptstadt ein solches Missverständnis riskiert."

Verbindung mit der Beschneidungsforderung gegeben (vgl. Gen 17, 1-7.11f), sondern bereits in Verbindung mit seinem Glauben in Gen 15 (vgl. Gen 15,5f).[16] Entsprechend meint dann in V. 14 οἱ ἐκ νόμου alle Nachkommen Abrahams aufgrund der Beschneidung gemäß Gen 17.[17] Würde sich die Nachkommenschaft Abrahams durch die gemäß Gen 17 Beschnittenen definieren, so wären damit die in Gen 15 ergangene Verheißung und Abrahams in Gen 15,6 festgestellter Glaube als im eigentlichen Wortsinn erstes Kriterium entkräftet. Die in Gen 15 ergangene Verheißung bezog sich jedoch für Paulus nicht auf die Nachkommen gemäß der Beschneidung, sondern auch auf die gemäß des Glaubens Abrahams.

Der Verheißungsbegriff, der im Folgenden in V. 13.14.16 und 20 auftaucht, wurde von Paulus bereits Röm 1,2 (προεπηγγείλατο) zur programmatischen Bestimmung des Verhältnisses seines Evangeliums zu „Heiligen Schriften" eingeführt (vgl. oben die Ausführungen zur Stelle). D.-A. Koch hat gemeint, dass dabei das paulinische Zeitverständnis zu beachten ist. Paulus meine nicht einfach, dass die in den Schriften ergangenen Verheißungen „jetzt", also zu seiner Zeit, Realität würden, sondern dass sie eher in seiner Gegenwart bestätigt würden, dabei aber ihren Verheißungscharakter für die Zukunft behielten. „Ausgangspunkt der paulinischen Verwendung von ἐπαγγελία ist das Verständnis von ‚Verheißung' im Sinne der Ankündigung eines zukünftigen Geschehens durch Gott, der für dessen Verwirklichung einsteht [...] In Gal 3, 6-14 und Röm 4,13-22 ist zwar vorausgesetzt, dass die heute eröffnete Berufung der ἔθνη als Verwirklichung der an Abraham ergangenen Verheißung zu verstehen ist. Dennoch spricht Paulus hier nicht von einer gegenwärtigen Erfüllung früherer Verheißungen, sondern von ihrer Bekräftigung bzw. In-Geltung-Setzung."[18] Von V. 23-25 her wird jedoch deutlich, dass für Paulus das über Abraham Gesagte auf die jetzige Existenz zielt. Auch dort ist zwar ein futurischer Aspekt mit im Blick (οἷς μέλλει λογίζεσθαι), aber das paulinische Zeitverständnis wird primär von der gegenwärtigen Existenz her konstruiert, von der aus dann Vergangenheit und Zukunft definiert sind (vgl. dazu grundsätzlich oben die Ausführungen zum νῦν in 3,21).

Die Aussage von V. 14 stellt einerseits νόμος und andererseits πίστις und ἐπαγγελία einander gegenüber. Paulus wird die hier getroffene Unterscheidung zwischen Nachkommen gemäß der Beschneidung und gemäß der Verheißung in Röm 9,8 nochmals präzisieren.[19] In V. 14 ist die Aussage: Wenn die Menschen nur aufgrund des Bescheidungsgesetzes von Gen 17 Anteil am Welterbe Abrahams bekommen würden, dann wäre die Glaubensaussage von Gen 15,6 unwichtig. Im Sinne von Gen

---

[16] R.B. Hays drückt diese doppelte Dimension des Gesetzes (!) durch eine Unterscheidung von Anweisungen und narrativen Verheißungstexten aus: „Paul's reading of the story of Abrahm seeks to ‚uphold the Law' by showing that the gospel of righteousness through faith is prefigured in the Law, i.e. in the Genesis narrative. Obviously, such a construal of the Law is possible only in the light of a profound hermeneutical shift [...] First of all, Paul shifts from a reading of Law as *commandment* to a reading of Law as *narrative of promise*." (R. B. Hays: Three Dramatic Roles: The Law in Romans 3-4; in: J. D. G. Dunn: Paul and the Mosaic Law; WUNT 89, Tübingen 1996, S. 151-164, dort S. 160, Hervorhebungen von Hays)

[17] Die Beschneidung selbst reicht als Definition und Kennzeichen der Nachkommenschaft nicht aus, weil sie außer von den Israeliten von zahlreichen anderen Völkern praktiziert wurde. Vgl. dazu A. Blaschke: Beschneidung, S. 32: „Beschneidung gibt es weder nur im Judentum, noch hat das Judentum sie erfunden".

[18] D.-A. Koch: Die Schrift als Zeuge des Evangeliums, S. 309.

[19] Dort heißt es: οὐ τὰ τέκνα τῆς σαρκὸς ταῦτα τέκνα τοῦ θεοῦ ἀλλὰ τὰ τέκνα τῆς ἐπαγγελίας λογίζεται εἰς σπέρμα.

17, isoliert von Gen 15 betrachtet, könnten Unbeschnittene, die wie Abraham Gottes Verheißung glauben, keinen Anteil an diesem Erbe bekommen. V. 15f bilden eine zusammenhängende Gegenüberstellung. Zunächst wird in V. 15 die geläufige menschliche Sicht wiedergegeben, dass es nur dort Gesetzesübertretung geben kann, wo es ein Gesetz gibt. Die sehr allgemeine Formulierung von V. 15 bedeutet von der in V. 10 entwickelten zeitlichen Differenzierung ausgehend konkret, dass das Gesetz der Beschneidung nicht übertreten werden kann, wo es noch nicht existiert, nämlich in Gen 15. Erst wenn es gegeben ist, also ab Gen 17, kann es „Zorn" bewirken.[20]

V. 16 nimmt auf dieser Basis in theologischer Perspektive mit dem Ausdruck κατὰ χάριν die bereits in 4,4 aufgezeigte Alternative κατὰ χάριν – κατὰ ὀφείλημα wieder auf. Die in Gen 15 ergangene Verheißung der Nachkommenschaft bezog sich auf den Glauben Abrahams und nicht auf irgendwelche verdienstvollen Taten. Sie geschah deshalb κατὰ χάριν. Die legitime vollständige Nachkommenschaft Abrahams (παντὶ τῷ σπέρματι) umfasst daher gemäß der Verheißung aus Gen 15 lediglich diejenigen, die wie Abraham Glauben – auch wenn bei einigen von ihnen die Beschneidung hinzukommen mag. Am Ende von V. 16 findet sich deshalb eine mit V. 12 identische Verknüpfung der beiden Seiten der Nachkommenschaft Abrahams durch die Formulierung οὐ [...] μόνον ἀλλὰ καί. Auch hier ist die Formulierung inklusiv zu verstehen: Diejenigen sind legitime Nachkommen Abrahams gemäß der Verheißung von Gen 15, die ihre Nachkommen nicht allein ἐκ τοῦ νόμου (d.h. durch die Erfüllung der Beschneidungsforderung) definieren, sondern zusätzlich ἐκ πίστεως Ἀβραάμ (d.h. in der Nachfolge des Glaubens Abrahams gemäß Gen 15). Die abschließende Formulierung ὅς ἐστιν πατὴρ πάντων ἡμῶν zeigt, dass es Paulus nicht um eine abstrakte geschichtstheologische Erörterung geht, sondern um das Selbstverständnis der „Wir", deren Gemeinschaft nur durch den Glauben des Einzelnen und nicht durch geläufige menschliche Differenzierungen wie beschnitten – unbeschnitten definiert ist.[21]

V. 17 und 18 verknüpfen zweimal ein Zitat mit einer auf den Glauben Abrahams bezogenen Aussage. Dabei folgt Paulus dem eingangs in Röm 1,2 entwickelten Schema, nach dem eine in menschlicher Sicht bereits bekannte Schriftstelle unter ihrem Verheißungsaspekt aufgenommen und auf das paulinische Evangelium bezogen wird. Unter dieser Voraussetzung wird V. 17a ein Satz aus Gen 17,5 wörtlich zitiert (eingeleitet mit rezitativem ὅτι), der an Abraham erging, als er schon einen Sohn – nämlich Ismael von Saras Magd Hagar – bekommen hatte. Es hat in dem zitierten Vers aus Gen 17,5 zunächst den Anschein, als wenn mit der Geburt Ismaels die Verheißung aus Gen 15,6 bereits erfüllt wäre (τέθεικα im Perfekt). Paulus gibt hier in Röm 4,17a durch das bekannte Zitat aus Gen 17 eine geläufige Sichtweise wieder, die sich gewöhnlich auf die Definition der Nachkommenschaft durch leibliche Abkunft – eben Ismael – bezieht.

Dieser Sichtweise stellt er in V. 17b eine spezifisch theologisch geprägte Interpretation gegenüber, indem er dem Wort aus Gen 17,5, das zunächst bereits die

---

[20] K. Haacker: Der Brief des Paulus an die Römer; ThHK 6, S. 107, meint, dass Paulus hier „mit dem profanen griechisch-römischen Gesetzesbegriff" argumentiere und sieht darin einen ersten Beleg für den juristischen Grundsatz „nulla poena sine lege". V. 14 gibt einerseits tatsächlich ein allgemein menschliches Verständnis von Gesetz, ist hier aber anderseits zugleich deutlich auf das Gebot der Beschneidung konzentriert.

[21] Vgl. zu dieser Aktualisierung auch das hermeneutische Schema in Röm 15,4 und die Ausführungen dazu.

Erfüllung der Verheißung durch die leibliche Nachkommenschaft Ismaels zum Ausdruck zu bringen scheint, erneut den Glauben Abrahams entgegenhält. Paulus berücksichtigt hier, wie auch sonst des öfteren, durchaus den Kontext der zitierten Schriftstelle. Danach ergeht in Gen 17,19 eine zweite Verheißung an Abraham, dass er nochmals einen Sohn bekommen wird, diesmal von seiner Frau Sara. Röm 4, 17b mit seinem sprachlich etwas schwierigen Anschluss bezieht sich also offensichtlich in theologischer Perspektive auf den Glauben Abrahams an einen zweiten Nachkommen von der scheinbar unfruchtbaren Sara. Die Schriftstelle wird also von Paulus nicht als Feststellung der Erfüllung der Verheißung, sondern als neue Verheißung verstanden, was durchaus Gen 17 nicht widerspricht.

V. 17b setzt insofern den Gedanken von V. 16 fort, als er den Glauben Abrahams erläutert (ἐκ πίστεως – κατέναντι οὗ ἐπίστευσεν θεοῦ). Die Konstruktion κατέναντι οὗ ἐπίστευσεν θεοῦ τοῦ ist aufzulösen in κατέναντι τοῦ θεοῦ, ᾧ ἐπίστευσεν, τοῦ.[22] Die Formulierung τοῦ ζῳοποιοῦντος τοὺς νεκροὺς καὶ καλοῦντος τὰ μὴ ὄντα ὡς ὄντα hat dabei deutlich christologische Anklänge.[23] In der Argumentation wird sie in V. 19 auf den Glauben Abrahams bezogen, der trotz der νέκρωσις, der Unfruchtbarkeit Saras (und seiner selbst) auf Gottes Verheißung vertraut. Von der in V. 17b vorgetragenen Interpretation her ist der Ausdruck πολλῶν ἐθνῶν im Zitat aus V. 17a für Paulus nicht nur auf die Nichtjuden bezogen,[24] sondern V. 16 hatte er bereits gezeigt, dass die Nachkommenschaft Abrahams Juden wie Nichtjuden einschließt, sofern sie glauben. Weil ἔθνη hier keinen Gegenbegriff hat, meint der Terminus hier wie auch bereits in 1,5.13 alle Völker, Juden wie Heiden (Nichtjuden).

Nach dem gleichen Schema wie in V. 17 werden auch in V. 18 ein Verheißungswort und die vorbildliche Glaubenshaltung Abrahams zueinander ins Verhältnis gesetzt. Gegenübergestellt werden einerseits das bekannte Zitat aus Gen 15,5[25] in V. 18b und andererseits der Glaube an Gott in V. 18a. Das Zitat (eingeführt mit κατὰ τὸ εἰρημένον) thematisiert den Begriff des σπέρμα, also die legitime Nachkommenschaft Abrahams gemäß der Verheißung aus Gen 15,6 und 17,5. Die vorbildliche existenzielle Glaubenshaltung Abrahams besteht in theologischer Perspektive darin, dass er durch das Vertrauen auf die Zusage Gottes ein neues Selbstverhältnis gewinnt. Gegen alle menschliche Hoffnungslosigkeit besitzt er eine in Gott begründete Hoffnung, dass er tatsächlich so viele Nachkommen bekommen wird wie Sterne am Himmel (οὕτως ἔσται τὸ σπέρμα σου). Diese Aussage bezieht Paulus hier offenbar auf die Universalität seines eigenen Evangeliums von Christus: so viele Menschen, wie Abraham als Nachkommen verheißen sind, sollen an das Evangelium von Christus glauben und dadurch Nachkommen Abrahams werden. Der Begriff ἐλπίς in V. 18a wird theologisch gefasst, als eine Hoffnung, die jeder menschlichen wiederspricht (παρ᾽ ἐλπίδα ἐπ᾽ ἐλπίδι).[26] Εἰς τὸ γενέσθαι bezeichnet nicht den

---

[22] Vgl. W. Haubeck, H. von Siebenthal: Neuer sprachlicher Schlüssel zum griechischen Neuen Testament, Bd. 2; Gießen 1994, S. 14.

[23] So auch K. Haacker: Der Brief des Paulus an die Römer; ThHK 6, S. 108. Vgl. dazu erneut Gal 3,16, wonach Christus der eigentliche, Abraham verheißene Nachkomme ist. O. Hofius weist darüber hinaus darauf hin, dass es ähnliche Formulierungen und Vorstellungen auch in der jüdisch-hellenistischen Schrift „Joseph und Asenneth" (20,7) und in II Makk 7,28 gibt. Vgl. O. Hofius: Die Gottesprädikation Röm 4,17b; in: ders.: Paulusstudien II, S. 58-61.

[24] Gegen Haacker, a.a.O., S. 107 und U. Wilckens: Der Brief an die Römer; EKK VI,1, S. 273.

[25] Es handelt sich also um den Vers unmittelbar vor dem Satz Gen 15,6, der die Argumentation des Kapitels bestimmt.

[26] Der Begriff wird in Röm 5,4f und 8,24f weiter entfaltet werden.

Gegenstand, sondern die Konsequenz des Glaubens. Indem Abraham glaubte, wurde er zum Vater all derjenigen, die wie er glauben. Das πατέρα πολλῶν ἐθνῶν, das hier aus V. 17 wiederaufgenommen wird, ist deshalb nicht in menschlicher Sicht als leibliche Nachkommenschaft gemeint, sondern theologisch auf Abrahams Glauben bezogen.

V. 19 fokussiert die bisherige Argumentation auf den zentralen Gedanken des Selbstverhältnisses Abrahams, das sich durch diesen Glauben grundsätzlich verändert. Der Vers schließt an das Zitat von Gen 15,5 in V. 18b an (verbunden mit καί). Als Abraham die Geburt einer Vielzahl von Nachkommen verheißen wird, schaut er nach Paulus sich selbst an und muss erkennen, dass er nach seiner Selbsteinschätzung nicht mehr in der Lage ist, zusammen mit Sara ein Kind zu zeugen (V. 19b). Die Argumentation zielt damit am Ende des argumentativen Hauptteiles des Kapitels – wie auch schon im großen Abschnitt 2,1-3,18 (dort 3,5-9) – auf eine Klärung des Selbstverhältnisses, die durch den Glauben möglich wird, diesmal am für alle Glaubenden grundlegenden Beispiel Abrahams. Entscheidend ist dabei textkritisch, dass nach der wesentlich besser bezeugten Lesart von א, A, B, C u.a., der auch der Text von Nestle-Aland (27. Aufl.) folgt, die Negation οὐ vor κατενόησεν weggelassen wird.[27] Abraham bewies seinen Glauben nicht dadurch, dass er nicht auf sich selbst achtete, sondern im Gegenteil: indem er auf sich selbst schaute, verlor er nicht den Glauben an Gottes Verheißung, sondern er gewann gerade durch den Glauben ein neues Verhältnis zu sich selbst.[28] Das Verb κατανοέω bezeichnet dabei in Verbindung mit τὸ ἑαυτοῦ σῶμα die Fähigkeit der Selbstreflexion.[29] Die Betrachtung des eigenen Körpers ist ein typischer Vorgang der Selbstreflexion und eine notwendige Voraussetzung für die Entwicklung von Identität.[30] Mit dieser Selbsteinschätzung ist für Paulus die Einschätzung des anderen Menschen, in diesem Falle Saras, untrennbar verbunden.[31] In Bezug auf sie muss er ebenfalls erkennen, dass auch sie nach menschlichem Ermessen nicht mehr in der Lage ist, gemäß der Verheißung ein Kind zu bekommen (τὴν νέκρωσιν τῆς μήτρας Σάρρας).

Abraham verbleibt aber nicht bei seiner aus menschlicher Perspektive getroffenen Selbsteinschätzung und Einschätzung Saras (V. 19b), sondern er öffnet sich für die durch die Verheißung ermöglichte theologische Perspektive und hält am Glauben fest (μὴ ἀσθένησας τῇ πιστει, V. 19a).

---

[27] Die Lutherübersetzung folgte bis zu ihrer Revision von 1975 dem Mehrheitstext und D F G Ψ 33. 1881 etc. und interpretierte den Text damit im Sinne eines Absehens von der eigenen Befindlichkeit, die den Glaubenden auszeichnet. Bereits Luther folgte dieser Lesart in seiner Römerbriefvorlesung: „nec consyderauit ut a credendo deficeret corpus suum mortuum". (WA 56, 47, 9f.) Vgl. dazu auch B. M. Metzger: A Textual Commentary on the Greek New Testament, S. 451: „Paul does not wish to imply that faith means closing one's eyes to reality, but that Abraham was so strong in faith as to be undaunted by every consideration".

[28] Zu diesem paulinischen Grundgedanken der Neukonstitution des Ich durch den Glauben vgl. unten ausführlich die Erläuterungen zu 8,1f.

[29] Das gut bezeugte ἤδη ist dabei mitzulesen.

[30] Vgl. dazu auch N. Luhmann: Wahrnehmung und Kommunikation sexueller Interessen; in: ders.: Soziologische Aufklärung 6, S. 189-203, dort S. 192: „Nur durch diesen Anhaltspunkt am eigenen Körper gewinnt das Bewußtsein, das sich mit der ganzen Welt, mit Symbolen und Zeichen, mit Realitäten und Irrealitäten, mit Vermißtem, Verlorenem, Nichtvorhandenem, mit Widersprüchen und Paradoxien, mit Möglichem und Unmöglichem beschäftigt und das in der Welt überall und nirgends ,ist', seine eigene Identität. Wenn es sich auf sich selbst beziehen will, kann dies nur mit Hilfe des eigenen Körpers geschehen".

[31] Vgl. zu diesem Zusammenhang grundsätzlich die Ausführungen unten zu Röm 13,8-10.

Anknüpfend an diese Aussage aus V. 19 bestärken abschließend V. 20f erneut, dass Abraham sich durch die Orientierung an äußerlichen Gegebenheiten nicht in Bezug auf die Verheißung beirren ließ (angeschlossen mit δέ). Auch das οὐ διεκρίθη ist selbstreflexiv gemeint: Abraham lag mit sich selbst angesichts der Diskrepanz von Selbsteinschätzung und göttlicher Verheißung nicht im Streit (V. 20a).[32] Gemeint ist damit die menschliche Erfahrung der Uneinigkeit mit sich selbst, die bis zur Selbstzerrissenheit führen kann und die in Röm 7,7ff eingehend analysiert werden wird. Paulus bezeichnet diese Haltung hier als ἀπιστία.

Diesen Selbstzweifeln wird in V. 19b und 20 eine spezifisch theologische Perspektive entgegengestellt (verbunden durch ἀλλά), die, wie bereits seit V. 9 durchgehend, durch den Begriff der πίστις charakterisiert ist. Offenbar sind dabei ἐνεδυναμώθη[33] und πληροφορηθείς als passiva divina zu verstehen und unterstreichen damit, dass der Glaube nicht als menschliche Fähigkeit, sondern als Geschenk verstanden werden muss. Dass der Mensch nicht nur in menschlicher Sicht als frei entscheidender zu sehen ist, sondern auch in theologischer Perspektive als von bestimmten Mächten wie ein Gefäß „angefüllter", entspricht der Sicht von Röm 1,29.

V. 22 schließt, wie häufig im Röm, den größeren Argumentationsabschnitt V. 9-22 mit einem Zitat ab. Es handelt sich um eine verkürzte Wiederholung der Worte aus Gen 15,6, die damit das ganze Kapitel 4 bestimmen. Weil das Zitat auch in V. 9 erscheint, bildet es den Rahmen des ganzen Abschnittes. Das textkritisch unsichere καί ist etwas besser bezeugt und deshalb mitzulesen. Es bringt zum Ausdruck, dass Gen 15,6 hier zum wiederholten Male zitiert wird. Das Schlusszitat beinhaltet keine Doppelstruktur, sondern ist Zeichen für den Abschluss der Argumentation (vgl. auch 3,4; 10-18 und öfter).

Dadurch ergibt sich für den Abschnitt V. 9-22 folgende Struktur, wobei das die theologische Perspektive beherrschende πίστις mit seinen Varianten hervorgehoben ist:

9: οὖν	ὁ μακαρισμὸς οὗτος ἐπὶ τὴν περιτομὴν ἢ καὶ ἐπὶ Τὴν ἀκροβυστίαν	λέγομεν γάρ 'ελογίσθη τῷ 'Αβραὰμ ἡ *πίστις* εἰς δικαιοσύνην
10: οὖν	πῶς ἐλογίσθη ἐν περιτομῇ ὄντι ἢ ἐν ἀκροβυστίᾳ	οὐκ ἐν περιτομῇ ἀλλ' ἐν ἀκροβυστίᾳ
11: καὶ	Σημεῖον ἔλαβεν περιτομῆς σφραγῖδα	τῆς δικαιοσύνης *τῆς πίστεως* τῆς ἐν τῇ ἀκροβυστίᾳ
	εἰς τὸ εἶναι αὐτὸν πατέρα	πάντων *τῶν πιστευόντων* δι' ἀκροβυστίας εἰς τὸ λογισθῆναι καὶ αὐτοῖς τὴν δικαιοσύνην
12: καὶ	πατέρα περιτομῆς τοῖς οὐκ ἐκ περιτομῆς μόνον	ἀλλὰ καὶ τοῖς στοιχοῦσιν τοῖς ἴχνεσιν τῆς ἐν ἀκροβυστίᾳ *πίστεως* τοῦ πατρὸς ἡμῶν 'Αβραάμ
13: γὰρ	οὐ διὰ νόμου ἡ ἐπαγγελία τῷ 'αβραὰμ ἢ τῷ σπέρματι αὐτοῦ τὸ κληρονόμον αὐτὸν εἶναι κόσμου	ἀλλὰ διὰ δικαιοσύνης *πίστεως*

---

[32] So verstehen die Formulierung auch W. Haubeck, H. von Siebenthal: Neuer sprachlicher Schlüssel zum griechischen Neuen Testament, Bd. 2, S. 15.
[33] So U. Wilckens: Der Brief an die Römer; EKK VI, 1, S. 276.

14: εἰ γὰρ	οἱ ἐκ νόμου κληρονόμοι	κεκένωται *ἡ πίστις* καὶ κατήργηται ἡ ἐπαγγελία
15+16: γὰρ	ὁ νόμος ὀργὴν κατεργάζεται οὗ δὲ οὐκ ἔστιν νόμος οὐδὲ παράβασις	διὰ τοῦτο *ἐκ πίστεως* ἵνα κατὰ χάριν εἰς τὸ εἶναι βεβαίαν τὴν ἐπαγγελίαν παντὶ τῷ σπέρματι
	οὐ τῷ ἐκ τοῦ νόμου μόνον	ἀλλὰ καὶ τῷ *ἐκ πίστεως* Ἀβραάμ ὅς ἐστιν πατὴρ πάντων ἡμῶν
17: καθὼς γέγραπται ὅτι	Πατέρα πολλῶν ἐθνῶν τέθεικά σε	κατέναντι οὗ *ἐπίστευσεν* θεοῦ τοῦ ζῳοποιοῦντος τοὺς νεκροὺς καὶ καλοῦντος τὰ μὴ ὄντα ὡς ὄντα
18:	κατὰ τὸ εἰρημένον Οὕτως ἔσται τὸ σπέρμα σου (2)	ὃς παρ' ἐλπίδα ἐπ' ἐλπίδι *ἐπίστευσεν* εἰς τὸ γενέσθαι αὐτὸν πατέρα πολλῶν ἐθνῶν (1)
19: καὶ	κατενόησεν τὸ ἑαυτοῦ σῶμα ἤδη νενεκρωμένον ἑκατονταετής που ὑπάρχων καὶ τὴν νέκρωσιν τῆς μήτρας Σάρρας (2)	μὴ ἀσθενήσας *τῇ πίστει* (1)
20+21: δὲ	εἰς τὴν ἐπαγγελίαν τοῦ θεοῦ οὐ διεκρίθη τῇ ἀπιστίᾳ	ἀλλ' ἐνεδυναμώθη *τῇ πίστει* δοὺς δόξαν τῷ θεῷ καὶ πληροφορηθεὶς ὅτι ὃ ἐπήγγελται δυνατός ἐστιν καὶ ποιῆσαι

22: διὸ καὶ ἐλογίσθη αὐτῷ εἰς δικαιοσύνην (Zitat am Ende des Abschnittes ohne Doppelstruktur)

Aktualisierung des Beispiels Abrahams (4,23-25)

Röm 4,23-25 werden im Folgenden als eigener Abschnitt behandelt. In der Literatur werden V. 23-25 unter dem Aspekt der Verheißung oft mit den vorhergehenden Versen zusammengezogen.[34] Aber die explizite Betonung der 1. Person (δι' ἡμᾶς) in V. 24 und die damit verbundene Aktualisierung sprechen dafür, hier einen Neueinsatz zu sehen.[35] Röm 4,23-25, die abschließenden Verse des Kapitels und damit des größeren Zusammenhanges in 3,19-4,25, aktualisieren dann die gesamte Argumentation für die „Wir". Es stellt sich dabei die Frage, wer damit gemeint ist. Paulus könnte hier im schriftstellerischen Plural sich selbst meinen oder sich und seine Mitarbeiterschaft oder noch weiter gefasst zusätzlich die Adressaten in Rom. Von der früheren Erwähnung des ἡμῶν in V. 12 und 16 her ist wahrscheinlich, dass Paulus hier alle an Christus Glaubenden meint (vgl. V. 24f).[36] In diesen Kreis ist Paulus als Person ausdrücklich mit einbezogen.

V. 23 wird zunächst verkürzt nochmals das Zitat von Gen 15,6 aufgenommen. Das dort über Abraham Gesagte wird dann jedoch in V. 24 auf die „Wir" übertragen.

---

[34] So K. Haacker: Der Brief des Paulus an die Römer; ThHK 6, S. 105ff; C. K. Barrett: The Epistle to the Romans, S. 87ff; E. Käsemann; An die Römer; HNT 8a, S. 110ff, die die Verse zusammen mit 13-22 behandeln; vgl. auch U. Wilckens: Der Brief an die Römer; EKK VI, 1, S. 268ff, der sie im Zusammenhang mit V. 17ff interpretiert.

[35] Vgl. auch D.-A. Koch, der V. 23-25 als „Application des Textes auf ‚uns'" auffasst. (D.-A. Koch: Die Schrift als Zeuge des Evangeliums, S. 225.)

[36] So auch K. Haacker: Der Brief des Paulus an die Römer; ThHK 6, S. 110.

„Diese Stelle beleuchtet den hermeneutischen Ansatz, von dem her Paulus das Alte Testament heranzieht und versteht (vgl. 15,4; 1.Kor. 9,10 [hier auch das 'unseretwegen']; 10,11) Die Autorität der Schrift hängt an ihrer Relevanz für die Gegenwart."[37] Hier zeigt sich erneut das paulinische Zeitverständnis, das radikal von der durch den Glauben geprägten Gegenwart konstruiert ist.[38] Mit dieser Schlussaussage am Ende des langen Argumentationsganges in 3,19-4,25 zeigt Paulus, dass es ihm letztlich auf eine Klärung des Selbstverständnisses der „Wir" ankommt. Die grundsätzlichen Erwägungen über die beiden Lebenskonzepte ἐξ ἔργων und διὰ τῆς πίστεως, die Ausführungen über Christus als wahres ἱλαστήριον und die Interpretation des Glaubens Abrahams und seiner Nachkommen hat letztlich den Sinn, die aktuelle Existenz der Glaubenden zu klären. Es handelt sich hier also um eine ausgesprochen Ich- bzw. Wir-zentrierte Argumentation.

Die Aktualisierung arbeitet in V. 23f wiederum mit dem Röm 1,2 erklärten hermeneutischen Prinzip, nach dem zunächst eine bekannte Schriftstelle zitiert und diese dann unter dem Aspekt der Verheißung interpretiert wird. Dabei ergibt sich ein doppeltes Verständnis des λογίζομαι, zunächst als Abraham geltende „Zurechnung" und dann als für die Glaubenden selbst jetzt geltende „Zurechnung". Das μέλλει ist „vom Standpunkt der Schrift aus futurisch gedacht"[39] und bezieht sich damit gerade auf die gegenwärtige Existenz der Glaubenden (vgl. auch die Fortsetzung in 5,1). Die Argumentation insgesamt „begründet, warum die damalige ‚unseren Vater' Abraham geltende Aussage von der ‚Anrechnung' des Glaubens auch für die heutigen πιστεύουσιν ἐπὶ τὸν ἐγείραντα Ἰησοῦν τὸν κύριον ἡμῶν ἐκ νεκρῶν gilt."[40]

V. 24b und 25 erläutern mit einer christologischen Formel den Glauben der „Wir". Für 24b[41] und 25[42] ist mit Recht vermutet worden, dass Paulus hier frühe christliche Bekenntnisformeln aufnimmt. Diese Formel hat die Funktion, den großen Argumentationsabschnitt 3,19-4,25 zu beenden. Entsprechend wird auch der folgende große Abschnitt in Röm 5-8 wiederum durch solche christologischen Formeln zusammengehalten und strukturiert (vgl. unten die Ausführungen zu den Kapitelenden). Die christologische Formel signalisiert also, ähnlich wie die Schlusszitate in 3,4.10-18 und öfter, einfach das Ende eines längeren Gedankenganges und fügt sich als traditionelle Formulierung nicht in die von Paulus sonst verwendete Doppelstruktur.

Die Aktualisierung ist also mit einem abschließenden christologischen Argument verbunden. Nachdem Paulus im gesamten 4. Kapitel rein theologisch argumentiert hat und die theologische Zweitperspektive hier durchgehend auf Gott bezogen war, wird am Ende des Kapitels der Gott, der Abraham seinen Glauben zur Gerechtigkeit anrechnete und auf dessen „Anrechnung" nun auch die „Wir" zählen können, christologisch qualifiziert. Durch diesen Abschluss bekommt die gesamte Argumentation eine christologische Zentrierung, weil sie von dem Gott redet, der den

---

[37] Haacker, a.a.O., S. 110.
[38] Vgl. dazu ausführlich oben die Ausführungen zu 3,21.
[39] D.-A. Koch: Die Schrift als Zeuge des Evangeliums, S. 323f, Anm. 11.
[40] Koch, a.a.O., S. 323.
[41] U. Wilckens: Der Brief an die Römer; EKK VI,1, S. 278: „In V 24b gebraucht Paulus traditionell-geprägten Wortlaut. Röm 19,9f zeigt, daß die Auferweckung Jesu der zentrale Inhalt des Glaubens ist, auf dessen Rezitation der Täufling mit dem akklamatorischen Bekenntnis κύριος Ἰησοῦς antwortet."
[42] So K. Haacker: Der Brief des Paulus an die Römer; ThHK 6, S. 110: „An dieser Stelle greift Paulus vielleicht auf eine urchristliche Bekenntnisformel zurück, um seine eigenen Ausführungen mit einem geprägten Satz wirkungsvoll abzurunden und mit dem Konsens der Urkirche zu vernetzen." Haacker sieht dabei einen Zusammenhang mit Jes 53.

Herrn Jesus von den Toten auferweckt hat.[43] Dieser „Herr Jesus" wird in V. 25 abschließend als derjenige bezeichnet, der für die Übertretungen der „Wir" hingegeben wurde und für ihre „Rechtfertigung" (δικαίωσις) auferweckt wurde. „Neu gegenüber den bisherigen Ausführungen des Briefes ist hier, dass die *Auferweckung* Jesu neben seinem Tod als Grund für die Rechtfertigung genannt wird. Das ist in der Deutung des Todes Jesu als stellvertretende Sühne nicht vorgezeichnet und lässt eine Grenze dieses soteriologischen Denkmodells erkennen. Nach 5, 9f. verbürgt das Leben des Auferstandenen die künftige Rettung der durch seinen Tod Gerechtfertigten und Versöhnten."[44]

Wie sich Paulus diesen Zusammenhang der „Wir" mit dem Herrn Jesus genau vorstellt, wird er in den folgenden Kapiteln erläutern. Festzuhalten ist jedoch für den großen Argumentationsabschnitt, dass dieser nicht auf einen abstrakten Schriftbeweis, sondern auf die gegenwärtige Existenz der Leser und Leserinnen des Briefes zielt. Er endet mit einer hermeneutischen Regel, die besagt, dass die in Auseinandersetzung mit der Bibel gewonnenen Einsichten über den Glauben für die jeweilige Situation der Leserinnen und Leser in ihrer Aktualität erkannt werden müssen (vgl. 4,23f sowie die noch klarere Formulierung in 15,4). Gefragt ist damit für eine Interpretation und Rezeption des Röm in heutiger Zeit eine weitere Stufe der Aktualisierung. Der hermeneutische Prozess muss von Gen 15 über Ps 31, Gen 17 und die „Wir" des Röm bis zu den heutigen Leser(inne)n weitergeführt werden.[45]

Aufgrund der ausgeführten Überlegungen lässt sich der Abschnitt 4,23-25 damit folgendermaßen strukturieren:

23+24: δὲ	Οὐκ ἐγράφη δι' αὐτὸν μόνον ὅτι ἐλογίσθη αὐτῷ	ἀλλὰ καὶ δι' ἡμᾶς οἷς μέλλει λογίζεσθαι τοῖς πιστεύουσιν ἐπὶ τὸν ἐγείραντα Ἰησοῦν τὸν κύριον ἡμῶν ἐκ νεκρῶν

25: ὃς παρεδόθη διὰ τὰ παραπτώματα ἡμῶν καὶ ἠγέρθη διὰ τὴν δικαίωσιν ἡμῶν
(christologische Schlussformel am Ende des großen Abschnittes 1,16-4,25)

---

[43] Haacker, a.a.O., S. 110: „Die Formulierungen im Passiv dürften als *Passivum divinum* zu verstehen sein: Gott ist der ungenannte Urheber des Christusgeschehens, das unsere Rechtfertigung erwirkt hat." (Hervorhebung von Haacker)

[44] Haacker, a.a.O., S. 110.

[45] Vgl. zu der ständigen Notwendigkeit der Aktualisierung biblischer Texte auch F. Crüsemann: Was heißt heute evangelisch? in: EvTh 57 (1997), S. 10-18, dort besonders S. 18.

Die Begründung der Existenz durch eigene Taten, Eigenschaften und Fähigkeiten oder durch den Glauben an Gott als zwei alternative Lebenskonzeptionen (5,1-8,39)

Das Ende des Röm 3,19ff bzw. schon 1,16 ansetzenden Argumentationszusammenhanges[1] und der Beginn des neuen Abschnittes, der sich bis 8,39 erstreckt, werden von den verschiedenen Interpreten sehr kontrovers beurteilt. Manche sehen 5,1 einen Neuanfang,[2] während andere erst 6,1 einen neuen größeren Argumentationsteil beginnen lassen.[3] Die Gründe für einen Neubeginn der Argumentation in 5,1 sind m.E. schwerwiegender. Erstens wird 5,10 ein Begriffspaar eingeführt, das die Kap. 5-8 durchzieht und so etwas wie einen inhaltlichen Leitfaden bietet: θάνατος – ζωή.[4] Zweitens werden die Überlegungen über Adam aus 5,12ff in 7,7ff fortgesetzt, so dass die Adamsgeschichte einen weiteren Leitfaden durch Kap. 5-8 bildet. Drittens bildet der Abschnitt 5,1-11 einen etwas inhomogenen Zusammenhang, der deutlich die Funktion hat, von 3,21-4,25 nach 5,12ff überzuleiten.[5] Viertens sind 5,1-11 als Anfang und 8,31-39 als Ende deutlich aufeinander bezogen („Ringkomposition").[6] Fünftens bildet auch das Thema der Hoffnung (ἐλπίς erscheint in 5,2.4 sowie 8,20.24) eine thematische

---

[1] Zum inneren Zusammenhang von 1,16-4,25 vgl. D.-A. Koch: Die Schrift als Zeuge des Evangeliums, S. 276. Koch sieht hier eine Ringkomposition durch die Zitate von Hab 2,4 in Röm 1,16 und Gen 15,6 in Röm 4 vorliegen.

[2] Z.B. C. K. Barrett: The Epistle to The Romans; BNTC, S. 94ff; C. E. B. Cranfield: The Epistle to the Romans, ICC, S. 28 und 255ff; E. Käsemann: An die Römer; HNT 8a, S. 121ff; O. Michel: Der Brief an die Römer; KEK 4, S. 176; H. Schlier: Der Römerbrief; HThK 6, S. 13; H.W. Schmidt: Der Brief des Paulus an die Römer; ThHK 6, S. 89.

[3] Vgl. z.B. M. Wolter: Rechtfertigung und zukünftiges Heil. Untersuchungen zu Röm 5,1-11; (BZNW 43) Berlin, New York 1978, S. 201-216; W. Schmithals: Der Römerbrief, S. 181ff; M. Theobald: Römerbrief; SKK 6,1, S. 177ff; U. Wilckens: Der Brief an die Römer, EKK VI, 1, S. 181f und 286f erkennt ebd. zwar die zahlreichen Bezüge von Kap. 5 zu 6-8, er nennt jedoch sechs Gründe, deretwegen Kap. 5 zum vorhergehenden zu ziehen sei: „Erstens: V 1 knüpft mit δικαιωθέντες an 4,25 zum vorhergehenden zu ziehen sei: „Erstens: V 1 knüpft mit δικαιωθέντες an 4,25 τὴν δικαίωσιν an [...] Zweitens [...] knüpft doch εἰς τὴν χάριν ταύτην an das Vorhergesagte 4,4.16 und darüber hinaus an 3,24 an [...] Drittens: Das den Abschnitt einrahmende Stichwort καυχᾶσθαι VV 2.3.11 ist eine deutliche Antithese zum ,Rühmen' des Juden 2,17; 3,27. Viertens: Ebenso wichtig ist die Erkenntnis, dass VV 6-8 die grundlegende Aussage von 3,23-26 wiederholt [...] Fünftens: VV 9f greifen das Stichwort ,Rettung' aus der These 1,16f auf [...] Sechstens: V 11 erweist sich durch Wiederholung des Stichwortes καυχᾶσθαι [...] sowie durch die solenne Formel διὰ τοῦ κυρίου ἡμῶν Ἰησοῦ Χριστοῦ als Abschluß, der in 4,24f noch nicht erreicht war."; P. Stuhlmacher: Der Brief an die Römer; NTD 6, S. 18 und S. 73ff meint ebd. zu 5,1-11: „Unser Abschnitt ist durch die Stichworte ,gerechtfertigt' (V. 1.9), ,rühmen' (V. 2f.11) ,Herrlichkeit Gottes' (V. 2) und die Thematik von Sühne und Versöhnung durch Christus thematisch fest mit 3,21-4,25 verbunden."

[4] Das Begriffspaar Tod – Leben oder sterben – leben kommt als Substantiv oder Verb in Kap. 5-8 noch an folgenden Stellen vor: 5,17.21; 6,2.4-11.23; 7,2-4.9.10; 8,2.6.11-13.34.38.

[5] Schmithals sieht zwar auch die Zwischenstellung dieses Abschnittes, deutet sie aber als Einschub zwischen 3,21-4,25 und 5,12-21; ders.: Der Römerbrief, S. 5 und 150.

[6] Vgl. dazu H. Conzelmann, A. Lindemann: Arbeitsbuch zum Neuen Testament, S. 279: „In 5,1-8,39 beschreibt Paulus die durch die Glaubensgerechtigkeit gewonnene Gottesbeziehung als Friede mit Gott [...] und als Freiheit von der Macht des Todes und der Sünde. Daß Kap. 5-8 eine Einheit bilden, zeigt sich daran, dass der Schluß (8,31-39) auf den Anfang (5,1-11) zurückverweist, d.h. es liegt eine ,Ringkomposition' vor."

Klammer um die Kapitel.[7] Sechstens sind Kap. 5-8 jeweils am Kapitelende durch eine charakteristische Formel verbunden und bilden so auch formal einen stringenten Zusammenhang (5,21: διὰ Ἰησοῦ Χριστοῦ τοῦ κυρίου ἡμῶν, vgl. auch 5,11; 6,23: ἐν Χριστῷ Ἰησοῦ τῷ κυρίῳ ἡμῶν; 7,25a: διὰ Ἰησοῦ Χριστοῦ τοῦ κυρίου ἡμῶν).[8]

Kap. 5-8 führen den Gedankengang von 1,16-4,25 insofern weiter, als sie die dort dargestellten beiden Lebenskonzeptionen nun parallel behandeln, sie einander gegenüberstellen und sie damit systematisch weiter entfalten. Der in 1,16-3,18 dargestellte Versuch des Menschen, den – in juridischer Metaphorik gesprochen – Freispruch im göttlichen Gericht durch seine Leistungen, Fähigkeiten, Eigenschaften (ἐξ ἔργων νόμου) und sozialen Zugehörigkeiten (Ἰουδαῖος – Ἕλλην) zu bestimmen, wird 5,12-21 als Leben nach dem Beispiel Adams interpretiert. Die in 3,19-4,25 begonnene Darstellung der Möglichkeit des „Freispruchs" ohne eigenes Zutun und aus Glauben wird in 5,12-21 durch die Interpretation des Lebens gemäß Jesus Christus in Entgegensetzung zu Adam fortgeführt.[9] 6,1-14 wird aufgezeigt, in welcher Weise die Glaubenden am Tod und Leben Christi teilhaben können, 6,15-7,6 fordern dann die Entscheidung für eines der beiden Lebenskonzepte: entweder für den Weg Adams, der in der Sünde und dem Tod endet oder für den Weg Christi, der die Befreiung von der Sünde und das Leben ermöglicht. Sie fordern zugleich die Adressaten auf, der bereits geschehenen Entscheidung für den zweiten Weg treu zu bleiben. 5,1-11 haben die Funktion, die beiden großen Zusammenhänge 1,16-4,25 und 5,12-8,39 miteinander zu verbinden.

In einem zweiten größeren Teilabschnitt werden die beiden vorher dargestellten Lebenskonzepte 7,7-8,39 auf das Selbstverhältnis des Menschen bezogen. 7,7-25 wird gezeigt, warum das erste Lebenskonzept in den Tod führt, wobei wiederum auf die Adamsgeschichte Bezug genommen wird: Der Versuch des Ich, seine Existenz durch sich selbst zu bestimmen, führt zur Erkenntnis einer inneren Spaltung des Ich, die in die Verzweiflung mündet. 8,1-39 beschreiben das zweite Lebenskonzept des Lebens gemäß bzw. „in Jesus Christus" als Befreiung von dieser Selbstzerrissenheit: Die Begründung des Ich außerhalb seiner selbst, die „Ex-istenz" „in Christus" führt zur Integrität des Menschen mit sich selbst und damit zum Leben.

Der Verzicht auf das Rühmen seiner selbst (5,1-11)

V. 1-11 beginnen wiederum mit schlussfolgerndem οὖν und einer Bemerkung in der 1. Person, diesmal im Plural (ἔχομεν). Sie ist, wie bereits 4,24, nicht auf Paulus beschränkt, sondern auf alle Glaubenden bezogen, schließt ihn dadurch aber ausdrücklich mit ein. Der Abschnitt ist in sich etwas unübersichtlich aufgebaut und gehört deshalb sicherlich zu denjenigen, die sich am schwierigsten strukturieren lassen. Schmithals versucht, die unübersichtliche Struktur dadurch zu erklären, dass er in V. 1b.2-5.10 ein paulinisches Fragment sieht, dem V. 6-7a eine Glosse hinzugefügt wurde, die dann von einem Redaktor durch V. 1a.8f.11 in den Kontext eingebunden worden sei.[10] Im Folgenden

---

[7] Vgl. dazu auch M. Theobald: Der Römerbrief, Erträge der Forschung Bd. 294; Darmstadt 2000, S. 250ff.

[8] Vgl. C.E.B. Cranfield: The Epistle to the Romans, (ICC) vol. 1, S. 254.

[9] Diesen synthetischen Charakter des Abschnittes 5,12-21 betont zurecht W. Schmithals: Der Römerbrief, S. 166ff.

[10] Schmithals, a.a.O. S. 164. V. 7b ist für ihn eine weitere, V. 7a korrigierende und spätere Hinzufügung.

soll nicht versucht werden, diesen literarkritischen Konstruktionen nachzugehen, sondern den jetzt vorfindbaren Text zu analysieren. Es zeigt sich jedoch, dass besonders V. 7 als ein eigenartiger Einschub in dem ansonsten stringenten Argumentationsgang erscheint. Dieser Eindruck wird sich auch durch die Analyse der Struktur des Abschnittes erhärten. „Der gedankliche Zusammenhang von Röm 5,6-8 ist seit jeher unbestritten: das Sterben Christi als der Liebesbeweis Gottes (8a), in V. 6 und V. 8 fast dublettenhaft formuliert. Merkwürdig dazwischengeschoben erscheint in V. 7 die Überprüfung möglichen Sterbens von Menschen für Menschen, jedenfalls als offensichtlicher Kontrast zu V. 6 und V. 8 gedacht."[11] Es ist dabei nicht entscheidbar, ob V. 7 eine nachpaulinische Ergänzung ist oder ob diese von Paulus selbst vorgenommen wurde.[12]

Sieht man von V. 7 ab, so besitzt der Abschnitt jedoch trotz zahlreicher Teilungshypothesen formal eine recht einheitliche Struktur. Im Zentrum steht V. 6, 8-10 eine dreifache Argumentation, die sich jeweils auf der einen Seite mit der Vergangenheit (mehrfach mit ἔτι gekennzeichnet) der „Wir" beschäftigt (V. 6, 8b, 10a), die durch Schwäche, Gottlosigkeit, Sünde und Feindschaft gegenüber Gott charakterisiert wird. Dem wird V. 8a, 9 und 10b eine Gegenwart und Zukunft gegenübergestellt, die von der Gegenwart der Liebe Gottes, der Rechtfertigung, der Rettung vom Zorn, der Versöhnung und dem ewigen Leben geprägt ist und die durch das charakteristische νῦν in V. 9 und 11 (vgl. 3,21 und die Ausführungen dazu) und durch Formulierungen im Futur gekennzeichnet ist. Die beiden Teile dieser drei Gegenüberstellungen werden durch δέ (V. 8) bzw. durch doppeltes πολλῷ μᾶλλον (V. 9 und 10b) miteinander verbunden. Die drei zentralen Gegenüberstellungen werden jeweils mit γάρ (V. 6 und 10) bzw. ὅτι (V. 8b) eingeführt. Dieses Zentrum wird eingerahmt durch zwei Gegenüberstellungen in V. 3-5 und 11, die jeweils mit οὐ μόνον δέ ἀλλά καί eingeleitet sind. Sie beschreiben die Existenz der „Wir" unter dem Aspekt des Lobes Gottes (καυχώμεθα bzw. καυχώμενοι). Durch diese Klammer wird hervorgehoben, dass sich das Rühmen der „Wir" nicht auf sie selbst bezieht, sondern auf die zukünftige Hoffnung und auf Gott. Diese Aussage wird in V. 2b mit einer programmatischen Unterscheidung eingeleitet, die V. 3-5 weiter entfaltet wird. Dieses Zentrum V. 6-10 mit seinem Rahmen V. 2b-5 und 11 wird zunächst mit Hilfe verschiedener kleinerer Gegenüberstellungen in V. 1,2a eingeleitet, durch die der Übergang vom großen Argumentationsgang 3,19-4,25 zu dem in 5,1-8,39 geschaffen wird.[13]

---

[11] E. Seitz: Korrigiert sich Paulus selbst? Zu Röm 5,6-8; in: ZNW 91 (2000), S. 279-287, dort S. 279. Zu den verschiedenen Interpolationshypothesen verweist Seitz auf die Literaturübersicht bei M. Wolter: Rechtfertigung und zukünftiges Heil. Untersuchungen zu Röm 5,1-11; Berlin/ New York 1978, S. 167f.

[12] Für den Zusammenhang der beiden Teilverse 7a und b spricht bei allen Verständnisschwierigkeiten im Detail der strenge Parallelismus der Glieder. Vgl. die Strukturierung bei Seitz, ebd.

[13] Anders strukturiert hier M. Wolter: Rechtfertigung und zukünftiges Heil, S. 35. Er weist auf die parallelen Formulierungen am Beginn und Ende des Abschnittes hin:
„V.1: δικαιωθέντες οὖν ἐκ πίστεως
V.9: δικαιωθέντες νῦν ἐν τῷ αἵματι αὐτοῦ (...)
V.1: εἰρήνην ἔχομεν πρὸς τὸν θεὸν
V.10: κατηλλάγημεν τῷ θεῷ (...)
V.1: διὰ τοῦ κυρίου ἡμῶν Ἰησοῦ Χριστοῦ
V.10: διὰ τοῦ θανάτου τοῦ υἱοῦ αὐτοῦ".

Damit ergibt sich für den schwierigen Abschnitt V. 1-11 folgende Struktur, die hier einmal vorab vorgestellt und danach interpretiert werden soll, wobei die strukturbildenden Worte erneut hervorgehoben sind.

5,1a: *οὖν*	δικαιωθέντες	ἐκ πίστεως
1b:	εἰρήνην ἔχομεν	πρὸς τὸν θεὸν διὰ τοῦ κυρίου ἡμῶν Ἰησοῦ Χριστοῦ
2a: δι' οὖ καὶ	τὴν προσαγωγὴν ἐσχήκαμεν	τῇ πίστει εἰς τὴν χάριν ταύτην ἐν ᾗ ἑστήκαμεν
2b: καὶ	*καυχώμεθα*	*ἐπ' ἐλπίδι* τῆς δόξης τοῦ θεοῦ
3-5: *οὐ μόνον δέ ἀλλὰ καὶ*	*καυχώμεθα* ἐν ταῖς θλίψεσιν εἰδότες ὅτι ἡ θλῖψις ὑπομονὴν κατεργάζεται ἡ δὲ ὑπομονὴ δοκιμήν ἡ δὲ δοκιμὴ ἐλπίδα	*ἡ δὲ ἐλπὶς* οὐ καταισχύνει ὅτι ἡ ἀγάπη τοῦ θεοῦ ἐκκέχυται ἐν ταῖς καρδίαις ἡμῶν διὰ πνεύματος ἁγίου τοῦ δοθέντος ἡμῖν
6+8a γὰρ	*ἔτι* Χριστὸς ὄντων ἡμῶν ἀσθενῶν *ἔτι* κατὰ καιρὸν ὑπὲρ ἀσεβῶν ἀπέθανεν	συνίστησιν δὲ τὴν ἑαυτοῦ ἀγάπην εἰς ἡμᾶς ὁ θεὸς
8b+9: ὅτι	*ἔτι* ἁμαρτωλῶν ὄντων ἡμῶν Χριστὸς ὑπὲρ ἡμῶν ἀπέθανεν	πολλῷ οὖν μᾶλλον δικαιωθέντες *νῦν* ἐν τῷ αἵματι αὐτοῦ σωθησόμεθα δι' αὐτοῦ ἀπὸ τῆς ὀργῆς
10: εἰ γὰρ	ἐχθροὶ ὄντες κατηλλάγημεν τῷ θεῷ διὰ τοῦ θανάτου τοῦ υἱοῦ αὐτοῦ	πολλῷ μᾶλλον καταλλαγέντες σωθησόμεθα ἐν τῇ ζωῇ αὐτοῦ
11a: *οὐ μόνον δέ ἀλλὰ καί*	*καυχώμενοι*	ἐν τῷ θεῷ διὰ τοῦ κυρίου ἡμῶν Ἰησοῦ Χριστοῦ δι' οὗ *νῦν* τὴν καταλλαγὴν ἐλάβομεν

(V. 7 ist ein Einschub: μόλις γὰρ ὑπὲρ δικαίου τις ἀποθανεῖται ὑπὲρ γὰρ τοῦ ἀγαθοῦ τάχα τις καὶ τολμᾷ ἀποθανεῖν)

Durch die genannte Strukturierung geschieht gleich zu Beginn des großen Argumentationszusammenhanges in Röm 5-8 eine Unterscheidung in zwei Zeiten: ein ἔτι, (in der Strukturierung hervorgehoben) in dem die „Wir" sündig und mit Gott verfeindet waren und ein νῦν (ebenfalls hervorgehoben), in dem die „Wir" jetzt leben und das von der Hoffnung auf das ewige Leben bestimmt ist.[14] Diese zeitliche Doppelstruktur wird sich von nun an durch die gesamten folgenden Kapitel 5-8 ziehen. So werden in 5,12-21 durchgehend das vergangene Leben gemäß Adam und das gegenwärtige und zukünftige Leben gemäß Christus einander gegenübergestellt. 6,1-14

Er gliedert den Abschnitt, den er im Zusammenhang des größeren Argumentationsteils 1,18-5,11 versteht (vgl. a.a.O., S. 213), folgendermaßen:
A. Versöhnung (5,10.11) und Frieden (5,1) mit Gott
B. Zugang durch die Gnade (5,2a)
C. Hoffnung auf die Herrlichkeit Gottes (5,2b)
Der Kettenschluss (5,3-4)
Die Begründung der Hoffnung (5,5b-7.8)
Der Inhalt der Hoffnung (5,9-11)
D. Der Ruhm Gottes (5,11).

[14] Zum Verständnis des νῦν bei Paulus vgl. oben die grundsätzliche Ausführungen zu 3,21.

wird der Übergang vom einen zum anderen Leben in der Taufe behandelt. 6,15-23 stellen wiederum das vergangene Leben unter der Knechtschaft der Sünde und das gegenwärtige als Dienst gegenüber der Gerechtigkeit dar. 7,1-6 verdeutlichen den Übergang von der einen Zeit in die andere erneut mit Hilfe einer Metapher aus dem Eheleben. 7,7-25 analysieren dann eingehend die Struktur der menschlichen Existenz unter der Sünde, wohingegen Kap. 8 das gegenwärtige Leben in Christus und in der Hoffnung auf die endgültige Befreiung von der Vergänglichkeit beschreibt. Insofern führt der Abschnitt 5,1-11 das zeitliche Paradigma ein, nach dem im Folgenden argumentiert wird.

Die einleitende Formulierung δικαιωθέντες οὖν ἐκ πίστεως in V. 1 fasst die Ausführungen von Röm 3,19-4,25 in Kurzform zusammen und leitet damit zum folgenden Kapitel und zum größeren Argumentationsteil in Kap. 5-8 über. Das οὖν schafft den Übergang, und mit δικαιωθέντες wird zunächst wiederum kurz in geläufiger menschlicher Sicht beim Problem des Freispruches vor Gericht angesetzt. Das ἐκ πίστεως überträgt diese Fragestellung in theologischer Perspektive auf das Gottesverhältnis. Die Rechtfertigung geschieht demnach, wie im Vorhergehenden gezeigt wurde, aus Glauben und nicht aus Werken (des Gesetzes), d.h. in juridischer Metaphorik ausgedrückt: der Frei-Spruch durch Gott geschieht dadurch, dass der Mensch darauf verzichtet, diesen durch eigene Eigenschaften, Taten oder Fähigkeiten zu begründen, und dies vertrauensvoll Gott überlässt. V. 1a setzt insofern die Sichtweise von Kap. 4 fort, als das ἐκ πίστεως – wie dort fast durchgehend – die theologische Perspektive wiedergibt. Die geläufige menschliche Problematik, wie man im Gericht freigesprochen werden kann (δικαιωθέντες), wird dadurch übertragen und metaphorisch gebraucht.

V. 1b-5 bringen eine Reihe von Gegenüberstellungen, die zunächst die geläufigen Vorstellungen des Friedens (εἰρήνη, V. 1), des Zuganges zu einem Raum (προσαγωγή, V. 2a), des sich Rühmens (καυχάομαι, V. 2b und 3ff) aufnehmen. Diese werden dann in theologischer Perspektive auf das in den vorherigen Kapiteln entwickelte Rechtfertigungsgeschehen bezogen und dadurch übertragen und in neuer Weise verstanden.

Das Wort εἰρήνη nimmt zunächst in V. 1b aus menschlicher Sicht eine Problematik auf, die gerade für die römischen Adressaten von einiger Bedeutung gewesen sein dürfte. „Das römische Reich beanspruchte für sich, den in seinen Machtbereich einbezogenen Völkern den Frieden gebracht zu haben (pax Romana), und Augustus rühmte sich, die Bürgerkriege beendet und dem Reich Zeiten ohne jeden Kriegszustand beschert zu haben (pax Augusta)."[15] Diesem politischen Friedensbegriff setzt Paulus hier einen theologischen entgegen. Der Zusatz πρὸς τὸν θεόν zeigt, dass es sich nicht einfach nur um einen immanenten Frieden in der Welt, unter Menschen oder mit sich selbst handelt,[16] sondern der Friede wird in eine theologisch begründete Perspektive gestellt und kann erst von daher als immanent sich auswirkender Friede erfasst werden. Dieser theologischen Bestimmung wird noch eine christologische hinzugefügt. Der Mensch findet Frieden mit Gott, weil er seinen Frei-Spruch durch Jesus Christus als von Gott gesichert annehmen kann (διὰ τοῦ κυρίου ἡμῶν Ἰησοῦ

---

[15] K. Haacker: Der Brief des Paulus an die Römer; ThHK 6, S. 113.
[16] Vgl. auch R. Bultmann: Adam und Christus nach Römer 5; in: ders.: Exegetica, S. 424-444, dort S. 425: „Dieser ist natürlich nicht der Seelenfriede, wie denn jede psychologische Charakteristik des Heils fernliegt."

Χριστοῦ). Das Wort ἔχομεν meint entgegen der alternativen und gut bezeugten Lesart des adhortativen Konjunktivs ἔχωμεν nicht die Aufforderung, den Frieden anzunehmen, sondern formuliert im Indikativ eine Feststellung. Denn der Friede vor Gott ist bereits von Gott durch die Rechtfertigung gegeben und kann nicht Gegenstand einer Ermahnung der Glaubenden sein.[17]

V. 2 wird an V. 1 mit δι' οὗ καὶ angeschlossen. Προσαγωγή kann kultisch in geläufiger Sicht den Zugang zum Heiligen Bezirk im Tempel oder zum Zelt der Begegnung meinen, in dem die δόξα Gottes wohnt. „Das erinnert an atl. Texte, in denen der Zutritt ins Heiligtum (und damit der Zugang zum Segen Gottes) von der Voraussetzung persönlicher Gerechtigkeit abhängig gemacht wird (vgl. Ps. 15 und 24,3-5)."[18] Ἐσχήκαμεν nimmt das ἔχομεν aus Vers 1 auf. Diese Vorstellung eines Zugangs zu einem immanenten Gebäude oder Heiligtum wird von Paulus dann in theologischer Perspektive durch die Formulierung τῇ πίστει εἰς τὴν χάριν ταύτην ἐν ᾗ ἑστήκαμεν transzendiert.[19] Es geht um einen unmittelbaren Zugang zu Gottes Gnade, der durch Glauben[20] ermöglicht wird. „Die Gnade wird V. 2 als ein Raum gesehen, in dem man nicht ohne weiteres steht: der Zugang muß eigens geöffnet werden."[21] Der „Zugang" (V. 2a) bezieht sich also nicht auf irgendwelche Gebiete oder Räume der herkömmlichen Weltsicht, sondern auf den transzendenten, theologisch zu verstehenden "Raum" der Gnade Gottes (χάρις), in dem die Glaubenden stehen. Die Verbindung von χάρις und εἰρήνη fand sich bereits in der salutatio des Briefpräskriptes und ist ein Spezifikum paulinischer Theologie.[22]

V. 2b und 3-5 behandeln parallel zueinander zweimal den Vorgang des sich Rühmens (καυχώμεθα), zunächst bezogen auf die Hoffnung und dann auf Bedrängnisse, die schließlich zur Hoffnung führen. Zusammen mit dem καυχώμενοι aus V. 11 klammern sie damit den Abschnitt unter dem Aspekt des sich Rühmens ein. Im Bedürfnis des Menschen, sich seiner selbst rühmen zu wollen, sah R. Bultmann eines

---

[17] Dabei wird man auch berücksichtigen müssen, dass Paulus den Brief nach Röm 16,22 wahrscheinlich diktiert hat. Vgl. dazu H. Conzelmann, A. Lindemann: Arbeitsbuch zum Neuen Testament, S. 32: „In Röm 5,1 sind die Lesarten ἔχωμεν ‚wir sollen haben' Frieden mit Gott (adhortativer Konjunktiv) und ἔχομεν ‚wir haben' Frieden mit Gott (Indikativ) bezeugt; o und ω wurden gleich ausgesprochen, d.h. die Schreiber hörten keinen Unterschied. Eine Entscheidung läßt sich nur aufgrund des Kontexts der paulinischen Theologie fällen, der die indikativische Lesart als die wahrscheinlichere erweist." Siehe auch U. Wilckens: Der Brief an die Römer; EKK VI, 1, S. 288f. Möglicherweise muss man deshalb hier sogar zwischen von Tertius geschriebenem Urtext, der vielleicht die Lesart ἔχωμεν enthalten hat und dem mündlichen Diktat des Paulus unterscheiden, der mit einiger Sicherheit den Indikativ meinte. Das ἔχομεν könnte dann von den Textzeugen wieder aus inhaltlichen Gründen zur Geltung gebracht worden sein. Vgl. dazu auch B. M. Metzger: A Textual Commentary on the Greek New Testament, S. 452.

[18] K. Haacker: Der Brief des Paulus an die Römer; ThHK 6, S. 113. Zur Vorstellung eines Zugangs der Glaubenden zum Heiligtum vgl. auch Hebr 4,14-16; 10,19-22 und U. Wilckens: Der Brief an die Römer; EKK VI, 1, S. 289.

[19] Siehe auch die Aufnahme des Mosedienstes im Zelt der Begegnung und auf dem Berg (Ex 32-34) und dessen Modifikation durch Paulus in II Kor 3. Siehe dazu D. Starnitzke: Der Dienst des Paulus. Zur Interpretation von Ex 34 in 2 Kor 3; in: WuD 25 (1999). S. 193-207.

[20] Τῇ πίστει ist nicht mit B,D,F,G und 0220 u.a. zu streichen, sondern aufgrund der Parallelität zu V. 1 (ἐκ πίστεως) mitzulesen. Der Ausdruck findet sich bereits 4,19 und 20 und setzt die von Paulus in Röm 4 entfaltete, theologische Sicht des Glaubens fort. Die Variante mit der Erweiterung ἐν ist sekundär und vielleicht durch Dittographie nach ἐσχήκαμεν entstanden. (Vgl. B. M. Metzger A Textual Commentary on the Greek New Testament, S. 453.)

[21] K. Haacker: Der Brief des Paulus an die Römer; ThHK 6, S. 113.

[22] So auch Haacker, a.a.O., S. 112f.

der Grundprobleme menschlicher Existenz. „Ihren höchsten Ausdruck findet die sündig-eigenmächtige Haltung im καυχᾶσθαι des Menschen."[23] Das sich Rühmen der Gerechtfertigten besteht demgegenüber nach Paulus darin, sich nicht einfach auf die eigene Hoffnung und auf die eigenen Leidenserfahrungen zu beziehen, sondern diese in theologischer Perspektive zu verstehen.[24] Die Hoffnung (V. 2b), derer sich die Glaubenden rühmen können, ist deshalb eine, die sich nicht auf ihre eigene Ehre, sondern auf Gottes δόξα bezieht. Der Begriff der ἐλπίς wird besonders in 8,24f aufgenommen werden und meint dort die transzendente Hoffnung auf die endgültige Befreiung der Existenz von der Vergänglichkeit. Der Begriff der Hoffnung bildet damit gewissermaßen einen Rahmen um den großen Argumentationsabschnitt Kap. 5-8. Das gegenwärtige Rühmen der „Wir" ist also dadurch geprägt, dass es von einer solchen eschatologischen Hoffnung bestimmt ist.

Diese programmatische Aussage aus V. 2b wird in einer größeren Gegenüberstellung in V. 3-5 weiter entfaltet. Das sich Rühmen ἐν ταῖς θλίψεσιν (V. 3) thematisiert die menschliche Erfahrung von Bedrängnis oder Trübsal, die dieser Hoffnung zunächst entgegenzustehen scheint. Die beiden Formen des Rühmens werden mit οὐ μόνον δέ ἀλλὰ καί verbunden und sind damit komplementär gemeint („dazu auch").[25] So wird von Hoffnung bis Trübsal in V. 3f die ganze Breite menschlicher Erfahrung abgedeckt. Die Aussage ist, dass auch Leiderfahrungen letztlich bei den „Wir" Hoffnung bewirken. Das Verhältnis von Hoffnung und Bedrängnis der Glaubenden wird V. 3f mit Hilfe einer Katene[26] beschrieben. Dabei werden jeweils Begriffspaare einander zugeordnet und miteinander verkettet. Das geschieht, indem der letzte Begriff des vorhergehenden Paares als erster des neuen Paares aufgenommen wird. Die Katene (θλῖψις, ὑπομονή, δοκιμή, ἐλπίς) hat die Funktion, der menschlichen Strategie eines Aushaltens in Bedrängnissen, das durch Hoffnung möglich wird, eine theologische Sicht gegenüberzustellen, die genau umgekehrt ist: „dabei ist der Aufbau der ‚Kette' in 5,3-5 bemerkenswert: Es wird nicht gesagt, wir könnten die θλίψεις durch die Hoffnung ertragen, sondern es wird umgekehrt gesagt, die θλῖψις schaffe durch die Bewährung die Hoffnung."[27]

Diese Umkehrung der Sichtweise wird in V. 5 in theologischer Perspektive begründet (angeschlossen mit δέ). Letztlich müssen alle menschlichen Leiderfahrungen zur Hoffnung führen, weil die Hoffnung der „Wir" nicht zerstört werden kann. Denn sie ist in der Liebe Gottes begründet. Die Hoffnung als Zielpunkt der in V. 3f benannten Sicht wird also nicht gewissermaßen als menschlicher Trost hingestellt, an dem sich die Glaubenden festhalten sollen, sondern sie wird selbst nochmals in eine theologische und zusätzlich pneumatologische Perspektive gerückt. Dass die Hoffnung beständig ist, wird – im passivum divinum formuliert – theologisch begründet. Das ὅτι kennzeichnet die theologische Perspektive: Die Hoffnung der Glaubenden basiert darauf, dass Gott seine

---

[23] R. Bultmann: Theologie des Neuen Testaments, S. 242.

[24] So spricht Bultmann auch für die Person des Paulus von solch einem positiven, weil theologisch verstandenen Gebrauch des Begriffes: „dabei wendet er jedoch alsbald das καυχᾶσθαι κατὰ σάρκα zu einem paradoxen καυχᾶσθαι, indem er sich seiner ἀσθένεια rühmt (11,30; 12,9 [sc. II Kor], vgl. Rm 5,2)." (Bultmann, a.a.O., S. 243.)

[25] Blass, Debrunner, Rehkopf: Grammatik des neutestamentlichen Griechisch, § 479,1. Der Ausdruck ist wie V. 11 eine Figur ἀπὸ κοινοῦ.

[26] Vgl. dazu auch Röm 8,29f und 10,14f.

[27] H. Conzelmann, A. Lindemann: Arbeitsbuch zum Neuen Testament, S. 279.

Liebe[28] in die Herzen der Glaubenden ausgegossen hat. Glauben ist damit keine kollektive Frage der Zugehörigkeit zu einer bestimmten Gruppierung oder Tradition (z.B. der Juden), sondern individuell eine Frage des Herzens. Der Begriff des (Heiligen) Geistes, der den Glaubenden gegeben ist bzw. „in ihnen wohnt", wird vor allem in Röm 8 näher erläutert werden. Er bildet somit einen weiteren Rahmen um die Kapitel 5-8. Die hinter dem ἐκκέχυται stehende anthropologische Vorstellung ist offenbar, wie auch sonst im Röm des öfteren,[29] dass der Mensch ein Gefäß ist, in das hinein Gott – oder auch eine andere transzendente Macht – etwas schütten kann. Dass sich jedoch die Existenz des Menschen nicht nur auf ein solches passives Erfülltsein beschränkt, wird Paulus in Röm 8 zeigen. Der Begriff des Herzens in Röm 5,5 weist erneut darauf hin, dass es Paulus hier um das Selbstverhältnis des Menschen geht. Es ist das eigene Herz, in dem die „Wir" am Ende der einführenden Verse 1-5 die Liebe Gottes spüren. Und von dieser Erfahrung ausgehend können die vorhergehenden Sätze gesprochen werden. „Wie νοῦς ist καρδία das Ich des Menschen [...] Gott ist es, der die Herzen fest machen kann (1. Th 3,13); er schenkt den Herzen die Gabe des Geistes (2. Kr 1,22; Gl 4,6); seine Liebe ist durch den Geist in den Herzen der Gläubigen ausgegossen. Überall steht καρδία für das Ich".[30] Der Begriff καρδία meint dabei im Gegensatz zu συνείδησις weniger die Fähigkeit zur Selbstdistanzierung und Selbstreflexion als vielmehr das innere Zentrum des Menschen, das für die Liebe Gottes offen ist, ja vielleicht sogar durch sie (in neuer Weise) konstituiert wird (vgl. dazu die Ausführungen zu 2,15). Die Aussage von der in die Herzen ausgegossenen Liebe hat dabei insofern zentrale Bedeutung, als der Begriff der ἀγάπη in V. 8 und dann in 8,31-39, besonders in V. 35 und 39 wieder aufgenommen wird und damit den großen Zusammenhang in Röm 5-8 einrahmt. Außerdem wird die ἀγάπη in Röm 13,8-10 als zentraler ethischer Begriff angegeben, von dem aus das ganze Gesetz erfüllt wird.

Röm 5,6-11 findet sich nach der christologischen Eingangsformel 1,3f, dem Abschnitt 3,21-26 und den kurzen Formeln 4,25 und 5,1f seit längerem wieder eine ausführliche christologische Argumentation. Diese wird über den Abschnitt hinaus in V. 12ff weitergeführt. Die V. 6 und 7 sind in ihrer Konstruktion sehr umstritten. Die beiden Verse sind als unglückliche Formulierung des Paulus verstanden worden[31] oder ganz oder in Teilen als sekundäre nichtpaulinische Einschübe[32], nach denen erst V. 8 den Gedankengang von V. 5 fortsetzt und das Thema der ἀγάπη τοῦ θεοῦ wieder sinnvoll

---

[28] Der Zusammenhang mit V. 8 zeigt, dass der genitivus eindeutig subiectivus ist (Vgl. U. Wilckens: Der Brief an die Römer; EKK VI,1, S. 293).

[29] Vgl. z.B. 1,29: πεπληρώμεμος – μεστός, siehe auch 15,13f sowie auch die Metapher des „in" dem Menschen „Wohnens" 7,17 und 20, 8,11; 9,21ff u.ö.

[30] R. Bultmann: Theologie des Neuen Testaments, S. 221f. Vgl. auch J. D. G. Dunn: The Theology of Paul the Apostle, S. 74f: „The innermost part of the person, the seat of emotions, but also of thought and will."

[31] U. Wilckens: Der Brief an die Römer; EKK VI,1, S. 293 meint: „Paulus begründet jetzt seine Auslegung der Gnade als Liebe in V 5. Doch es gelingt ihm nicht sogleich, den Gedanken, auf den er zielt (V 8), zu formulieren." E. Käsemann schreibt dazu: „Pls hat allerdings seine Gedanken nicht präzis formuliert. 6 ist ihm aus den Fugen geraten. 7a bringt eine unglückliche Analogie, die in 7b nicht sehr geschickt korrigiert wird, und erst 8 findet mit der Aufnahme von 6 und dem Anschluss an 5b zum Ziele." (E. Käsemann: An die Römer; HNT 8a, S. 128.)

[32] Vgl. W. Schmithals: Der Römerbrief, S. 162f: „V.6-7 würde man, wenn sie fehlen, nicht vermissen. Ihre Einordnung in den Zusammenhang macht unter allen Umständen große Schwierigkeiten [...] Überdies enthalten V. 6 und V. 7 Unpaulinisches. Der Begriff ‚schwach' [...] bezeichnet bei Paulus selbst verständlicherweise nie die Sünde bzw. Gottlosigkeit wie in V.6. [...] Nie gebraucht Paulus auch ‚der Gute' für ‚der Gerechte' wie V. 7."

aufnimmt. J. Weiss hat dagegen gemeint, dass die V. 7f als Einschub zu verstehen sind, die den Parallelismus V. 6.9 und V. 10a.b zerstören.[33] Es soll im Anschluss an die Beobachtungen von E. Seitz davon ausgegangen werden, dass V. 7 ein Einschub ist, der entweder von Paulus oder später vorgenommen sein könnte und den eigentlichen Argumentationsgang erheblich stört.

Die gut bezeugte Lesart ἔτι γάρ zu Beginn von V. 6 ist den anderen, wesentlich schlechter bezeugten (εἴ γε, εἰ γάρ γε, εἰ δέ, εἰς τί γάρ) vorzuziehen.[34] Dann ergibt sich jedoch ein doppeltes ἔτι, weshalb das zweite in V. 6b von einer Reihe von Textzeugen[35] gestrichen wurde. Das sprachlich unschöne, doppelte ἔτι zeigt an, dass ἔτι γάρ Χριστός den Vers einleitet. Die Wendung ὄντων ἡμῶν ἀσθενῶν ἔτι ist dann die Fortsetzung.[36] Durch diese redundante Formulierung wird eine vergangene menschliche Existenz charakterisiert, die in V. 6b als gottlos (ἀσεβής), in V. 8 als sündig (ἁμαρτωλός) und in V. 10 als feindlich gegenüber Gott (ἐχθρός) weiter beschrieben wird.[37] Für diese vergangene Existenzweise ist nun charakteristisch, dass schon „damals" Christus für die Glaubenden gestorben ist. Das setzt natürlich die Annahme dieses Todes durch die Glaubenden voraus. Es handelt sich also um einen Rückblick auf eine von Gott getrennte Lebensweise, die noch nicht vom „Jetzt" (νῦν), von der Gegenwart des Freispruches im göttlichen Gericht geprägt war.[38]

Dieser Existenzweise wird in theologischer Perspektive nach dem Einschub von V. 7 in V. 8a, angeschlossen mit δέ, erneut die Liebe Gottes entgegengehalten (vgl. V. 5). Gott erwies seine Liebe, die der Grund der Hoffnung der Glaubenden ist, gerade dadurch, dass Christus in der Zeit, als die Glaubenden schwach waren, für sie gestorben ist.

V. 7 bildet einen Einschub, der mit γάρ an 6 angeschlossen ist und aus der dargestellten Struktur deutlich herausfällt. Wenn man sich – bei allen Unklarheiten im Detail – an der Grundaussage orientiert, so geht es um die Gegenüberstellung eines menschlich denkbaren Verhaltens in V. 7 und der diesem Verhalten gegenübergestellten Liebe Gottes V. 8a. „V. 7 hat das Ziel, die Einzigartigkeit des Todes Jesu und der in ihm offenbarten Liebe als Überbietung menschlich vorstellbarer Akte der Lebenshingabe darzulegen."[39] Die Verbindung von V. 7a und b (μόλις, τάχα) ist nicht ganz eindeutig.[40] Eine Logik ergibt sich, wenn man τολμᾷ ἀποθανεῖν im Sinne von „zu sterben wagen",[41] also „sein Leben riskieren" versteht. V 7a gibt dann das geläufige menschliche Verhalten wieder, nachdem kaum jemand für einen anderen stirbt, nicht einmal „für

---

[33] Vgl. J. Weiß: Beiträge zur paulinischen Rhetorik, S. 226. Weiss liest dabei zu Beginn von V. 6 εἰ.

[34] Vgl. z.B. U. Wilckens: Der Brief an die Römer; EKK VI, 1, S. 294, der ΕΙΓΕ bzw. ΕΙΔΕ als Abschreibfehler aus ΕΤΙΓΑΡ erklärt und εἰς τί γάρ als spätere Korrektur auffasst.

[35] Ψ 33. 1739. 1881 (sy^p) sowie der Mehrheitstext.

[36] Das zweite ἔτι gehört zum Genitivus absolutus, während das erste als emphatische Betonung des Versanfanges fungiert. Vgl. C. E. B. Cranfield: The Epistle to the Romans; ICC, vol. 1, S. 263.

[37] Vgl. auch K. Haacker: Der Brief des Paulus an die Römer; ThHK 6, S. 115.

[38] Vgl. zu diesem Zeitverständnis die Ausführungen zu 3,21.

[39] K. Haacker: Der Brief des Paulus an die Römer; ThHK 6, S. 114.

[40] Die zweite Aussage ist als Korrektur der ersten verstanden worden (so z.B. U. Wilckens: Der Brief an die Römer; EKK VI,1, S. 296) oder als Limitierung des ersten (R. Bultmann: Adam und Christus nach Römer 5, in: ders.: Exegetica, S. 428) oder man meint, Paulus unterscheide „einen unwahrscheinlichen Fall (‚μόλις') von einem schon eher denkbaren (‚τάχα')". (K. Haacker: Der Brief des Paulus an die Römer; ThHK 6, S. 114)

[41] So übersetzt P. Stuhlmacher: Der Brief an die Römer; NTD 6, S. 73.

einen Gerechten" (ὑπὲρ δικαίου, V. 7a).[42] V. 7b konzediert demgegenüber den Fall, dass jemand für einen guten Menschen, vielleicht auch für jemanden, der ihm selbst Gutes getan hat[43] (ὑπὲρ τοῦ ἀγαθοῦ, V. 7b), zumindest sein Leben wagt.[44] Dieser menschlichen Sichtweise aus V. 7 wird in V. 8a eine theologische Perspektive durch adversatives δέ gegenübergestellt. Die Formulierung knüpft an V. 5b an: Gottes Liebe zeigt sich im Gegensatz zu diesen geläufigen menschlichen Verhaltensregeln.

V. 8b knüpft an die Aussage von V. 6 und 8a an und führt sie durch eine weitere Gegenüberstellung weiter, die mit ὅτι angeschlossen ist. Der Vers ist parallel zu V. 6 konstruiert. Das ἔτι ἁμαρτωλῶν ὄντων ἡμῶν mit seinem markanten ἔτι (vgl. 7,17 und 20) bezeichnet erneut die bereits V. 6a charakterisierte, vergangene Existenz der „Wir" (ὄντων ἡμῶν ἀσθενῶν ἔτι). Das Χριστὸς ὑπὲρ ἡμῶν ἀπέθανεν wiederholt leicht variiert V. 6b (ὑπὲρ ἀσεβῶν ἀπέθανεν) und konkretisiert diese Aussage für die „Wir". V. 8b ist also analog zu V. 6 strukturiert und gibt auf der einen Seite eine vergangene menschliche Existenzweise wieder (ἔτι), die von Sünde und Tod gekennzeichnet ist und in der Christus bereits für die „Wir" gestorben ist.[45] In der jetzigen Nachstellung von V. 8 hinter 7 bedeutet dies auch: Die Besonderheit Christi besteht nicht nur darin, dass er tatsächlich für einen anderen Menschen stirbt, was eventuell auch in V. 7 als zumindest mögliches, menschliches Verhalten zugestanden werden könnte, sondern dass er für viele, nämlich die „Wir" gestorben ist und dass diese nicht gut oder gerecht, sondern gottlos waren.[46]

Die mit οὖν verbundene Formulierung πολλῷ μᾶλλον δικαιωθέντες bezieht sich demgegenüber wie V. 8a in theologischer Perspektive auf die gegenwärtige Existenz der „Wir" (νῦν) und steht damit parallel zu V. 8a. V. 9 bezieht sich zunächst auf die Erfahrung der „Wir" zurück, dass sie freigesprochen sind (vgl. V. 1). Diese juridische Terminologie wird jedoch durch die folgende Formulierung in eine christologische Perspektive gestellt und dadurch übertragen und metaphorisch gebraucht (νῦν ἐν τῷ αἵματι αὐτοῦ). Das ἐν τῷ αἵματι αὐτοῦ verweist auf die Vorstellung der Rechtfertigung von 3,21-26 zurück, nach der durch Christus als eigentliches ἱλαστήριον die Befreiung „in seinem Blut" (3,25) möglich ist. Das νῦν unterstreicht, dass die Rechtfertigung das unteilbare, individuelle „Jetzt" (vgl. die Ausführungen zu 3,21) als ständige Gegenwart konstituiert, in der der gerechtfertigte Mensch leben kann. Von dieser Gegenwart aus wird dann eine eschatologische Erwartung der „Wir" entwickelt, nach der sie aufgrund der erfahrenen Rechtfertigung in der Zukunft vom Zorn im göttlichen Gericht verschont bleiben (σωθησόμεθα δι' αὐτοῦ ἀπὸ τῆς ὀργῆς, vgl. auch 2,5). Diese Erwartung findet aber in der Erfahrung der Befreiung im „Jetzt" ihre Basis. Ὀργή nimmt nochmals den Gedanken des Zornes Gottes auf, der nach 1,18ff aus der Vertauschung bzw.

---

[42] Die Formulierung kann zwar auch Neutrum sein (vgl. Wilckens, a.a.O., S. 296), aber das eindeutig maskuline τοῦ ἀγαθοῦ spricht auch hier für einen maskulinen Gebrauch.

[43] So K. Haacker: Der Brief des Paulus an die Römer; ThHK 6, S. 114f.

[44] Anders E. Seitz: Korrigiert sich Paulus?, S. 284: „τολμᾶν ist hier in seiner ursprünglichen Bedeutung gebraucht, die das Verb seit Homer hat: [...] ‚ertragen, erdulden, auf sich nehmen, über sich gewinnen': ‚(Stellvertretend) für den Guten könnte es ja jemand sogar auf sich nehmen, zu sterben' (7b). [...] Paulus beschreibt also in V. 7a und 7b in einer bewußten Doppelung der Sachaussage die Möglichkeit des ‚Sterbens für einen anderen' im Bereich menschlicher Erfahrung."

[45] Auch Seitz hebt a.a.O., S. 286f die Parallelstruktur von V. 6 und 8b hervor, in die V. 7 „in scharfer Antithetik die Aussage vom möglichen Opfertod eines Menschen" eingeschoben sei.

[46] So auch die Beobachtung von Seitz, ebd.: „Zusätzlich zu dem semantischen Kontrast wird einer des Numerus sichtbar".

Verwechslung immanenter Größen mit der Transzendenz Gottes resultiert. Die Zukunftserwartung, die durch das Futur zum Ausdruck gebracht wird, ist deutlich von der gegenwärtigen Gewissheit der Rechtfertigung (δικαιωθέντες νῦν, vgl. V. 1) her konstituiert (vgl. auch Röm 8,18ff im Anschluss an Röm 8,1f). Die den Abschnitt und die gesamten folgenden Kapitel 5-8 bestimmende Unterscheidung zweier Zeiten und Existenzweisen wird in der Gegenüberstellung in V. 8b und 9 erstmals im Röm mit der zeitlichen Differenz ἔτι – νῦν ausdrücklich formuliert.

5,10 ist formal parallel zu V. 6 und 8a bzw. 8b und 9 gebaut. Der Vers setzt erneut für das Leben der Gerechtfertigten zwei Zeitstufen voraus: eine Vergangenheit, in der die „Wir" Sünder und Feinde Gottes waren (ἐχθροὶ ὄντες), und eine Gegenwart, die durch die Rechtfertigung bzw. Versöhnung geprägt ist und von der aus eine Zukunftshoffnung auf endgültige Rettung und das ewige Leben vorhanden ist (σωθησόμεθα, vgl. V. 9). Diese Zeitstufen sind jedoch, wie bereits zu 3,21ff ausgeführt, nicht als Abschnitte einer linear von der Vergangenheit über die Gegenwart in die Zukunft verlaufenden Zeit zu verstehen. Vergangenheit und Zukunft werden vielmehr vom νῦν (V. 9 und 11) – der gegenwärtigen Existenz des einzelnen Glaubenden „in Christus" her – konstruiert.[47]

V. 10f variiert das seit Röm 3,19ff bestimmende Wort δικαιόω bzw. δικαιοσύνη (in 5,1-11 bereits V. 1 und 9) durch καταλλάσσω bzw. καταλλαγή (V.11). Der Begriff ist Gegenstand einer Kontroverse zwischen C. Breytenbach[48] bzw. F. Hahn[49] einerseits und O. Hofius[50] bzw. P. Stuhlmacher andererseits geworden. Breytenbach hat, von Hahn darin unterstützt, dafür plädiert, die allgemeine Bedeutung „Versöhnung" von der speziell kultischen als „Sühne" zu unterscheiden.[51] Hofius hat diesen Ansatz Breytenbachs in seiner Rezension kritisiert und gemeint, dass traditionsgeschichtlich Versöhnung und Sühne sehr wohl zusammenhingen.[52] Und Stuhlmacher[53] hat demgegenüber beide Bedeutungen mit dem Ausdruck „Versöhnung" miteinander zu kombinieren versucht.[54] Der Begriff der Versöhnung erschließt sich jedoch im geläufigen Sprachgebrauch wohl vor allem im Rahmen einer Streitterminologie als Gegenbegriff zu ἐχθροί und in Verbindung mit εἰρήνη V.1, also zur Kennzeichnung einer Überwindung der Feindschaft, die zum Frieden führt. „‚Versöhnung' ist noch nicht wie in der modernen Dogmatik der systematische Oberbegriff für die Soteriologie. Sein Verhältnis zum Begriff der Rechtfertigung wird noch nicht grundsätzlich reflektiert. Wohl aber lässt sich sehen, dass Paulus diese Begrifflichkeit gebraucht, um

---

[47] Dies führte in den Ausführungen zum Zeitverständnis oben zu Röm 3,21 zu dem Vorschlag, 5,10 auf das νῦν in 5,11 zu beziehen.

[48] C. Breytenbach: Versöhnung. Eine Studie zur paulinischen Soteriologie; (WMANT 60) Neukirchen-Vluyn 1989.

[49] F. Hahn: Streit um „Versöhnung". Zur Besprechung des Buches von Cilliers Breytenbach durch O. Hofius; VF 36 (1991), S. 55-64.

[50] O. Hofius: Rezension von „C. Breytenbach: Versöhnung". Eine Studie zur paulinischen Soteriologie (WMANT 60); Neukirchen-Vluyn 1989"; in ThLZ 115 (1990), Sp. 741-745. Siehe dazu auch K. Haacker: Der Brief des Paulus an die Römer; ThHK 6, S. 115f.

[51] „Nun muß man allerdings beachten, dass die Bedeutung des Lexems καταλλάσσειν den Gedanken des Sühnens nicht enthält [...] Wenn ,Versöhnung' für Paulus ,Sühne" implizieren würde, hätte er dies hervorheben müssen; denn dem griechischen Wort καταλλαγή ist dieser Gedanke nicht zu entnehmen." (Breytenbach, a.a.O., S. 220)

[52] Vgl. O. Hofius: Rezension von „C. Breytenbach: Versöhnung", Sp. 743f.

[53] P. Stuhlmacher: Biblische Theologie des Neuen Testaments, Bd. I, S. 415.

[54] Vgl. dazu auch K. Haacker: Der Brief des Paulus an die Römer; ThHK 6, S. 115.

das Heilsgeschehen in einer bestimmten Richtung zuzuspitzen. Denn es ist hier ein Begriff aufgenommen, der die Überwindung der Feindschaft und die Herstellung des Friedens bezeichnet. Daher betont Paulus in Röm 5, dass wir zuvor als Sünder Gottes Feinde (5,10), Gottlose (5,6) waren".[55] Wie auch bei δικαιόω wird die geläufige Terminologie also von Paulus in eine theologische Perspektive gestellt und dadurch übertragen und metaphorisch verwendet (κατηλλάγημεν τῷ θεῷ).

In V. 10 findet sich erstmals im Röm am Ende dieses Kap. 5-8 einführenden Abschnittes ein Begriffspaar, das im folgenden häufig wiederkehren wird und über weite Strecken eine der Hauptlinien der Argumentation darstellt: θάνατος – ζωή.[56] Die Thematik von Leben und Tod verdeutlicht, worum es Paulus zentral geht: um eine Begründung des menschlichen Lebens, die der Erfahrung des Todes standzuhalten vermag. Dieses Begriffspaar wird von V. 10 ausgehend zunächst als christologische Größe eingeführt (διὰ τοῦ θανάτου τοῦ υἱοῦ αὐτοῦ – ἐν τῇ ζωῇ αὐτοῦ). Gemeint ist der den Menschen mit Gott und sich selbst versöhnende Tod Christi und das auf seine Auferstehung folgende Leben. In welcher Weise die Glaubenden an diesem Tod und Leben Christi teilhaben können, wird in 6,1ff erläutert werden.

J. L. Jaquette meint, dass für Paulus Leben und Tod indifferente Größen seien. „Like the moralists Paul views life and death as indifferent matters. For the moralists life and death cannot affect the greatest good."[57] Lediglich für Röm 14,7-9 hat Jaquette insofern recht, als das Problem von Leben und Tod in christologischer Perspektive aufgehoben wird und damit tatsächlich „indifferent" wird. Für die Kapitel 5-8 wird man jedoch behaupten müssen, dass die Frage nach Leben und Tod im Römerbrief eines der zentralen Probleme ist. Damit ist sicherlich von Paulus eine der elementaren menschlichen Fragestellungen thematisiert, die bis heute hohe Relevanz besitzt. „Es dürfte keine Religion geben, die es vermeiden kann, etwas zu diesem Problem zu sagen".[58] Gerade in Religion und Theologie sind deshalb – nicht zuletzt auf der Basis der paulinischen Theologie – spezifische Möglichkeiten entwickelt worden, mit dieser Differenz umzugehen und sie zu kommunizieren. In gewissem Sinne kann man die Unterscheidung Leben – Tod oder Tod – Leben, nachdem die meisten anderen traditionell religiös besetzten Themen in der modernen Gesellschaft nicht mehr als spezifisch religiös identifiziert und akzeptiert werden, als eine der wenigen exklusiven und als solche anerkannten Thematiken der Religion ansehen.[59]

Allerdings sperrt sich die Gegenüberstellung differenztheoretisch zunächst an einer bestimmten Stelle jeder weiteren Behandlung, und vielleicht macht das gerade ihre

---

[55] G. Barth: Der Tod Jesu im Verständnis des Neuen Testaments; Neukirchen-Vluyn 1992, S. 114f.

[56] Neben 5,10 taucht an folgenden Stellen die Unterscheidung von Tod und Leben bzw. sterben und leben auf: 5,17.21; 6,2.4-11.23; 7,2-4.9.10; 8,2.6.11-13.34.38. Ihr jeweiliger Sinn wird bei der Besprechung der einzelnen Stellen zu erläutern sein. Außerhalb der Kapitel 5-8 wird die Gegenüberstellung nochmals in Kapitel 14,7-9 aufgenommen. Die Argumentation hat hier jedoch einen anderen Sinn. Es geht unter einer ethischen bzw. paränetischen Fragestellung darum, die Unterscheidung aufzuheben.

[57] J. L. Jaquette: Life and death, adiaphora, and Pauls rhetorical strategies; in: NT 38 (1996), S. 30-54, dort S. 51.

[58] N. Luhmann: Die Sinnform Religion; in: Soziale Systeme. Zeitschrift für soziologische Theorie 2 (1996), S. 3-33, dort S. 29.

[59] Vgl. N. Luhmann: Religion als Kommunikation; Manuskript, S. 6. „Um so mehr stellt sich die Frage, woran man erkennen oder wie man signalisieren kann, dass es sich um religiöse Kommunikation handelt [...] Und nicht zuletzt gibt es in der Alltagskommunikation Themen, die einen solchen Übergang signalisieren, vor allem der Tod." Die medizinische Feststellung des Lebensendes ist von dieser Definition ausgenommen, weil dort nicht Tod, sondern Ende des Lebens thematisiert wird.

Wichtigkeit aus: Wenn der Beobachter diese Differenz auf sich selbst anwendet, wird die Grenze zwischen den beiden Seiten der Unterscheidung für ihn selbst unüberschreitbar. „Es geht um eine Grenzerfahrung, die der Form von Grenze widerspricht, die ja voraussetzen muß, dass es eine andere Seite gibt."[60] Der Mensch kann für sich selbst und sein eigenes (hiesiges) Leben nicht auf die andere Seite der Grenze gelangen. Er kann die Differenz nur gebrauchen, indem er sie bei anderen beobachtet. Der selbstreflexive Gebrauch ist demgegenüber nur mittelbar, über die Beobachtung des Lebens und Todes des anderen möglich. Diesen Bezug auf das Sterben und neue Leben eines anderen versucht Paulus durch den Bezug auf Christus herzustellen.

Zugleich bietet die Todesthematik vom zentralen Gedanken des Selbstverhältnisses des einzelnen Menschen her einen Kristallisationspunkt. Existenziell erfahrbar ist nämlich immer nur der persönliche Tod. Auch wenn der Versuch unternommen wird, am Sterben anderer Menschen – etwa seelsorgerlich oder aus Liebe – teilzunehmen, so stirbt jeder Mensch doch seinen eigenen Tod für sich. Im Sterben zeigt sich das für-sich-Sein des einzelnen Menschen in seiner ausgeprägtesten Form. Der Tod bedeutet (zunächst) das Ende der persönlichen Existenz in ihrer Ganzheit, er ist immer individuell. Eine Dividierung, Zerteilung des Menschen in Seele und Leib und ein Fortbestehen der Seele werden von Paulus offensichtlich nicht vorausgesetzt.[61] Statt dessen lautet für ihn die angesichts des Todes sich stellende Frage: Wie kann die Identität des einzelnen Menschen *in ihrer Ganzheit* auch nach dem persönlichen Tod gewahrt bleiben und welche Konsequenzen hat das für das jetzige Leben des einzelnen Menschen?

Die für die nächsten Kapitel grundlegende Unterscheidung θάνατος – ζωή wird in Röm 5,10 gleich von Beginn an von Christus her entwickelt.[62] Dabei ist bemerkenswert, dass schon bei der Vorstellung der beiden Begriffe deren Abfolge gegenüber dem herkömmlichen Sprachgebrauch vertauscht wird; statt Leben – Tod lautet sie also Tod – Leben. Die Sicht des „Lebens" Jesu Christi ist paradox,[63] d.h. das Leben wird entgegen dem geläufigen Verständnis des Begriffes theologisch als ewiges nach dem Tode verstanden und nicht als endliches vor dem Tod. Christus ist gestorben und auferstanden und hat dadurch Tod und Leben (in dieser Reihenfolge) neu definiert. Die Eigenart Christi ergibt sich also daraus, dass bei ihm nicht das immanente persönliche Leben im Gegenüber zum transzendenten Aspekt des Todes gemeint ist, sondern dass sein Leben (als Auferstandener) in christologischer und theologischer Perspektive als transzendentes, ewiges verstanden werden muss und dass von daher auch sein Sterben in theologischer Perspektive gesehen wird.[64] Er erweist sich dadurch

---

[60] Luhmann: Die Sinnform Religion, S. 31.

[61] Paulus stellt sich vielmehr auch die Auferstehung als in gewissem Sinne somatische vor, vgl. I Kor 15,44.

[62] Es hat deshalb eine gewisse Berechtigung, wenn R. Bultmann Kap. 5 insgesamt vom Begriff der ζωή her versteht und interpretiert: „5,1-11: der erste Beweis für die Gegenwart der ζωή [...] wenn Gerechtigkeit, dann erst recht (πολλῷ μᾶλλον) Leben [...] 5,12-21, der zweite Beweis. Adam und Christus: jener Bringer des Todes, dieser Bringer des Lebens." (Vgl. R. Bultmann: Adam und Christus nach Römer 5, S. 425 und 431.)

[63] Zu solchen Paradoxien im weiteren Sinne als Widerspruch gegenüber einem geläufigen Verständnis vgl. G. Hotze: Paradoxien bei Paulus. Untersuchungen zu einer elementaren Denkform in einer Theologie; (NTA, Neue Folge, Bd. 33) Münster 1997.

[64] Insofern hat Paulus hier eine andere Sichtweise als die Evangelien, die das irdische Leben Jesu auf seinen Tod und seine Auferstehung hinzielend darstellen, während Paulus am Leben Jesu kaum

als Christus, dass durch sein Sterben seine persönliche Existenz nicht zum Abschluss kommt, sondern dass umgekehrt auf der Basis der Beendigung seiner menschlichen Existenz durch seinen Tod sein neues Leben als Auferstandener gerade erst ermöglicht wird. Inwiefern diese christologische Umstellung der Reihenfolge Leben – Tod für die an Christus Glaubenden und die Begründung ihres Lebens relevant werden kann, soll in Kap. 5-8 aufgezeigt werden.

Für das Dilemma des Menschen, das eigene Leben durch sich selbst definieren zu wollen und dabei am eigenen Tod zu scheitern, bietet Christus grundlegend neue Möglichkeiten. Er eröffnet den Menschen die Chance, Leben als transzendente, theologisch und vor allem christologisch bestimmte Größe neu zu verstehen und von dorther das eigene Leben und Sterben anders sehen zu können. Für den Menschen ist es jedoch zunächst unmöglich, dieser christologischen Konzeption des Lebens nach dem Tode persönlich nachzueifern. Um Leben als transzendente Größe erfahren zu können, müsste sein jetziges Leben zunächst beendet sein. Er wäre dann jedoch in der bisherigen Form überhaupt nicht mehr existent. Die einzige Möglichkeit, Leben als transzendente, theologisch verstandene Größe konstruktiv in die Definition der eigenen Existenz aufzunehmen, besteht deshalb zunächst (d.h. bis zum eigenen Tod und zur eigenen Auferstehung) in einer unmittelbaren Verbindung zum transzendent zu verstehenden Sterben und Leben Christi (V. 10). Dass das eine Partizipation am Sterben Christi voraussetzt, die dann auch eine Partizipation an seinem Leben erhoffen lässt, werden Röm 6,1ff am Beispiel der Taufe zeigen. Deutlich ist jedoch, dass Paulus die Begriffe in V. 10 übertragen und in theologischer Perspektive verwendet, um die Beendigung des Streites und den Frieden mit Gott zu begründen (vgl. V.1).

V. 11 bietet den Schluss dieses einleitenden Abschnittes.[65] Die abschließende Verwendung des Partizips (καυχώμενοι) ist bei Paulus nichts Ungewöhnliches.[66] Die Formulierung οὐ μόνον δέ ἀλλὰ καί bezieht sich wohl einerseits auf das zweifache καυχώμεθα in V. 2 und 3 zurück und nimmt damit die Problematik des sich selbst Rühmens wieder auf, V. 11 nimmt jedoch darüber hinaus noch grundsätzlicher auf das Geschehen der Streitschlichtung durch Christus Bezug.[67] Der unvollständige Satz kann als Ellipse, genauer als Figur ἀπὸ κοινοῦ verstanden werden. „Ein oder mehrere Wörter können leicht aus dem Vorhergehenden oder Folgenden entnommen oder ergänzt werden."[68] Zum dritten Mal findet sich abschließend das καυχᾶσθαι. Damit ist der ganze und insgesamt recht inhomogene Abschnitt durch die Problematik des rechten Rühmens gerahmt. Das Wort wird hier erneut theologisch gebraucht: nicht im Sinne des sich selbst Rühmens, sondern als Rühmen Gottes. „Das καυχᾶσθαι ist jedoch hier nicht das spezielle von V. 3 [...], auch nicht das allgemeinere von V. 2 [...], sondern das

---

interessiert ist. So bezieht er sich z.B. nur an wenigen Stellen explizit auf Worte Jesu und ist dann sogar in der Lage, diese zu relativieren. Vgl. I Kor 7,10ff; 9,14; 11,23ff; I Thess 4,15 und auch I Kor 15,3, wo Paulus das irdische Leben Jesu nicht erwähnt, sondern gleich bei dessen Tod ansetzt. Röm 1,3 betont Paulus zwar einerseits die irdische Existenz Jesu Christi, hebt dann aber andererseits in 1,4 die Auferstehung hervor. Vgl. dazu die Ausführungen oben zu Röm 1,3f.

[65] Für W. Schmithals ist der Vers eine sekundäre redaktionelle Hinzufügung, die den Übergang zu 5,12ff schaffen soll. Vgl. ders.: Die Briefe des Paulus in ihrer ursprünglichen Form, S. 85.

[66] Vgl. Blass, Debrunner, Rehkopf: Grammatik des neutestamentlichen Griechisch, § 468,2.

[67] Schmithals erklärt V. 11 aufgrund seiner Teilungshypothesen als redaktionelle Verbindung eines in 5,1-10 enthaltenen paulinischen Fragmentes mit dem Briefteil 3,21-4,25, der in 5,12 fortgesetzt wird. Vgl. W. Schmithals: Der Römerbrief, S. 162.

[68] Blass, Debrunner, Rehkopf: Grammatik des neutestamentlichen Griechisch, § 479, 1 mit explizitem Verweis auf Röm 5,11.

allgemeinste, das möglich ist, und alles andere in sich schließt: ἐν τῷ θεῷ. Denn Gott ist es, in dem alles andere καυχᾶσθαι begründet ist."[69] Der Abschnitt bestimmt das Leben der „Wir" damit als eine Existenzweise, die nicht im eigenen Ruhm aufgrund eigener Taten ihre Begründung findet, sondern im Rühmen Gottes (ἐν τῷ θεῷ) und führt insofern den Gedanken aus Röm 4,2 sinnvoll weiter.

V. 11b fasst das über die Beendigung des Streites mit Gott Gesagte zusammen. Paulus geht wie bereits in V. 1 von der Glaubenserfahrung aus, dass die „Wir" Frieden mit Gott haben (τὴν καταλλαγὴν ἐλάβομεν, vgl. εἰρήνην ἔχομεν). Diese Erfahrung wird dann erneut christologisch begründet: διὰ τοῦ κυρίου ἡμῶν Ἰησοῦ Χριστοῦ, wobei abschließend nochmals auf die gegenwärtige (νῦν) Realität der Versöhnung hingewiesen wird. Die christologische Formel verbindet 5,1-11 mit dem nachfolgenden Abschnitt. Sie und die fast gleichlautenden Formeln in 5,21; 6,23; 7,25a fungieren, wie oben bereits erwähnt, als Verbindungsglieder, die Kap. 5-8 zusammenhalten.

---

[69] R. Bultmann: Adam und Christus nach Römer 5, S. 429.

Parallelisierung der beiden Lebenskonzeptionen (5,12-7,6)

Die beiden Lebensweisen gemäß Adam und Christus (5,12-21)

Die Zuordnung von V. 12-21 zum Kontext ist kontrovers beurteilt worden. Lässt man den größeren Argumentationsabschnitt, der bis zum Ende von Kap. 8 reicht, in 5,1 beginnen, so bildet 5,1-11 eine Einführung bzw. Überleitung zur eigentlichen Argumentation, die in 5,12ff anfängt. Versteht man erst 6,1 als Beginn des bis 8,39 reichenden Zusammenhanges, dann ist der Abschnitt 5,12-21 ein zusammenfassender und zum nächsten großen Hauptteil überleitender Passus.[1] Es gibt jedoch auch Interpretationen, die den Beginn des neuen Abschnittes weder schon in 5,1ff noch erst in 6,1ff sehen, sondern gerade in 5,12ff.[2] Aus den oben zu Röm 5,1 genannten Gründen wird jedoch im folgenden von der erstgenannten Möglichkeit ausgegangen, dass 5,12-21 zum größeren Zusammenhang von Röm 5-8 gehören, dabei aber sehr wohl die Überlegungen aus Kap. 1-4 aufnehmen.

Eine überzeugende Analyse der inneren Struktur von V. 12-21 hat O. Hofius vorgelegt. Nach Hofius lassen sich sechs Gedankenschritte wahrnehmen: „V. 12 (I: Einsatz), V. 13+14a (II: erläuternde Anmerkung), V. 14b (III: beherrschender Grundsatz), V. 15-17 (IV: Unvergleichbarkeit zwischen Adam und Christus), V. 18+19 (V: antithetische Entsprechung) und V. 20+21 (VI: Abschluß)."[3] Hofius erkennt dabei für V. 15-21 eine Doppelstruktur, die er – ähnlich wie es in der hier vorgelegten Untersuchung für den gesamten Röm versucht wird – durch das Druckbild des griechischen Textes verdeutlicht:[4]

IV 15		’Αλλ’
15a	οὐχ ὡς τὸ παράπτωμα,	οὕτως καὶ τὸ χάρισμα·
15b	εἰ γὰρ τῷ τοῦ ἑνὸς παραπτώματι	πολλῷ μᾶλλον ἡ χάρις τοῦ θεοῦ καὶ ἡ δωρεὰ ἐν χάριτι τῇ τοῦ ἑνὸς ἀνθρώπου Ἰησοῦ Χριστοῦ
	οἱ πολλοὶ ἀπέθανον	εἰς τοὺς πολλοὺς ἐπερίσσευσεν
16a	καὶ οὐχ ὡς δι’ ἑνὸς ἁμαρτήσαντος	[οὕτως καὶ] τὸ δώρημα·

---

[1] Zu den Vertretern und Argumenten der jeweiligen Positionen vgl. die Erläuterungen zu 5,1 und 6,1.

[2] So z.B. Melanchton: 5,12 bildet für ihn den entscheidenden Neuansatz („quasi novus liber") nach der Argumentation der ersten Kapitel. Er gliedert den Brief in seiner Römerbriefvorlesung von 1532 in folgende Abschnitte: epigraphe 1,1-7; I. Hauptteil: praecipua disputatio, contentio 1,8-5,11; II. Hauptteil: quasi novus liber; methodus 5,12-8,39; III. Hauptteil: nova disputatio, quaestio 9,1-11,39; IV. Hauptteil: Praecepta de bonis moribus seu doctrina legis 12,1-15,15 (33); (Salutationes) 16,1ff; admonet, (ad)hortatur 16,17f. Der Abschnitt 5,1-11 ist für ihn epilogus confirmationis. (Siehe Ph. Melanchthon: Commentarii in Epistolam Pauli ad Romanos, 1540, 1. Aufl. 1532, CR 15 ,1848, S. 493-796.) Vgl. auch W. Schmithals, der in 5,12-21 den dritten Hauptteil erkennt, in dem sich die Synthese der beiden vorhergehenden (1,18-3,20: „Die Menschen sind ohne Unterschied Sünder" und 3,21-4,25: „Die Menschen werden ohne Unterschied durch den Glauben gerettet") findet: Wie durch Adam alle sündigten, werden durch Christus alle gerettet. (Vgl. W. Schmithals: Der Römerbrief, S. 166ff.)

[3] O. Hofius: Die Adam-Christus-Antithese und das Gesetz. Erwägungen zu Röm 5,12-21; In: J.D.G. Dunn (Hrsg.): Paul and the Mosaic Law, (WUNT 89) Tübingen 1996, S. 165-206, dort S. 166 und 168f.

[4] Hofius, a.a.O., S. 167. Die folgende Tabelle weist dabei aus Formatierungsgründen kleinere Abweichungen gegenüber der von Hofius auf.

16b τὸ μὲν γὰρ κρίμα   τὸ δὲ χάρισμα
      ἐξ ἑνὸς   ἐκ πολλῶν παραπτωμάτων
      εἰς κατάκριμα,   εἰς δικαίωμα·
17   εἰ γὰρ τῷ τοῦ ἑνὸς   πολλῷ μᾶλλον οἱ τὴν περισσείαν
      παραπτώματι   τῆς χάριτος καὶ τῆς δωρεᾶς
                                                τῆς δικαιοσύνης λαμβάνοντες
      ὁ θάνατος ἐβασίλευσεν   ἐν ζωῇ βασιλεύσουσιν
      διὰ τοῦ ἑνός,   διὰ τοῦ ἑνός, Ἰησοῦ Χριστοῦ.
V 18   Ἄρα οὖν
      ὡς δι' ἑνὸς παραπτώματος   οὕτως καὶ δι' ἑνὸς δικαιώματος
      εἰς πάντας ἀνθρώπους   εἰς πάντας ἀνθρώπους
      εἰς κατάκριμα   εἰς δικαίωσιν ζωῆς·
19   ὥσπερ γὰρ διὰ τῆς παρακοῆς   οὕτως καὶ διὰ Τῆς ὑπακοῆς
      τοῦ ἑνὸς ἀνθρώπου   τοῦ ἑνὸς
      ἁμαρτωλοὶ κατεστάθησαν   δίκαιοι κατασταθήσονται
      οἱ πολλοί   οἱ πολλοί.

VI   νόμος δὲ παρεισῆλθεν,   οὗ δὲ ἐπλεόνασεν ἡ ἁμαρτία,
20   ἵνα πλεονάσῃ τὸ παράπτωμα·   ὑπερεπερίσσευσεν ἡ χάρις,
21   ἵνα
      ὥσπερ ἐβασίλευσεν ἡ ἁμαρτία   οὕτως καὶ ἡ χάρις βασιλεύσῃ
      ἐν τῷ θανάτῳ   διὰ δικαιοσύνης εἰς ζωὴν αἰώνιον
                                                διὰ Ἰησοῦ Χριστοῦ τοῦ κυρίου ἡμῶν.

Dieser Strukturierungsvorschlag kann im folgenden als Orientierung dienen, wenn auch besonders zu V. 12-14 und 20 Veränderungen vorgeschlagen werden sollen. Formal ergibt sich schon dadurch eine auffällige Struktur, dass sechs Mal mit ὡς bzw. ὥσπερ – οὕτως καί ein Vergleich vorgenommen wird (V. 12f, 14,16,18,19,21, V. 15 und 16 allerdings negiert) und V. 15 und 17 formal gesehen anscheinend zwei Schlüsse a minore ad maius vorliegen (εἰ γάρ – πολλῷ μᾶλλον). V. 13f und 20 werden dann noch zwei Erläuterungen über den νόμος eingefügt.

Der Abschnitt V. 12-21 beginnt mit einem διὰ τοῦτο, das zumeist als Schlussfolgerung aus dem Vorhergehenden aufgefasst worden ist.[5] Die Worte sind unter dieser Voraussetzung entweder auf V. 11 bezogen worden[6] oder auf V. 10[7] oder auf den vorhergehenden Abschnitt V. 1-11,[8] schließlich auch auf den größeren Zusammenhang 3,21-5,11[9] oder sogar auf 1,18-5,11[10] bzw. ausgehend von der Streichung von 5,1-11 auf 1,18-4,25.[11] Es ergibt sich dann allerdings das Problem, inwiefern man V. 12 logisch als Folgerung aus dem Vorhergehenden auffassen kann.[12] Eine solche lässt sich

---

[5] Vgl. zu den im Folgenden aufgeführten Interpretationen des διὰ τοῦτο und deren Kritik Hofius, a.a.O., S. 176ff.
[6] E. Brandenburger: Adam und Christus. Eine exegetisch-religionsgeschichtliche Untersuchung zu Röm 5,12-21 (1 Kor 15); (WMANT 7) Neukirchen 1962, S. 258.
[7] So z.B. H.W. Schmidt: Der Brief des Paulus an die Römer, ThHK 6, S. 97.
[8] So z.B. U. Wilckens: Der Brief an die Römer; EKK VI, 1, S. 314: „Dabei steht zunächst VV 1-11 im Blick; es geht um eine – nach VV 6-11 – zweite Explikation von χάρις V 2."
[9] So. z.B. E. Kühl: Der Brief des Paulus an die Römer, S. 174.
[10] Vgl. z.B. J.D.G. Dunn: Romans 1-8, S. 271f und 242-244. Vgl. auch ders.: The Theology of Paul the Apostle, S. 94.
[11] So W. Schmithals: Der Römerbrief, S. 166ff.
[12] Vgl. dazu H. Schlier: Der Römerbrief; HThK VI, S. 159.

wohl nur als „loose relation"[13] verstehen. Demgegenüber ist es einleuchtender, διὰ τοῦτο als Einleitung des Folgenden aufzufassen.[14] „Die Worte διὰ τοῦτο führen somit nicht eine Folgerung aus 5,1-11 ein, sondern einen Abschnitt, der den Realgrund für das dort Gesagte thematisiert."[15]

Nach den allgemeinen Aussagen der „Wir" V. 1-11, die aber auch mit dem Begriff des Herzens (V. 5) im Selbstverhältnis einen wichtigen Ansatzpunkt hatten, wird die Argumentation in V. 12 erneut individualisiert. Es findet sich allerdings im Gegensatz zu den meisten anderen Abschnitten keine explizite Einleitung durch eine Formulierung in der 1. Person oder eine Anrede in der 2. Person. Es geht jedoch schon einleitend und dann durchgehend um den einen Menschen Adam (δι' ἑνὸς ἀνθρώπου) und dann ab V. 14b um den diesem Adam gegenübergestellten einen Jesus Christus. „Nach dem Verständnis des Paulus ist Adam eine konkrete historische Gestalt – eben der Protoplast, der erste Mensch [...] er betrachtet ihn als den am Anfang stehenden Stammvater des ganzen Menschengeschlechtes".[16] Damit ergibt sich eine Analogie zu Kap. 4, wo sich die Argumentation ebenfalls auf die einzelne Person Abrahams und seinen beispielhaften Glauben konzentrierte, der ihn zum „Vater" aller Glaubenden werden ließ.

V. 12-14 bereiten die Gegenüberstellung von Adam und Christus in V. 15ff vor. V. 12 ist in seiner Struktur nicht leicht zu durchschauen. Für gewöhnlich wird er als Anakoluth verstanden, der in V. 13 keine sinnvolle Fortsetzung findet.[17] Und auch die Verbindung von ὥσπερ und καὶ οὕτως erscheint nicht besonders klar.[18] C.K. Barrett versucht, eine sinnvolle Fortsetzung dadurch zu erreichen, dass er καὶ διὰ τῆς ἁμαρτίας ὁ θάνατος einklammert: „Therefore as through one man sin entered the world (and through sin came that man's death), so also death came to all men".[19] Der Vers bereitet einen inneren Zusammenhang zwischen εἷς und πάντες vor, der im Folgenden die Grundstruktur des Abschnittes bildet. Die Individualisierung der paulinischen Argumentation zeigt sich dabei nicht zuletzt dadurch, dass er Adams Frau nicht erwähnt und nur von einem Menschen redet (vgl. auch Röm 7,7ff).

Nach dem üblichen und schon verschieden aufgezeigten hermeneutischen Schema (vgl. Röm 1,2) wird diese Schriftstelle dann in V. 12b in theologischer Sicht (verbunden durch καὶ οὕτως) interpretiert und dabei universalisiert. Das Schema ὡς bzw. ὥσπερ – οὕτως zieht sich von dort aus durch den ganzen Abschnitt (vgl. V. 15 und 16 – dort ist οὕτως καί sinngemäß zu ergänzen – sowie V. 18,19,21). Wie die Sünde und der Tod durch den einen Menschen in die Welt kamen, gelten sie nun für alle. Es hat aber nicht einfach Adam als einzelner Mensch gesündigt, so dass gewissermaßen alle anderen Menschen als Folge der Sünde des einen den Tod erleiden müssen, sondern

---

[13] So C.K. Barrett: The Epistle to the Romans; BNTC 7, S. 102.

[14] Diese Möglichkeit erwägt auch Barrett, a.a.O., S. 102, er lehnt sie dann jedoch zugunsten einer Folgerung ab.

[15] O. Hofius: Die Adam – Christus-Antithese und das Gesetz, S. 178f.

[16] Hofius, a.a.O., S 181. Gegen Hofius impliziert dies jedoch durchaus auch Adam als „exemplarischen Menschen", sofern nämlich jeder Mensch wie Adam versucht, sowohl die Erkenntnis von gut und böse als auch das ewige Leben von sich aus zu gewinnen. Vgl. dazu J.D.G. Dunn: The Theology of Paul the Apostle, S. 94: „Adam as the archetype of ‚everyman'."

[17] Vgl. z.B. U. Wilckens: Der Brief an die Römer; EKK VI, 1, S. 307f.

[18] Der von K. Haacker: Der Brief an die Römer; ThHK 6, S. 119 vorgeschlagene Versuch, die Unklarheiten dadurch aufzulösen, dass man bereits das erste καί als Beginn der Apodosis im Sinne von οὕτως καί versteht, zerstört die Symmetrie des Verses und die Parallelität von V. 15,16 18,19,21.

[19] C.K. Barrett: The Epistle to the Romans; BNTC 7, S. 101.

die Schriftstelle zeigt für Paulus bereits, was er 1,16-3,18 erläutert hatte: dass alle Menschen je für sich sündigen (vgl. 3,9 und 23).

Bezüglich des Ausdrucks ἐφ' ᾧ (am Ende von V. 12) gilt es zunächst, eine weit verbreitete, problematische Deutung auszuschließen, die durch die Auslegungsgeschichte von Röm 5,12ff geprägt worden ist: „to take ἐφ' ᾧ as a conjunction meaning ‚because', understanding ἥμαρτον to refer not to men's sinning in their own persons but to their participation in Adam's transgression [...] According to this interpretation, the reference of ἥμαρτον is to a collective sin: death has come to all men in their turn because they all sinned collectively in the primal transgression of Adam."[20]. Diese Interpretation im Sinne der sogenannten Erbsündenlehre ist mit Sicherheit kein angemessenes Verständnis von Röm 5,12: „‚ἐφ' ᾧ ist zweifellos als ἐπὶ τούτῳ, ὅτι = ‚weil' aufzulösen."[21] Aber die Aussage bezieht sich nicht auf δι' ἑνὸς ἀνθρώπου in V. 12a, sondern auf die Sünde eines jeden einzelnen Menschen (πάντες). Es ist deshalb nicht möglich, auf dieser Grundlage die in 3,9 und 5,12 behauptete universale Sünde der Menschen als von Adam her „ererbte" Sünde aufzufassen. Obgleich diese Deutung in der Dogmengeschichte zu einem festen Topos geworden ist, wird sie der Argumentation in Röm 5,12ff nicht gerecht. Es ist deshalb zunächst wichtig, bei der Interpretation dieser Stelle die mit der Erbsündenlehre verbundenen Vorstellungen abzulegen und zu berücksichtigen, dass sich Sünde hier individuell auf die einzelne Person Adams und dann auch auf jeden anderen Menschen bezieht. Die Verbindung mit Adam ergibt sich erst dadurch, dass jeder einzelne Mensch – wie er – der Sünde unterworfen ist und deshalb – wie er – sterben muss, und dass Adam insofern der erste Mensch[22] ist und für eine Existenz steht, die von Sünde und Tod beherrscht ist.[23] Der tiefe Zusammenhang zwischen der Sünde Adams und aller anderen Menschen wird jedoch nicht hier, sondern erst ausführlich im Kontext der Ich-Problematik in Röm 7,7ff entfaltet. Sünde wird dort von der Selbstgespaltenheit des Ich her verstanden, die für Paulus schon in Gen 3 bei Adam deutlich wird und für alle anderen Menschen gilt. In jedem Falle wird jedoch hier gerade nicht die Selbstverantwortlichkeit des einzelnen Menschen bestritten.[24] „An die Stelle der Adamstat und ihrer verhängnisvollen Wirkung ist jetzt als andere Ursache das πάντες ἥμαρτον getreten. Es meint ein aktives, persönlich-geschichtliches, ja als echte und nicht nur fiktive zweite Ursache, auch ein verantwortlich-schuldhaftes Sündetun".[25]

---

[20] C.E.B. Cranfield: The Epistle to the Romans; ICC, vol. 1, S. 274f und 277. Zum Zusammenhang dieser Interpretation mit der Erbsündenlehre Augustins vgl. U. Wilckens: Der Brief an die Römer; EKK VI, 1, S. 316 mit Bezug auf E. Brandenburger: Adam und Christus. Eine exegetisch-religionsgeschichtliche Untersuchung zu Röm 5,12-21 (1Kor 15); (WMANT 7) Neukirchen 1962, S. 168-175.

[21] Wilckens, ebd.; siehe auch Blass, Debrunner, Rehkopf: Grammatik des neutestamentlichen Griechisch, § 235, Anm. 3.

[22] Zur Gegenüberstellung Adams als des „ersten Menschen" und Christi als des „zweiten" vgl. I Kor 15,45ff.

[23] Im „Grundriß der Theologie des Neuen Testaments" H. Conzelmanns wird dieser Zusammenhang folgendermaßen beschrieben: „Wir sind nicht substantiell ‚in Adam', sondern sofern wir seine Tat in unsere Taten übernehmen. Die mythische Repräsentationsidee ist also eingegrenzt auf die Wahrheit, daß ich aus der Sünde nicht mehr durch Entschluß und Tat ausbrechen kann." (H. Conzelmann: Grundriß der Theologie des Neuen Testaments, S. 218f, der erste Satz mit Bezug auf syrBar 54,15.)

[24] Gegen O. Hofius: Die Adam-Christus-Antithese und das Gesetz , S. 184f.

[25] E. Brandenburger: Adam und Christus, S. 175.

V. 13.14a setzen die Wiedergabe und Interpretation von Gen 3, angeschlossen mit γάρ, fort. Dabei wird eingangs des Abschnittes wie auch am Ende in V. 20 quasi als Exkurs auf die Bedeutung des νόμος eingegangen.[26] V. 13 skizziert ein Verhältnis von Gesetz und Sünde, das ebenfalls detailliert in 7,7ff entfaltet wird. Zunächst spricht Paulus hier ohne Artikel von einem Gesetz, durch die Anfügung von V. 14a wird jedoch deutlich, dass das mosaische Gesetz gemeint ist. Nach allgemeinem Verständnis wird Sünde erst sichtbar und zurechenbar (ἐλλογεῖται), nachdem ein Gesetz, in diesem Falle das mosaische, vorhanden ist. Dieser geläufigen Sichtweise, nach der es ohne Gesetz keine Strafe geben kann, wird V. 14a jedoch –durch ἀλλά gegenübergestellt – eine zweite, spezifisch theologische Sichtweise hinzugefügt. Es gab die Sünde schon vor der mosaischen Gesetzgebung in der Welt, was leicht daran zu sehen ist, dass die Menschen bereits seit Adam gestorben sind. Nicht das Gesetz bewirkt also den Tod, sondern die Sünde, die schon vor dem mosaischen Gesetz da war. Der Tod ist hier als eine mit der Sünde zusammenhängende Macht vorgestellt, die durch sie „in die Welt" kommt und über den Menschen herrscht. Es geht damit um den universalen und zugleich individuellen Tod jedes einzelnen Menschen, der seit Adam gelebt hat und sterben musste. Offenbar liegt V. 13 und 14a, wie bereits in Kap. 4, eine doppelte Sicht des Gesetzes vor (vgl. dazu oben die Ausführungen zu 2,12). Gesetz meint zum einen konkrete Gesetzesbestimmungen, hier die Moses in Ex 20ff gegebenen Weisungen. (In Röm 4 bezog sich „Gesetz" hingegen auf die Beschneidungsforderung von Gen 17.) Zum anderen wird von diesen Bestimmungen erneut ein zeitlich *vorhergehender* Aspekt unterschieden, der erst den eigentlichen Zugang zum Sachverhalt eröffnet und ebenfalls im Pentateuch zu finden ist. War es in Röm 4 die dem Beschneidungsgebot vorausgehende Verheißung an Abraham in Gen 15, so ist es hier die der Gabe des mosaischen Gesetzes vorausgehende Sünde Adams in Gen 3. Die abschließende Formulierung ἐπὶ τοὺς μὴ ἁμαρτήσαντας ἐπὶ τῷ ὁμοιώματι τῆς παραβάσεως Ἀδάμ meint dabei nicht, dass sie selbst nicht gesündigt hätten, sondern dass sie je auf ihre Weise ebenfalls – aber nicht mit der gleichen Übertretung wie Adam – gesündigt haben und dafür gestorben sind.

V. 14b bringt mit der Formulierung ὅς ἐστιν τύπος τοῦ μέλλοντος die zentrale Gegenüberstellung, die die folgenden Verse strukturiert. Paulus folgt hier erneut dem hermeneutischen Schema von Röm 1,2. Er bezieht sich zunächst in geläufiger Sicht auf eine Schriftstelle, hier mit ὅς ἐστιν auf das in V. 12-14a erläuterte Geschehen von Gen 3, um diese Stelle dann in einer zweiten, spezifischen Sicht auf sein Evangelium und speziell auf Christus hin zu interpretieren.[27] An den einzelnen Personen Adams und Jesu Christi werden dabei zwei verschiedene Existenzweisen charakterisiert, die nochmals auf die beiden größeren Argumentationszusammenhänge 1,16-3,18 und 3,19-4,25 Bezug nehmen und diese zusammenfassen. Es handelt sich hier insofern um „den *beherrschenden Grundsatz* [...] von dem her die in 5,12-21 vorgetragene Gegenüberstellung überhaupt nur möglich ist."[28]

---

[26] O. Hofius: Die Adam-Christus-Antithese und das Gesetz, S. 168 fasst diesen Teil als erläuternde Anmerkung zu der Aussage von V. 12b auf: „Diese Anmerkung thematisiert angesichts des Faktums der toralosen Zeit zwischen Adam und Mose das sachliche Verhältnis, das zwischen dem in V. 12 herausgestellten Sünde-Tod-Zusammenhang und der Tora besteht."

[27] Zu dem damit implizierten Verständnis von Christus als „Ziel" des Gesetzes vgl. unten ausführlich die Erläuterungen zu Röm 10,4 sowie oben die Ausführungen zu 2,12.

[28] O. Hofius: Die Adam-Christus-Antithese und das Gesetz, S. 168, Hervorhebung von Hofius.

Die Verhältnisbestimmung von Adam und Christus hat hier zwei Aspekte: Erstens werden die beiden einander zeitlich zugeordnet. Während sich das Leben gemäß Adam an der Vergangenheit orientiert, die durch die Sünde qualifiziert wird, ermöglicht das Leben nach dem „Zukünftigen" (=Jesus Christus) für die jetzige Existenz eine Wendung zur Zukunft. Das an der Vergangenheit orientierte Leben gemäß Adam wird 7,7-25 näher analysiert werden, wohingegen das an der Zukunft orientierte Leben „in Christus" 8,1ff dargestellt werden wird.[29]

Zweitens wird das Verhältnis zwischen Adam und Christus typologisch gedeutet.[30] Der Begriff τύπος lässt sich verschieden verstehen, entweder im Sinne der üblichen Bedeutung zur Beschreibung desjenigen Aspektes „zwischen zwei Phänomenen, der identisch ist oder sein soll",[31] oder entgegen dem üblichen Verständnis als Betonung des antithetischen Gegensatzes. In Bezug auf das zweite Verständnis bedeutet der Begriff z.B. für U. Wilckens: „nicht einfach ‚Vorbild' (wie 1Thess 1,7; Phil 3,17), sondern ‚Vorausbild', jedoch nicht im Sinne des hellenistischen Urbild-Abbild-Gedankens (so z. B. Hebr 8,5; Apg 7,43f), sondern im Sinne antithetischer Entsprechung des Typos zu seinem nachfolgenden Anti-Typos."[32] Wenn τύπος antithetisch gemeint wäre, dann würde Paulus dieses Wort in einem der eigentlichen Bedeutung geradezu widersprechenden Sinne verwenden. Das spricht dafür, zu fragen, ob nicht entsprechend dem üblichen Wortsinn hier Paulus in bestimmter Hinsicht eine Vergleichbarkeit zwischen Adam und Christus gegeben ist. „Das ihnen Gemeinsame besteht [...] in ihrer Stammvaterfunktion, und genau das ist der Vergleichsaspekt in V. 14b: Adam wird V. 12-14a als prägender Stammvater für alle Menschen beschrieben [...] Adam bestimmt das Wesen der alten Menschen, und Christus prägt das Wesen der neuen Menschen: das Vergleichbare der beiden ist ihre alle Nachfolgenden bestimmende Prägefunktion; darin ist Adam der Repräsentant (τύπος) Christi."[33] Der Zusammenhang zwischen dem einen Adam bzw. Christus und allen anderen Menschen wird im Folgenden durch die Unterscheidung εἷς – οἱ πολλοί bzw. πάντες hergestellt. Sind Adam und Christus insofern miteinander vergleichbar, als sie für alle anderen Menschen als Individuen eine bestimmte Existenzweise prägen, so sind sie dann aber, was die Art dieser Existenzweisen betrifft, einander völlig entgegengesetzt. Dafür, dass jedoch bei der typologischen Verhältnisbestimmung von Adam und Christus eher die Vergleichbarkeit beider dominiert, spricht auch formal das sechsmalige ὡς bzw. ὥσπερ – οὕτως καί (zweimal negiert). Es handelt sich hier in V. 14b um eine entscheidende Verhältnisbestimmung und Weichenstellung für die vorausgehende und folgende Argumentation im Röm: Die in V. 15ff charakterisierte

---

[29] Zum paulinischen Zeitverständnis vgl. die Ausführungen zu 3,21ff.

[30] Gegen eine typologische Deutung spricht sich K. Haacker: Der Brief des Paulus an die Römer; ThHK 6, S. 119f aus. Diese ergibt sich für ihn erst durch die Verbindung mit I Kor 15,45ff. Er versteht deshalb τοῦ μέλλοντος als Neutrum, das einfach die Zukunft bezeichnet: „obwohl Adam das Vorbild für die Folgezeit ist" (a.a.O., S. 116) und bezieht den Ausdruck also nicht auf Christus.

[31] So K.-H. Ostmeyer: Typologie und Typos: Analyse eines schwierigen Verhältnisses; in: NTS 46 (2000), S. 112-131, dort S. 128.

[32] U. Wilckens: Der Brief an die Römer; EKK VI, 1, S. 321. Den antithetischen Charakter unterstreicht auch O. Hofius: Die Adam-Christus-Antithese und das Gesetz, S. 181: „so ergibt sich für den Begriff τύπος in Röm 14b – auch wenn diese Bedeutung sonst nicht nachgewiesen werden kann – mit sachlicher Notwendigkeit die Bedeutung ‚Gegenbild'. Abzuweisen ist damit jede Übersetzung oder Interpretation unserer Stelle, die Adam hier als ‚Vorabbildung', ‚Vorausdarstellung', ‚Vorbild', ‚Verheißung' oder ‚Vorläufer' Christi bezeichnet sieht." (Hervorhebung von Hofius)

[33] K.-H. Ostmeyer: Typologie und Typos, S. 128.

Existenzweise gemäß Adam nimmt die Ausführungen des Abschnittes 1,16-3,18 auf. Sie wird in Röm 7,7-25a weiter erläutert werden. Die von Christus geprägte Existenzweise greift demgegenüber auf den Abschnitt 3,19-4,25 zurück und wird in 8,1-39 weiter entfaltet werden.

Die V. 15-21 bilden auf dieser Basis eine stringente Aneinanderreihung von Gegenüberstellungen, die durch die Leitunterscheidung Adam – Christus strukturiert wird.[34] Sie lassen sich in drei kürzere Argumentationszusammenhänge unterteilen: V. 15-17 (eingeleitete mit ἀλλά), 18f (beginnend mit ἄρα οὖν) und 21 (eingeleitet mit ἵνα). Dazwischen ist – wie schon in V. 13 – in V. 20 eine Bemerkung über das Gesetz eingeschoben.

In V. 15a und 16 wird zunächst durch die Konstruktion οὐχ ὡς – οὕτως καί behauptet, dass Adam und Christus – und damit die durch beide geprägten Existenzweisen – nicht vergleichbar seien.[35] Das wird jedoch in V. 15b und 17 insofern relativiert, als beide durch zwei Schlüsse a minore ad maius miteinander verbunden werden (εἰ γάρ – πολλῷ μᾶλλον). Diese Überbietungsschlüsse setzen jedoch logisch eine gewisse Vergleichbarkeit voraus. Die V. 15-17 stellen somit auf der Basis eines Vergleiches von Adam und Christus im oben genannten Sinne deren Unterschiedlichkeit heraus. V. 18f heben dann durch die parallele Konstruktion ὡς bzw. ὥσπερ – οὕτως καί darauf aufbauend (ἄρα οὖν) wiederum die Ähnlichkeit der beiden Existenzweisen gemäß Christus und Adam hervor. V. 21 führt die Argumentation mit einem weiteren Vergleich, der die Herrschaft der Sünde einerseits und der Gnade andererseits gegenüberstellt (ebenfalls verbunden durch ὥσπερ – οὕτως) zum Ziel (ἵνα). Dem Tod wird nun abschließend, nicht wie noch in V. 17b, einfach das Leben gegenübergestellt, sondern das ewige Leben durch Jesus Christus. Zwischen diese beiden Vergleiche wird in V. 20 eine kurze Erläuterung über das Gesetz eingefügt, die durch δέ lediglich locker mit dem Vorhergehenden verbunden ist.[36] Gegen Bornkamm und Brandenburger fügt sich aber auch – wie zu zeigen sein wird – diese zusätzliche Bemerkung immerhin in die Grobstruktur von V. 15-21.[37]

Für die Gegenüberstellungen, die durch die beiden Seiten des Vergleiches von Adam und Christus generiert werden, ergibt sich auch eine zeitliche Differenz. Der zweite Teil steht regelmäßig im Futur (ausgenommen V. 15a und V. 20b) und charakterisiert damit die an der Zukunft ausgerichtete Existenz des Glaubenden, die sich an Christus als dem Zukünftigen (τοῦ μέλλοντος, V. 14) orientiert und von dorther das mit Adam Geschehene als Vergangenheit versteht.

Auf dieser Basis werden in 5,15-17.18f.21 also mit Adam und Christus zwei einzelne Menschen betrachtet. Die beiden werden gewissermaßen als Personifikationen der beiden Existenzweisen beschrieben, die 3,19ff mit ἐξ ἔργων νόμου bzw. ἐκ πίστεως charakterisiert worden waren. Durch Adam wird ein Leben bezeichnet, das durch

---

[34] Zu den religionsgeschichtlichen Grundlagen dieser Gegenüberstellung vgl. E. Brandenburger: Adam und Christus, S. 15-157.

[35] Das οὕτως καί ist in V. 16a vor τὸ δώρημα sinngemäß zu ergänzen. Vgl. O. Hofius: Die Adam-Christus-Antithese und das Gesetz, S. 167. Auch die Negation der Vergleichbarkeit ist dabei jedoch in gewissem Sinne ein Vergleich!

[36] G. Bornkamm fasst diesen Vers als Parenthese auf. (G. Bornkamm: Paulinische Anakoluthe; in ders.: Das Ende des Gesetzes. Paulusstudien; BevTh 16, München 1952, S. 76-92, dort S. 82) Vgl. auch E. Brandenburger: Adam und Christus, S. 247.

[37] Insoweit ist O. Hofius: Die Adam-Christus-Antithese und das Gesetz, S. 167 zuzustimmen, obwohl er V. 20 mit 21 zusammenfasst und nicht als Einschub versteht.

Verfehlung (παράπτωμα, V. 15bα.17a.18a.20a), Verurteilung (κατάκριμα, V. 16b.18a), Ungehorsam (παρακοή, V. 19a) und Sünde (ἁμαρτία, mit Variationen V. 16aα.19a.21a) gekennzeichnet ist und im Tode endet (V. 15a.17a.21a). Dem wird mit Jesus Christus eine zweite Existenzform gegenübergestellt, die durch die Begriffe der Gnade bzw. Gnadengabe oder -tat (χάρισμα, V. 15aβ.16bβ; χάρις, V. 15bβ.17ab.20b.21b) des Geschenkes (δωρεά, bzw. δώρημα, V.15bβ.16aβ.17aβ), des Freispruches[38] (δικαίωμα, V. 16bβ.18b; δικαίωσις, V. 18b) des Gehorsams (ὑπακοή, V. 19b) und der Gerechtigkeit (δικαιοσύνη, V. 17bα.21b; δίκαιος, V. 19b) charakterisiert wird und zum (ewigen) Leben führt (V. 17bβ.21b). Die Unterscheidung Adam – Christus zielt damit auf die Frage von Tod und Leben, die sich durch den gesamten Argumentationszusammenhang von Röm 5-8 zieht (vgl. oben 5,10 und die Erläuterungen dazu).

Auch Jesus Christus wird dabei explizit als einzelner Mensch eingeführt und nicht nur mit dem Christustitel, sondern zusätzlich mit seinem persönlichen Namen bezeichnet (εἷς ἄνθρωπος Ἰησοῦς Χριστός). Wichtig ist neben der Unterscheidung Adam – Christus in V. 18f eine weitere, die sich von V. 12 an durch den ganzen Abschnitt zieht: εἷς – πολλοί (zweimal in V.15b, implizit zweimal in V. 16b,[39] zweimal in V. 19) bzw. εἷς – πάντες (V.12, implizit zweimal in V. 17,[40] zweimal in V.18). Die Argumentation konzentriert damit den Blick auf zwei einzelne Menschen und interpretiert von ihnen her das Leben und Sterben der Menschheit. Zunächst wird dadurch der eine Mensch Adam von allen anderen Menschen unterschieden. Es wird behauptet, dass „durch ihn" die Sünde und der Tod zu allen Menschen gekommen seien. Dann wird durch die gleiche Denkfigur Christus als einzelner von allen Menschen unterschieden und gesagt, dass durch ihn die Rechtfertigung – in juridischer Metaphorik der „Freispruch" – und das Leben zu den Menschen gekommen seien. Sinn dieser Argumentation ist es, die Sündhaftigkeit aller Menschen auf eine Person (Adam) zu fokussieren, damit durch eine andere Person die Menschheit von der Sünde und ihren Folgen befreit werden kann. Die formale Struktur dieser Unterscheidung ist in beiden Fällen binär, es handelt sich um eine Distinktion im Sinne G. Spencer Browns.[41] Wenn man davon ausgeht, dass es sich bei dem Wechsel von πολλοί zu πάντες lediglich um eine stilistische Variante handelt,[42] wird damit jeweils auf der Innenseite der Unterscheidung eine Person bezeichnet und dadurch von allen anderen Menschen unterschieden. In der Notation Spencer Browns:[43]

---

[38] Vgl. zu dieser Übersetzung Hofius, a.a.O., S. 74, Anm. 55: δικαίωμα „meint also den Freispruch zum Leben, der im Geschehen des Todes und der Auferstehung Jesu Christi ergangen ist und im Wort des Evangeliums proklamiert wird."

[39] Das πολλῶν setzt hier voraus, dass die Differenz einer – viele zugrunde liegt und jeweils sinngemäß ergänzt werden muss, vgl. Hofius, a.a.O., S. 174.

[40] Dass der Tod bzw. das Leben herrscht, bezieht sich offensichtlich auf alle Menschen. R. Bultmann: Adam und Christus nach Römer 5, S. 437 hat dies präzisiert, indem er für den zweiten Fall, der offensichtlich nicht für jeden Menschen relevant ist, auf die Möglichkeit zur Entscheidung hingewiesen hat. „Während also Adam den Tod über alle Menschen nach ihm gebracht hat, ohne dass es eine Möglichkeit des Entrinnens gäbe, hat Christus für alle die *Möglichkeit* gebracht." (Hervorhebung durch Bultmann) Zum näheren Verständnis dieser Entscheidungsmöglichkeit vgl. die Ausführungen unten.

[41] Vgl. dazu oben die Erläuterungen zu Röm 1,14f.

[42] So zu Recht K. Haacker: Der Brief des Paulus an die Römer; ThHK 6, S. 121, Anm. 29: „Die Wortwohl οἱ πολλοί erklärt sich wohl aus der Gegenüberstellung mit dem Einen im Sinne von ‚die übrigen'."

[43] Zur Logik Spencer Browns und seiner Notation vgl. G. Spencer Brown: Laws of Form; 2. Aufl. London 1971, S. 1ff sowie die Erläuterungen oben zu Röm 1,14.

Adam ⌐   alle bzw. die vielen

bzw.

Christus ⌐   alle bzw. die vielen

Bei dieser Konzentration auf die beiden einzelnen Personen Adams und Christi ergibt sich das Problem des Verhältnisses bzw. der Reihenfolge der beiden Begriffe Adam und Christus. Dies Verhältnis ist von K. Barth und R. Bultmann kontrovers diskutiert worden.[44] Barths Ansatz besteht darin, in bestimmter Weise Christus vor Adam einzuordnen[45] Dann muss Adam von Christus her verstanden werden „und nicht umgekehrt".[46] Durch die Voranstellung von Christus versucht Barth, den durch Adam geprägten Bereich der Sünde vom durch Christus geprägten Bereich zu unterscheiden und diese gleichzeitig aufeinander zu beziehen. „So sind die beiden Bereiche geschieden und gerade da, wo sie geschieden sind, auch nicht geschieden. Adam schließt Christus aus. Aber Christus schließt Adam ein. Adam wird nicht Christus. Aber Christus wird, ohne aufzuhören Christus zu sein und gerade indem er es ist, auch Adam."[47] So geschickt diese Interpretation des Verhältnisses von Christus und Adam sein mag, sie hat am Text selbst insofern keinen Anhaltspunkt, als Paulus in den Gegenüberstellungen immer mit Adam beginnt und Christus als zweiten und in mancherlei Hinsicht Überlegenen nachstellt.[48] Dort wird gerade nicht von einer Voranstellung Christi gesprochen, sondern die im Text vorhandenen Schlüsse a minore ad maius basieren darauf, dass der Gehorsam Christi der Sünde Adams folgt und dadurch größer ist. Die Umkehrung dieser Reihenfolge ignoriert die Argumentationsstrategie.

In Auseinandersetzung mit Barth hat Bultmann zurecht auf der im Text vorhandenen Reihenfolge Adam – Christus bestanden. Er interpretiert die mit den beiden Namen verbundenen Aspekte als „zwei Weisen des menschlichen Seins"[49], die grundsätzlich einander gegenübergestellt sind. Die Erlösungstat Christi besteht dann darin, dass der Mensch nun nicht mehr notwendigerweise in der Sünde verbleiben muss, sondern dass er die Möglichkeit hat, sich für einen der beiden Bereiche zu entscheiden. „Denn für die adamitische Menschheit gab es ja keine Wahl zwischen Tod und Leben, sondern alle waren dem Tode verfallen. Nach logischer Konsequenz müssten nach Christus alle Menschen das ewige Leben erhalten. Natürlich meint Paulus das nicht; vielmehr stehen jetzt alle Menschen vor der Entscheidung, ob sie zu den λαμβάνοντες gehören wollen, vorausgesetzt, dass das Wort der Verkündigung sie überhaupt erreicht

---

[44] Vgl. zum folgenden K. Barth: Christus und Adam nach Röm. 5; ThSt(B) 35, Zürich 1952 und R. Bultmann: Adam und Christus nach Römer 5; in: ders.: Exegetica, S. 424-444.

[45] Vgl. dazu auch die ganz ähnliche Strategie bei K. Barth: Evangelium und Gesetz; (TEH 32) München 1935.

[46] K. Barth: Christus und Adam, S. 50.

[47] Barth, a.a.O., S. 49.

[48] Dazu K. Haacker: Der Brief des Paulus an die Römer; ThHK, S. 121: „Das Spätere ist hier – entgegen der vorherrschenden Tendenz antiker Geschichtsdeutung – das Höherwertige."

[49] R. Bultmann: Adam und Christus nach Römer 5, S. 442. Vgl. dazu auch mit einer etwas anderen Metaphorik F. Vouga: „Deux hommes, en vérité, vivent en moi". (F. Vouga: Ce Dieu, qui m'a trouvé. Vingt lettres inédites sur l'épître de Paul aux Romains; Aubonne 1990, S. 49)

hat."[50] Bultmanns Begriff der Entscheidung ist hier jedoch mit Vorsicht zu gebrauchen. Einerseits wird in Kap. 5-8 deutlich eine Entscheidungssituation des einzelnen Menschen vorausgesetzt. Andererseits entzieht sich das diese Entscheidung gerade erst ermöglichende Ereignis, nämlich die Auferstehung Jesu Christi, der menschlichen Einwirkung bzw. Entscheidung. Die Entscheidungssituation ist damit keine symmetrische. Der Mensch kann sich nicht in gleicher Weise für den Weg Adams oder Christi entscheiden. Er kann sich entweder dafür entscheiden, die schon geschehene und auch für ihn immer schon gültige Heilstat Christi für sein Leben anzuerkennen (vgl. Röm 6,11: λογίζεσθε ἑαυτούς) oder er kann, darin der ersten „Weise des menschlichen Seins" gemäß Adam folgend, in der Entscheidungslosigkeit verharren.[51] Ausgehend von diesem modifizierten Entscheidungsbegriff kann an Bultmanns Interpretation angeknüpft werden. Die Argumentation in Röm 5,12ff hat folglich nicht den Zweck, einen heilsgeschichtlichen Ablauf darzustellen, etwa die Zeit vom Sündenfall (über Mose; Röm 5,13+20) bis zu Christus und die Zeit seit Christus. Vielmehr werden hier dem einzelnen Menschen zwei Möglichkeiten aufgezeigt, zwischen denen man sich – im Sinne des oben ausgeführten modifizierten Entscheidungsbegriffes – entscheiden soll: für den Weg Adams oder für den Weg dessen, auf den Adam als „Typus" verweist.

In V. 15-21 wird entsprechend der in der Einführung genannten Arbeitshypothese jeweils auf der ersten Seite der Gegenüberstellung in geläufiger menschlicher Sicht die Existenz gemäß Adam beschrieben, die von Verfehlung und Übertretung, von Verurteilung und Vergänglichkeit geprägt ist. Dem wird auf der anderen Seite in theologischer Sicht ein Leben gemäß Christus gegenübergestellt, das sich durch Gabe und Geschenk, durch Gnade und Leben charakterisieren lässt.

Die Existenz gemäß Adams wird in V. 15a zunächst mit παράπτωμα charakterisiert. In Bezug auf den hier zugrundeliegenden Text Gen 3 bedeutet das: Adam „übertritt" (vgl. παράβασις, V. 14) das in Gen 2,17 gegebene Gebot (οὐ φάγεσθε ἀπ' αὐτοῦ). Statt dessen möchte er vom Baum der Erkenntnis des Guten und Bösen essen, um damit „wie die Götter" zu sein (ὡς θεοὶ γινώσκοντες καλὸν καὶ πονηρόν, Gen 3,5 LXX).[52] Es handelt sich also, wie bereits in Röm 1,18ff dargestellt, um eine Verwechslung bzw. um das Ignorieren der Differenz von Immanenz und Transzendenz, von Mensch und Gott, der Adam anheim fällt und die deshalb auch für alle Menschen gilt, die gemäß Adam leben: Sie möchten ihrem Leben selbst Transzendenz verleihen und wie die Götter sein. Dieser Versuch führt für sie wie für Adam zur Ausweisung aus dem Paradies (Gen 3,23) und zum Tod (Gen 3,19). Dem wird in V. 15 eine zweite Existenzweise gegenübergestellt, die nicht durch eigenes Wirken, sondern durch das beschenkt Werden gekennzeichnet ist (χάρισμα).[53] Diese zweite Existenzweise ist einerseits mit der ersten insofern vergleichbar (ὡς – οὕτως καί), als sie sich auf eine Person bezieht: hier Jesus Christus, dort Adam. Sie ist andererseits davon grundsätzlich

---

[50] Bultmann, a.a.O., S. 437. Zur Entscheidungsfähigkeit und -möglichkeit des Menschen vgl. auch unten die Ausführungen zu Röm 6.

[51] Die Entscheidung für Christus macht ihn dabei zugleich zu einem auch ethisch entscheidungsfähigen Subjekt, vgl. die Ausführungen zur Paränese unten zu Röm 12ff. Siehe auch F. Vouga: Ce Dieu, qui m'a trouvé, S. 50: „Deux hommes vivent en moi. [...] Par le premier, je suis soumis aux déterminismes [...] Mais par le second, je vis la grâce de Dieu [...], qui fait de nous des sujets libres et responsables, debout, relevés par la vie dont il nous fait don (Rm 5,17b).“

[52] Paulus geht dabei nicht auf die Rolle von Adams Frau ein, was die Argumentation erneut individualisiert.

[53] Als Gegenüber zu παράπτωμα fungiert hier χάρισμα nicht zuletzt wegen des rhetorisch eindrucksvolleren Homoioteleuton. Vgl. Hofius, a.a.O., S. 187f.

verschieden (οὐχ ὡς), weil sie von jeglichem Versuch absieht, wie Adam durch eigene Taten etwas für sich zu gewinnen – die Erkenntnis von gut und böse oder das Leben –, sondern sich beschenken lässt.

An diese erste Gegenüberstellung schließt, verbunden mit εἰ γάρ, V. 15b formal gesehen ein Schluss a minore ad maius an (πολλῷ μᾶλλον). Auch hier wird die erste Seite mit παράπτωμα benannt und dann die Konsequenz des Todes explizit genannt, während die zweite Seite wiederum durch Begriffe bezeichnet wird, die das gnädig-beschenkt-Werden (δωρεά, zweimal χάρις) betonen. Der Überbietungsschluss setzt offensichtlich eine Vergleichbarkeit voraus, die in V. 15a scheinbar bestritten worden war, nun aber entfaltet wird. Die beiden Seiten der Gegenüberstellung sind jedoch nicht völlig parallel gebaut. Zwar entsprechen sich in Fortführung von V. 15a παραπτώματι und ἐν χάριτι (vgl. V. 15a: χάρισμα) sowie auf beiden Seiten das τοῦ ἑνός und das οἱ πολλοί, aber der Mittelteil der zweiten Seite: ἡ χάρις τοῦ θεοῦ καὶ ἡ δωρεά findet auf der ersten Seite kein Äquivalent und identifiziert die zweite Seite somit als spezifisch theologische Sichtweise. Es findet sich auch kein entsprechendes Gegenüber zu ἀπέθανον. Der zu erwartende Begriff des Lebens wird durch die Formulierung ἡ χάρις τοῦ θεοῦ καὶ ἡ δωρεά [...] ἐπερίσσευσεν ersetzt.[54]

V. 15b kann offenbar nicht im strengen Sinne als Schluss a minore ad maius bzw. als rabbinischer Schluss „vom Leichten auf das Schwere" verstanden werden. Dagegen spricht„,daß es jedenfalls in V. 15 nicht um die Begründung einer (neuen oder umstrittenen) These aus einem bereits anerkannten oder leichter einleuchtenden Satz geht, sondern Aussagen im Präteritum miteinander verglichen werden"[55] W. Schmithals hat deshalb vorgeschlagen, die rhetorische Figur in V. 15b (und entsprechend V.17) als amplificatio zu verstehen. „Die von Paulus V. 15 [...] verwendete rhetorische Figur ist freilich nicht eigentlich die des *qal wachomer* [...], sondern die der *amplificatio* (Vergrößerung; vgl. Quintillian VIII, 4,1ff): Das Geringere wird groß gemacht, damit das Größere übergroß wird."[56]

Die Gegenüberstellung in V. 16a nimmt, angeschlossen mit καί, die von V. 15a auf und variiert sie. Die Verfehlung Adams wird auf der einen Seite als Sündigen bezeichnet. Dem wird auf der anderen Seite, verbunden durch οὐχ ὡς, wiederum mit δώρημα ein Begriff des Schenkens gegenübergestellt. Es handelt sich um eine sehr knappe Formulierung, bei der auf der zweiten Seite analog zu V. 15a οὕτως καί ergänzt werden muss.[57] Außerdem bietet die Formulierung δι' ἑνός keinen direkten Vergleichspunkt, sondern man muss hier sinngemäß ergänzen: „das (durch ihn) Bewirkte".[58] Es fehlt also auf der zweiten Seite ein δι' ἑνός für Christus.

In V. 16b folgt, angeschlossen mit γάρ, eine parallel gebaute Gegenüberstellung, die mit μέν – δέ verknüpft ist. Es entsprechen sich mit Homoioteleuton τὸ κρίμα und τὸ χάρισμα sowie εἰς κατάκριμα und εἰς δικαίωμα. Vorausgesetzt ist hier wiederum die juridische Metaphorik von Verurteilung und Freispruch.[59] Im Mittelteil ist jedoch die Gegenüberstellung nicht ganz klar. Aufgrund des ἐξ ἑνός in V. 16bα und des πολλῶν

---

[54] Vgl. auch O. Hofius: Die Adam-Christus-Antithese und das Gesetz, S. 167.

[55] Haacker, a.a.O., S. 121.

[56] W. Schmithals: Der Römerbrief, S. 177, Hervorhebungen von Schmithals.

[57] So O. Hofius: Die Adam-Christus-Antithese und das Gesetz , S. 167.

[58] Hofius, a.a.O., S. 173.

[59] Vgl. Hofius, a.a.O., S. 174.

16bβ[60] ist deutlich, dass wiederum die Differenz εἷς – πολλοί vorausgesetzt wird, aber nicht auf beiden Seiten ausgeführt ist. Man wird deshalb im ersten Teil zu κατάκριμα und im zweiten zu δικαίωμα beide Male πολλῶν ergänzen müssen und außerdem für den zweiten Teil wie bereits V. 16a ἑνός in Ergänzung zu χάρισμα mitdenken müssen: „das Richterurteil (Gottes hat) von Einem her zur Verurteilung (Vieler geführt), die Gnadentat (des Einen) dagegen (führt) aus Vieler Verfehlungen zum Freispruch (eben dieser Vielen)."[61]

V. 17 ist in paralleler Konstruktion zu V. 15b (εἰ γὰρ - πολλῷ μᾶλλον) anscheinend erneut ein Schluss a minore ad maius, der aber wiederum besser als amplificatio aufzufassen ist.[62] Der Unterschied zwischen den beiden „Weisen menschlichen Seins" (Bultmann), die mit Adam und Jesus Christus verbunden sind, wird durch die verschiedenen Subjekte zu βασιλεύω deutlich. Die Herrschaft durch die transzendente Macht des Todes (vgl. V. 17a) wird dadurch ersetzt, dass die Menschen durch den einen Jesus Christus nun selbst „im Leben" herrschen werden (V.17b). Nachdem in V. 15 und 16 die Überlegenheit von χάρισμα, χάρις und δώρημα aufgezeigt wurde, werden diese für die einzelnen Menschen dadurch relevant, dass sie sie für sich annehmen. Dies wird durch die Formulierung im Mittelteil zum Ausdruck gebracht, die – wie bereits V. 15 – kein Äquivalent auf der ersten Seite besitzt: οἱ τὴν περισσείαν τῆς χάριτος καὶ τῆς δωρεᾶς τῆς δικαιοσύνης λαμβάνοντες. Die Aussage ist also, dass durch das Leben gemäß der Weise Jesu Christi – also durch den Verzicht auf die Vergöttlichung der eigenen Existenz durch eigene Taten nach der Weise Adams – eine Befreiung von dem beherrscht Werden durch die Macht des Todes geschieht. Statt dessen kann die Gnade wie ein Geschenk ohne eigenes Wirken angenommen werden, durch die ein neues Leben möglich wird. Der Ausdruck λαμβάνοντες meint den oben ausgeführten Akt der Entscheidung für die Annahme des Geschenkes, der in der Gegenwart geschehen muss.[63] Die Orientierung des neuen Lebens an Christus als dem Zukünftigen wird – gemäß dem in V. 14b entwickelten Zeitschema – regelmäßig durch das Futur zum Ausdruck gebracht (Ausnahme V. 15b und V. 20b). Die Konsequenzen der beiden aufgezeigten Wege sind also paradox. Der Versuch Adams, das eigene Leben durch die Erkenntnis von gut und böse zu bereichern, führt in den Tod. Der Verzicht darauf und die Annahme des Gnadengeschenkes führen dagegen zum Leben, das nicht mehr durch fremde Mächte beherrscht ist.

Nachdem in V. 15-17 die beiden Existenzweisen im Hinblick auf ihre Unterschiedlichkeit miteinander verglichen wurden, wird in V. 18f und 21 (eingeführt mit ἄρα οὖν) durch drei parallel konstruierte Verse (ὡς bzw. ὥσπερ - οὕτως καί) ein Vergleich zwischen beiden angestellt. In V. 18 entsprechen sich zunächst παράπτωμα und δικαίωμα, wobei hier der Begriff nicht den „Freispruch" der Glaubenden meint (vgl. V. 16b), sondern die Tat Christi, durch die dieser „Freispruch" möglich wird. Gedacht ist dabei wohl an Christus als wahres ἱλαστήριον (3,25, vgl. V. 26: εἰς τὸ εἶναι αὐτὸν δίκαιον). Dies liegt auch durch die Verbindung der Grundaussage von 5,12ff,

---

[60] Der Genitiv kann hier entweder adjektivisch oder substantivisch verstanden werden. Weil jedoch im Abschnitt durchgehend die Differenz zwischen dem Einen Adam oder Christus und den Vielen, nämlich allen anderen Menschen vorausgesetzt wird, ist hier πολλῶν substantivisch gemeint: die Verfehlungen vieler Menschen.

[61] O. Hofius: Die Adam-Christus-Antithese und das Gesetz, S. 174.

[62] Vgl. erneut W. Schmithals: Der Römerbrief, S. 177.

[63] Vgl. R. Bultmann: Adam und Christus nach Römer 5, S. 437.

dass alle Menschen wie Adam sündigen, mit Röm 3,23 (πάντες γὰρ ἥμαρτον)[64] nahe. Die beiden parallel konstruierten Seiten der Gegenüberstellung in V. 18 heben erneut die Differenz δι' ἑνός – εἰς πάντας hervor. Das εἰς κατάκριμα entspricht dem εἰς δικαίωσιν, wodurch erneut die juridische Metaphorik von Verurteilung und Freispruch fortgesetzt wird. Das einzige überschüssige Wort ist ζωή. Der Freispruch aller Menschen,[65] der durch den Tod Jesu möglich wurde, führt sie zum Leben. Die leitende Differenz Tod – Leben wird damit wieder aufgenommen. Überraschend ist die universale Aussage, dass dieser Freispruch potentiell für alle Menschen gilt. Das weist voraus auf Röm 11,30-32, wo das universale Erbarmen Gottes ausführlich entfaltet wird.[66]

V. 19 bringt eine zu V. 18 parallele Gegenüberstellung, die jetzt den Ungehorsam Adams und den Gehorsam Christi miteinander vergleicht. Die Menschen werden jetzt explizit Sünder bzw. Freigesprochene genannt. Die Differenz εἰς – πάντες wird durch εἰς – πολλοί variiert. Der Ausdruck καθιστάναι τινά τι bedeutet entweder „jemanden zu etwas machen" oder im Passiv „zu etwas werden".[67] Er ist hier wohl als passivum divinum zu verstehen. „Der Glaubende ist als der durch Gottes Richterspruch Freigesprochene der Gerechte."[68] Der Sinn des Futurs, das bis auf V. 15b und 20b durchgehend für die zweite Seite der Gegenüberstellung verwendetet wird,[69] ergibt sich aus dem zu 3,21 erläuterten Zeitverständnis, das radikal vom „Jetzt" des Glaubens, dem νῦν her, konstituiert wird. Der glaubende Mensch lebt ständig in der Gegenwart der Rechtfertigung, die die permanente Erwartung der endgültigen Durchsetzung des Lebens gegenüber dem Tod und der Gerechtigkeit gegenüber der Sünde hervorbringt (vgl. dazu auch unten Röm 8,1 und die Erläuterungen dazu).

Zwischen den drei parallelen Vergleichen in V. 18, 19 und 21 ist V. 20 eingeschoben, der die Thematik des νόμος aus V. 13 wieder aufnimmt. Mit dem in V. 20 angesprochenen Verhältnis von νόμος und ἁμαρτία wird sich Röm 7,7ff eingehend beschäftigen. Wie oben zu Röm 2,12 bereits entfaltet wurde, setzt die Einführung des Gesetzesbegriffes hier ein doppeltes Gesetzesverständnis voraus: die oben ausgeführte Interpretation der Person Adams basiert auf Gen 2 und 3, also einem narrativen Text aus dem Anfangsteil des Pentateuch. Dem wird jetzt explizit der Begriff des Gesetzes hinzugefügt, der sich auf V. 13f zurückbezieht und das Moses gegebene Gesetz (Ex 20ff) meint. Damit wird also ein doppeltes Verständnis des Gesetzes vorausgesetzt. Die Geschichte von der Sünde Adams einerseits, welche selbst schon zu Beginn der Tora zu finden ist, und das „Gesetz" andererseits im Sinne konkreter Gesetzesbestimmungen.[70]

---

[64] Diese Verbindung betont auch O. Hofius: Die Adam-Christus-Antithese und das Gesetz, S. 178.

[65] Zu ergänzen ist von V. 17 her, dass diese Zusage zunächst (nur?) für alle diejenigen gilt, die dieses Gnadengeschenk für sich annehmen.

[66] Vgl. dazu auch R.H. Bell: Rom 5.18-19 and Universal Salvation; in: NTS 48 (2002), S. 417-432.

[67] Vgl. E. Käsemann: An die Römer; HNT 8a, S. 149.

[68] R. Bultmann: Adam und Christus nach Römer 5, S. 438.

[69] Hier wird für gewöhnlich diskutiert, ob dieses als logisches (so O. Hofius: Die Adam-Christus-Antithese und das Gesetz, S. 189) oder eschatologisches Futur (so E. Käsemann: An die Römer; HNT 8a, S. 149) zu verstehen ist.

[70] Vgl. auch z.B. Röm 4: Die Verheißung gemäß Gen 15 und die Beschneidungsforderung gemäß Gen 17 oder Röm 7,7ff: das Leben ohne Gebot gemäß Gen 2 (Röm 7,9a) und mit dem in Gen 2,17 ergangenen Gebot, nicht von dem Baum im Paradies zu essen (Röm 7,9b). Vgl. dazu auch die Argumentation Gal 3,17, nach der das Gesetz 430 Jahre nach der Sohnesverheißung gegeben wurde. Zu den beiden Aspekten des Gesetzes siehe auch D. Starnitzke: Der Dienst des Paulus. Zur Interpretation von Ex 34 in 2 Kor 3; in: WuD (25) 1999, S. 193-207.

Der Ausdruck παρεισῆλθεν bedeutet jedoch nicht „dazwischen kommen", so als wäre damit eine Zeit des Mosegesetzes „zwischen" Adam und Christus im Sinne eines heilsgeschichtlichen Ablaufes gemeint.[71] Statt dessen ist ein „Dazukommen" gemeint.[72] „Gesetz" ist damit offenbar hier ein Aspekt menschlicher Existenz, der zur Erfahrung von Verfehlung und Vergänglichkeit, also zum geläufigen Verständnis des Lebens gemäß Adam, hinzukommt und der Röm 7,7ff gerade in seiner Verbindung von Gesetz, Sünde und Tod eingehend analysiert werden wird. Die Formulierung ἵνα πλεονάσῃ τὸ παράπτωμα verweist auf Röm 7,13: Durch das Gesetz wird die Sünde überdeutlich sichtbar. Der Sündenbegriff wird dort jedoch, nochmals von der Person Adams ausgehend, wesentlich tiefsinniger analysiert als Röm 5,12ff. Sünde ist nicht gleichbedeutend mit παράπτωμα oder παράβασις, sondern wird dort von der Selbstzerrissenheit des Menschen her verstanden. V. 20a fällt nicht aus dem Zusammenhang von V. 15-21 heraus, so dass dieser lediglich in V. 20b fortgeführt würde.[73] Vielmehr nimmt V. 20a die Adam-Seite und V. 20b, mit adversativ gebrauchtem δέ gegenübergestellt, die Christus-Seite aus den vorhergehenden Versen wieder auf.[74] V. 20b ist dabei inhaltlich parallel zu V. 16bβ (τὸ δὲ χάρισμα ἐκ πολλῶν παραπτωμάτων εἰς δικαίωμα). „In beiden Fällen wird auf der Christus-Seite die negative Sündenwirklichkeit ausdrücklich benannt, sie kommt dabei jedoch als die durch Christi Heilstat überwundene zur Sprache."[75]

Die Gegenüberstellung in V. 21 schließt den Abschnitt mit einem parallel zu V. 18 und 19 strukturierten Vergleich ab. Das ἵνα stellt den Anschluss her, darf aber in seiner Bedeutung nicht überinterpretiert werden.[76] Es entsprechen sich ἁμαρτία und χάρις sowie θάνατος und ζωὴ αἰώνιος.[77] Die Verbindung von ζωή mit δικαιοσύνη entspricht V. 18b: δικαίωσις ζωῆς.[78] Bemerkenswert ist die Differenz der Präpositionen ἐν und εἰς: während die Herrschaft der Sünde „im Tod" stattfindet, zielt die Herrschaft der Gnade auf das ewige Leben hin. Der Abschnitt endet also mit einer abschließenden Bestimmung der Leitdifferenz Tod – (ewiges) Leben. Das βασιλεύω verweist auf V. 17b, nach dem die Glaubenden nicht mehr beherrscht werden, sondern ἐν ζωῇ selbst herrschen werden. Offenbar ist dabei mit θάνατος hier, wie auch in den vorhergehenden Versen 15b.17b, in geläufiger Sicht der konkrete menschliche Tod gemeint, während der Begriff ζωή, wie der Zusatz αἰώνιος zeigt, in theologischer Sicht übertragen gebraucht wird. Die zweite Seite der Gegenüberstellung wird deshalb im Futur ausgedrückt und meint, wie bereits in den Versen vorher, eine Existenz, die der allgemein menschlichen Erfahrung des Todes eine zweite Perspektive gegenüberzustellen vermag und sich von der Gegenwart des Glaubens her für die

---

[71] Gegen K. Barth: Der Römerbrief; Erste Fassung, S. 144; Zweite Fassung, S. 175f; R. Bultmann: Adam und Christus nach Römer 5, S. 439f; U. Wilckens: Der Brief an die Römer; EKK VI,1, S. 306 und andere.

[72] Vgl. O. Hofius: Die Adam-Christus-Antithese und das Gesetz, S. 200f: „Der Satz besagt dann entweder: ‚das Gesetz ist (nach Sünde und Tod) noch außerdem in die Welt gekommen', oder: ‚das Gesetz ist außerdem noch (zu Sünde und Tod) hinzugekommen'."

[73] Gegen G. Bornkamm: Paulinische Anakoluthe, S. 82.

[74] So O. Hofius: Die Adam-Christus-Antithese und das Gesetz, S. 170

[75] Hofius, a.a.O., S. 171.

[76] Gegen U. Wilckens: Der Brief an die Römer; EKK VI,1, S. 329ff. K. Haacker geht jedoch etwas weit, wenn er das Wort in seiner Übersetzung und Interpretation gar nicht aufnimmt. (K. Haacker: Der Brief des Paulus an die Römer; ThHK 6, S. 117 und 122f)

[77] Siehe auch die Erläuterungen oben zu Röm 5,10.

[78] Vgl. O. Hofius: Die Adam-Christus-Antithese und das Gesetz, S. 176, Anm. 75.

Erwartung des durch Christus ermöglichten, ewigen Lebens öffnen kann. Mit dieser letzten Gegenüberstellung des Abschnittes sind nicht verschiedene Zeitstufen im Sinne von Vergangenheit, Gegenwart und Zukunft gemeint, sondern verschiedene Aspekte der gelebten Gegenwart. Das Kapitel wird dann durch eine dreiteilige christologische Formel abgeschlossen.[79] Der Abschnitt 5,12-21 ist damit folgendermaßen strukturiert, wobei die strukturbildenden Wörter besonders hervorgehoben sind:[80]

5,12+13a: Διὰ τοῦτο	ὥσπερ δι᾽ ἑνὸς ἀνθρώπου ἡ ἁμαρτία εἰς τὸν κόσμον εἰσῆλθεν καὶ διὰ τῆς ἁμαρτίας ὁ θάνατος	καὶ οὕτως εἰς πάντας ἀνθρώπους ὁ θάνατος διῆλθεν ἐφ᾽ ᾧ πάντες ἥμαρτον
13b+14a: γὰρ	ἄχρι νόμου ἁμαρτία ἦν ἐν κόσμῳ ἁμαρτία δὲ οὐκ ἐλλογεῖται μὴ ὄντος νόμου	ἀλλὰ ἐβασίλευσεν ὁ θάνατος ἀπὸ Ἀδὰμ μέχρι Μωϋσέως καὶ ἐπὶ τοὺς μὴ ἁμαρτήσαντας ἐπὶ τῷ ὁμοιώματι τῆς παραβάσεως Ἀδάμ
14b:	ὅς ἐστιν τύπος	τοῦ μέλλοντος
15: Ἀλλ᾽	οὐχ ὡς τὸ παράπτωμα	οὕτως καὶ τὸ χάρισμα
εἰ γὰρ	τῷ τοῦ ἑνὸς παραπτώματι οἱ πολλοὶ ἀπέθανον	πολλῷ μᾶλλον ἡ χάρις τοῦ θεοῦ καὶ ἡ δωρεὰ ἐν χάριτι τῇ τοῦ ἑνὸς ἀνθρώπου Ἰησοῦ Χριστοῦ εἰς τοὺς πολλοὺς ἐπερίσσευσεν
16: καὶ	οὐχ ὡς δι᾽ ἑνὸς ἁμαρτήσαντος	(ἐργάνζε: οὕτως καὶ) τὸ δώρημα
γὰρ	τὸ μὲν κρίμα ἐξ ἑνὸς εἰς κατάκριμα	τὸ δὲ χάρισμα ἐκ πολλῶν παραπτωμάτων εἰς δικαίωμα
17: γὰρ	εἰ τῷ τοῦ ἑνὸς παραπτώματι ὁ θάνατος ἐβασίλευσεν διὰ τοῦ ἑνός	πολλῷ μᾶλλον οἱ τὴν περισσείαν τῆς χάριτος καὶ τῆς δωρεᾶς τῆς δικαιοσύνης λαμβάνοντες ἐν ζωῇ βασιλεύσουσιν διὰ τοῦ ἑνὸς Ἰησοῦ Χριστοῦ
18: Ἄρα οὖν	ὡς δι᾽ ἑνὸς παραπτώματος εἰς πάντας ἀνθρώπους εἰς κατάκριμα	οὕτως καὶ δι᾽ ἑνὸς δικαιώματος εἰς πάντας ἀνθρώπους εἰς δικαίωσιν ζωῆς
19: γὰρ	ὥσπερ διὰ τῆς παρακοῆς τοῦ ἑνὸς ἀνθρώπου ἁμαρτωλοὶ κατεστάθησαν οἱ πολλοί	οὕτως καὶ διὰ τῆς ὑπακοῆς τοῦ ἑνὸς δίκαιοι κατασταθήσονται οἱ πολλοί
20: δὲ	νόμος παρεισῆλθεν ἵνα πλεονάσῃ τὸ παράπτωμα	οὗ δὲ ἐπλεόνασεν ἡ ἁμαρτία ὑπερεπερίσσευσεν ἡ χάρις
21: ἵνα	ὥσπερ ἐβασίλευσεν ἡ ἁμαρτία ἐν τῷ θανάτῳ	οὕτως καὶ ἡ χάρις βασιλεύσῃ διὰ δικαιοσύνης εἰς ζωὴν αἰώνιον διὰ Ἰησοῦ Χριστοῦ τοῦ κυρίου ἡμῶν

---

[79] „Am Schluß dieses Redeteiles benutzt Pauls die ‚volle Titulatur' Jesu nach römischem Sprachgefühl, also eine (mindestens) dreiteilige Formulierung: vgl. 1,4.7; 5,11; 6,23; 7,25(?); 8,39; 13,14." (K. Haacker: Der Brief des Paulus an die Römer; ThHK 6, S. 123.)

[80] Die vorgelegte Strukturanalyse, die unabhängig von O. Hofius erstellt wurde, stimmt in großen Teilen mit dessen Strukturierung überein (Vgl. O. Hofius: Die Adam-Christus-Antithese und das Gesetz, S. 165-206, dort S. 166f). Der einzige wesentliche Unterschied ergibt sich neben den hier heraus gestellten Konjunktionen dadurch, dass Hofius V. 12-14 nicht als Gegenüberstellungen auffasst.

„Mit" Christus existieren (6,1-14)

Es ist immer wieder kontrovers diskutiert worden, ob Röm 6,1 oder bereits 5,1 der Beginn eines großen Argumentationszusammenhanges ist, der sich bis zum Ende des 8. Kapitels erstreckt.[1] Es gibt zwar auch Gründe dafür, in 6,1 einen gewissen Neuanfang zu sehen,[2] die Argumente für den Zusammenhang von Röm 6,1ff mit Kap. 5 überwiegen jedoch deutlich (vgl. dazu oben die zu Röm 5,1 genannten Argumente). Die Adamsproblematik, die in Röm 5,12-21 behandelt wurde, wird in 7,7ff fortgesetzt. Röm 5,21 bietet keinen markanten Abschluss eines größeren Zusammenhanges, der formal z.B. durch eine Doxologie (vgl. 11,33ff), einen Segensspruch (vgl. 15,13), eine Zitatreihe (vgl. 3,10-18 und 15,9-12) oder eine Aktualisierung (vgl. 4,23-25) gestaltet werden könnte. Vielmehr endet das 5. Kapitel mit einer charakteristischen christologischen Formel, die 6,23 und 7,25a wiederholt wird und so die Kapitel 5-8 zu einer Einheit verbindet.[3]

Auch die Unterteilung innerhalb des 6. Kapitels ist umstritten. Das Druckbild der 27. Aufl. von Nestle-Aland bietet einen Abschluss hinter V. 11. Diesem Gliederungsvorschlag folgt ein Teil der Interpreten.[4] Es gibt jedoch gute Gründe dafür, das Ende dieses Abschnittes erst in V. 14 zu sehen:[5] Markant ist vor allem der parallele Beginn der beiden Teile 6,1ff und 6,15ff.[6] V. 1 und 15 setzen mit τί οὖν deutlich neu ein. Nach dieser rhetorischen Frage findet sich V. 1 und V. 15 wiederum in Frageform eine Formulierung in der 1. Person Plural: ἐπιμένωμεν bzw. ἀμαρτήσωμεν. V. 15 reformuliert auch inhaltlich in fast identischer Weise V. 1. Darauf folgt V. 2 und 15b jeweils ein μὴ γένοιτο. V. 3 und 16 schließen wiederum parallel mit ἢ ἀγνοεῖτε ὅτι bzw. οὐκ οἴδατε ὅτι an.

Der Abschnitt V. 1-14 wird von W. Schmithals so gegliedert, dass nach den einleitenden Versen 1f in V.3f grundsätzliche Aussagen in Bezug auf die Taufe folgen, die Paulus in zwei parallel gebauten Beweisgängen V. 5-7 und 8-10 begründet.[7] U. Wilckens meint: „Diese beginnen jeweils wieder mit einem Bedingungssatz (mit futurischem Nachsatz VV 5.8) und werden unter Berufung auf ein Wissen der

---

[1] Vgl. dazu bereits die Ausführungen zu 5,1.

[2] K. Haacker findet in 6,1 den Anfang eines großen Abschnittes 6,1-11,36, den er „Verteidigung und Vertiefung" überschreibt. Zur Verbindung von Kap. 6 zu 5 meint er: „Die Verhältnisbestimmung zwischen Sünde und Gnade in den letzten Sätzen von Kap. 5 (mit einer gewagten Aussage über das Gesetz in 5,20) gibt Anlaß zu der Sorge, ob die Botschaft von der Rechtfertigung des Gottlosen nicht den Kampf gegen die Sünde untergräbt. Auf einen entsprechenden Einwand hin entwickelt Kap. 6 das Verhältnis des Christen zur Sünde". (K. Haacker: Der Brief des Paulus an die Römer; ThHK 6, S. 15.)

[3] Vgl. C.E.B. Cranfield: The Epistle to the Romans, ICC, vol. 1, S. 254.

[4] Vgl. z.B. K. Barth: Der Römerbrief; Zweite Fassung 1922, S. 182ff; E. Käsemann: An die Römer; HNT 8a, S. 151ff.

[5] So auch z.B. C. K. Barrett: A Commentary on the Epistle to the Romans; BNTC 7, S. 112ff.; K. Haacker: Der Brief des Paulus an die Römer; ThHK 6, S. 124ff; W. Sanday, A.C. Headlam: The Epistle to the Romans; ICC, S. 153ff; W,. Schmithals: Der Römerbrief, S. 182ff; P. Stuhlmacher: Der Brief an die Römer; NTD 6, S. 83ff; U. Wilckens: Der Brief an die Römer; EKK VI, 2, S. 7ff; F. Vouga: Ce Dieu, qui m'a trouvé. Vingt lettres inédites dur l'epître de Paul aux Romains; Aubonne 1990, S. 53ff..

[6] Siehe dazu D. Hellholm: Enthymemic Argumentation in Paul: The Case of Romans 6; in: T. Engberg-Pedersen (Hrsg.): Paul in his Hellenistic Context; Minneapolis 1995, S. 119-179, dort S. 141.

[7] Vgl. auch W. Schmithals: Der Römerbrief, S. 184ff. H. Frankemölle versteht die drei Teile als Entfaltungen der These aus V. 2. (Vgl. H. Frankemölle: Das Taufverständnis des Paulus. Tod, Taufe und Auferstehung nach Röm 6; SBS 47, Stuttgart 1970, S. 23.)

Adressaten begründet (V 6 τοῦτο γινώσκοντες, V 9 εἰδότες), das wiederum mit einem weiteren Satz expliziert wird."[8] Gerahmt ist die Argumentation für ihn zum einen durch einen aus drei rhetorischen Fragen bestehenden einleitenden Teil V. 1f (mit Formulierung eines Einwandes V. 1 und Abwehr desselben in Frageform V. 2) und zum anderen durch eine paränetische Argumentation (V. 11-13, eingeleitet mit οὕτως καί ὑμεῖς) und einen Abschluss (V.14). D. Hellholm hat daran anschließend versucht, den Abschnitt mit Hilfe der an Aristoteles orientierten antiken Rhetorik zu gliedern. Er kommt zu folgender Aufteilung: Meta-active argument (6.1), Testimonium (6.2), Signum/testimonium (6.3), Deductive inference (6.4), Argumentum (6.5), Deductive inference (6.6-7), Argumentum (6.8), Deductive inference (6.9-11) Paraenetic argument (6.12-13), Affirmatio (6.14).[9] Hellholm lässt also die zweite Deduktion bis V. 11 reichen. Dem widerspricht aber der Wechsel zur Anrede in der 2. Person in V. 11 und der Neueinsatz mit οὕτως καί, die deutlich paränetische Funktion haben. Die Paränese beginnt deshalb schon mit V. 11. Sonst wird man jedoch der Gliederung Hellholms weitgehend folgen können. Der Vorteil seines Vorschlages besteht vor allem darin, dass er in den beiden Abschnitten V. 1-14 und 15-23 zwei im Prinzip parallel gebaute Gesprächsgänge aufzeigt. Nur argumentiert der erste syllogistisch-deduktiv, indem er von dem signum der Taufe (V. 3f) ausgeht und dann deduktiv mehrere Beweisgänge bringt, um mit einer exhortatio abzuschließen, während der zweite vom exemplum oder signum der Knechtschaft (V. 16) ausgeht und induktiv (V. 17f) argumentiert, um ebenfalls mit einer exhortatio (V.19bff) zu enden.[10]

Ausgehend von einer differenztheoretischen Betrachtungsweise ist der Abschnitt V. 1-11 deutlich durch das Röm 5,10 eingeführte und 5,17+21 aufgenommene Gegensatzpaar θάνατος – ζωή mit seinen Varianten geprägt (vgl. dazu unten die Hervorhebungen im griechischen Text). Dabei werden die vorher grundsätzlich ausgeführten Gedanken nach dem hermeneutischen Prinzip von Röm 4,23-25 für die „Wir" appliziert und konkretisiert. Das Ziel der Gedankenführung ist wiederum deutlich individuell. Es geht um das „in Christus" ermöglichte Leben, das jeder Mensch sich selbst „zurechnen" soll (V. 11: λογίζεσθε ἑαυτούς). „Kapitel 6ff beinhalten die theologische Entfaltung des Heilsgeschehens für die Existenz und unter dem Aspekt des einzelnen Gläubigen."[11] In Fortführung der Gedanken des vorhergehenden Kapitels geht es dann darum, wie die „Wir",[12] von denen zunächst bis V. 10 die Rede sein wird, von der menschlichen Erfahrung des Todes, die mit einer Existenz gemäß Adam verbunden ist, zu neuem und ewigem Leben finden können. Ausgehend von dieser leitenden Gegenüberstellung θάνατος – ζωή erschließt sich dann auch die Struktur der anderen Gegenüberstellungen in V. 1-14.

Der Abschnitt insgesamt wird wiederum durch eine rhetorische Frage in der 1. Person, hier Plural, eingeleitet und durch οὖν mit dem Vorhergehenden verbunden. Röm 6,1ff beschäftigen sich im Anschluss an 5,12ff also mit dem Übergang von der Existenz gemäß Adam, die in den Tod führt, zu derjenigen Christi, die Leben ermöglicht. Die rhetorische Frage V. 1b nimmt die Formulierung aus 5,20 als Einwand

---

[8] U. Wilckens: Der Brief an die Römer; EKK VI,2, S. 7.

[9] D. Hellholm: Enthymemic Argumentation in Paul, S. 138.

[10] Vgl. Hellholm, a.a.O., S. 176f.

[11] H. Frankemölle: Das Taufverständnis des Paulus, S. 18f.

[12] Damit sind, wie im folgenden deutlich werden wird, zunächst alle Getauften gemeint, zu denen dann auch Paulus sich selbst zählt. Die 1. Person wird dann V. 11-14 in direkter paränetischer Anrede zur 2. Person Plural verändert werden.

auf. Gemeint ist damit eine in menschlicher Sicht verständliche Haltung, nach der man bedenkenlos weiter sündigen kann, wenn – wie 5,12ff gezeigt haben – die mit Christus verbundene Gnade die Sünde ohnehin bei weitem überwiegt. Diese Sichtweise wird jedoch in V. 2a mit μὴ γένοιτο sogleich abgelehnt. Damit wird eine christologische Perspektive angedeutet, die im folgenden näher entfaltet werden wird.

V. 2b bringt eine erste Gegenüberstellung von Tod und Leben durch die Verben ἀπέθανον und ζήσομεν. Damit wird auf der ersten Seite der Gegenüberstellung in menschlicher Sicht an konkrete Erfahrungen des Todes angeknüpft: was gestorben ist, kann nicht mehr leben. „Die Begründung des entschiedenen Nein durch die rhetorische Frage von 2b überrascht jedoch: Wo war denn vorher davon die Rede, dass wir als Christen ‚der Sünde gegenüber starben'? In Kap. 3 und 5 war ja nur davon die Rede, dass Christus für uns gestorben ist!"[13] Die Vorstellung ist hier offenbar, dass man, wenn man der Weise Adams entsprechend lebt, der transzendenten Macht der Sünde ausgeliefert ist, „in" der man lebt (vgl. auch Röm 7,7ff: die Sünde wohnt im Ich). Die einzige Möglichkeit, aus ihrem Herrschaftsbereich herauszukommen, ist offenbar der Tod. V. 2c stellt deshalb – mit einer rhetorischen Frage formuliert – in theologischer Perspektive die These auf, dass die „Wir" nicht mehr „in" der Sünde leben, sondern „in" etwas anderem, nämlich „in Christus" (vgl. V. 3 εἰς Χριστὸν Ἰησοῦν, V.11 ἐν Χριστῷ Ἰησοῦ).

V. 3 bringt das Sterben der „Wir" für die Sünde und damit die Befreiung aus deren Herrschaft mit der Taufe der Christen in Verbindung. Das ἢ ἀγνοεῖτε ὅτι kehrt nicht nur zum dialogischen Stil der Diatribe zurück, sondern redet vor allem die Adressaten persönlich an, um dann jedoch im Wir-Stil mit der gemeinsamen Erfahrung der Taufe fortzufahren. Die religionsgeschichtliche Herkunft der Taufe ist umstritten. Am wahrscheinlichsten ist, dass sie aus der jüdischen Taufpraxis heraus entwickelt worden ist.[14] Demgegenüber ist eine Entwicklung aus den Mysterienkulten eher unwahrscheinlich.[15] Von Paulus wird das Tauchbad der Taufe streng christologisch interpretiert und auf den Tod und die Auferstehung Jesu bezogen. Paulus geht zunächst vom konkreten Vollzug der Taufe aus (V.3a),[16] wobei er offenbar voraussetzt, dass alle Christinnen und Christen getauft sind (vgl. auch Gal 3,26-28).[17] Die Formulierung εἰς Χριστὸν Ἰησοῦν ist eine Kurzfassung der traditionellen Taufformel εἰς τὸ ὄνομα τοῦ κυρίου ἡμῶν Ἰησοῦ Χριστοῦ (vgl. z.B. Act 8,16; 19,5; Did 9,5).[18] Paulus beschreibt durch diese Kurzformel in V. 3a zunächst in geläufiger Sicht den bekannten Vorgang

---

[13] K. Haacker: Der Brief des Paulus an die Römer; ThHK 6, S. 127.

[14] H.-D. Betz: Transferring a Ritual: Paul's Interpretation of Baptism in Romans 6; in: T. Engberg-Pedersen (Hrsg.): Paul in his Hellenistic Context; Minneapolis 1995, S. 84-118, meint S. 100 dazu: „At least there is certainty about the one point of concern to us: The Christian ritual of baptism has in some way developed out of Judaism."

[15] Vgl. G. Wagner: Das religionsgeschichtliche Problem von Römer 6,1-11; (AThANT 39) Zürich 1962. N. Gäumann hält jedoch umgekehrt eine Herkunft aus der jüdischen Taufpraxis für unwahrscheinlich und sieht in Auseinandersetzung mit Wagner eher Verbindungen zu den hellenistischen Mysterienreligionen. "Die angeführten Parallelen zu diesem Taufverständnis dürften wohl zeigen, dass ähnliche Vorstellungen und Deutungskategorien auch in den Mysterienreligionen nachzuweisen sind." (Vgl. N. Gäumann: Taufe und Ethik. Studien zu Römer 6; BevTh 47, München 1967, S. 46)

[16] Wie die Taufe in den christlichen Gemeinden praktiziert wurde, z.B. ob als Volltaufe oder als Benetzung des Kopfes mit Wasser, muss dabei offen bleiben. Man muss dabei aber sowohl mit verschiedenen Formen der Taufe, als auch mit verschiedenen Interpretationen rechnen. Vgl. H.-D. Betz: Transferring a Ritual, S. 102f.

[17] So auch N. Gäumann: Taufe und Ethik, S. 36.

[18] So Gäumann, a.a.O., S. 73f; U. Wilckens: Der Brief an die Römer; EKK VI, 2, S. 11.

der Taufe. Dieser wird dann in V. 3b in theologischer Perspektive interpretiert: Durch die Taufe werden die Glaubenden „in den Tod Jesu Christi hinein" versetzt. Für Paulus ist also substantiell entscheidend, dass die Existenz der Glaubenden durch die Taufe „in" Christus in neuer Weise konstituiert wird (vgl. Röm 8,2).[19]

Für den Wechsel von der Existenz „in der Sünde" nach der Weise Adams zur Existenz gemäß Jesus Christus, den Paulus hier offenbar mit der Taufe in Verbindung bringt, ist die Wahl der Präpositionen zu beachten. Das Leben gemäß Adam vollzog sich „in" (ἐν) der Sünde (V. 2), dementsprechend findet die Taufe „in" (εἰς) Christus und seinen Tod hinein statt (V. 3b). Damit stellt sich die Frage, in welcher Weise die von Paulus überaus häufig verwendete und hier offenkundig vorausgesetzte Formel ἐν Χριστῷ zu verstehen ist. Grundsätzlich kann sie lokal oder modal aufgefasst werden.[20] H.-C. Meier hat sich dafür ausgesprochen, die Formel modal zu verstehen.[21] Sie bezeichne dann „die Art und Weise [...] in der etwas geschieht".[22] Konkret auf Christus bezogen „dient sie dazu, beliebige Personen, Handlungen oder Gegebenheiten als ‚ihrem Wesen nach durch Christus bestimmt' zu kennzeichnen."[23] In lokaler Sicht markiert hingegen die Formulierung „in Christus bzw. seinen Tod hinein" (ἐν - εἰς) das Herausgenommensein aus dem Herrschaftsbereich der Sünde, wobei das „in Christus"-Sein dann als mystische Vereinigung mit ihm oder als Teilhabe am pneumatischen Leib Christi vorgestellt werden kann. Im hier vorliegenden Kontext ist deutlich, dass es Paulus um die Befreiung von der Macht der Sünde und des Todes geht, die offenbar durch die Taufe „in Jesus Christus hinein" ermöglicht werden soll: Es liegt damit wohl eher ein lokales Verständnis vor:[24] Der Glaubende wird aus sich selbst heraus „in Christus" hinein versetzt.[25] Wie sich Paulus diesen Übergang genau vorstellt, wird in Bezug auf 8,1ff noch zu klären sein. Zusätzlich wird jedoch auch im Folgenden noch zu beachten sein, dass Paulus V. 4ff die Verbindung der „Wir" mit Christus nicht nur mit ἐν bzw. εἰς, sondern vor allem auch mit σύν beschreibt. Die Existenz der Glaubenden wird also durch ihr „in Christus"-Sein nicht gleichsam mystisch aufgehoben, sondern gerade erst neu konstituiert, so dass sie „in Christus" zugleich „mit" ihm existieren können: „so erhärtet sich der Eindruck, dass die ἐν-Χριστῷ-Sätze eine innige Gemeinschaft mit Christus artikulieren, eine Communitas, die mit der Transzendierung des alten Ego zusammenfällt."[26]

Die Taufe der „Wir", auf die zunächst Paulus in V. 3a eher deskriptiv eingeht, wird also in V. 3b in theologischer Perspektive mit dem Tod Jesu in Verbindung gebracht. Indem Christus gestorben ist (und dann wieder auferstand), wurde er selbst frei von der Macht der Sünde und des Todes. Dadurch ergibt sich nun auch für

---

[19] So auch H.-D. Betz: Transferring a Ritual, S. 108.

[20] H.-C. Meier: Mystik bei Paulus; (TANZ 26) Tübingen 1998, S. 27-39.

[21] Meier, a.a.O., S. 36ff.

[22] Meier, a.a.O., S. 36.

[23] Meier, a.a.O., S. 38.

[24] So auch H. D. Betz: The Concept of the ‚Inner Human Being' (ὁ ἔσω ἄνθρωπος) in the Anthropology of Paul; in: NTS 46 (2000), S. 315-341, dort S. 336: „The Christian individual is ‚implanted' (Rom 6.5) through baptism (Rom 6,1-11) into the body of Christ". Betz fasst dies jedoch ekklesiologisch auf, wohingegen Paulus im Röm die persönliche Verbindung des einzelnen Glaubenden mit Christus betont.

[25] Gegen H. Frankemölle: Das Taufverständnis des Paulus, S. 50f. Diese Vorstellung setzt den Ritus des Untertauchens nicht notwendigerweise voraus.

[26] C. Strecker: Die liminale Theologie des Paulus. Zugänge zur paulinischen Theologie aus kulturanthropologischer Perspektive; (FRLANT 185) Göttingen 1999, S. 199.

diejenigen, die „in Christus Jesus hinein getauft" sind, die Möglichkeit, „in seinen Tod" hinein getauft zu werden und „mit ihm" begraben zu werden, um mit ihm zu neuem Leben aufzustehen. Nicht nur der Begriff des Taufens, sondern auch der des Todes ist – jedenfalls wenn er auf die „Wir" bezogen wird – dabei offensichtlich übertragen und im theologischen Sinne gemeint (die „Wir" leben ja im herkömmlichen Sinne noch): „in the formulation εἰς τὸν θάνατον αὐτοῦ βαπτισθῆαι, θάνατος takes on the meaning of ,death to sin'".[27]

V. 4 setzt, angeschlossen mit οὖν, auf der Basis dieses Taufverständnisses mit einer ersten Deduktion ein. V. 4a gibt zunächst V. 3 nochmals mit anderen Worten wieder.[28] Die Beziehung zwischen Christus und den „Wir" wird dabei erstmals mit der Präposition bzw. Vorsilbe σύν wiedergegeben, die im folgenden noch öfter verwendet wird.[29] In der Taufe hat der Christ an Christi Kreuzigung, Tod und Grablegung partizipiert (συνετάφημεν, V. 4; συνεσταυρώθη, V. 6; ἀπεθάνομεν σὺν Χριστῷ, V. 8). V. 4b und c bringen, verbunden mit ἵνα,[30] nachdem bislang an der Erfahrung der Taufe angeknüpft und diese mit dem Gedanken des Todes verbunden worden war, in theologischer Perspektive den Aspekt des Lebens ein. Es handelt sich hier um einen modifizierten und übertragen gebrauchten Lebensbegriff (ἐν καινότητι ζωῆς περιπατήσωμεν). Dieser orientiert sich nicht an dem geläufigen Verständnis, sondern er wird in theologischer Perspektive vom Gedanken der Auferstehung Christi her entwickelt (ἠγέρθη Χριστός).[31] Das in Christus getauft Sein und mit ihm begraben Sein in der Taufe geschieht, damit die „Wir" an der Auferstehung Christi und damit an seinem neuen Leben teilhaben können. Paulus setzt dabei zunächst in V. 4b bei dem christologischen Bekenntnis an, dass Christus von Gott auferweckt wurde (vgl. z.B. I Kor 15,3) und verknüpft dieses durch ὥσπερ – οὕτως mit dem Leben der „Wir". Durch die Taufe können die „Wir" an der Besonderheit Christi teilhaben. Diese ist seit 5,10 dadurch charakterisiert, dass bei ihm die der menschlichen Erfahrung entsprechende Reihenfolge Leben – Tod umgekehrt ist. Dementsprechend sind auch die folgenden Verse durch die Differenz θάνατος – ζωή bzw. ihre Varianten (in dieser Reihenfolge!) bestimmt. Die Getauften können auf der Basis der Taufe „mit"[32] Christus die Grenze zwischen Tod und Leben überschreiten, was ihnen selbst unmöglich wäre, weil sie in rein menschlicher Sicht ihre Existenz durch ihren persönlichen Tod gerade preisgeben würden. Die Existenz der Glaubenden ist eine „liminale",[33] weil sie einerseits bereits durch die Taufe „in seinen Tod hinein" „mit" Christus gekreuzigt, gestorben und begraben sind, andererseits aber noch auf die endgültige Durchsetzung des neuen Lebens warten. Das περιπατήσωμεν weist jedoch als typischer Begriff der Paränese darauf hin, dass diese Existenz auf der Grenze schon in der Gegenwart zu einer Erneuerung des Lebens führen soll.

V. 5-7 und 8-10 sind zwei größtenteils parallel gebaute Beweisgänge, die das Vorhergehende begründen und entfalten. Es findet sich zunächst, mit εἰ eingeführt (V. 5 und 8), ein argumentum. Dann folgt, mit einem Verb des Wissens (γινώσκοντες ὅτι,

---

[27] D. Hellholm: Enthymemic Argumentation in Paul, S. 155.

[28] So auch Hellholm, a.a.O., S. 157: „In the first part (v.4a) Paul only repeats, although with one important variation, his argument from v. 3."

[29] Vgl. K. Haacker: Der Brief des Paulus an die Römer; ThHK 6, S. 126.

[30] Vgl. parallel dazu V. 6b.

[31] Das Ἰησοῦς ist hier mit Bedacht fortgelassen, weil es sich um den Auferstandenen Christus handelt.

[32] Zur Bedeutung der Präposition bzw. Vorsilbe συν siehe unten.

[33] Vgl. dazu C. Strecker: Die liminale Theologie des Paulus, S. 211.

V. 6; εἰδότες ὅτι, V.9) und anschließendem γάρ (V. 7 und 10) verbunden, eine „deductive inference".[34]

V. 5 entwickelt, an das Vorhergehende angeschlossen mit γάρ, eine Gegenüberstellung von Tod und Leben Jesu Christi (θάνατος – ἀνάστασις), die V. 4 fortsetzt. Die Verbindung zwischen V. 5a und b wird mit εἰ γάρ – ἀλλὰ καί hergestellt. Der erste Teilvers nennt zunächst den Aspekt des Todes. Die Formulierung ist hier verkürzt und deshalb missverständlich. Σύμφυτοι fordert ein Dativobjekt, das in τῷ ὁμοιώματι zu finden ist.[35] Das ὁμοίωμα betont einerseits die Vergleichbarkeit und andererseits die Differenz zwischen den Glaubenden und Christus. „Sie sterben mit Christus, aber es ist *Christi Tod*, in den hinein sie getauft worden sind (V 3.4). Darin ist in aller konkreten Gleichheit des Sterbens ein Moment von Unterschiedenheit, das sich darin auswirkt, dass die Getauften selbst *nicht* sterben."[36] Insofern ist zunächst in menschlicher Sicht V. 5a der reale Tod Jesu gemeint.

Auf der zweiten Seite der Gegenüberstellung wird in V. 5b in christologischer Sicht der Aspekt des Lebens betont, indem auf die Auferstehung Jesu Christi Bezug genommen wird. Hier ist, wie sich aus dem Kontext ergibt, von V. 5a her αὐτοῦ zu ergänzen. Hinzuzufügen ist schließlich auch durch die Verbindung mit ἀλλὰ καί, das σύμφυτοι τῷ ὁμοιώματι. Die Verkürzung hat „den rhetorischen Effekt [...], die Parallelität zwischen unserer Teilhabe an Tod und Auferstehung Jesu Christi sprachlich ganz unmittelbar wahrzunehmen. Nur so bleibt auch die Entsprechung mit V. 8 gewahrt."[37] Die Verbindung zwischen den „Wir" und Christus kommt durch Kombination eines argumentum a simili und a modo zustande. „The argument from similarity expresses the parallelism as follows: ‚Christ has died – we have died; Christ was raised – we shall rise.' The argument from manner expresses the relation as follows: ‚Christ has died – we have died *with him* (σύμφυτοι; συν-); Christ was raised – we shall live *with him* (συζήσομεν).' [...] the single argument a simili reveals the parallelism but not the inner relationship; the single argument a modo on the other hand brings out the relationship but not the difference between the redeemer and the redeemed Christians."[38]

V. 6 beginnt, wiederum mit einem Verb des Erkennens eingeleitet (vgl. V. 3), eine neue Deduktion. Die Neubegründung der Existenz „in" Christus setzt, wie bereits V. 3f erläutert, die Partizipation an seiner Kreuzigung (συνεσταυρώθη, V. 6) und seinem Tod voraus,[39] welche in der Taufe geschieht. Sie führt zur Beendigung der Existenz gemäß Adam. V. 6a knüpft insofern an die Gegenüberstellung von Adam und Christus in 5,12ff an und bezeichnet die Existenz gemäß Adam als ὁ παλαιὸς ἡμῶν ἄνθρωπος. Die Formulierung setzt die Fähigkeit zur Selbstdistanzierung und zur inneren Auseinandersetzung mit der „alten" Existenzweise voraus. Die neue Existenz ist demgegenüber in V. 6b christologisch charakterisiert, wie bereits in V. 4 eingeleitet mit ἵνα.[40] Durch die Teilhabe an Christi Tod ist sie befreit von dem Sklavendienst unter der

---

[34] So z.B. D. Hellholm: Enthymemic Argumentation in Paul, S. 138 und 160, der jedoch das Ende des zweiten Teil erst in V. 11 sieht, was m.E. bereits der Beginn des paränetischen Teils ist. Vgl. auch U. Wilckens: Der Brief an die Römer; EKK VI,2, S. 7.

[35] So auch Wilckens, a.a.O., S. 13.

[36] Wilckens, a.a.O., S. 14.

[37] Wilckens, a.a.O., S. 15.

[38] D. Hellholm: Enthymemic Argumentation in Paul, S. 161f, Hervorhebungen von Hellholm.

[39] Die Getauften sind damit mit ihm gekreuzigt (V. 6), gestorben (V. 3) und begraben (V. 4).

[40] Zur Gegenüberstellung von Adam als „erstem" Menschen und Christus als „zweitem" vgl. erneut I Kor 15,45ff.

Sünde (τοῦ μηκέτι δουλεύειν ἡμᾶς τῇ ἁμαρτίᾳ). In der Formulierung τὸ σῶμα τῆς ἁμαρτίας meint σῶμα, wie an anderen Stellen im Röm (4,19; 7,24; 8,23 u.ö.), die Vergänglichkeit des menschlichen Lebens. Weil die Sünde den Tod bewirkt, ist der gesamte Teilvers 6b als alternative Formulierung zum neuen „Leben" „in Christus" zu verstehen, wie es in den vorhergehenden und nachfolgenden Versen beschrieben wird. V. 6b fügt sich damit ebenfalls in das Gesamtschema von Tod (mit gekreuzigt sein) und Leben (nicht mehr der Sünde dienen). Die Fähigkeit zur Selbstdistanzierung der „Wir" von ihrer vorhergehenden Existenzweise, die durch die Vergänglichkeit geprägt ist, wird also mit der Taufe verbunden. Der Getaufte lebt für Paulus demnach in einer Weise, die einerseits mit dem alten Leben gemäß Adam und unter der Sünde abgeschlossen hat (μηκέτι) und die sich andererseits in Christus neu begründet weiß.

V. 7 führt die Deduktion von V. 6, angeschlossen mit γάρ, fort. Paulus greift hier auf einen allgemeinen Rechtsgrundsatz zurück. „Wer gestorben ist, hat alles abgebüßt, ist aller Verbindlichkeiten frei."[41] In Verbindung mit dem Vorhergehenden bedeutet dies, dass die „Wir" durch die Partizipation am Tode Jesu in der Taufe von der Sünde befreit worden sind: „δικαιοῦσθαι ἀπό = los sein von".[42] Diese Formulierung in V. 7b ist, weil sie die Befreiung von der Macht der Sünde und damit zusammenhängend der des Todes meint (vgl. Röm 5,12), wie bereits in V. 6b gleichbedeutend mit „leben" (V. 2b, 4b) oder „Auferstehung" (V. 5b). Die Leitdifferenz Tod (ὁ ἀποθανών) – Leben (δεδικαίωται ἀπὸ τῆς ἁμαρτίας) wird auch hier fortgesetzt, allerdings wiederum in einem umgekehrten Sinne: Der Tod der Glaubenden, der sich durch das mit Christus gestorben Sein ergibt, ermöglicht die Befreiung von der todbringenden Macht der Sünde und damit letztlich neues Leben.

V. 8-10 bilden, eingeleitet mit εἰ, einen weiteren Teil, der erneut mit einem argumentum beginnt, auf das eine Deduktion folgt. V. 8 wiederholt mit anderen Worten V. 5, wobei wiederum die futurische Formulierung aufgenommen wird. Diese ist nicht Relikt einer traditionellen Taufformel,[43] sondern substantiell paulinisch, weil Paulus die endgültige Durchsetzung des neuen Lebens „in" oder „mit" Christus immer in eschatologischer Perspektive futurisch formuliert (anders z.B. die deuteropaulinische Stelle Kol 4,12). V. 8 orientiert sich damit erneut an der leitenden Unterscheidung von Tod (ἀπεθάνομεν σὺν Χριστῷ) und Leben (συζήσομεν αὐτῷ,). Der Übergang von V. 8a nach b wird neben dem Tempuswechsel durch πιστεύομεν ὅτι markiert.

Das neue Leben, das dadurch begründet ist, wird auf der Basis des „in Christus hinein getauft"-Seins (V. 3) und damit des „in Christus"-Seins (V. 11) hier wie bereits in V. 4ff durchgehend mit σύν beschrieben. Der getaufte Mensch wird damit nicht einfach „in" Christus einverleibt, er wechselt nicht einfach nur die Machtsphäre, „in" der er zu leben hat. Er existiert vielmehr „in Christus" gerade als er selbst „mit Christus". Seine Identität wird durch das „mit"-Christus-begraben-Sein nicht in einer mystischen Einheit aufgehoben, sondern neu gesetzt. Er darf glauben, dass er in dieser Weise ewig „mit" Christus leben werden wird. Das neue Leben ist dabei in

---

[41] K. Haacker: Der Brief des Paulus an die Römer; ThHK 6, S. 129.
[42] E. Käsemann: An die Römer; HNT 8a, S. 162, mit Bezug auf W. Bauer: Griechisch-Deutsches Wörterbuch, Sp. 328..
[43] Gegen W. Schmithals: Der Römerbrief, S. 191 und D. Hellholm: Enthymemic Argumentation in Paul, S. 164f.

eschatologischer Sicht durch den Glauben (πιστεύομεν) an das ewige Leben geprägt, weil es bereits die Gegenwart durch die Taufe als grundsätzlich verändert erfährt.[44]

V. 9f schließt an das argumentum erneut eine „deductive inference" an, die wiederum mit einem Verb des Erkennens eingeleitet wird (εἰδότες ὅτι vgl. V. 3 und 6).[45] V. 9a setzt im Gegensatz zu dem Vorhergehenden auf der zweiten, christologisch bestimmten Seite der Gegenüberstellung mit dem Aspekt des Lebens ein. „Paul [...] explicitly states the christological foundation: Χριστὸς ἐγερθεὶς ἐκ νεκρῶν."[46] Dem wird in V. 9b der Aspekt des Todes gegenübergestellt und gesagt, dass Christus durch die Auferstehung die menschliche Erfahrung des Todes und des Beherrschtwerdens überwunden hat. Der Vers orientiert sich damit erneut an der leitenden Unterscheidung Gegenüberstellung Tod (θάνατος) – Leben (ἐγερθείς).

Ausgehend von der Aussage in V. 7, dass die Befreiung von der Macht der Sünde, die zum Tode führt, nur dadurch gebrochen werden kann, dass dieser Tod als Konsequenz der Sünde tatsächlich eintritt, wird die Bedeutung von Tod und Leben Christi (in dieser Reihenfolge) in V. 10 weiter entfaltet (angeschlossen mit γάρ). Indem Christus starb, ist die Macht der Sünde ein für allemal (ἐφάπαξ) gebrochen.[47] Durch seine Auferstehung untersteht er insofern nicht mehr der Macht des Todes (V. 10a), sondern er lebt für Gott.[48] Auch hier ist die Unterscheidung Tod – Leben, verbunden durch adversatives δέ, als strukturierende Differenz sehr deutlich, wobei der Tempuswechsel in V. 10b zeigt, dass es um die gegenwärtige Realität des Lebens Christi geht.

V. 11-13 zeigen in einem abschließenden paränetischen Teil die Konsequenzen der vorausgehenden Argumentation für die Glaubenden auf (eingeleitet mit οὕτως καί).[49] Diese ist durch einen Wechsel in die 2. Person Plural und durch eine persönliche Anrede der Adressaten gekennzeichnet. Wenn durch den Tod Christi die Sünde keine Macht mehr über ihn hat und er durch die Auferstehung neu leben kann, so gilt das auch für alle diejenigen, die ihre eigene Existenz durch die Taufe „in" diesem Christus begründen und „mit" ihm gekreuzigt (V. 6), gestorben (V. 3) und begraben (V. 4) sind. Nachdem Paulus zu Anfang des Abschnittes erläutert hat, dass die Taufe der Glaubenden „in Christi Tod hinein" geschehen ist, dass sie also bereits „in Christus" (V. 3) sind, verweist er nun abschließend für die Annahme dieser neuen Existenz – die von Sünde und Tod frei ist – auf die Selbsteinschätzung jedes einzelnen Glaubenden (λογίζεσθε ἑαυτοὺς). Das schon vor allem im 4. Kapitel vielfach verwendete Wort λογίζομαι wird nun nicht auf Gott, sondern selbstreflexiv auf die Glaubenden bezogen. Sie sollen sich selbst das anrechnen, was in der Taufe bereits geschehen ist, nämlich dass sie mit Christus gestorben sind und mit ihm leben werden. Die Argumentation des Abschnittes zielt damit also wiederum auf das Selbstverhältnis des einzelnen Menschen.

---

[44] Als Gegenkonzeption vgl. z.B. Eph 4,24, wo die neue Existenz als καινὸς ἄνθρωπος vorgestellt wird, den man in der Gegenwart wie ein Kleid anziehen kann. Zum paulinischen Zeitverständnis, das radikal vom Augenblick (νῦν) ausgeht und von dorther Vergangenheit und Zukunft entwickelt, vgl. die Ausführungen zu Röm 3,21.

[45] Vgl. D. Hellholm: Enthymemic Argumentatio in Paul, S. 165f.

[46] Hellholm, ebd.

[47] Zur Übersetzung von V. 10 vgl. Blass, Debrunner, Rehkopf: Grammatik des neutestamentlichen Griechisch, § 154, Anm. 3: „‚den Tod, den er starb ... das Leben, das er lebt...' oder ‚daß er starb, ... daß er lebt'".

[48] Zur Formel ζῇ τῷ θεῷ als Charakterisierung der neuen Existenz der Glaubenden vgl. Röm 14,7-9.

[49] Gegen D. Hellholm: Enthymemic Argumentation in Paul, S. 167 und K. Haacker: Der Brief des Paulus an die Römer; ThHK 6, S. 130, die den paränetischen Teil erst in V. 12 beginnen lassen.

Es ist eine Frage der Selbsteinschätzung und Selbstzurechnung des einzelnen, ob er sich dem Weg Christi für zugehörig hält oder ob er dies nicht tut und damit zwangsläufig dem Weg Adams folgt. Der durch Christus ermöglichte Weg der Befreiung von der Macht der Sünde und des Todes wird grundsätzlich durch die Taufe eröffnet. Er muss dann jedoch vom einzelnen Menschen für sich selbst in Anrechnung gebracht oder abgelehnt werden.

V. 12f wollen deshalb mit drei Imperativen darauf hinwirken, dass die Glaubenden die bereits in der Taufe geschehene Neubegründung ihrer Existenz für sich selbst jeweils neu aktualisieren. Offensichtlich geht Paulus dabei davon aus, dass auch für Getaufte grundsätzlich noch beide Existenzweisen möglich sind: die der Begründung der eigenen Identität durch Taten, Eigenschaften und Fähigkeiten, die zum beherrscht Sein von der Sünde und zum Tode führt (vgl. 1,16-3,18, also die Existenz gemäß Adam, vgl. 5,12ff) oder die Anerkennung und Selbstzurechnung der neu begründeten Existenz „in Christus" (vgl. 3,19-4,25 und 5,12ff). Es geht jeweils um die Frage, welchem der beiden Wege sich der einzelne Mensch zur Verfügung stellt: ob er immer noch oder erneut die Sünde über sich herrschen lässt (βασιλεύω, V. 12) und ihr seine „Glieder" als „Werkzeuge" zur Verfügung stellt (παρίστημι bzw. παριστάνω, V. 13), oder ob er sich der Sünde gegenüber für frei hält und sich Gott zur Verfügung stellt. Diese beiden Wege werden in V. 12f antithetisch einander gegenübergestellt (verbunden mit ἀλλά, V. 13b). Dabei zeigt sich eine bemerkenswerte Asymmetrie, weil Paulus in V. 13,14a lediglich von „beherrscht werden" und von einer „Bereitstellung" der „Glieder" spricht, während er V.14b ein παραστήσατε ἑαυτοὺς τῷ θεῷ ergänzt, das im ersten Teil der Gegenüberstellung keine Entsprechung hat. Er meint hier offensichtlich, dass der erste Weg des Beherrschtseins von der Sünde den Menschen lediglich auf gegenständlicher Ebene als „Glieder" (μέλη) und „Werkzeuge" (ὅπλα), also als Objekt fremder Mächte (der ἁμαρτία bzw. der ἐπιθυμία) erscheinen lässt – nicht aber als selbstbestimmte Person. Der zweite Weg des Lebens mit Christus und für Gott setzt neben der Bereitstellung der „Glieder" als „Werkzeuge der δικαιοσύνη" die Selbst-Bereitstellung der eigenen Person voraus, die durch das Reflexivpronomen gekennzeichnet wird (vgl. V. 11: λογίζεσθε ἑαυτοὺς). Die Adressaten müssen sich also nicht einfach nur der einen oder anderen Macht als Objekt unterstellt verstehen, sondern sie erscheinen in V. 13b in Bezug auf die zweite Existenzweise zugleich als Subjekte, die zu einem Selbstverhältnis in der Lage sind und sich deshalb selbst als Person für Gott bereit stellen können (vgl. auch V. 16). Das „sich selbst Gott bereit Stellen" bzw. das „sich selbst in Christus für lebendig Halten" (V. 11) hebt den Menschen als Person und Subjekt nicht auf, sondern konstituiert ihn gerade erst.

Die abschließende affirmatio[50] von V. 14 besteht deshalb darin, dass die Glaubenden der Macht der Sünde nicht mehr unterstehen (V. 14a). Die seit 5,12ff durchgängig auf der ersten Seite der Gegenüberstellungen beschriebene Existenzweise gemäß Adam ist für diejenigen beendet, die in Christi Tod hinein getauft sind (6,3), die damit der Sünde gestorben sind (6,2) und die diese Befreiung von der Macht der Sünde sich selbst zurechnen (6,11). Dem wird abschließend erneut die zweite, von Christus geprägte Existenzweise gegenübergestellt (angeschlossen mit γάρ). Diejenigen, die sich diese Befreiung selbst zurechnen und sich selbst Gott bereitstellen (6,13), unterstehen nicht mehr dem Gesetz (in einem spezifischen Sinne, nämlich in der Hinsicht, dass das

---

[50] So Hellholm, a.a.O. S. 169f.

Gesetz die Sünde provoziert, vgl. 7,7ff), sondern der χάρις. Der Schlusssatz ist insofern „a recapitulatio of the thesis in 5,20f".[51]

Der Abschnitt Röm 6,1-14 lässt sich damit folgendermaßen strukturieren, wobei die leitende Unterscheidung Tod – Leben mit ihren Varianten jeweils hervorgehoben ist:

6,1+2a: Τί οὖν ἐροῦμεν	ἐπιμένωμεν τῇ ἁμαρτίᾳ ἵνα ἡ χάρις πλεονάσῃ	μὴ γένοιτο
2b: οἵτινες	*ἀπεθάνομεν* τῇ ἁμαρτίᾳ	πῶς ἔτι *ζήσομεν* ἐν αὐτῇ
3: ἢ ἀγνοεῖτε ὅτι	ὅσοι ἐβαπτίσθημεν εἰς Χριστὸν Ἰησοῦν	εἰς τὸν *θάνατον* αὐτοῦ ἐβαπτίσθημεν
4: οὖν	*συνετάφημεν* αὐτῷ διὰ τοῦ βαπτίσματος εἰς τὸν *θάνατον*	ἵνα ὥσπερ *ἠγέρθη* Χριστὸς ἐκ νεκρῶν διὰ τῆς δόξης τοῦ πατρός οὕτως καὶ ἡμεῖς ἐν καινότητι *ζωῆς* περιπατήσωμεν
5: εἰ γὰρ	σύμφυτοι γεγόναμεν τῷ ὁμοιώματι τοῦ *θανάτου* αὐτοῦ	ἀλλὰ καὶ τῆς *ἀναστάσεως* ἐσόμεθα
6: τοῦτο γινώσκοντες ὅτι	ὁ παλαιὸς ἡμῶν ἄνθρωπος *συνεσταυρώθη*	ἵνα καταργηθῇ τὸ σῶμα τῆς ἁμαρτίας τοῦ μηκέτι δουλεύειν ἡμᾶς τῇ ἁμαρτίᾳ
7: γὰρ	ὁ ἀποθανὼν	δεδικαίωται ἀπὸ τῆς ἁμαρτίας
8: εἰ δὲ	*ἀπεθάνομεν* σὺν Χριστῷ	πιστεύομεν ὅτι καὶ *συζήσομεν* αὐτῷ
9: εἰδότες ὅτι	οὐκέτι *ἀποθνῄσκει θάνατος* αὐτοῦ οὐκέτι κυριεύει(2)	Χριστὸς *ἐγερθεὶς* ἐκ νεκρῶν (1)
10: γὰρ	ὃ *ἀπέθανεν* τῇ ἁμαρτίᾳ *ἀπέθανεν* ἐφάπαξ	ὃ δὲ *ζῇ ζῇ* τῷ θεῷ
11: οὕτως καὶ	ὑμεῖς λογίζεσθε ἑαυτοὺς εἶναι *νεκροὺς* μὲν τῇ ἁμαρτίᾳ	*ζῶντας* δὲ τῷ θεῷ ἐν Χριστῷ Ἰησοῦ
12+13: οὖν	Μὴ βασιλευέτω ἡ ἁμαρτία ἐν τῷ *θνητῷ* ὑμῶν σώματι εἰς τὸ ὑπακούειν ταῖς ἐπιθυμίαις αὐτοῦ μηδὲ παριστάνετε τὰ μέλη ὑμῶν ὅπλα ἀδικίας τῇ ἁμαρτίᾳ	ἀλλὰ παραστήσατε ἑαυτοὺς τῷ θεῷ ὡσεὶ ἐκ νεκρῶν *ζῶντας* καὶ τὰ μέλη ὑμῶν ὅπλα δικαιοσύνης τῷ θεῷ
14: γὰρ	ἁμαρτία ὑμῶν οὐ κυριεύσει	οὐ γάρ ἐστε ὑπὸ νόμον ἀλλὰ ὑπὸ χάριν

---

[51] Hellholm, a.a.O., S. 170.

Die individuelle Entscheidung (6,15-23)

Mit τί οὖν wird ein neuer Abschnitt eingeleitet, in dem die beiden alternativen Lebenskonzepte weiter charakterisiert werden. V. 15-23 werden mit jener charakteristischen christologischen Formel abgeschlossen, die am Ende der folgenden Kapitel wieder erscheint und durch die Röm 5-8 als zusammenhängender Argumentationsteil gekennzeichnet ist (ἐν Χριστῷ Ἰησοῦ τῷ κυρίῳ ἡμῶν, vgl. Röm 5,21; 7,25a). D. Hellholm sieht in V. 15ff in Fortführung seiner Überlegungen zu V. 1-14 eine zweite Dialogphase, die im Prinzip parallel zur ersten aufgebaut ist. Er gliedert folgendermaßen: Meta-active Argument (6.15), Exemplum/similitudo (6.16), Inductive inference (6.17-18), Paraenetic Argument (6.19b-22), Affirmatio (6.23).[1]

Auch hier wird die bereits in Röm 5,12-21 und in 6,1-14 durchgeführte Gegenüberstellung der Existenzweise gemäß Adam, die von Sünde beherrscht ist und zum Tode führt und der Existenzweise gemäß Christus, die von der Sünde befreit und zum Leben führt, fortgesetzt. Das lässt sich leicht daran erkennen, dass sich in den jeweiligen Gegenüberstellungen jeweils auf der ersten Seite das Wort ἁμαρτία bzw. ἁμαρτάνω findet[2] und diesem auf der zweiten Seite ein entsprechender Gegenbegriff entgegengesetzt wird: ὑπακοή (V. 16), τύπος διδαχῆς (V. 17), δικαιοσύνη (V. 18,19,20), ὁ θεός (V. 22.23).

Die Argumentation ist in V. 15f parallel zu V. 1-3 aufgebaut. Sie beginnt jeweils mit einem Einwand, der mit einer rhetorischen Frage in der 1. Person Plural formuliert wird. Es folgt die Ablehnung des Einwandes mit μὴ γένοιτο (V. 15). Daran schließt sich eine weitere rhetorische Frage an, die mit einem Verb des Wissens eingeleitet wird und die Gegenthese zum vorher abgelehnten Einwand enthält (V. 16).[3] In V. 15 „spricht Paulus noch einmal – in der Formulierung an 14b anknüpfend – das gleiche Mißverständnis wie in V. 1 an".[4] Gemeint ist dabei, wie bereits vorher, eine menschliche Sichtweise, nach der man beliebig sündigen kann, weil man sich unter der Gnade geborgen weiß und vom Gesetz befreit ist. Diese Sicht wird mit V. 15b zunächst in theologischer Perspektive kategorisch abgelehnt. Inwiefern auch für diejenigen „unter der Gnade" das Gesetz gilt und zu erfüllen ist, wird Paulus in Röm 10,4ff und 13,8ff erläutern. Das setzt jedoch eine Differenzierung zwischen konkreten Gesetzesbestimmungen und eigentlichem, theologischem bzw. christologischem Sinn und Ziel des Gesetzes voraus (vgl. dazu ausführlich unten die Ausführungen zu 10,4 und 13,8ff und oben zu 2,12).

Die rhetorische Frage in V. 16 schließt an die vorhergehende paränetische Argumentation in V. 11-13 an, wo die Adressaten vor die Alternative gestellt worden waren, ihre „Glieder" (und sich selbst) der ersten oder der zweiten Existenzweise zur Verfügung zu stellen (παριστάνω). In V. 16a wird offenbar – wie bereits in V. 13 und mit einer nahezu identischen Formulierung – von der Entscheidungsfähigkeit der Adressaten ausgegangen (ᾧ παριστάνετε ἑαυτούς).[5] Paulus meint hier offensichtlich,

---

[1] Hellholm: Enthymemic Argumentation in Paul. The case of Romans 6; in: T. Engberg-Pedersen (Hrsg.): Paul in his Hellenistic Context; Minneapolis 1995, S. 119-179, dort S. 138.

[2] Der Begriff wird lediglich V. 19 durch ἀκαθαρσία und ἀνομία variiert.

[3] Zu diesem parallelen Aufbau vgl. Hellholm, a.a.O., S. 141.

[4] K. Haacker: Der Brief des Paulus an die Römer; ThHK 6, S. 131.

[5] Anders Haacker, der a.a.O., S. 132 einerseits eine Entscheidungsautonomie des Menschen ablehnt: „Ein autonomes, in sich ruhendes Menschenleben ist eine Illusion." Andererseits gesteht er zu, dass Paulus hier von einer Entscheidungsfähigkeit des Menschen ausgeht. Er beschränkt diese aber auf den

dass sie selbst in der Lage sind, zu entscheiden, welcher Lebenskonzeption sie sich (ausgedrückt mit reflexivem ἑαυτούς) zur Verfügung stellen: derjenigen gemäß Adam oder derjenigen gemäß Christus. Paulus setzt hier zunächst in menschlicher Perspektive die freie Entscheidungsfähigkeit des Menschen voraus. V. 16b ergänzt zu dieser Aussage aus theologischer Sicht, dass die autonom zu treffende Entscheidung gleichzeitig ein Dienstverhältnis gegenüber der Sünde oder gegenüber Gott begründet (δοῦλοί ἐστε ᾧ ὑπακούετε). Deshalb hatte sich Paulus bereits in Röm 1,1 selbst als δοῦλος bezeichnet.

Die Argumentationsstrategie ist nicht nur formal, sondern auch inhaltlich parallel zu 6,1-3 aufgebaut. Der Begriff δοῦλος in V. 16 knüpft ebenso wie schon der des Taufens in V. 3 an die konkrete Erfahrung der Adressaten an. „The last rhetorical question in both dialogue phases introduce proarguments referring to common, well-known and accepted realities for all parties involved".[6]

Mit δοῦλος (und seinem Gegenbegriff ἐλεύθερος und Varianten) ist neben dem zentralen Begriff der Sünde und seinen Gegenbegriffen ein weiterer Terminus genannt, der die Argumentationsstruktur von V. 15ff wesentlich mitbestimmt: „Δοῦλος and ist derivates appear in Rom 6.6 (δουλεύω), 6.16 (δοῦλος, twice), 6.17 (δοῦλος), 6.18 (δουλόω), 6.19 (δοῦλος, adjective, twice), 6.20 (δοῦλος), and 6.22 (δουλόω)."[7] Für J. W. Aageson signalisiert dieser Begriff, dass es sich in diesen Versen durchgehend um das Problem von Dienen und beherrscht Werden, also um Fragen der Kontrolle handelt. In Anknüpfung an E. A. Nida[8] versucht Aageson zu zeigen, dass hier die für den Aufbau der antiken Gesellschaft sehr relevante Differenzierung Sklave – Freier von Paulus aufgenommen wird, und dass dies sprachlich nicht nur auf der Ebene der Begriffe, sondern auch durch die Struktur der Kommunikation deutlich wird. Man kann unter der Fragestellung, wer wen kontrolliert, in Kapitel 6 fast durchgehend grammatisch „Controlling agent", „Control Item" und „Controlled Agent" unterscheiden. Damit drückt sich in der grammatischen Struktur zugleich das aus, was auf der Ebene der Bedeutung der Begriffe thematisiert wird. Es wird eine Verbindung von Gesellschaftsstruktur (mit der Unterscheidung Sklave/Freier), theologischer Semantik (mit dem Begriff δοῦλος und seinen Gegenbegriffen) und sprachlicher Struktur (mit der Unterscheidung controlling – controlled agent) deutlich, die für Nida eine wichtige Hypothese der modernen Linguistik darstellt. „There are analogies between the structure of a culture and the semantic structure of a corresponding language, but there is no set of one-to-one correspondences. [...] Nevertheless, the language does reflect in certain aspects of its semantic structure those aspects of the culture which for one reason or another have become salient in the lexical contrasts."[9] Unter der Voraussetzung dieser engen Verbindung von Gesellschaftsstruktur, Semantik und Struktur versucht Aageson für die meisten Verse des 6. Kapitels eine durchgehende Struktur anzugeben. Er kommt dabei zu folgender Aufstellung:[10]

---

ethischen Bereich: „Daß dieses (ewige) Leben Gottes unverdiente Gabe ist (23), spricht nicht dagegen, es in einer ethischen Neuorientierung in der Gegenwart beginnen zu lassen." (Ebd.)

[6]   Hellholm: Enthymemic Argumentation in Paul , S. 141.

[7]   J.W. Aageson: ‚Control' in Pauline language and culture: A Study of Rom 6; in: NTS 42 (1996), S. 75-89, dort S. 78.

[8]   E. A. Nida: Componential Analysis of Meaning: An Introduction to Semantic Structures; The Hage 1975.

[9]   Nida, a.a.O., S.36.

[10]   J. W. Aageson: ‚Control' in Pauline language and culture, S. 84f.

„Controlling Agent	Control Item	Controlled Agent
6.6 ἁμαρτία	δουλεύειν	ἡμᾶς
6.7 ἁμαρτίας	δεδικαίωται	ὁ ἀποθανών
6.9 θάνατος	κυριεύει	αὐτοῦ (Christ)
6.12 ἁμαρτία	βασιλευέτω	ἐν τῷ θνητῷ ὑμῶν σώματι (location)
6.13 ἁμαρτία	παριστάνετε	τὰ μέλη ὑμῶν
Θεῷ	παραστήσατε	ἑαυτούς τὰ μέλη ὑμῶν
6.14 ἁμαρτία	κυριεύσει	ὑμῶν
νόμον	ὑπό	ἐστε
χάριν	ὑπό	(ἐστε)
6.15 νόμον	ὑπό	ἐσμέν
χάριν	ὑπό	(ἐσμέν)
6.16 ᾧ	δούλους	ἑαυτούς
(ᾧ)	παριστάνετε	(ἑαυτούς)
ἁμαρτίας	δοῦλοί	ἐστε
ὑπακοῆς	(δοῦλοί)	(ἐστε)
6.17 ἁμαρτίας	δοῦλοι	ἦτε
6.18 ἁμαρτίας	ἐλευθερωθέντες	ἐδουλώθητε
δικαιοσύνη	ἐδουλώθητε	(you)
6.19 ἀκαθαρσίᾳ	δοῦλα	τὰ μέλη ὑμῶν
ἀνομίᾳ	(δοῦλα)	(τὰ μέλη ὑμῶν)
δικαιοσύνη	δοῦλα	τὰ μέλη ὑμῶν
ἀκαθαρσίᾳ ἀνομίᾳ	παρεστήσατε	τὰ μέλη ὑμῶν
Δικαιοσύνη	παραστήσατε	τὰ μέλη ὑμῶν
6.20 ἁμαρτίας	δοῦλοι	ἦτε
Δικαιοσύνη	ἐλεύθεροι	ἦτε
6.22 ἁμαρτίας	ἐλευθερωθέντες	ἔχετε
Θεῷ	δουλωθέντες	(ἔχετε)"

Gegenüber dieser auf ihre Weise interessanten Strukturierung von Aageson soll jedoch durch den im Folgenden entwickelten Strukturierungsvorschlag die Kontinuität zu Röm 5,12ff und den dort dargestellten beiden Existenzweisen hervorgehoben werden. Dieser Gedanke wird in V. 16ff dadurch fortgesetzt, dass parallel zu 5,12ff die erste Existenzweise gemäß Adam mit dem Begriff der ἁμαρτία und einigen Varianten charakterisiert wird. Die zweite Existenzweise gemäß Christus wird primär mit dem der δικαιοσύνη und einigen anderen Begriffen gekennzeichnet. Aufgrund der leitenden Differenz ἁμαρτία – δικαιοσύνη ergeben sich folgende Differenzierungen:

V. 16: ἁμαρτία – δικαιοσύνη
17: ἁμαρτία – τύπος διδαχῆς
18: ἁμαρτία – δικαιοσύνη
19: ἀκαθαρσία καὶ ἀνομία – δικαιοσύνη
20: ἁμαρτία – δικαιοσύνη
22: ἁμαρτία – θεός
23: ἁμαρτία – θεός

Dazwischen ist in V. 21 mit τότε – νῦν eine zeitliche Differenzierung vorgenommen, welche die erste Existenzweise als eine der Vergangenheit und die zweite als eine der Gegenwart charakterisiert (vgl. oben die Ausführungen zu 3,21). Diese zeitliche Differenzierung wird das Arrangement der beiden folgenden Kapitel 7 und 8 bestimmen (siehe dazu unten die Ausführungen zu 7,1-6).

V. 16c und d zeigen in einer ersten grundlegenden Gegenüberstellung die beiden alternativen Dienstverhältnisse auf (mit ἤτοι – ἤ antithetisch verbunden). Die Verknüpfung von ἁμαρτία und θάνατος verweist auf die in Röm 5,12-21 beschriebene Existenzweise Adams zurück. In der Antithese sind die entsprechenden Gegenbegriffe δικαιοσύνη und ὑπακοή. Aufgrund der grammatischen Konstruktion scheinen sich die Ausdrücke εἰς θάνατον und εἰς δικαιοσύνην bzw. ἁμαρτίας und ὑπακοῆς zu entsprechen. Die folgende Argumentation verdeutlicht jedoch, dass die einander entsprechenden Gegenbegriffe ἁμαρτία und δικαιοσύνη lauten. Ὑπακοή bzw. ὑπακούω sind damit in V. 16 doppelt qualifiziert: zum einen allgemein als Beschreibung beider Herrschaftsverhältnisse (V. 16a und b) und zum anderen speziell als Charakterisierung der zweiten, Christus gemäßen Existenzweise (V. 16d). Schon in Röm 5,19 war das Verhalten Christi mit dem gleichen Wort gekennzeichnet worden. Für die Charakterisierung des zweiten Weges wird jedoch von Paulus nicht primär ὑπακοή, sondern vielmehr δικαιοσύνη als Leitbegriff verwendet. Δικαιοσύνη ist aber gemäß den zu Röm 1,17 vorgetragenen Überlegungen in juridischer Metaphorik als Freispruch zu verstehen ist. Damit wird deutlich, dass bei der zweiten Existenzweise gemäß Christus nicht einfach nur ein Herrschaftsverhältnis das andere ablöst, sondern dass dieses zweite in bestimmtem Sinne mit dem Gedanken der Freiheit verbunden ist (vgl. die Ausführungen unten zu 8,2).

V. 17 und 18 enthalten im Vergleich zu V. 6d und 9f diesmal keine „deductive", sondern eine „inductive inference". Paulus argumentiert also nun im Unterschied zum Kapitelanfang nicht deduktiv, sondern induktiv, indem er von dem Beispiel bzw. Vergleich der Knechtschaft ausgeht (V. 16) und dieses Beispiel in seiner Bedeutung für die Adressaten erläutert.[11] Das Entweder-Oder der beiden Herrschaftsverhältnisse von V. 16c+d wird nun ab V. 17 weiter erläutert. Den Adressaten wird zugesprochen, dass sie die Entscheidung für die zweite Seite des Lebens gemäß Christus (mit der Taufe, V.3f?) bereits getroffen haben (ὑπηκούσατε δὲ ἐκ καρδίας εἰς ὃν παρεδόθητε τύπον διδαχῆς) und dass damit eine Existenz gemäß Adam für sie der Vergangenheit angehört (ἦτε δοῦλοι τῆς ἁμαρτίας). Es ist nicht nötig, V. 17b als sekundäre Glosse anzusehen, wie R. Bultmann vorgeschlagen hat.[12] Der Halbvers fügt sich, obwohl die Formulierung

---

[11] D. Hellholm: Enthymemic Argumentation in Paul, S. 173 und S. 176f.

[12] R. Bultmann meint: „Der klare antithetische Satz 6,17f:
χάρις δὲ τῷ θεῷ ὅτι ἦτε δοῦλοι τῆς ἁμαρτίας
ἐλευθερωθέντες δὲ ἀπὸ τῆς ἁμαρτίας ἐδουλώθητε τῇ δικαιοσύνῃ
ist durch den stupiden Zwischensatz: ὑπηκούσατε δὲ ἐκ καρδίας εἰς ὃν παρεδόθητε τύπον διδαχῆς empfindlich gestört, durch einen Satz, der gleich zwei unpaulinische Wendungen enthält, das ἐκ καρδίας und das τύπος διδαχῆς." (R. Bultmann: Glossen im Römerbrief; in: ders.: Exegetica, S. 278-284, dort S. 283.) Für diese vehement vorgetragene These findet sich jedoch kaum eine sachliche Begründung, sondern lediglich eine ebenso vehemente Ablehnung der gegenteiligen Meinung: „Freilich: wer nicht empfindet, daß in dem Abschnitt 6,15-23 die großartige Entfaltung der Dialektik der ἐλευθερία einerseits, des ὑπακούειν bzw. des δοῦλος ἔιναι andererseits durch das triviale ὑπακούειν gegenüber dem τύπος διδαχῆς verdorben wird, dem wird mit anderen Gründen nicht mehr viel zu helfen sein." (Ebd.)

etwas eigenartig wirkt, gut in die parallele Struktur ein, mit der die erste Existenzweise gemäß Adam und die zweite gemäß Christus einander gegenübergestellt werden. K. Haacker meint im Anschluss an U. Borse, dass τύπος διδαχῆς hier negative Bedeutung habe, weil das παραδιδόναι bei Paulus immer negativ besetzt sei.[13] Ὑπακούω ist jedoch V. 16d eindeutig positiv qualifiziert, und das Wort setzt voraus, dass es sich auf der zweiten Seite der Gegenüberstellung in Bezug auf die Existenz „mit" und „in" Christus nicht nur um ein Ausgeliefertsein handelt, sondern dass das „Hören auf", verstanden als bewusster und selbständiger Akt des Menschen, unmittelbar dazugehört (vgl. bereits 1,5 und 5,19). Diese willentliche Zustimmung wird auch mit ἐκ καρδίας explizit zum Ausdruck gebracht. Die Formulierung εἰς ὃν παρεδόθητε τύπον διδαχῆς ist deshalb nicht zu verstehen als Gestalt der Lehre, der die Adressaten übergeben worden sind. Sondern es ist die Lehre gemeint, die sie übergeben bekommen haben[14] und nach der sie sich jetzt von Herzen und willentlich richten können. Der Ausdruck fungiert somit in der Parallelstruktur des Abschnittes als Äquivalent zu δικαιοσύνη und als Gegenbegriff zu ἁμαρτία.

V. 18 stellt, an das Vorhergehende wiederum mit δέ angeschlossen, dem δουλόω mit ἐλευθερωθέντες den entsprechenden Gegenbegriff gegenüber (vgl. auch V. 20 und 22). Die Zugehörigkeit zur zweiten Existenzweise gemäß Christus wird als Befreiung von der ersten interpretiert, die durch die Sünde bestimmt ist. Das im gewöhnlichen Sprachgebrauch negativ besetzte Verb δουλόω kann also V. 18b (und 22) auf der zweiten Seite der genannten Gegenüberstellungen auch positiv gebraucht werden (vgl. Röm 1,1). Es hat ambivalente Bedeutung, je nachdem, ob in menschlicher Perspektive das Gefangensein unter der Sünde oder in theologischer bzw. christologischer Sicht die freiwillige Unterstellung unter die Gnade gemeint ist. In theologischer Perspektive bedeutet der Dienst für die Gerechtigkeit (V. 18b und 19b) positiv die Befreiung von der Macht der Sünde (V. 18a) und damit von der ersten Existenzweise gemäß Adam.

In V. 19 scheint es zunächst wiederum so, dass die Bereitstellung für die Sünde oder für Gott insofern als alternative und gleichwertige Lebenskonzeptionen gesehen werden, als sie beide ein beherrscht Sein des Menschen voraussetzen. Die erste Herrschaft würde dann vor allem mit dem Begriff der ἁμαρτία gekennzeichnet, die zweite mit δικαιοσύνη. Die genannten Gegenüberstellungen, die durch die beiden Machtsysteme geprägt sind, scheinen dann symmetrisch aufgebaut zu sein. „In Rom 6 this means that ‚sin', ‚death', ‚law', ‚uncleanness', ‚lawlessness', and ‚God', ‚grace', ‚obedience', ‚righteousness' are all [...] abstracts or characteristics that are projected as controlling agents. A new arrangement of control is said by Paul to prevail among those who have presented their members to God. One must submit to the control of ‚righteousness' and not ‚sin', ‚grace' and not ‚law', ‚obedience' and not ‚lawlessness'."[15] Wenn man beide Seiten der Gegenüberstellungen symmetrisch versteht, ist Befreiung von der Macht des einen Herrschaftssystems nur möglich, indem man in das andere Herrschaftssystem wechselt. (V. 19-22). Freiheit bedeutet dann die Abwesenheit der Herrschaft der einen Macht aufgrund des Beherrschtseins durch eine andere.

Paulus relativiert jedoch solche gegenseitige Verrechnung von Freiheit und Herrschaft, wenn er sie zu Beginn von V. 19 als menschliche Rede qualifiziert, die

---

[13] Vgl. K. Haacker: Der Brief des Paulus an die Römer; ThHK 6, S. 133f mit Bezug auf U. Borse: Abbild der Lehre (Röm 6,17) im Kontext; BZ 12 (1968), S. 95-103, dort S. 98f.

[14] Vgl. W. Haubeck, H. von Siebenthal: Neuer sprachlicher Schlüssel zum griechischen Neuen Testament, Bd. 2, S. 20.

[15] J. W. Aageson: ‚Control' in Pauline language and culture, S. 88.

wegen der „Schwäche des Fleisches" der Adressaten nötig sei. Der Ausdruck ἀνθρώπινον λέγω διὰ τὴν ἀσθένειαν τῆς σαρκὸς ὑμῶν leitet als metakommunikative Erläuterung[16] V. 19ff ein. Damit wird gesagt, dass Paulus einerseits die Veränderung von der einen zur anderen Existenzweise mit Hilfe der Metapher des Herrschaftswechsels verdeutlichen möchte. Andererseits ist diese Metaphorik aber „menschlich" gedacht und vermag deshalb den Vorgang der Befreiung von der Sünde nicht angemessen wiederzugeben.[17] Der mit den Worten δοῦλος bzw. δουλόω beschriebene „Herrschaftswechsel" ist also übertragen zu verstehen. Paulus bestreitet damit nicht die Fähigkeit des Menschen zur selbständigen Entscheidung für eine der beiden Existenzweisen, die im Vorhergehenden vorausgesetzt worden war. Das wird durch das doppelte παρίστημι verdeutlicht, welches den Menschen gerade auffordert, von seiner Entscheidungsfähigkeit Gebrauch zu machen.

Der Imperativ παραστήσατε zeigt, dass mit V. 19, parallel zum Ende des Abschnittes V. 1-15, ein paränetischer Teil beginnt, der bis V. 22 reicht.[18] Der Begriff ἁμαρτία, der sonst in allen Gegenüberstellungen des Abschnittes die erste Existenzweise gemäß Adam charakterisiert, wird hier durch ἀκαθαρσία und ἀνομία variiert. Diesen wird in V. 19b erneut der Begriff der δικαιοσύνη zur Beschreibung der zweiten Existenzweise gegenübergestellt. In diesem Halbvers wird mit νῦν eine zeitliche Differenzierung eingeführt, die in den folgenden Kapiteln grundlegend entfaltet wird. Die zweite Existenzweise gemäß Christus wird damit als Existenz in der Gegenwart verstanden, die erste als Existenz in der Vergangenheit. Damit sind, wie bereits zu Röm 3,21 ausführlich erläutert wurde, nicht einfach zwei verschiedene Zeitpunkte gemeint, sondern das Zeitverständnis wird von Paulus vom νῦν her neu konzipiert: Die Existenz „in" und „mit" Christus ist gerade dadurch charakterisiert, dass sie einen Sinn für das „Jetzt", den „Augenblick" eröffnet und von dort her alle anderen Existenzweisen als vergangene versteht. Das wird in Kap. 7,7ff unter dem Aspekt der Vergangenheit und in Kap. 8 unter dem der Gegenwart und der daraus folgenden Zukunftserwartung weiter vertieft werden.

Die V. 20-22 entfalten, angeschlossen mit γάρ, diese zeitliche Differenzierung durch drei weitere Gegenüberstellungen: V. 20 beschreibt die Existenzweise gemäß Adam mit ὅτε, während V. 22 diejenige gemäß Christus durch νυνί bestimmt. Dazwischen werden in V. 21 die beiden Existenzweisen mit der Unterscheidung τότε – νῦν im Hinblick auf ihre Konsequenzen befragt.[19] Diese zeitliche Differenzierung wird über den Abschnitt hinaus auch in Röm 7,1-6 (vgl. V. 5f) und 7,7ff weitergeführt.[20] Wie bereits in Röm 3,21 wird hier in V. 22 die Befreiung von der Sünde der Gegenwart zugeschrieben. Das νυνί bezeichnet dabei das „Jetzt", in dem der Zuspruch der Freiheit

---

[16] D. Hellholm: Enthymemic Argumentation in Paul, S. 174 meint zu diesem Ausdruck: „He does so by means of an *anaphorical* as well as *cataphorical meta-narrative clause* [...] indicating his motivation for using an example/similitude for common human practice and its inductive analogical interpretation." (Hervorhebungen von Hellholm)

[17] Vgl. dazu auch U. Wilckens: Der Brief an die Römer; EKK VI, 2, S. 37f mit Hinweis auf Röm 3,5; I Kor 3,1-3 und 9,8.

[18] Vgl. Hellholm: Enthymemic Argumentation in Paul, S. 138 und 175f.

[19] Zu dieser zeitlichen Differenzierung siehe auch P. Tachau: „Einst" und „Jetzt" im Neuen Testament. Beobachtungen zu einem urchristlichen Predigtschema in der neutestamentlichen Briefliteratur und zu seiner Vorgeschichte; Göttingen 1972.

[20] Zur strukturierenden Bedeutung dieser Differenz für den Zusammenhang von Kapitel 7 und 8 siehe unten die einführenden Überlegungen zu Röm 7,5f.

durch Gott vom einzelnen Menschen im Glauben angenommen wird.[21] Von diesem „Jetzt" aus gesehen erscheint das bisherige Leben als Vergangenheit unter der Knechtschaft der Sünde (V. 20f).

In der Gegenüberstellung in V. 20 wird das Gegensatzpaar δοῦλος – ἐλεύθερος aus V. 18 wieder aufgenommen. Auch hier wird δοῦλος dabei zur Bezeichnung des Verhältnisses zur Sünde (V. 20) und zu Gott (V. 22) ambivalent gebraucht. Umgekehrt verwendet Paulus aber auch den Begriff ἐλεύθερος – in der oben beschriebenen Metaphorik des Herrschaftswechsels – zweideutig. Frei zu sein von der Gerechtigkeit (V. 20b) bedeutet negativ, dass der Mensch weiterhin der Sünde dient (V. 20a) und letztlich sterben muss (V. 21).[22] Befreiung von der Sünde bedeutet hingegen positiv, Gott zu dienen und dadurch ewig leben zu können (V. 22).

V. 21f benennt, angeschlossen mit οὖν, die Folgen der beiden Existenzweisen mit dem Begriff καρπός. Das Leben gemäß der ersten Existenzweise (τότε, V. 21a) führt zum Tode (τὸ [...] τέλος ἐκείνων θάνατος). Diese Einsicht ist jedoch erst möglich, wenn die Entscheidung für die zweite Existenzweise gefallen ist. Das führt dazu, dass man sich im „Jetzt" für die Existenzweise in der Vergangenheit schämen muss (ἐφ᾽ οἷς νῦν ἐπαισχύνεσθε V. 21b, vgl. Röm 1,16).

V. 22 beschreibt, angeschlossen mit adversativem δέ, die zweite Existenzweise im „Jetzt". Der Vers ist formal parallel zu V. 21 strukturiert.[23] Die „Frucht" dieser Existenz ist die Heiligung (ἁγιασμός). Der Begriff wurde bereits in V. 19 neben δικαιοσύνη verwendet. Er fungiert hier offenbar aufgrund der Parallelität zu V. 21 als Gegenbegriff zu ἐπαισχύνομαι. Das Ziel dieser zweiten Existenzweise ist das ewige Leben, womit erneut die in Kap. 5-8 wichtige, leitende Gegenüberstellung θάνατος – ζωή aufgenommen wird. Dass die erste Existenzweise im Tod endet (τέλος) und die zweite im ewigen Leben, wurde bereits bei der Einführung der beiden Existenzweisen in Röm 5,12-21 ausgeführt (vgl. 5,17 und 21) und im vorigen Abschnitt V. 1-14 weiter verdeutlicht. Die Differenz Leben – Tod zieht sich damit von 5,10 an wie ein roter Faden durch die Abschnitte und die Argumentation. V. 15-23 zielen erneut auf diese Differenz hin (vgl. V.23).

V. 23 beendet, parallel zu V. 1-15, den Abschnitt in der Sicht Hellholms mit einer affirmatio.[24] Die in diesem Abschnitt vorherrschende Metapher von Herr und Sklave, die zu Beginn von V. 19 bereits in ihrer Unzulänglichkeit beschrieben wurde, wird dabei bemerkenswerter Weise am Ende der Argumentation jedenfalls für die auf der zweiten Seite der Gegenüberstellung beschriebene Existenzweise ad absurdum geführt: Das ewige Lebens ist keine „Bezahlung" (ὀψώνιον) für den geleisteten Dienst (V. 23a), sondern ein Geschenk (χάρισμα, V. 23b), das die zuvor verwendete Metaphorik von Dienst und Herrschaft letztlich sprengt. Mochte es seit V. 16 noch so scheinen, als ob der Mensch entweder unter der Sünde oder unter der Gerechtigkeit bzw. Gott versklavt sei, so wird jetzt am Ende des Abschnittes herausgestellt, dass sich mit den beiden genannten Alternativen zwei grundlegend verschiedene und in gewissem

---

[21] Vgl. dazu die Ausführungen zum paulinischen Zeitverständnis zu Röm 3,21.

[22] Zu dieser ambivalenten Verwendung der Begriffe meint U. Wilckens: Der Brief an die Römer; EKK VI, 2, S. 39: „Denn daß die Sünder als Sklaven der Sünde der Gerechtigkeit gegenüber ‚frei' waren, gilt nur, wenn man Freiheit vom formalrechtlichen Aspekt lediglich als Nichtverpflichtetsein, d.h. vom Aspekt des Sklaven aus als Nicht-Dienst gegenüber dem anderen Herrn [...] begreift."

[23] In den Ausführungen zum Zeitverständnis in 3,21 wurden deshalb 6,20 und 22 unter dem Aspekt der zeitlichen Differenzierung Einst – Jetzt zusammengestellt.

[24] Vgl. Hellholm: Enthymemic Argumentation in Paul, S. 138 und 176f.

Sinne inkommensurable Existenzprinzipien und Lebensentscheidungen verbinden. Das erste Prinzip orientiert sich für das persönliche Leben an einem in ökonomischer Metaphorik beschreibbaren Zusammenhang des Tausches, nach dem der Mensch sich einem Herrn unterstellt – bzw. sich ihm unterstellt sein lässt – und für eine bestimmte Arbeitsleistung einen bestimmten Lohn (ὀψώνιον) erhält.[25] Der Zusammenhang von Leistung und entsprechendem Lohn weist damit auf das in Röm 2,1-3,18 ausgeführte Lebenskonzept zurück, das den Menschen allein aufgrund seiner Taten und Eigenschaften definiert.

Die zweite Existenzweise hingegen, durch adversatives δέ V. 23b gegenübergestellt, kann zwar „menschlich gesprochen" (V. 19a) auch mit der Metaphorik des Dienstes (δουλωθέντες) unter der Herrschaft der Gerechtigkeit formuliert werden, sie sprengt jedoch in letzter Konsequenz diese Metaphorik. Derjenige, der gemäß Christus existiert, unterstellt sich Gott mit der Folge, dass er das, was er bekommt, nicht als angemessene Bezahlung für eine Leistung, sondern nur als Geschenk (χάρισμα) empfangen kann. Der Gedanke verweist auf Röm 3,19-4,25 zurück, wo betont worden war, dass der Versuch, die „Gerechtigkeit" (d.h. den Freispruch im göttlichen Gericht) durch eigene Leistungen zu verdienen, grundsätzlich scheitert. Er rekurriert zugleich auf Röm 5,12-21, wo der Weg Christi durch Begriffe wie χάρισμα und χάρις beschrieben worden war. Die Argumentation ist also analog zu 1,18-3,18 und 3,19-4,25, nur dass hier statt juridischer und kultischer vor allem eine „Oikos-Metaphorik sozialer Beziehungen"[26] verwendet wird. Was hier anhand der Beziehung von Herrn und Sklave gezeigt wurde, wird in den nächsten Kapiteln ebenfalls im Rahmen der Oikos-Metaphorik durch Ehe (7,1-6) und Adoption (8,12ff) weiter entfaltet.[27]

Es ist dabei offensichtlich, dass die Metaphorik von Sklave und Herr für eine präzise Darstellung der zweiten Existenzweise gemäß Christus letztlich nicht ausreicht, weil es für Paulus um eine grundsätzliche Befreiung der Glaubenden geht (vgl. Röm 8,2).[28] Der Dienst gegenüber der δικαιοσύνη, der zunächst scheinbar symmetrisch mit demjenigen gegenüber der Sünde verglichen wird, erweist sich letztlich als Dienst gänzlich anderer Qualität. Wenn Paulus die „Bereitstellung" des Menschen für Gott fordert, dann setzt er dabei erstens dessen Entscheidungsfähigkeit voraus. Er geht zweitens davon aus, dass diese Bereitstellung das „Selbst" mit einschließt (παραστήσατε ἑαυτούς, V. 13) und dass der Mensch drittens das ewige Leben als Geschenk (nicht als Verdienst) erwarten kann. Das „Sklaventum" gegenüber Gott verneint deshalb nicht die Freiheit der einzelnen Person, sondern setzt sie voraus bzw. ermöglicht sie erst (vgl.

---

[25] Vgl. den in Röm 4,4 angedeuteten Zusammenhang von Tat und Belohnung.
[26] Zu den wechselnden Metaphoriken vgl. P. von Gemünden und G. Theißen: Metaphorische Logik im Römerbrief, besonders S. 121ff.
[27] Vgl. von Gemünden, Theißen, a.a.O., S. 123.
[28] Das betonen auch von Gemünden und Theißen als Fazit ihrer Untersuchung der verschienenen Metaphoriken im Röm a.a.O., S. 131: „Die ‚private' Metaphorik der drei Oikos-Rollen rückt so in den Mittelpunkt des Briefes. Nur im Zusammenhang mit diesen Rollen begegnet das große Wort ‚Freiheit'. Der Christ wird als ‚Sklave' befreit von der Sünde, als ‚Frau' befreit vom Gesetz, als ‚Kind' befreit von der Vergänglichkeit. Das Stichwort ‚Freiheit' verbindet öffentliche und private Bildlichkeit. [...] Gott wird im Zentrum des Briefes nicht mehr als ‚Herrscher', sondern als ‚Vater' angesprochen. Eine Deutung der paulinischen Theologie primär in ‚Macht-' und ‚Herrschaftskategorien' würde dieser Seite der paulinischen Gedanken- und Bilderwelt nicht gerecht werden."

dazu eingehend die Ausführungen zu Röm 8).[29] In diesem Sinne kann sich Paulus deshalb auch in Röm 1,1 nicht unterwürfig, sondern selbstbewusst und in positiver Formulierung als δοῦλος Χριστοῦ Ἰησοῦ vorstellen.

Der Abschnitt 6,15-23 lässt sich damit wie folgt strukturieren (die leitende Gegenüberstellung ἁμαρτία – δικαιοσύνη mit ihren Varianten, ist dabei jeweils hervorgehoben):

15: Τί οὖν	*ἁμαρτήσωμεν* ὅτι οὐκ ἐσμὲν ὑπὸ νόμον ἀλλὰ ὑπὸ χάριν	μὴ γένοιτο
16: οὐκ οἴδατε ὅτι	ᾧ παριστάνετε ἑαυτοὺς δούλους εἰς ὑπακοήν	δοῦλοί ἐστε ᾧ ὑπακούετε
	ἤτοι *ἁμαρτίας* εἰς θάνατον	ἢ ὑπακοῆς εἰς *δικαιοσύνην*
17: χάρις δὲ τῷ θεῷ ὅτι	ἦτε δοῦλοι τῆς *ἁμαρτίας*	ὑπηκούσατε δὲ ἐκ καρδίας εἰς ὃν παρεδόθητε *τύπον διδαχῆς*
18: δὲ	ἐλευθερωθέντες ἀπὸ τῆς *ἁμαρτίας*	ἐδουλώθητε τῇ *δικαιοσύνῃ*
19: ἀνθρώπινον λέγω διὰ τὴν ἀσθένειαν τῆς σαρκὸς ὑμῶν	ὥσπερ γὰρ παρεστήσατε τὰ μέλη ὑμῶν δοῦλα τῇ *ἀκαθαρσίᾳ* καὶ τῇ *ἀνομίᾳ* εἰς τὴν ἀνομίαν	οὕτως νῦν παραστήσατε τὰ μέλη ὑμῶν δοῦλα τῇ *δικαιοσύνῃ* εἰς ἁγιασμόν
20: ὅτε γὰρ	δοῦλοι ἦτε τῆς *ἁμαρτίας*	ἐλεύθεροι ἦτε τῇ *δικαιοσύνῃ*
21: οὖν	τίνα καρπὸν εἴχετε *τότε*	ἐφ' οἷς *νῦν* ἐπαισχύνεσθε τὸ γὰρ τέλος ἐκείνων θάνατος
22: νυνὶ δὲ	ἐλευθερωθέντες ἀπὸ τῆς *ἁμαρτίας*	δουλωθέντες δὲ τῷ *θεῷ* ἔχετε τὸν καρπὸν ὑμῶν εἰς ἁγιασμόν τὸ δὲ τέλος ζωὴν αἰώνιον
23: γὰρ	τὰ ὀψώνια τῆς *ἁμαρτίας* θάνατος	τὸ δὲ χάρισμα τοῦ *θεοῦ* ζωὴ αἰώνιος ἐν Χριστῷ Ἰησοῦ τῷ κυρίῳ ἡμῶν

---

[29] Dies unter anderem gegen U. Wilckens: Der Brief an die Römer; EKK VI, 2, der S. 39 meint: „Der Mensch ist in Wirklichkeit nie autonom, sondern abhängig – sei es von der Sünde, die ihm Freiheit von Gott vorspiegelt (vgl. V20), sei es aber auch von Gott, der ihn von der Sünde frei gemacht hat".

Das Damals und das Jetzt (7,1-6)

Der Abschnitt stellt eine Verbindung mit den Kapiteln 5 und 6 her[1] und bietet gleichzeitig eine Einleitung zu der folgenden Argumentation Röm 7,7-25 und 8,1ff,[2] hat also eine eigentümliche Zwischenstellung.[3] Die Kontinuität zu dem Vorhergehenden zeigt sich in der Weiterführung des Einst-Jetzt-Schemas aus 6,20-22 in 7,5f,[4] in der Parallelität der Struktur von Kap. 6 und 7,1-6,[5] in der Wiederaufnahme von κυριεύειν, δουλεύειν und ἐλεύθερος[6] und besonders in der Weiterverwendung der Unterscheidung Tod – Leben.[7] Die ausführliche Behandlung des νόμος, die V. 7ff fortgeführt werden wird (vgl. aber bereits 5,13.20 und 6,14f)[8] und der Wechsel von der Beschreibung des Verhältnisses Sklave – Herr zu dem von Frau und Mann weisen jedoch darauf hin, dass hier ein neuer größerer Zusammenhang beginnt.[9]

Die vorher verhandelte Fragestellung des Wechsels von der Existenzweise gemäß Adam zu der gemäß Christus, die in V. 15ff mit Hilfe der Metaphorik des Herrschaftswechsels eines Sklaven von einem Herrn zum anderen besprochen wurde, wird nun mit Hilfe der Ehemetaphorik nochmals behandelt. In 7,1-6 wird der Mensch (ἄνθρωπος, V. 1) nicht mehr als Sklave, sondern als Frau vorgestellt, die dem Manne untersteht (ὕπανδρος, vgl. 6,14 und 15: ὑπὸ νόμον), und die entscheidende Frage ist, wie sie von dieser Herrschaft frei kommen kann. Die Antwort des Paulus ist: Sie kann es, indem der Mann stirbt. Man hat immer wieder gemeint, dass die Argumentation in V. 1-6 nicht schlüssig sei. Die Verbindung zwischen einer Bildebene V. 2-3 und einer Sachebene in V. 4ff mit einem tertium comparationis scheint wenig geglückt.[10] Der

---

[1] So meint z.B. K. Haacker unter Hinweis auf die V.1-6 verwendete Begrifflichkeit: „Der vorliegende Abschnitt hat Übergangsfunktion [...], ist aber thematisch stärker mit Kap. 6 vernetzt als mit 7,7ff." (K. Haacker: Der Brief des Paulus an die Römer; ThHK 6, S. 136)

[2] R. Bultmann betont dabei die Kontinuität zwischen 7,6 und 8,1 in die 7,7-25 als „Zwischenstück" eingearbeitet ist. „Der mit 7,6 erreichte Punkt wird in 8,1 wieder aufgenommen. Die beiden großen Themen von 5,1-7,6 werden nun in neuer Form und in umgekehrter Reihenfolge noch einmal behandelt: 8,1-11 die Freiheit von der Sünde; 8,12-39 die Freiheit vom Tode". (R. Bultmann: Römer 7 und die Anthropologie des Paulus; in: ders.: Exegetica, S. 198-209, dort S. 204)

[3] Diese Zwischenstellung hebt auch D. Hellholm hervor: „Die argumentative Funktion unseres Teiltextes ist als *Thematisierende Einleitung* zum Folgenden zu charakterisieren [...] Die Argumentationsweise ist der in Kap. 6, dort bes. in der zweiten Dialogphase, sehr ähnlich". (D. Hellholm: Die argumentative Funktion von Römer 7,1-6; in: NTS 43 (1997), S. 385-411, dort S. 408f)

[4] Vgl. Hellholm, a.a.O., S. 386.

[5] Siehe dazu J.A. Little: Paul's Use of Analogy. A structural Analysis of Roman 7,1-6; in: CBQ 46 (1984), S. 82-90, besonders S. 83.

[6] Vgl. K. Haacker: Der Brief des Paulus an die Römer; ThHK 6, S. 136.

[7] D. Hellholm: Die argumentative Funktion von Römer 7,1-6, S. 386.

[8] Vgl. Hellholm, a.a.O., S. 409: „Die Kap. 6 gebrauchte Argumentationsweise bleibt in 7.1-6 nämlich konstant, die Thematik dagegen variiert – die in unseren Teiltext eingeführte Thematik bleibt im restlichen Kapitel konstant, während die Argumentationsweise sich hier verändert."

[9] Vgl. P. von Gemünden, G. Theißen: Metaphorische Logik im Römerbrief, S. 123.

[10] Zu den Auslegungsproblemen von V. 1-6 siehe näher L. Sutter Rehmann: Vom Ende der Eifersucht. Der Fall der „verdächtigen Ehefrau" in Röm 7,1-6; in: C. Janssen (Hrsg.): Paulus: umstrittene Traditionen – lebendige Theologie. Eine feministische Lektüre; Gütersloh 2001, S. 67-82, dort S. 71ff. Sie fasst die zumeist vertretene Auslegung des Abschnittes folgendermaßen zusammen: „Sie (sc. die Auslegung) versteht V 2-3 durchweg als Bild, Analogie, Beispiel – als nicht für sich selber stehend, sondern um die folgenden Überlegungen über die Befreiung der Christen von der Bindung an das Gesetz einzuführen oder zu illustrieren [...] Das Bild gilt als zuwenig durchdacht, die Anwendung des Bildes in V 4ff. als nicht geglückt. Die moderne Auslegung folgt weitestgehend der von Adolf Jülicher formulierten Gleichnistheorie [...], indem sie VV 1-6 in zwei Ebenen teilt und ein tertium

Gedankengang von V. 1-3 und 4ff, verbunden mit ὥστε, ist jedoch ganz folgerichtig, wenn man in V. 4 Adam mit dem alten und Christus mit dem neuen Mann der Frau identifiziert. Das soll im Folgenden verdeutlicht werden.

Die ausführliche Anrede der Adressaten als Gesetzeskundige mit ἢ ἀγνοεῖτε ἀδελφοί hat die Funktion der captatio benevolentiae.[11] Paulus hatte ihnen gegenüber zum letzten Mal am Ende des Proömiums in 1,13 den Begriff der ἀδελφοί gebraucht. Damit kommt eine allmähliche Annäherung an die Adressaten innerhalb des Briefkorpus zu ihrem bisherigen Höhepunkt. „Paul first turns to his epistolary audience in 4:23 by using the first person plural. In chapter 6, he reaches a new level of immediacy with the readers by adressing them directly and speaking about their experience. This gradual development in Paul's relation to the literary audience reaches its apex in 7:1 and 4 with the adress ‚brethren'."[12] Die Hinzufügung, dass Paulus mit Gesetzeskundigen rede, führt die neue Thematik der Bedeutung νόμος ein. Ob der Begriff in V. 1f speziell die Tora oder allgemein geltendes Recht meint, bleibt offen. Das in V. 2f genannte Beispiel passt zu beidem, „weil die Polyandrie sowohl im Judentum als auch bei Griechen und Römern dem geltenden Eherecht widersprach."[13] Insofern Paulus sich dabei auch auf Schriftstellen wie Ex 20,13 oder Dtn 5,17 bezieht, folgt er damit dem hermeneutischen Schema von Röm 1,2 und 3,21, nach dem das von ihm verkündigte Evangelium von Jesus Christus bereits in den Heiligen Schriften vorher verheißen und bezeugt worden ist und dass die Schriften deshalb christologisch gedeutet werden können (vgl. dazu auch eingehend die Erläuterungen zu Röm 10,4).

Das λαλῶ unterstreicht erneut, dass Paulus einen neuen Gedankengang im Röm zumeist in der 1. Person beginnt. Damit bekommt das Folgende den Charakter einer persönlichen Ausführung. Die Einleitung in V. 1a setzt zunächst in geläufiger Weise auf der Ebene zwischenmenschlicher Kommunikation zwischen Absender und Adressaten an. Die Formulierung γινώσκουσιν γὰρ νόμον λαλῶ meint einfach die allgemeine menschliche Kenntnis bestehender Ehegesetze, die in V. 2ff näher behandelt werden.

V. 1b ergänzt diese persönliche Anrede um eine theologische These (angeschlossen mit ὅτι). Sie formuliert den leitenden Gedanken des Folgenden, dass die Geltung eines Gesetzes mit dem Tod (des Beziehungspartners) aufgehoben wird (ὅτι ὁ νόμος κυριεύει τοῦ ἀνθρώπου ἐφ' ὅσον χρόνον ζῇ). Die Betonung liegt hier auf dem κυριεύει. Es geht, wie die gesamte Argumentation in Kap. 7 und 8 zeigen wird, nicht darum, die Geltung des Gesetzes an sich zu beenden, sondern Paulus möchte die Befreiung der Glaubenden von einem Gesetz, das in Unfreiheit gefangen hält und den Menschen beherrscht, zu einem anderen Gesetz aufzeigen,[14] das auf der Freiheit der Glaubenden basiert (vgl. V. 3: ἐλευθέρα ἐστίν sowie 8,2: der νόμος des Geistes des Lebens in Christus Jesus befreit vom νόμος der Sünde und des Todes).[15] In der Ehemetaphorik formuliert geht es um einen „Partnerschaftswechsel", wobei natürlich auch die neue Partnerschaft mit Christus bestimmten Gesetzen unterliegt.

---

comparationis einführt: Die Bildebene wird im jüdischen Gesetz gesehen, d.h. in der Bindung der Ehefrau an den Ehemann (VV 2-3). Die Sachebene wird in den VV 4-6 verankert, d.h. in der christlich geglaubten Realität des Todes der Christen in Christus. Das tertium comparationis wird eingeführt als ‚jüdisches Prinzip' dass das Gesetz nur so lange gelte, wie der Mensch lebt." (A.a.O., S. 71)

[11] Vgl. D. Hellholm: Die argumentative Funktion von Römer 7,1-6, S. 401.

[12] S. K. Stowers: A Rereading of Romans, S. 259.

[13] K. Haacker: Der Brief des Paulus an die Römer; ThHK 6, S. 137.

[14] So auch die Beobachtung von L. Sutter Rehmann: Vom Ende der Eifersucht, z.B. S. 78f.

[15] Zu diesem doppelten Gesetzesverständnis vgl. grundsätzlich oben die Ausführungen zu Röm 2,12.

Dieser allgemeine Satz wird in V. 2f (verbunden mit γάρ) durch ein konkretes Beispiel bzw. einen Vergleich erläutert. Die Argumentationsstrategie ist damit ähnlich wie in Röm 6,15ff: „similitudo ex iure in den VV. 2-3 gefolgt von einer induktiven Inferenz in V. 4. Die similitudo als bildhafter Teil einer Analogie beschränkt sich auf die Bereiche, die der allgemeinen natürlichen Erfahrung der Adressaten entsprechen."[16] Dadurch lässt sich also formal – wie D. Hellholm in seinen oben genannten Analysen der drei Abschnitte gezeigt hat – ein annähernd paralleler Aufbau von 6,1-14; 6,15-21 und 7,1-6 aufzeigen.

V. 2-6 kann man relativ klar durch zwei längere Gegenüberstellungen strukturieren, die jeweils mit γάρ eingeleitet werden. Es wird zunächst in geläufiger menschlicher Sicht in V. 2-3 auf die bekannten Ehegesetze eingegangen,[17] bevor diese dann in V. 4 in eine christologische Perspektive gestellt werden. V. 5 und 6 entwickeln dann, anknüpfend an 6,20-22, die Gegenüberstellung einer vergangenen Existenz gemäß Adam und einer gegenwärtigen Existenz gemäß Christus durch die Unterscheidung ὅτε – νυνί weiter.

Auf der ersten Seite der ersten längeren Gegenüberstellung wird V. 2a zunächst die damals allseits bekannte menschliche Sicht wiedergegeben, nach der die Frau solange dem Mann unterstellt (ὕπανδρος) bleibt, wie dieser lebt und sich nicht von ihm trennen kann. Diese Auffassung entspricht nicht nur jüdischem, sondern auch römischem Recht, so dass νόμος hier nicht nur die jüdische Tora meint, sondern allgemeiner die bestehenden Ehegesetze.[18] Das wird in V. 2b durch ein kopulativ gebrauchtes δέ weiter erläutert: Der Tod des Mannes befreit die Frau davon, ihm zu unterstehen. Sie ist damit nicht prinzipiell vom gesamten Gesetz befreit, sondern nur von denjenigen Teilen, die ihre Unterstellung unter den Mann regeln (κατήργηται ἀπὸ τοῦ νόμου τοῦ ἀνδρός). V. 3 erläutert (verbunden mit ἄρα οὖν), nachdem in V. 2 negativ die Lösung vom Gesetz beschrieben wurde, in einem zweiten Schritt immer noch in geläufiger menschlicher Perspektive „die *positive* Möglichkeit, eine neue Bindung einzugehen."[19] Die Struktur ist parallel zu V. 2 gebaut. Sie orientiert sich an der Leitunterscheidung Tod – Leben, die den gesamten Zusammenhang Röm 5-8 durchzieht. V. 3a beschreibt für den Fall, dass der Mann lebt, die Bindung der Frau an das Gebot, die Ehe nicht zu brechen, während V. 3b unter im Falle seines Todes die Freiheit benennt, einen anderen Mann zu heiraten. Die Formulierung ἐλευθέρα ἐστὶν ἀπὸ τοῦ νόμου meint erneut nicht prinzipielle Freiheit vom Gesetz, sondern von den gesetzlichen Vorschriften, die sie an den ersten Mann binden.[20]

In V. 4 folgt (angeschlossen mit ὥστε) die induktive Folgerung „deren Aufgabe es ist, die Ähnlichkeit, die im Bild vorliegt, mit der Sache selbst in Verbindung zu bringen."[21] Das ἀδελφοί μου intensiviert nochmals die Anrede und setzt damit den

---

[16] D. Hellholm: Die argumentative Funktion von Römer 7,1-6, S. 402.

[17] Zu V. 2f gibt es in I Kor 7,39f eine ähnliche Formulierung, die auch den Aspekt der Befreiung hervorhebt. Vgl. dazu P.J. Tomson: What did Paul mean by ‚Those who know the law'? (Rom 7.1); in: NTS 49 (2003), S. 573-581.

[18] Siehe dazu K. Haacker: Der Brief des Paulus an die Römer; ThHK 6, S. 137, der sowohl jüdische Parallelen nennt – z.B. das Verhalten der Herodias gegenüber Herodes Antipas – als auch römische – wie das Beispiel der Valeria Messalina, der Frau des Claudius, die zu seinen Lebzeiten ein zweites Mal heiratete und dafür sterben musste.

[19] D. Hellholm: Die argumentative Funktion von Römer 7,1-6, S. 402.

[20] Die Ergänzung τοῦ ἀνδρός in einigen Handschriften ist deshalb zwar nicht ursprünglich, aber sachgemäß.

[21] D. Hellholm: Die argumentative Funktion von Römer 7,1-6, S. 403.

Prozess der Annäherung des Paulus an die Adressaten durch das Possessivpronomen in der 1. Person Singular noch weiter fort.[22] V. 4 bringt in Bezug auf das in V. 2f genannte Beispiel aus dem Eheleben in Anknüpfung an Röm 6,2f die christologische Sicht ein. Es wird häufig angenommen, dass sich die einzelnen Elemente auf beiden Seiten der Gegenüberstellung nicht unmittelbar entsprechen. In Bezug auf die Bildhälfte werden die Glaubenden in V. 4 nicht in der Position der Frau, sondern des verstorbenen Mannes gesehen, was durch die Verbindung mit Röm 6,2 begründet wird:[23] wie die Adressaten durch die Taufe εἰς Χριστὸν Ἰησοῦν für die Sünde gestorben waren (ἀπεθάνομεν τῇ ἁμαρτίᾳ), so sind sie nun διὰ τοῦ σώματος τοῦ Χριστοῦ für das Gesetz gestorben (ἐθανατώθητε τῷ νόμῳ).

Die Argumentation ist dann nach Hellholm in Form eines syllogistischen Beweises aufgebaut:
„1. Prämisse: Wer tot ist, ist vom Gesetz frei;
2. Prämisse: Der Christ ist mit Christus gestorben;
Konklusion: Der Christ ist vom Gesetz frei."[24]

Durch diese Interpretation wird jedoch eine recht unbefriedigende Verbindung zwischen der Bildhälfte in V. 2f und der Sachhälfte in V. 4 konstruiert.[25] Die beiden Seiten der Gegenüberstellung sind parallel gebaut. Eine Vergleichbarkeit ist dann gegeben, wenn man voraussetzt, dass V. 4 den Übergang von der Existenzweise gemäß Adam zu der gemäß Christus beschreibt. Diese Interpretation liegt insofern nahe, als der gesamte Kontext von 5,12-21 und 7,7-25 mit seinen weiteren Ausführungen in 6,1-23 und 8,1-39 sich auf Adam bezieht und die Möglichkeiten beschreibt, von einer auf Adam bezogenen Existenzweise befreit zu werden. Der – metaphorisch gesprochen – alte Ehemann, von dem die Glaubenden befreit werden, ist also Adam. „Sein Gesetz", das durch seinen Tod für die Glaubenden unwirksam wird, ist dasjenige der Sünde und des Todes (vgl. 8,1).[26] Die Formulierung ἐθανατώθητε τῷ νόμῳ meint deshalb nicht, dass die Glaubenden selbst gestorben seien, sondern, dass sie in dem V. 2f erläuterten Sinne nicht mehr dem Gesetz Adams (gemäß) leben. Der neue, „andere" Ehemann, für den sie jetzt leben können, ist hingegen Christus, der in V. 4b explizit als der von den Toten Auferstandene bezeichnet wird (εἰς τὸ γενέσθαι ὑμᾶς ἑτέρῳ τῷ ἐκ νεκρῶν ἐγερθέντι), der also jetzt lebt und mit dem sich die Glaubenden deshalb auch verbinden können. Die Formulierung διὰ τοῦ σώματος τοῦ Χριστοῦ bezieht sich also vor allem auf die zweite Vershälfte. Analog zur ersten Seite der Gegenüberstellung in V. 3b wird dann V. 4b

---

[22] Vgl. S. K. Stowers: A Rereading of Romans, S. 259.

[23] So z.B. K. Haacker: Der Brief des Paulus an die Römer; ThHK 6, S. 138f.

[24] D. Hellholm: Die argumentative Funktion von Römer 7,1-6, S. 404, mit Bezug auf O. Linton: Paulus och juridiken; SvTK 21 (1945), S. 173-192. In welchem Sinne der Christ dabei vom Gesetz frei ist, wird im Folgenden zu erläutern sein.

[25] Vgl. z.B. U. Wilckens: Der Brief an die Römer; EKK VI, 2, S. 66: „Weil Christen, mit Christus mitgestorben, gegenüber dem Gesetz zu Tode gekommen sind, hat das Gesetz die Herrschaft über sie verloren. [...] Nur in dieser parallelen Anwendung der Regel von V1 entspricht V4 VV2f. Ansonsten sind beide Anwendungsfälle inkommensurabel." .

[26] Diese Interpretationsmöglichkeit erwägt auch Haacker, verwirft sie dann aber: „Der Logik des herangezogenen Vergleichs hätte es entsprochen, wenn Paulus nun gesagt hätte: So ist auch das Gesetz für euch tot, erledigt, und ihr seid frei für die neue Bindung an Christus." (K. Haacker: Der Brief des Paulus an die Römer; ThHK 6, S. 137)

unter dem Aspekt des Lebens die neue Bindung, und zwar diejenige an den Auferstandenen, hervorgehoben, die auch entsprechende „Früchte" tragen soll.[27]

V. 5f folgt dieser Beweisführung, wie schon in Röm 6,1-14 und 15-23, am Ende ein „praktisches Ethos-Argument", das hier nicht direkt paränetisch vorgetragen wird, aber doch auf das Verhalten der Glaubenden zielt.[28] Der Übergang zu einer neuen Gegenüberstellung wird nicht durch das γάρ, sondern vor allem auch durch die Aufnahme der Einst-Jetzt-Differenz signalisiert. Die Befreiung von Adam und seinem Gesetz (V. 4a) und die Verbindung mit Christus (V. 4b) ermöglichen den „Wir" eine neue Art des Dienstes (δουλεύειν), die sich nicht mehr am Buchstaben des Gesetzes, sondern am Geist orientiert.[29] Damit ist – wie schon in der Metapher in V. 2f – nicht gemeint, dass das Gesetz an sich beendet sei (vgl. auch Röm 3,31).[30] Abgeschlossen ist vielmehr ein Verständnis des Gesetzes, das sich nach dessen buchstäblichen Bestimmungen richtet. Demgegenüber ist das „Jetzt" durch eine neue Existenzweise bestimmt, die nach dem Geist des Gesetzes fragt (vgl. auch 8,2b).

Der genaue Zusammenhang zwischen Geist der Glaubenden und Gottes wird in Röm 8,12ff erläutert werden. Sinn der gesamten Argumentation ist also, analog zu Kap. 6 den Übergang von einem „Dienst" in einen anderen zu beschreiben. Dieser Übergang wird wie bereits in 6,1ff christologisch hergestellt: Wurde das neue Dienstverhältnis in Kap. 6 vor allem durch die Begriffe ‚Gott' und ‚Gerechtigkeit' gekennzeichnet, so wird hier die Verbindung zu Christus selbst (V. 4) und dem Geist (V. 6) hervorgehoben.

Innerhalb der Gegenüberstellungen des Abschnittes, die unten mit dem griechischen Text in ihrer Struktur aufgeführt sind, finden sich wiederum zahlreiche Gegensatzpaare. D. Hellholm hat deshalb den Text bereits – in Fortsetzung seiner Untersuchung von Kap. 6[31] – ausführlich differenztheoretisch analysiert. Ausgehend von der Aristotelischen Einteilung von fünf Arten des Entgegengesetzten[32] entdeckt er innerhalb des kurzen Textes eine ganze Reihe von Antonymen. „Hier kann man mit gewissem Recht von einer ‚Allgegenwart des Gegensinns' oder einer ἀντικειμένη λέξις auch bei Paulus reden."[33] Hellholm notiert im größeren Abschnitt 5,12-8,11 insgesamt eine auffällige Präferenz für den Typus der konträren Widersprüche. „Die Widersprüchlichkeitskategorie ist in den von uns behandelten Kapiteln die definitiv am häufigsten gebrauchte u. zw. in der kontradiktorischen Form tertium non datur; selbst

---

[27] Das Verb καρποφορέω schließt an καρπός aus Röm 6,21f an.

[28] Vgl. D. Hellholm: Die argumentative Funktion von Römer 7,1-6, S. 406-408.

[29] Ganz ähnlich unterscheidet Paulus mit Hilfe des Begiffspaares γράμμα – πνεῦμα II Kor 3,6ff zwei Dienste, ‚διακονίαι': ἡ διακονία τοῦ θανάτου ἐν γράμμασιν ἐντετυπωμένη – ἡ διακονία τοῦ πνεύματος. Vgl. dazu auch D. Starnitzke: Der Dienst des Paulus. Zur Interpretation von Ex 34 in 2 Kor 3; in: WuD 25 (1999), S. 193-207.

[30] Gegen O. Hofius: Das Gesetz des Paulus und das Gesetz Christi; in: ders.: Paulusstudien; (WUNT 51) Tübingen 1989, S. 64f, Anm. 51.

[31] D. Hellholm: Enthymemic Argumentation in Paul, S. 119-179.

[32] Vgl. D. Hellholm: Die argumentative Funktion von Römer 7,1-6; in: NTS 43 (1997), S. 385-411, dort S. 392f. Hellholm unterscheidet: 1. Die Korrelation (ἀντικείμενα ὡς τὰ πρός τι); 2. Entgegengesetztes ohne Korrelation (ἀντικείμενα ὡς τὰ ἐναντία), darunter a) kontradiktorische (ἀντίφασις: tertium non datur), b) konträre (ἐναντίον: tertium datur); 3. im Sinne von Vorhandensein – Nichtvorhandensein (στέρησις – ἕξις); 4. Inkompatibilität im Bereich der Aussagen (κατάφασις – ἀπόφασις). Diesen vier bekannten Typen fügt er aus der Metaphysik des Aristoteles noch hinzu: 5. Entgegengesetztes im Bereich der Veränderung (μεταβολή): „Aus was und in was" (ἀντικείμενα ἐξ ὧν καὶ εἰς ἃ ἔσχατα).

[33] David Hellholm: Die argumentative Funktion von Römer 7,1-6; S. 393, mit Bezug auf W. Raible: Von der Allgegenwart des Gegensinnes (und einiger anderer Relationen); in: Zeitschrift für die romanische Philologie 97 (1981), S. 1-40; vgl. Aristoteles: Ars rhet. III.9.1409b.7.

Gegensatzpaare, die sprachlich an und für sich gradierbar sind, d.h. als konträre Begriffe vorkommen, wie ἀγαθόν – κακόν, παρακοή – ὑπακοή oder vielleicht καινότης – παλαιότης, werden hier im kontradiktorischen Sinne verwendet."[34] Für den kleinen Abschnitt 7,1-6 zeigt er, dass „5 der 6 Paare kontradiktorisch sind: ‚Mann – Frau', frei – gebunden, leben – sterben, der (gestorbene) Leib Christi - der Auferstandene. Beim Gegensatzpaar ἐν καινότητι πνεύματος – ἐν παλαιότητι γράμματος sollten in erster Linie nicht die Einzelbegriffe einander gegenübergestellt werden, sondern die jeweiligen Syntagmen, also ‚des Geistes neuer Zustand' versus ‚des Buchstabens alter Zustand'."[35]

Nur ein Begriffspaar folgt nach Hellholm dem fünften Aristotelischen Typ der Veränderung: das Einst-Jetzt-Paar.[36] Dieses bietet jedoch für die Kapitel 7 und 8 m.E. die entscheidende Struktur. In 7,5f werden durch die einleitenden Worte ὅτε – νυνί zwei Zeiten unterschieden. Die erste bezeichnet – wie oben gezeigt – die alte Existenzweise gemäß Adam (ἦμεν ἐν τῇ σαρκί) mit der Konsequenz des Todes und die zweite die Existenzweise gemäß Christus, die durch die neue Bindung an Christus, den vom Tode Auferstandenen vom Gesetz der Sünde und des Todes befreit ist. Diese Unterscheidung wurde bereits in 6,20-22 vorbereitet.[37] „Paulus expliziert den Gegensatz von Gesetz und Geist nach dem ‚Einst-Jetzt-Schema' [...]; dabei wird das ‚Einst' (V.5) in 7,7-25, das ‚Jetzt' (V.6) wird in Kap. 8 näher expliziert."[38] Auf die grundlegende Bedeutung des νυνί für das paulinische Zeitverständnis wurde bereits bei dessen erster Erwähnung Röm 3,21 eingegangen.

Diese zeitliche Differenzierung wird in Kap. 7,7ff aufgenommen, mit der rhetorischen Frage τί οὖν ἐροῦμεν; angeschlossen. Die folgende Argumentation hat deutlich die Funktion, das in 7,5f Gesagte zu vertiefen und zu differenzieren. Die Kap. 7 und 8 kann man auf diese Weise insgesamt mit Hilfe einer zeitlichen Differenzierung strukturieren, die sich durch die Unterscheidung ὅτε (7,7-25) – νυνί (8,1-39) wiedergeben lässt.[39]

Der Abschnitt 7,7-25a[40] beschreibt das Leben im „Einst" (ὅτε), wobei mit dieser Zeitangabe keine bestimmte geschichtliche oder biographische Phase gemeint ist, sondern eine bestimmte Existenzweise, die sich an der Vergangenheit orientiert und nicht an der durch den Glauben bestimmten Gegenwart und den daraus resultierenden Erwartungen für die Zukunft. Diese „Vergangenheit" wird in V. 9 wiederum in ein Leben ohne Gesetz (ποτέ) und mit dem Gesetz unterschieden.

8,1-39 behandelt dagegen das Leben im „Jetzt" (νῦν, V.1), also eine Existenz in der Gegenwart des Glaubens, wobei durch die Verwendung von präsentischen und futurischen Formulierungen die Zukunft von der Gegenwart des Glaubens her interpretiert wird. Es handelt sich hier, im Unterschied zu Kap 7, nicht um ein

---

[34] Hellholm, a.a.O., S. 394.
[35] Ebd.
[36] Vgl. Ebd.
[37] Vgl. Hellholm, a.a.O., S. 407 und 411. Zu diesem Einst-Jetzt-Schema insgesamt vgl. P. Tachau: „Einst" und „Jetzt" im Neuen Testament. Beobachtungen zu einem urchristlichen Predigtschema in der neutestamentlichen Briefliteratur und zu seiner Vorgeschichte; Göttingen 1972, besonders S. 126ff.
[38] H. Conzelmann, A. Lindemann: Arbeitsbuch zum Neuen Testament, S. 279f.
[39] Vgl. dazu auch die Unterscheidung R. Bultmanns: „Der Mensch vor der Offenbarung der πίστις" – „Der Mensch unter der πίστις" in: ders.: Theologie des Neuen Testaments; S. 191-353.
[40] Bei V. 25b handelt es sich um eine sekundäre Hinzufügung, die den Sinn von V. 7-25a verdreht. Vgl. dazu H. Lichtenberger: Der Beginn der Auslegungsgeschichte von Römer 7: Röm 7,25b; in: ZNW 88 (1997), S. 284-295 und die unten zur Stelle ausgeführten Überlegungen.

Selbstverständnis des Ich, das durch die Orientierung an der Vergangenheit bestimmt wird (ποτέ, 7,9), sondern um eine Beschreibung der gegenwärtigen Existenz des Ich,[41] die durch eine eschatologische Sicht geprägt ist. Diese neue Existenzweise ist, wie Röm 8,2ff ausführen, durch den Geist geprägt (vgl. 7,6: ἐν καινότητι πνεύματος).

Aufgrund der oben ausgeführten Überlegungen ergibt sich somit die folgende Struktur von Röm 7,1-6:

7,1: Ἤ ἀγνοεῖτε ἀδελφοί	γινώσκουσιν γὰρ νόμον λαλῶ	ὅτι ὁ νόμος κυριεύει τοῦ ἀνθρώπου ἐφ᾽ ὅσον χρόνον ζῇ
2-4: γὰρ	ἡ ὕπανδρος γυνὴ τῷ ζῶντι ἀνδρὶ δέδεται νόμῳ ἐὰν δὲ ἀποθάνῃ ὁ ἀνήρ κατήργηται ἀπὸ τοῦ νόμου τοῦ ἀνδρός ἄρα οὖν ζῶντος τοῦ ἀνδρὸς μοιχαλὶς χρηματίσει ἐὰν γένηται ἀνδρὶ ἑτέρῳ ἐὰν δὲ ἀποθάνῃ ὁ ἀνήρ ἐλευθέρα ἐστὶν ἀπὸ τοῦ νόμου τοῦ μὴ εἶναι αὐτὴν μοιχαλίδα γενομένην ἀνδρὶ ἑτέρῳ	ὥστε ἀδελφοί μου καὶ ὑμεῖς ἐθανατώθητε τῷ νόμῳ διὰ τοῦ σώματος τοῦ Χριστοῦ εἰς τὸ γενέσθαι ὑμᾶς ἑτέρῳ τῷ ἐκ νεκρῶν ἐγερθέντι ἵνα καρποφορήσωμεν τῷ θεῷ
5+6: γὰρ	ὅτε ἦμεν ἐν τῇ σαρκί τὰ παθήματα τῶν ἁμαρτιῶν τὰ διὰ τοῦ νόμου ἐνηργεῖτο ἐν τοῖς μέλεσιν ἡμῶν εἰς τὸ καρποφορῆσαι τῷ θανάτῳ	νυνὶ δὲ κατηργήθημεν ἀπὸ τοῦ νόμου ἀποθανόντες ἐν ᾧ κατειχόμεθα ὥστε δουλεύειν ἡμᾶς ἐν καινότητι πνεύματος καὶ οὐ παλαιότητι γράμματος

---

[41] 8,2 wird im folgenden in konsequenter Fortführung der Argumentation von 7,7-25 die Textvariante με bevorzugt, so dass es sich hier ebenfalls um eine Aussage über das Ich handelt.

Konkretisierung der beiden Lebenskonzeptionen für das Selbstverhältnis (7,7-8,39)

Kap. 7 entfaltet grundlegend den für die gesamte Argumentation des Röm zentralen Gedanken des Selbstverhältnisses des einzelnen Menschen. Im einleitenden Teil 7,1-6 wurden abschließend die beiden bereits in den vorigen Kapiteln entfalteten Alternativen der Existenz aus Werken des Gesetzes (1,16-3,18) bzw. gemäß Adam (5,12-21) oder aber aus Glauben (3,19-4,25) bzw. gemäß Christus (5,12-21) reformuliert (vgl. 7,5f). Der Teil 7,7-25 wendet sich nun erneut der Darstellung der ersten Existenzweise gemäß Adam zu, um ab 8,1 wiederum diejenige gemäß Christus zu charakterisieren. Diese zweite Existenzweise wird jedoch bereits in 7,7-25 implizit mit verhandelt, indem der Existenzweise Adams in der Auseinandersetzung mit dem Gesetz und unter der Macht der Sünde schon hier eine Alternative gegenübergestellt wird. Sie gesteht Adam potentiell die Möglichkeit zu, sich dem Gesetz und damit dem eigenen Willen entsprechend zu verhalten. Die Struktur der Teilabschnitte V. 7-13, 14-20 und 21-25 ist damit im Grunde parallel zu der in 5,12-21.

Nachdem bereits in 7,5f in die 1. Person Plural gewechselt worden war, führt Paulus von 7,7 bis 8,2 die Argumentation in der 1. Person Singular. Die bislang allgemein vorgetragenen Überlegungen, dass es im Evangelium um die Neubegründung der Existenz des Einzelnen geht, in juridischer Metaphorik um den Freispruch im göttlichen Gericht oder in der Oikos-Metaphorik um die Befreiung aus der Abhängigkeit gegenüber anderen, werden nun in das Individuum, in das Ich (ἐγώ) selbst hinein verlegt. Dieses Ich reflektiert über sich selbst und verifiziert damit an sich selbst die in Kap. 1-6 (und weiter 8-15) aufgezeigte Problematik des Selbstverhältnisses. Das Ich muss an sich selbst erkennen, dass es gemäß den vorhergehenden Ausführungen von fremden Mächten beeinflusst ist, und es erfährt die Macht der Sünde als Desintegration des Ich in ein Ich und ein „nicht (mehr) Ich", die zum Tode führt. In gewissem Sinne kann man sogar sagen, dass der 7,7-25 behandelte Versuch, sich im Akt der Selbstreflexion seiner selbst zu versichern, den Inbegriff der im Vorherigen gemeinten Existenzform ἐξ ἔργων νόμου und gemäß Adam darstellt, die ihre Identität lediglich durch die eigenen Eigenschaften und Fähigkeiten und damit auch durch die Fähigkeit der Selbstreflexion definieren möchte.

Die Einführung des Ich geschieht folglich nicht nur aus rhetorischen, sondern vor allem aus inhaltlichen Gründen. Bereits in den vorhergehenden (und auch in den folgenden) Kapiteln war die Problematik des Selbstverhältnisses und der Fremdbestimmtheit des einzelnen Menschen durchgehend behandelt worden. Sie wird an dieser Stelle konzentriert und grundlegend durch die Selbstreflexion des Ich thematisiert. Die Argumentation erfährt so eine starke Verdichtung. Wenn man von der hier vorausgesetzten These ausgeht, dass das paulinische Evangelium auf die theologisch begründete Klärung des Selbstverhältnisses zielt (und damit verbunden auf die Klärung des Verhältnisses zu Gott und dem Nächsten), dann behandelt 7,7-25, mit seiner Fortsetzung in 8,1ff die zentrale Thematik des Röm. Der Text bildet sicherlich nicht ohne Grund auch von seiner Stellung im Brief her ungefähr dessen Mitte.[1]

---

[1] So steht z.B. – vom Textumfang her betrachtet – im 15 Seiten umfassenden Codex Alexandrinus der hier besprochene Abschnitt auf der siebten Seite.

Vorüberlegungen zur Selbstthematisierung eines Ich

Bevor auf den Text von Röm 7,7-25 näher eingegangen werden kann, müssen zunächst einige grundsätzliche Probleme und Aspekte benannt werden, die sich bei der Verwendung des Ich-Begriffes in einem so besonders herausgehobenen, selbstreflexiven Sinne ergeben.

1. Für den Begriff des Ich herrscht zumeist die Auffassung, dass er in seiner tieferen, das Selbstverhältnis des Menschen bezeichnenden Bedeutung erst in neuerer Zeit entwickelt worden ist. „In der klassischen antiken und mittelalterlichen Philosophie ist der philosophische Begriff des Ich kaum vorhanden."[2] Frühestens seit Descartes wird mit einem Ich-Begriff im modernen Sinne gerechnet.[3] Innerhalb der letzten beiden Jahrhunderte ist der Begriff dann besonders von der Psychologie in differenzierter Weise ausgebildet worden.[4] Es stellt sich von daher die Frage, ob man in einem fast zweitausend Jahre alten Text bereits von einem Verständnis des Ich in einem so deutlich selbstreflexiv auf den Einzelnen bezogenen Sinne ausgehen kann, der sich anscheinend erst in den letzten Jahrhunderten herausgebildet hat und so deutlich von Voraussetzungen und Entwicklungen der Moderne geprägt ist. Selbst wenn man unterstellt, dass bestimmte aktuelle Vorstellungen in der antiken Philosophie und Theologie bereits vorbereitet sind, und dass besonders die christlichen Texte zum Selbstverständnis des modernen Menschen beigetragen haben, erscheint es fraglich, ob und wie sich das ἐγώ und die damit in Röm 7 verbundenen Problematik mit dem modernen Verständnis des Ich verbinden lässt.[5]

2. Bei der Selbstthematisierung eines Ich sind zirkuläre Denkprozesse unvermeidlich. Es ist dabei kein wesentlicher Unterschied, ob die Reflexion eines Ich über sich selbst auf eine konkrete Person bezogen oder rhetorisch generalisierend gemeint ist. Immer muss bei der Thematisierung eines Ich ein Selbstbezug vorausgesetzt werden. Das Ich kann als Ich nur durch sich selbst – sei es als Individuum oder als Mensch an sich oder als Christ oder als früherer Nichtchrist aus der rückblickenden Sicht des Christen – benannt und beschrieben werden. Die dabei getroffenen Aussagen sind dabei notwendigerweise nicht nur selbstreferentiell, sondern

---

[2] H. Herring: Artikel „Ich, I."; in: Historisches Wörterbuch der Philosophie, Bd. 4, Sp. 1-6, dort Sp. 1.

[3] Vgl. dazu die grundsätzlichen Überlegungen in der Einführung und der Zusammenfassung der vorliegenden Arbeit.

[4] Schönpflug unterscheidet in der neueren psychologischen Diskussion vor allem drei Ich-Begriffe: den gestaltpychologischen, den struktural-funktionalen und den schichtentheoretischen. Siehe U. Schönpflug: Artikel „Ich, II."; in: Historisches Wörterbuch der Philosophie, Bd. 4, Sp. 6-18, dort Sp. 12ff.

[5] R. von Bendemann hat anhand der Unterscheidung von Wissen, Wollen und Handeln auf diese Bezüge des paulinischen Ich zu jüdischen und besonders zu römisch-hellenistischen Traditionen hingewiesen: „Erst auf der Basis hellenistisch-anthropologischer Konzeptionen und im innovativen Verbund mit ihnen wird bei Paulus eine radikale Tiefeneinstellung auf die innere Situation des Menschen möglich, der sich selbst zunächst rätselhaft bleiben muss (...). Die traditionsgeschichtliche Spurensuche hat dabei auf wenigstens drei große Sprünge geführt. Von der attischen Tragödie mit ihren teils archaischen Voraussetzungen über die Zeit der Sophistik, die Transformierung der Problematik unter den Sprach- und Denkvoraussetzungen des Lateinischen bis hin zur Reformulierung des Problems unter den Prämissen populärer Philosophie der römischen Kaiserzeit sind die Linien nicht einfach durchzuziehen. (...) Für die Zukunft vergleichender Forschung ist es darum ein dringendes Desiderat, die Rahmenbedingungen literatur- und religionshistorisch weiter auszudifferenzieren". Siehe R. von Bendemann: Die kritische Diastase von Wissen, Wollen und Handeln. Traditionsgeschichtliche Spurensuche eines hellenistischen Topos in Römer 7; in: ZNW 95 (2004), S. 35-63, dort S. 62f.

in gewissem Sinne sogar paradox. Der Versuch, die Einheit des Bewusstseins innerhalb des Bewusstseins zu thematisieren, führt in unausweichliche Aporien,[6] weil einerseits in irgendeiner Weise zwischen reflektierendem und reflektiertem Ich unterschieden werden muss und andererseits zugleich die Einheit der beiden behauptet wird.

3. Bei der Selbstthematisierung eines Ich innerhalb eines Schriftstückes ergeben sich zusätzlich weitere Differenzierungsprozesse, die für die Beurteilung und das Verständnis dieses Ich wichtig sind. Die Verschriftlichung bewirkt allein schon aus zeitlichen Gründen eine Differenzierung zwischen dem Ich des Autors und dem Ich des Textes. „Wenn eine Ich-Aussage niedergeschrieben ist, dann ist das Ich, das diese Selbstinterpretation noch einmal liest, nicht mehr das Ich, das sie geschrieben hat. Das Ich, das geschrieben hat, ist aber der Verfasser dieser Ich-Aussage und bleibt insofern doch mit dem niedergeschriebenen ‚Ich' identisch."[7] Bei der Verschriftlichung einer Ich-Thematik ergibt sich somit zwischen dem beschriebenen und dem schreibenden Ich ein Verhältnis von Identität und Nichtidentität. Man wird also zwischen einer auf den Autor bezogenen („extratextuellen") und einer innertextuellen Seite unterscheiden müssen, wobei die erste sich auf die Person und Intention des Verfassers und die zweite auf die kommunikative Funktion des Textes selbst bezieht.[8]

4. Dieses Verhältnis wird noch komplexer, wenn es sich innerhalb eines Briefes findet.[9] Die Differenz zwischen geschriebenem und schreibendem Ich wird nicht nur für das Ich selbst relevant, wie z.B. in Form eines Tagebuches, das abgesehen vom Ich niemand lesen soll, sondern die Selbstthematisierung des Ich geschieht zugleich als Selbstdarstellung in direktem Bezug auf andere Leser. Die vom schreibenden Ich vorausgesetzten Erwartungen der Adressaten müssen beim Verfassen des Briefes mit berücksichtigt werden. Mit der entstehenden, zusätzlichen Differenzierung zwischen dem schreibenden Ich, dem geschriebenen Ich und den Lesern kann in verschiedener Weise umgegangen werden. „Ein briefliches Ich kann z.B. als Identifikationsangebot für den Adressaten fungieren: Im Blick auf die ihm bekannten, existentiellen Probleme seines Briefpartners kann ein Briefschreiber eine Interpretation seiner eigenen Existenz entwickeln, welche in der schriftlich fixierten Form, abgelöst von der Person des Verfassers, modellhaften Charakter erhält und so gänzlich oder zum Teil vom Adressaten in sein eigenes Selbstverständnis integriert werden kann."[10]

5. Bei Briefen, die über eine private Beziehung hinausgehen und einen literarischen Charakter bekommen, findet eine Verselbständigung der Kommunikation von den am ursprünglichen Kommunikationsgeschehen beteiligten Personen statt, z.B. dem Verfasser Paulus (in Verbindung mit dem Schreiber Tertius) und den Adressaten in Rom. Die Selbstthematisierung des Ich wird dann eingebunden in einen Kommunikationsprozess über den Brief, der unabhängig von Verfasser und Adressaten weiter stattfindet und sich im Falle des Röm sogar über fast zweitausend Jahre und die

---

[6] Vgl. N. Luhmann: Die Autopoiesis des Bewußtseins; in: A. Hahn (Hrsg.): Selbstthematisierung und Selbstbeschreibung; Frankfurt/Main 1987, S. 25-94.

[7] Vgl. B. Bosenius: Die Abwesenheit des Apostels als theologisches Programm. Der zweite Korintherbrief als Beispiel für die Brieflichkeit der paulinischen Theologie; (TANZ 11) Tübingen und Basel 1994, S. 79.

[8] Die Bedeutung dieser Unterscheidung hat A. Reichert für den Römerbrief aufgezeigt. Siehe dies.: Der Römerbrief als Gratwanderung, S. 73.

[9] Vgl. grundsätzlich zu Paulus F. Vouga: Der Brief als Form der apostolischen Autorität; in: K. Berger, F. Vouga, M. Wolter, D. Zeller: Studien und Texte zur Formgeschichte; (TANZ 7) Tübingen und Basel 1992, S. 7-58.

[10] Vgl. Bosenius: Die Abwesenheit des Apostels als theologisches Programm, S. 81.

ganze Welt hinweg weiterentwickeln kann. Innerhalb dieses Kommunikationsprozesses kann sich z.B. jeder Mensch, der über Röm 7,7ff nachdenkt und kommuniziert, durch die Identifikation mit der dort verhandelten Problematik potentiell im Text wiederfinden.

Unter Voraussetzung dieser allgemeinen Überlegungen stellt sich die Frage, wie das ἐγώ in Römer 7 gemeint ist. Verschiedenste Vorschläge sind hierzu unterbreitet worden:

1. Nach der grundlegenden Arbeit von W. G. Kümmel schien längere Zeit geklärt zu sein, dass das ἐγώ die vorchristliche (menschliche) Existenz allgemein aus christlicher Sicht beschreibt.[11] Kümmel hatte einige schwerwiegende Argumente gegen die Deutung des ἐγώ auf die Person des Paulus benannt: „die Schwierigkeit, 7,7-13 als Erlebnis des Paulus zu verstehen, die Unmöglichkeit, 7,14ff dem Pharisäer Paulus zuzuschreiben, der enge Zusammenhang beider Abschnitte, schließlich der Übergang zu Kap. 8 – alles das weist darauf hin, daß wir es aufgeben müssen, Röm 7,7-24 als biographischen Text des Paulus zu verstehen und zu verwenden. Es bleibt nur die eine Möglichkeit übrig, daß man die erste Person irgendwie als Stilform betrachtet."[12] Von daher war er zu einem sehr allgemeinen Verständnis des Ich in Röm 7 gekommen, das die Person des Paulus kaum noch mit einbezieht. „Die Fragestellung ‚wer ist Subjekt?' erweist sich als mißverständlich; denn man könnte überspitzt formulieren: niemand oder jedermann ist Subjekt. Doch ist es besser, sich τις als Subjekt zu denken."[13] Diese allgemeine Deutung hat jedoch den Nachteil, dass dabei die historisch-biographischen Anteile in Röm 7 außer acht geraten. So bemerkt H. Lichtenberger zu Recht: „Allerdings hat er (sc. Kümmel) dabei die Person des Paulus und seinen Anteil an dem in Röm 7 Gesagten so gründlich eliminiert, daß man künftig meinte, ganz von der Person des Paulus absehen zu können."[14]

2. Dieser rein verallgemeinernden Sichtweise ist die These entgegengehalten worden, Paulus rede hier als individueller Mensch von sich selbst und erzähle aus seiner eigenen religiösen Biographie. Diese ältere Interpretation von Deißmann ist von G. Lüdemann in modifizierter Form vorgetragen worden. Für ihn beschreibt Paulus hier „den unbewußten Konflikt" vor seiner Bekehrung.[15] Lüdemann argumentiert mit der Emotionalität des Textes: „Meine These lautet, daß der in Röm 7 geschilderte Konflikt zu echt, zu ‚erfahrungsgeladen', zu lebendig ist, als daß Paulus ihn z.B. im Rückblick auf die jüdische Existenz rein theoretisch entworfen haben könnte."[16] Diesen Aspekt habe die an Kümmel und Bultmann sich anschließende Forschung über längere Zeit ignoriert. „Hier rächt sich eine ausschließlich an der Existenzanalyse orientierte Exegese, die den Erfahrungsaspekt einerseits und die Aufgabe historischer Rekonstruktion andererseits aus den Augen verloren hat."[17]

---

[11] W. G. Kümmel: Römer 7 und die Bekehrung des Paulus; in: ders.: Röm 7 und das Bild des Menschen im Neuen Testament; (1929) Neudruck München 1974, S. 1-160. Vgl. auch R. Bultmann; Art. „Paulus" in: RGG, 2. Aufl., Bd. IV, Sp. 1019-1045, dort Sp. 1022ff; R. Bultmann: Römer 7 und die Anthropologie des Paulus; in: ders.: Exegetica, S. 198-209, dort S. 198.

[12] Kümmel, a.a.O., S. 117f.

[13] Kümmel, a.a.O., S. 132.

[14] H. Lichtenberger: Studien zur paulinischen Anthropologie in Römer 7; Habilitationsschrift Tübingen 1985, S. 139.

[15] G. Lüdemann: Zwischen Karfreitag und Ostern; in: H. Verweyen (Hrsg.): Osterglaube ohne Auferstehung? Diskussion mit Gerd Lüdemann; (QD 155) 1995, S. 13-46, dort S. 33-40.

[16] G. Lüdemann: Ketzer. Die andere Seite des frühen Christentums; 1995, S. 78.

[17] Ebd.

3. Eine vermittelnde Position zwischen der speziell auf die Person des Paulus bezogenen und der allgemeinen Deutung hat G. Theißen vorgeschlagen. Er meint, der Text sei einerseits individuell auf eine Person bezogen und andererseits zugleich verallgemeinerungsfähig für alle Menschen. „Das Nächstliegende ist, an ein ‚Ich' zu denken, das persönliche und typische Züge vereint."[18] Auch A. Lindemann hat eine entsprechende Lösung des Problems vorgeschlagen. Für ihn „scheint insbesondere der Tempuswechsel von der Vergangenheitsform (V.7-13) zum Präsenz (V.14-25) zu zeigen, daß Paulus jedenfalls im zweiten Textabschnitt ein Strukturproblem menschlichen Handelns beschreibt, das zwar *auch* im Leben des Paulus vorkommen kann (und tatsächlich vorkommt), das aber keineswegs unmittelbar auf sein (obendrein: vorchristliches) Leben zu beziehen und womöglich nur von daher zu verstehen ist."[19]

Solch ein vermittelnder Ansatz wird der oben beschriebenen Komplexität der Selbstthematisierung eines Ich im Rahmen eines Briefes wohl am ehesten gerecht, weil er sowohl die persönlichen als auch die generellen Aspekte berücksichtigt. An diese kombinierte Sichtweise wird unter zusätzlicher Berücksichtigung der oben genannten fünf Aspekte zur Selbstthematisierung eines Ich im Folgenden angeknüpft. Dabei soll zugleich die in der Einführung dieser Untersuchung dargelegte These weiter verfolgt werden, dass sich bei Paulus und besonders hier im Röm ein auffällig früher, selbstreflexiv gemeinter Begriff des Ich findet. Dieser zeichnet sich vor allem dadurch aus, dass das Ich sich von sich selbst unterscheiden kann. Damit kann es einerseits innere Widersprüche mit sich selbst wahrnehmen und andererseits in einer bestimmten, theologisch bzw. christologisch qualifizierten Weise zu sich selbst in ein Verhältnis treten.[20] Dies soll im Folgenden am zentralen Text Röm 7,7ff aufgezeigt werden.

Zum Aufbau von Röm 7,7-25

Die individuelle und zugleich verallgemeinerungsfähige Interpretation des Ich wird von Paulus durch den erneuten Bezug auf Gen 3 hergestellt. Die Argumentation des gesamten Abschnittes V. 7-25 knüpft offensichtlich an diesen Text und damit an die bereits seit 5,12 vorausgesetzte Geschichte von der Übertretung Adams an. Paulus nimmt dabei aus Gen 3 vor allem den Aspekt der Fähigkeit zur Selbstreflexion als unmittelbare Konsequenz des Essens vom Baum der Erkenntnis auf: Adam und seine Frau verstehen (LXX: ἔγνωσαν), dass sie nackt sind (Gen 3,7).[21] Paulus führt diesen Gedanken bis 8,2[22] in Form der Selbstreflexion des Ich aus. Durch die Beziehung zu

---

[18] G. Theißen: Psychologische Aspekte paulinischer Theologie; (FRLANT 131) Göttingen 1983, S. 204.

[19] A. Lindemann: Paulus als Zeuge der Auferstehung Jesu Christi; in: ders.: Paulus, Apostel und Lehrer der Kirche. Studien zu Paulus und zum frühen Paulusverständnis; Tübingen 1999, S. 27-36, dort S. 34f. Der Aufsatz wurde zuerst veröffentlicht in M. Trowitzsch (Hrsg.): Paulus, Apostel Jesu Christi. Festschrift für Günther Klein zum 70. Geburtstag; Tübingen 1998, S. 55-64.

[20] F. Vouga spricht hier von der „Entdeckung des Ich als der individuellen und selbstkritischen Subjektivität des Einzelnen. Das Subjekt kann sich selbst als individuelle Subjektivität beobachten, weil es sich nicht nur von den Anderen, sondern auch von sich selbst unterscheiden und distanzieren kann." (F. Vouga: Die Wahrheit des Evangeliums als kreative Freiheit; in H.-H. Brandhorst, D. Starnitzke, M. Wedek: Die Freiheit bestehen. Beiträge zum Jahresthema 2000 der v. Bodelschwinghschen Anstalten Bethel; Bielefeld 2001, S. 28-41, dort S. 34.)

[21] Zu weiteren Parallelen zwischen Gen 2f und Röm 7 vgl. G. Theißen: Psychologische Aspekte paulinischer Theologie, S. 209f.

[22] Dass auch noch Röm 8,2 in der 1. Person redet, wird unten zur Stelle textkritisch begründet werden.

5,12-21 muss man davon ausgehen, dass hier Adam, exemplarisch für alle Menschen, über sich selbst reflektiert und dass damit die Aporien der in den vorigen Kapiteln bereits dargestellten ersten Existenzweise endgültig aufgezeigt werden sollen. Daneben werden im Text aber auch die Motive des Betruges (Gen 3,13 und Röm 7,11: ἐξαπατάω) und des Wissens um gut und böse (Gen 3,5+22 und Röm 7,12ff) aus der Adamsgeschichte verarbeitet.[23]

Der Abschnitt 7,7-25 lässt sich in drei kleinere Einheiten mit folgenden Inhalten unterteilen:

1. Die Gegenüberstellung von ursprünglicher Existenz des Ich ohne Gesetz und unter der Wirkung des Gesetzes. Diese Gegenüberstellung führt zur Unterscheidung von Sünde und Gesetz, und zwar in der Weise, dass das Gesetz gut ist und die Sünde als Sünde sichtbar macht (7,7-13).[24]

2. Die Gegenüberstellung von potentieller Existenz des Ich in Übereinstimmung von Wollen und Tun einerseits und tatsächlicher Existenz in der Diskrepanz von Wollen und Tun andererseits. Diese Gegenüberstellung verdeutlicht die innere Zerrissenheit des Ich, die durch die Sünde bewirkt wird (7,14-20).

3. Die Gegenüberstellung eines Gesetzes Gottes, das dem Gesetz der Vernunft entspricht und eines anderen Gesetzes der Sünde, das sich an den „Gliedern" orientiert (7,21-25). Diese Gegenüberstellung führt zu der Frage, wie das Ich dem ersten Gesetz entsprechen und das zweite vermeiden kann.

Diese grobe Struktur lässt sich durch eine Analyse der einzelnen Verse weiter verfeinern. In 7,7-13 wird ein in sich stringenter Argumentationsverlauf entwickelt, der als eine Art Klammer mit einer in Frageform formulierten These, einer kategorischen Ablehnung (μὴ γένοιτο) und einer Gegenthese (ἀλλά) eingeleitet und abgeschlossen wird (V. 7 und 13).[25] Dazwischen findet sich in V. 7-12 eine längere Folge von Gegenüberstellungen, die durch δέ, καί oder γάρ miteinander verbunden werden.

V. 14 ist durch den Tempuswechsel zum Präsens deutlich als Anfang eines neuen Abschnittes gekennzeichnet.[26] Der Argumentationsgang 7,14-20 ist in sich nochmals in zwei parallel laufende Stränge unterteilt, die wiederum in der 1. Pers. mit οἴδαμεν bzw. οἶδα eingeleitet werden: V. 14-17 und 18-20.[27] Den Schluss dieser beiden Teile bildet jeweils eine identische Formulierung in V. 17 und 20, die die Hauptthese des gesamten Kapitels enthält: οὐκέτι ἐγὼ κατεργάζομαι αὐτὸ ἀλλὰ ἡ οἰκοῦσα ἐν ἐμοὶ ἁμαρτία.

Die V. 21-25 ziehen die Konsequenz aus der in 7,7-20 entwickelten Argumentation. Der in V. 7-20 dargestellte Zustand des ἐγώ wird abstrahiert und in einem bestimmten Sinne als νόμος bezeichnet: Εὑρίσκω ἄρα τὸν νόμον. Der innere Zwiespalt des Ich, der in V. 14-20 als Differenz zwischen Wollen und Tun beschrieben

---

[23] Vgl. darüber hinaus zu den griechisch-hellenistischen Parallelen J.-N. Aletti: Rm 7.7-25 encore une fois: enjeux et propositions; in: NTS 48 (2002), S. 358-376.

[24] Einen Einschnitt hinter V. 13 setzen z.B. auch R. Bultmann: Römer 7 und die Anthropologie des Paulus, S. 204ff; E. Käsemann: An die Römer; HNT 8a, S. 184.

[25] Gegen U. Wilckens: Der Brief an die Römer; EKK VI, 2., S. 74f, der V. 7-12 und 13-16 parallel sieht. Siehe auch W. Schmithals: Der Römerbrief, S. 220.

[26] Vgl. G. Theißen: Psychologische Aspekte paulinischer Theologie, S. 187.

[27] An dieser Stelle ergibt sich eine kleine Abweichung zu der sonst sehr überzeugenden Aufteilung von J. Weiss, der die Teile 7,7-13; 14-16; 17-20 und 21-25 unterscheidet und damit die identische Formulierung in V. 17 und 20 nicht als Schluss des zweiten und dritten Teiles, sondern als Klammer des dritten Teiles versteht. Vgl. J. Weiss: Beiträge zur paulinischen Rhetorik, S. 232f.

wurde, wird auf abstrakter Ebene mit Hilfe verschiedener Differenzierungen des νόμος reflektiert. Unterschieden werden:

νόμος τοῦ θεοῦ – ἕτερος νόμος (7,22+23)

bzw. νόμος τοῦ νοός μου – νόμος τῆς ἁμαρτίας (7,23)

sowie (sekundär) νόμος θεοῦ – νόμος ἁμαρτίας (7,25).[28]

Die Existenz des Ich (Adams) ohne und mit Gesetz (7,7-13)

Der Abschnitt wird mit einer typischen Formulierung in der 1. Person eingeleitet: Τί οὖν ἐροῦμεν; Im Anschluss an die vorhergehende parallele Darstellung der beiden Existenzweisen gemäß Christus und Adam stellt Röm 7,7ff zunächst die erste Existenzweise dar. Dazu werden die beiden Begriffe Gesetz und Sünde, die in Röm 5,13.20; 6,15 noch relativ locker miteinander verbunden worden waren, in ihrer Relation zueinander eingehend analysiert. Ähnlich wie bereits in Röm 6,1 und 15 und dann später in Röm 7,13 wird zunächst in V. 7 in Form einer rhetorischer Frage eine These formuliert. Sie besteht in einer Sichtweise, die Gesetz und Sünde miteinander identifiziert. Durch den Anschluss an 7,1-6 zeigt sich erneut, dass es Paulus nicht um eine Disqualifizierung oder gar Beendigung des Gesetzes an sich geht, sondern die nun folgende Argumentation hat gerade die Funktion, das Gesetz zu rehabilitieren und in seiner positiven Bedeutung darzustellen – vorausgesetzt, dass es im rechten Sinne verstanden wird.

Die vorher genannte Identifikation von Gesetz und Sünde wird zunächst durch μὴ γένοιτο strikt abgelehnt, bevor dann, verbunden mit ἀλλά, im Folgenden eine andere Sichtweise formuliert wird. V. 7b stellt dann die Gegenthese auf. Sie lautet: Das Gesetz ist nicht selbst die Sünde, sondern es führt zur Erkenntnis der Sünde. Diese These bezeichnet nicht nur das Verhältnis von Gesetz und Sünde, sondern zentral ist dabei der Aspekt des Erkennens (ἔγνων). Von Röm 7,17 und 20 her gesehen ermöglicht das Gesetz dem Ich die rechte Selbsterkenntnis, dass nämlich die Sünde in ihm wohnt. Das Gesetz macht die Sünde für das Ich wahrnehmbar. Gesetz und Sünde werden also in Röm 7,7ff nicht als abstrakte Größen behandelt, sondern sie werden auf den einzelnen Menschen und sein Selbstverhältnis bezogen. Paulus betrachtet sie zentral unter dem Aspekt, welche Wirkung sie auf das Ich erzeugen und was sie im Ich und für das Ich sind (vgl. ἐν ἐμοί V. 8, μοι V. 10, με V. 11, ἐμοί bzw. μοι V.13).

Ausgehend von dieser These werden in den folgenden Versen wiederum die Existenzweise Adams unter der Sünde und eine zweite Existenzweise gegenübergestellt. Diese zweite betrifft ebenfalls das Ich, also Adam (und damit auch implizit als einen unter vielen Paulus). Sie wird als eine Existenzweise dargestellt, die frei vom Gesetz ist, jedoch nicht wie in Röm 7,1-6 als spätere Befreiung vom Gesetz, sondern als Existenz in einer Zeit, **bevor** das Gesetz gegeben wurde. Für V. 7b bedeutet dies konkret: Der Begriff νόμος (wie dann auch später ἐντολή) meint hier nicht abstrakt das Gesetz insgesamt und an sich, sondern konkret das an Adam ergangene Gebot, nicht vom Baum der Erkenntnis des Guten und Bösen zu essen. Auf diese geläufige Schriftstelle nimmt Paulus zunächst Bezug. Er interpretiert sie dann jedoch sogleich in theologischer Perspektive im Hinblick auf die Funktion dieses Gebotes für das Ich: Es macht Adam

---

[28] Auf die problematische Zwischenstellung von 7,25b wird dabei noch gesondert einzugehen sein.

möglich, die Sünde in ihm zu erkennen und sie als ihn selbst desintegrierende Macht zu identifizieren (vgl. 7,17 und 20). V. 7c erläutert, verbunden mit τε γάρ, das in V. 7b Ausgeführte weiter. Der Satz bezieht im Irrealis[29] die Bedeutung des Gesetzes wiederum auf die Selbsterkenntnis des Ich: Wenn es kein Gesetz gäbe, das sagt: „Du sollst nicht begehren", dann könnte das Ich auch seine eigene Begierde nicht erkennen. Die Satzkonstruktion ist parallel zu V. 7b. Der erste Teil wird erneut mit εἰ μή eingeleitet. Paulus bezieht sich dabei auf eine bekannte alttestamentliche Schriftstelle, diesmal nicht speziell auf Gen 3, sondern allgemeiner auf Ex 20,17[30] bzw. Dtn 5,21, wobei in Röm 7,7 aufgrund des Kontextes jedoch nicht wie in Ex und Dtn das Begehren der Frau des Nächsten gemeint ist, sondern das Begehren der Frucht vom Baum der Erkenntnis durch Adam. Dieser Vorgang wird nun parallel zu V. 7b von Paulus aus einer speziellen theologischen Perspektive im Hinblick auf das Selbstverhältnis des Ich interpretiert. Das Verbot zu begehren ermöglicht dem Ich, sein eigenes Begehren zu erkennen. Das τήν ἐπιθυμίαν οὐκ ᾔδειν variiert das τὴν ἁμαρτίαν οὐκ ἔγνων aus V. 7b, so dass hier die Begierde als Variante zur Sünde erscheint.

An diese in V. 7 aufgestellte These schließt sich in den nächsten Versen eine Erzählung von Gen 3 aus der Perspektive Adams an.[31] V. 8a erläutert zunächst die Existenzweise Adams gemäß Gen 3 so, dass die Sünde durch das Gebot eine Gelegenheit oder einen Anlass[32] bekommt, um im Ich (ἐν ἐμοί) jegliches Begehren zu wecken. Es geht hier wiederum nicht um eine grundsätzliche Verhältnisbestimmung von Gesetz bzw. Gebot[33] und Sünde,[34] sondern um die Selbsterkenntnis des Ich in die Struktur der eigenen Begehrlichkeit.[35] Der Vers beginnt mit einer Formulierung, die sich in V. 11 fast identisch wiederfindet: ἡ ἁμαρτία ἀφορμὴν λαβοῦσα διὰ τῆς ἐντολῆς.[36] V. 8b stellt dieser Erfahrung Adams (des Ich) eine zweite Existenzweise gegenüber, bei der die Sünde nicht wirksam ist. Die Sünde sei ohne das Gesetz „tot", d.h. sie bekommt ihre Lebenskraft und ihren Einfluss auf das Ich erst durch das Gesetz.[37] Konkret auf Gen 2 und 3 bezogen meint diese Formulierung die Zeit vor dem göttlichen Gebot an Adam, nicht vom Baum der Erkenntnis zu essen, also vor Gen 2,17. Das χωρὶς νόμου erinnert außerordentlich an Röm 3,21, wonach die Offenbarung der

---

[29] Es muss im Irrealis in der Apodosis V. 7b und c nicht unbedingt ἄν hinzugefügt werden. Vgl. Blass, Debrunner, Rehkopf: Grammatik des neutestamentlichen Griechisch, § 360,1.

[30] Vgl. H. Hübner (Hrsg.): Vetus Testamentum in Novo, Bd. 2, S. 102f.

[31] Bemerkenswert ist hier aber auch die Deutung von A. Busch: The Figure of Eve in Romans 7:5-25; in: Biblical Interpretation 12 (2004), S. 1-36, in der das Gesagte auf Eva bezogen wird: „Rom 7:7-25 functions as a *prosopopoiia* in which Paul rhetorically assumes the identity of Eve in the scene of the primeval transgression." (A.a.O., S. 36)

[32] Dazu H. Lichtenberger: Studien zur paulinischen Anthropologie in Römer 7, S. 142. „ἀφορμὴν λαμβάνειν entstammt aus dem griech.-hellenistischen Sprachgebrauch und bezeichnet z.B. eine günstige Ausgangssituation für eine militärische Operation".

[33] Paulus variiert V. 8f νόμος und ἐντολή vielleicht aus Anlaß einer Konkretisierung, ohne dass sich dadurch jedoch ein großer Sinnunterschied ergeben würde. Vgl. K. Haacker: Der Brief des Paulus an die Römer; ThHK 6, S. 143.

[34] Das meint auch E. Käsemann: An die Römer, HNT 8a, S. 185.

[35] Vgl. K. Haacker: Der Brief des Paulus an die Römer; ThHK 6, S. 142, der den Erkenntnisaspekt „unter dem Einfluß des hebräischen ידע" betont.

[36] V. 8 ist ἡ ἁμαρτία nachgestellt. Vgl. auch G. Theißen: Psychologische Aspekte paulinischer Theologie, S. 189.

[37] Vgl. auch K. Haacker: Der Brief des Paulus an die Römer; ThHK 6, S. 143: „Das ursprüngliche ‚Totsein' der Sünde läßt sich von Jak. 2,26 her als Unwirklichkeit oder Unwirksamkeit verstehen."

Gerechtigkeit Gottes ohne Werke des Gesetzes geschieht. Analog dazu ist hier eine Zeit gemeint, in der Adam ohne Gesetz und damit ohne Einfluss der Sünde leben kann.

V. 9 bringt erstmals in diesem Abschnitt ein explizites ἐγώ, das hier – entsprechend den oben angeführten Überlegungen – zunächst Adam meint und dann alle anderen Menschen und insofern implizit auch Paulus. Aus der Perspektive Adams – und damit aus der Sicht jedes anderen Ich, das sein Leben wie Adam führt – wird Gen 2 und 3 nochmals erzählt und zugleich der Gedankengang von Röm 5,12ff fortgeführt:[38] V. 9a schließt an 8b an und erläutert die dort genannte, frühere Existenzweise Adams weiter. Das Ich lebte einst χωρὶς νόμου.[39] Damit ist, wenn man Gen 2f voraussetzt, erneut die Zeit vor Gen 2,17 gemeint, als Adam das Gebot erhielt, nicht vom Baum der Erkenntnis des Guten und Bösen zu essen.[40] V. 9b meint dann die Einführung des Gebotes, durch das die Sünde "auflebt" (ἀνέζησεν). Analog zu V. 8a wird hier die spätere Existenzweise Adams auf der ersten Seite der Gegenüberstellung erläutert (hier nachgestellt). Als das Gebot (ἐντολή analog zu νόμος im Vorhergehenden) in Gen 2,17 an Adam ergeht, wird die Sünde wirksam, was zur in Gen 3 erzählten Übertretung führt. Dieses Verhalten hat zur Konsequenz, dass Adam den Garten verlassen muss, nicht mehr vom Baum des Lebens essen kann und deshalb sterben muss. Die Formulierung ἐγὼ δὲ ἀπέθανον aus V. 10 ist insofern noch zu V. 9b zu ziehen. Dem Leben ohne Gesetz in V. 9a wird also antithetisch in V. 10a das Sterben des Ich durch das Gebot entgegengesetzt.[41]

V. 10b reflektiert diesen Vorgang in Bezug auf die Funktion und Wirkweise des Gebotes (Gesetzes) für das Ich (Adam), angeschlossen mit καί. Das Gesetz hatte eigentlich die Funktion, Adam (und mit ihm jedem anderen Menschen, also auch Paulus) ein Weiterleben wie vorher zu ermöglichen (ἡ ἐντολὴ ἡ εἰς ζωὴν), es bewirkt aber letztlich eine andere Existenzweise, die zum Tode führt (αὕτη εἰς θάνατον). „Daß dies nicht im Sinne des sofortigen physischen Sterbens gemeint ist, entspricht dem Fortgang der Erzählung vom Sündenfall, die auch nur mit der Feststellung der Sterblichkeit endet (vgl. Gen. 3,19)."[42] Der Satz bezeichnet also allgemeiner die Erfahrung und das Bewusstsein des Ich, dass es einmal nicht mehr sein wird. Die Ausführungen über den Zusammenhang von Gesetz und Sünde sind hier nicht abstrakt, sondern selbstreflexiv auf das Ich bezogen. Der Sinn des Gesetzes erweist sich für das Ich im Selbstbezug (εὑρέθη μοι). Dem wird jedoch in theologischer Sicht entgegengehalten, dass das Gesetz zum Leben gegeben wurde. Konkret auf Gen 3 bezogen bedeutet dies: Hätte Adam das Gebot gehalten, müßte er nicht sterben.[43] Mit

---

[38] H. Lichtenberger bemerkt dazu: „Röm 7 handelt vom Menschen 'im Schatten Adams'. Durch Adam hat, wie Röm 5,12 noch in ungenauer, erst durch 7,7ff klarer Weise zum Ausdruck bringt, die Sünde Eingang in die Welt gefunden, und durch die Sünde ist der Tod auf alle Menschen gekommen [...] So spricht Röm 7,7-25 von der durch Adams Tat bestimmten Menschheit, die gefangen ist von der die adamitische Zeit bestimmenden Sünde und die den Weg Adams in den Tod geht." (H. Lichtenberger: Studien zur paulinischen Anthropologie in Römer 7, S. 179.) Obwohl im Übergang von V. 7-13 zu 14-25 Tempus, Gattung und Sprachstil wechseln, ist Lichtenberger zuzustimmen, dass beide Teile im genannten Sinne Adam meinen.

[39] Das ἔζων nimmt dabei antithetisch das νεκρά aus V. 8b auf. Vgl. G. Theißen: Psychologische Aspekte paulinischer Theologie, S. 188.

[40] So auch K. Haacker: Der Brief des Paulus an die Römer;ThHK 6, S. 143.

[41] Vgl. G. Theißen: Psychologische Aspekte paulinischer Theologie, S. 188.

[42] K. Haacker: Der Brief des Paulus an die Römer;ThHK 6, S. 143.

[43] Vgl. Haacker, a.a.O., S. 144.

der Mitteilung des Gebotes ist dabei schon in Gen 2,17 die Ankündigung verbunden, dass die Nichteinhaltung den Tod zur Folge hat (θανάτῳ ἀποθανεῖσθε).[44]

V. 11 nimmt in nahezu identischer Formulierung V. 8a auf (angeschlossen mit γάρ) und setzt nochmals bei der Existenzweise des Ich (Adams) in Gen 3 an, die sich nicht am lebensdienlichen Gebot orientiert. Es wird erneut betont, dass die Sünde durch das Gebot einen Anlass gefunden hat. Paulus erwähnt dabei nicht die Schlange, sondern schreibt das in Gen 3 berichtete unmittelbar der Macht der Sünde zu, die in Röm 7,17 und 20 zudem in das Ich hinein verlegt wird. Sie betrog ihn (ἡ ἁμαρτία [...] ἐξηπάτησέν με, vgl. Gen 3,13, wo Adams Frau zu Gott sagt: ὁ ὄφις ἠπάτησέν με), indem sie vorgab, dass die Anweisung Gottes, die Früchte des Baumes der Erkenntnis zu essen, keineswegs zum Tode führen werde. Bemerkenswert ist, dass bei dieser Interpretation von Gen 3 die Rolle der Frau Adams überhaupt nicht thematisiert wird. Adam bleibt auf sich selbst bezogen, die kommunikative und soziale Dimension, die sich durch sein Verhältnis zu seiner Frau ergibt, wird ausgeblendet. V. 12 zieht auf der zweiten Seite der Gegenüberstellung, eingeleitet mit ὥστε, in einer spezifisch theologischen Perspektive die Konsequenzen aus der vorhergehenden Argumentation: Das Gesetz selbst ist gut und das Gebot heilig, gerecht und gut, weil es von Gott zur Erhaltung des Lebens gegeben wurde. Dass es für das Ich solch fatale Auswirkungen hat, liegt im Ich (in Adam) selbst begründet. Die Argumentation zielt also auch am Ende nicht auf eine abstrakte Verhältnisbestimmung von Ich, Sünde und Gesetz, sondern selbstreflexiv auf das, was dieses Verhältnis für das Ich bewirkt und deutlich macht.

V. 13 wiederholt in paralleler Struktur zum Abschluss nochmals V. 7. Die beiden Verse bilden eine Klammer um den Abschnitt. V. 13a formuliert analog zu 7a nochmals die sich aus der Existenzweise Adams gemäß Gen 3 anscheinend ergebende These, dass das Gute (V. 7a: das Gesetz) den Tod bewirke (V. 7a: Sünde sei). Diese wiederum als rhetorische Frage formulierte These wird erneut mit μὴ γένοιτο kategorisch abgelehnt. V. 13b wird demgegenüber, wiederum mit ἀλλά angeschlossen, in theologischer Sicht der eigentliche Sinn des Gesetzes erläutert: Die Sünde sollte durch das Gesetz als Sünde sichtbar werden und ihr wahres Wesen zeigen. Sie wird, wie V.8ff gezeigt hat, erst dadurch sichtbar, dass sie aufgrund des Gesetzes bzw. Gebotes im Ich wirksam sein kann. Das Verhältnis von Gesetz und Sünde wird hier „anthropozentrisch" vom Menschen her interpretiert. Durch ἐμοί und μοι sowie durch die vorhergehenden Personalpronomen wird signalisiert, dass die zentrale Fragestellung für Paulus nicht in einer grundsätzlichen Beurteilung des Gesetzes besteht, sondern darin, was es „an mir" bewirkt und was „Ich" mit ihm anfange. "Das Gesetz ist das, was der Mensch aus ihm macht."[45] V. 13c fasst das Ergebnis der bisherigen Argumentation, eingeleitet mit ἵνα, nochmals in Kurzform zusammen, wobei erneut die Differenzierung zwischen Gesetz und Sünde thematisiert wird: Nicht das Gesetz selbst bewirkt für das Ich den Tod, sondern durch das Gesetz wird nur die Sünde in ihrer ganzen Dimension für das Ich sichtbar.

---

[44] Vgl. U. Wilckens: Der Brief an die Römer; EKK VI, 2, S. 83.
[45] H. Hübner: Theologie des Neuen Testaments, Bd. 2, S. 292.

Röm 7,7-13 lassen sich damit folgendermaßen strukturieren:

7: Τί οὖν ἐροῦμεν	ὁ νόμος ἁμαρτία	μὴ γένοιτο ἀλλὰ τὴν ἁμαρτίαν οὐκ ἔγνων εἰ μὴ διὰ νόμου τε γὰρ τήν ἐπιθυμίαν οὐκ ᾔδειν εἰ μὴ ὁ νόμος ἔλεγεν Οὐκ ἐπιθυμήσεις
8: δὲ	ἀφορμὴν λαβοῦσα ἡ ἁμαρτία διὰ τῆς ἐντολῆς κατειργάσατο ἐν ἐμοὶ πᾶσαν ἐπιθυμίαν	χωρὶς γὰρ νόμου ἁμαρτία νεκρά
9+10a: δὲ	ἐλθούσης δὲ τῆς ἐντολῆς ἡ ἁμαρτία ἀνέζησεν ἐγὼ δὲ ἀπέθανον (2)	ἐγὼ ἔζων χωρὶς νόμου ποτέ (1)
10b: καὶ	αὕτη εἰς θάνατον (2)	εὑρέθη μοι ἡ ἐντολὴ ἡ εἰς ζωὴν (1)
11+12: γὰρ	ἡ ἁμαρτία ἀφορμὴν λαβοῦσα διὰ τῆς ἐντολῆς ἐξηπάτησέν με καὶ δι' αὐτῆς ἀπέκτεινεν	ὥστε ὁ μὲν νόμος ἅγιος καὶ ἡ ἐντολὴ ἁγία καὶ δικαία καὶ ἀγαθή
13: οὖν	τὸ ἀγαθὸν ἐμοὶ ἐγένετο θάνατος	μὴ γένοιτο ἀλλὰ ἡ ἁμαρτία ἵνα φανῇ ἁμαρτία διὰ τοῦ ἀγαθοῦ μοι κατεργαζομένη θάνατον ἵνα γένηται καθ' ὑπερβολὴν ἁμαρτωλὸς ἡ ἁμαρτία διὰ τῆς ἐντολῆς

Die Selbstzerrissenheit des Ich durch die Sünde (7,14-20)

Der Abschnitt will zeigen, dass Sünde nicht primär als Übertretung des Gesetzes zu verstehen ist, sondern als Desintegration des Ich in Wollen bzw. Erkennen einerseits und Handeln einerseits. Die konkreten Gesetzesübertretungen sind dann sekundäre Konsequenzen der inneren Gespaltenheit des Menschen. Durchgängig werden in den Gegenüberstellungen dieses Abschnittes zwei Seiten des Menschen unterschieden: Der Wille und die Erkenntnis einerseits, die grundsätzlich mit dem Gesetz Gottes, das heilig ist, übereinstimmen und das Handeln andererseits, das diesem Willen – und damit auch dem Gesetz – widerspricht.

Der Abschnitt 7,14-20 interpretiert und reflektiert das in 7,7-13 aus der Sicht des Adam erzählte Geschehnis von Gen 3, wobei der Text in der 1. Person Sing. bleibt. Die Einteilung des Abschnittes ist nicht ganz eindeutig. Einerseits leitet das οὖν aus V. 13 meistens im Römerbrief einen neuen Abschnitt ein. Die V. 13-16 sind außerdem zu den V. 7-12 auffällig parallel gebaut, weshalb sie als eigener Abschnitt betrachtet werden könnten.[1] Es entsprechen sich V. 7 und 13a, 7b und 13b, 7c und 13c, 12 und 16. Andererseits gibt es jedoch einen markanten Tempuswechsel zum Präsenz erst in V. 14, und οἴδαμεν γάρ markiert in der 1. Person – wie oben in der Einführung grundsätzlich dargelegt – deutlich einen neuen Ansatz. Die V. 14-17 und 18-20 sind formal parallel gebaut.[2] Auf eine mit οἶδα bzw. οἴδαμεν eingeleitete These (V. 14 und 18a) folgt eine zweifache, mit γάρ angeschlossene Begründung (V. 15 und 18b.19).[3] Die erste konstruiert eine Gegenüberstellung durch οὐ, die zweite durch ἀλλά. Dann schließt sich ein mit εἰ δέ eingeleiteter Bedingungssatz an, bevor mit der zweimal identisch formulierten Schlussfolgerung in V. 17 und 20b abgeschlossen wird.

V. 14 bestimmt in Anknüpfung· an die Argumentation von V. 7-13 das Verhältnis von Ich und Gesetz durch die Differenz πνευματικός – σάρκινος. Damit wird die Differenz πνεῦμα – σάρξ vorbereitet, die in Kap. 8 eine zentrale Rolle spielen wird.[4] Das πνευματικός nimmt die positiven Bestimmungen des Gesetzes aus V. 12 auf und qualifiziert das Gesetz damit in theologischer Sicht. Dem wird mit σάρκινος eine Selbstbezeichnung gegenübergestellt, die die Existenz Adams, die seit Röm 5,12ff beschrieben worden war, aus der Perspektive des Ich charakterisiert. Insofern ist das Ich von V. 14 an im Prinzip das gleiche wie in den V. 7-13,[5] obwohl ein Tempuswechsel vorliegt, der die Überlegungen in V. 14ff im Präsenz verallgemeinert.[6] Die Formulierung πεπραμένος ὑπὸ ἁμαρτίαν knüpft an die Metaphorik des Herrschaftsverhältnisses (vgl. Röm 6,16f und 20) und konkret an den Verkauf eines Sklaven an.[7]

In der reformatorischen Auslegung ist des öfteren vertreten worden, dass bereits dieses sich selbst als „fleischlich" bezeichnende Ich eine Beschreibung der Existenz des

---

[1] Vgl. W. Schmithals: Der Römerbrief, S. 220f.

[2] Zur Parallelität siehe auch die Strukturierung von O. Hofius: Der Mensch im Schatten Adams. Römer 7,7-25a; in: ders.: Paulusstudien II; (WUNT 143) Tübingen 2002, S. 104-154, dort S. 136.

[3] Vgl. G. Theißen: Psychologische Aspekte paulinischer Theologie, S. 213, der die Parallelität zwischen V. 15b und 19 verdeutlicht.

[4] Zu dieser Differenz siehe E. Brandenburger: Fleisch und Geist. Paulus und die dualistische Weisheit; (WMANT 29) Neukirchen 1968.

[5] So auch H. Lichtenberger: Studien zur paulinischen Anthropologie in Römer 7, S. 147.

[6] Vgl. A. Lindemann: Paulus als Zeuge der Auferstehung Jesu Christi, S. 34f.

[7] Vgl. K. Haacker: Der Brief des Paulus an die Römer, ThHK 6, S. 145.

Christen liefere, in der Terminologie Luthers des geistlichen Menschen. Luther nennt dafür vier Beobachtungen: „Das erste Wort also, durch das bewiesen wird, daß diese Worte die Worte eines geistlichen Menschen sind, ist dies: ‚Ich aber bin fleischlich' (7,14). Denn das ist das Merkmal eines geistlichen und weisen Menschen: er weiß, daß er fleischlich ist [...] Das zweite Wort: ‚Denn ich weiß nicht, was ich tue' (Röm 7,15) [...] Der geistliche Mensch hat, weil er mit dem Geiste lebt, nur Sinn für das, was Gottes ist [...] Das dritte Wort: ‚Denn ich tue nicht das Gute, das ich will, sondern das Böse, das ich hasse, das tue ich' (Röm 7,15) [...] Ein viertes Wort: ‚,[...] so stimme ich dem Gesetz Gottes zu, daß es gut sei' (Röm 7,16) Denn das Gesetz will das Gute und er selber will das Gute; also stimmen beide über ein. Das tut der fleischliche Mensch nicht".[8] Ähnlich interpretiert Calvin V. 15: „Denn ich weiß nicht, was ich thue. Jetzt wendet sich der Apostel zu dem besonders eindrücklichen Beispiel des bereits wiedergeborenen Menschen".[9] In der pietistisch geprägten Auslegung hat man dagegen gemeint, dass hier die Existenz „vor" der Offenbarung und der persönlichen Annahme des Glaubens (und dann aus der Sicht des Glaubenden) charakterisiert werde. „Die pietistische Auslegung verstand Röm 7 und 8 als Beschreibung des Selbstbewußtseins: Der unbekehrte Mensch lebt in innerer Zerrissenheit, die Bekehrung führt in den Seelenfrieden."[10] Solche Interpretationen des Verhältnisses von Kap. 7 und 8, die durch eine Einteilung der persönlichen Lebenszeit des Glaubenden in einen Zeitpunkt „vor" und „nach" der Annahme des Glaubens geprägt sind, stimmen jedoch mit dem paulinischen Zeitverständnis nicht überein, das vom νῦν her konstruiert ist (vgl. dazu die Ausführungen zu 3,21) und deshalb eine lineare Zeitvorstellung nicht kennt. 7,14ff beschreibt vielmehr eine Existenzweise, die außerhalb des „Augenblicks" der Rechtfertigung stattfindet, weil sie sich um eine Begründung der eigenen Existenz durch eigene Taten bemüht und dabei die Erfahrung machen muss, dass diese nicht mit dem vom Ich eigentlich Gewollten übereinstimmen. Kap. 8 beschreibt hingegen die Existenz im „Augenblick" der Rechtfertigung (νῦν, 8,1), die sich sicher sein kann, dass es für sie keine Verdammnis gibt, weil Gott durch Christus alles für die Begründung der Existenz des Menschen Nötige getan hat (V. 3f). Der Übergang von der Existenz außerhalb der Annahme der Rechtfertigung zur Existenz innerhalb derselben, der mit dem Übergang von Kap. 7 zu 8 identisch ist, markiert jedoch keinen biographischen Zeitpunkt, sondern einen Wechsel der Existenzform, der vom Menschen jederzeit für sich selbst vor- und zurückgenommen werden kann. Der einzelne Mensch steht damit nicht nur einmalig im Moment der Annahme des Glaubens, sondern ständig vor der Entscheidung, ob er seine Identität durch sich selbst und seine Taten und damit außerhalb des Augenblicks oder durch Gott und damit innerhalb des Augenblicks bestimmt wissen möchte.

V. 15 beginnt mit der Selbstreflexion des Ich. Durch zwei mit γάρ eingeleitete Gegenüberstellungen wird die These aus V. 14 näher begründet, dass das Ich sich als σάρκινος und ὑπὸ τὴν ἁμαρτίαν versteht. Es wird zunächst eine zentrale Gegenüberstellung eingeführt, die die Basis für die folgenden Verse bietet: κατεργάζομαι – γινώσκω. Das Ich bekennt, dass es sein eigenes Tun nicht versteht. Daran anknüpfend werden im folgenden durchgehend das Wollen einerseits und das

---

[8]   M. Luther: WA 56, 340, 24 - 341, 22. Hier zitiert nach D. Martin Luthers Epistelauslegungen, hrsg. v.
      E. Ellwein, 1. Band: Der Römerbrief; Göttingen 1963, S. 95.
[9]   Johannes Calvins Auslegung der Heiligen Schrift, hrsg. v. K. Müller; Neukirchen 1903, S.125.
[10] H. Conzelmann: Grundriß der Theologie des Neuen Testaments, bearbeitet von A. Lindemann, S. 256,
      Anm. 3. Vgl. auch P. Althaus: Der Brief an die Römer; NTD 6, S. 70.

Tun des Ich andererseits gegenübergestellt. Diese Differenz bildet das Gerüst für die anderen Gegenüberstellungen in V. 14ff ab.[11] Die Diskrepanz von Wissen bzw. Wollen und Tun führt in zwei Sequenzen zur Behauptung der Gespaltenheit des Ich in sich selbst,[12] die in V. 17 und 20 eingehend thematisiert ist. Bezieht man die Aussagen erneut auf Gen 2 und 3, so wird auf der ersten Seite der Gegenüberstellungen jeweils anknüpfend an das Vorherige (vgl. schon 5,12ff) die Existenzweise Adams dargestellt, die durch die Diskrepanz von Wollen und Tun charakterisiert ist. Dieser wird auf der zweiten Seite eine andere Existenzweise (gemäß bzw. „in" Christus, vgl. Kap. 8 oder dem Adam von Gen 2 entsprechend) gegenübergestellt, bei der Wollen und Tun übereinstimmen. Dies führt jeweils am Ende (V. 17 und 20) zu der mit εἰ δέ eingeleiteten Feststellung, dass das vom eigentlichen Wollen des Ich sich unterscheidende Handeln nicht durch das Ich selbst, sondern durch die Sünde hervorgerufen wird.

Auf der Basis der Unterscheidung von Wollen bzw. Erkennen und Tun entstehen im einzelnen folgende Gegenüberstellungen:[13]

$$\overset{\text{ἐγώ}}{\diagup \quad \diagdown}$$

(aktuelle Existenzweise)	(potentielle, vielleicht ursprüngliche, aber aktuell nicht realisierbare Existenzweise)
κατεργάζομαι	γινώσκω (15a)
ὃ μισῶ τοῦτο ποιῶ	ὃ θέλω τοῦτο πράσσω (15b)
ὃ οὐ θέλω τοῦτο ποιῶ	σύμφημι τῷ νόμῳ ὅτι καλός (16)
ἡ οἰκοῦσα ἐν ἐμοὶ ἁμαρτία	ἐγὼ κατεργάζομαι αὐτὸ (17)
τὸ κατεργάζεσθαι	τὸ θέλειν (18)
ὃ οὐ θέλω κακὸν τοῦτο πράσσω	ὃ θέλω ποιῶ ἀγαθόν (19)
ἡ οἰκοῦσα ἐν ἐμοὶ ἁμαρτία	ἐγὼ κατεργάζομαι αὐτό (20)

Die erste Reihe bezeichnet dabei die Existenzweise gemäß Adam aus Gen 3, nach der das eigene Tun dem Wollen des Guten permanent widerspricht.[14] Die zweite hingegen optiert für eine Übereinstimmung von Wollen und Tun und damit für eine Übereinstimmung mit dem Gesetz. Dabei wird aber zugegeben, dass dies für das Ich derzeit nicht möglich ist. Damit wird eine Differenz zwischen der Person (Ich), die durch ihren Willen gekennzeichnet wird, und ihren Taten konstituiert. Das über sich selbst reflektierende Ich kommt zu der Einsicht, dass es sich selbst durch seine Taten nicht als Person verwirklichen, ausdrücken oder gar begründen kann, weil diese Taten

---

[11] Zu den unten genannten Differenzierungen zwischen Wollen und Tun vgl. auch die Aufstellung bei G. Theißen: Psychologische Aspekte paulinischer Theologie, S. 221.

[12] Zu den traditionsgeschichtlichen Grundlagen dieser Unterscheidung vgl. R. von Bendemann: Die kritische Diastase von Wissen, Wollen und Handeln. Traditionsgeschichtliche Spurensuche eines hellenistischen Topos in Römer 7; in: ZNW 95 (2004), S. 35-63.

[13] Ganz ähnlich strukturiert O. Hofius: Der Mensch im Schatten Adams, a.a.O., S. 144.

[14] Zu dieser Diskrepanz vgl. auch R. Bultmann: Römer 7 und die Anthropologie des Paulus; in: ders.: Exegetica, S. 198-209, dort S. 207. Bultmann betont dabei, dass das κατεργάζεσθαι sich durch den ganzen Abschnitt zieht (V. 15.17.18.20).

ihm selbst, seinem Wollen, widersprechen. „7:15 and 19 contain a ubiquitous Greek saying that is central to the Greco-Roman ethic of self-mastery."[15] Paulus greift damit einerseits einen gängigen Topos der Antike auf. „Die Antike hat eingehend und differenziert über den Konflikt zwischen Wollen und Tun nachgedacht [...] So können die Leidenschaften, welche den Konflikt verursachen, libidinös oder agressiv getönt sein, können ‚ira' (Seneca) und μῖσος (Hekataios), aber auch ἔραν (Eur Hipp 358f.), ἔρως (Hekataios), ‚venus' (Plautus) und ‚cupido' (Ovid) genannt werden. Daneben erscheinen Trägheit ἀργία (Euripides) und ‚otium' (Plautus), wenn nicht überhaupt generalisierend vom θύμος (Eur Med. 1079) oder πάθος (Galen) gesprochen wird. Dem irrationalen Trieb steht meist die Einsicht gegenüber, z.B. die ‚mens' (Ovid) oder das γινώσκειν (Euripides, Plato, Galen)."[16] Andererseits modifiziert Paulus diesen bekannten Konflikt, indem er ihn auf das Verhältnis des Ich zu sich selbst konzentriert und damit in theologischer Sicht die Existenz Adams bzw. gemäß Adam als selbstzerrissene Existenz charakterisiert.[17]

Damit ist jedoch zugleich die Befreiung des Ich vorbereitet. Diese besteht darin, dass das Ich sich Gott gegenüber gar nicht durch eigene Taten ausweisen oder begründen muss, sondern sich einfach als Person von ihm angenommen und geliebt wissen kann. Das Ich muss deshalb nicht den in 2,1-3,18 dargestellten Versuch unternehmen, sich selbst durch Taten zu rechtfertigen, weil diese Taten gar nicht „meine", sondern die der Sünde „in mir" sind. Die Erkenntnis der Differenz von Ich und Tun, von Person und Werk ist insofern bereits der Anfang der Erlösung und ein Aspekt des νῦν, d.h. der neuen, aus Glauben begründeten Existenz, die zwischen der eigenen Person und den eigenen Taten differenzieren kann.[18]

Die V. 15b und c führen die oben genannte Differenz, angeschlossen mit γάρ, weiter aus. Vorausgesetzt ist dabei offenbar in V. 15b, dass das Ich (Adam und mit ihm alle Menschen) eine Übereinstimmung von Wollen und Tun anstrebt (vgl. auch das oben zu V. 9a zur Existenz Adams vor Gen 2,17 Gesagte). V. 15c bezieht sich dagegen wieder auf die Erfahrung Adams bzw. auf die Existenz gemäß Adam nach Gen 3. Diese ist von der Diskrepanz von Wollen und Tun bestimmt, so dass das Ich das tut, was es eigentlich hasst. Dies ist eine weitere Erläuterung der Formulierung aus V. 14, dass das Ich „unter die Sünde verkauft" ist. Die beiden Existenzweisen sind durch ἀλλά antithetisch gegenübergestellt.

V. 16 setzt die erste Argumentationssequenz mit einem durch εἰ δέ eingeleiteten Satz fort. V. 16a bezieht sich erneut auf die Existenzweise Adams bzw. gemäß Adam, die durch die Differenz von Wollen und Tun geprägt ist. Wenn diese Differenz jedoch als schmerzlich empfunden wird, so ist zugleich klar, dass das Ich die andere Existenzweise dabei nicht aus den Augen verloren hat, bei der es in seinem Tun mit seinem Wollen und mit dem Gesetz Gottes übereinstimmt. Wenn das Ich also die Erfahrung macht, das es in seinem Tun seinem Wollen widerspricht (V. 16a), so weiß es doch, was gut ist und stimmt damit grundsätzlich überein (V. 16b). Dabei muss nicht

---

[15] S. K. Stowers: A Rereading of Romans, S. 260.

[16] G. Theißen: Psychologische Aspekte paulinischer Theologie, S. 220.

[17] G. Theißen sieht in der antiken Literatur in der Person der Medea eine entsprechende Analogie. (Vgl. Theißen, a.a.O., S. 219f) Vgl. auch K. Haacker, Der Brief des Paulus an die Römer; ThHK6, S. 146, der besonders auf Euripides, Medea 1077b-1080 verweist. S.K. Stowers sieht hier ebenso große Parallelen zwischen Paulus und Euripides. Vgl. ders.: A Rereading of Romans, S. 260ff.

[18] In diesem speziellen Sinne ist dann auch den oben angeführten reformatorischen Interpretationen zuzustimmen, die das Ich in Röm 7 als den bereits gerechtfertigten, „geistlichen" Menschen auffassen.

vorausgesetzt werden, dass nur der gläubige Christ oder Jude zu dieser Einsicht fähig ist,[19] sondern bereits Röm 2,15 und 17ff hatten gezeigt, dass alle Menschen das Gesetz kennen können. Die Formulierung aus V. 16a, dass das Gesetz gut sei, entspricht mit anderen Worten der Eingangsthese von V. 14a.

Die Erfahrung der Diskrepanz von Wollen bzw. Erkennen und Tun, wie sie in V. 15 und 16 dargestellt wurde, führt zu der abschließenden Aussage in V. 17 (vgl. auch 20),[20] nach der es die Sünde ist, die die aufgezeigte Gespaltenheit des Ich (Adams und damit eines jeden Menschen) bewirkt. Gemeint ist damit, wie V. 17 zeigt, nicht einfach nur eine anthropologische oder psychologische Differenz zwischen Wollen und Tun, sondern es geht um die Charakterisierung zweier verschiedener Existenzweisen. Die erste ist durch eine theologische Sicht des Ich bestimmt, bei der das Ich mit sich selbst identisch sein kann und das Gute, was es einsieht, auch tut (V. 17a). Die andere Existenzweise gibt hingegen die bekannte Erfahrung aus Gen 3 wieder, bei der die Macht der Sünde im Ich bewirkt, dass es mit seinem Tun seinem Wollen widerspricht und damit in sich selbst gespalten ist (V. 17b, verbunden mit ἀλλά). Sämtliche Handlungen (κατεργάζομαι, πράσσω, ποιέω) sind in dieser Sicht Resultat der Wirksamkeit der transzendenten Macht der Sünde im Ich (ἐν ἐμοί) und damit eigentlich nicht mehr Taten des Ich (οὐκέτι ἐγώ).[21] Das ἔτι signalisiert, dass dies in Bezug auf Gen 2 und 3 für Adam vor Gen 3 einmal anders war.

Der Begriff der Sünde ist damit radikal vom Selbstverhältnis des einzelnen Menschen (Adams) her interpretiert. Er meint nun nicht mehr allein ein problematisches Verhältnis zwischen Mensch und Gott, das sich durch entsprechende böse Taten oder Gesetzesübertretungen manifestiert, sondern vor allem ein problematisches Verhältnis des Menschen zu sich selbst. Ziel des erlösenden Handelns Gottes ist deshalb nicht allein, das Verhältnis des Menschen zu Gott wieder herzustellen und dadurch ein entsprechend gutes Handeln gegenüber anderen Menschen zu ermöglichen, sondern vor allem das Selbstverhältnis des Menschen zu klären, ihn aus seiner Selbstzerrissenheit zu befreien und ihn zur Identität mit sich selbst und zur Übereinstimmung seines Wollens und Tuns zu führen.

Diese Aussagen, die in auffälliger Weise das Tun und nicht das Wollen und Erkennen des Ich unter den Einfluss der Sünde stellen, knüpfen an die zentrale Formulierung ἐξ ἔργων νόμου an. Die Selbstreflexion des Ich in Röm 7 liefert die innere Begründung für das Kap. 2 und 3 Ausgeführte: Das Ich kann sich nicht, wie in Kap. 2,1-3,18 gezeigt wurde, durch seine Taten selbst definieren und begründen, weil es in seinem Tun nicht mit sich selbst übereinstimmt. Der Versuch, die eigene Existenz – oder metaphorisch gesprochen: den Freispruch im göttlichen Gericht – durch eigene Taten zu begründen, wird in seiner Auswegslosigkeit entlarvt, weil erstens die Taten des Ich seinem Wollen nicht entsprechen und weil sie zweitens deshalb eigentlich gar keine eigenen Taten sind, sondern nur Resultat der Wirkung der Sünde im Ich.

V. 18 setzt diese erste Analyse mit einem zweiten Gedankengang fort, der ähnlich wie V. 14 mit οἶδα γάρ eingeleitet wird und auch in den folgenden Versen parallel argumentiert. Das οἰκεῖ ἐν ἐμοί nimmt die Formulierung aus V. 17b auf und radikalisiert sie. „Die im Menschen wohnende Sünde duldet neben sich nichts Gutes als

---

[19] Gegen K. Haacker: Der Brief des Paulus an die Römer;ThHK 6, S. 146.

[20] Das einleitende νυνί hat hier ausnahmsweise keinen temporalen, sondern schlussfolgernden Sinn. Vgl. dazu die Ausführungen zum Zeitverständnis in 3,21.

[21] Sehr treffend ist hier die Übersetzung von K. Haacker: Der Brief des Paulus an die Römer; ThHK 6, S. 140: „Nun bin aber nicht mehr ich das Subjekt dieses meines Verhaltens".

‚Mitbewohner' des Hauses."[22] Die anthropologische Vorstellung ist hier offenbar wiederum metaphorisch,[23] dass der Mensch wie ein Gebäude verstanden werden kann, in dem verschiedene Mächte Wohnung nehmen können. (vgl. z.B. auch Röm 8,9.11, wo der Geist Gottes Bewohner ist).[24] Die Bewohnerschaft des einen schließt dabei offenbar die des anderen aus. Die Formulierung τοῦτ' ἔστιν ἐν τῇ σαρκί μου nimmt die These aus V. 14 wieder auf. Es geht also auch im zweiten Teilabschnitt um eine Analyse der sarkischen Existenz. Das den Vers abschließende ἀγαθόν repräsentiert dementsprechend parallel zu V. 14 in abgekürzter Formulierung den νόμος, von dem es dort noch ausführlicher hieß, dass er πνευματικός sei.

V. 18b und c folgt auf die parallel zu V. 14 formulierte Eingangsthese wiederum eine mit γάρ eingeleitete Begründung, die erneut wie V. 15 f zwischen Wollen und Tun unterscheidet. Die Aussage ist erneut, dass das Ich eigentlich mit seinem Wollen dem Guten bzw. dem Gesetz entsprechen möchte (τὸ θέλειν παράκειταί μοι), dass es aber gemäß der Existenzweise Adams in Gen 3 diesem mit seinem Tun widerspricht (τὸ δὲ κατεργάζεσθαι τὸ καλὸν οὔ). Das δέ ist dabei adversativ gebraucht und stellt erneut die beiden Existenzweisen gegenüber.

V. 19 erläutert dies parallel zu V. 15b und c mit einer weiteren durch γάρ angeschlossenen Gegenüberstellung. V. 19a beschreibt dabei wiederum die potentielle Existenzweise Adams in Gen 2 (bzw. diejenige „in" und gemäß Christus nach Röm 8), bei der Wollen und Tun übereinstimmen (ὃ θέλω ποιῶ ἀγαθόν). Diese wird jedoch wie bereits in den vorhergehenden Versen mit οὐ in ihrer aktuellen Unmöglichkeit für das Ich eingeleitet, um ihr in V. 19b erneut die aktuelle Existenzweise gegenüberzustellen, die eben durch die Diskrepanz von Wollen des Guten und Tun des Bösen charakterisiert ist (ὃ οὐ θέλω κακὸν τοῦτο πράσσω). Dass es sich dabei um konträre Existenzweisen handelt, verdeutlicht erneut das adversative ἀλλά.

V. 20 beginnt, parallel zu V. 16, mit εἰ δέ und zieht erneut die Konsequenzen aus dem vorher Gesagten. V. 20a wiederholt aus V. 19a den Selbstwiderspruch der Existenz Adams gemäß Gen 3 mit anderen Worten. Die Formulierung ist hier identisch mit V. 16a, die Lesart von א, A u.a. ergänzt sekundär ein verstärkendes ἐγώ. In dem ansonsten mit V. 16f übereinstimmenden V. 20 fehlt lediglich V. 16b mit seiner Aussage, dass das Ich dem Gesetz zustimmt. Diese ist also implizit in V. 20a mitgedacht. V. 20b entspricht dann wiederum V. 17a (nur das νυνί δέ ist weggelassen) und V. 20c gleicht V. 17b. V. 20b beschreibt also erneut das potentielle Tun des Ich (Adams gemäß Gen 2) mit hervorgehobenem ἐγώ, das aber aktuell nicht (mehr) aktualisiert werden kann. Dementsprechend charakterisiert V. 20c, wiederum mit ἀλλά entgegengesetzt, die aktuelle Existenz unter der Macht der Sünde gemäß Gen 3.

Die beiden parallel durchgeführten Argumentationsgänge enthalten eine tiefgreifende Selbstreflexion des Ich, bei der es sich selbst in ein Ich und ein „in mir" unterscheidet. Die Feststellung dabei ist: Es ist gar nicht das Ich (ἐγώ) im eigentlichen Sinne, das das Böse tut, denn dieses Ich weiß ja um das Gute und will es auch. Vielmehr ist es die σάρξ (vgl. V. 14: ἐγὼ δὲ σαρκινός εἰμι, V. 17: ἐν ἐμοί τοῦτ' ἔστιν ἐν τῇ σαρκί μου), also nur ein bestimmter Aspekt des Ich, der in dieser Weise von der

---

[22] Haacker, a.a.O., S. 147.

[23] Zur wechselnden Metaphorik im Röm vgl. grundsätzlich P. von Gemünden und G. Theißen: Metaphorische Logik im Römerbrief, S. 108-131.

[24] Vgl. dazu auch H. Hübner: Zur Hermeneutik von Röm 7; in: J. D. G. Dunn (Hrsg.): Paul and the Mosaic Law; (WUNT 89) Tübingen 1996, S. 207-214, dort S. 207.

Sünde beherrscht werden kann, so dass sie „in ihm" (ἐν ἐμοί) wohnen kann. Dieser Aspekt kann hier vom eigentlichen Ich des Menschen unterschieden werden, das durch Wollen und Erkennen bestimmt ist. „Man wird also sagen können, daß der Wille des Menschen, und zwar in äußerst enger Verbindung mit dem Erkennen, nach der Anschauung des Voluntarismus den Menschen in seinem personalen Ausgerichtet-Sein ausmacht. Zugespitzt: *Was der Mensch will, das ist er.* Im Blick auf Röm 7 und viele andere Aussagen der Heiligen Schrift formuliert: im θέλειν offenbart sich das ἐγώ des Menschen."[25]

Diesem Wollen und Erkennen des eigentlichen Ich widerspricht sein Tun. Diese Diskrepanz wird in V. 20b (und bereits 17b) im Hauptgedanken des ganzen Abschnittes, auf den die Argumentation hinausläuft, zusammengefasst und interpretiert. Er besteht darin, dass es bei der Existenzweise gemäß Adam die Sünde ist, die diese Diskrepanz bewirkt. Die Sünde ist dabei zwar einerseits als eine externe Macht vorgestellt, die von außen an den Menschen herantritt, sie ist aber andererseits – wenn sie Macht über den Menschen hat – vor allem im Menschen selbst und bestimmt sein Handeln. Der Begriff der Sünde bezeichnet damit letztlich nicht die Übertretung eines Gebotes, sondern das „Innewohnen" einer fremden Macht, das zu einem problematischen Verhältnis des Menschen zu sich selbst führt. Die Sünde, die zunächst als äußere Macht vorgestellt wird, bewirkt und bringt eine innere Spaltung des Ich zu Tage,[26] einen „Widerspruch meiner mit mir selbst",[27] der durch die genannten Gegenüberstellungen verdeutlicht werden soll. Die in den vorherigen Kapiteln vorausgesetzte und in 7,7-25 entfaltete Grundproblematik des Römerbriefes besteht also darin, dass Adam, der Typus des Menschen schlechthin, jedenfalls gemäß Gen 3[28] nicht mit sich selbst identisch sein kann. Er ist nicht ein Individuum, sondern in sich selbst dividiert. Es ist nicht einfach die Erfahrung, die Gebote Gottes nicht erfüllen zu können, sondern die dahinter stehende innere Gespaltenheit, die ihn in die Verzweiflung führt. Diese Gespaltenheit wird durch die genannten Gegenüberstellungen beschrieben.

Die Analyse von Röm 7,7-20 hat gezeigt, daß es in diesem Abschnitt um eine Verhältnisbestimmung der drei Begriffe ἐγώ, νόμος und ἁμαρτία geht. Diese gipfelt in der Aussage von 7,20, dass durch die Sünde eine innere Spaltung des Ich hervorgerufen wird. Diese Spaltung wird dann in 7,21-25 durch die Gegenüberstellung jeweils zweier verschiedener „Gesetze" zum Ausdruck gebracht. Letztlich geht es bei der Analyse von 7,7-25 also um die Feststellung, dass es eine Gesetzmäßigkeit (νόμος, 7,21) gibt, die das Ich in sich selbst vorfindet und die besagt, dass das Ich in sich gespalten ist.

Auffällig ist an dieser Analyse, dass es sich um die Selbstthematisierung eines Ich handelt. Die Verwendung der 1. Person Singular grammatisch an zahlreichen Stellen des Römerbriefes zu beobachten. Auch die explizite Selbstbezeichnung ἐγώ

---

[25] Hübner, a.a.O., S. 213, Hervorhebungen von Hübner.
[26] Zu diesem Gedanken der Spaltung des Ich vgl. J. Blank: Der gespaltene Mensch. Zur Exegese von Röm 7,7-25; BiLe 9 (1968), S. 10-20.
[27] Vgl. dazu auch die bemerkenswerte Formulierung von L. Feuerbach auf der Basis der Unterscheidung von Persönlichkeit und Wesenheit. „Aber indem ich das Gute als meine Bestimmung, als mein Gesetz erkenne, erkenne ich, sei es nun bewußt oder unbewußt, dasselbe als mein eigenes Wesen. Ein anderes als seiner Natur nach von mir unterschiedenes Wesen geht mich nichts an. Die Sünde kann ich als Widerspruch nur empfinden, wenn ich sie als einen *Widerspruch meiner mit mir selbst, d.h. meiner Persönlichkeit mit meiner Wesenheit* empfinde. Als Widerspruch mit dem göttlichen, als einem *andern* Wesen gedacht, ist das Gefühl der Sünde unerklärlich." (L. Feuerbach: Das Wesen des Christentums, hrsg. v. W. Schuffenhauer; Bd. 1; Berlin 1956, S. 73f, Hervorhebungen von Feuerbach.)
[28] Das gilt, wie oben ausgeführt, noch nicht unbedingt von Gen 2.

findet sich des öfteren (z.B. in 3,7; 9,3; 11,1).[29] In einer derart konzentrierten, selbstreflexiven und verallgemeinerungsfähigen Weise wird der Begriff des Ich von Paulus innerhalb des Röm jedoch lediglich in Röm 7,17+20 (und dann außerhalb des Röm noch an wenigen anderen Stellen wie z.B. Gal 2,20) gebraucht.[30]

Wenn man der in V. 17 und 20 entwickelten Gegenüberstellung folgt, so differenziert Paulus hier zwischen Ich (ἐγώ) und „in mir" (ἐν ἐμοί). Die in Röm 7 in dieser dichten Weise dargestellte Existenz ist nicht distanziert wiedergegeben, etwa in der 3. Person, sondern durch ein mitunter geradezu emphatisch vorgetragenes Ich. Die Wahl dieser Form hat nicht nur die rhetorische Funktion, die Leser(innen) bzw. die Hörer(innen) zu fesseln und zur Identifikation einzuladen, sondern es ergibt sich dadurch formal eine selbstreferenzielle Aussage- und Argumentationsstruktur, die bei der Auslegung beachtet werden muss. Das beinhaltet eine Zirkularität der Aussagestruktur, die in letzter Konsequenz zu einer Paradoxie führt. Indem das Ich sich selbst beschreibt, unterscheidet es sich von sich selbst und erzeugt dadurch zu sich selbst eine Distanz.[31] Es ist zugleich mit sich selbst identisch und nicht identisch. Die entscheidende Frage ist dabei, wie diese Distanzierung von sich selbst und zugleich Identifikation mit sich selbst gelingt. Denn um sich von sich selbst distanzieren zu können, bedarf es eines Standpunktes außerhalb seiner selbst. Es fragt sich nur, wo dieser Standpunkt gewonnen werden kann.

Eine erste und offenbar hier von Paulus verwendete Lösung des Paradoxieproblems besteht in der Einführung einer zeitlichen Komponente.[32] Indem durch ἔτι eine Differenz zwischen jetzigen und vorherigen Taten gesetzt wird, kann zwischen Ich und nicht mehr (!) Ich unterschieden und das „Ich bin Nicht-Ich" entparadoxiert werden. Die Kommunikationsstruktur ist damit ganz ähnlich wie in Gal 2,20 gebaut. Dort wird ebenfalls bei der Selbstthematisierung des ἐγώ eine Unterscheidung zwischen Ich und „Nicht-Ich" entwickelt. Es wird dazu ebenso auf der zweiten Seite der Unterscheidung, also beim „Nicht-Ich", eine andere, fremde Größe eingeführt. Ist es in Röm 7 die „in mir wohnende Sünde", so heißt sie in Gal 2 Christus: ζῶ δὲ οὐκέτι ἐγώ, ζῇ δὲ ἐν ἐμοὶ Χριστός. Analog zu Röm 7 muss jedoch auf der Seite des „Nicht-Ich" das Ich zugleich mit thematisiert werden. Das geschieht ebenfalls durch die Formulierung ἐν ἐμοί. Wieder ist die Vorstellung, dass „in mir" eine andere Macht wohnt, die mich von mir selbst trennt und mich dadurch in der Differenz von Ich und Nicht-Ich existieren lässt, im Gal jedoch nicht die Sünde „in mir", sondern Christus „in mir". Auch hier ist durch οὐκέτι eine zeitliche Komponente mit gedacht, die die persönliche Lebenszeit in ein Vorher und Nachher unterscheidet. Nur meint diese Bestimmung durch eine fremde Macht in Röm 7 negativ die Fremdbestimmung des Ich durch die Sünde, die durch das Gesetz wirksam wird, während sie in Gal 2 positiv das Wirken Christi im Ich bezeichnet, durch welches das Ich in paradoxer Weise erst konstituiert wird. „Behauptet wird nicht, daß das ‚Ich' gestorben ist [...], sondern vielmehr, daß der neue Mensch in ihm Subjekt ist [...] Die Problematik der Identität hat

---

[29] Zur Verwendung des ἐγώ im speziellen und der 1. Person im allgemeinen bei Paulus vgl. G. Theißen: Psychologische Aspekte paulinischer Theologie, S. 201f.

[30] Zu den parallelen von Gal 2,19f und Röm 7, 9ff vgl. auch Theißen, a.a.O. S. 200.

[31] Vgl. dazu auch oben die Vorüberlegungen zur Selbstthematisierung eines Ich.

[32] Zur Strategie der Entparadoxierung von Selbstreflexionsprozessen durch Verzeitlichung vgl. N. Luhmann: Individuum, Individualität, Individualismus; in: ders.: Gesellschaftsstruktur und Semantik, Bd. 3, S. 149-258, dort S. 231ff.

sich verschoben: Christus ist nicht mehr der Vermittler der Rechtfertigung Gottes, sondern die lebendige Rechtfertigung im ‚Ich' selbst".[33]

Die Logik der Argumentation von Röm 7,7ff ist offenbar, dass es – zumindest theoretisch im Akt der Selbstreflexion – eine zeitliche Abfolge von mindestens zwei Phasen gibt: eine erste, in der der νόμος noch nicht da ist und das Ich mit sich selbst identisch lebt (ποτέ, V. 9). Daran schließt sich eine zweite Phase an, in der die Sünde – nachdem sie durch das Gesetz einen Anlass gefunden hat – verhindert, dass das Ich weiterhin mit sich selbst in Einklang sein kann und bewirkt, dass es stirbt (V.9bff). Man hat versucht, diese zeitliche Struktur der Selbstreflexion des Ich auszuweiten und darüber hinaus heilsgeschichtlich zu verstehen. So meint z.B. E. Stauffer, es ginge in diesem Zusammenhang um ein dreistufiges heilsgeschichtliches Paradigma, „den großen Dreischritt der Geschichte."[34] Die erste Phase bezeichnet dann die Existenz Adams im Paradies, die zweite diejenige unter dem Einfluss der Sünde und des Todes und die dritte die des neuen Lebens, das durch Christus möglich wird (vgl. Röm 8,1ff). Die Analyse dieser zeitlichen Abfolge hat besonders in der Dogmatik der altprotestantischen Orthodoxie ihren Niederschlag in einer Unterscheidung verschiedener Stadien gefunden (status integritatis, status corruptionis, status gloriae),[35] die der Mensch bzw. Christ durchläuft. Für die in 7,14-20 charakterisierte Situation des Ich (also Adams und damit des Menschen an sich) ist demnach charakteristisch, dass er aktuell nicht er selbst sein kann, sondern dass er ein mit sich selbst identisches Leben in frühere Zeiten (ποτέ, V. 9) zurück projiziert. Eine heilsgeschichtliche Interpretation steht jedoch in der Gefahr, dass sie das im Röm vorausgesetzte Zeitverständnis nicht angemessen berücksichtigt, welches von der Aktualität der Rechtfertigung für das Ich ausgeht und deshalb solche abstrakten geschichtlichen Überlegungen vermeidet (vgl. die Ausführungen oben zu Röm 3,21).

Über diese zeitliche Differenzierung hinausgehend ergibt sich eine zweite mögliche Lösung des dargestellten Paradoxieproblems, wenn man bei der Selbstthematisierung des Ich ein zweites Ich voraussetzt, welches die Unterscheidung von Ich und „Nicht-Ich" bzw. „in mir" gewissermaßen von außen betrachtet. Analog zu Unterscheidungen in früheren Abschnitten wie Griechen – Nichtgriechen (1,14) oder Jude – Nichtjude (1,16) wird auch die Unterscheidung von Ich und „Nicht-Ich" bzw. „in mir" nur dadurch überhaupt wahrnehmbar, dass sie von einem externen Beobachter aus gebraucht werden kann. Nur ergibt sich in diesem Falle das besondere Problem, dass der externe Beobachter eben wiederum dieses Ich ist.[36] Der bereits in den vorigen und noch folgenden Abschnitten zentrale Gedankengang der Selbstreflexivität des Ich wird damit auf die Spitze getrieben. Das Ich muss, um sich selbst betrachten zu können, aus

---

[33] F. Vouga: An die Galater; HNT 10, S. 61.

[34] E. Stauffer: Artikel ἐγώ; in: ThWNT, Bd. 2, S. 341-362, dort S. 356: „Der Vorstoß Gottes wird in sein Gegenteil verkehrt durch einen dämonischen Gegenstoß. Aber alles Werk, das gegen Gott gerichtet ist, zerstört am Ende sich selbst und führt so hinüber zu dem dritten und endgültigen Schritt der Geschichte, der Durchsetzung des Gotteswillens".

[35] Vgl. z.B. H.G. Pöhlmann: Abriss der Dogmatik. Ein Kompendium; 5. Aufl. Gütersloh 1990, S. 177.

[36] Zu den schwierigen Problemen der Selbstreferenz, die dabei entstehen vgl. N. Luhmann: Die Form Person; in: ders. Soziologische Aufklärung 6; Opladen 1995, S. 142-154, dort S. 145f: „Wenn das System zu sich selbst 'ich' sagt, bezeichnet es immer schon die eine Seite dieser Unterscheidung. Es aktualisiert seine Selbstreferenz und führt die Fremdreferenz als im Moment unerwähnt mit. Sobald ein System beobachten und dabei die Unterscheidung Selbstreferenz/Fremdreferenz benutzen kann, ist es für sich selbst nur noch die Hälfte dessen, was es selbst als operativ geschlossenes autopoietisches System ist."

sich selbst heraus treten. Indem es das tut und somit zugleich zum Beobachter und Beobachteten wird, entdeckt das sich selbst beobachtende Ich, dass das durch sich selbst beobachtete Ich in sich selbst wiederum gespalten ist. Es ergibt sich somit für die Selbstbetrachtung des Ich in Röm 7,7-24 eine triadische Struktur, die die Disposition der anderen Unterscheidungen in Wissen bzw. Wollen und Tun bestimmt.

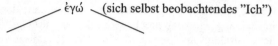

ἐγώ (sich selbst beobachtendes "Ich")

ἐν ἐμοί (V. 17b,20b, ἐγώ (V. 17a, 20a, zweites beobachtetes Ich)
erstes beobachtetes und
fremdbestimmtes Ich)

Die Argumentation ist auch hier differenztheoretisch aufgebaut. Es geht darum, den Zwiespalt innerhalb des ἐγώ aufzuzeigen. Von dorther erklären sich dann alle anderen Gedankengänge und Differenzen in diesem Abschnitt. Die Gegenüberstellungen signalisieren das theologische Problem, aus dem es kein Entrinnen zu geben scheint. Der mit der dargestellten Sequenz von Gegenüberstellungen formulierte Widerspruch ist im Ich selbst angelegt.

Die oben beschriebene Selbstreferenz und Paradoxie der Kommunikation eines Ich über sich selbst tritt damit offen zutage. Es muss – wegen der oben beschriebenen Selbstreferentialität sämtlicher Aussagen eines Ich über sich selbst – dieses Ich zugleich im „mir" mit benannt werden. In gewisser Weise kann man mit Bultmann formulieren: „Es liegen also ἐγώ und ἐγώ im Streit, d.h. zwiespältig sein, nicht bei sich selbst sein, ist das Wesen des menschlichen Seins unter der Sünde."[37] Allerdings betont Bultmann, bei allem „Streit" zu sehr die Identität von Ich und Ich und zuwenig die Differenz zwischen beiden. Paulus formuliert aber nicht ἐγώ und ἐγώ, sondern ἐγώ und ἐν ἐμοί bzw. οὐκέτι ἐγώ. Das erste Ich ist in der Sicht von Röm 7 das Eigentliche, welches um das Gute weiß und es tun möchte, das zweite (das „nicht mehr Ich", bzw. das „in mir") ist das Uneigentliche, welches fremd dominiert wird.

Das Ich erscheint also zugleich auf beiden Seiten der Gegenüberstellung und bezeichnet sich dort auf der einen Seite als ἐγώ und auf der anderen als ἐν ἐμοί. Die den großen Argumentationsabschnitt in Röm 5ff durchziehende Charakterisierung der ersten Existenzweise gemäß Adam wird damit auf die Spitze getrieben und es werden ihre Aporien aufgezeigt. Das Ich Adams, das versucht, sich rein selbstreflexiv in sich selbst zu begründen, muss dabei die Erfahrung machen, dass es dabei in sich selbst in das Wollen des Guten und das Tun des Bösen, in Ich und „Nicht-Ich" bzw. „in mir" auseinander fällt und damit zum Sterben verurteilt ist.

Im Anschluss an die ausgeführten Überlegungen lassen sich die V. 14-20 folgendermaßen strukturieren, wobei die erste Seite der Gegenüberstellung wiederum die Existenzweise Adams unter der Macht der Sünde wiedergibt, die durch die Diskrepanz von Wollen und Tun gekennzeichnet ist, während die zweite die Existenzweise gemäß Christus (oder von Adam in Gen 2) charakterisiert, die durch eine Übereinstimmung von Wollen und Tun geprägt ist.

---

[37] R. Bultmann: Theologie des Neuen Testaments, S. 245.

14: οἴδαμεν γὰρ ὅτι	ἐγὼ δὲ σάρκινός εἰμι πεπραμένος ὑπὸ τὴν ἁμαρτίαν (2)	ὁ νόμος πνευματικός ἐστιν (1)
15: γὰρ	ὃ κατεργάζομαι	οὐ γινώσκω
γὰρ	ἀλλ' ὃ μισῶ τοῦτο ποιῶ (2)	οὐ ὃ θέλω τοῦτο πράσσω (1)
16: εἰ δὲ	ὃ οὐ θέλω τοῦτο ποιῶ	σύμφημι τῷ νόμῳ ὅτι καλός
17: νυνὶ δὲ	ἀλλὰ ἡ οἰκοῦσα ἐν ἐμοὶ ἁμαρτία (2)	οὐκέτι ἐγὼ κατεργάζομαι αὐτό (1)

18: οἶδα γὰρ ὅτι	οὐκ οἰκεῖ ἐν ἐμοί τοῦτ' ἔστιν ἐν τῇ σαρκί μου	ἀγαθόν
γὰρ	τὸ δὲ κατεργάζεσθαι τὸ καλὸν οὔ (2)	τὸ θέλειν παράκειταί μοι (1)
19: γὰρ	ἀλλὰ ὃ οὐ θέλω κακὸν τοῦτο πράσσω (2)	οὐ ὃ θέλω ποιῶ ἀγαθόν (1)
20: εἰ δὲ	ὃ οὐ θέλω τοῦτο ποιῶ (2)	(vgl. V. 16b)
	ἀλλὰ ἡ οἰκοῦσα ἐν ἐμοὶ ἁμαρτία (2)	οὐκέτι ἐγὼ κατεργάζομαι αὐτό (1)

Die Gegenüberstellung zweier Gesetze (7,21-25)

Den Abschluss der Argumentation 7,7-25 bildet ein Abschnitt, der die Ergebnisse des Vorherigen zusammenfasst und sie im Hinblick auf den Begriff des Gesetzes reflektiert. Das sich selbst beobachtende Ich findet eine Gesetzmäßigkeit (εὑρίσκω ἄρα τὸν νόμον, V. 21a), die beim Gegensatz von Wollen des Guten und Tun des Bösen ansetzt und von daher innerhalb des Ich zwei Typen von Gesetz einander gegenüberstellt.

Formal parallel geschieht damit im Anschluss an die interne Differenzierung des ἐγώ in ἐγώ und οὐκέτι ἐγώ bzw. ἐν ἐμοί auch eine interne Differenzierung des νόμος-Begriffes, bei der ein νόμος gefunden wird, der in νόμος τοῦ θεοῦ und ἕτερος νόμος bzw. νόμος τοῦ νοός μου und νόμος τῆς ἁμαρτίας unterschieden wird. Das bedeutet, dass der Gesetzesbegriff vom Selbstverständnis des Ich her konstruiert und strukturiert wird. Nicht nur das Verständnis der Sünde als Macht der Desintegration des Ich, sondern auch das des Gesetzes wird also radikal vom Selbstverständnis des Ich her neu definiert. Die Struktur der Gegenüberstellungen ist analog zu V. 14-20:

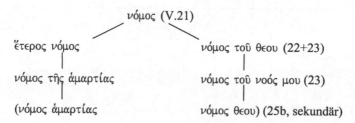

Gemeint sind hier zwei verschiedene Aspekte des Gesetzes: der eine stimmt mit dem Ich und seinem Wollen überein und gibt ihm für seine immanente Existenz sinnvolle Anweisungen: Er wird νόμος (τοῦ θεοῦ) und νόμος τοῦ νοός μου bezeichnet. Der andere benennt das Unterworfensein unter eine fremde Macht, die zur Desintegration des Ich mit sich selbst führt und durch das Gesetz sichtbar wird. Diesen nennt Paulus ἕτερος νόμος und νόμος (τῆς) ἁμαρτίας. Die beiden Aspekte des Gesetzes verbindet er mit der Ich-Problematik. Der letztgenannte Aspekt wird in Bezug auf das Ich ausgedrückt durch die doppelte Formulierung ἐν τοῖς μέλεσίν μου (V. 23a und b), der erstgenannte durch κατὰ τὸν ἔσω ἄνθρωπον (V. 22), νοῦς μου und με (V. 23b). Dadurch wird, analog zu V. 14-20, eine Innen-Außen-Differenz erzeugt, durch die das Ich sich von außen selbst betrachtet und beschreibt und damit sein Geteiltsein in sich selbst zum Ausdruck bringt.

V. 21 zieht mit ἄρα das Fazit aus V. 14-20.[1] Das Ich ist in diesen Versen noch das Gleiche wie in V. 7-20,[2] es erreicht aber nach der Beschreibung des Geschehens von Gen 2 und 3 in V. 7-13 und dessen Reflexion in V. 14-20 nochmals eine höhere Reflexionsstufe, indem es die vorher analysierte Selbstzerrissenheit als anthropologische Gesetzmäßigkeit entdeckt. Das εὑρίσκω τὸν νόμον in V. 21a meint in diesem Sinne ein allgemeines „Gesetz"[3] der Spaltung des Ich in Ich und „Nicht-Ich" bzw. „in

---

[1] Vgl. U. Wilckens: Der Brief an die Römer; EKK VI,2, S. 88.

[2] Gegen G. Theißen: Psychologische Aspekte paulinischer Theologie, S. 234f.

[3] So auch K. Haacker, Der Brief des Paulus an die Römer; ThHK 6, S. 147: „νόμος in der Bedeutung ,Regel', ,Gesetzmäßigkeit', ,bestimmendes Prinzip'".

mir". V. 21b und c knüpfen auf dieser Basis zunächst bei der genannten Diskrepanz an, indem sie das Wollen des Guten (V. 21b) dem Tun des Bösen (V. 21c) gegenüberstellen. V. 21b bezeichnet dabei erneut den eigentlichen Wunsch des Ich, sich dem Guten entsprechend zu verhalten, V. 21c beschreibt hingegen die Existenzweise Adams, die diesem Wollen unter dem Einfluss der Sünde widerspricht.

V. 22 setzt zunächst wiederum den Gedanken fort, dass das Ich sich eigentlich nach dem Guten richtet (vgl. V. 19), welches im Gesetz Gottes (νόμος τοῦ θεοῦ) enthalten ist (vgl. V. 16b). Der Ausdruck κατὰ τὸν ἔσω ἄνθρωπον erinnert an platonische Terminologie.[4] Paulus arbeitet hier aber nicht mit der platonischen Unterscheidung von innerem und äußerem Menschen, als Gegenbegriff fungiert vielmehr ἐν τοῖς μέλεσίν μου. Damit steht dem „Inneren Menschen' [...] nicht ein symmetrisch entsprechender Außenbereich entgegen, etwa ein ‚Äußerer Mensch', sondern die Glieder als Repräsentanten des tätigen Menschen",[5] eines Menschen also, der seine Existenz nicht durch Vertrauen auf Gott, sondern durch eigene Taten zu begründen versucht. Die Diskrepanz von Wollen und Tun ist damit fortgesetzt. Der gesamte Abschnitt 2,1-3,18 hatte aber bereits gezeigt, dass eine am eigenen Tun, also den „Gliedern" orientierte Existenzweise zum Scheitern verurteilt ist. V. 23a charakterisiert dementsprechend, durch adversatives δέ gegenübergestellt, die dem „inneren Menschen" konträre Existenzweise gemäß Adam, die an den „Gliedern" orientiert ist und dort andere Gesetzmäßigkeiten entdeckt. Das βλέπω zeigt, dass das Ich sich dabei nach wie vor selbst beobachtet. Mit der Unterscheidung von κατὰ τὸν ἔσω ἄνθρωπον und ἐν τοῖς μέλεσίν μου gibt Paulus ein und dasselbe Ich in doppelter Perspektive wieder, wobei erneut die in den vorherigen Versen entwickelte Unterscheidung zwischen eigentlichem Ich und durch die Sünde „in mir" fremdbestimmtem Ich zugrunde liegt: „it is the same ἐγώ but there are two important aspects to it. The one aspect is the ἐγώ that rejoices being associated with the law of God. This aspect is identical with the ἔσω ἄνθρωπος whose νοῦς has the capacity of ‚seeing (βλέπειν) another law', antagonistic to God's law, at work in the bodily members which constitute the other aspect of the ἐγώ; this other aspect could be called the ἔξω ἄνθρωπος, but Paul does not use this term in Rom 7. The ἐγώ-aspect that has the νοῦς has an internal vision of the ‚law of sin' that is located in the bodily members and has taken the other aspect of the ἐγώ captive (7.22-3). Therefore, the self-experience of the ἐγώ is that of one and the same ἄνθρωπος, including the antagonisms and frustrations."[6] Paulus nimmt also zwar die platonische Begrifflichkeit vom „inneren Menschen" auf, interpretiert diese jedoch nicht im Sinne einer grundsätzlichen Differenz von Leib und Seele oder ähnlichem, sondern als zwei Aspekte des *einen* Ich, die eine innere Diskrepanz des Ich zum Ausdruck bringen.[7]

---

[4] Vgl. dazu T. K. Heckel: Der Innere Mensch. Die paulinische Verarbeitung eines platonischen Motivs; (WUNT 2, 53) Tübingen 1993.

[5] Heckel, a.a.O., S. 192.

[6] H. D. Betz: The Concept of the ‚Inner Human Being' (ὁ ἔσω ἄνθρωπος) in the Anthropology of Paul; in: NTS 46 (2000), S. 315-341, dort S. 337.

[7] Vgl. Betz, a.a.O., S. 340: „while rejecting the Middle-Platonic dualism of an immortal soul imprisoned or entombed in a material body, Paul saw the need to work out an anthropology that could answer the questions raised. He appropriated the concept of ἔσω and ἔξω ἄνθρωπος which must have figured prominently in the Corinthian discussion. Whether Paul was aware of the origin of the concept in Plato and how he first learned about it, cannot be determined."

V. 23b leitet eine neue Gegenüberstellung ein, die wiederum zunächst in theologischer Perspektive mit der Übereinstimmung des Gesetzes Gottes mit dem einen Aspekt des Ich ansetzt und dies in dem Ausdruck νόμος τοῦ νοός μου verdichtet.[8] Der Ausdruck ἀντιστρατευόμενον radikalisiert den Konflikt im Ich mit Hilfe einer Kriegsmetaphorik. G. Theißen geht dabei sogar soweit, dass er die hier ausgedrückte Erfahrung unmittelbar auf die Person des Paulus bezieht, dass also das Ich hier tatsächlich auch autobiographisch gemeint ist.[9] Die Formulierung αἰχμαλωτίζοντά με setzt die Kriegsmetaphorik fort und leitet zur anderen Seite der Gegenüberstellung über, die in V. 23c mit νόμος ἁμαρτίας bezeichnet wird. Der Ausdruck wird in Röm 8,2 bei der Charakterisierung des neuen Lebens in Christus als Gegensatz wieder aufgenommen. Das ἐν τοῖς μέλεσίν μου ist diesmal nicht Gegenbegriff zu ἔσω ἄνθρωπος, sondern zu νοῦς. Den Begriff νοῦς verwendet Paulus also parallel zu ἔσω ἄνθρωπος. Diese Differenz knüpft an die bereits in 6,13 getroffene Unterscheidung ἑαυτούς – τὰ μέλη ὑμῶν an. Sie unterscheidet zwischen dem Selbst des Menschen, seinem eigentlichen Ich, und einem anderen Bereich „in ihm", der fremden Machtsphären untersteht, nämlich den Gliedern. Paulus führt diese Unterscheidung aber in Röm 7,23 insofern weiter, als er die damit zusammenhängenden Aussagen nun von der distanzierten Anrede in der 2. Person Plural zu einer Selbstaussage eines Ich in der 1. Person Singular verändert und sie damit zu einer Selbstaussage werden lässt – mit den oben genannten, damit zusammenhängenden Paradoxieproblemen.

V. 24 beendet die Darstellung der inneren Zerrissenheit des Ich mit einem Aufschrei der Verzweiflung: „ταλαίπωρος meint mehr als geplagt [...], nämlich elend und in jeder Hinsicht vom Unglück geschlagen".[10] Damit ist die allgemein menschliche und insofern auch paulinische Erfahrung benannt, die Diskrepanz, mit der das Ich umgehen muss – jedenfalls wenn es gemäß der seit Kap. 5 charakterisierten Existenzweise gemäß Adam lebt. V. 24b erläutert diese Sicht durch den eigentümlichen Ausdruck des σώματος τοῦ θανάτου τούτου. Hier ist keineswegs die Befreiung von der eigenen Leiblichkeit im Sinne eines Leib-Seele-Dualismus gemeint,[11] denn in Röm 8,23 wird gerade die Hoffnung auf eine Erlösung des Leibes zum Ausdruck gebracht (vgl. auch I Kor 15,44: σῶμα πνευματικόν). „Das Gewicht dürfte also nicht auf σῶμα, sondern auf θάνατος liegen, wobei σῶμα eine Näherbestimmung wäre, der ganze Ausdruck so etwas wie ‚Todesexistenz' bedeuten."[12] Damit wird die Existenzweise Adams, die zum Tode führt, nochmals auf den Punkt gebracht. Dem stellt Paulus als krönenden Abschluss der gesamten Argumentation von Röm 7,7-25 in V. 25a eine christologische Perspektive gegenüber, die einen formelhaften Dank enthält.[13] Die Frage in V. 24b ist von daher nicht rhetorisch, sondern sie weist auf die theologische bzw. christologische Lösung des Problems der Selbstzerrissenheit des Ich hin, die in Kap. 8 entfaltet werden wird. V. 25b ist, wie unten zu zeigen sein wird, eine sekundäre Glosse.

---

[8] Vgl. K. Haacker: Der Brief des Paulus an die Römer;ThHK 6, S. 147: „In griechischer Tradition steht dagegen die Annahme einer wesensmäßigen Beziehung zwischen Gott [...] dem νόμος und dem νοῦς in V. 23."

[9] Vgl. G. Theißen: Psychologische Aspekte paulinischer Theologie, S. 222.

[10] E. Käsemann: An die Römer; HNT 8a, S. 201.

[11] Gegen Käsemann, a.a.O., S. 198, der bei Paulus deutlichere Bezüge zu einem dualistischen Weltbild sieht.

[12] K. Haacker: Der Brief des Paulus an die Römer;ThHK 6, S. 148.

[13] Vgl. dazu auch die Schlüsse der Kap. 5 und 6, die ähnliche Formeln enthalten und damit auch formal Kap. 5-8 zu einem größeren Argumentationszusammenhang verbinden.

Der Abschnitt Röm 7,21-25a lässt sich damit wie folgt strukturieren, wobei die die Verse strukturierende Gegenüberstellung der verschiedenen Gesetze hervorgehoben ist:

21: Εὑρίσκω ἄρα τὸν νόμον	ὅτι ἐμοὶ τὸ κακὸν παράκειται (2)	τῷ θέλοντι ἐμοὶ ποιεῖν τὸ καλόν (1)
22+23a: γὰρ	βλέπω δὲ ἕτερον νόμον ἐν τοῖς μέλεσίν μου (2)	συνήδομαι τῷ νόμῳ τοῦ θεοῦ κατὰ τὸν ἔσω ἄνθρωπον (1)
23b+c:	ἐν τῷ νόμῳ τῆς ἁμαρτίας τῷ ὄντι ἐν τοῖς μέλεσίν μου (2)	ἀντιστρατευόμενον τῷ νόμῳ τοῦ νοός μου καὶ αἰχμαλωτίζοντά με (1)
24+25a:	ταλαίπωρος ἐγὼ ἄνθρωπος τίς με ῥύσεται ἐκ τοῦ σώματος τοῦ θανάτου τούτου	χάρις δὲ τῷ θεῷ διὰ Ἰησοῦ Χριστοῦ τοῦ κυρίου ἡμῶν

Röm 7,25b als sekundäre Glosse

Angefügt an den sehr homogenen Text 7,7-25a findet sich in V. 25 b eine sekundäre Erweiterung, die man mit H. Lichtenberger als „Beginn der Auslegungsgeschichte von Römer 7"[14] verstehen kann.[15] Bereits R. Bultmann hatte zuvor ausführlich begründet, dass es sich hier um eine spätere Erweiterung handeln muss.[16]

In der dadurch angefügten Interpretation von Römer 7 (ἄρα οὖν ist als folgernder Anschluss und nicht als Frage zu verstehen) finden sich Umstellungen, die den vorhergehenden Text des Röm grundsätzlich verändern und die bei der Rezeption dieses Textes in der Theologiegeschichte schwerwiegende Missverständnisse erzeugt haben. Obwohl sich keinerlei textkritische Hinweise für fehlende Authentizität angeben lassen, ist der Halbvers aus folgenden Gründen mit einiger Sicherheit nicht paulinisch.

1. Seit 6,12ff waren die beiden „Knechtschaften", die zwei verschiedene Existenzweisen bezeichnen, grundsätzlich alternativ gemeint. Entweder man dient der Sünde oder der Gerechtigkeit (6,18). Der Sinn der paulinischen Argumentation ist deshalb, dass der Mensch sich für die Existenz gemäß Christus und gegen diejenige gemäß Adam entscheiden soll, dass er bei dieser Entscheidung bleiben und die daraus resultierenden Konsequenzen ziehen soll.

2. Von der bisherigen Argumentation her ist es also unmöglich, dass das Ich, wie V. 25b behauptet, gleichzeitig in beiden Knechtschaftsverhältnissen steht. Die zeitliche Differenzierung in 6,19-7,6 ὅτε – νυνί, die wie beschrieben für die innere Argumentationsstruktur von Kap. 7 und 8 als Kern des gesamten Briefes konstitutiv ist, hat vielmehr gerade den Sinn, die beiden Knechtschaften bzw. Existenzweisen auch zeitlich

---

[14] H. Lichtenberger: Der Beginn der Auslegungsgeschichte von Römer 7: Röm 7,25b; in: ZNW 88 (1997), S. 284-295.

[15] Gegen K. Haacker: Der Brief des Paulus an die Römer; ThHK 6, S. 149, der keine größeren Probleme sieht, den Halbvers im Text zu belassen.

[16] Vgl. R. Bultmann: Glossen im Römerbrief; ThLZ 72 (1947), S. 197-202; neu abgedruckt in ders.: Exegetica, S. 278-284, dort besonders S. 278f. Dem widerspricht E. Lohse: Der Brief an die Römer; (KEK 4) 15. Aufl. Göttingen 2003, S. 224f. Er meint, V. 25b ließe sich „nach dem vorangegangenen Lobpreis sinnvoll als abschließende Zusammenfassung betrachten, die noch einmal in knapper Formulierung die Verlorenheit des unerlösten Menschen kennzeichnet."

voneinander zu unterscheiden. Die in V. 25 b behauptete, aber deutlich sekundär eingefügte Gleichzeitigkeit von Knechtschaft unter der Sünde und unter der Gerechtigkeit hat in der lutherischen Tradition unter der Formel „simul iustus et peccator"[17] zu einem schwerwiegenden Missverständnis dieses zentralen Kapitels des Römerbriefes geführt. Sie wird dem paulinischen Verständnis des Ich nicht gerecht.[18]

3. Die selbstreflexive Formulierung αὐτὸς ἐγώ legt anscheinend nahe, dass das Ich als es selbst zugleich in beiden Knechtschaftsverhältnissen steht. Röm 7,7-25a haben jedoch gezeigt, dass die Knechtschaft des Ich unter Sünde gerade zu einer inneren Spaltung des Ich mit sich selbst führt. Dies widerspricht aber der Behauptung aus V. 25b, in der Spannung zwischen Gesetz der Sünde und Gesetz Gottes „Ich selbst" sein zu könne. Paulus wollte gerade zeigen, dass das Ich diesen Widerspruch der beiden Gesetze nicht aushalten kann (vgl. V. 24) und dass die neue Existenz „in Christus" das Ich aus diesem Widerspruch heraus führt (vgl. V. 25a und Röm 8,1ff).[19]

Deshalb wird man der Deutung von Lichtenberger, Wilckens, Bultmann und zahlreichen anderen Interpreten zustimmen müssen, die V. 25b für nicht paulinisch halten: „Da jedoch sämtliche handschriftlichen Zeugen den Satz an derselben Stelle im Kontext lesen, muß dann allerdings vermutet werden, daß die gesamte Textüberlieferung nicht auf das paulinische Original, sondern auf eine Handschrift zurückgeht, in der die Glosse bereits in den Text eingeführt war."[20] Eine Umstellung der Verse in die Reihenfolge 23; 25b; 24; 25a; 8,2; 8,1; 8,3[21] behebt nicht die oben genannten Problempunkte und führt deshalb nicht grundsätzlich weiter.

Die sekundäre Glosse lässt sich zwar – analog zu den vorherigen Versen – in einer Doppelstruktur wiedergeben, dabei ist jedoch auf die grundsätzlichen Differenzen zu den vorhergehenden Versen zu achten:

25b: ἄρα οὖν	τῇ δὲ σαρκὶ νόμῳ ἁμαρτίας (2)	αὐτὸς ἐγὼ τῷ μὲν νοΐ δουλεύω νόμῳ θεοῦ (1)

---

[17] Luther interpretiert den Satz folgendermaßen: „Vide, ut unus et idem homo simul servit legi Dei et legi peccati, simul iustus est et peccat". (WA 56, S. 347). Vgl. auch H. Lichtenberger: Der Beginn der Auslegungsgeschichte von Römer 7: Röm 7,25b, S. 294.

[18] E. Lohse nimmt bei seiner Interpretation von Röm 7,25b diese lutherische Tradition auf und versucht sie konstruktiv neu ins Spiel zu bringen, wobei er zugleich auf die Differenzen zwischen Paulus und Luther zu sprechen kommt: „Dabei beschreibt die Formel ‚simul iustus – simul peccator' die Theologie der Rechtfertigung unter der Perspektive, daß auch der Gerechtfertigte in seiner fleischlichen Existenz immer zugleich ganz und gar Sünder bleibt, der ungeteilt auf Gottes Barmherzigkeit angewiesen ist. Der Apostel hat gleichfalls stets den Geschenkcharakter der Rechtfertigung betont, doch unterstreicht er dabei die Wirklichkeit der in Christus geschenkten Erneuerung." (E. Lohse: Der Brief an die Römer; KEK 4, S. 226.)

[19] So meint M. Theobald zu Recht, Paulus liege „alles daran, die *Wirklichkeit* des Gerechtfertigt-Seins in einem gottwohlgefälligen Leben zu erweisen. Diesem Impetus wird die lutherische Formel (sc. simul iustus et peccator) im Blick auf Röm 8 aber nicht gerecht." (M. Theobald: Der Römerbrief, EdF 294; Darmstadt 2000, S. 249, Kursivsetzung durch Theobald.)

[20] U. Wilckens: Der Brief an die Römer; EKK VI, 2, S. 97.

[21] Vgl. F. Müller: Zwei Marginalien im Brief des Paulus an die Römer; in: ZNW 40 (1941), S. 249-254.

Die Begründung der In-Dividualität des Ich „in Christus" (8,1-11)

Wenn bei der Einteilung des 8. Kapitels, wie in dieser Untersuchung durchgehend vorgeschlagen, das Kriterium des Neubeginns eines Abschnittes in der 1. Person angelegt wird, so ist zunächst deutlich, dass in 8,12 (ἄρα οὖν ἀδελφοί ὀφειλέται ἐσμέν), 8,18 (λογίζομαι) und V. 31 (τί οὖν ἐροῦμεν) ein deutlicher Neuansatz gegeben ist. Dazwischenliegende Formulierungen wie οἴδαμεν (V. 22 und 28) kennzeichnen demgegenüber untergeordnete Abschnitte. Es ergibt sich damit eine Gliederung des Kapitels in drei Teile: V. 1-11; 12-17; 18-30 und 31-39.[1] Der Beginn des Kapitels stellt dabei ein eigenes Problem dar, auf das unten näher eingegangen werden wird.

Der Abschnitt V. 1-11 ist fast durchgehend durch die Gegenüberstellung σάρξ – πνεῦμα bestimmt[2] (vgl. dazu die Hervorhebungen unten bei der Strukturierung des griechischen Textes).[3] In den daraus sich ergebenden Gegenüberstellungen wird dabei auf der ersten Seite die erste Existenz gemäß Adam wieder aufgenommen, die bereits vorher neben θάνατος und ἁμαρτία durch den Begriff σάρξ charakterisiert worden war (vgl. 7,11.14.18 und sekundär 25b), während dieser auf der zweiten Seite mit dem Begriff des πνεῦμα eine Existenz gemäß Christus entgegengesetzt wird (vgl. zu dieser Gegenüberstellung einleitend Röm 5,12-21). Σάρξ kann dann V. 10f auch durch σῶμα variiert werden.

V. 1f bieten einen Lösungsvorschlag für die in Röm 7,7-25a analysierte Problematik des Ich. Der argumentative Zusammenhang der Verse 7,24-8,3 ist nicht leicht zu durchschauen. Es ist versucht worden, durch eine Umstellung der Reihenfolge der Verse[4] oder durch die Annahme von späteren Glossen eine stringentere Argumentation herzustellen. Wenn man mit Bultmann[5] nicht nur 7,25b, sondern auch 8,1 für nicht paulinisch hält, wird jedoch mit dem Wegfall des νῦν das für die Kap. 7 und 8 konstitutive „Einst-Jetzt-Schema"[6] (vgl. 7,5f) zerstört. Auch das Wort κατάκριμα ist in seinem Zusammenhang mit 5,16 und 18 sowie dem κατακρίνειν in 8,3 und 34 kaum entbehrlich.[7] Wenn man 8,1 zusammen mit 7,25b als sekundäre Einfügung

---

[1] Vgl. auch z.B. K. Haacker: Der Brief des Paulus an die Römer; ThHK 6, S. 149-178; E. Käsemann: An die Römer; HNT 8a, S. 202-241. Gegen U. Wilckens: Der Brief an die Römer; EKK VI, 2, S. 117-145, der 8,1-17 zusammenzieht.

[2] So auch K. Haacker: Der Brief des Paulus an die Römer; ThHK 6, S. 150. Vgl. zu dieser Unterscheidung bei Paulus und in seinem Umfeld grundsätzlich E. Brandenburger: Fleisch und Geist. Paulus und die dualistische Weisheit; (WMANT 29) Neukirchen-Vluyn 1968.

[3] Die Gegenüberstellung wurde bereits in Röm 1,3f eingeführt, dort allerdings auf Christus bezogen in einem etwas anderen Sinne.

[4] Siehe z.B. F. Müller: Zwei Marginalien im Brief des Paulus an die Römer; in: ZNW 40 (1941), S. 249-254, S. 250ff.

[5] R. Bultmann meint, durch die Streichung von 7,25b und 8,1 einen geschlossenen Gedankengang herstellen zu können: „Ist die These, dass V. 25b eine sekundäre Glosse ist, nicht neu [...], so hat mich Müllers Analyse weitergeführt zu der Erkenntnis, daß auch 8,1 eine exegetische Glosse ist. Durch das ἄρα νῦν gibt sich der Satz (ebenso wie 7,25b durch das ἄρα οὖν) als Folge aus dem Vorausgehenden und kann deshalb nicht auf das χάρις τῷ θεῷ κτλ. 7,25a folgen, das vielmehr selbst eine Begründung verlangt. Die Begründung wird in 8,2 tatsächlich gegeben, und 8,2 muß sich an 7,25a anschließen." (R. Bultmann: Glossen im Römerbrief; in: ders.: Exegetica, S. 278-284, dort S. 279, zuerst veröffentlicht in ThLZ 72 (1947), S. 197-202. Mit Bezug auf Müller: Zwei Marginalien im Brief des Paulus an die Römer, a.a.O.

[6] Vgl. z.B. H. Conzelmann, A. Lindemann: Arbeitsbuch zum Neuen Testament, S. 279f sowie die Ausführungen oben zu Röm 7,1-6.

[7] Vgl. E. Lohse: Der Brief an die Römer; (KEK 4) 15. Aufl. Göttingen 2003, S. 229.

versteht, so würde dies einen starken und umfangreichen späteren Eingriff in den Text postulieren, für den die Textüberlieferung keinerlei Anhaltspunkte liefert. So gut es denkbar ist, dass die knappe Notiz in 7,25b durch einen späteren Redaktor als Zusammenfassung und Weiterführung der komplizierten Argumentation von 7,7-25a ergänzt wurde, so wenig kann man sich vorstellen, dass durch die Hinzufügung von 8,1 ein zweiter Satz an dieser entscheidenden Schaltstelle des Briefes ergänzt worden sei, ohne dass sich dies irgendwie in der Handschriftentradition niedergeschlagen hätte.[8]

Es reicht aber für die Geschlossenheit der Argumentation aus, lediglich Röm 7,25b als Glosse aufzufassen. Die Abfolge der Verse 7,21-25a; 8,1ff ist dann durchaus schlüssig. Nachdem in V. 25a der Ausruf des Dankes die Antwort auf das Problem der Zerrissenheit des Ich und die daraus folgende, verzweifelte Frage nach Rettung (V. 24) vorbereitet, wird in 8,1ff die Lösung des Problems als Befreiung von der in Kap. 7 dargestellten Macht der Sünde und des Todes durch „das Gesetz des Geistes des Leben in Christus Jesus" entfaltet (8,2). Diese Befreiung wird in V. 1 durch die Ansage einer neuen Zeit (νῦν) eingeleitet.[9] Dieses „Jetzt" ist dadurch gekennzeichnet ist, dass – in juridischer Metaphorik ausgedrückt – die Verurteilung des Ich (zum Tode), die in 7,7ff erläutert worden war, für diejenigen nicht stattfindet, die „in Christus Jesus" sind. Das ἄρα ist nicht einfach nur als Folgerung aus dem Vorhergehenden aufzufassen, sondern bietet mit dem νῦν und dem gesamten Vers eine „Kurzfassung der Rechtfertigungsbotschaft".[10] Das ἐν Χριστῷ Ἰησοῦ mit dem substantivierenden τοῖς meint nicht einfach nur alle Gemeindeglieder, sondern beschreibt die neue Existenz des Ich, die zum einen nun nicht mehr die Sünde (Röm 7,17+20), sondern den Geist „in" sich selbst erfährt und die sich dadurch zum anderen „in" Christus neu begründet weiß. Solche „in"-Formulierungen ziehen sich deshalb auch durch die folgenden Verse.

Die neue Zeit, das „Jetzt" ist – wie bereits erwähnt – dadurch charakterisiert, dass es in ihr keine Verurteilung gibt (V. 1a). Das κατάκριμα weist dabei auf die Existenz gemäß Adam hin, die bereits in Röm 5,16.18 mit dem gleichen Wort bezeichnet worden war.[11] Dieser Begriff wird demnach dem τοῖς ἐν Χριστῷ Ἰησοῦ zur Kennzeichnung der anderen, nicht in Christus gründenden Existenzweise entgegengesetzt.

V. 2 verdeutlicht mit ἠλευθέρωσεν, dass es sich im Übergang von Kap. 7 nach 8 und damit von der Existenz gemäß Adam zu der gemäß Christus, um einen Befreiungsakt handelt (vgl. dazu unten die Ausführungen zu diesem Verb). Ob hier με oder σε zu lesen ist, ist eine schwierige und inhaltlich sehr bedeutende textkritische Frage. Nachdem lange Zeit vornehmlich με gelesen wurde,[12] bringen heute die meisten

---

[8] So argumentiert auch M. Theobald mit Verweis auf textkritische Beobachtungen K. Alands. Vgl. M. Theobald: Der Römerbrief, (EdF 294) Darmstadt 2000, S. 21 und K. Aland: Glosse, Interpolation, Redaktion und Komposition in der Sicht der Neutestamentlichen Textkritik; in: Apophoreta. Festschrift für E. Haenchen; (BZNW 30) Berlin 1964, S. 7-31, S. 28f.

[9] Vgl. dazu grundsätzlich die Ausführungen zu Röm 3,21.

[10] K. Haacker: Der Brief des Paulus an die Römer; ThHK 6, S. 151.

[11] Siehe F. S. Jones: „Freiheit" in den Briefen des Apostels Paulus. Eine historische, exegetische und religionsgeschichtliche Studie; (GTA 34) Göttingen 1987, S. 122.

[12] Vgl. z.B. noch J. Wettstein: Novum Testamentum Graecum, Tomus II, S. 58; H. v. Soden: Griechisches Neues Testament, S. 317 sowie The Greek New Testament; 2nd Edition 1966, S. 548. Von daher ist das με auch in den meisten englischen Übersetzungen vorausgesetzt. Luther übersetzte ebenfalls „mich", was bis zu den neueren Revisionen 1975 und 1984 noch übernommen wurde (vgl. auch das „liberauit me" aus der Römerbriefvorlesung, WA 56, 74, 11). Siehe auch noch Société biblique française (Hrsg.): Traduction Oecuménique de la Bible; Paris 1988, zur Stelle: "m'a libéré".

Textausgaben das σє. Dieses bietet insofern die schwierigere Lesart, als die Einführung einer 2. Person Singular im Kontext überraschend und einzigartig ist. Die Textvarianten µє und auch ἡµᾶς werden demgegenüber gern so erklärt, dass sie von 7,7-25 oder 8,4ff her in V. 2 eingeflossen sind.[13] Die Entscheidung für σє hat jedoch schwerwiegende theologische Konsequenzen. In dieser Sicht wird mit dem Personwechsel von „ich" zu „dich" die 7,7-25 beherrschende Konzentration auf das Selbstverhältnis des Ich, das über sich selbst reflektiert, durchbrochen. Das Ich wird nun als Du von außen angesprochen. Seine incurvative Gefangenheit in sich selbst wird dahingehend aufgelöst, dass der Versuch des Menschen, „ich" zu sagen, grundsätzlich als Individualismus disqualifiziert[14] und zugunsten des Du modifiziert wird. Die durch das „Gesetz des Geistes des Lebens in Christus Jesus" neu begründete Existenz ist dann nicht mehr die eines Ich, sondern eines Du, also eines Menschen, der sich dadurch konstituiert, dass er von außen (von Gott) angesprochen wird. Dementsprechend hat man diese Textvariante auch in der Exegese meist als die wahrscheinlichere vorgezogen.[15]

Gegenüber dieser gewiss nicht unplausiblen Deutung sind jedoch zwei Einwände zu erheben:

1. Mє ist gegenüber σє nicht wesentlich schlechter bezeugt, die Majorität der Zeugen spricht sogar für die 1. Person Singular (A D 1739[c].1881, Mehrheitstext, lat sy[h] sa und Cl). Nach B. M. Metzger gab lediglich „the combination of Alexandrian and Western witnesses" den Ausschlag für eine Mehrheitsentscheidung zugunsten des σє im Greek New Testament. Metzger gesteht dabei ein, dass diese Entscheidung schwierig war.[16]

2. Das µє setzt die Selbstanalyse des ἐγώ aus 7,7-25 sinnvoll fort und führt sie eigentlich erst zu ihrem sinnvollen Ende. Die Einfügung der 2. Person Singular hingegen wäre vom argumentativen Kontext her unverständlich und stünde isoliert da, denn V. 4 fährt in der 1. Person Plural fort. Das σє könnte durch eine versehentliche Wiederholung des Schlusses aus dem vorhergehenden ἠλευθέρωσεν entstanden sein.[17]

Deshalb wird im Folgenden mit den oben genannten Textzeugen davon ausgegangen, dass Röm 8,2 ἠλευθέρωσέν µє zu lesen ist. Nach der grundsätzlichen Aussage über den Anbruch des νῦν in V.1 beginnt also jedenfalls V. 2 den Abschnitt 8,1-11 wie auch sonst zumeist im Röm in der 1. Person. 8,2 antwortet dann, nach den

---

[13] So z.B. K. Haacker: Der Brief des Paulus an die Römer; ThHK 6, S. 151f.

[14] So schreibt K. Barth zu Röm 8,1: „Todesurteil kann es nur geben über die Individualisten, die in sich selber sein wollen [...] ,Was mich persönlich angeht' (7,25b), das geht mich in Christus nichts mehr an." (K. Barth: Der Römerbrief; Erste Fassung 1919, S. 220.) Barth betont allerdings in der zweiten Fassung seines Römerbriefes, dass dieses befreite Du dasselbe ist wie das vorher beschriebene Ich: „Der Geist ,hat dich freigemacht vom Gesetz der Sünde und des Todes'. Dich, existenziell dich! Die im Christus Jesus geschehene Wendung, Drehung, Umkehrung ist die *deinige*. Die in ihm gegebene Möglichkeit ist *deine* Möglichkeit. Das in ihm erschienene Leben ist *dein* Leben." (K. Barth: Der Römerbrief, Zweite Fassung, S. 281, Hervorhebungen von Barth.)

[15] Anders U. Wilckens: Der Brief an die Römer; EKK VI,2, S. 123f, der die Entscheidung offen lässt, aber auch nicht für wesentlich hält, weil für ihn klar ist, dass 8,2 von Kap. 7 her verstanden werden muss: „So oder so ist jedenfalls das ,Ich' von 7,7-24 gemeint".

[16] B. M. Metzger: A Textual Commentary on the Greek New Testament; 2. Aufl. Stuttgart 1994, S. 456. Demgegenüber entfällt aufgrund der zu schwachen Bezeugung allerdings die 1. Person Plural.

[17] Dies erörtert auch Metzger, ebd.: „On the other hand σє may have originated in the accidental repetition of the final syllable of ἠλευθέρωσεν, when the terminal –ν, represented by a horizontal line over the є, was overlooked."

Zwischenbemerkungen in 7,25a und 8,1, unmittelbar auf die in 7,24 gestellte und die dortige Argumentation abschließende, verzweifelte Frage: τίς με ῥύσεται ἐκ τοῦ σώματος τοῦ θανάτου τούτου; [...] ὁ γὰρ νόμος τοῦ πνεύματος τῆς ζωῆς ἐν Χριστῷ Ἰησοῦ ἠλευθέρωσέν με ἀπὸ τοῦ νόμου τῆς ἁμαρτίας καὶ τοῦ θανάτου.[18] Diese Entscheidung hat zur theologischen Konsequenz, dass hier das Ich von Kap. 7 gemeint ist, das auch weiterhin als Ich thematisiert wird und von sich selbst als Ich – und nicht von außen angesprochen[19] – diese Befreiung von der in Röm 7 aufgezeigten Konstellation behaupten kann. Das Ich muss dann nicht gewissermaßen zugunsten eines Du eliminiert werden, dem von außen seine Befreiung zugesprochen wird,[20] sondern es wird, nachdem es in 7,7-25 seine Selbstzerrissenheit zum Ausdruck gebracht hat, gerade als Ich neu gesetzt und konstituiert. Das Sein oder Leben „in Christus" (τοῖς ἐν Χριστῷ Ἰησοῦ, V. 1) verhindert nicht, „ich" sagen zu können, sondern es ermöglicht dem Ich gerade, seine befreite Existenz „in Christus" in bestimmter Weise als Erneuerung und Neudefinition seines Ich zu verstehen. In Anknüpfung an den Begriff der Existenz im eigentlichen Wortsinne,[21] besteht also die neue Ex-istenz (sic!) des glaubenden Ich darin, dass es nicht mehr in seiner inneren Gespaltenheit gefangen ist, sondern von einer rein selbstreflexiven Begründung seiner selbst absehen kann. Es ist in der Lage, aus sich selbst heraus zu treten und weiß „in Christus Jesus" sein Leben (als Ich!) neu begründet. Das με führt dabei den selbstreflexiven Charakter der Argumentation aus Röm 7 fort. Weil in „Christus Jesus" das *Ich* neu begründet ist, kann Paulus von sich selbst auch in den vorhergehenden und folgenden Kapiteln in so markanter Weise sprechen und dabei das Ich in Bezug auf seine im Glauben gegründete Person selbstbewusst verwenden.

Bei der Formulierung ὁ νόμος τοῦ πνεύματος τῆς ζωῆς ἐν Χριστῷ Ἰησοῦ ergibt sich wiederum (vgl. bereits V.1) die Frage, ob ἐν lokal oder modal zu verstehen ist. Gegen eine modale Deutung, wie sie H.-C. Meier favorisiert hat,[22] spricht hier, dass die in Kap. 7 entfaltete Problematik nicht einfach durch eine Neuorientierung des bestehenden Ich an Christus überwunden werden kann. Das Problem des Ich besteht ja gerade darin, dass es erfahren muss, dass seine sämtlichen Orientierungen an guten Grundsätzen und Vorbildern scheitern. Die Übersetzung von ἐν mit „‚(in der Eigenschaft) bestimmt von ...', ‚orientiert an...', ‚nach Art des...'"[23] verharmlost dieses Problem. Eine Lösung der Selbstzerrissenheit des Ich kann nur insofern erfolgen, als dieses in einem durchaus lokalen Sinne[24] aus sich selbst heraus geführt und in Christus neu konstituiert wird. „In seiner Grundbedeutung ist ἐν Χριστῷ lokal–seinshaft zu verstehen: durch die Taufe gelangt der Glaubende in den Raum des pneumatischen

---

[18] 7,25a ist als erste Vorwegnahme der Antwort 8,2 dazwischen geschoben.

[19] Gegen P. Stuhlmacher: Der Brief an die Römer; NTD 6, S. 109: „Direkt an das klagende Ich gewendet, führt der Apostel in V. 2 aus, warum es keine Verurteilung mehr zu befürchten hat."

[20] So. z.B. E. Käsemann: An die Römer; HNT 8a, S. 207: „Das Bekenntnis geht in den evangelischen Zuspruch über".

[21] Zum Sinn des philosophischen Existenzbegriffes in der Antike vgl. P. Hadot: Artikel „Existenz, existentia, I; in: Historisches Wörterbuch der Philosophie, Bd. 2, hrsg.v. J. Ritter; Darmstadt 1972, Sp. 854-856, dort Sp. 855: „In einem engeren Wortsinn bedeutet es (sc. das Wort existentia) einen Prozeß der Verwirklichung, ein Erscheinen oder Heraus-Treten (im etymologischen Sinn von ‚existentia')".

[22] H.-C. Meier: Die Mystik des Apostels Paulus. Zur Phänomenologie religiöser Erfahrung im Neuen Testament; (TANZ 26) Tübingen 1998, S. 27-39.

[23] Meier, a.a.O., S. 38.

[24] So auch E. Brandenburger: Fleisch und Geist, S. 54ff.

Christus und konstituiert sich die neue Existenz in der Verleihung des Geistes als Angeld auf die in der Gegenwart real beginnende Erlösung."[25]

Dieser Ortswechsel bei der Begründung des Ich ist nicht unmittelbar vorstellbar, weil er die Paradoxie voraussetzt, dass das Ich sich selbst verlässt und außerhalb seiner selbst als Ich neu begründet wird. Paulus versucht deshalb, diesen Übergang auch mit Hilfe verschiedener anderer Vorstellungen und Metaphern zum Ausdruck zu bringen: z.B. durch die in der Taufe begründete sakramentale Verbindung des glaubenden Menschen „mit" dem Tod und der Auferstehung Christi (6,1ff), durch die Selbstzurechnung dieser Verbindung durch die Glaubenden (6,11), durch ihre Selbstbereitstellung als „Knechte" (6,13+16) und durch die Adoption (8,12ff).[26] In jedem Falle geht es Paulus hier in Röm 8 jedoch um eine neue, doppelte Sicht des Ich. Das Ich wird für ihn gerade dadurch als Ich neu konstituiert, dass es im Glauben über sich selbst hinausgeht (trans-zendiert) und sich „in Christus" neu begründet weiß. Diesem neuen, doppelt verstandenen Ich ist deshalb auch die doppelte Sicht seiner selbst und der ihn umgebenden Wirklichkeit möglich, die die Kommunikationsstruktur des Röm prägt (vgl. dazu auch oben die Ausführungen in Punkt 2. und 3. der Einführung).

Dieses Heraustreten der Glaubenden aus sich selbst wird dann von Paulus mit verschiedenen Formulierungen beschrieben. Es hat zur Konsequenz, dass Christus „in" ihnen lebt (V. 10) bzw. dass sie seinen Geist "haben" (V. 9b) bzw. dass Gottes Geist „in" ihnen wohnt (V. 9a). Christus zieht also nicht einfach anstelle der Sünde (vgl. 7,17 und 20) in das Ich ein, so dass eine Fremdherrschaft die andere ablöst. Sondern das Ich zieht aus sich selbst aus und begibt sich „in Christus" hinein, was zur Folge hat, dass dadurch Christus (bzw. sein oder Gottes Geist) „in" ihm wohnen kann. Dasjenige, „in" dem der Geist bzw. Christus lebt, ist jedoch nicht mehr das rein auf sich selbst bezogene und durch seine eigenen Eigenschaften und Taten sich selbst begründen wollende Ich aus Kap. 7. Es ist die „in Christus" neu begründete Ex-istenz des Glaubenden, der dann aber – wie auch das Beispiel des Paulus im Römerbrief und auch in seinen anderen Briefen zeigt – durchaus selbstbewusst „ich" sagen kann. Das Gegenkonzept zu der in Röm 7,7-25 dargestellten Existenz des Ich (gemäß dem Typus Adams, vgl. 5,12ff), das mit sich selbst identisch sein möchte und dabei „in" sich die Präsenz der Macht der Sünde erfährt, die es in Widerspruch mit sich selbst bringt, ist demnach die Ex-istenz, das außerhalb des Glaubenden „in Christus" konstituierte Ich. Dabei ist, wie bereits oben zu Röm 7,7ff ausführlich erläutert, einerseits das Ich im allgemeinen bezeichnet und andererseits konkret jeder einzelne Glaubende und sein Selbstverständnis und Selbstverhältnis.[27]

---

[25] U. Schnelle: Transformation und Partizipation als Grundgedanken paulinischer Theologie; in: NTS 47 (2001), S. 58-75, dort S. 69.

[26] Für solche lokale Deutung des ἐν plädiert auch mit Hinweis auf Philo G. Sellin: Die religionsgeschichtlichen Hintergründe der paulinischen „Christusmystik"; in: ThQS 176 (1996), S. 7-27, besonders S. 19ff und S. 27: „Für das [...] Element (‚in Christus') ist das von Philo schon vorausgesetzte Konzept vom Logos als ‚Raum' (τόπος) bestimmend. Der Logos als Topos ist eine Seinsebene und Seinssphäre, in die der vom Logos Bestimmte hineingenommen wird."

[27] Gegen die in dieser Untersuchung vertretene, individuelle Deutung hat sich z.B. A. Schweitzer ausgesprochen: „Der Ausdruck ‚Sein in Christo' ist nur eine sprachliche Verkürzung für Teilhabe am mystischen Leib Christi. Weil in ihm nicht mehr enthalten ist, daß der Einzelne mit der Vielheit der Erwählten an dem Leibe Christi teil hat, führte er die von ihm ausgehende Forschung in die Irre. Er verleitete sie dazu, das, was sich nach Paulus als kollektives und objektives Geschehen an den Gläubigen ereignet, als ein individuelles und subjektives Erleben erklären zu wollen." (A. Schweitzer: Die Mystik des Apostels Paulus, S. 123.)

Damit verbunden ist zugleich eine positive Aufnahme der Formel ἐν. Wurde 7,17+20 die „in mir" wohnende Sünde als Grund der Desintegration des Ich entlarvt, so wird nun der „in" den Glaubenden wohnende Geist Christi Basis des neuen Lebens und ermöglicht die Integrität des Ich. Dieser Geist wohnt deshalb – durchaus lokal gemeint – „in" den Glaubenden, weil diese „in Christus" leben und deshalb auch an seinem Geist partizipieren. Es handelt sich also nicht um das Eindringen einer fremden Macht (des Geistes analog zur Sünde) in das Ich, sondern um das Heraustreten des Menschen aus sich selbst und in Christus hinein, das zur Folge hat, dass „in Christus" auch sein Geist (V. 9) bzw. der Geist Gottes (V. 11) in die Glaubenden einziehen kann. Beim Akt des aus sich heraus und in Christus hinein Tretens sei nochmals betont, dass damit keine Selbstaufgabe des Ich verbunden ist, sondern gerade eine Neubegründung der Existenz des Ich in einem Anderen. Es wird lediglich der Versuch aufgegeben, das Ich durch sich selbst zu begründen.

Der Wechsel von Kap. 7 nach 8, der durch die Formel ἐν Χριστῷ ᾿Ιησοῦ (8,1 und 2) signalisiert wird, ist also durch zwei markante Veränderungen gekennzeichnet: 1. durch einen neuen Zugang zur Gegenwart (νῦν, 8,1: Οὐδὲν ἄρα νῦν κατάκριμα) und 2. durch die Befreiung des Ich (8,2: ἠλευθέρωσέν με).

Zu 1.: Das unscheinbare Wort νῦν interpretiert die in 8,1ff beschriebene Situation als Existenz im „Jetzt" des Glaubens. Es rekurriert auf die in 7,5f getroffene Unterscheidung ὅτε – νυνί. In Röm 7,7ff wurde die Existenz des Ich „im Fleische" unter dem Aspekt des ὅτε behandelt (7,5: ὅτε γὰρ ἦμεν ἐν τῇ σαρκί, τὰ παθήματα τῶν ἁμαρτιῶν τὰ διὰ τοῦ νόμου ἐνηργεῖτο ἐν τοῖς μέλεσιν ἡμῶν εἰς τὸ καρποφορῆσαι τῷ θανάτῳ) und eine Spaltung des Ich in verschiedene Teile festgestellt, die dazu führt, dass das Ich aus Kap. 7 sich nur noch in der (projizierten?) Vergangenheit (7,9), nicht aber in der Gegenwart als mit sich selbst identisch erfahren kann. Röm 8,1ff wendet sich in Anknüpfung an 7,6 der Ex-istenz „in Christus Jesus" zu (7,6: νυνὶ δὲ κατηργήθημεν ἀπὸ τοῦ νόμου ἀποθανόντες ἐν ᾧ κατειχόμεθα, ὥστε δουλεύειν ἡμᾶς ἐν καινότητι πνεύματος καὶ οὐ παλαιότητι γράμματος), die die Selbstgespaltenheit des Ich aufhebt und zeitlich zu einer integren Existenz im „Jetzt" führt. Damit sind nicht zwei verschiedene Zeiten gemeint, sondern die bereits in den vorigen Kapiteln vorausgesetzten beiden Existenzweisen gemäß Adam oder in Christus werden zeitlich interpretiert als Existenz in der „Gegenwart" (νυνί), die durch das Innewohnen des Geistes charakterisiert ist (8,9 und 11, vgl. V. 2) oder als Existenz in der „Nichtgegenwart" (ausgedrückt durch ὅτε oder νυνὶ δὲ οὐκέτι), die durch das Innewohnen der Sünde (7,17, vgl. V. 20) geprägt ist. Zu diesen beiden Zeitverständnissen ist hier erneut auf die Ausführungen oben zu Röm 3,21 zu verweisen.

Zu 2.: In Anknüpfung an die beiden in 5,12-21 und 6,12-23 genannten Alternativen wird in 8,1ff nach dem Leben entsprechend dem Typus Adams (7,7-25) das Leben „in Christus Jesus" (in Anknüpfung an 6,1-14) betrachtet. Der Sinn der Gegenüberstellung in 8,2 ist, im größeren Kontext von Kap. 5-8 verstanden, dass das Leben in Christus vom Leben unter der Sünde (d.h. gemäß Adam) befreit, und dass der Mensch, der diese Befreiung erlebt, immer noch oder ganz neu – aber völlig anders begründet als zuvor – "ich" sagen kann.

Auf diesem Hintergrund wird in 8,2 die Gegenüberstellung verschiedener νόμος-Begriffe aus 7,21-24 aufgenommen und fortgeführt. Paulus hatte dort auf der einen Seite von νόμος τοῦ θεοῦ bzw. τοῦ νόος μοῦ gesprochen und damit erläutert, dass das Ich eigentlich dem von ihm selbst als gut Eingesehenen und Gewollten und zugleich von Gott Gebotenen entsprechen möchte. Diesem wurden auf der anderen Seite die Begriffe ἕτερος νόμος und νόμος τῆς ἁμαρτίας gegenübergestellt, womit die zentrale Erfahrung und Existenzweise Adams (d.h. jedes Menschen) wiedergegeben wurde, die darin besteht, dem eigenen eigentlichen Wollen durch das Tun zu widersprechen. An diese Begrifflichkeit knüpft Paulus nun in 8,2 unmittelbar an, indem er νόμος τοῦ πνεύματος τῆς ζωῆς ἐν Χριστῷ Ἰησοῦ und νόμος τῆς ἁμαρτίας καὶ τοῦ θανάτου einander gegenüberstellt.[28]　Die hier von Paulus gemeinte Befreiung besteht also offenbar darin, dass das Ich durch die Ex-istenz „in Christus Jesus" von der ersten Existenzweise gemäß Adam befreit ist, die darin besteht, ständig im Tun dem eigenen Wollen und damit sich selbst zu widersprechen. Statt dessen soll der Begriff des νόμος τοῦ πνεύματος nun offensichtlich zeigen, dass das Ich (und damit auch Paulus selbst als Individuum) durch das „in Christus"-Sein in die Lage versetzt wird, sich nun endlich dem eigenen Willen und dem νόμος θεοῦ gemäß verhalten zu können, so dass das in V. 21a behauptete „Gesetz" des Selbstwiderspruches des Ich damit aufgehoben oder zumindest überwindbar wird. Es ergibt sich also folgende Struktur der einzelnen νόμος-Begriffe (vgl. dazu auch die Ausführungen oben zu Röm 2,12):

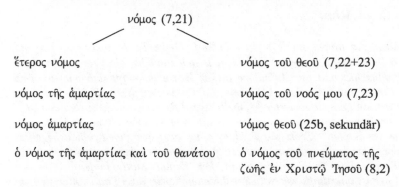

νόμος (7,21)

ἕτερος νόμος	νόμος τοῦ θεοῦ (7,22+23)
νόμος τῆς ἁμαρτίας	νόμος τοῦ νοός μου (7,23)
νόμος ἁμαρτίας	νόμος θεοῦ (25b, sekundär)
ὁ νόμος τῆς ἁμαρτίας καὶ τοῦ θανάτου	ὁ νόμος τοῦ πνεύματος τῆς ζωῆς ἐν Χριστῷ Ἰησοῦ (8,2)

Der Übergang von ἁμαρτία zu πνεῦμα, der sich in der Formulierung von V. 2 ausdrückt, kann als entscheidende Veränderung von Kap. 7 zu 8 angesehen werden. Damit wird der Wechsel der beiden Existenzweisen charakterisiert. Die Frage ist dabei allerdings, in welcher Weise dieser aufzufassen ist. Beschreibt er tatsächlich nur in dualistischer Terminologie den Machtwechsel von der Sphäre der ἁμαρτία in die des πνεῦμα oder wird mit dem Begriff des Geistes zugleich eine grundlegende Lösung des Problems der Selbstgespaltenheit, also der Dividualität des Menschen angeboten, das gerade durch das beherrscht Sein von fremden Mächten bzw. Gesetzen verursacht wurde?

Die Formulierung in V. 2a scheint zunächst nahe zu legen, dass das Ich lediglich vom Wirkungsbereich des einen Gesetzes in den eines anderen wechselt. Das scheint an die Auffassung von Kap. 6 anzuschließen, nach der ἐλεύθερος als Gegenbegriff zu δοῦλος mit seinen Varianten eingeführt wurde. In dieser Sicht scheint klar zu ein, „daß es hier nicht um ‚Freiheit' an sich, sondern nur um ein Frei-Sein von einem Herrn zum Dienst an einem anderen ging [...] Dieselbe Tendenz scheint nun auch die Freiheitsaussage in 8,2 geprägt zu haben: Hier ist es geradezu das bzw. ein Gesetz, das

---

[28]　So auch z.B. F. S. Jones: „Freiheit" in den Briefen des Apostels Paulus, S. 123: „Das Gesetz der Sünde und des Todes ist zweifellos mit dem ἕτερος νόμος von 7,23 identisch, da dieses ebenfalls als Gesetz der Sünde qualifiziert wurde." Vgl. auch U. Wilckens: Der Brief an die Römer; EKK, VI, 2, S. 122.

die Christen befreit."[29] Das würde jedoch bedeuten, dass auch hiermit das Problem des Selbstwiderspruches des Ich nicht grundsätzlich gelöst wurde, das daraus resultiert, von einer fremden Macht beherrscht zu werden. F. S. Jones hat jedoch gezeigt, dass Paulus hier den Begriff der Befreiung in einem anderen Sinne versteht, nämlich in seinem herkömmlichen Verständnis als Freiheit des Ich von fremder Herrschaft, die es in die Lage versetzt, sich seinem eigenen Wollen entsprechend zu verhalten. „Wenn Paulus sagt, Christen seien vom Gesetz der Sünde befreit, dessen Kennzeichen ὁ οὐ θέλω τοῦτο ποιῶ ist, so meint er damit, dass sie von diesem Zustand befreit sind und folglich das tun können, was sie wollen. Da genau dies die zu seiner Zeit gängige Definition war, ist die Konsequenz kaum zu vermeiden, dass Paulus hier eine Aussage trifft über Freiheit an sich. Dieses Gesetz ermöglicht den Christen volle, genuine Freiheit: Sie können endlich das tun, was sie eigentlich wollen."[30] Dieses neue Gesetz ist also offenbar eines, das die Selbständigkeit und Freiheit des Ich nicht verhindert, sondern gerade erst konstituiert. Deshalb sollen im Folgenden einige grundsätzliche Überlegungen zum Freiheitsverständnis im Röm eingefügt werden.

Ἐλευθερόω κτλ. im Röm

Der Begriff ἐλευθερία taucht im Röm in 8,21 auf, ἐλεύθερος in 6,20 und 7,3 und ἐλευθερόω in 6,18-22 und 8,2 sowie 8,21. Es stellt sich zunächst die Frage, an welche Traditionen Paulus hier mit der Aufnahme dieser Worte anknüpft und wie er diese modifiziert. Eine unmittelbare Aufnahme alttestamentlicher Traditionen ist unwahrscheinlich, weil ein elaborierter Freiheitsbegriff dort noch nicht vorhanden ist,[31] sondern die hebräischen Äquivalente werden vor allem im sozialen Sinne als Gegensatz zum Sklavesein verwendet.[32] Trotz des Fehlens eines ausgeprägten Freiheitsbegriffes wird man jedoch die ausgeprägten Freiheitstraditionen beachten müssen, die sich bereits im AT vor allem in Verbindung mit dem Exodus-Motiv finden.[33] Von der Begrifflichkeit her ist allerdings wesentlich wahrscheinlicher, dass Paulus hier eher an hellenistische Traditionen, besonders aus der Stoa anschließt.[34] Das bedeutet, dass das griechische Verständnis von Freiheit im Sinne von „unabhängig von anderen über sich selbst verfügen"[35] eine wichtige Bedeutung bekommt. Zur Relevanz des von Paulus im Anschluss daran entwickelten Freiheitsbegriffes hat R. Bultmann zu Recht gemeint, dass es sich hier um einen zentralen Topos paulinischer Theologie handelt, der vor allem in seiner Aktualität für die Gegenwart nicht zu unterschätzen ist.[36] Die Besonderheit des paulinischen Verständnisses von Befreiung besteht für ihn darin, dass Paulus einerseits an solche hellenistischen Freiheitstraditionen im Sinne der freien Selbstbestimmung

---

[29] F. S. Jones: „Freiheit" in den Briefen des Apostels Paulus, S. 123f.

[30] Jones, a.a.O., S. 125.

[31] Vgl. z.B. R. Heiligenthal: Art. Freiheit, II/1. Frühjudentum; in: TRE 11, S. 498-502, dort S. 498f.

[32] Hatch, Redpath: A Concordance to the Septuagint, Bd. 1, S. 452, nennt als hebräische Äquivalente zu ἐλεύθερος חפשׁי, חר, לנפשׁ und שׁר.

[33] Vgl. hierzu F. Crüsemann: Freiheit durch Erzählen von Freiheit. Zur Geschichte des Exodus-Motivs; in: EvTh 61 (2001), S. 102-118.

[34] So z.B. auch Jones, a.a.O., S. 143ff und H.-W. Barth: Art. Freiheit, IV. Freiheit und Befreiung im Neuen Testament, in: TRE 11, S. 506-511, dort S. 509f.

[35] H. Schlier: Art. ἐλεύθερός κτλ.; in: ThWNT, Bd. 2, S. 484-500, dort S. 484.

[36] Vgl. R. Bultmann: Zur Bedeutung des Gedankens der Freiheit für die abendländische Kultur; in: ders.: Glauben und Verstehen, Bd. 2, S. 274-293.

anknüpft und dass er dieses Selbst und seine Freiheit andererseits speziell „in Christus" begründet sieht. „Paulus kann durchaus wie der Stoiker sagen: πάντα μοι ἔξεστιν, ἀλλ' οὐκ ἐγὼ ἐξουσιασθήσομαι ὑπό τινος (1. Kor. 6,12). Und der Stoiker könnte seine Anschauung ausgesprochen hören in den Sätzen: πάντα γὰρ ὑμῶν ἐστιν [...] εἴτε ζωὴ εἴτε θάνατος, εἴτε ἐνεστῶτα εἴτε μέλλοντα, πάντα ὑμῶν (1. Kor. 3,21f), – aber er könnte nicht fortfahren: ὑμεῖς δὲ Χριστοῦ, Χριστὸς δὲ θεοῦ. Denn darin kommt zum Ausdruck, daß für Paulus das bindende Gesetz ein anderes ist als für die Stoa und damit auch das Verständnis des Selbst ein anderes."[37]

    Bei den im Röm vorkommenden Wörtern zu Freiheit bzw. Befreiung fällt auf, dass diese sechs Mal im Gegenüber zu δοῦλ-Wörtern gebraucht werden, also im Rahmen der damals üblichen Unterscheidung Sklave – Freier (vgl. 6,18.20.22; 8,21 und auch 7,3 im Zusammenhang mit V. 6). Diese Unterscheidung wird jedoch von Paulus im Röm immer metaphorisch im Sinne der Befreiung der Glaubenden von der Macht der Sünde (Kap. 6), von konkreten Abhängigkeitsverhältnissen gegenüber anderen Menschen (7,3) und von der Vergänglichkeit (8,21) gebraucht. Dabei wird deutlich, dass das damit gemeinte Befreiungsgeschehen letztlich die vorausgesetzte Metaphorik sprengt (vgl. 6,23 und oben die Erläuterungen dazu). Man kann insofern sagen, dass es Paulus nicht um die Metaphorik frei – versklavt selbst geht, sondern dass mit dieser und anderen Metaphern insgesamt ein theologisch gemeintes Befreiungsgeschehen zum Ausdruck gebracht werden soll, dass über die gewählten juridischen, kultischen und auch sozialen Metaphoriken hinausgeht. „Im Römerbrief ist die Freiheit von Sünde, Gesetz und Tod aber weniger Teil einer politischen Metaphorik. Gott wird im Zentrum des Briefes nicht mehr als ‚Herrscher', sondern als ‚Vater' angesprochen. Eine Deutung der paulinischen Theologie primär in ‚Macht-' und ‚Herrschaftskategorien' würde dieser Seite der paulinischen Gedanken- und Bilderwelt nicht gerecht werden."[38] Insofern können im Grunde sämtliche Metaphoriken im Röm von diesem zentralen Gedanken der Befreiung des Ich von fremder Macht und Herrschaft her interpretiert werden (vgl. dazu auch oben die Ausführungen zu δικαιοσύνη θεοῦ in Röm 1,17).

    Lediglich in Röm 8,2 findet sich das Verb ἐλευθερόω nicht im Kontext einer Unterscheidung frei – unfrei, sondern steht für sich allein.[39] Das ist ein sicherer Hinweis auf die zentrale Bedeutung des Verses im Rahmen des größeren Argumentationszusammenhanges. Paulus stellt der Befreiung des Ich aus der in Kap. 7 beschriebenen Selbstzerrissenheit, die durch die Sünde bewirkt und durch das Gesetz provoziert wird, in 8,2 keine relativierende Aussage zur Seite. Vielmehr wird der Übergang vom Tod und der Sünde zum Leben, also von der Existenzweise gemäß Adam zu derjenigen „in Christus Jesus" vorbehaltlos und einschränkungslos als Befreiungsgeschehen verstanden. Ihm folgen keine weitere Knechtschaft und kein neues Abhängigkeitsverhältnis. Relativiert wird diese Feststellung der schon geschehenen, einschränkungslosen Befreiung erst in V. 18ff dadurch, dass auch die Glaubenden wie die gesamte Schöpfung immer noch der Vergänglichkeit unterworfen sind. Die endgültige Befreiung von dieser letzten bestehenden Abhängigkeit steht deshalb noch aus und wird von Paulus in 8,21 mit ἐλευθερόω im Futur zum Ausdruck gebracht. Näher bestimmt wird das Befreiungsgeschehen in Röm 8,2 dadurch, dass es durch ein Gesetz geschieht (ὁ νόμος τοῦ πνεύματος) und dass es das Sein „in Christus Jesus"

---

[37] Bultmann, a.a.O., S. 277.
[38] P. von Gemünden, G. Theißen: Metaphorische Logik im Römerbrief, S. 131.
[39] Vgl. F.S. Jones: „Freiheit" in den Briefen des Apostels Paulus, S. 110.

voraussetzt. Insofern ist die von Paulus im Röm gemeinte Befreiung nicht libertinistisch, denn sie zielt auf die Erfüllung des Gesetzes in einem bestimmten Sinne (vgl. 10,4 und 13,8 sowie unten die Ausführungen dazu und bereits 8,4). Sie ist auch nicht egoistisch gedacht, denn sie begründet die Befreiung des Ich nicht im Ich selbst, sondern „in Christus Jesus", durch den das Ich und sein Selbstverhältnis neu konstituiert wird.

Diesen Zusammenhang von Befreiung und Neukonstitution des Ich „in Christus" hat F. Vouga hervorgehoben: „Die Wiederaufnahme des Freiheitsbegriffes in den Briefen des Paulus [...] hängt mit einer neuen, wesentlichen Verschiebung seiner Bedeutung zusammen. Diese Verschiebung besteht darin, dass die Befreiung von der Sünde, vom Gesetz, vom Fleisch oder von der Lüge nicht mehr die Befreiung von Mächten bedeutet, die ihn von außerhalb und unabhängig von ihm selbst beherrschen, sondern dass die Freiheit des Christenmenschen zunächst als Freiheit von sich selbst zu verstehen ist: Frei von der Sünde, frei vom Fleisch und frei von der Lüge zu sein bedeutet, dass die Existenz aufgehört hat, ihren Ursprung und ihren Sinn im Verhältnis zu sich selbst und in Bezug auf sich selbst zu finden."[40] Es geht Paulus also hier um eine Befreiung von der Selbstfixiertheit des Ich und um die Fähigkeit, dass der Mensch sich von sich selbst distanzieren und zu sich selbst in ein Verhältnis treten kann. Gerade dies ist aber eine entscheidende Voraussetzung für die Entwicklung individueller Subjektivität, die insofern gerade das Ziel der paulinischen Argumentation und des darin entfalteten Befreiungsgeschehens darstellt.[41]

Der in V. 2 beschriebene Befreiungsakt wird in V. 3f, angeschlossen mit γάρ, mit einer nochmaligen Reflexion über die Bedeutung des Gesetzes verbunden. Der Ausdruck in V. 3a nimmt zunächst im Anschluss an V.2b die erste Existenzweise gemäß Adam erneut auf. Das Gesetz in dem Sinne, wie es in Röm 7,7-13 dargestellt wurde, ist nicht in der Lage, Adam und damit jedem Menschen, der sich dementsprechend verhält, zum Leben zu verhelfen, sondern es erregt seine Leidenschaften, führt ihn in eine innere Selbstgespaltenheit und damit in den Tod. „In V 3a faßt Paulus in einem Akkusativ der Beziehung noch einmal das Ergebnis von 7,7ff zusammen [...], um dann in 3b die Tat Gottes in Christus als einen Sieg über die Sünde zu interpretieren."[42] Damit ist jedoch nicht gesagt, dass nun das Gesetz an sich disqualifiziert wäre, denn das neue Leben „in Christus" wurde ja unmittelbar vorher als „Gesetz" bezeichnet, und V. 4 hebt hervor, dass es Paulus gerade um die Erfüllung des Gesetzes in seinem eigentlichen Sinne (τὸ δικαίωμα τοῦ νόμου) geht.

Das mit V. 3a grammatisch unverbundene[43] ὁ θεός in V. 3b führt deutlich die theologische Perspektive ein, aus der nun die in V. 2a behauptete Befreiung erläutert wird: Gott sandte seinen eigenen Sohn. Dem Verdacht, dass Christus dabei selbst der Macht der Sünde unterworfen gewesen sei, wird durch die vorsichtige Formulierung „in der Gleichheit des sündigen Fleisches" (ἐν ὁμοιώματι σαρκὸς ἁμαρτίας)

---

[40] F. Vouga: Die Wahrheit des Evangeliums als kreative Freiheit; in: H.-H. Brandhorst, D. Starnitzke, M. Wedek: Die Freiheit bestehen. Beiträge zum Jahresthema 2000 der v. Bodelschwinghschen Anstalten Bethel; Bielefeld 2001, S. 28-41, dort S. 31, Hervorhebung von Vouga.

[41] Mit den Worten Vougas geht es Paulus um die „Entdeckung des Ich als Entdeckung der individuellen und selbstkritischen Subjektivität des Einzelnen. Das Subjekt kann sich selbst als individuelle Subjektivität beobachten, weil es sich nicht nur von den Anderen, sondern auch von sich selbst unterscheiden und distanzieren kann." (Vouga, a.a.O., S. 34.)

[42] K. Haacker: Der Brief des Paulus an die Römer; ThHK 6, S. 152.

[43] So meint E. Käsemann zu diesem Anakoluth: „3a-b müßten enden: Das hat Gott nun durch die Macht des Geistes bei uns verwirklicht." (Käsemann: An die Römer; HNT 8a, S. 205)

entgegengewirkt.[44] Paulus benutzt ὁμοίωμα im Röm zur Bezeichnung der Ähnlichkeit bei gleichzeitig vorausgesetzter Differenz (vgl. Röm 1,23; 5,14; 6,5).

V. 3c und 4a enthalten eine weitere Gegenüberstellung, die mit καί an das Vorhergehende angeschlossen wird. Die Teilverse setzen die Gegenüberstellung von Adam und Christus, die bereits seit 5,12ff bestimmend ist, fort. Schon dort war gesagt worden, dass das Leben gemäß Adam zur Verurteilung führt (5,16+18: εἰς κατάκριμα), während das geschenkweise durch Christus eröffnete, alternative Leben zum δικαίωμα führt (5,16, vgl. 5,18: εἰς δικαίωσιν). Diese Gegenüberstellung von κατάκριμα und δικαίωμα wird hier aufgenommen und fortgesetzt (κατέκρινεν), was erneut für den inneren Zusammenhang von Kap. 5-8 spricht. Nachdem es ohne Christus nur die Möglichkeit der Verurteilung im göttlichen Gericht gibt, weil jeder Mensch auf seine Weise wie Adam unter der Macht der Sünde steht und seine eigene Selbstzerrissenheit erfahren muss, die zum Tode führt, ermöglicht Gott durch die Sendung seines Sohnes eine Befreiung von der Sünde. Daran können diejenigen, die „in den Tod Christi hinein" getauft sind (6,3) und nun „in Christus" ex-istieren (8,1f), partizipieren.

Das περὶ ἁμαρτίας V. 3c scheint zunächst redundant und überflüssig. P. Stuhlmacher und U. Wilckens haben jedoch zurecht darauf hingewiesen, dass es sich um einen feststehenden Terminus aus der Opfersprache handelt, der vor allem in Lev 4f und noch öfter auftritt[45] (vgl. Lev 4,3.14.28.35; 5,6.7.8.9.10.11.13). Paulus nimmt zunächst in geläufiger Sicht auf einen bekannten Vorgang aus dem Kultus Bezug. Zugleich knüpft er darüber hinaus an Röm 3,25 und die Vorstellung von Christus als ἱλαστήριον gemäß Lev 16 an (vgl. περὶ (τῆς) ἁμαρτίας in Lev 16,3.5.6.11.16.25.27). Christus ist demnach der wahre Sühneort, an dem ein für allemal die Sünden gesühnt werden und durch den alle weiteren Opfer überflüssig werden. Zu beachten ist dabei erneut, dass es sich hier um eine kultische Metaphorik handelt, die letztlich den Zweck hat, den – unmetaphorisch gemeinten – Vorgang der Befreiung des Ich zu verdeutlichen.

V. 4a gibt in theologischer Perspektive das Ziel dieser Befreiungstat an (ἵνα). Wenn die Glaubenden in der dargestellten Weise von der durch die Sünde bewirkten Selbstzerrissenheit befreit sind, dann können sie die Rechtsforderungen des Gesetzes auch erfüllen. Nochmals mit Jones formuliert: „Sie können endlich das tun, was sie wollen",[46] d.h. ihrem eigentlichen Wollen entsprechen, das mit den Forderungen des Gesetzes identisch ist (vgl. Röm 7,16ff und bereits 2,15). Dass das Gesetz in diesem Sinne von Paulus nicht abgeschafft, sondern gerade bestätigt werden soll, wurde nach Röm 2,15 vor allem in 3,31 deutlich (vgl. oben die Ausführungen zu Röm 2,12) . Die Formulierung zielt auf Röm 13,8-10,[47] wo ausgeführt wird, dass das Gesetz durch ein ausgewogenes Verhältnis von Selbstliebe und Nächstenliebe seine Erfüllung findet.[48] Das ἡμῖν öffnet die Argumentation erstmals seit Röm 7,5f wieder über die Selbstreflexion des Ich hinausgehend für alle, die dem Geist gemäß leben.[49] Dass Paulus hier in der 1. Person fortfährt, ist ein deutlicher Hinweis darauf, dass V. 2 ebenfalls in der 1. Person με zu lesen ist.

---

[44] Vgl. auch K. Haacker: Der Brief des Paulus an die Römer; ThHK 6, S. 152.
[45] Vgl. P. Stuhlmacher: Der Brief an die Römer; NTD 6, S. 110 und U. Wilckens: Der Brief an die Römer; EKK VI, 2, S. 127.
[46] F. S. Jones: „Freiheit" in den Briefen des Apostels Paulus, S. 125.
[47] Vgl. auch K. Haacker: Der Brief des Paulus an die Römer; ThHK 6, S. 153.
[48] Siehe unten die Erläuterungen zur Stelle.
[49] Vgl. aber bereits das metasprachliche οἴδαμεν in Röm 7,14.

V. 4b und c enthalten eine weitere Gegenüberstellung, die mit σάρξ – πνεῦμα die leitende Unterscheidung der nächsten Verse und damit des gesamten Abschnittes bringt. Bereits im vorigen Kapitel war mit σάρξ die Existenzweise gemäß Adam bezeichnet worden (vgl. 7,18). Dieser wird hier erneut die Ex-istenz „in Christus Jesus" gegenübergestellt, die seit 8,2 mit dem Begriff πνεῦμα gekennzeichnet ist. Die „Wir" sind nicht mehr von der Einsicht in die innere Diskrepanz von Wollen und Tun blockiert (τοῖς μὴ κατὰ σάρκα περιπατοῦσιν),[50] sondern sie orientieren sich an der Verbindung mit Christus, die im Geist gegeben ist (ἀλλὰ κατὰ πνεῦμα). Sie können jetzt endlich die Forderung des Gesetzes (V. 4a: τὸ δικαίωμα τοῦ νόμου) erfüllen, weil sie nicht mehr durch die innere Gespaltenheit von Wollen und Tun daran gehindert werden.

V. 5 setzt diese ethische Orientierung, angeschlossen mit γάρ, fort. Paulus kommt es hier zentral darauf an, dass die Gesinnung (φρόνημα bzw. φρονέω) dem Sein entspricht. Die beiden Gesinnungsalternativen werden erneut durch die Differenz σάρξ – πνεῦμα charakterisiert. Paulus beschreibt hier auf der einen Seite ein Leben gemäß der in Kap. 7 beschriebenen Existenzweise Adams (οἱ κατὰ σάρκα ὄντες), dem die andere „des Geistes des Lebens in Christus Jesus" (8,2) gegenübergestellt wird (οἱ κατὰ πνεῦμα). Aus ihnen leitet er dann die beiden Gesinnungsarten ab: „das Sein bestimmt das Verhalten".[51] Diese durch die Unterscheidung σάρξ – πνεῦμα charakterisierte Alternative ist für V. 5-11 insgesamt prägend. Gemeint sind die beiden Gegenkonzepte des „in mir" selbst gründen wollenden Ich, das die Erfahrung der Desintegration mit sich selbst machen muss und des „in Christus Jesus" konstituierten, neuen Ich, das dadurch mit sich selbst identisch sein kann. Die Formulierungen „gemäß dem Fleisch leben" bzw. „sein" (V. 4f), „Gesinnung des Fleisches" (V. 5-7) und „im Fleisch sein" (V. 8 und 9) meinen die in 7,7-25 dargestellte Lebensweise, die auf sich selbst fixiert ist und dabei an sich selbst und der eigenen Zerrissenheit verzweifelt. Die mit πνεῦμα gebildeten Alternativformulierungen bezeichnen hingegen die Ex-istenz, das außerhalb ihrer selbst verortet-Sein der Glaubenden. Diese Ex-istenz ermöglicht ihnen Identität mit sich selbst, weil sie an der Identität Christi (und seines Geistes) mit sich selbst partizipieren. Sie beinhaltet für sie neues Leben, weil sie am Leben Christi (und seiner Auferstehung) teilhaben (werden) (V. 11). Die Formulierung τὰ τῆς σαρκὸς φρονοῦσιν meint in der hier vorgeschlagenen Sicht eine Gesinnung, die an der Selbstbeobachtung der Selbstzerrissenheit festhält, die in Röm 7,7-25 beschrieben worden war, und nicht in der Lage ist, sich von ihr zu distanzieren, die Worte οἱ δὲ κατὰ πνεῦμα τὰ τοῦ πνεύματος benennen eine alternative Sichtweise, die durch die geistliche Verbindung mit Christus in der Lage ist, die Fixiertheit auf die Selbstbeobachtung durch eine Orientierung an Christus zu relativieren.

V. 6 setzt, erneut angeschlossen mit γάρ, die Darstellung der beiden alternativen Lebens- und Gesinnungsarten fort. Dass die erste Existenzweise gemäß Adam – wie V. 6a besagt – in den Tod führt, war bereits seit Röm 5,12ff kontinuierlich gezeigt worden. Die zweite gemäß bzw. „in" Christus wird dem gegenübergestellt. Durch den Begriff des Lebens wird die Röm 5-8 durchziehende Unterscheidung Tod – Leben fortgesetzt (Vgl. 8,2.10.11). Der Begriff des Friedens verweist auf den Anfang des Argumentationsabschnittes in 5,1 zurück.[52]

---

[50] „Als Ausdruck für den gewohnten Lebensstil dient wieder (vgl. 6,4) περιπατεῖν (‚umhergehen'; vgl. engl. ‚way of life')." (K. Haacker: Der Brief des Paulus an die Römer; ThHK 6, S. 153.)

[51] Haacker, ebd.

[52] Vgl. auch U. Wilckens: Der Brief an die Römer; EKK VI, 2, S. 130.

V. 7f begründen (διότι) die Todesverfallenheit der Existenzweise gemäß Adam. In V. 7a wird diese erste der beiden Existenzweisen wiederum durch den Begriff der σάρξ charakterisiert. Die Formulierung ist identisch mit V. 6a. Die Begründung der Verwerflichkeit der sarkischen Existenz erfolgt in V. 7b in theologischer Perspektive, die durch ein doppeltes θεός gekennzeichnet ist: sie ordnet sich dem Gesetz Gottes (vgl. Gen 2,17) nicht unter und kann dies auch nicht (vgl. Röm 8,3). Sie ist deshalb Feindschaft gegen Gott.

Die kurze Gegenüberstellung in V. 8 vertieft, angeschlossen mit δέ, diese Aussage. Diejenigen, die ἐν σαρκί (V. 8a) leben, können Gott aus den in V. 7b genannten Gründen nicht gefallen (V.8b). Das ἐν verstärkt die Gegenüberstellung der beiden Existenzweisen „in Christus Jesus" einerseits (vgl. V. 2) und „im Fleisch" andererseits.

In V. 9a werden seit Röm 7,4 nach einer langen Argumentation in der 1. Person, die sich mit dem Selbstverhältnis des Ich beschäftigt, erstmals wieder die Adressaten in der 2. Person direkt angesprochen.[53] Die Verwendung der Personalpronomina hat damit konzentrierende und öffnende Wirkung, die in Form einer Ringkomposition angelegt ist. Röm 7,1-4 sprach die Adressaten konkret in Bezug auf eine bestimmte Rechtsproblematik an, Röm 7,5f nahm sie in die neue Existenz im νῦν mit hinein. Röm 7,7-8,2 verdichtete die Argumentation durch das allgemein und zugleich persönlich gemeinte selbstreflexive Ich in der 1. Person Singular. 8,3-8 öffnete diese Sicht wiederum zunächst in Richtung auf die Wir in der 1. Person Plural, um sich dann ab V. 9 erneut direkt an die Adressaten in der 2. Person Plural zu wenden. Kriterium für die Zugehörigkeit zu der neuen Existenzweise „in" Christus ist der Geist.

V. 9a stellt zunächst in paralleler Formulierung zu 8a fest, dass die Adressaten nicht ἐν σαρκί sind und somit auch nicht (mehr) an der ersten Existenzweise gemäß Adam teilhaben. V. 9b stellt dem mit adversativem ἀλλά die zweite Existenzweise ἐν πνεύματι gegenüber. Diese wird durch die Vorstellung des „Wohnens" des Geistes Gottes in den Adressaten näher bestimmt.

Damit ergibt sich die Frage, wie diese neue Ex-istenz, die durch den Geist möglich wird, vorzustellen ist. „Wie kann der Geist zum eigentlichen identitätsstiftenden Selbst der Glaubenden werden und doch die fremde, unverfügbare Sturmgewalt sein, in welcher der heilige Gott unnahbar über seiner Schöpfung waltet?"[54] Zur Charakterisierung der beiden Existenzweisen gemäß Adam und gemäß Christus wird im Kap. 7 und 8 von Paulus vor allem die Vorstellung der „Einwohnung" verwendet (7,17: ἡ οἰκοῦσα ἐν ἐμοὶ ἁμαρτία, 7,18: οὐκ οἰκεῖ ἐν ἐμοὶ ἀγαθόν, 7,20: ἡ οἰκοῦσα ἐν ἐμοὶ ἁμαρτία, 8,9: εἴπερ πνεῦμα θεοῦ οἰκεῖ ἐν ὑμῖν, 8,11: εἰ δὲ τὸ πνεῦμα τοῦ ἐγείραντος τὸν Ἰησοῦν ἐκ νεκρῶν οἰκεῖ ἐν ὑμῖν [...] διὰ τοῦ ἐνοικοῦντος αὐτοῦ πνεύματος ἐν ὑμῖν), für die sich religionsgeschichtlich zahlreiche Parallelen benennen lassen.[55] Diese Vorstellung war in Kap. 7 grundlegend, weil sie die Selbstunterscheidung des Ich in „Ich" einerseits und „in mir" bzw. „nicht mehr Ich" andererseits begründete (vgl. 7,17 und 20 sowie oben die Ausführungen zur Stelle). Wenn jedoch die Einwohnung des Geistes in Kap. 8 ebenfalls als fremde Macht

---

[53] Vgl. Wilckens, a.a.O., S. 130.
[54] S. Vollenweider: Der Geist Gottes als Selbst der Glaubenden. Überlegungen zu einem ontologischen Problem in der paulinischen Anthropologie; in: ZThK 93 (1996), S. 163-192, dort S. 163.
[55] Vgl. zu den religionsgeschichtlichen Belegen Vollenweider, a.a.O., S. 169ff. Im Hebräischen ist hier die Vorstellung der Schechina zu beachten.

aufzufassen wäre, so wäre damit für die Begründung der Identität und Individualität der Menschen nichts gewonnen, denn das durch das Innewohnen des Geistes charakterisierte Ich bzw. die in V. 4ff gemeinten „Wir" wäre(n) nach wie vor einer fremden Macht und damit der Desintegration und fehlenden Identität unterworfen. Mit „Geist" wäre dann gewissermaßen der im Menschen „wohnende" Geist Gottes oder Christi gemeint, der vom Menschen selbst zu unterscheiden wäre. Der Mensch wäre damit als Dividuum entweder zwischen der Machtsphäre des πνεῦμα und sich selbst oder der ἁμαρτία und sich selbst hin und her gerissen und könnte damit in keinem Falle ein Individuum, ein selbstbewusstes Ich sein.

Gegenüber dieser Vorstellung des Machtwechsels besteht der Fortschritt der „Einwohnung" des Geistes gemäß Kap. 8 darin, dass die Identität der Glaubenden dadurch nicht – wie in Kap. 7 – in sich zerrissen wird, sondern dass sie dadurch gerade erst möglich wird, weil göttlicher und menschlicher Geist miteinander übereinstimmen. (vgl. dazu besonders 8,12ff). „Es handelt sich gerade nicht um eine Depersonalisation (wie sie etwa Röm 7,17-23 beschrieben wird). Der eingehende göttliche Geist ersetzt also nicht das Ich als Erlebens- und Verhaltenszentrum des geschichtlichen Menschen, sondern durchdringt es. Zugespitzt formuliert: *Das Pneuma handelt nicht anstelle unser selbst, sondern als unser Selbst.*"[56] Der göttliche Geist hebt dabei, wie V. 16 deutlich zeigt, den menschlichen Geist nicht auf. Beide sind unterscheidbar, aber sie korrespondieren miteinander. Der einzelne Mensch wird also mit seinem Geist gleichermaßen lokal verstanden in einer neuen Sphäre des göttlichen Geistes bzw. des Geistes Christi verortet, in der er – in der Terminologie U. Schnelles formuliert – an der Transformation Christi vom Tod zum neuen Leben partizipiert.[57]

Die V. 9c und 10a setzen die Argumentation auf dieser Basis mit einer neuen Gegenüberstellung fort. Sie hat insofern eine parallele Struktur, als beide Seiten mit εἰ δέ eingeleitet sind. Es wird in V. 9c zunächst die Existenzweise gemäß der σάρξ wiedergegeben, die durch das Fehlen des Geistes Christi gekennzeichnet ist, während in V. 10a die Existenzweise gemäß dem Geist dadurch charakterisiert wird, dass Christus selbst „in" den Adressaten ist (vgl. Gal 2,20). Die Benennung des Geistes variiert also gegenüber dem Vorhergehenden vom Geist Gottes zum Geist Christi. Es handelt sich hier offenbar um eine „funktionale Identität von Pneuma (Gottes, Christi) und Christus".[58]

Diese zweite Existenz, die durch die Einwohnung des Geistes Gottes bzw. Christi bzw. Christi selbst in den Glaubenden charakterisiert ist, wird nun in V. 10b und c mit einer weiteren Gegenüberstellung erläutert, die sich nun nicht an der Unterscheidung σάρξ – πνεῦμα, sondern σῶμα – πνεῦμα orientiert. Mit σῶμα in V. 10b wird ein Begriff ins Spiel gebracht (mit μέν – δέ von πνεῦμα unterschieden), der einerseits als Entsprechung zu σάρξ fungiert und dabei offenbar andererseits die Existenz „in Christus" voraussetzt. In V. 10f wird innerhalb des geisterfüllten Menschen eine Innendifferenzierung vorgenommen. „Mit der Unterscheidung von σῶμα und πνεῦμα wird die Einwohnung in ein anthropologisches Schema eingezeichnet, das auf

---

[56] Vollenweider, a.a.O., S. 183, Hervorhebungen von Vollenweider.

[57] So U. Schnelle: Transformation und Partizipation als Grundgedanken paulinischer Theologie, S. 68: „In der Taufe gelangt der Christ in den Raum des pneumatischen Christus, zugleich wirken der Erhöhte [...] und der Geist [...] im Gläubigen. Die Korrespondenz-Aussagen benennen einen für Paulus fundamentalen Sachverhalt: so wie der Glaubende im Geist Christus eingegliedert ist, so wohnt Christus in ihm als πνεῦμα."

[58] Vollenweider, a.a.O., S. 173.

der Unterscheidung von Körper und Geist basiert."[59] Paulus meint damit jedoch keinen Leib-Seele-Dualismus, sondern σῶμα bezeichnet hier einfach die Sterblichkeit des Menschen (τὸ σῶμα νεκρόν, vgl. V. 11: τὰ θνητὰ σώματα ὑμῶν).[60] Es ist hier auch kein Luthersches „simul iustus et peccator" angedeutet,[61] sondern das μέν gesteht zunächst zwar zu, dass auch die Glaubenden bis zur endgültigen Erlösung ihrer σώματα (8,23) noch der Vergänglichkeit unterstehen und alle damit verbundenen, menschlichen Erfahrungen bis hin zum Tode machen müssen. Das δέ hebt dann jedoch in theologischer Perspektive hervor, dass der Geist bereits jetzt Leben bedeutet. Die Betonung liegt grammatisch auf dem zweiten Teil.[62]

V. 11 bringt zwei den Abschnitt abschließende Gegenüberstellungen, die – ebenfalls mit εἰ δέ angeschlossen – das soeben Gesagte in eschatologischer Sicht weiter ausführen. In V. 11a wird auf die Auferweckung „Jesu" eingegangen. Damit wird zunächst eine geläufige Sicht wiedergegeben, nach der Gott den Menschen Jesus von den Toten auferweckt hat. V. 11 b erläutert dies Geschehen in christologischer Perspektive. Die Formulierung ὁ ἐγείρας Χριστὸν ἐκ νεκρῶν zeigt zunächst, dass es sich bei dem auferweckten Menschen Jesus um den auferstandenen Messias handelt.[63] Die Gegenüberstellung ist hier etwas verschachtelt, weil der Eingangssatz εἰ δέ τὸ πνεῦμα [...] οἰκεῖ ἐν ὑμῖν zu dieser christologischen Sicht dazugehört.

V. 11 c und d erläutern das zuvor Gesagte mit einer letzten Gegenüberstellung in diesem Abschnitt in seiner Bedeutung für die Adressaten. Paulus behauptet in eschatologischer Sicht, dass für die Christus Zugehörigen auch diese letzte innere Spannung zwischen σῶμα und πνεῦμα aufgehoben werden wird, die jetzt noch darin besteht, dass sie zwar einerseits schon durch den Geist ein Leben in sich haben, welches auf Ewigkeit zielt (vgl. 6,23), dabei aber andererseits noch der Erfahrung der Vergänglichkeit unterworfen sind. Die Verbindung zum Vorhergehenden wird durch καί hergestellt. So wie der Mensch Jesus von den Toten auferweckt wurde (V. 11a), so werden auch die Glaubenden in ihrer Vergänglichkeit und Sterblichkeit lebendig gemacht. Die Formulierung ζῳοποιήσει τὰ θνητὰ σώματα ὑμῶν setzt zum einen wohl die leibliche Auferstehung voraus,[64] das σῶμα meint aber über den Leib hinausgehend die ganze Person,[65] das Identitätszentrum der Glaubenden: Sie werden als sie selbst lebendig gemacht werden.

---

[59] Vollenweider, a.a.O., S. 172.

[60] So auch R. Bultmann: Theologie des Neuen Testaments, S. 198.

[61] Gegen K. Haacker: Der Brief des Paulus an die Römer; ThHK 6, S. 154.

[62] Vgl. Blass, Debrunner, Rehkopf: Grammatik des neutestamentlichen Griechisch, § 447, Anm. 11: „Durch das konzessive μέν im ersten Teil wird der Ton auf den zweiten mit δέ gelegt".

[63] Zu dieser doppelten Sicht Jesu Christi vgl. ausführlich Röm 1,3f und oben die Ausführungen dazu.

[64] Vgl. 8,23 und unten die Ausführungen dazu sowie I Kor 15,44: σπείρεται σῶμα ψυχικόν, ἐγείρεται σῶμα πνευματικόν.

[65] Vgl. Bultmann: Theologie des Neuen Testaments, S. 196: „durch σῶμα kann der Mensch, *die Person als ganze*, bezeichnet werden." (Hervorhebung von Bultmann)

Aufgrund der oben ausgeführten Überlegungen lässt sich der Abschnitt 8,1-11 damit folgendermaßen strukturieren, wobei die leitende Gegenüberstellung σάρξ (bzw. σῶμα) – πνεῦμα hervorgehoben ist:

8,1: ἄρα νῦν	οὐδὲν κατάκριμα	τοῖς ἐν Χριστῷ Ἰησοῦ
2: γάρ	ἀπὸ τοῦ νόμου τῆς ἁμαρτίας καὶ τοῦ θανάτου (2)	ὁ νόμος τοῦ *πνεύματος* τῆς ζωῆς ἐν Χριστῷ Ἰησοῦ ἠλευθέρωσέν με (1)
3a +b: γάρ	τὸ ἀδύνατον τοῦ νόμου ἐν ᾧ ἠσθένει διὰ τῆς *σαρκός*	ὁ θεὸς τὸν ἑαυτοῦ υἱὸν πέμψας ἐν ὁμοιώματι σαρκὸς ἁμαρτίας
3c + 4a: καί	περὶ ἁμαρτίας κατέκρινεν τὴν ἁμαρτίαν ἐν τῇ *σαρκί*	ἵνα τὸ δικαίωμα τοῦ νόμου πληρωθῇ ἐν ἡμῖν
4b:	τοῖς μὴ κατὰ *σάρκα* περιπατοῦσιν	ἀλλὰ κατὰ *πνεῦμα*
5: γάρ	οἱ κατὰ *σάρκα* ὄντες τὰ τῆς *σαρκὸς* φρονοῦσιν	οἱ δὲ κατὰ *πνεῦμα* τὰ τοῦ *πνεύματος*
6: γάρ	τὸ φρόνημα τῆς *σαρκὸς* θάνατος	τὸ δὲ φρόνημα τοῦ *πνεύματος* ζωὴ καὶ εἰρήνη
7: διότι	τὸ φρόνημα τῆς *σαρκός*	ἔχθρα εἰς θεόν τῷ γὰρ νόμῳ τοῦ θεοῦ οὐχ ὑποτάσσεται οὐδὲ γὰρ δύναται
8: δέ	οἱ ἐν *σαρκὶ* ὄντες	θεῷ ἀρέσαι οὐ δύνανται
9a+b:δέ	ὑμεῖς οὐκ ἐστὲ ἐν *σαρκί*	ἀλλὰ ἐν *πνεύματι* εἴπερ *πνεῦμα* θεοῦ οἰκεῖ ἐν ὑμῖν
9c+10a: εἰ δέ	τις πνεῦμα Χριστοῦ οὐκ ἔχει οὗτος οὐκ ἔστιν αὐτοῦ	εἰ δὲ Χριστὸς ἐν ὑμῖν
10b+c:	τὸ μὲν *σῶμα* νεκρὸν διὰ ἁμαρτίαν	τὸ δὲ *πνεῦμα* ζωὴ διὰ δικαιοσύνην
11a+b: εἰ δέ	τοῦ ἐγείραντος τὸν Ἰησοῦν ἐκ νεκρῶν	τὸ *πνεῦμα* [...] οἰκεῖ ἐν ὑμῖν ὁ ἐγείρας Χριστὸν ἐκ νεκρῶν
11c+d: καί	ζῳοποιήσει τὰ θνητὰ *σώματα* ὑμῶν	διὰ τοῦ ἐνοικοῦντος αὐτοῦ *πνεύματος* ἐν ὑμῖν

Die neue Identität der Glaubenden (8,12-17)

Der Abschnitt V. 12-17, der mit ἄρα οὖν die Konsequenzen aus dem bisher Gesagten zieht,[1] wird wiederum durch eine Formulierung in der 1. Person Pl. eingeleitet: (ὀφειλέται ἐσμέν), nachdem die vorherigen Verse in der 2. Person formuliert waren. Er stellt eine Verbindung der bisherigen Argumentation in Kap. 7,1-8,11 mit dem eschatologisch orientierten Teil 8,18ff dar.[2] Deshalb werden die Adressaten erstmals seit 7,1 und 4 wieder mit ἀδελφοί angeredet. Der Abschnitt setzt einerseits die vorhergehende Gegenüberstellung σάρξ – πνεῦμα fort (V. 12-14), und variiert sie andererseits, indem jetzt zwischen verschiedenen πνεύματα unterschieden wird (V. 15f).

V. 12 und 13a nehmen im Anschluss an das Vorhergehende erneut die Existenz gemäß Adam mit dem dreimaligen Stichwort der σάρξ auf. Bereits in V. 12b wird durch die doppelte Aufnahme des Wortes signalisiert, dass in diesem Halbvers die besagte Existenzweise gemeint ist. Dem wird in V.12a einleitend eine andere Haltung gegenübergestellt, die eine neue Möglichkeit der Glaubenden zum Ausdruck bringt. Die Anrede ἀδελφοί zeigt dabei, dass hier in geistlicher Perspektive gesprochen wird. Die „Wir" sollen nun nicht mehr für die σάρξ und der σάρξ gemäß leben. Sie brauchen nicht mehr notwendigerweise an der Existenzweise gemäß Adam festzuhalten, die in Röm 5,12ff eingeführt und in 7,7-25 näher dargestellt worden war. Das ὀφειλέται ἐσμέν setzt wiederum juridische Metaphorik voraus.[3] Der Ausdruck meint nicht irgendeine erneute Verpflichtung gegenüber jemandem oder etwas (es fehlt ein positiv angeschlossenes Dativobjekt),[4] sondern in theologischer Perspektive die mögliche Befreiung von der σάρξ[5] und die Aufforderung, von dieser Befreiung Gebrauch zu machen. In 7,1-4 wurde mit Hilfe der Ehemetaphorik gezeigt, dass der Tod des Mannes von den Verpflichtungen ihm gegenüber befreit und diese Befreiung auf die Adressaten bezogen. In Röm 8,12ff wird die Befreiung in einer Vater-Sohn-Metaphorik durch den Akt der Adoption[6] erläutert und dies ebenfalls auf die Adressaten in Anwendung gebracht: „nach römischem Recht tilgte eine Adoption alle Schulden des Betroffenen."[7]

V. 13 wechselt, angeschlossen mit γάρ, vom Wir-Stil am Anfang des Abschnittes zur direkten Anrede der Adressaten in der 2. Person Plural. Paulus setzt hier offenbar eine Entscheidungsfähigkeit der ἀδελφοί voraus; die Alternativen werden in V. 13a und b, verknüpft durch das doppelte εἰ, mit der erneuten Gegenüberstellung σάρξ – πνεῦμα benannt. V. 13a verbleibt zunächst bei der Beschreibung der von der σάρξ geprägten Existenz, während in V. 13b dieser mit adversativ gebrauchtem δέ die durch das πνεῦμα geprägte Existenz gegenübergestellt wird. Dass das Resultat der ersten Existenzweise der Tod ist (μέλλετε ἀποθνῄσκειν), wurde bereits in Röm 5,12ff im Anschluss an Gen 3 erläutert. Paulus räumt hier gegenüber den Adressaten die nach wie

---

[1] So E. Käsemann: An die Römer; HNT 8a, S. 217. Gegen U. Wilckens: Der Brief an die Römer; EKK VI, 2, S. 134ff, der V. 12-17 mit V. 1-11 zusammenfasst.

[2] K. Haacker: Der Brief des Paulus an die Römer; ThHK 6, 1. 155.

[3] Zum paulinischen Gebrauch von ὀφειλέτης vgl. auch Röm 1,14 und die Ausführungen dazu.

[4] Vgl. U. Wilckens: Der Brief an die Römer; EKK VI, 2, S. 118: „Also dann, Brüder, sind wir in der Pflicht, – nicht gegenüber dem Fleisch, um nach dem Fleisch zu leben!" Der fehlende Bezug wird durch einen Gedankenstrich signalisiert.

[5] Vgl. K. Haacker: Der Brief des Paulus an die Römer; ThHK 6, S. 155.

[6] Zum Verständnis von υἱοθεσία siehe unten.

[7] K. Haacker: Der Brief des Paulus an die Römer; ThHK 6, S. 155f, mit Hinweis auf W. E. Ball: St. Paul and the Roman Law and Other Studies on the Origin of the Form of Doctrine; Edinburgh 1901, S. 5f.

vor gegebene Möglichkeit ein, dieses Konzept erneut zu favorisieren und die daraus folgenden Konsequenzen der Desintegration und des Todes zu erfahren. „Die Gegenüberstellung der beiden Möglichkeiten im Realis zeigt erneut an, daß auch die Christen diese Entscheidung nicht ein für allemal hinter sich haben, sondern sie immer neu vollziehen müssen."[8]

V. 13b stellt dieser ersten Existenzweise gemäss der σάρξ mit adversativem δέ die dem πνεῦμα gemäße gegenüber. Die Formulierung in V. 13b enthält wiederum den eigentümlichen Wechsel von σάρξ zu σῶμα, der bereits in V. 10f zu beobachten war. Es ist hier nicht das schwach bezeugte τῆς σαρκός zu lesen.[9] Damit wird erneut bei der Leiblichkeit der Adressaten angeknüpft, aber nicht so, dass eine Dissoziation zwischen zwei Bereichen innerhalb des Menschen vorgestellt wäre. Vielmehr charakterisiert die Orientierung am eigenen Leib zugleich die Existenzweise gemäß Adam, die nur an der eigenen Befindlichkeit orientiert ist und damit wie das Ich von Röm 7 in sich selbst gefangen bleibt und deshalb nicht zu sich selbst findet.[10] Der Ton liegt dabei in V. 13b allerdings auf dem τὰς πράξεις, wie die Verbindung mit dem ἄγονται in V. 14a zeigt. Paulus spricht sich damit gegen eine Haltung aus, die sich auf das eigene Tun konzentriert und daraus den Wert der eigenen Existenz ableitet (vgl. 2,1-3,18) und wirbt dafür, sich vom Geist Gottes „treiben zu lassen". Das θανατοῦτε hat dann übertragene Bedeutung. Es meint dementsprechend keine Selbstverstümmelung der Glaubenden, sondern den bewussten Verzicht auf den Versuch der Selbstbegründung der Existenz, der durch die zweite, am Geist orientierte Perspektive möglich geworden ist (vgl. V. 11: νεκρόν). Dieser geschieht aus der Hoffnung daraus, das Leben zu gewinnen (ζήσεσθε). Der Vers nimmt damit die in Kap. 5-8 häufig auftretende Unterscheidung Tod – Leben wieder auf.

V. 14 setzt die Beschreibung der vom πνεῦμα geprägten Existenz, angeschlossen mit γάρ, fort. Das Passiv in V. 14a zeigt nochmals, dass die neue Ex-istenz der Glaubenden darin besteht, auf eine rein in sich selbst gründende Agitation zu verzichten, und statt dessen vom Geist Gottes „getrieben zu werden",[11] bzw. – tolerativ gemeint – „sich [...] leiten zu lassen".[12] Damit ist jedoch nicht gesagt, dass die Glaubenden unselbständige, zu eigenen Handlungen unfähige Menschen seien, sondern gerade durch dieses Getriebensein werden sie zu „Söhnen Gottes", also zu freien Menschen, die nicht mehr der Herrschaft fremder Mächte unterstehen (V. 14b). Der Ausdruck υἱός θεοῦ war in Röm 1,4 christologisch eingeführt worden und wird hier auf die Glaubenden ausgeweitet. Damit wird nach der ökonomischen und juridischen Metaphorik der vorhergehenden Abschnitte das Verhältnis der Glaubenden zueinander, zu Christus und zu Gott mit Hilfe einer Metaphorik der Verwandtschaftsverhältnisse („Oikos-Metaphorik")[13] beschrieben. Die Glaubenden sind dann in dieser Sicht unter

---

[8] Haacker, a.a.O., S. 156.

[9] Vgl. als Textzeugen D F G 630 u.a. Diese Lesart hat sich leider bis in die aktuelle Lutherübersetzung fortgesetzt.

[10] Das betrifft zwar nicht alle Verwendungen von σῶμα im Röm, vgl. aber z.B. 1,24; 4,19; 6,6.12; 7,24; 8,10f. Besonders eindrücklich ist dazu Röm 4,19. Hier wird der Glaube Abrahams dadurch charakterisiert, dass er von der Betrachtung des eigenen Leibes und der damit verbundenen Selbsteinschätzung absehen und sich für die Verheißung Gottes öffnen konnte.

[11] So K. Haacker: Der Brief des Paulus an die Römer; ThHK 6, S. 155.

[12] So die Interpretation der Einheitsübersetzung. Vgl. auch U. Wilckens: Der Brief an die Römer; EKK VI, 2, S. 118: „geführt werden".

[13] Zu den Wechseln der Metaphorik vgl. P. von Gemünden und G. Theißen: Metaphorische Logik im Römerbrief, S. 108-131. Danach verwendet Paulus in Kap. 6-8 drei Metaphoriken, die Verhältnisse

einander Geschwister (vgl. die Anrede ἀδελφοί), die dem Erstgeborenen Jesus Christus ähnlich sind (Röm 8,29) und allesamt Gott ihren Vater nennen. Die maskuline Formulierung schließt, wie die Namensliste in Kap. 16 zeigt, auch das weibliche Geschlecht ein.

Die V. 15ff erläutern, angeschlossen mit γάρ, dieses Adoptionsverhältnis weiter. Die in V. 1-14 vorherrschende Unterscheidung πνεῦμα – σάρξ wird in 8,15f dadurch weiter erläutert, dass Paulus den Begriff des Geistes selbst differenziert. Vier verschiedene Geister werden genannt: in einer ersten Gegenüberstellung „Geist der Knechtschaft" und „Geist der (durch Adoption erworbenen) Kindschaft" (V. 15) und dann in einer zweiten „der Geist selbst" und „unser Geist" (V.16). Die Argumentation ist in diesen Versen weitgehend zu Gal 4,4ff parallel.[14]

V. 15 setzt die Unterscheidung der beiden Existenzweisen fort. In V. 15a wird zunächst die Existenz gemäß der σάρξ durch den Ausdruck πνεῦμα δουλείας wiedergegeben. Dem stellt Paulus, durch ἀλλά angeschlossen, mit dem Ausdruck πνεῦμα υἱοθεσίας die zweite Existenzweise gegenüber. Ἐλάβετε meint nicht nur ein rein passives Empfangen, sondern impliziert auch einen Akt der aktiven Annahme des Geschenkes des Geistes. Die Gegenüberstellung zeigt endgültig, dass es für die Glaubenden nicht um einen Herrschaftswechsel der Macht zur Sünde zu der des Geistes geht (wie die Herrschaftsmetaphorik in Kap. 6 bis zu deren Auflösung in V. 23 suggerierte), sondern um eine Alternative zwischen Sklaverei und Kindschaft. „Geist der Knechtschaft" meint die in Kap 7,7ff erläuterte Existenz unter der Macht der Sünde. Die Gegenüberstellung lautet zwar nicht einfach Knechtschaft – Freiheit, sondern Knechtschaft – Adoption, gemeint ist aber eine Befreiung von der Unmündigkeit (vgl. V. 21: ἐλευθερωθήσεται ἀπὸ τῆς δουλείας τῆς φθορᾶς εἰς τὴν ἐλευθερίαν τῆς δόξης τῶν τέκνων τοῦ θεοῦ), die mit Hilfe der Metapher der Adoption zum Ausdruck gebracht wird. V. 15b beschreibt also den Übergang von der Knechtschaft in die Freiheit der Kindschaft als Akt der Adoption. Der Ausdruck υἱοθεσία meint nicht allgemein „Sohnschaft" oder „Kindschaft", sondern bezieht sich speziell auf Adoption.[15]

V. 16a und b erläutern diesen Adoptionsakt in doppelter Perspektive. Der Anfang des Verses beschreibt in theologischer Sicht den Geist Gottes und die nachfolgende Formulierung in menschlicher Sicht einen zweiten Geist, nämlich den des Menschen. Diese Adoption wird also von doppelter Seite durch den Geist bezeugt. Zum einen durch den Geist, den die Glaubenden haben (πνεῦμα υἱοθεσίας),[16] indem sie zu

---

innerhalb des antiken Hauses beschreiben, um die Befreiung der Glaubenden zu verdeutlichen. Dies geschieht: „Zunächst im Bild vom Sklavenkauf [...] (6,12-23). [...] Darauf folgt das Bild vom doppelten Eheschluß [...] (7,1-6). Nach einer langen Ausführung über die Wende vom Unheil zum Heil, die zunächst wie ein Exkurs wirkt, aber weit mehr ist (7,8-8,11), wird die Erneuerung des Gottesverhältnisses ab 8,12ff noch einmal mit einer dritten Metaphorik beschrieben: Sie ist Adoption an Gottes statt."

14 Zu den Übereinstimmungen zwischen Gal 4,4-7 und Röm 8, 14-17 vgl. J. M. Scott: Adoption as Sons of God. An Exegetical Investigation into the Background of ΨΟΙΘΕΣΙΑ in the Pauline Corpus; (WUNT 2, 48); Tübingen 1992, S. 250.

15 Zum griechisch-römischen Hintergrund des Begriffes siehe Scott, a.a.O., S. 55: „The foregoing survey demonstrates conclusively, that υἱοθεσία denotes ‚adoption as son'."

16 Dazu Scott, a.a.O., S. 260: „The Spirit of υἱοθεσία is thereby instrumental in freeing the sons from slavery".

ihm – aramäisch und griechisch – „Vater" rufen (V. 15b);[17] zum anderen durch den „Geist selbst", indem er die Adoption bestätigt (συμμαρτυρεῖ). Der Geist der Kindschaft wird in seinem Verhältnis zu den Glaubenden von Paulus in V. 16 also durch die bemerkenswerte Gegenüberstellung αὐτὸ τὸ πνεῦμα – πνεῦμα ἡμῶν beschrieben. Der zuerst genannte Geist ist hier zweifellos als Geist Gottes aufzufassen, der zweite meint offenbar ein inneres Zentrum des Menschen, das für das Zeugnis des Geistes offen ist: „[...] das für Gott offene Zentrum menschlichen Seins [...] entspringt dann einer *Relation*, einem immer neu ergehenden *schöpferischen Zusprechen Gottes*. So gesehen läßt sich ‚unser Geist' [...] als das *vom göttlichen Pneuma angehauchte und dadurch verwandelte Selbst der Glaubenden* identifizieren, das in diesem Zusprechen immer neu empfängt, was ihm bereits kraft der Taufe zuteil geworden ist. [...] Das Zeugnis von Geist zu Geist geht demgegenüber von einem Organ im Menschen aus, das die Botschaft des göttlichen Geistes wieder und wieder aufzunehmen vermag [...], weil es hierdurch gerade *konstituiert* wird."[18] Das Selbst des Menschen wechselt damit nicht einfach von einer Machtsphäre in die andere, sondern es wird durch die Ansprache des göttlichen Geistes als Selbst neu konstituiert. Es ist in der Lage, Gottes Geist gegenüberzutreten und sich von ihm die Gotteskindschaft bezeugen zu lassen. Die in Kap. 7 beschriebene Situation des Menschen wird also dadurch aufgelöst, dass die fehlende Integrität und In-Dividualität des ἐγώ, die durch die Diskrepanz von ἐγώ und ἐν ἐμοί bewirkt wurde (vgl. 7,7-25), grundsätzlich überwunden wird. Paulus behauptet hier die Selbständigkeit und Integrität der Glaubenden durch das πνεῦμα ἡμῶν, welches durch αὐτὸ τὸ πνεῦμα angesprochen und dadurch als Selbst gerade konstituiert wird. Hatte man noch in V. 10 den Eindruck, dass es sich um einen gewissermaßen übergeordneten Geist handelt, der „in" den Glaubenden „wohnt", so wird jetzt deutlich, dass es sich durch die Gegenüberstellung von göttlichem und „unserem Geist" um eine „Individuation des Pneuma"[19] handelt. Diese neue Existenz hat einerseits ähnliche Strukturen wie die in Kap. 7 dargestellte Existenz. Wie nach 7,17 und 20 die Sünde „im" Menschen lebt, so lebt der Geist Gottes, der Christus lebendig machte, „in" den Glaubenden und wird auch sie lebendig machen (8,11).[20] Andererseits führt aber dieses „Innewohnen" des Geistes Gottes im Menschen gerade nicht zur inneren Gespaltenheit, sondern zur Identität mit sich selbst. Das Einwirken des Geistes Gottes auf den Menschen bewirkt nicht wie das der Sünde in Kap. 7 eine Desintegration, sondern es wird betont, dass der Geist Gottes mit dem des Menschen zusammen einmütig die Gotteskindschaft der Glaubenden, also ihre neue, durch die Adoption begründete Identität, bezeugt.

V. 16c und 17 beenden den Abschnitt mit einer weiteren Gegenüberstellung, die mit ὅτι an das Vorhergehende anschließt. Bemerkenswert ist der Wechsel von υἱός (V. 15) zu τέκνον (vgl. 8,21; 9,7f, dort vier Mal). Der Begriff führt zusammen mit κληρονόμος zunächst in geläufiger menschlicher Perspektive die Oikos-Metaphorik weiter aus. Die „Wir" sind nicht nur Kinder, sondern auch Erben. Diese beiden Begriffe werden V. 16c und 17a zunächst mit einer theologischen Konnotation eingeführt, also

---

[17] Zur Bedeutung von ‚Abba' vgl. J. Jeremias: Abba. Studien zur neutestamentlichen Zeitgeschichte; Göttingen 1966, S. 15-67.

[18] S. Vollenweider: Der Geist Gottes als Selbst der Glaubenden. Überlegungen zu einem ontologischen Problem in der paulinischen Theologie; in: ZThK 93 (1996), S. 163-192, dort S. 179, Hervorhebungen von Vollenweider.

[19] Vollenweider, a.a.O., S. 175.

[20] Vgl. dazu wiederum die parallele Argumentationsstruktur in Gal 2,20.

übertragen gebraucht. Wenn die Glaubenden nicht mehr Sklaven, sondern freie Kinder sind, dann haben sie auch den Status eines Erben gegenüber Gott (vgl. Gal 4,7).

V. 17b stellt die beiden Begriffe des Kindes und Erben, die im ersten Halbvers in Bezug auf Gott definiert waren, nochmals in eine spezifisch christologische Perspektive. Die Verbindung beider Seiten der Gegenüberstellung geschieht durch μέν – δέ, womit der Schwerpunkt auf die zweite, christologische Perspektive gelegt wird.[21] Die Glaubenden sind deshalb „Kinder und Erben Gottes" und „Miterben" Christi, weil sie mit ihm gelitten haben und er selbst der Sohn Gottes ist.[22] Der Begriff des Erben ist dabei „nicht an die Vorstellung der Hinterlassenschaft eines Verstorbenen geknüpft",[23] sondern der Erbe partizipiert bereits jetzt an den Besitztümern des Vaters. Dementsprechend betont auch das συνδοξασθῶμεν im Aorist nicht unbedingt den futurischen Aspekt.[24]

Für Röm 8,12-17 lässt sich damit folgende Struktur festhalten, wobei die Begriffe σάρξ und πνεῦμα wiederum hervorgehoben sind:

12: ”Αρα οὖν	οὐ τῇ *σαρκὶ* τοῦ κατὰ *σάρκα* ζῆν	ἀδελφοί ὀφειλέται ἐσμέν
13+14: γάρ	εἰ κατὰ *σάρκα* ζῆτε μέλλετε ἀποθνῄσκειν	εἰ δὲ *πνεύματι* τὰς πράξεις τοῦ σώματος θανατοῦτε ζήσεσθε οὗτοι υἱοὶ θεοῦ εἰσιν ὅσοι γὰρ *πνεύματι* θεοῦ ἄγονται
15: γάρ	οὐ ἐλάβετε *πνεῦμα δουλείας* πάλιν εἰς φόβον	ἀλλὰ ἐλάβετε *πνεῦμα* υἱοθεσίας ἐν ᾧ κράζομεν Αββα ὁ πατήρ
16:	*τῷ πνεύματι ἡμῶν* (2)	αὐτὸ τὸ *πνεῦμα* συμμαρτυρεῖ (1)
17: ὅτι	ἐσμὲν τέκνα θεοῦ εἰ δὲ τέκνα καὶ κληρονόμοι κληρονόμοι μὲν θεοῦ	συγκληρονόμοι δὲ Χριστοῦ εἴπερ συμπάσχομεν ἵνα καὶ συνδοξασθῶμεν

---

[21] Vgl. Blasss, Debrunner, Rehkopf: Grammatik des neutestamentlichen Griechisch, § 447, 2, Anm. 11.

[22] J.M. Scott: Adoption as sons of God, S. 242 meint zur Vorstellung von Jesus Christus als Sohn Gottes, dass möglicherweise schon bei der Benennung Jesu Christi als Sohn Gottes durch den Ausdruck τοῦ ὁρισθέντος υἱοῦ θεοῦ in Röm 1,4 für Christus selbst eine Adoption durch Gott vorausgesetzt sei, so dass er der erste Adoptierte wäre, dem dann die Glaubenden folgen würden.

[23] K. Haacker: Der Brief des Paulus an die Römer; ThHK 6, S. 159.

[24] Zur präsentischen Bedeutung der Adoption siehe J. M. Scott: Adoption as Sons of God, S. 259ff.

Die Erwartung der Glaubenden (8,18-30)

Der Abschnitt beschäftigt sich mit den Erwartungen, die sich aufgrund der jetzt geschehenen Befreiung von der desintegrierenden Existenz gemäß der σάρξ unter der Macht der Sünde zur Freiheit der Gotteskinder für die Glaubenden ergeben. Er wird wiederum mit einer Formulierung in der 1. Person Singular eingeleitet (λογίζομαι). Paulus bringt hier seine persönliche Überzeugung zum Ausdruck.

Nach Balz gliedert sich die Argumentation in eine These (V. 18), die durch drei konzentrisch aufgebaute Gedankengänge begründet wird:[1] Die V. 19-22 behandeln für ihn demnach die Sehnsucht der Schöpfung, die V. 23-25 das geduldige Hoffen der Glaubenden und die V. 26-27 das Wirken des Geistes, wobei jeweils die Behauptung (V. 19, 23, 26a), die Begründung (V. 20f, 24, 26,bc) und das Ergebnis (V. 22, 25, 27) aufeinander folgen. V. 28-30 enthält für ihn einen theologischen Schluss, der in Behauptung (V. 28a) und Begründung (V. 28b-30) gegliedert ist.

Legt man jedoch das in dieser Untersuchung durchgehend vorausgesetzte Kriterium der Verwendung der 1. Person als Strukturierungshilfe zugrunde, so ergibt sich eine etwas modifizierte Gliederung:

V. 18-21, eingeleitet durch λογίζομαι γὰρ ὅτι,

V. 22-27, eingeleitet durch οἴδαμεν γὰρ ὅτι, wobei die V. 26f durch ὡσαύτως δὲ καί deutlich abgesetzt sind,

V. 28-30, eingeleitet durch οἴδαμεν δὲ ὅτι.[2]

Der ganze Abschnitt ist davon geprägt, dass auf der einen Seite in menschlicher Sicht die Erfahrungen des Leidens (V. 18), der Vergänglichkeit (V. 19ff), des Stöhnens (V. 22f) und der Unkenntnis (V. 24-27) geschildert werden und diesen auf der anderen Seite in theologischer Perspektive eine zu erwartende Befreiung von dieser Situation gegenübergestellt wird.

In V. 18 wird zunächst eine für das folgende konstitutive, zeitliche Differenz zwischen der gegenwärtigen Zeit (ὁ νῦν καιρός), die durch Leiden geprägt ist und der eschatologisch verstandenen, zukünftigen Erwartung der Verherrlichung (ἡ μέλλουσα δόξα) gesetzt. Die Begriffe des Leidens und der Herrlichkeit wurden bereits in V. 17c durch das Mitleiden und mit verherrlicht Werden (συμπάσχομεν, συνδοξασθῶμεν) der Kinder Gottes mit Christus vorbereitet. Die Gegenwart der Glaubenden (νῦν), die in V. 1ff unter dem Aspekt der Befreiung erschien, wird nun im Hinblick auf deren Erfahrungen des Leidens entfaltet (vgl. auch Röm 5,3). Das adjektivisch gebrauchte νῦν in ὁ νῦν καιρός meint hier zwar auch die durch den Glauben ermöglichte Ex-istenz im „Jetzt"[3], diese ist aber verbunden mit der Erfahrung von Vergänglichkeit und Leid, der sich auch die Glaubenden nicht entziehen können. Das zu Beginn des Kapitels beschriebene Befreiungsgeschehen bedeutet zwar eine Befreiung von der Macht der Sünde und dem durch sie bewirkten „Gesetz" (7,21+8,2) der Selbstgespaltenheit und ermöglicht dadurch den Glaubenden In-Dividualität und ein neues Leben, damit ist jedoch nicht jegliche Erfahrung des Leids ausgeschlossen.

---

[1] Vgl. H. Balz: Heilsvertrauen und Welterfahrung. Strukturen der paulinischen Eschatologie nach Römer 8,18-39; (BevTh 59) München 1971, S. 36-123.

[2] Ähnlich auch S. Vollenweider: Freiheit als neue Schöpfung. Eine Untersuchung zur Eleutheria bei Paulus und in seiner Umwelt; (FRLANT 147) Göttingen 1989, S. 376, der aber keine Zäsur vor V. 26 setzt.

[3] Vgl. die Ausführungen zu 3,21ff.

V. 18a thematisiert demnach in menschlicher Sicht gegenwärtige Leidenserfahrungen, denen in V. 18b in theologischer Sicht eine eschatologische Erwartung entgegenstellt wird (πρὸς τὴν μέλλουσαν δόξαν κτλ.). Dabei ist, dem bereits oben zu 3,21 entfalteten Zeitverständnis entsprechend, kein auf einem Zeitstrahl lokalisierbares Geschehen gemeint – etwa die Befreiung der Schöpfung von der Vergänglichkeit an einem Tag in der Zukunft –, sondern das λογίζομαι unterstreicht eine subjektive Erwartung des Paulus, die von den gegenwärtigen Erfahrungen der Befreiung und des Leidens her geprägt ist. Dabei ist nicht explizit die Frage der Auferstehungshoffnung angesprochen, vielmehr ist die hier vorherrschende Frage die der endgültigen Durchsetzung der Kindschaft der Glaubenden, die schon in der Gegenwart als Realität erfahrbar ist. Das ἀποκαλυφθῆναι meint deshalb „die eschatologische erfahrbare Wirklichkeit dessen, was als Wahrheit schon jetzt feststeht [...] das Passiv ist also *passivum divinum*".[4]

Die These von V. 18 wird durch die folgenden Verse begründet.[5] Die V. 19-21 thematisieren zunächst, angeschlossen mit γάρ, das Verhältnis von Glaubenden und Schöpfung unter dem Aspekt der Vergänglichkeit. Bereits V. 19 verdeutlicht die Konzentration des Paulus auf die Frage nach dem einzelnen Menschen. Er argumentiert hier nicht kosmologisch und lokalisiert dann den Menschen innerhalb der Schöpfung, sondern die gesamte Schöpfung wird anthropologisch vom Menschen her gesehen. V. 19a benennt dementsprechend das sich Sehnen der Schöpfung (ἀποκαραδοκία = „mit vorgestrecktem Kopf erwarten"[6]) und V. 19b das Ziel dieser Erwartung, nämlich die Offenbarung der Gotteskinder. Die Erlösung der gesamten Schöpfung wird von den gläubigen Menschen ausgehend erwartet, es handelt sich damit um eine ausgesprochen anthropozentrische Sichtweise.[7] Diese Betonung des Zusammenhanges des Menschen mit der ihn umgebenden anderen Schöpfung greift offenbar wiederum auf Gen 3 zurück (vgl. V. 17f).[8] Das Grundproblem des Menschen besteht gemäß Röm 1,18ff gerade darin, dass er diese Vergänglichkeit der Schöpfung nicht wahrnimmt und sie mit Gott verwechselt.[9]

V. 20 bringt mit ματαιότης einen Begriff, der bereits in Röm 1,21 zur Charakterisierung der falschen Gesinnung der Menschen verwendet worden war (ἐματαιώθησαν). „Mataiotes denotes the futility of an object which does not function as it was designed to".[10] V. 20a beschreibt zunächst das Faktum der „Vergeblichkeit",[11] der Vergänglichkeit oder der „Nichtigkeit"[12] im Passiv (ὑπετάγη), während V. 20b in theologischer Perspektive betont, dass die Schöpfung von Gott unterworfen wurde. Die

---

[4] K. Haacker: Der Brief des Paulus an die Römer; ThHK 6, S. 163, Hervorhebung von Haacker.

[5] So S. Vollenweider: Freiheit als neue Schöpfung, S. 376.

[6] Vgl. K. Haacker: Der Brief des Paulus an die Römer; ThHK 6, S. 163f mit Bezug auf G. Nebe: Art. Hoffnung; in: ThBLNT[2] I (1997), S. 994.

[7] Siehe auch H. Hübner: Theologie des Neuen Testaments, Bd. 2; Göttingen 1993, S. 292.

[8] So J.D.G. Dunn: The Theology of Paul the Apostle, S. 100f: „The point to be underlined here is the solidarity of humankind with the rest of creation, of *adam* with the *adamah* from which *adam* was made." (Hervorhebungen von Dunn.)

[9] Zum Zusammenhang von Röm 1,18-32 mit 8,18-30, der sich besonders durch die Wiederaufnahme wichtiger Stichwörter zeigt, vgl. K. Haacker: Der Brief des Paulus an die Römer; ThHK 6, S. 162 mit Bezug auf J.D.G. Dunn.

[10] J.D.G. Dunn: The Theology of Paul the Apostle, S. 100.

[11] So K. Haacker: Der Brief des Paulus an die Römer; ThHK 6, S. 160

[12] So U. Wilckens: Der Brief an die Römer; EKK VI, 2, S. 146.

Formulierung διὰ τὸν ὑποτάξαντα meint nicht den Menschen,[13] sondern Gott .[14] Das adversative ἀλλά markiert den Beginn der theologischen Sichtweise, die hervorhebt, dass die Schöpfung nicht selbst die Vergänglichkeit gewollt hat, sondern durch Gott vergänglich geworden ist. Das hinzugefügte ἐφ᾽ ἐλπίδι weist auf die nachfolgenden Verse hin, die von der Überwindung der Vergänglichkeit sprechen.

V. 21 setzt den in V. 19 aufgezeigten Zusammenhang zwischen der Schöpfung und den Kindern Gottes fort. Paulus nimmt hier den zentralen Begriff ἐλευθερόω aus V. 2 in doppelter Hinsicht wieder auf. „Einerseits spricht Paulus von der Befreiung der Schöpfung. Andererseits erwähnt er die Freiheit der Kinder Gottes."[15] V. 21a knüpft zunächst erneut in menschlicher Sicht bei der Erfahrung der Vergänglichkeit aller geschaffenen Dinge an. Der Begriff φθορά benennt bei Paulus durchgehend die Vergänglichkeit[16] und steht insofern parallel zu ματαιότης. Dem wird V. 21b in theologischer Sicht, beginnen mit εἰς, die ebenfalls zu erwartende Freiheit der Gotteskinder entgegengestellt. Diejenigen, die „in" Christus sind, haben nach V. 2 bereits die Befreiung vom Tod erfahren. Dass jedoch die endgültige Durchsetzung dieser Freiheit noch erwartet werden muss, zeigt der Begriff der δόξα, der in V. 18 in eschatologischem Sinne eingeführt worden war.[17] Diese eschatologische Hoffnung (ἐλευθερωθήσεται, im Futur) auf Befreiung hat nach V. 21 auch die Schöpfung. Dementsprechend wartet sie auch darauf, dass sie an sich selbst die gleiche Befreiung von der Vergänglichkeit und der Macht des Todes erfahren kann, die bereits an den Glaubenden geschehen ist und endgültig geschehen wird.

Die V. 22-24 verwenden zur Verdeutlichung dieser Erwartung die Metaphorik der Geburt und knüpfen damit zugleich an die der Kindschaft und Adoption aus V. 12ff an (υἱοθεσία, V. 15 und 23, τέκνον V. 16 und 21, υἱός V. 14 und 19). Die Sehnsucht der Schöpfung und der Glaubenden nach endgültiger Befreiung von der Vergänglichkeit werden als Geburtswehen dargestellt, denen die Geburt folgen wird (συστενάζω, συνωδίνω).[18] V. 22 markiert dabei mit οἴδαμεν γάρ einen Neuansatz. Die Schöpfung stöhnt und liegt in Wehen. Das ἄχρι τοῦ νῦν ist parallel zu ὁ νῦν καιρός in V. 18 formuliert. Das „Jetzt" der Rechtfertigung hebt die Erfahrung von Leiden nicht auf, sondern konstituiert die eschatologische Erwartung auf die endgültige Befreiung (V. 23b). Gemeint ist mit νῦν also nicht der eschatologische Heilsmoment,[19] sondern „diese Zeit"[20], in der die gesamte Schöpfung und mit ihr die Glaubenden leiden. Das Seufzen und in Wehen-Liegen ist im „Jetzt" aber von der Hoffnung geprägt, dass die endgültige

---

[13] Gegen H. Hübner: Theologie des Neuen Testaments, S. 292: „Die gesamte Schöpfung, πᾶσα ἡ κτίσις, (V.22) ist durch den Menschen in arge Mitleidenschaft gezogen, nämlich der Nichtigkeit, ματαιότης, (V.20) unterworfen."

[14] Man hat den Ausdruck immer wieder auch gern auf Adam bezogen, jedoch überwiegen die Argumente für die theologische Deutung. Vgl. U. Wilckens: Der Brief an die Römer; EKK VI,2, S. 154.

[15] F. S. Jones: „Freiheit" in den Briefen des Apostels Paulus, S. 131.

[16] Vgl. Jones, a.a.O., S. 132.

[17] Vgl. S. Vollenweider: Freiheit als neue Schöpfung, S. 385 und Jones, a.a.O., S. 132.

[18] Die Lesart ὀδύνει, der die revidierte Lutherübersetzung von 1984 folgt, ist zu schwach bezeugt (F G a) und verlässt die Geburtsmetapher. Sie ist deshalb sicherlich nicht ursprünglich. Vgl. auch K. Haacker: Der Brief des Paulus an die Römer; ThHK 6, S. 161.

[19] Gegen C.K. Barrett: The Epistle to the Romans; BNTC, S. 156. Er übersetzt folgendermaßen: „For we know that the whole creation with one consent groans and travails up to this moment (the decisive moment, when God's purposes are fulfilled [...])".

[20] So U. Wilckens: Der Brief an die Römer; EKK VI, 2, S. 156. Siehe auch K. Haacker: Der Brief des Paulus an die Römer; ThHK 6, S. 160: „bis zum heutigen Tag".

Errettung von der Vergänglichkeit geschehen wird (ἐφ' ἐλπίδι, V. 20, vgl. τῇ ἐλπίδι ἐσώθημεν, V. 24).

Parallel dazu wird in V. 23a, verbunden mit οὐ μόνον δέ ἀλλὰ καί die Sehnsucht der Glaubenden beschrieben. Charakteristisch für das paulinische Interesse am Selbstverhältnis des einzelnen Glaubenden ist wiederum die selbstreflexive Verstärkung des Seufzens: ἡμεῖς καὶ αὐτοὶ ἐν ἑαυτοῖς στενάζομεν. Es geht um eine auf sich selbst bezogene Haltung des Glaubenden, der zwar in sich selbst schon die Gegenwart des göttlichen Geistes glauben und erleben kann (τὴν ἀπαρχὴν τοῦ πνεύματος ἔχοντες, vgl. V. 15), der aber zugleich an sich selbst die Sehnsucht auf eine endgültige Befreiung von Leid und Vergänglichkeit verspürt.

Die Metapher der Geburt wird in V. 23b in eine theologische Perspektive gestellt: die Geburt, die erwartet wird, macht die Glaubenden zu Kindern Gottes (υἱοθεσίαν ἀπεκδεχόμενοι).[21] Die Loslösung des Leibes (ἀπολύτρωσις τοῦ σώματος ἡμῶν) wird offenbar als Abnabelung des noch der Vergänglichkeit unterworfenen σῶμα von der Vergänglichkeit vorgestellt.[22] Es handelt sich bei der eschatologischen Befreiung nicht um eine Loslösung der Glaubenden von ihrem Leib, sondern um eine Befreiung ihres Leibes von der Vergänglichkeit. Die gewählte Metaphorik hat hier wiederum den Sinn, ein Befreiungsgeschehen zum Ausdruck zu bringen (ἀπολύω).[23] Die Erwartung, die Paulus damit zum Ausdruck bringt, ist nicht, dass die Seele oder das Innere des Menschen von seinem vergänglichen Leib oder Äußerem befreit wird, sondern dass er in seiner Ganzheit, individuell, das heißt ungeteilt, also auch mit seiner Leiblichkeit, erlöst wird.[24]

V. 24a nimmt, an das Vorhergehende mit γάρ angeschlossen, aus V. 20 das Motiv der Hoffnung wieder auf. Dieser eschatologisch begründeten Hoffnung (τῇ ἐλπίδι ἐσώθημεν), die in V. 21-23 beschrieben worden war, wird in V. 24b eine menschliche Sicht gegenübergestellt, die sich nur an dem orientiert, was sie sehen kann (ἐλπὶς δὲ βλεπομένη οὐκ ἔστιν ἐλπίς).

V. 24c und 25 bilden, angeschlossen mit γάρ, eine weitere Gegenüberstellung, die das zuvor Gesagte weiter entfaltet. Die Formulierung in V. 24c ist textkritisch unklar. Von den Textzeugen werden sechs verschiedene Versionen angeboten.[25] Die Ersetzung von ἐλπίζει durch ὑπομενένει (vgl. V. 25) findet sich nur vereinzelt, wenn auch bei frühen und hochwertigen Zeugen (א* A 1739[mg] u.a). Die anderen vier Varianten mit ἐλπίζει setzen jedoch den Gedankengang sinnvoll fort. „Denn in der These V24a, die in V24b.25 expliziert wird, geht es um das Wesen der Hoffnung: sie hat mit Sehenkönnen nichts zu tun".[26] Von diesen vier Versionen ist die im Text von Nestle-Aland gebotene vorzuziehen, weil sie die kürzeste Lesart bietet und qualitativ gut bezeugt ist (u.a. P[46] B). Die Formulierung bezeichnet demnach wie bereits die

---

[21] Der Begriff der υἱοθεσία ist damit hier nicht, wie noch in V. 15, im Sinne von Adoption gebraucht.

[22] Siehe auch J.D.G. Dunn: The Theology of Paul the Apostle, S. 71f. Vgl. zur Erwartung der somatischen Auferstehung die Formulierung I Kor 15,44: σπείρεται σῶμα ψυχικόν ἐγείρεται σῶμα πνευματικόν.

[23] Der Begriff der ἀπολύτρωσις impliziert darüber hinaus wiederum die Metapher eines Gefangenen, der losgekauft wird.

[24] So auch H. D. Betz: The Concept of the ‚Inner Human Being‘ (ὁ ἔσω ἄνθρωπος) in the Anthropology of Paul, in: NTS 46 (2000), S. 315-341, dort S. 339: „They (sc. the Christians) will appear with their bodies (σώματα) transformed [...] and as complete persons."

[25] Vgl. U. Wilckens: Der Brief an die Römer; EKK VI, 2, S. 159.

[26] Wilckens, ebd.

unmittelbar vorhergehende eine einseitige menschliche Gesinnung, die nur glaubt, was sie sieht. Dem wird in V. 25, angeschlossen mit εἰ δέ, wiederum die von der Hoffnung geprägte theologische Sicht entgegengesetzt, die sich an dem orientiert, was man (noch) nicht sehen kann und die dabei geduldig bleibt (δι' ὑπομονῆς ἀπεκδεχόμεθα). V. 26a signalisiert mit ὡσαύτως δὲ καί wiederum einen Neuansatz. Dabei bleibt aber unklar, worauf sich diese Worte beziehen.[27] Ein gewisser Bezug mit dem Vorherigen ergibt sich zum einen durch das „Stöhnen" (στεναγμός), das nun mit der Thematik des Gebetes verbunden wird. Zum anderen setzt der Ausdruck τῇ ἀσθενείᾳ ἡμῶν sinngemäß den Gedanken des Leidens der Schöpfung und der Gotteskinder an der Vergänglichkeit fort. Dieser menschlichen Erfahrung der Schwäche wird in V. 26a in theologischer Perspektive die Hilfe des Geistes gegenübergestellt, wobei an das in V. 12-17 und V. 23 Gesagte angeknüpft wird. Ohne Zweifel ist hier nicht der menschliche, sondern der göttliche Geist gemeint. Nachdem die Glaubenden insofern aus der ganzen Schöpfung herausgehoben wurden, als sie die Anfangsgabe (ἀπαρχή) des Geistes haben, betonen 8,26f wiederum die Übereinstimmung von göttlichem und menschlichem Geist. Diese wird in V. 26a zunächst dadurch erläutert, dass der Geist den "Wir" hilft (τὸ πνεῦμα συναντιλαμβάνεται).

Das wird in V. 26b, verbunden mit γάρ, durch ein Beispiel ausgeführt: das Gebet (προσεύχομαι). „Das Problem mit dem Beten sieht Paulus in einer Ratlosigkeit, was den angemessenen (καθὸ δεῖ) Inhalt eines Gebets betrifft."[28] Paulus knüpft dabei offenbar an ganz gewöhnliche menschliche Gebetserfahrungen an.[29] V. 26c wird demgegenüber in theologischer Perspektive erläutert, worin die Hilfe des Geistes beim Beten besteht: er tritt mit Seufzen bzw. Stöhnen ein (ὑπερεντυγχάνει). Der Ausdruck στεναγμοῖς ἀλαλήτοις meint kein stummes Stöhnen oder „wortloses Seufzen",[30] sondern ein „Stöhnen in Worten, die uns selbst unverständlich und darum unaussprechlich sind"[31] (vgl. II Kor 12,4: ἄρρητα ῥήματα). Es geht dabei nicht um Glossolalie, die von Paulus eher negativ beurteilt wird, wenn sie für andere unverständlich bleibt (vgl. I Kor 14), sondern aus theologischer Sicht offenbar um ein Kommunikationsgeschehen zwischen dem Geist selbst und Gott.

Die Gegenüberstellung von Gottes Geist und dem Geist des Menschen in V. 27 (ὁ δέ = αὐτὸ τό πνεῦμα und τὸ φρόνημα τοῦ πνεύματος) führt die von αὐτὸ τό πνεῦμα und τὸ πνεῦμα ὑμῶν aus V. 16 fort. Der göttliche Geist kennt die innersten Vorgänge des Glaubenden, er kann deshalb für den Menschen eintreten und die eigentlichen Anliegen des einzelnen vor Gott bringen (ὅτι κατὰ θεὸν ἐντυγχάνει, vgl. V. 26b). Der anthropologisch zentrale Begriff καρδία zeigt, dass es im Innersten des einzelnen Menschen einen Berührungspunkt zwischen göttlichem und menschlichem Geist gibt (vgl. auch Röm 2,15 und 29).[32]

---

[27] So auch K. Haacker: Der Brief des Paulus an die Römer; ThHK 6, S. 166.

[28] Haacker, ebd.

[29] Haacker nennt a.a.O., S. 166f zu diesem Problem zahlreiche Belege aus der römischen, griechischen und jüdischen Literatur.

[30] Gegen Haacker, a.a.O., S. 168.

[31] U. Wilckens: Der Brief an die Römer; EKK VI, 2, S. 161. Vgl. auch E. Käsemann: An die Römer; HNT 8a, S. 230.

[32] Vgl. J. Behm: Artikel καρδία κτλ.; in: ThWNT, Bd. 3, S. 609-616, dort S. 615: „So ist das Herz vor allen Dingen die eine zentrale Stelle im Menschen, an die Gott sich wendet, in der das religiöse Leben wurzelt".

Die V. 28-30 bilden, wiederum eingeleitet mit οἴδαμεν, das Ende des Abschnittes V. 18ff und bieten zugleich durch Begriffe wie κλητοί, πρόθεσις, προγινώσκω, προορίζω, καλέω, δικαιόω und δοξάζω einen kurzen Vorausblick auf die Kap. 9-11. Das ist zugleich ein deutlicher Hinweis darauf, dass Kap. 8 und 9ff nicht, wie meist angenommen, zwei grundsätzlich verschiedene Thematiken behandeln, sondern dass insgesamt eine stringente Argumentation vorliegt. Die Verse bilden außerdem den Übergang zu V. 31-39. Sie „bereiten den folgenden Abschnitt bereits vor, indem sie in doxologischen Formulierungen vom Heilshandeln Gottes reden."[33]

V. 28 stellt, angeschlossen mit δέ, die These auf, dass den Gott Liebenden[34] alles zum Guten verhelfe (συνεργεῖ). Dies geschieht auf den Hintergrund der V. 18ff entfalteten Sicht, welche Erfahrungen des Leids, der Vergänglichkeit und der Schwachheit in die Perspektive der Hoffnung und der Hilfe des Geistes stellen kann. Diese starke Behauptung ist in einigen wichtigen Handschriften Anlass zur Korrektur gewesen. Die darin ausgedrückte Souveränität und Sicherheit der Glaubenden gegenüber den Unwägbarkeiten des Lebens wurden dahingehend abgeschwächt, dass Gott selbst in allen Situationen für die Glaubenden das Gute bewirke (συνεργεῖ ὁ θεός, P^{46}, A, B, 81 u.a.). V. 28 ist zunächst aus menschlicher Sicht gemeint und drückt eine Zuversicht aus, für die sich auch außerbiblische Belege anführen lassen.[35]

V. 29 begründet diese Zuversicht in theologischer Perspektive, parallel zu V. 27b angeschlossen mit ὅτι. Es dominiert dabei die Vorsilbe προ. Die πρόθεσις Gottes aus V. 28 wird durch das προέγνω und das προώρισεν weitergeführt. Damit wird in Anknüpfung an die eschatologische Sicht der vorhergehenden Verse eine zeitlich nach hinten gerichtete Perspektive entwickelt.[36] Nachdem bereits zur Beschreibung der Gotteskindschaft der Glaubenden V. 15-17 die Metapher der Adoption und V. 22 und 23 die der Geburt Verwendung fand, werden die Glaubenden hier mit Geschwistern verglichen, die dem erstgeborenen Sohn (πρωτότοκος ἐν πολλοῖς ἀδελφοῖς) ähnlich sind (σύμμορφος). Gegenüber einem Verständnis des Menschen als gemäß dem Bilde Gottes Geschaffenem (Gen 1,27 LXX: καὶ ἐποίησεν ὁ θεὸς τὸν ἄνθρωπον, κατ' εἰκόνα θεοῦ ἐποίησεν αὐτόν)[37] sieht Paulus hier Christus als „Urbild" der Glaubenden.[38] Im Anschluss an die Argumentation 5,12ff ist für die Glaubenden also charakteristisch, dass sie sich nicht, wie Adam, von ihrer Ähnlichkeit (oder in eingeführter theologischer Terminologie: ihrer Ebenbildlichkeit) mit Gott her definieren, sondern durch ihre im Glauben begründete Ähnlichkeit mit Christus. Der Mensch ist also nicht mehr nur aufgrund seiner Geschöpflichkeit Gott in irgendeiner Weise ähnlich, sondern die Ebenbildlichkeit des Menschen mit Gott ergibt sich vor allem dadurch, dass der glaubende Mensch Christus, Gottes Sohn, gleichgestaltet wird (προώρισεν συμμόρφους

---

[33] Vgl. H. Balz: Heilsvertrauen und Welterfahrung, S.34.

[34] Von der Liebe der Menschen zu Gott spricht Paulus im Röm nur hier.

[35] Vgl. dazu die Hinweise bei K. Haacker: Der Brief des Paulus an die Römer; ThHK 6, S. 169, z.B. Platons Politeia (613/A): "daß ihm (sc. dem gerechten Manne) diese scheinbaren Übel endlich doch zu irgendeinem Gut ausschlagen werden". (Übersetzung nach W. Wiegand); oder ebd., Anm. 51: Platons Apologie des Sokrates (41 C/D). Dort sagt er zu den Richtern, "daß es für den guten Mann kein Übel gibt, weder im Leben noch im Tod". (Übersetzung nach F. D. Schleiermacher)

[36] Vgl. Haacker, ebd.

[37] Gegen H. Balz: Heilsvertrauen und Welterfahrung, S. 112, der einen Bezug auf das Alte Testament ablehnt.

[38] So auch K. Haacker: Der Brief des Paulus an die Römer; ThHK 6, S. 169; anders U. Wilckens: Der Brief an die Römer; EKK VI, 2, S. 163: „Christus ist das Bild Gottes".

τῆς εἰκόνος τοῦ υἱοῦ αὐτοῦ).[39] Der Mensch ist dadurch mittelbar Ebenbild Gottes und erfüllt (wieder) seine in Gen 1 zum Ausdruck gebrachte Bestimmung, dass er Christus ähnlich wird, welcher ja selbst Gottes Sohn ist (vgl. Röm 1,3f). Diese Orientierung der Glaubenden an Christus entspricht wiederum der Alternative von Röm 5,12ff einer Existenz gemäß Adam oder gemäß Christus. Am Ende des Abschnittes konzentriert sich also die Argumentation erneut auf den einzelnen Menschen und Gottessohn Jesus Christus. Durch die Ähnlichkeit mit diesem Christus können dann die Glaubenden als Geschwister Christi und damit als Kinder Gottes bezeichnet werden.

In V. 30 handelt es sich formal um eine Katene, bei der das letzte Glied des vorhergehenden Begriffspaares als erstes des folgenden fungiert. Die Katene hat die Funktion, die Verbindung von dem „vorher Erkennen" bis zur „Verherrlichung" und damit zur Gleichgestaltung zu schaffen. Sie beendet den Abschnitt und hat – analog zu den sonst häufig einen Abschnitt abschließenden alttestamentlichen Zitaten, Doxologien oder christologischen Formeln – formal nicht die sonstige Doppelstruktur. Bemerkenswert ist hier die Aneinanderreihung von Aoristen, die die Faktizität des Heilsgeschehens betonen, von der aus die in diesem Abschnitt zum Ausdruck gebrachten Erwartungen erst möglich werden (vgl. oben die Ausführungen zum νυνί in Röm 3,21). „Gott *hat* den Seinen das Heil zugewendet; was noch aussteht, ist die endgültige Aufhebung der Dialektik von Leiden und Herrlichkeit."[40] Die in der Katene aufgeführten Begriffe und die Thematik der souveränen Vorherbestimmung Gottes leiten zur Problematik in Kap. 9-11 über. Das ἐδόξασεν schließt den Abschnitt ab und bildet damit zusammen mit der δόξα aus V. 18 eine Klammer.

Die Verse Röm 8,18-30 lassen sich damit wie folgt strukturieren:

18: Λογίζομαι γὰρ ὅτι	οὐκ ἄξια τὰ παθήματα τοῦ νῦν καιροῦ	πρὸς τὴν μέλλουσαν δόξαν ἀποκαλυφθῆναι εἰς ἡμᾶς
19: γὰρ	ἡ ἀποκαραδοκία τῆς κτίσεως	τὴν ἀποκάλυψιν τῶν υἱῶν τοῦ θεοῦ ἀπεκδέχεται
20: γὰρ	τῇ ματαιότητι ἡ κτίσις ὑπετάγη οὐχ ἑκοῦσα	ἀλλὰ διὰ τὸν ὑποτάξαντα ἐφ' ἑλπίδι
21: ὅτι καὶ	αὐτὴ ἡ κτίσις ἐλευθερωθήσεται ἀπὸ τῆς δουλείας τῆς φθορᾶς	εἰς τὴν ἐλευθερίαν τῆς δόξης τῶν τέκνων τοῦ θεοῦ
22+23: οἴδαμεν γὰρ ὅτι	πᾶσα ἡ κτίσις συστενάζει καὶ συνωδίνει ἄχρι τοῦ νῦν οὐ μόνον δὲ ἀλλὰ καὶ αὐτοὶ τὴν ἀπαρχὴν τοῦ πνεύματος ἔχοντες ἡμεῖς καὶ αὐτοὶ ἐν ἑαυτοῖς στενάζομεν	υἱοθεσίαν ἀπεκδεχόμενοι τὴν ἀπολύτρωσιν τοῦ σώματος ἡμῶν
24a+b: γὰρ	ἐλπὶς δὲ βλεπομένη οὐκ ἔστιν ἐλπίς (2)	τῇ ἐλπίδι ἐσώθημεν (1)
24c+25: γὰρ	ὃ βλέπει τίς ἐλπίζει;	εἰ δὲ ὃ οὐ βλέπομεν ἐλπίζομεν δι' ὑπομονῆς ἀπεκδεχόμεθα

---

[39] H. Balz bemerkt dazu: „nun wird Gott nicht mehr durch den Menschen, die Weisheit oder den Logos repräsentiert, sondern durch den geschichtlichen Christus." (Ders.: Heilsvertrauen und Welterfahrung, S. 112)

[40] Balz, a.a.O., S. 114, Hervorhebung von Balz.

26: Ὡσαύτως δὲ καὶ	τῇ ἀσθενείᾳ ἡμῶν (2)	τὸ πνεῦμα συναντιλαμβάνεται (1)
γὰρ	τὸ τί προσευξώμεθα καθὸ δεῖ οὐκ οἴδαμεν	ἀλλὰ αὐτὸ τὸ πνεῦμα ὑπερεντυγχάνει στεναγμοῖς ἀλαλήτοις
27: δέ	ὁ ἐραυνῶν τὰς καρδίας οἶδεν τί τὸ φρόνημα τοῦ πνεύματος	ὅτι κατὰ θεὸν ἐντυγχάνει ὑπὲρ ἁγίων
28+29: οἴδαμεν δὲ ὅτι	τοῖς ἀγαπῶσιν τὸν θεὸν πάντα συνεργεῖ εἰς ἀγαθόν τοῖς κατὰ πρόθεσιν κλητοῖς οὖσιν	ὅτι οὓς προέγνω καὶ προώρισεν συμμόρφους τῆς εἰκόνος τοῦ υἱοῦ αὐτοῦ εἰς τὸ εἶναι αὐτὸν πρωτότοκον ἐν πολλοῖς ἀδελφοῖς

30: οὓς δὲ προώρισεν τούτους καὶ ἐκάλεσεν καὶ οὓς ἐκάλεσεν τούτους καὶ ἐδικαίωσεν οὓς δὲ ἐδικαίωσεν τούτους καὶ ἐδόξασεν. (Katene zum Abschluss des Abschnittes ohne Doppelstruktur)

Die Untrennbarkeit von der Liebe Gottes (8,31-39)

Mit einer ausführlichen rhetorischen Eingangsformel, die wiederum in der 1. Pers. Plural formuliert ist, beginnt Paulus in V. 31a den Schlussteil des Kapitels (τί οὖν ἐροῦμεν πρὸς ταῦτα;), der mit einem persönlichen Bekenntnis des Paulus V. 38f (πέπεισμαι) abgeschlossen wird. Hier geht es zum einen von V. 18-30 her darum, die Ausführungen über die gegenwärtige Hoffnung der Glaubenden weiterzuführen. Zum anderen schließt der Abschnitt zugleich eine längere Argumentation ab. Die – außer in Röm 14,7f – letzte Verwendung der leitenden Gegenüberstellung θάνατος – ζωή in V. 38, die in Röm 5,10 eingeführt worden war, spricht dafür, dass damit zugleich der größere Zusammenhang von Kap. 5-8 zu seinem Abschluss kommt.[1] Darüber hinaus wurde jedoch die neue Existenz ohne Werke und aus Glauben, die die Argumentation in Kap. 5-8 an den beiden alternativen Existenzweisen gemäß Adam und Christus entfaltet, bereits in Röm 3,18ff entwickelt, so dass Röm 8,31-39 im Grunde den Gedankengang seit Röm 3,18ff zu Ende führt.[2] Es geht jedoch etwas zu weit, wenn man die V. 31-39 als Ende des gesamten Abschnittes Röm 1,16ff sieht.[3] Dies suggeriert eine Teilung des Briefes in Kap. 1-8; 9-11; 12ff, die der Geschlossenheit und Einheitlichkeit der Gesamtargumentation nicht gerecht wird. Dass die Verse nicht nur einen größeren Abschnitt abschließen, sondern auch zum nächsten größeren Kap. 9-11 überleiten, zeigt sich formal schon daran, dass die in Röm 8,38 begonnene, sehr persönliche Rede des Paulus in der 1. Person Singular in 9,1ff fortgesetzt wird.

Der Abschnitt ist in verschiedener Weise strukturiert worden. Nach der Einleitung in V. 31a gliedert H. Balz in zwei Teile: V. 31b-34 behandele die vollgültige Rechtfertigung und 35-39 die vollgültige Verherrlichung.[4] J. Weiß nimmt vier Strophen an (V. 31b-32; 33f; 35f; 37-39).[5] E. Gaugler hat vorgeschlagen, den Aufbau an Jes 50,4ff zu orientieren.[6] Andere meinen, dass nach der rhetorischen Frage in V. 31a die Protasis der These von V. 31b („wenn Gott für uns ist") in V. 32 und die Apodosis („wer kann gegen uns sein?") in V. 33f entfaltet wird und dass den V. 35-39 ein ähnlicher Abschnitt folge, in dem es um die Untrennbarkeit der Glaubenden von der Liebe Christi gehe.[7]

Nachdem in 8,1-11 die Befreiung des Ich zu einer neuen Existenz „in Christus Jesus" begründet und anschließend in 8,12-30 die Freiheit der Kinder Gottes weiter entfaltet wurde und diese Befreiung durch die Metaphern der Adoption, der neuen Geburt und der Ähnlichkeit mit dem erstgeborenen Bruder verdeutlicht wurde, ergibt sich für Paulus abschließend die Frage, wie oder durch wen diese Freiheit gefährdet werden kann. Die Struktur des Abschnittes ist deshalb durch vier jeweils mit τίς (V. 31b, 33, 34, 35) eingeleitete Fragen bestimmt: Wer ist gegen uns? Wer kann die

---

[1] So auch z.B. unter anderen E. Käsemann: An die Römer; HNT 8a, S. 238.
[2] So z.B. U. Wilckens: Der Brief an die Römer; EKK VI, 1, S. 19. Wilckens lässt jedoch dabei den Abschnitt erst in Röm 3,21 beginnen.
[3] So z.B. C.E.B. Cranfield: The Epistle to the Romans; ICC, vol. 1, S. 434, der jedoch diese These sofort relativiert: „The words ‚God is for us' in V. 31b are a concise summary not only of vv. 28-30 but also of 1.16b-8.30 (or, at least, of 3,21-8,30)."
[4] H. Balz: Heilsvertrauen und Welterfahrung, S. 118.
[5] J. Weiß: Beiträge zur paulinischen Rhetorik, S. 33.
[6] E. Gaugler: Der Römerbrief I, Prophezei (1945, Nachdruck 1958), S. 347f.
[7] So z.B. U. Wilckens: Der Brief an die Römer; EKK VI, 2, 1. 170f und P. Stuhlmacher: Der Brief an die Römer; NTD 6, S. 126.

Auserwählten Gottes anklagen? Wer kann verurteilen? Wer kann uns von der Liebe Christi trennen? Die Antwort auf alle vier Fragen wird durch rhetorische Fragen gegeben.[8] In V. 36f schließt sich ein Schriftzitat und seine Interpretation an und in V. 38f ein abschließendes persönliches Bekenntnis des Paulus. Dadurch ergeben sich in diesem Abschnitt sechs kleinere Teile, die wiederum Gegenüberstellungen bilden. Auf der ersten Seite derselben wird dabei zunächst in geläufiger menschlicher Sicht eine Gerichtsszene vorgestellt, die dann auf der zweiten Seite der Gegenüberstellung jeweils in eine spezifisch theologische bzw. christologische Perspektive gestellt und von dorther interpretiert wird. Die Grundaussage ist dabei, dass eine Verurteilung der Glaubenden und damit ein Entzug der zugesprochenen Freiheit nicht geschieht.

Die erste Frage $\epsilon\dot{\iota}$ $\dot{o}$ $\theta\epsilon\dot{o}\varsigma$ $\dot{\upsilon}\pi\dot{\epsilon}\rho$ $\dot{\eta}\mu\hat{\omega}\nu$ $\tau\dot{\iota}\varsigma$ $\kappa\alpha\theta$' $\dot{\eta}\mu\hat{\omega}\nu$; (V. 31b) setzt zunächst in menschlicher Sicht eine Konfliktsituation voraus, die – wie die folgenden Verse zeigen – vor Gericht entschieden werden muss. Es ist also insgesamt in den nächsten Versen eine juridische Metaphorik vorausgesetzt. V. 32 antwortet darauf mit einer rhetorischen Frage aus theologischer Sicht, dass ein solcher Konflikt zwischen Gott und den Glaubenden nicht mehr gegeben ist. Gott wird also mit den Glaubenden nicht zu Gericht gehen. Er habe sogar[9] „für uns alle" seinen Sohn hingegeben (vgl. Röm 4,25[10] und Jes 53,6+12).[11] Die Aussage bezieht sich offenbar auch auf Röm 3,25, wo die Rechtfertigung der Glaubenden durch die Setzung Christi als $\dot{\iota}\lambda\alpha\sigma\tau\dot{\eta}\rho\iota\sigma\nu$ begründet worden war, was alle weiteren Opfer überflüssig macht. Die Formulierung $\tau\sigma\hat{\upsilon}$ $\dot{\iota}\delta\dot{\iota}\sigma\upsilon$ $\upsilon\dot{\iota}\sigma\hat{\upsilon}$ $\sigma\dot{\upsilon}\kappa$ $\dot{\epsilon}\phi\dot{\epsilon}\iota\sigma\alpha\tau\sigma$ findet sich bereits in Gen 22, 12 und 16 bei der versuchten Opferung Isaaks,[12] ein Text, der in Röm 4 bei der Beschreibung des Glaubens Abrahams explizit nicht herangezogen worden war. Hier wird dadurch hervorgehoben, dass Gott selbst das Subjekt des Geschehens ist.[13] Der Ausdruck $\sigma\dot{\upsilon}\nu$ $\alpha\dot{\upsilon}\tau\hat{\omega}$ $\tau\dot{\alpha}$ $\pi\dot{\alpha}\nu\tau\alpha$ $\dot{\eta}\mu\hat{\iota}\nu$ $\chi\alpha\rho\dot{\iota}\sigma\epsilon\tau\alpha\iota$ unterstreicht, dass das Verhältnis der Glaubenden zu Gott nun nicht mehr durch Konfrontation gekennzeichnet ist und dass den Glaubenden das Heil als Geschenk zuteil wird. Möglicherweise wird damit auch an die Metapher der Miterben Christi aus V. 17 angeknüpft: Die Glaubenden werden mit Christus alles erben.[14]

Die zweite Frage $\tau\dot{\iota}\varsigma$ $\dot{\epsilon}\gamma\kappa\alpha\lambda\dot{\epsilon}\sigma\epsilon\iota$; (V. 33a) bedient sich zunächst der geläufigen Vorstellung des Gerichts (vgl. Röm 2,6ff und die Erläuterungen dazu). Das Futur $\dot{\epsilon}\gamma\kappa\alpha\lambda\dot{\epsilon}\sigma\epsilon\iota$ als juristischer terminus technicus für das Erheben einer Anklage ist modal[15] und nicht auf die Zukunft bezogen gemeint. In menschlicher Sicht wird also zunächst wiederum ein Konflikt vorausgesetzt und gefragt, wer die Auserwählten Gottes[16] vor

---

[8] Es ergeben sich, je nachdem, ob man die Antworten auf die Fragen wiederum als Fragen oder als Aussagen auffasst, sehr verschiedene Bedeutungen. Vgl. dazu C.K. Barrett: A Commentary on the Epistle to the Romans; BNTC 7, S. 160ff.

[9] Das $\gamma\epsilon$ ist hier an einer der wenigen Stellen im NT ohne andere Partikel gebraucht und meint etwa „doch sogar" (vgl. Blass, Debrunner, Rehkopf: Grammatik des neutestamentlichen Griechisch, § 439,4).

[10] Auf diese Beziehung weist H. Balz: Heilsvertrauen und Welterfahrung, S. 118 hin.

[11] Vgl. H. Hübner (Hrsg.): Vetus Testamentum in Novo, Bd. 2, S. 138.

[12] Vgl. K. Haacker: Der Brief des Paulus an die Römer; ThHK 6, S. 174; U. Wilckens: Der Brief an die Römer; EKK VI, 2, S. 173.

[13] Vgl. Haacker, ebd.

[14] So U. Wilckens: Der Brief an die Römer; EKK VI, 2, S. 173.

[15] So auch W. Haubeck, H. von Siebenthal: Neuer sprachlicher Schlüssel zum griechischen Neuen Testament, Bd. 2, S. 27.

[16] Dazu H. Balz: Heilsvertrauen und Welterfahrung, S. 119: „Mit $\dot{\epsilon}\kappa\lambda\epsilon\kappa\tau\sigma\dot{\iota}$ und $\delta\iota\kappa\alpha\iota\hat{\omega}\nu$ werden die Erwählungsaussagen der Verse 28-30 wieder aufgegriffen".

Gericht verklagen kann. Dem wird V. 33b in theologischer Perspektive entgegengehalten, dass Gott nicht als Kläger fungieren kann. Die Formulierung θεὸς ὁ δικαιῶν ist als rhetorische Frage zu verstehen:[17] Gott kommt, metaphorisch gesprochen, nicht als Kläger infrage, weil er als Richter fungiert und als solcher die Glaubenden freispricht, wobei aus 8,1f und 30 (vgl. auch 5,1) deutlich wurde, dass der Freispruch durch Gott schon geschehen ist. Das δικαιοῦν meint also in der hier vorliegenden juridischen Metaphorik wiederum den Zuspruch der Freiheit (vgl. oben die grundsätzlichen Ausführungen zu 1,16f). Es gibt deshalb in theologischer Perspektive keinen mehr, der den von Gott frei Gesprochenen ihre Freiheit bestreiten könnte.

Die dritte Frage τίς ὁ κατακρινῶν; (V. 34a) spricht wieder in geläufiger Sicht die Rolle des verurteilenden Richters an. Diese Frage wird nun aus einer spezifisch christologischen Sicht erneut mit einer rhetorischen Frage beantwortet.[18] Analog zum Vorhergehenden wird erneut behauptet, dass auch Christus als Verurteilender nicht zur Verfügung steht, weil er, der Gestorbene und Auferstandene, zur Rechten (des Richterstuhles) Gottes sitzt und für die „Wir" bereits die Rolle des Anwaltes übernommen hat.[19] Die Vorstellung ist hier zwar eine forensische – es geht um Anklage, Verteidigung und Verurteilung – die dahinter stehende theologische Aussage ist jedoch, dass sich die Glaubenden der Unterstützung Gottes und der Anwaltschaft Christi sicher sein können.

Die letzte Frage τίς ἡμᾶς χωρίσει; (V. 35a) spricht zunächst in menschlicher Sicht das Problem der Trennung an. Das Futur ist modal gemeint,[20] und es geht nun um eine mögliche Trennung der Glaubenden von Christus (ἀπὸ τῆς ἀγάπης τοῦ Χριστοῦ), der ja vorher noch als Anwalt der Glaubenden genannt worden war. Die Formulierung ἀπὸ τῆς ἀγάπης τοῦ Χριστοῦ wird in V. 39b erneut aufgenommen und dort als Liebe Gottes verstanden, die in Christus Jesus ist (vgl. auch V. 37: διὰ τοῦ ἀγαπήσαντος ἡμᾶς).

Der Peristasenkatalog in V. 35b liefert zum vierten Mal in theologischer Perspektive eine Antwort, die in die Form einer rhetorischen Frage gefasst ist. Die genannten Leiden (Bedrängnis, Not, Verfolgung, Hunger, Nacktheit, Gefahr und Schwert, also Gewalt) sind vielleicht immer noch in juridischer Metaphorik als mögliche Konsequenzen einer Verurteilung der Glaubenden aufzufassen. Die Form der rhetorischen Frage zeigt aber erneut, dass mit solch einem Urteilsspruch und den entsprechenden Strafmaßnahmen für die Glaubenden nicht mehr gerechnet werden muss. Man wird dabei davon ausgehen können, dass in diesem Katalog auch persönliche Erfahrungen des Paulus mitschwingen (vgl. z.B. II Kor 11, 23ff).[21]

Nach diesen vier Fragen und Antworten setzt Paulus in V. 36 mit καθὼς γέγραπται ὅτι neu ein. Der Vers nimmt jedoch das Vorhergehende insofern auf, als

---

[17] Es handelt sich insgesamt bei V. 33f um aneinander gereihte Fragen. So auch C.K. Barrett: A Commentary on the Epistle to the Romans; BNTC 7, S. 162: „Who can bring a charge against God's elect? God – who justifies us? Who comdems us? Christ Jesus [...]?"

[18] Im Gegensatz zum Text der 27. Aufl. von Nestle-Aland ist hier also am Ende von V. 34 ein Fragezeichen zu setzen.

[19] Das ἐντυγχάνω, das schon in V. 27 für das Verhältnis des Geistes zu den Heiligen (=Glaubenden) verwendet worden war, meint die Anwaltschaft Christi bzw. des Geistes für die Glaubenden vor Gott. Vgl. W. Bauer: Griechisch-Deutsches Wörterbuch, Sp. 534f.

[20] So auch W. Haubeck, H. von Siebenthal: Neuer sprachlicher Schlüssel zum griechischen Neuen Testament; Bd. 2, S. 27f.

[21] So auch K. Haacker: Der Brief des Paulus an die Römer; ThHK 6, S. 176f mit besonderem Hinweis auf μάχαιρα.

nunmehr mit Hilfe des wörtlichen Zitates von Ps 43,23 (LXX) auf die mögliche Tötung der Glaubenden eingegangen wird. Die Verwendung des Psalmwortes folgt wiederum dem hermeneutischen Schema von Röm 1,2, nach dem die Heiligen Schriften auf das paulinische Evangelium vorausweisen und deshalb von ihm her interpretiert werden können. Mit dem Zitat der Schriftstelle ist zunächst die geläufige Sicht verbunden, dass gerade die Glaubenden zu Unrecht zu leiden haben und deshalb zu Gott wegen der Bewahrung ihrer Rechte und ihrer selbst flehen müssen. Das ἕνεκεν σοῦ soll dabei offenbar gerade die Verbindung der Glaubenden mit Christus in den Leiden hervorheben.[22]

V. 37 behauptet demgegenüber – durch adversatives ἀλλά entgegengesetzt – in spezifisch theologischer Sicht, dass die Glaubenden durch den, der sie liebt, den genannten Leidenserfahrungen weit überlegen sind. Das ὑπερνικῶμεν verdeutlicht dies mit einer übersteigerten Formulierung (über die Maßen siegen). Das Präsenz unterstreicht wieder, dass es nicht um eine zukünftige Erwartung geht, sondern vor allem um die Existenz der „Wir" in der Gegenwart.[23] Ob sich die Formulierung διὰ τοῦ ἀγαπήσαντος ἡμᾶς auf Christus (vgl. V. 35)[24] oder auf Gott (vgl. V. 39)[25] bezieht, kann und muss nicht entschieden werden, weil in V. 39 gesagt wird, dass die Liebe Gottes „in Christus Jesus" ist.

V. 38f bringt zum Abschluss des Kapitels und zugleich des größeren Argumentationszusammenhanges in Kap. 5-8 bzw. 3,19ff ein persönliches Bekenntnis des Paulus (πέπεισμαι γάρ). Die gesamte bisherige Argumentation zielt also auf eine persönliche Aussage und ist insofern keine theoretische theologische Abhandlung, sondern Ausdruck des Selbstverständnisses und des persönlichen Glaubens des Paulus.

Die anschließende Aufzählung bis V. 39a konkretisiert wiederum, wie bereits in V. 35b, die vier Eingangsfragen des Abschnittes. Auch hier werden zunächst mögliche Gefahren aufgelistet, durch die die „Wir" von Gottes und Christi Liebe getrennt werden könnten (χωρίσαι, vgl. V. 35). Diese Gefahren sind gegenüber V. 35b nochmals gesteigert. Die Auflistung bietet 4 Gegensatzpaare,[26] wobei die beiden letzten jeweils durch eine dritte Größe ergänzt werden. Das erste Paar Tod und Leben bezieht sich auf die Kap. 5-8 zurück. Das Paar durchzog seit 5,10 die gesamte Argumentation.[27] Die drei anderen Paare lauten: Engel und Mächte, Eingetretenes und Zukünftiges (mit dem Zusatz: Kräfte)[28] Höhe und Tiefe (mit dem Zusatz: irgend eine andere Schöpfung). Das letzte Wort κτίσις fasst zusammen, dass es sich bei den genannten Größen um Geschaffenes, also um immanente Dinge handelt.

Diesen wird deshalb abschließend in V. 39b in theologischer Perspektive die Liebe des Schöpfers entgegengestellt,[29] die sich in Christus erweist. Die Verbindung der Glaubenden mit Gott, die zuvor in V. 12-30 mit der Metapher der Kindschaft zum

---

[22] So meint D.-A. Koch: Die Schrift als Zeuge des Evangeliums, S. 264: „Mit dem gleich den Zitatbeginn bildenden ἕνεκεν σοῦ bringt das Zitat jedoch einen zusätzlichen Aspekt ein: Die Leiden, die die Glaubenden treffen, bedrängen sie nicht zufällig, sondern sind Leiden ‚um Christi willen'."

[23] Vgl. K. Haacker: Der Brief des Paulus an die Römer; ThHK 6, S. 177.

[24] So D.-A. Koch: Die Schrift als Zeuge des Evangeliums, S. 264, Anm. 15.

[25] So H. Balz: Heilsvertrauen und Welterfahrung, S. 12.

[26] Vgl. auch K. Haacker: Der Brief des Paulus an die Römer; ThHK 6, S.177.

[27] Vgl. dazu die Ausführungen zu Röm 5,10.

[28] Diese Reihenfolge wurde sekundär umgestellt. Die veränderte Abfolge findet sich noch in der aktuellen Lutherübersetzung von 1984.

[29] Zu dieser Differenzierung von Geschaffenem und Schöpfer vgl. bereits 1,18ff und oben die Ausführungen dazu.

Ausdruck gebracht worden war, ist untrennbar, weil sie auf der Liebe Gottes, metaphorisch gesprochen des Vaters, und Christi, metaphorisch des erstgeborenen Bruders, basiert und weil die Glaubenden sich dieser Liebe sicher sein können. Das ἀπὸ τῆς ἀγάπης τοῦ θεοῦ nimmt aus V. 35a ἀπὸ τῆς ἀγάπης τοῦ Χριστοῦ wieder auf. Den förmlichen Abschluss des Kapitels bildet wie bereits in Röm 4,25; 5,21; 6,23; 7,25a eine christologische Formel (ἐν Χριστῷ Ἰησοῦ τῷ κυρίῳ ἡμῶν).

Dieser Schlussabschnitt des größeren Argumentationszusammenhanges von Kap. 5-8 nimmt einerseits erneut forensische Vorstellungen und Begriffe wieder auf (vgl. z.B. bereits 2,1ff), zeigt aber andererseits deutlich, dass diese metaphorisch verstanden werden müssen. Es geht Paulus nicht im wörtlichen Sinne um Gott als Richter und die Verurteilung bzw. den Freispruch des Menschen im göttlichen Gericht, sondern um ein Befreiungsgeschehen, das Paulus hier in juridischer Metaphorik verdeutlicht, während er dasselbe vorher z.B. in kultischer (3,23ff) und Oikos-Metaphorik (6,15ff; 7,1ff; 8,15ff) dargestellt hatte. Diese umfassende Darstellung des Befreiungsgeschehens (vgl. 8,2 und oben die Ausführungen dazu) gipfelt in einem persönlichen Bekenntnis des Paulus, in dem er nochmals klar zum Ausdruck bringt, dass er sich aufgrund dessen der Liebe Gottes und Christi trotz aller Gefährdungen sicher ist und von dorther sein eigenes Überzeugungssystem aufbauen kann (πέπεισμαι).

Aufgrund der ausgeführten Überlegungen kann der Abschnitt 8,31-39 damit folgendermaßen strukturiert werden:

31+32: Τί οὖν ἐροῦμεν πρὸς ταῦτα;	εἰ ὁ θεὸς ὑπὲρ ἡμῶν τίς καθ' ἡμῶν;	ὅς γε τοῦ ἰδίου υἱοῦ οὐκ ἐφείσατο ἀλλὰ ὑπὲρ ἡμῶν πάντων παρέδωκεν αὐτόν πῶς οὐχὶ καὶ σὺν αὐτῷ τὰ πάντα ἡμῖν χαρίσεται;
33:	τίς ἐγκαλέσει κατὰ ἐκλεκτῶν θεοῦ;	θεὸς ὁ δικαιῶν;
34:	τίς ὁ κατακρινῶν;	Χριστὸς Ἰησοῦς ὁ ἀποθανών μᾶλλον δὲ ἐγερθείς ὃς καί ἐστιν ἐν δεξιᾷ τοῦ θεοῦ ὃς καὶ ἐντυγχάνει ὑπὲρ ἡμῶν;
35a:	τίς ἡμᾶς χωρίσει ἀπὸ τῆς ἀγάπης τοῦ Χριστοῦ	θλῖψις ἢ στενοχωρία ἢ διωγμὸς ἢ λιμὸς ἢ γυμνότης ἢ κίνδυνος ἢ μάχαιρα
35b-37: καθὼς γέγραπται ὅτι	Ἕνεκεν σοῦ θανατούμεθα ὅλην τὴν ἡμέραν ἐλογίσθημεν ὡς πρόβατα σφαγῆς	ἀλλ' ἐν τούτοις πᾶσιν ὑπερνικῶμεν διὰ τοῦ ἀγαπήσαντος ἡμᾶς
38+39: πέπεισμαι γὰρ ὅτι	οὔτε θάνατος οὔτε ζωὴ οὔτε ἄγγελοι οὔτε ἀρχαὶ οὔτε ἐνεστῶτα οὔτε μέλλοντα οὔτε δυνάμεις οὔτε ὕψωμα οὔτε βάθος οὔτε τις κτίσις ἑτέρα δυνήσεται ἡμᾶς χωρίσαι	ἀπὸ τῆς ἀγάπης τοῦ θεοῦ τῆς ἐν Χριστῷ Ἰησοῦ τῷ κυρίῳ ἡμῶν.

Die Individualisierung des Glaubens am Beispiel Israels (9,1-11,36)

Über das Verhältnis und den Zusammenhang von Kap. 9-11 zu den vorhergehenden[1] und nachfolgenden[2] Kapiteln des Röm ist oft gerätselt worden. Die Kapitel werden zumeist als mit den anderen Briefteilen nur locker verbundener Exkurs aufgefasst,[3] bisweilen wird auch eine literarkritische Trennung vorgeschlagen.[4] Es ergeben sich jedoch einige wichtige Verbindungen mit den vorhergehenden Kapiteln, die keinen Zweifel daran lassen, dass sich der Teil Röm 9-11 weder literarkritisch noch inhaltlich aus dem Zusammenhang lösen lässt.

Erstens schließt das Thema von Kap. 9ff trotz – oder gerade wegen – seines emotionalen Umschwunges sinnvoll an die Schlussaussage von Kap. 8 an, die besagt, dass nichts „uns" von der Liebe Gottes in Christus Jesus, unserem Herrn trennen kann (8,39). „Da sich das in 8,31-39 über die Liebe Gottes in Christus Gesagte unter die Überschrift ‚Dankbarkeit und Freude' stellen ließe, kann die Herausstellung der λύπη μεγάλη in 9,2 als unmittelbarer Kontrast dazu gesehen werden. Wenn wirklich gilt, daß *nichts* ‚uns' scheiden kann von der Liebe Gottes in Christus – was ist dann mit jenen, denen Gott diese Liebe in besonderer Weise zugedacht hat, die diese Liebe aber bewußt ablehnen?"[5] Die Behauptung des hymnischen Schlusses von Kap. 8 fordert insofern eine Behandlung der Israelthematik geradezu heraus. Zweitens führen die Kap. 9-11 die Aussagen über die Erwählung der Gott Liebenden (Röm 8,28ff) weiter. „Sie (sc. die Logik des Übergangs zu dem neuen Thema) ist wohl v.a. in den Erwählungsaussagen von 8,28-30.33 und anderen Motiven aus Kap. 8 zu sehen, die ursprünglich auf Israel gemünzt waren und von Paulus auf die Christusgemeinde bezogen wurden."[6] Drittens wird auch in diesem Abschnitt, wie im folgenden zu zeigen sein wird, der Gedanke von der Individualität und Universalität des Glaubens konsequent weitergeführt. Viertens wird ebenfalls die in den vorhergehenden Kapiteln aufgezeigte Doppelstruktur von geläufiger menschlicher und theologischer Sichtweise weiter ausgeführt, hier vor allem in der Weise, dass gemäß der hermeneutischen Regel von Röm 1,2 jeweils zunächst auf eine bekannte Schriftstelle verwiesen wird und diese dann in christologischer oder theologischer Sicht erläutert wird. Und fünftens setzt das persönliche Bekenntnis in 9,1ff unmittelbar das von Röm 8,38f in der 1. Person Singular fort.

---

[1] Vgl. z.B. A. Lindemann: Israel im Neuen Testament; in: WuD 25 (1999), S. 167-192, dort S. 177: „Zwischen Röm 8 und Röm 9 scheint auf den ersten Blick ein tiefer Einschnitt zu liegen – weder inhaltlich noch formal ist eine Verbindung bzw. ein Übergang zu erkennen."

[2] W. Schmithals: Der Römerbrief, S. 320ff, fasst Röm 9-11 als 3. Anhang des Lehrschreibens nach Rom (Röm A) auf. Röm 15,8-13 setzt dann für ihn Kap. 9-11 fort und bildet den ursprünglichen Abschluss dieses Schreibens (Schmithals, a.a.O., S. 519ff). Die Wiederaufnahme der in Kap 9-11 wichtigen Unterscheidung zwischen Juden und Nichtjuden in Röm 15,8 kann jedoch gegen Schmithals einfach als Zusammenfassung wesentlicher Gedanken der Argumentation am Schluss des Briefes aufgefasst werden. Denn die eigentliche Sachargumentation endet ja bereits mit 15,7.

[3] Vgl. z.B. W. Schmithals: Der Römerbrief, S. 321: „Kap. 9-11 bilden ein selbständiges Stück des Römerbriefes."

[4] C. H. Dodd gesteht Kap. 9-11 nicht einmal Exkurscharakter zu, weil er meint, dass diese Kapitel in anderen Zusammenhängen des Briefes nicht wieder aufgenommen werden. Er vermutet vielmehr, dass Paulus diese Kapitel als eine Art Sermon mit sich geführt habe. (C. H. Dodd: The Epistle of Paul to the Romans; MNTC 6, S. 148f)

[5] A. Lindemann: Israel im Neuen Testament, S. 185, Hervorhebung von Lindemann.

[6] K. Haacker: Der Brief des Paulus an die Römer, S. 179f.

Die innerhalb des großen Zusammenhangs in Kap. 9-11 am häufigsten auftretende Unterscheidung, die den Gedankengang in weiten Teilen mit strukturiert, ist offenbar Ἰσραήλ – τὰ ἔθνη mit ihren Varianten.[7] Diese Differenz schließt an die bereits in den vorigen Kapiteln entwickelten Unterscheidungen Ἰουδαῖος – Ἕλλην und περιτομή – ἀκροβυστία an.[8] Nachdem in Kap. 5-8 die beiden existenziellen Alternativen eines Lebens gemäß Adam oder in Christus entfaltet worden waren, für oder gegen die sich der einzelne Mensch zu entscheiden hat, wird unter Voraussetzung dieser beiden Wege die Differenz von Juden und Griechen, von Beschneidung und Unbeschnittenheit bzw. von Israel und den Völkern nochmals betrachtet und reformuliert. Dabei wird zugleich auf den Gedanken der Individualisierung des Glaubens zurückgegriffen, der bereits in 1,16-4,25 eingeführt worden war.

Die genaue Beachtung dieser für Kap. 9-11 entscheidenden Differenz kann zunächst zwei Missverständnisse verhindern, die in der oft sehr emotional geführten Debatte über Röm 9-11 gängig sind. Ein erstes besteht in der Reduktion des Gedankenganges von Kap. 9-11 auf die Bestimmung des Verhältnisses bestimmter Volks- oder Glaubensgemeinschaften zueinander. Nicht umsonst orientiert sich die Diskussion über das Verhältnis von Christentum und Judentum bzw. Kirche und Israel oft an diesem Abschnitt des Röm.[9] Es geht jedoch bei Paulus an keiner Stelle der Argumentation um eine grundsätzliche Verhältnisbestimmung zwischen Christentum und Judentum, jene Unterscheidung ist Paulus fremd.[10] Gegenüber dieser Diskussion ist

---

[7] Bemerkenswerter Weise findet sich der Begriff Ἰσραήλ im Röm nicht in Kap. 1-8, sondern erst ab Kap. 9 (9, 6.27.31; 10,19.21; 11,2.7.25.26; dazu Ἰσραηλίτης in Röm 9,4 und 11,1). Vgl. auch A. Lindemann: Israel im Neuen Testament, S. 176.

[8] Die genannte Leitunterscheidung mit ihren Varianten findet sich in Kap. 9-11 vor allem an folgenden Stellen (zum Teil in Schriftzitaten):

9,24: οὓς καὶ ἐκάλεσεν ἡμᾶς οὐ μόνον ἐξ Ἰουδαίων ἀλλὰ καὶ ἐξ ἐθνῶν

9,25a: καλέσω τὸν οὐ λαόν μου λαόν μου

9,25b: καὶ τὴν οὐκ ἠγαπημένην ἠγαπημένην

9,30f: ἔθνη τὰ μὴ διώκοντα δικαιοσύνην κατέλαβεν δικαιοσύνην [...] Ἰσραὴλ δὲ διώκων νόμον δικαιοσύνης εἰς νόμον οὐκ ἔφθασεν.

10,12: οὐ γάρ ἐστιν διαστολὴ Ἰουδαίου τε καὶ Ἕλληνος, ὁ γὰρ αὐτὸς κύριος πάντων

10,19: μὴ Ἰσραὴλ οὐκ ἔγνω; [...] ἐγὼ παραζηλώσω ὑμᾶς ἐπ' οὐκ ἔθνει, ἐπ' ἔθνει ἀσυνέτῳ παροργιῶ ὑμᾶς.

11,7: ὃ ἐπιζητεῖ Ἰσραήλ, τοῦτο οὐκ ἐπέτυχεν, ἡ δὲ ἐκλογὴ ἐπέτυχεν (wobei die ἐκλογή auch Einzelne aus Israel umfassen kann, siehe dazu unten die Ausführungen zur Stelle)

11,11: τῷ αὐτῶν παραπτώματι ἡ σωτηρία τοῖς ἔθνεσιν

11,12: τὸ ἥττημα αὐτῶν πλοῦτος ἐθνῶν

11,25: πώρωσις ἀπὸ μέρους τῷ Ἰσραὴλ γέγονεν ἄχρι οὗ τὸ πλήρωμα τῶν ἐθνῶν εἰσέλθῃ

11,30f: ὥσπερ γὰρ ὑμεῖς ποτε ἠπειθήσατε τῷ θεῷ νῦν δὲ ἠλεήθητε τῇ τούτων ἀπειθείᾳ οὕτως καὶ οὗτοι νῦν ἠπείθησαν τῷ ὑμετέρῳ ἐλέει ἵνα καὶ αὐτοὶ νῦν ἐλεηθῶσιν

Nach Kap. 9-11 siehe noch 15,8f: λέγω γὰρ Χριστὸν διάκονον γεγενῆσθαι περιτομῆς ὑπὲρ ἀληθείας θεοῦ [...] τὰ δὲ ἔθνη ὑπὲρ ἐλέους δοξάσαι τὸν θεόν.

An all diesen Stellen ist jedoch jeweils zu beachten, wer genau mit „Israel" und seinen Varianten gemeint ist. Siehe dazu unten die Auslegungen der betreffenden Verse.

[9] Zu dieser Diskussion siehe grundsätzlich U. Körtner: Volk Gottes – Kirche – Israel. Das Verhältnis der Kirche zum Judentum als Thema ökumenischer Kirchenkunde und ökumenischer Theologie; in: ZThK 91 (1994), S. 51-79. Als Beispiel für eine differenzierte Sicht des Verhältnisses von „Kirche" und „Israel" vgl.: Kirche und Israel. Ein Beitrag der reformatorischen Kirchen Europas zum Verhältnis von Christen und Juden, hrsg. v. H. Schwier; Leuenberger Texte, Heft 6; 2. Aufl. Frankfurt/Main 2001, z.B. S. 66-73 in Bezug auf Röm 11.

[10] Die scheinbar antijüdische Polemik in I Thess 2,14-16 ist für Paulus absolut singulär und wird mitunter als Interpolation angesehen (vgl. dazu B. A. Pearson: I Thessalonians 2,13-16 a Deuteropauline

zu bedenken: Das Ziel der gesamten bisherigen Argumentation war die Begründung der neuen Ex-istenz „in Christus" (vgl. Röm 8,1f und oben die Ausführungen dazu), die prinzipiell allen Menschen unabhängig von ihren Leistungen, Fähigkeiten oder Eigenschaften und also auch von ihrer Herkunft offen steht. Die damit implizierte Universalisierung setzt dabei vor allem individuell an. Wenn durch Gottes Heilsplan sein Erbarmen potentiell allen Menschen zuteil werden kann, dann richtet sich die Frage, ob diese Möglichkeit jeweils relevant wird, an den einzelnen Menschen. Dadurch verlagert sich die Perspektive der Annahme des Heils von der sozialen Gemeinschaft auf das Individuum. Kap. 9-11 des Röm stellen den Versuch dar, diese von Paulus in Kap. 1-8 dargelegte individuelle Glaubenssicht mit der traditionellen jüdischen Vorstellung von Israel als dem auserwählten Volk Gottes zu verbinden. Paulus argumentiert hier (wie auch schon in den vorigen Kapiteln) einerseits als Jude und innerhalb traditioneller jüdischer Begrifflichkeit, kann sich aber andererseits sehr wohl auch davon distanzieren (vgl. 1,14f und die Erläuterungen dazu) und von einem individuellen Standpunkt aus zentrale Themen des Judentums wie Gesetz, Beschneidung etc. reformulieren.[11] Wahrscheinlich geht es ihm selbst hier überhaupt nicht darum, sich grundsätzlich vom jüdischen Glauben abzukoppeln.[12] Vielmehr wird wohl seine gerade im Röm versuchte Öffnung des jüdischen Glaubens in Richtung auf eine universale Gemeinschaft individuell Glaubender auf andere Juden so gewirkt haben, dass sie von ihnen nicht mehr als jüdisch identifiziert werden konnte.[13]

Ein weiteres mögliches Missverständnis besteht in einer Interpretation der Argumentation der Kapitel 9-11 als „Heilsgeschichte" im Sinne eines kontinuierlich von der Vergangenheit in die Zukunft verlaufenden göttlichen Heilsplanes. Das betrifft z.B. auch wesentliche Fragen der Prädestinationslehre. Die Deutung von Kap. 9-11 in Form von bestimmten, innerhalb des Geschichtsverlaufes klar definierbaren Zeitabschnitten werden dem in Bezug auf das νῦν bereits dargelegten Zeitverständnis des Röm nicht gerecht.[14] Es ist deshalb auch kein Zufall, dass eben dieses νῦν an entscheidender Stelle der Argumentation, nämlich am Ende des großen Zusammenhanges von Kap. 9-11 in 11,30f, mehrfach auftritt. Gemeint ist damit nicht die Gegenwart als bestimmter Zeitpunkt innerhalb einer klar nach Zeitabschnitten

---

Interpolation; HThR 64, 1991, S. 79ff). Paulus bezieht sich hier jedoch nicht auf die Juden insgesamt: „dort sind οἱ Ἰουδαῖοι offenbar diejenigen, die in Judäa – also als ‚Judäer' – die Judenchristen verfolgt haben". (A. Lindemann: Israel im Neuen Testament, S. 174). Die einzige Stelle, an der eine Differenz zwischen Juden und Christen formuliert wird, findet sich in I Kor 10,32. Diese hat jedoch den Sinn, ein Verhalten von den Korinthern zu fordern, das allen Menschen gegenüber, also bei Juden und Griechen und in der Gemeinde gleichermaßen, als untadelig gelten kann: ἀπρόσκοποι καὶ Ἰουδαίοις γίνεσθε καὶ Ἕλλησιν καὶ τῇ ἐκκλησίᾳ τοῦ θεοῦ. Die Differenz Juden – Christen wird damit gerade nicht gesetzt, sondern in universaler Perspektive aufgehoben.

[11] Dass die Theologie Paulus sehr wohl im Rahmen einer Reform des Judentums verstanden werden kann, hebt D. Boyarin hervor (Ders.: A radical Jew. Paul and the politics of identity; London 1994). „On my reading of the Pauline corpus, Paul lived and died convinced that he was a Jew living out of Judaism. He represents, then, one option which Judaism could take in the first century."(A.a.O, S. 2) Dabei erkennt Boyarin auch den zugleich universalisierenden und an der Paradoxie der eigenen Identität orientierten Ansatz des Paulus: „Paul represents in his person and thematizes in his discourse, paradoxes not only of Jewish identity, but, as we have come to learn, of all identity as such."(A.a.O., S. 3)

[12] Dafür spricht auch, dass er gerade im Römerbrief über weite Strecken aus dem Alten Testament heraus argumentiert. Vgl. H. Hübner (Hrsg.): Vetus Testamentum in Novo, Bd. 2, S. 2-219.

[13] Vgl. z.B. die Leute des Jakobus bei der Kontroverse in Gal 2,11ff, denen sich zumindest zeitweise wohl auch Kephas angeschlossen hat.

[14] Vgl. dazu die Erläuterungen zu Röm 3,21.

definierbaren Erwählungsgeschichte, sondern das νῦν bezeichnet das „Jetzt", das Leben des glaubenden Individuums in der Gegenwart, von der aus die Zeit als persönliche Lebenszeit erst konstituiert und definiert wird. Heilsgeschichtliche Überlegungen sind von dieser individuellen Sicht der Gegenwart aus eher sekundär und treffen nicht den Kern des hier Gemeinten.

Die Berücksichtigung dieses individuellen Ansatzes des Paulus ist nicht nur in inhaltlicher, sondern auch in formaler Hinsicht für die Analyse der Argumentationsstruktur von Kap. 9-11 durchaus hilfreich. So hat sich F. Siegert bei seiner Untersuchung dieser Kapitel an den rhetorischen Einleitungsformeln der jeweiligen Textabschnitte orientiert. Er zeigt dabei, dass die Verwendung der 1. Person – wie dies ja in der hier vorliegenden Untersuchung durchgehend für den ganzen Röm angenommen wurde – für die formale Strukturierung und Gliederung des Gedankenganges äußerst hilfreich ist. Er kommt dadurch für Kap 9-11 zu folgender Gliederung:

```
"9,1      ἀλήθειαν λέγω ...
9,2          ὅτι λύπη μοί ἐστιν ...
9,3          ηὐχόμην γάρ ...
9,6          οὐχ οἷον δὲ ὅτι ...
9,6b (sic!)      οὐ γὰρ πάντες ...
9,14         τί οὖν ἐροῦμεν; ...
9,19         ἐρεῖς μοι οὖν ...
9,20         ὦ ἄνθρωπε ...
9,30         τί οὖν ἐροῦμεν ...
10,1     ἀδελφοί, ...
10,2         μαρτυρῶ γὰρ αὐτοῖς ...
                 ...
10,18                ἀλλὰ λέγω ...
10,19                ἀλλὰ λέγω ...
11,1     λέγω οὖν ...
             μὴ γένοιτο;
                 καὶ γάρ ...
11,2         οὐκ ἀπώσατο ...
                 ἢ οὐκ οἴδατε ...
11,5         οὕτως οὖν ...
11,7         τί οὖν; ....
11,11        λέγω οὖν ...
11,13            ὑμῖν δὲ λέγω τοῖς ἔθνεσιν ... (mit Rückgriffen auf 1,1.5.16)
                 ...
11,25                οὐ γὰρ θέλω ὑμᾶς ἀγνοεῖν, ἀδελφοῖς,...(R. auf 1,7)
11,30                ὥσπερ γὰρ ὑμεῖς ... (R. auf 9,16 u.ö.)
11,33    Ὦ βάθος ... (R. auf 1,18ff)"15
```

Dieser Gliederungsvorschlag, der die verschiedenen syntaktischen Ebenen durch Einrücken der Zeilen berücksichtigt, wird im Folgenden für die Strukturierung der einzelnen Abschnitte mit beachtet werden, wobei sich einige kleinere Differenzen

---

15 F. Siegert: Argumentation bei Paulus: gezeigt an Röm 9-11; (WUNT 34) Tübingen 1985, S. 118f.

ergeben. Die Detailanalyse wird dann zu den einzelnen Versen erfolgen. Im Anschluss an den Gliederungsvorschlag Siegerts ergeben sich, wenn man besonders die Verwendung der 1. Person beachtet, folgende Abschnitte: 9,1-13; 14-18; 19-29; 30-33; 10,1-17; 18-21; 11,1-10; 11+12; 13-24; 25-36 (mit der V. 33 beginnenden Doxologie). Diese Einteilung wird der folgenden Untersuchung zugrunde gelegt und jeweils im Detail begründet werden.

Individuelle Erwählung (9,1-13)

Im Gegensatz zu den am einzelnen Menschen orientierten Überlegungen der vorherigen Kapitel hat es zunächst den Anschein, dass Kap 9-11 eher auf eine Beschreibung des Verhältnisses der beiden Kollektive Juden und Heiden zielen. Dieser größere Abschnitt beginnt jedoch mit einer sehr persönlich gehaltenen Einleitung des Paulus in 9,1-5, die in der 1. Person Singular Röm 8,38f fortsetzt und in der er seine innere Betroffenheit über seine „leiblichen" Verwandten (κατὰ σάρκα V. 3), also die Juden mitteilt. Der Abschnitt ist insofern in sich nochmals klar unterteilt, als die Doxologie V. 5b (mit dem Abschluss „Amen") das Ende des einleitenden Teils signalisiert und V. 6 zur eigentlichen Argumentation übergeht. Die nächste Formulierung in der 1. Person findet sich jedoch erst in V. 14, was dafür spricht, V. 1-13 als einen Abschnitt aufzufassen. Auf die Bezüge zwischen V. 1-5 und 6-13 ist deshalb besonders zu achten.

Paulus beteuert in V. 1a in auffälligem Pathos zunächst in menschlicher Sicht, dass er die Wahrheit rede (ἀλήθειαν λέγω). Eine ähnliche Formulierung findet sich auch in II Kor 11,10 im Konflikt mit den Korinthern.[16] Wenn diese gefühlsstarke Äußerung sicherlich auch rhetorisch gezielt eingesetzt ist,[17] so bringt Paulus damit andererseits hier auch seine persönlichen, ganz menschlichen Empfindungen zum Ausdruck. Dem folgt jedoch sogleich eine christologische Erläuterung. Paulus könne die Wahrheit reden, nicht weil er sie aus sich selbst heraus begründen könnte, sondern weil seine Rede „in Christus" geschieht.[18] Mit dieser kurzen Eingangsformulierung macht Paulus erneut deutlich, dass er sich selbst in doppelter Weise versteht: zum einen in menschlicher Perspektive als einen, der die Wahrheit spricht und zum anderen in christologischer Sicht als einen solchen, der sich „in Christus" mit seiner Ex-istenz neu verankert weiß. Diese doppelte Struktur des paulinischen Selbstverständnisses fand sich bereits in der Selbstvorstellungsformel in 1,1 und zieht sich von dort her durch den ganzen Brief. Sie wird in V. 1b und 2 weiter ausgeführt werden.

V. 1b bekräftigt Paulus – analog zu ἀλήθειαν λέγω –, dass er die Wahrheit spricht (οὐ ψεύδομαι). Dies ist zum einen rhetorisch eine Bekräftigung, die Paulus auch an anderen Stellen dort anwendet, wo besonderes Engagement gefragt ist.[19] Zum anderen wird damit eine menschliche Perspektive wiedergegeben, die jedenfalls mit der

---

[16] Dort heißt es: „ἔστιν ἀλήθεια Χριστοῦ ἐν ἐμοὶ ὅτι [...]", vgl. K. Haacker: Der Brief des Paulus an die Römer; ThHK 6, S. 180.

[17] So auch F. Siegert: Argumentation bei Paulus, S. 119f mit Bezug auf J. Calvin.

[18] Dazu K. Haacker: Der Brief des Paulus an die Römer; ThHK 6, S. 180: „daß das Reden ‚ἐν Χριστῷ' geschieht, findet sich auch in 2. Kor. 12,19."

[19] So findet sich die gleiche Formulierung im Konflikt mit den Galatern in Gal 1,20 und mit den Korinthern in II Kor 11,31.

Lüge rechnet.[20] Dem folgt jedoch, wiederum parallel zu V. 1a, in theologischer Perspektive eine diesmal pneumatologische Erläuterung: dass Paulus nicht lügt, bezeugt mit ihm sein Gewissen „im heiligen Geist".[21] Die Wahrhaftigkeit seiner Rede ist für Paulus also Konsequenz seiner Existenz „in Christus" (vgl. Röm 8,1), die durch das πνεῦμα bestimmt ist (vgl. Röm 8,5ff). Die Lüge, also eine Diskrepanz zwischen Reden und Meinen – analog zu dem in Kap. 7 thematisierten Widerspruch zwischen Wollen und Tun – ist für Paulus an dieser Stelle nicht möglich, weil das Gewissen die Wahrheit der Aussagen verbürgt.[22] Paulus stimmt mit sich selbst überein, weil er sich „in Christus" und „im heiligen Geist" ex-istent versteht. Das Gewissen ist also nicht einfach als eine im Menschen lokalisierbare Reflexionsinstanz gemeint, sondern es konstituiert sich „im heiligen Geist" neu, weil der Glaubende „in Christus" ist bzw. lebt (vgl. auch Röm 2,15 und das oben zur Stelle Ausgeführte). Paulus kann damit aus dieser doppelten, menschlichen und pneumatologischen Sicht Ich und Gewissen differenzieren. Das Gewissen bezeugt gemeinsam „mit" Paulus die Wahrheit seiner Aussagen.

In ganz ähnlicher Weise wie συνείδησις wird, angeschlossen mit ὅτι, auch in V. 2 der Begriff καρδία gebraucht (vgl. erneut 2,15). Damit ist in theologischer Perspektive eine Instanz des Ich (in diesem Falle des Paulus) gemeint, die quasi dem Menschen gegenübersteht und dessen eigene Empfindungen nochmals von außen bestätigt. Durch diese doppelte Sicht wirkt die Formulierung in V. 2 redundant, gemeint ist jedoch in V. 2a in menschlicher Sicht die persönliche Empfindung des Paulus (λύπη μοί ἐστιν μεγάλη) und in V. 2b in theologischer Sicht eine Reflexionsinstanz, die diese Empfindung bestätigt.

Es ist ein viel diskutiertes Problem, ob Paulus sich selbst im Röm noch als Jude versteht oder bereits eine Form des Glaubens entwickelt hat, die nicht mehr in das herkömmliche jüdische Verständnis integrierbar ist. Schon diese ersten beiden Verse zeigen jedenfalls, dass es sich bei den Kap. 9-11 beherrschenden Ausführungen über das Verhältnis von Juden und Heiden nicht einfach um abstrakte Überlegungen handelt, sondern dass es dabei auch und vor allem um die persönliche Identität des Paulus geht.[23] Er betont in V. 1f seine persönliche Betroffenheit von der Frage des Verhältnisses von Juden und Nichtjuden in derart starker Weise, weil es dabei auch um sein Selbstverständnis als aus dem Judentum stammender und an Christus glaubender Mensch geht. Gerade weil aber der Argumentationszusammenhang in Kap. 9-11 mit diesen sehr persönlichen Äußerungen beginnt, ist das Folgende nicht zuletzt auf dem Hintergrund dieser Selbstreflexion des Paulus zu lesen.

Diese persönliche Betroffenheit des Paulus wird in V. 3 erläutert (verbunden mit γάρ). Paulus beginnt in V. 3a mit einer spezifisch christologischen Sicht, um diese dann einer in V. 3b angedeuteten Sichtweise gegenüber zu stellen. Er scheint zunächst in V. 3a so weit zu gehen, dass er selbst sogar bereit wäre, für seine leiblichen Verwandten,

---

[20] So auch F. Siegert: Argumentation bei Paulus, S. 120, der bemerkt, dass die Formulierung zumindest für heutiges Sprachempfinden „doch auf die Möglichkeit des Lügens erst aufmerksam macht".

[21] An einigen Stellen nennt Paulus bei ähnlichen Gelegenheiten auch Gott als Zeugen. Vgl. Röm 1,9; II Kor 1,23; Phil 1,8; I Thess 2,5.10 und K. Haacker: Der Brief des Paulus an die Römer; ThHK 6, S. 180.

[22] Zu συνείδησις und zur Verknüpfung mit συμμαρτυρέω vgl. Röm 2,15, wo Paulus den Gewissensbegriff einführt. Die Formulierung ist dort fast wörtlich die gleiche.

[23] Darüber hinaus ist dieses Thema auch für die römischen Christen von Interesse, weil sie zum Teil jüdischer und zum Teil nichtjüdischer Herkunft sind.

also die Juden, verflucht (ἀνάθεμα) und von Christus getrennt zu sein, also offenbar seine eigene Ex-istenz in Christus aufzugeben, damit auch sie zu Christus finden. Das αὐτὸς ἐγώ unterstreicht die Selbstreflexivität der Aussage. Die Formulierung ἀπὸ τοῦ Χριστοῦ ist lokal zu verstehen:[24] Wie Paulus jetzt "in Christus" ist, so wäre er dann von ihm entfernt (vgl. auch oben in 8,35 und 39 das Motiv der Trennung von Christus). Das ηὐχόμην muss jedoch in Verbindung mit der Bedeutung „wünschen" (vor allem von Röm 8,38f her) irreal als Ausdruck des unerfüllbaren Wunsches aufgefasst werden.[25] Es besteht gegenüber dieser starken rhetorischen Formulierung faktisch nicht die reale Möglichkeit, dass Paulus gewissermaßen in einem Akt der Selbsthingabe "sich als eine Opfergabe für sein Volk angeboten hat",[26] weil Christus als wahres ἱλαστήριον jegliche Form der Opfer überflüssig gemacht hat (vgl. Röm 3,25 und oben die Ausführungen dazu). Gott möchte deshalb keine Selbsthingabe und keine weiteren Opfer. Die irreal gemeinte Formulierung in V. 3a setzt also voraus, dass Paulus seiner Ex-istenz „in Christus" gerade nicht verlustig gehen kann, nicht einmal wenn er dies um seiner jüdischen Volksgenossen willen selbst wollte. Dieser persönlichen Beziehung zu Christus stellt Paulus in V. 3b eine andere und geläufige Sichtweise gegenüber, die sich an der abstammungsmäßigen Herkunft orientiert. Paulus stammt demnach aufgrund seiner leiblichen Herkunft aus dem Judentum und bezeichnet deshalb auch seine jüdischen Volksgenossen als „Brüder" (Geschwister) (ὑπὲρ τῶν ἀδελφῶν μου τῶν συγγενῶν μου κατὰ σάρκα).

In V. 4 und 5a führt er (angeschlossen mit οἵτινές) diese menschliche Sichtweise fort. Er bezeichnet seine Volksgenossen erstmals im Röm mit der Bezeichnung „Israeliten".[27] An diesem Begriff ist interessant, dass er erstens nicht als Fremdbezeichnung der Juden durch einen Nichtjuden belegt ist[28] und dass er zweitens von Paulus nur im Zusammenhang mit seiner eigenen Person verwendet wird.[29] Es handelt sich also um einen selbstreflexiv gemeinten Begriff, durch den Paulus seine eigene jüdische Herkunft reflektiert.[30] Auf dieser Basis qualifiziert Paulus die Israeliten – und damit in gewissem Sinne auch sich selbst – in einer geläufiger Sicht durch die genannten Eigenschaften: ὧν ἡ υἱοθεσία καὶ ἡ δόξα καὶ αἱ διαθῆκαι καὶ ἡ νομοθεσία καὶ ἡ λατρεία καὶ αἱ ἐπαγγελίαι, ὧν οἱ πατέρες. Diese Attribute gelten für Paulus in geläufiger Sicht nach wie vor für die Israeliten, so dass in dieser Hinsicht die Verbindung Gottes mit Israel gewahrt bleibt. Es wird sich allerdings für ihn im

---

[24] So W. Bauer, K. und B. Aland: Wörterbuch zu den Schriften des Neuen Testaments, S. 172f. und Blass, Debrunner, Rehkopf: Grammatik des neutestamentlichen Griechisch, § 211,2. Gegen K. Haacker: Der Brief des Paulus an die Römer; ThHK 6, S. 179, der den Ausdruck im Sinne der Urheberschaft Christi deutet: „hingeopfert zu werden von Christus".

[25] So F. Siegert: Argumentation bei Paulus, S. 121 und Blass, Debrunner, Rehkopf, a.a.O., § 359, Anm. 5. Vgl. demgegenüber K. Haacker: Der Brief des Paulus an die Römer; ThHK 6, S. 181, der diese Möglichkeit erörtert, aber für unwahrscheinlich hält.

[26] So das Verständnis von Haacker, ebd.

[27] „An dieser Stelle verwendet Paulus erstmals im Röm die Bezeichnung Ἰσραηλῖται, und war als den die weiteren Aufzählungen einleitenden Oberbegriff (V. 4a), dem alle anderen Aussagen zugeordnet sind." (A. Lindemann: Israel im Neuen Testament; S. 177)

[28] Vgl. W. Gutbrod: Artikel Ἰσραηλ κτλ.; in: ThWNT, Bd. 3, S. 370-394, dort bes. S. 373. Gutbrod meint ebd., das sei „wohl auch nicht zu erwarten, da es die spezifisch jüdische Selbstbezeichnung ist".

[29] „Die Bezeichnung Ἰσραηλίτης gebraucht Paulus nur dreimal; in allen Fällen (Röm 9,4; 11,1; 2 Kor 11,22) bezieht er das Wort auf seine eigene Person. In Phil 3,5 spricht er analog von seiner Herkunft ‚aus Israel'." (A. Lindemann: Israel im Neuen Testament, S. 174)

[30] Anders K. Haacker: Der Brief des Paulus an die Römer; ThHK 6, S. 183, der den Begriff als Würdetitel auffasst.

Folgenden die Frage stellen, wer in diesem Sinne zu Israel gezählt werden kann. Die Begriffe υἱοθεσία (vgl. 8,15) und δόξα (vgl. 8,18) waren schon in Kap. 8 für die Charakterisierung derjenigen „in Christus Jesus" (vgl. 8,1) – unabhängig von ihrer jüdischen Herkunft – verwendet worden. Durch die Reihenfolge von διαθῆκαι und νομοθεσία hebt Paulus hervor, „daß die jüdische Religion ein ‚Bundesnomismus' ist, daß die Erwählung also der Gehorsamspflicht vorausgeht."[31] Der Begriff λατρεία „bezeichnet in LXX nahezu durchweg (als Übersetzung von עבדה) den Kult."[32] Das Wort wird von Paulus Röm 12,1 in Bezug auf das tägliche Verhalten der Glaubenden ethisch modifiziert. Der Begriff ἐπαγγελία spielte bereits in Bezug auf Abraham in Röm 4,13ff eine wichtige Rolle und bietet nach Röm 1,2 den hermeneutischen Schlüssel für den Zusammenhang der Heiligen Schriften mit dem paulinischen Evangelium.[33] Er wird deshalb bereits in V. 8f zur Interpretation einer alttestamentlichen Textstelle aufgenommen. Zu Beginn von V. 5 betont Paulus anschließend (verbunden mit ὧν), diese geläufige Sicht fortsetzend, dass die „Väter", auf die er in V. 6-13 eingehen wird, die Vorfahren der Israeliten sind.

Dieser Sichtweise aus V. 4 und 5a stellt Paulus, eingeleitet mit καί, in V. 5b erneut eine spezifisch christologische bzw. theologische Perspektive entgegen. Selbst „der Christus" (als Hoheitstitel) stamme physisch gesehen (κατὰ σάρκα) von den Israeliten ab. Diese leibliche Herkunft wird dann aber nicht nur durch den Christustitel, sondern vor allem durch das Folgende in ein anderes Licht gestellt. Die Frage, ob die weiteren Formulierungen Christus[34] oder Gott meinen, ist nicht leicht zu entscheiden. Einerseits wird Christus sonst bei Paulus nie als Gott bezeichnet, andererseits ist die Vorstellung, dass er über allem sei, durchaus gängig (vgl. I Kor 15,27f, dort aber mit einer deutlichen Unterordnung Christi unter Gott). Die enge Verbindung der den Vers abschließenden Formulierung θεὸς εὐλογητὸς εἰς τοὺς αἰῶνας ἀμήν mit Ps 40,14 (LXX)[35] legt sehr nahe, dass mit diesem Lobpreis bei Paulus wie im Psalm Gott gemeint ist.[36] Aber die vorhergehende Formulierung ὁ ὢν ἐπὶ πάντων könnte sich sehr wohl noch auf Christus beziehen. Deshalb ist es durchaus plausibel, der dritten von B. M. Metzger dargestellten Möglichkeit der Punktierung zu folgen, nach der hinter σάρκα ein Komma und hinter πάντων ein Punkt steht.[37] Der erste Teil der Aussage, bezieht sich demnach – entgegen der Interpunktion im aktuellen Text von Nestle-Aland und des Greek New Testament – auf Christus und der zweite auf Gott.

Auf der Basis dieser sehr persönlichen Aussagen wendet sich dann Röm 9,6ff der eigentlichen Argumentation zu, in der eine in V. 6 aufgestellte These durch zwei Beispiele aus der Schrift erläutert und begründet wird (V. 7-9 und 10-13). Der

---

[31] Haacker, a.a.O., S. 184.

[32] U. Wilckens: Der Brief an die Römer; EKK VI, 2, S. 188, Anm. 829.

[33] Vgl. auch K. Haacker: Der Brief des Paulus an die Römer; ThHK 6, S. 185.

[34] So F. Siegert: Argumentation bei Paulus, S. 122f und H.-C. Kammler: Die Prädikation Jesu Christi als „Gott" und die paulinische Christologie; in: ZNW 94 (2003), S. 164-180.

[35] Dort heißt es: „Εὐλογητὸς κύριος ὁ θεὸς Ἰσραὴλ ἀπὸ τοῦ αἰῶνος καὶ εἰς τὸν αἰῶνα. γένοιτο, γένοιτο." (Im hebräischen Text: Amen, Amen)

[36] Dafür spricht auch, dass sich bei Paulus alle Doxologien, die mit εὐλογητός beginnen, auf Gott beziehen (Röm 1,25; II Kor 1,3; 11,31), vgl. auch K. Haacker: Der Brief des Paulus an die Römer; ThHK 6, S. 187.

[37] Vgl. B. M. Metzger: A Textual Commentary on the Greek New Testament, S. 459ff.

Übergang zu V. 6 ist dabei fließend.[38] Paulus nimmt hier eine Behauptung auf, die eigentlich schon zwischen V. 3 und 4 hätte ergänzt werden müssen[39] und durch die erst deutlich wird, warum er überhaupt traurig ist. „Denn die Aussage des Paulus in V. 6a ist ja die *Antwort* auf eine (nicht explizit gestellte, aber offensichtlich zu ergänzende) Frage: Es geht um das Problem, ob aus dem in V. 1-5 Gesagten zu folgern ist, das Wort Gottes sei womöglich ‚hingefallen'. Darauf lautet die Antwort, das sei nicht geschehen".[40] V. 6a gibt also offensichtlich mit der Formulierung ἐκπέπτωκεν ὁ λόγος τοῦ θεοῦ einerseits eine menschliche Sichtweise wieder, diese Möglichkeit wird dann aber andererseits bereits mit den einleitenden Worten οὐχ οἷον δὲ ὅτι aus theologischer Sicht verneint.

Diese These wird in V. 6b begründet (verbunden mit γάρ).[41] Dazu wird eine interne Differenzierung des Israelbegriffes vorgenommen: nicht „alle aus Israel" sind „Israel", sondern nur ganz bestimmte Personen werden von Gott ausgewählt und damit der in V. 4 genannten Privilegien teilhaftig. Der erste Begriff setzt dabei ein geläufiges menschliches Verständnis voraus, nach dem alle, die „aus Israel" stammen, zu Israel gehören, der zweite stellt dem in einer spezifisch theologischen Sicht ein zweites Verständnis von Israel entgegen. Diese Differenzierung πάντες οἱ ἐξ Ἰσραήλ – Ἰσραήλ hat für das Verständnis des folgenden Gedankenganges wichtige Bedeutung. Gemeint ist mit dem zweiten „Israel" offensichtlich ein in einer spezifisch theologischen Sicht gemeinter Israelbegriff, der nicht mit dem herkömmlichen Verständnis der Zugehörigkeit zum Volk Israel durch Geburt oder Übertritt identisch ist.[42] Die entscheidenden Fragen sind dabei erstens, wie dieser theologische Israelbegriff von Paulus definiert wird und zweitens, welche neue Grenzziehung sich dadurch ergibt – ob etwa dadurch die Grenze der zur Israel Gehörigen innerhalb des Volkes Israel eingeschränkt oder über dessen Grenzen hinaus ausgeweitet wird.[43]

V. 7 führt die genannte Unterscheidung am Beispiel Abrahams mit derjenigen von πάντες τέκνα (V. 7a) und σπέρμα (V. 7b) weiter aus. Der zweite Begriff findet sich in einer Reihe von Abrahamsverheißungen.[44] Anknüpfend an 9,5 (ὧν οἱ πατέρες) bezieht sich die Argumentation V. 7-13, die sich an die These in V. 6 anschließt, konkret auf die drei sogenannten Stammväter des Volkes Israel, nämlich Abraham, Isaak und Jakob. Dabei wird in V. 7-9 das Verhältnis von Abraham zu Isaak (und Ismael) und V. 10-13 das von Isaak zu Jakob und Esau behandelt. Die Argumentation basiert auf den entsprechenden Textpassagen aus der Genesis, also für die Ankündigung

---

[38] Gegen W. Schmithals: Der Römerbrief, S. 337, der V. 5 erst in 11,25ff fortgesetzt sieht und so 9,1-5 und 11,25-31 als Rahmen um vier in sich geschlossene und von einander unabhängige Argumentationsgänge versteht: 9,6-33; 10,1-21; 11,1-10 und 1-24 (vgl. Schmithals, a.a.O., S. 326).

[39] So A. Lindemann: Israel im Neuen Testament, S. 177.

[40] Lindemann, ebd., Hervorhebung von Lindemann.

[41] „Bei der Auslegung von Röm 9-11 wird häufig übersehen, dass Paulus thetische Aussagen oft durch ein begründendes oder explikatives γάρ fortsetzt". (A. Lindemann, Israel im Neuen Testament, S. 178, Anm. 33)

[42] So auch z.B. E. Käsemann: An die Römer; HNT 8a, S. 252; U. Wilckens: Der Brief an die Römer; EKK VI, 2, S. 192, Anm. 850. Demgegenüber ist auch die These vertreten worden, dass sich der Ausdruck οἱ ἐξ Ἰσραήλ auf die Person Jakobs bezieht. So z.B. O. Michel: Der Brief an die Römer; KEK 4, S. 231.

[43] Vgl. dazu H. Hübner: Gottes Ich und Israel. Zum Schriftgebrauch des Paulus in Römer 9-11; (FRLANT 136) Göttingen 1984, S. 17.

[44] Gen 12,7; 13,15.16.17; 15.5.18; 17,7-10.19; 22,17.18; 24,7, siehe auch K. Haacker: Der Brief des Paulus an die Römer; ThHK 6, S. 191.

der Geburt Isaaks und deren Erfüllung auf Gen 15-22 und für die Erwählung Jakobs auf Gen 25,19ff. Die Interpretation dieser Texte durch Paulus nimmt, wie bereits z.B. in Kap. 4 bei der Beschäftigung mit Gen 15,6, den größeren Problemzusammenhang der alttestamentlichen Texte auf. Nachdem bereits in Gen 15,5f Abraham eine große Nachkommenschaft verheißen worden war, scheint diese durch die Geburt Ismaels in Gen 16 bereits eingelöst worden zu sein. Die erneute Verheißung in Gen 18,14, die Paulus Röm 9,9 zitiert und die anschließende Geburt Isaaks, werfen jedoch das Problem auf, welches der Nachkomme ist, der der Verheißung entspricht (Gen 21,1ff). Auf den Wunsch Saras hin wird Hagar mit Ismael vertrieben und von Gott gerade noch vor dem Verdursten in der Wüste gerettet (Gen 21,10ff). Damit ist eindeutig, dass Isaak der von Gott verheißene Nachkomme ist.[45] Diese Klarstellung nimmt Paulus aus Gen 21,12 in V. 7b wörtlich, aber ohne Zitationsformel (lediglich durch ἀλλά leicht hervorgehoben), auf: ἐν Ἰσαὰκ κληθήσεταί σοι σπέρμα.[46]

Die Unterscheidungen πάντες οἱ ἐξ Ἰσραήλ – Ἰσραήλ (V.6) und πάντες τέκνα – σπέρμα (V. 7) werden in V. 8 durch die Differenzierung τὰ τέκνα τῆς σάρκος – τὰ τέκνα τῆς ἐπαγγελίας fortgesetzt. V. 8a setzt dabei in geläufiger Sicht bei einer Definition der Kindschaft durch leibliche Nachkommenschaft an. Dies wird dann aber – mit ἀλλά entgegengesetzt – in V. 8b in theologischer Sicht modifiziert. Das λογίζεται zeigt dabei, dass es nicht um leibliche Herkunft, sondern um eine Zurechnung durch Gott geht (vgl. Röm 4,3ff), die die Kindschaft im eigentlichen, theologischen Sinne konstituiert. Bereits in 8,12ff hatte Paulus ja das Kind Gottes Sein mit der Metapher der Adoption beschrieben. Entscheidendes Kriterium für diesen neuen, theologisch definierten Begriff der Kindschaft (V. 7) und Israels (V. 6) ist hier in V 6ff die Verheißung (ἐπαγγελία, vgl. Röm 1,2). „Damit ist der Gedanke der Identität von empirischem Israel und Israel als Gottesvolk aufgehoben, und diese Folgerung (τοῦτ' ἔστιν) wird in V. 8 auch explizit ausgesprochen. [...] Nur die ‚Kinder der Verheißung' sind ‚Same Abrahams' und also in Wahrheit ‚Israel', die anderen sind es nicht. Der Gedanke ist dabei nicht, der der ἐπαγγελία entsprechende Same Abrahams seien möglicherweise die Christen; aber Paulus behauptet, die fleischliche Abstammung von Abraham her sei jedenfalls nicht identisch mit der Zugehörigkeit zu Israel – und er behauptet unter Verweis auf die Schrift, daß dies immer schon so gewesen sei."[47] Dadurch zeigt Paulus, dass die Erwählung Gottes zunächst keine Ausweitung, sondern eine Reduktion der Nachkommenschaft gemäß der Verheißung zur Folge hat. Im Grunde gilt diese Verheißung jeweils nur einer einzigen Person.[48]

Der den ersten Gedankengang beendende V. 9 (angeschlossen mit γάρ) orientiert sich an dem in Röm 1,2 dargelegten hermeneutischen Schema, nach dem die Worte der heiligen Schriften unter dem Aspekt der Verheißung verstanden werden müssen.

---

[45] Auch für Ismael gilt jedoch gemäß Gen 21,13 eine Verheißung.

[46] Das Zitat ist aber als solches erkennbar, weil es syntaktisch nicht in den Kontext integriert ist. Vgl. D.-A. Koch: Die Schrift als Zeuge des Evangeliums, S. 13.

[47] A. Lindemann: Israel im Neuen Testament, S. 178.

[48] Dieser Reduktion bzw. Konzentration auf einzelne Personen folgt auch das der Genesis zu Grunde liegende genealogische System. Allerdings nimmt es dort gerade nicht den einzelnen Menschen für sich in den Blick, sondern hat ein spezielles Interesse an der möglichst umfassenden Zuordnung von Volksgemeinschaften bzw. an der Definition der eigenen Glaubensgemeinschaft. Vgl. dazu F. Crüsemann: Menschheit und Volk. Israels Selbstdefinition im genealogischen System der Genesis; in: EvTh 58 (1998) S. 180-195. Dort S. 189: „Das gesamte System verbindet Menschheit und Volk zu einer Einheit, genauer, die gesamte Menschheit und die Sippenverbände Israels werden in einem einzigen System erfaßt."

(ἐπαγγελίας γὰρ ὁ λόγος οὖτος). Unter dieser Voraussetzung wird mit leichten Abwandlungen und einer deutlichen Zitateinleitung Gen 18,14 wiedergegeben,[49] wo die Geburt Isaaks verheißen wird. Paulus verfährt hier wieder so, dass er dieses Schriftzitat aus menschlicher Sicht als bekannt voraussetzt und es von seinem Evangelium her in einer bestimmten theologischen Perspektive unter dem Verheißungsaspekt interpretiert (vgl. Röm 1,2). Dieses hermeneutische Schema wird in Kap. 9-11 besonders häufig verwendet. Wenn Paulus die Schriftzitate fast durchgehend[50] auf der Seite der Gegenüberstellung anführt, die die geläufige menschlichen Sicht wiedergibt, um sie dann aus einer speziellen theologischen Sicht als Verheißungen zu interpretieren, so meint dies nicht, dass er diese Schriftzitate nicht als Worte Gottes anerkennt. Auffällig ist jedoch die Einleitung dieser Zitate. „Dennoch verwendet Pls auch in diesen Fällen (sc. Röm 4,17; 9,9.13.15.17.25.33; 10,19.20.21; 11,4; 12,19; 14,11 u.ö.) durchgängig unpersönliche Zitateinleitungen (zumeist καθὼς γέγραπται o. dgl.) oder nennt allgemein ,die Schrift' (Röm 9,17), ja sogar Mose bzw. Jesaja als Sprecher (Röm 10,19-21)! Selbst in Röm 9,15.25 umgeht Paulus die Zitateinführung durch ὁ θεὸς λέγει, und man wird aufgrund des übrigen Befundes auch hier nicht stillschweigend ὁ θεός ergänzen dürfen. Hieraus ist sicher nicht auf eine von Pls beabsichtigte Relativierung der Autorität der angeführten Zitate zu schließen, aber für ihn steht offenbar die Schrift als vorgegebener Text im Vordergrund, in dem jetzt Gottes Wort zugänglich wird."[51]

Analog zu V. 7-9 mit der Alternative Ismael – Isaak thematisiert ein zweiter Argumentationsgang in V. 10-13, verbunden durch οὐ μόνον δέ – ἀλλὰ καί, eine Rivalität zwischen den beiden Söhnen Rebekkas und Isaaks, also Jakob und Esau. Die Frage, wer hier der legitime Nachkomme gemäß der Verheißung ist, spitzt sich in V. 10ff noch dadurch zu, dass beide nicht von verschiedenen Frauen, sondern sogar als Zwillinge von ein und demselben Elternpaar abstammen. Dieser Sachverhalt wird zunächst in V. 10a aus menschlicher Sicht berichtet (Ῥεβέκκα ἐξ ἑνὸς κοίτην ἔχουσα). Demgegenüber wird Isaak in V. 10b aus theologischer Sicht ,Vater' der „Wir", also der Glaubenden genannt, weil er wie die „Wir" Nachkomme gemäß der Verheißung ist (Ἰσαὰκ τοῦ πατρὸς ἡμῶν). Paulus wendet sich hier also nicht speziell an die Juden oder die Christen jüdischer Herkunft,[52] sondern an alle an Christus Glaubenden, die in einem bestimmten, noch weiter zu erläuternden Sinne für ihn „Kinder" sind. Die Formulierung ist parallel zu Röm 4,11 zu verstehen (πατὴρ πάντων τῶν πιστευόντων). Wie Abraham dort als Vater aller an Christus Glaubenden bezeichnet wurde, so wird hier Isaak als Vater der Glaubenden vorgestellt.

V. 11 begründet erneut die These aus V. 10 mit einleitendem γάρ. V. 11f nehmen eine Unterscheidung auf, die bereits in Röm 3,19ff entwickelt wurde: ἐξ ἔργων – ἐκ πίστεως (vgl. V. 12a). Insofern wird damit auch nahtlos an die Argumentation über Abraham in Kap. 4 angeknüpft (vgl. z.B. Röm 4,2f). Paulus betont, dass sich die Begründung der Erwählung Jakobs zum Nachkommen gemäß der Verheißung nicht aus irgendwelchen Taten Jakobs ergibt, sondern dass sie auf Gottes souveränem Handeln

---

[49] Die Abwandlungen erklären sich vor allem durch die zusätzliche Aufnahme von Gen 18,10, sie sind aber ohne inhaltliche Bedeutung. Vgl. D.-A. Koch: Die Schrift als Zeuge des Evangelium, S. 171f.

[50] Das ist allerdings nicht immer der Fall. So wurde z.B. in V. 7b das Zitat aus Gen 21,12 ohne deutliche Zitateinleitung auf der Seite der theologischen Perspektive verwendet. Darüber hinaus können Zitate auch verwendet werden, um den Abschluss eines Abschnittes zu markieren (vgl. z.B. 3,10-18 oder 9,12b und 13).

[51] D.-A. Koch: Die Schrift als Zeuge des Evangeliums, S. 31f.

[52] So E. Käsemann: An die Römer; HNT 8a, S. 254.

beruht.[53] V. 11a wird zunächst eine menschliche Sichtweise beschrieben, die die Person nach ihren Werken beurteilt (μήπω γεννηθέντων μηδὲ πραξάντων τι ἀγαθὸν ἢ φαῦλον). Dieser wird in V. 11b eine theologische entgegengestellt, die sich an Gottes Beschluss orientiert (ἵνα ἡ κατ᾿ ἐκλογὴν πρόθεσις τοῦ θεοῦ μένῃ). Das Wort πρόθεσις nimmt dabei Röm 8,28ff auf, wo die Gott Liebenden durch diesen Begriff definiert wurden. Paulus stellt hier wieder – wie bereits in den vorhergehenden Kapiteln – zwei Existenz- und Sichtweisen gegenüber: die eine definiert den Menschen (und vor allem sich selbst) durch seine guten oder bösen Taten, die zweite verzichtet auf eine solche (Selbst-) Definition und vertraut demgegenüber auf Gottes Entscheidungen.

Diese beiden Sichtweisen werden in V. 12a in der kurzen Formel οὐκ ἐξ ἔργων ἀλλ᾿ ἐκ τοῦ καλοῦντος nochmals konzentriert wiedergegeben und variiert. Bereits in Röm 3,19ff stellte Paulus ἐξ ἔργων und ἐκ πίστεως gegenüber (vgl. z.B. Röm 3, 20.22.28.30; 4,2f u.ö.). In Röm 9,11 wurde diese Differenz aufgenommen. In V. 12 wird das Wort πρόθεσις aus V. 11 durch die Aufnahme des καλέω aus V. 7 variiert. Die Unterscheidung lautet dadurch am Ende der Argumentation diese Abschnittes ἐξ ἔργων – ἐκ τοῦ καλοῦντος. Paulus bestreitet damit nicht nur die Bedeutung der Werke für – in juridischer Metaphorik ausgedrückt – den Freispruch des Menschen vor und von Gott,[54] sondern er bietet zugleich eine Gen 25,29-34 und Gen 27,1-40 durchaus angemessene Auslegung. Denn auch im Genesistext liefern weder der Verkauf seiner eigenen Privilegien durch Esau noch die Erschleichung des väterlichen Segens durch Jakob an und für sich die Grundlage für die Erwählung Jakobs. Sie sind vielmehr nur im Zusammenhang mit dem Vorsatz Gottes zu verstehen, der bereits vor ihrer Geburt feststand (vgl. Gen 25,23).[55] Die Argumentation ist damit ähnlich wie z.B. Röm 4,9ff, wo der zeitliche Vorrang der Verheißung vor den Taten (der Beschneidung) betont wurde.[56]

Der Abschnitt wird am Ende – wie öfters im Röm – durch alttestamentliche Zitate abgeschlossen. V. 12b zitiert Paulus mit Gen 25,23 den für das Verständnis der gesamten Geschichte zentralen Satz, der die Verheißung der Rivalität der beiden Söhne an Rebekka enthält und der später durch die genannten Konflikte um das Erstgeburtsrecht bestätigt wird. Markant ist dabei, dass Paulus die Ausführungen über das Verhältnis der beiden Völker zueinander nicht mit zitiert. Dadurch wird der Blick auf das Verhältnis der beiden Individuen Jakob und Esau fokussiert. Ähnlich verwendet Paulus auch das zweite, abschließende Zitat aus Mal 1,2f, das die Bevorzugung Jakobs vor Esau mit der Liebe Gottes begründet – wobei in Mal Völker und nicht Einzelpersonen gemeint sind! Die beiden Zitate bilden zusammen das Ende des Abschnittes V. 1-13 und fügen sich deshalb nicht in die sonstige Doppelperspektive von geläufiger menschlicher und spezifischer theologischer Sicht (vgl. ähnlich auch z.B. 3,10-18). Auch in V. 10-13 hat die Erwählung Gottes also für Paulus zunächst

---

[53] Vgl. auch A. Lindemann: Israel im Neuen Testament, S. 179.

[54] Diese Beziehung zwischen Rechtfertigungslehre und Röm 9,11 sieht H. Hübner: Gottes Ich und Israel, S. 24f skeptisch, weil sich für ihn die Rechtfertigung durch die Annahme des Gottlosen auszeichnet.

[55] Vgl. dazu J. Taschner: Verheissung und Erfüllung in der Jakoberzählung (Gen 25,19-33,17). Eine Analyse ihres Spannungsbogens; Herders biblische Studien 27; Freiburg i.B., Basel, Wien 2000, S. 23: „Durch das Orakel (sc. Gen 25,23) wird die Rivalität zwischen beiden Söhnen Isaaks und Rebekka durch JHWH selbst bestätigt, gedeutet und religiös verankert."

[56] Zu dieser paulinischen Gegenüberstellung zweier Aspekte einer alttestamentlichen Stelle und der Heraushebung des einen gegenüber dem anderen vgl. auch oben die Ausführungen zum νόμος-Begriff zu Röm 2,12. Ein anderes Beispiel ist II Kor 3. Siehe D. Starnitzke: Der Dienst des Paulus. Zur Interpretation von Ex 34 in 2 Kor 3; in: WuD 25 (1999), S. 193-207.

eingrenzende und unterscheidende Bedeutung. Lediglich Jakob ist Nachkomme Isaaks (und Abrahams) gemäß der Verheißung, alle anderen, z.B. Esau und die Edomiter (bzw. Ismael und die Ismaeliter)[57] sind davon ausgenommen. Damit wird deutlich, dass sich für Paulus die Verheißung der Nachkommenschaft im Falle der Erzväter Abraham, Isaak und Jakob jeweils individuell auf eine einzelne Person bezog.[58] Es wird dort immer zwischen der betreffenden Person und allen anderen unterschieden: Abraham – alle anderen Menschen, Isaak – alle anderen (und besonders Ismael), Jakob – alle anderen (und besonders Esau). Ausgehend von dem persönlichen Bekenntnis des Paulus 9,1-5 wird also in 9,6-13 eine kollektive Betrachtung der Menschen aufgrund ihrer Zugehörigkeit zu einem bestimmten Volk grundsätzlich abgelehnt. Nicht alle Israeliten gehören pauschal zum auserwählten Volk, sondern die göttliche Verheißung ergeht individuell an einzelne Personen. Kriterium der Zugehörigkeit zur Nachkommenschaft sind dabei nicht die eigenen Taten, sondern dies ist allein Gottes Beschluss. Der erste Abschnitt von Kap. 9-11 schließt damit gut an die vorhergehende Argumentation an und kann deshalb als sinnvolle Fortsetzung von Kap. 1-8 verstanden werden. V. 1-13 lassen sich damit wie folgt strukturieren:

9,1:	Ἀλήθειαν λέγω	ἐν Χριστῷ
	οὐ ψεύδομαι	συμμαρτυρούσης μοι τῆς συνειδήσεώς μου ἐν πνεύματι ἁγίῳ
2: ὅτι	λύπη μοί ἐστιν μεγάλη	καὶ ἀδιάλειπτος ὀδύνη τῇ καρδίᾳ μου
3: γὰρ	ὑπὲρ τῶν ἀδελφῶν μου τῶν συγγενῶν μου κατὰ σάρκα (2)	ηὐχόμην ἀνάθεμα εἶναι αὐτὸς ἐγὼ ἀπὸ τοῦ Χριστοῦ (1)
4+5: οἵτινές	εἰσιν Ἰσραηλῖται ὧν ἡ υἱοθεσία καὶ ἡ δόξα καὶ αἱ διαθῆκαι καὶ ἡ νομοθεσία καὶ ἡ λατρεία καὶ αἱ ἐπαγγελίαι ὧν οἱ πατέρες	καὶ ἐξ ὧν ὁ Χριστὸς τὸ κατὰ σάρκα, ὁ ὢν ἐπὶ πάντων. θεὸς εὐλογητὸς εἰς τοὺς αἰῶνας ἀμήν
6: δὲ γὰρ	ἐκπέπτωκεν ὁ λόγος τοῦ θεοῦ (2)	Οὐχ οἷον ὅτι (1)
	οὐ πάντες οἱ ἐξ Ἰσραήλ	οὗτοι Ἰσραήλ
	οὐδ' ὅτι εἰσὶν σπέρμα Ἀβραάμ πάντες τέκνα	ἀλλ' Ἐν Ἰσαὰκ κληθήσεταί σοι σπέρμα
7 τοῦτ' ἔστιν	οὐ τὰ τέκνα τῆς σαρκὸς ταῦτα τέκνα τοῦ θεοῦ	ἀλλὰ τὰ τέκνα τῆς ἐπαγγελίας λογίζεται εἰς σπέρμα
9: γὰρ	Κατὰ τὸν καιρὸν τοῦτον ἐλεύσομαι καὶ ἔσται τῇ Σάρρᾳ υἱός (2)	ἐπαγγελίας ὁ λόγος οὗτος (1)
10: οὐ μόνον δέ ἀλλὰ καὶ	Ῥεβέκκα ἐξ ἑνὸς κοίτην ἔχουσα	Ἰσαὰκ τοῦ πατρὸς ἡμῶν
11: γὰρ	μήπω γεννηθέντων μηδὲ πραξάντων τι ἀγαθὸν ἢ φαῦλον	ἵνα ἡ κατ' ἐκλογὴν πρόθεσις τοῦ θεοῦ μένῃ
12a:	οὐκ ἐξ ἔργων	ἀλλ' ἐκ τοῦ καλοῦντος

V. 12b und 13: ἐρρέθη αὐτῇ ὅτι Ὁ μείζων δουλεύσει τῷ ἐλάσσονι καθὼς γέγραπται Τὸν Ἰακὼβ ἠγάπησα τὸν δὲ Ἠσαῦ ἐμίσησα (Schlusszitate)

---

[57] Vgl. zu dem Zusammenhang der Einzelpersonen und Völker K. Haacker: Der Brief des Paulus an die Römer; ThHK 6, S. 193.
[58] Gegen W. Schmithals: Der Römerbrief, S. 346.

Die Souveränität Gottes (9,14-18)

Mit den Ausführungen des Paulus im vorherigen Abschnitt steht die Frage im Raum, ob Gott nicht ungerecht sei, wenn er jeweils nur einzelne als Nachkommen auswählt und alle anderen davon ausnimmt. Röm 9,14-18 beschäftigen sich mit diesem Einwand. Eine charakteristische Formulierung in der 1. Person leitet den neuen Abschnitt ein.[1] „In τί οὖν ἐροῦμεν (V. 14) markiert οὖν den Rückgriff auf ein größeres Stück des oberen Kontextes [...] wohingegen in τί ... ἐροῦμεν das Sprecher-Ich (hier zum Plural verblasst) mit einer Frage zum Fortfahren ansetzt."[2] Es handelt sich hier, ebenso wie an den anderen Stellen im Röm, an denen sich diese Formulierung findet (vgl. 3,5; 4,1; 6,1; 7,7; 8,31; 9,14), um einen schriftstellerischen Plural. Nach der rhetorischen Eingangsfrage wird zunächst V. 14b eine menschliche Sicht wiedergegeben, nach der Gott ungerecht ist, wenn er einzelne Menschen anderen vorzieht. Dieser Sicht stellt Paulus mit einer entschiedenen Ablehnung eine theologische Perspektive implizit gegenüber (μὴ γένοιτο). Auf die in der ablehnenden Antwort enthaltene These folgt wiederum – wie bereits in V. 7-9 und 10-13 – eine doppelte Argumentation mit Hilfe der Schrift, die parallel gebaut ist und mit begründendem γάρ angeschlossen wird. Paulus zitiert zweimal zunächst eine Textstelle aus Ex (λέγει). Diese wird dann – jeweils durch ἄρα οὖν eingeleitet – in einer bestimmten theologischen Sicht im Hinblick auf das vom ihm verkündete Evangelium interpretiert. Paulus weist dabei besonders auf die Souveränität Gottes hin. Die Auslegung folgt auch hier dem hermeneutischen Modell von Röm 1,2, nach dem das paulinische Evangelium durch die Heiligen Schriften bereits vorher verheißen worden ist.

Das erste Zitat aus Ex 33,19 fungiert im Exodusbuch als Selbstcharakterisierung Gottes. Bemerkenswert ist zunächst, dass es sich bei dem in V. 15 zitierten Satz – verbunden durch καί – nicht um einen antithetischen, sondern um einen synthetischen Parallelismus handelt. Es wird also durch das Begriffspaar ἐλεήσω – οἰκτιρήσω keine Unterscheidung im Sinne eines Gegensatzes gebildet. Die Aussage heißt im Gegenteil, dass Gott derjenige ist, der sich selbst durch umfassendes Erbarmen kennzeichnet. Die tautologische Formulierung hat also die Funktion, den umfassenden Charakter des göttlichen Erbarmens anzudeuten, auf den der gesamte Argumentationsabschnitt in 11,32 hinausläuft. Paulus berücksichtigt dabei erneut den Zusammenhang der Schriftstelle. Die Frage des Mose war, ob er Gnade (χάρις) vor Gott findet (vgl. Ex 33, 13. 16 und 17 nach LXX). Die Antwort darauf ist die Epiphanie in Ex 33,19ff.[3]

V. 16 zieht aus diesem Zitat die für die Argumentation wichtige theologische Konsequenz (angeschlossen mit ἄρα οὖν): Das Erbarmen Gottes ist vom Tun und Wollen der Menschen unabhängig, wie die Formulierung οὐ τοῦ θέλοντος οὐδέ τοῦ τρέχοντος ἀλλὰ τοῦ ἐλεῶντος zeigen soll.[4] Paulus richtet sich damit wiederum gegen die bereits in den vorhergehenden Kapiteln entfaltete Existenzweise, die durch das eigene Wollen und die eigenen Anstrengungen gekennzeichnet ist (vgl. 2,1-3,18; 5,12ff in Bezug auf Adam und 7,7ff in Bezug auf das Ich). Zugleich wird dadurch die in V. 11

---

[1] So auch z.B. E. Käsemann: An die Römer; HNT 8a, S. 257; C. K. Barrett: The Epistle to the Romans; BNTC, S. 171; U. Wilckens: An die Römer; EKK VI, 2, S. 197. Gegen K. Haacker: Der Brief des Paulus an die Römer; ThHK 6, S. 194, der V. 14ff unmittelbar an das Vorhergehende anschließt.

[2] F. Siegert: Argumentation bei Paulus, S. 115.

[3] Vgl. auch K. Haacker: Der Brief des Paulus an die Römer; ThHK 6, S. 195, Anm. 33.

[4] Zwar könnte sich hier sowohl θέλοντος als auch τρέχοντος ebenfalls auf θεοῦ beziehen, aus dem Kontext wird jedoch klar, dass τρέχοντος auf die Menschen bezogen ist.

und 12 entwickelte Gegenüberstellung ἐξ ἔργων – ἐκ τοῦ καλοῦτος weitergeführt. Dass die Orientierung am eigenen Willen den Menschen in Verzweiflung führt, weil er dabei die Erfahrung machen muss, dass das Tun dem Wollen widerspricht, wurde bereits in Röm 7,14ff als zentrale Erfahrung des Ich entwickelt. Das τρέχω [5]variiert das πράσσω aus V. 11 und entspricht dem ἐξ ἔργων aus V. 12 und Röm 3,19ff. Mit der Formulierung τοῦ ἐλεῶντος θεοῦ ist erneut der zentrale theologische Gesichtspunkt genannt, der bereits im Exoduszitat enthalten war und auf den die Argumentation des gesamten Briefteiles Kap. 9-11 hinausläuft (vgl. Röm 11,32).[6]

Die V. 17f zeigen mit einem zweiten Beispiel, dass das Erbarmen Gottes vom Tun und Wollen der Menschen unabhängig ist: Paulus bezieht sich dabei mit einem etwas missverständlichen Zitat aus Ex 9,16 auf den Pharao. Das Zitat wird eingeleitet mit λέγει γὰρ ἡ γραφή. Damit macht Paulus wiederum deutlich, dass er zunächst in menschlicher Perspektive von der Schrift als gegebenem Text ausgeht, der in einer bestimmten Hinsicht theologisch interpretiert werden muss.[7] Paulus verändert das Zitat, indem er διετηρήθης durch ἐξήγειρά σε und ἵνα durch ὅπως ersetzt.[8] Durch das Aktiv und das finale ὅπως wird dabei das Handeln Gottes deutlich betont.[9] In Ex 9,16 besagt dieser Satz, dass Gott Pharao bis dahin in allen Plagen verschont hat.

V. 18 interpretiert parallel zu V. 16 (ebenfalls angeschlossen mit ἄρα οὖν) diese Stelle in theologischer Sicht im Hinblick auf die Souveränität Gottes. Er zeigt, dass das universale Erbarmen Gottes nicht ausschließt, bestimmte Menschen auch zu verhärten. Dies thematisiert Paulus durch die Differenz ἐλεεῖ – σκληρύνει. Das σκληρύνει spielt auf das Ende Pharaos bei der Verfolgung der Israeliten an (Ex 14,8: ἐσκλήρυνεν κύριος τὴν καρδίαν Φαραώ, vgl. auch V. 4 und 17). Pharao wird damit antithetisch als „Gegenspieler" des Moses dargestellt, den Gott verhärtet.[10] Das „Verhärten" bedeutet aber nicht unbedingt „Verwerfen", sondern ist schwächer gemeint.[11] Das grundsätzliche und universale Erbarmen Gottes (vgl. V. 15f) wird dadurch nicht prinzipiell aufgehoben (siehe Röm 11,32 und unten die Erläuterungen dazu). Das Beispiel des Pharao zeigt aber auch: Wie sich Gottes Verheißung auf einzelne Menschen bezieht (V. 1-1), so sucht er sich auch in Bezug auf die „Verhärtung" jeweils einzelne Personen. Auch darin äußert sich die individuelle und souveräne Auswahl Gottes.

---

[5]   Mit dem Begriff ist offenbar eine Wettbewerbsmetaphorik verbunden (vgl. I Kor 9,24.26; Gal 2,2; 5,7; siehe auch Phil 3,12ff). „Es handelt sich um ein verbreitetes Motiv der Diatribe" (U. Wilckens: Der Brief an die Römer; EKK VI, 2, S. 199, Anm. 878).

[6]   So auch K. Haacker: Der Brief des Paulus an die Römer; ThHK 6, S. 195.

[7]   Vgl. D.-A. Koch: Die Schrift als Zeuge des Evangeliums, S. 31f und die Ausführungen zu V. 9 sowie grundsätzlich das hermeneutische Schema in Röm 1,2.

[8]   Vgl. H. Hübner (Hrsg.): Vetus Testamentum in Novo, Bd. 2, S. 154. Außerdem ist ἰσχύς zu δύναμις verändert.

[9]   Vgl. D.-A. Koch: Die Schrift als Zeuge des Evangeliums, S. 150f.

[10]   So auch K. Haacker: Der Brief des Paulus an die Römer; ThHK 6, S. 194f.

[11]   Gegen E. Käsemann: An die Römer; HNT 8a, S. 258f.

Röm 9,14-18 lassen sich damit folgendermaßen strukturieren:

14: Τί οὖν ἐροῦμεν	μὴ ἀδικία παρὰ τῷ θεῷ	μὴ γένοιτο
15+16: τῷ Μωϋσεῖ γὰρ λέγει	Ἐλεήσω ὃν ἂν ἐλεῶ καὶ οἰκτιρήσω ὃν ἂν οἰκτίρω	ἄρα οὖν οὐ τοῦ θέλοντος οὐδὲ τοῦ τρέχοντος ἀλλὰ τοῦ ἐλεῶντος θεοῦ
17+18: λέγει γὰρ ἡ γραφὴ τῷ Φαραὼ ὅτι	Εἰς αὐτὸ τοῦτο ἐξήγειρά σε ὅπως ἐνδείξωμαι ἐν σοὶ τὴν δύναμίν μου καὶ ὅπως διαγγελῇ τὸ ὄνομά μου ἐν πάσῃ τῇ γῇ	ἄρα οὖν ὃν θέλει ἐλεεῖ ὃν δὲ θέλει σκληρύνει

Der Wille Gottes und die Selbständigkeit des Menschen (9,19-29)

Aus dem bisher Ausgeführten ergibt sich als grundsätzliches Problem, was der einzelne Mensch selbst für oder gegen diese Wahl Gottes unternehmen und wie er selbst für seine Taten verantwortlich gemacht werden kann. Dieser Frage gehen die folgenden Verse nach.

    Die V. 19-29 bilden einen in sich geschlossenen Zusammenhang.[12] Paulus beginnt hier zwar ausnahmsweise nicht den Abschnitt in der 1. Person, aber die Anrede in der 2. Person Singular hat die gleiche Funktion. „Ἐρεῖς μοι οὖν (9,19) fungiert gleich wie (ist stilistische Variante zu) τί οὖν ἐροῦμεν: formelhafte Markierung eines Unterabschnittes und zugleich des Sprecher-Hörer-Kontaktes."[13] Das anschließende τί οὖν ἔτι μέμφεται leitet wieder aus menschlicher Sicht einen Einwand ein (V. 19b), der dann erneut aus theologischer Sicht V. 20a abgewehrt wird. Darauf folgen, wie bereits in V. 6-13 und 14-18, zwei Argumentationsgänge, die die theologische These erläutern: der erste setzt bei der Metapher vom Töpfer und seinem Ton (Jes 29,16 u. ö.) an (V. 20b-23), der zweite bei Zitaten aus Hos und Jes (V. 24-26).

    Die durch die Eingangsformulierung dem literarischen Gesprächspartner in den Mund gelegte Doppelfrage formuliert zunächst aus menschlicher Sicht einen Einwand: „Der Mensch, der hier zur Sprache kommt, identifiziert sich mit Pharao und versteht dessen Untergang als ein Gericht Gottes über dessen Bosheit, das sich als ungerecht erweist."[14] Die zweite Frage, wer sich Gottes Entscheidung entgegenstellen könne, zeigt zwar Anklänge an Sap 12,12,[15] und besonders an Hiob 9, ist aber kein Zitat.[16] Diesem

---

[12]   So auch F. Siegert: Argumentation bei Paulus, S. 131ff.

[13]   Siegert, a.a.O., S. 115.

[14]   K. Haacker: Der Brief des Paulus an die Römer; ThHK 6, S. 195.

[15]   Diesen Zusammenhang betont H. Hübner: Gottes Ich und Israel, S. 46.

[16]   Vgl. dazu auch H. Hübner (Hrsg.): Vetus Testamentum in Novo, Bd. 2, S. 154. In Hiob 9,19 heißt es: „τίς οὖν κρίματι αὐτοῦ ἀντιστήσεται;" Auch die Frage τί ἐποίησας; in V. 20 findet sich bereits in Hiob 9,12. Das gesamte Kapitel befasst sich als erste Antwort Hiobs an Bildad mit der Frage, um die es Paulus hier geht, nämlich ob ein Mensch auch angesichts scheinbar vorhandener Ungerechtigkeit mit Gott richten kann.

Einwand wird in V. 20a aus theologischer Sicht widersprochen. Dabei wird wiederum ein einzelner Mensch als Gesprächspartner konkret angesprochen (ὧ ἄνθρωπε, vgl. Röm 2,1 und 3), was nicht nur rhetorisches Stilmittel ist, sondern der Orientierung des Röm am einzelnen Menschen und seinem Selbstverhältnis entspricht. Die Formulierung μενοῦνγε σὺ τίς εἶ ὁ ἀνταποκρινόμενος τῷ θεῷ nimmt aus V. 19b das Argument der Unterlegenheit des Menschen auf und wendet es gegen den Menschen: Wenn er so unterlegen ist, dann hat er auch nicht das Recht, Gott so zu widersprechen, wie dies in V. 19 formuliert ist.

Der in V. 20a zum Ausdruck gebrachten These folgt V. 20b-23 und 24-26 erneut (wie V. 6-13 und 14-18) ein doppelter Argumentationsgang, bei dem jeweils ein Beispiel aus der Schrift angeführt und theologisch interpretiert wird. V. 20b ist zwar nicht als Zitat gekennzeichnet, gibt aber fast wörtlich Jes 29,16 (LXX) wieder[17] und führt damit die Metapher vom Töpfer und seinem Ton ein, die sich im AT noch öfter findet.[18] Auch hier geht Paulus nach dem bereits erläuterten hermeneutischen Schema der Aufnahme einer bekannten Schriftstelle und ihrer anschließenden Interpretation in einer spezifisch theologischen Sicht vor (vgl. Röm 1,2). Diesmal entfaltet er jedoch die Stelle in V. 21 zunächst weiter – angeschlossen mit ἤ –, bevor er sie interpretiert. V. 20b und 21 knüpfen auf diese Weise – ausgehend von einer Schriftstelle – bei dem bekannten Vorgang der Herstellung von Gefäßen an: Der Töpfer hat die Fähigkeit, verschiedene Töpfe für verschiedene Zwecke[19] zu gestalten.

Dieser aus menschlicher Sicht geläufige Vorgang wird in V. 22f in eine theologische Perspektive gestellt (angeschlossen mit εἰ δέ). Sie betont zugleich die Analogie und die Unterschiede zur ersten Sichtweise. Die grammatische Konstruktion ist hier kaum durchschaubar.[20] V. 22f kann als Anakoluth aufgefasst werden,[21] V. 23 kann aber auch als Apodosis zu V. 22 verstanden werden.[22] „Die Wenn-dann-Konstruktion [...] könnte für eine Entsprechung ('Wie..., so ...') stehen, aber auch für eine Folgerung ('Wenn schon ... , dann auch oder erst recht ...').“[23] Wahrscheinlicher ist jedoch, dass es sich hier um eine Aposiopese („Abbruch der Rede aus Erregung, Scheu o.ä.“[24]) handelt,[25] die den Gedanken vom Ende des großen Argumentationszusammenhanges in 11,30-32 bereits hier kurz andeutet. Der Sinn der sehr undurchsichtigen Konstruktion lautet dann ungefähr: Wenn aber Gott ... Gefäße des Zorns ..., fertiggestellt zum Verderben, ertragen hat, damit er den Reichtum seiner Herrlichkeit an Gefäßen des Erbarmens ... zeigte (ergänze: was dann)? Genau dies ist

---

[17] Paulus verändert zunächst οὐ σύ με ἔπλασας zu τί με ἐποίησας οὕτως und verdeutlicht dadurch, „daß das Geschöpf auch seine Geschöpflichkeit als solche Gott nicht entgegenhalten kann.“ (D.-A. Koch: Die Schrift als Zeuge des Evangeliums, S. 144.)

[18] Z.B. noch Jes 41,25; 45,9; Jer 18,6; Sap 15,7; Sir 36 (33),13. Vgl. H. Hübner (Hrsg.): Vetus Testamentum in Novo, Bd. 2, S. 156ff.

[19] So verstehen z.B. W. Haubeck, H. von Siebenthal: Neuer sprachlicher Schlüssel zum griechischen Neuen Testament, Bd. 2, S. 31 εἰς τιμήν und εἰς ἀτιμίαν.

[20] Dazu J. Weiß: „V. 22.23 sind auf parallele Gliederung angelegt, der Apostel scheitert aber an der Durchführung“. (J. Weiss: Beiträge zur paulinischen Rhetorik, S. 239)

[21] So z. B. A. Lindemann: Israel im Neuen Testament; S. 179.

[22] Vgl. F. Siegert: Argumentation bei Paulus, S. 132.

[23] K. Haacker: Der Brief des Paulus an die Römer; ThHK 6, S. 196.

[24] W. Haubeck, H. von Siebenthal: Neuer sprachlicher Schlüssel zum griechischen Neuen Testament; Bd. 2, S. 503.

[25] So auch Blass, Debrunner, Rehkopf: Grammatik des neutestamentlichen Griechisch, § 467, Anm. 2 und § 482: „Aposiopese im weiteren Sinn als Weglassung des Nachsatzes“. Es muss dann ein kurzer Nachsatz sinngemäß ergänzt werden.

aber die Argumentation, die in 11,25ff entfaltet werden wird. In diesem Falle wäre jedoch mit B, (P⁴⁶) und anderen Textzeugen gegen den Text der 27. Aufl. von Nestle-Aland das καί zu Beginn von V. 23 zu streichen.[26] Wenn man die Verse so versteht, dann vertritt Paulus hier keine doppelte Prädestination zur Erwählung und Verwerfung,[27] sondern es wird gerade betont, dass auch die eigentlich zum Verderben bereiteten „Gefäße" von Gott in großer Langmut getragen werden. Eine Prädestination zum Verderben würde auch der Schlussaussage der gesamten Argumentation in 11,32 widersprechen.

Die Argumentation des Paulus in diesen Versen muss auf dem Hintergrund von Röm 1-8 verstanden werden. Es geht ihm nicht einfach darum, den Menschen angesichts seiner Unterlegenheit gegenüber Gott zum Schweigen zu bringen. Vielmehr widerspricht der V. 20b und 21 dargestellte Versuch, Gott in dieser Weise in Frage zu stellen, der zweiten in den vorigen Kapiteln entfalteten Existenzweise, die sich gerade dadurch auszeichnet, dass sie Gott die Begründung der eigenen Existenz überlässt. Wenn jedoch der Mensch seine eigenen Kriterien von Gerechtigkeit an sich selbst und Gott anlegt, so folgt er damit der ersten der oben aufgezeigten beiden Existenzweisen gemäß Adam und verschließt sich damit der Möglichkeit, sich selbst durch den Glauben an Gott begründet zu wissen. Der in V. 19 und V. 20a.21 formulierte Einwand ist also nicht auf dem Niveau der Kap. 8 erreichten Argumentation, sondern fällt in Kap. 7 zurück. Eine Haltung, die der zweiten Existenzweise gemäß Christus entspricht, nimmt dagegen das so geschaffen Sein durch Gott für sich selbst an, lässt das eigene Leben durch Gott positiv gestalten und findet durch das Vertrauen auf Gottes Gnade – auch gegenüber den eigentlich zum Verderben Bestimmten! – die eigene Lebensgrundlage. Die bekannte Metapher vom Töpfer und seinem Ton hat in diesem Kontext nicht den Sinn, die Hilflosigkeit und Passivität des Menschen hervorzuheben, sondern sie versucht, eine Glaubenshaltung darzustellen, die Gott im eigenen Leben gestalten und wirksam werden lässt.

Die bisherige Argumentation wäre missverstanden, wenn man annimmt, dass die Auswahl Gottes nach Paulus der Entscheidungsfähigkeit des Menschen entgegenstünde. Wenn dies der Fall wäre, so wäre die paulinische Argumentation im Röm sinnlos, weil sie an der von der Entscheidung des Menschen unabhängigen Wahl Gottes ohnehin nichts ändern könnte. Die äußerst durchdachte Argumentation des Paulus setzt vielmehr gerade die Entscheidungsfähigkeit des Menschen für die eine oder andere der von ihm aufgezeigten beiden Existenzweisen[28] gemäß Adam oder Christus voraus.[29] Paulus möchte im Röm – neben der beschriebenen Funktion der Selbstreflexion der Existenz des Paulus – die Leserinnen und Leser von der zweiten Existenzweise „in" und gemäß Christus überzeugen bzw. sie in ihrer bereits getroffenen Entscheidung bekräftigen.

---

[26] Der Befund von P⁴⁶ ist dabei nicht ganz eindeutig, weil der Rand des Manuskriptes abgebrochen ist. (Vgl. U. Wilckens: Der Brief an die Römer; EKK VI, 2, S. 202, Anm. 901.)

[27] Gegen A. Lindemann: Israel im Neuen Testament, S. 179, der sich hier auf J. Calvin: Institutio Christianae Religionis III 24,1 bezieht.

[28] Gegen E. Käsemann: An die Römer; HNT 8a, S. 259, der in der Konzentration auf die Entscheidungsfähigkeit des Einzelnen bei R. Bultmann eine unzulässige Individualisierung sieht.

[29] So auch F. Siegert: Argumentation bei Paulus, S. 144: „Damit würde man ein Phänomen wie die paulinische Argumentation seines offenkundigen Ernstes und seiner Dringlichkeit berauben. Paulus spricht so, als hinge vom Mitvollzug seiner Argumentation sehr viel ab (vgl. Gal 2,14ff; 1. Kor 15,14.17 mit Kontext). Wo man schon vorher glaubt bzw. nicht glaubt, je nachdem, wie Gott von Ewigkeit her entschieden hat, hängt von einem nachträglichen Verstehen hingegen nichts mehr ab."

Dieser erste Beweisgang wird in V. 24-29 (angeschlossen mit οὓς καί) durch einen zweiten ergänzt, der wiederum eine größere Gegenüberstellung bildet. Auf der einen Seite wird in V. 25-29 nach dem aus Röm 1,2 bekannten hermeneutischen Schema in geläufiger Sicht auf verschiedene Schriftstellen Bezug genommen, die dann – diesmal in V. 24 vorangestellt – in theologischer Sicht so interpretiert werden, dass die „Wir" aus Juden und Nichtjuden berufen sind. Paulus wechselt hier nach der Anrede eines Einzelnen in der 2.Person Singular in V. 19 in die 1. Person Plural.

Die V. 25f zitieren mit Nennung des Autors (ἐν τῷ Ὡσηὲ λέγει)[30] Hos 2,25 und 2,1. Die beiden Zitate sind durch Stichwortanschluss miteinander verbunden.[31] Das geschieht, indem ἐρῶ (LXX) zu καλέσω umgeändert wird und Paulus dadurch den Bezug zu ἐκάλεσεν in V. 24 herstellt.[32] Damit „weist καλέσω aufgrund seiner dominierenden Stellung nachdrücklich auf die Bedeutung der Berufung als alleiniger Grundlage der Gemeinde hin."[33] Paulus knüpft damit, nachdem er in V. 14-18 und 19-23 einige Einwände abgewiesen hat, erneut an die Aussage am Schluss des einleitenden Abschnittes V. 1-13 an, nach der sich die Zugehörigkeit zu Israel im eigentlichen Sinne (9,6) nicht aus bestimmten Tätigkeiten oder Eigenschaften ergibt, sondern allein aus dem Ruf Gottes (V. 12: οὐκ ἐξ ἔργων ἀλλ᾽ ἐκ τοῦ καλοῦντος). Die Zitate aus Hos und dann auch aus Jes sollen – der Argumentation aus V. 6-13 entsprechend – zeigen, dass dieser Ruf sich bereits nach der Schrift nicht kollektiv an eine Vielzahl von Menschen, sondern jeweils an einzelne Individuen richtet. So nennt Paulus zunächst das zweite und dritte Kind, das Hosea auf Anweisung Gottes mit Gomer bekommen hat. Sie tragen in der LXX den Namen Οὐκ-ἠλεημένη bzw. Οὐ-λαός-μου.[34] Paulus variiert dies durch οὐ λαός μου und οὐκ ἠγαπημένη. Die Aussage der Hoseatexte ist in der von Paulus hier vorgenommenen Auswahl (Hos 2,25 und 1,5ff), dass einzelne Menschen, auch wenn sie schon aufgrund ihres Namens nicht als von Gott Gerufene erscheinen, gerade von ihm gerufen und mit einem neuen Namen benannt werden können: καλέσω τὸν οὐ λαόν μου λαόν μου καὶ τὴν οὐκ ἠγαπημένην ἠγαπημένην. Aufgrund dieses Rufes können gerade solche Menschen zu „Söhnen" bzw. Kindern Gottes werden: καὶ ἔσται ἐν τῷ τόπῳ οὗ ἐρρέθη αὐτοῖς Οὐ λαός μου ὑμεῖς ἐκεῖ κληθήσονται υἱοὶ θεοῦ ζῶντος. Einen ähnlichen Vorgang hatte Paulus bereits in 8,12-17 mit der Metaphorik der Adoption beschrieben. Es ergibt sich damit gegenüber den Aussagen in Hos 2 eine Differenz, denn dort wird zwar auch von einzelnen Kindern des Propheten gesprochen, aber der von Paulus zitierte Namenswechsel hat bei Hos wohl eher die Funktion, kollektiv das Heil des ganzen Volkes zu verkündigen.[35]

In V. 27-29 zitiert Paulus im Anschluss an die Hoseastellen Jes 10,22f und 1,9. Die Verbindung zwischen V. 26 (Hos 2,1b) und V. 27 (Jes 10,22) ergibt sich dadurch, daß der erste Teil des Jesajazitates sich fast identisch auch in Hosea 2,1a findet.[36] Die

---

[30] Es handelt sich damit wiederum um eine abgeschwächte Zitatformel, die sich auf das geschriebene und den Menschen bekannte Wort bezieht. Vgl. D.-A. Koch: Die Schrift als Zeuge des Evangeliums, S. 31f.

[31] Vgl. K. Haacker: Der Brief des Paulus an die Römer; ThHK 6, S. 197.

[32] Vgl. H. Hübner (Hrsg.): Vetus Testamentum in Novo, Bd. 2, S. 160.

[33] D.-A. Koch: Die Schrift als Zeuge des Evangeliums, S. 105, siehe auch das κλητὸς ἀπόστολος in 1,1.

[34] So die Schreibweise in der Septuagintaausgabe von A. Rahlfs.

[35] So z.B. A. Weiser: Das Buch der zwölf Kleinen Propheten, ATD 24, I, S. 12f.

[36] Genau gesagt übernimmt Paulus den Anfang von Hos 2,1 anstelle des Anfangs von Jes 10,22. Zu den Differenzen zwischen beiden Formulierungen und ihrer Bedeutung vgl. D.-A. Koch: Die Schrift als Zeuge des Evangeliums, S. 167f. Dabei ist durch das Ἡσαΐας δὲ κράζει die Zitatformel wiederum

Jesajazitate fassen die bisherige Argumentation zusammen, die zeigte, dass zu den gemäß V. 24 Berufenen nicht alle „aus den Juden" gehören, sondern lediglich das berufene „Israel" (vgl. V. 6). Es handelt sich also um zwei Zitate, „die sich auf ‚Israel' (nicht: die Juden) beziehen und ihm Rettung verheißen; an dieser Stelle wird im Rahmen des Zitats der Begriff ὑπόλειμμα eingeführt".[37] Dieser Begriff wird durch das folgende Zitat von Jes 1,9 in V. 29 durch σπέρμα ergänzt (vgl. Röm 9,8). Durch die Kombination von Jes 1,9 und 10,22f wird erreicht, dass der verbleibende „Rest", anders als bei Jes, als äußerst geringer Teil erscheint, also wieder im Grunde nur einzelne Menschen meint.[38] Durch das καθὼς προείρηκεν Ἠσαΐας versteht Paulus Jes 1,9 als Vorhersage für die Gegenwart. Das entspricht dem paulinischen Zeitverständnis (vgl. 3,21 und die Ausführungen dazu) nach dem Paulus nicht zwischen Vergangenheit, Gegenwart und Zukunft differenziert, sondern die Zeit radikal von der Gegenwart aus konstruiert. „Der zeitliche Abstand, der zwischen dem früher ergangenen [...] Wort der Schrift und der Gegenwart liegt, ist so stark zusammengezogen, daß das Zitat ausschließlich als heutige Aussage erscheint und eine mögliche frühere Funktion gar nicht mehr im Blick ist."[39] Zusätzlich entspricht das προείρηκεν dem hermeneutischen Schema von Röm 1,2, nach dem das von Paulus vertretene Evangelium bereits in Heiligen Schriften durch Gottes Propheten vorher verheißen worden ist (προεπηγγείλατο).

V. 24 interpretiert und aktualisiert diese Zitate aus Hos und Jes aus theologischer Sicht im Hinblick auf das Verhältnis von Juden und Nichtjuden. Paulus geht hier über die bisherige Problematik der Berufung einzelner „aus Israel" (V. 6) hinaus und wendet sich nun dem Verhältnis von Juden und Nichtjuden zu, das die Argumentation der nächsten Abschnitte bestimmen wird.[40] Er setzt zunächst bei der Differenzierung ἐξ Ἰουδαίων – ἐξ ἐθνῶν an. Diese Differenz ist bereits seit 1,16 bekannt (dort Ἰουδαῖος – Ἕλλην). Der geläufigen Sicht, nach der sich die Gotteskindschaft gemäß der Verheißung lediglich auf die Juden bezieht, wird in theologischer Sicht eine Ausweitung auf die Nichtjuden gegenübergestellt, die durch den Ruf (καλέω) Gottes möglich wird. Sie ist aber zugleich eine Eingrenzung, weil sich dieser Ruf Gottes nun nicht mehr an ein Kollektiv (Juden), sondern jeweils an den einzelnen Menschen (als Jude oder Nichtjude) richtet. Damit wird der bereits aus V. 7 und Röm 8,28 bekannte Zentralbegriff aufgenommen, der auch die beiden Hoseazitate verbindet, und es wird abschließend nochmals das souveräne Handeln Gottes hervorgehoben. „Paulus spielt offenbar bewußt mit der Doppelbedeutung von καλεῖν im Sinne von ‚nennen' und ‚(be)rufen'."[41] Bezeichnet das Verb im Hoseazitat die Namensumbenennung der wohl israelitischen Prophetenkinder, so wird es in V. 24 übertragen und theologisch auf das Berufen Gottes aller möglichen Menschen zur Gotteskindschaft bezogen. Das ἡμᾶς meint dann in einem engeren Sinne Paulus und seine Mitarbeiter (vgl. 16,21ff) sowie

---

deutlich abgeschwächt und die Schriftstelle wiederum als Text und Prophetenwort ausgewiesen, das erst noch (durch Paulus) theologisch interpretiert werden muß. Vgl. Koch, a.a.O., S. 31f.

[37] A. Lindemann: Israel im Neuen Testament, S. 179, Hervorhebung von Lindemann. Im Jesajatext steht κατάλειμμα.

[38] So auch D.-A. Koch: Die Schrift als Zeuge des Evangeliums, S. 148f. Dies wird dadurch verstärkt, dass Paulus in V. 28 das ἐν τῇ οἰκουμένῃ ὅλῃ Jesajas zu ἐπὶ τῆς γῆς verändert und damit einschränkt. Zu den Differenzen zwischen Röm 9,27f und Jes 10,22f vgl. im einzelnen Koch, a.a.O., S. 145-149.

[39] Koch, a.a.O., S. 318.

[40] Vgl. auch K. Haacker: Der Brief des Paulus an die Römer; ThHK 6, S. 197.

[41] Haacker, ebd.

die Leser des Briefes in Rom, aber auch darüber hinausgehend in einem weiteren Sinne jeden Menschen, der in dieser Weise von Gott ge- und berufen ist.

Der Abschnitt V. 19-29 lässt sich damit aufgrund der ausgeführten Überlegungen wie folgt strukturieren:

19+20a: Ἐρεῖς μοι οὖν	Τί οὖν ἔτι μέμφεται τῷ γὰρ βουλήματι αὐτοῦ τίς ἀνθέστηκεν	ὦ ἄνθρωπε μενοῦνγε σὺ τίς εἶ ὁ ἀνταποκρινόμενος τῷ θεῷ
20b-23:	μὴ ἐρεῖ τὸ πλάσμα τῷ πλάσαντι Τί με ἐποίησας οὕτως ἢ οὐκ ἔχει ἐξουσίαν ὁ κεραμεὺς τοῦ πηλοῦ ἐκ τοῦ αὐτοῦ φυράματος ποιῆσαι ὃ μὲν εἰς τιμὴν σκεῦος ὃ δὲ εἰς ἀτιμίαν	εἰ δὲ θέλων ὁ θεὸς ἐνδείξασθαι τὴν ὀργὴν καὶ γνωρίσαι τὸ δυνατὸν αὐτοῦ ἤνεγκεν ἐν πολλῇ μακροθυμίᾳ σκεύη ὀργῆς κατηρτισμένα εἰς ἀπώλειαν ἵνα γνωρίσῃ τὸν πλοῦτον τῆς δόξης αὐτοῦ ἐπὶ σκεύη ἐλέους ἃ προητοίμασεν εἰς δόξαν;
24-29: οὓς καὶ	ὡς καὶ ἐν τῷ Ὡσηὲ λέγει Καλέσω τὸν οὐ λαόν μου λαόν μου καὶ τὴν οὐκ ἠγαπημένην ἠγαπημένην καὶ ἔσται ἐν τῷ τόπῳ οὗ ἐρρέθη αὐτοῖς Οὐ λαός μου ὑμεῖς ἐκεῖ κληθήσονται υἱοὶ θεοῦ ζῶντος Ἡσαΐας δὲ κράζει ὑπὲρ τοῦ Ἰσραήλ Ἐὰν ᾖ ὁ ἀριθμὸς τῶν υἱῶν Ἰσραήλ ὡς ἡ ἄμμος τῆς θαλάσσης, τὸ ὑπόλειμμα σωθήσεται λόγον γὰρ συντελῶν καὶ συντέμνων ποιήσει κύριος ἐπὶ τῆς γῆς καὶ καθὼς προείρηκεν Ἡσαΐας Εἰ μὴ κύριος Σαβαὼθ ἐγκατέλιπεν ἡμῖν σπέρμα ὡς Σόδομα ἂν ἐγενήθημεν καὶ ὡς Γόμορρα ἂν ὡμοιώθημεν (2)	ἐκάλεσεν ἡμᾶς οὐ μόνον ἐξ Ἰουδαίων ἀλλὰ καὶ ἐξ ἐθνῶν (1)

Erlangen und Nichterreichen der Gerechtigkeit (9,30-33)

Die Behauptungen von V. 24-29, dass nämlich erstens die Berufenen aus Juden und Nichtjuden (V. 24-26) stammen, und dass zweitens nur ein Teil der Israeliten dazugehört (V. 27-29), führen zu der in Röm 9,30ff verhandelten Frage, wie es denn sein kann, dass Nichtjuden, die doch dem Gesetz gar nicht gefolgt sind, Gerechtigkeit erlangt und Juden, die dem Gesetz gefolgt sind, diese nicht erreicht haben.

Dem in der Einführung dargelegten Kriterium folgend, dass ein neuer Abschnitt jeweils durch die 1. Person Singular oder Plural eingeführt wird, ergibt sich für diesen Abschnitt ein deutlicher Neuanfang durch die markante Einleitung mit τί οὖν ἐροῦμεν (9,30). Es handelt sich mit dieser Formulierung, die auch sonst im Röm einen Neubeginn der Argumentation anzeigt, erneut um einen schriftstellerischen Plural (vgl. 3,5; 4,1; 6,1; 7,7; 8,31; 9,14), der Paulus selbst meint. Der kurze Abschnitt bildet einerseits den Abschluss des bisherigen Gedankenganges von Kap. 9[1] und leitet andererseits mit der Einführung des Wortes δικαιοσύνη zur Problematik des Folgenden über. In zwei parallel gebauten Gegenüberstellungen werden eingangs zum einen in V. 30 Nichtjuden charakterisiert. Zum anderen geht Paulus in V. 31 erneut auf „Israel" ein. Es wird also zunächst die Differenz Juden – Nichtjuden aus 9,24 in bestimmter Weise vorausgesetzt und weiter behandelt. Dies führt zu einer grundsätzlichen Aussage in V. 32a, in der die Gegenüberstellung ἐξ ἔργων – ἐκ πίστεως aus 3,27ff und 9,11f wieder erscheint. Der Abschnitt schließt – wie bereits der vorhergehende – mit einem Schriftzitat in V. 33 und dessen vorausgeschickter theologischer Interpretation in V. 32b.

Nach einer längeren Unterbrechung wird in V. 30 erneut der Begriff der δικαιοσύνη eingeführt und bis 10,10 eingehend bedacht. Er hatte – eine kurze Erwähnung in Röm 8,10 ausgenommen – seit 6,20 keine Rolle mehr gespielt.[2] Die Wiedereinführung geschieht zwar anscheinend unvermittelt, aber Paulus hatte das ἐν δικαιοσύνη in seinem Zitat aus Jes 10,22f in V. 27f gezielt weggelassen, um es hier einzubringen.[3] Entweder zeigt diese plötzliche Einführung, „daß ,Gerechtigkeit' im Grunde schon bisher das heimliche Thema gewesen war",[4] oder es wird deutlich, dass der vermeintliche Zentralbegriff der δικαιοσύνη bei weitem nicht solch eine wichtige Rolle spielt, wie das zumeist angenommen wird. Das zweite ist wahrscheinlicher, denn der Begriff taucht zwar in den folgenden Versen konzentriert auf, nach 10,10 außer in der Aufzählung in Röm 14,17 aber überhaupt nicht mehr. Eine Interpretation des Röm, die sich auf den Gerechtigkeitsbegriff konzentriert, wird beachten müssen, dass δικαιοσύνη im Röm nur in einem relativ eingegrenzten Textbereich vorkommt. Oben wurde deshalb zu 1,17 vorgeschlagen, das Wort als eine mögliche Formulierung unter anderen im Rahmen eines übergeordneten Befreiungsgedankens zu verstehen.[5]

Die V. 30-33 setzen – obwohl man dies wegen des Begriffes δικαιοσύνη vielleicht meinen könnte – weniger eine juridische, sondern vielmehr eine Wettkampf-

---

[1] So F. Siegert: Argumentation bei Paulus, S. 115: „Τί οὖν ἐροῦμεν (V.30) mit den folgenden Erläuterungen resümiert den oberen Kontext ab V. 6".

[2] Das Verb δικαιόω taucht noch 8,30 und 33 auf.

[3] Es ist unwahrscheinlich, dass schon in V. 28 dem Text von Jes 10,22 entsprechend ἐν δικαιοσύνη zu lesen ist, denn diese Lesart von א[2] D F G Ψ 33 𝔐 u.a. kann gut als spätere Ergänzung der Zitatlücke erklärt werden. Vgl. B. M. Metzger: A Textual Commentary on the Greek New Testament, S. 462.

[4] A. Lindemann: Israel im Neuen Testament, S. 179, Anm. 41.

[5] Vgl. oben die Ausführungen im Exkurs zu δικαιοσύνη.

metaphorik voraus. „Der eine strengt sich an und verliert, der andere gewinnt ohne jede Anstrengung! Von der Vergeblichkeit der ‚Laufens' hatte Paulus schon in V. 16 gesprochen."[6] V. 30a geht zunächst von einer geläufigen Sicht aus, die behauptet, dass Nichtjuden die δικαιοσύνη – jedenfalls in einem bestimmten, auf das alttestamentliche Gesetz bezogenen Sinne – nicht angestrebt hätten. V. 30b stellt diese Sicht aus theologischer Perspektive auf den Kopf (angeschlossen mit adversativem δέ): Paulus meint, dass Nichtjuden, die die δικαιοσύνη anscheinend nicht verfolgten, sie in einem näher zu spezifizierenden, theologischen Sinne gerade erreicht haben. Die Formulierung δικαιοσύνην δὲ τὴν ἐκ πίστεως weist auf die Erläuterung der Existenz aus Glauben in Röm 3,19ff zurück. Die bereits dort aufgezeigte Paradoxie wird mit Hilfe der Wettkampfmetaphorik erneut beschrieben: Indem die Nichtjuden von vornherein keinen Versuch unternehmen, der Gerechtigkeit (in juridischer Metaphorik: dem Freispruch im göttlichen Gericht) nachzulaufen (διώκω) und dadurch die eigene Existenz zu begründen, sondern dies im Glauben Gott überlassen, ergreifen diese (καταλαμβάνω). Das Wort ἔθνη steht in V. 30 ohne Artikel und meint nicht pauschal alle Nichtjuden, sondern lediglich jene, die dem genannten Weg des Glaubens folgen (vgl. Röm 2,14). Durch diese Gegenüberstellung von V. 30a und b hat man zwei Verständnisse von δικαιοσύνη. Zunächst eine, der man nachstreben und die man aus eigener Aktivität zu erreichen versuchen kann, also eine „aus Werken" (vgl. V. 32a). Dann auf der anderen Seite eine δικαιοσύνη, die gerade darin besteht, sich ohne eigenes Zutun beschenken zu lassen. Diese beiden Verständnisse werden über den Abschnitt hinaus auch in 10,1ff weiter entfaltet werden

V. 31 erläutert demgegenüber die umgekehrte Verhaltensweise. Die in V. 31 Genannten (angeschlossen durch adversatives δέ) erreichen dasjenige, dem sie hinterher laufen, nicht. Das Verb φθάνω meint dabei nicht einfach nur „ankommen", sondern konkret im Sinne des Wettlaufes mit einem Gegner „zuvorkommen". „Das läßt offen, ob Israel das Ziel zukünftig noch erreichen wird."[7] Der Begriff Ἰσραήλ in V. 31 benennt gemäß der 9,6ff geschehenen Differenzierung nicht den theologischen Begriff der Nachkommenschaft gemäß der Verheißung (9,7: σπέρμα; 9,8: τὰ τέκνα τῆς ἐπαγγελίας), sondern die anderen Israeliten, die sich an dem hier beschriebenen Weg orientieren (wobei natürlich der „Rest" von V. 27 bzw. das Israel im geistlichen Sinne von V. 6 ausgenommen ist). Die Durchführung der beiden alternativen Zugangsmöglichkeiten ist in V. 30 und 31 jedoch nur zum Teil parallel.[8] Bemerkenswert ist hier die Kombination von δικαιοσύνη und νόμος zu νόμος δικαιοσύνης in V. 31a und das alleinstehende Wort νόμος in V. 31b. Aufgrund der Parallelität zu V. 30 müsste man hier eigentlich erneut δικαιοσύνη erwarten, welches Paulus aber im zweiten Halbvers durch νόμος ersetzt.

In V. 31a gibt Paulus offenbar eine geläufige Sicht wieder, nach der man versucht, durch die Einhaltung bestimmter Gesetzesbestimmungen „Gerechtigkeit" zu erlangen (vgl. 10,3). Diesen Versuch habe das „Israel" im oben genannten Sinne unternommen. Demgegenüber meint Paulus in V. 31b deutlich in einer spezifisch theologischen Perspektive ein übertragenes Verständnis von νόμος. Paulus stellt damit dem geläufigen Verständnis, dass auf die Erfüllung von Gesetzesvorschriften zielt, in V. 31b ein zweites gegenüber, das nach dem eigentlichen Sinn der Gesetze fragt. Als

---

[6] K. Haacker: Der Brief des Paulus an die Römer; ThHK 6, S. 198f.
[7] Vgl. Haacker, a.a.O., S. 199, mit Verweis auf 11,25f.
[8] Gegen Hofius, der die Parallelität betont. Vgl. O. Hofius: Zur Auslegung von Röm 9,30-33; in: ders.: Paulusstudien II, S. 155-166.

eigentliches Ziel des Gesetzes wird Paulus aber in 10,4 Christus nennen. Dieses Ziel haben deshalb all diejenigen Israeliten, die nicht an diesen Christus glauben, nicht erreicht.[9] Es liegt hier also, wie auch an zahlreichen anderen Stellen im Röm, ein doppeltes Verständnis von νόμος vor (vgl. die Ausführungen oben zu Röm 2,12). Gegenüber dem herkömmlichen Gesetzesverständnis entwickelt Paulus auch hier in einer spezifisch theologischen Perspektive ein zweites, das sich an Christus (10,4) – und dann später am Liebesgebot (13,8-10) – orientiert. Das hier gemeinte „Israel" hat das Gesetz in diesem spezifischen Sinne nicht erreicht, wenn es sich in geläufiger menschlicher Sicht an den vordergründigen Bestimmungen und den entsprechenden Taten orientiert und dabei Christus als eigentliches Ziel des Gesetzes ignoriert.

Auf dieser Basis der Umkehrung von Anstrengung und Erfolg, wie sie in V. 30f aufgezeigt wurde, fragt V. 32a (eingeleitet mit διὰ τί;), warum sich unter den genannten Voraussetzungen ausgerechnet für ”Israel” (im oben genannten Sinne) diese Diskrepanz zwischen Absicht und Erfolg ergibt. Die Antwort geschieht mit einer Formulierung, die bereits aus Röm 3,19ff bekannt ist: ὅτι οὐκ ἐκ πίστεως ἀλλ᾽ ὡς ἐξ ἔργων.[10] Im Anschluss an V. 30f entsteht damit die in den vorherigen Kapiteln bereits entfaltete Differenz ἐκ πίστεως – ἐξ ἔργων zur Bezeichnung der beiden verschiedenen Existenzweisen.[11] Die Differenz bezeichnet zwei alternative Zugangsmöglichkeiten zur Gerechtigkeit und zum Gesetz, wie sie schon am Beispiel Abrahams in Kap. 4 und an der Argumentation in Kap. 7 und 8 durchgespielt wurden. Ἐκ πίστεως meint, ebenso wie ἐξ ἔργων die Ursache,[12] durch die man – in juridischer Metaphorik ausgedrückt – meint, von Gott im göttlichen Gericht freigesprochen zu werden.[13] Die beiden Alternativen werden im nächsten Abschnitt in Röm 10,3ff aufgenommen und eingehend erklärt. Paulus meint in V. 32a, dass diejenigen aus „Israel”, die sich an den eigenen Taten und der schlichten Erfüllung von Gesetzesvorschriften orientieren und meinen, dadurch Gerechtigkeit erlangen zu können, einer menschlichen Sicht des Zusammenhanges von Tun und Gerechtigkeit, von Anstrengung und Belohnung verhaftet bleiben. Gegen diese Haltung richtet sich gerade die Ex-istenz „aus Glauben" und „in Christus".

V. 32b und 33 bilden eine den Abschnitt abschließende Gegenüberstellung, die sich wiederum an dem hermeneutischen Schema von Röm 1,2 orientiert. Ähnlich wie am Schluss des vorhergehenden Abschnittes in V. 24-29 findet sich in V. 33 eine Kombination verschiedener Zitate, die von Paulus in einer bestimmten Weise durch einen vorangestellten Satz in V. 32b in theologischer Perspektive interpretiert wird. In V. 33 handelt es sich um eine Zitatkombination. Der Rahmen stammt aus Jes 28,16, der Mittelteil λίθον προσκόμματος καὶ πέτραν σκανδάλου dagegen aus Jes 8,14 (LXX).[14]

---

[9] Gegen Haacker, ebd., der meint: „Näher liegt es m.E., in der Genitivverbindung νόμος δικαιοσύνης wie bei anderen Genitivattributen zu νόμος für νόμος die Bedeutung ‚Norm' (o.ä.) einzusetzen". Deshalb übersetzt Haacker auch V. 31: „Israel aber, eifrig um die Norm der Gerechtigkeit bemüht, hat diese Norm nicht erreicht." (A.a.O., S. 189)

[10] Die Lesart ohne Hinzufügung von νόμου ist kürzer und außerdem gut bezeugt (א*A B F G u.a.).

[11] Das ὡς meint dabei, wenn es sich auf διώκων zurück bezieht, den subjektiven Grund: „mit der Behauptung, daß". Vgl. Blass, Debrunner, Rehkopf: Grammatik des neutestamentlichen Griechisch, § 425,3.

[12] Vgl. Blass, Debrunner, Rehkopf, a.a.O., § 163,1.

[13] Zu diesem Verständnis von δικαιοσύνη als Freispruch vgl. oben die Ausführungen zu 1,17.

[14] Vgl. H. Hübner (Hrsg.): Vetus Testamentum in Novo, Bd.2, S. 64.

Paulus verwendet dabei nicht die Septuagintafassung, sondern eine andere, an den hebräischen Text angeglichene griechische Fassung.[15]

Das kombinierte Zitat wird durch den vorangestellten Satz in V. 32b in theologischer Perspektive – dem hermeneutischen Schema von Röm 1,2 gemäß – auf das paulinische Evangelium bezogen und christologisch interpretiert. Mit der Formulierung προσέκοψαν τῷ λίθῳ τοῦ προσκόμματος ist offensichtlich Christus gemeint (vgl. auch 10,4). Paulus verbleibt dabei in der Wettkampfmetaphorik und deutet das Nichterreichen des Zieles durch Israel dadurch, dass es in seinem Lauf an einen Stein gestoßen ist. Wenn Israel seinem Ziel mit der Behauptung nachjagt, dass es dieses durch Anstrengung erreichen kann (ὡς ἐξ ἔργων), dann stolpert es über den „Stolperstein", den Gott hingestellt hat. Die Formulierung ὁ πιστεύων ἐπ' αὐτῷ οὐ καταισχυνθήσεται aus Jes 28,16 wird dadurch und durch die in 10,1ff folgende, auf Christus bezogene Argumentation ebenfalls christologisch gedeutet.[16] Dieser abschließende Satz wird Röm 10,11 nochmals formuliert[17] und bildet somit eine Art Rahmen um die Erörterung des Themas der Gerechtigkeit in Röm 9,30-10,10.[18] Inwiefern Christus für Israel zum Stolperstein werden kann, erläutert Paulus im folgenden Abschnitt.

Röm 9,30-33 lassen sich damit wie folgt strukturieren:

30: Τί οὖν ἐροῦμεν	ὅτι ἔθνη τὰ μὴ διώκοντα δικαιοσύνην	κατέλαβεν δικαιοσύνην δικαιοσύνην δὲ τὴν ἐκ πίστεως
31: δὲ	Ἰσραὴλ διώκων νόμον δικαιοσύνης	εἰς νόμον οὐκ ἔφθασεν
32a: διὰ τί	ἀλλ' ὡς ἐξ ἔργων (2)	ὅτι οὐκ ἐκ πίστεως (1)
32b+33:	καθὼς γέγραπται Ἰδοὺ τίθημι ἐν Σιὼν λίθον προσκόμματος καὶ πέτραν σκανδάλου καὶ ὁ πιστεύων ἐπ' αὐτῷ οὐ καταισχυνθήσεται (2)	προσέκοψαν τῷ λίθῳ τοῦ προσκόμματος (1)

---

[15] Vgl. D.-A. Koch: Die Schrift als Zeuge des Evangeliums, S. 59f und 69f.

[16] Bei Jesaja ist damit wohl Gott selbst gemeint, vgl. K. Haacker: Der Brief des Paulus an die Römer; ThHK 6, S. 199f.

[17] In 10,11 ergänzt Paulus dabei im Gegensatz zu 9,33 πᾶς, was bei einigen Textzeugen von dort her in 9,33 übernommen wurde. Vgl. B. M. Metzger: A Textual Commentary on the Greek New Testament, S. 463.

[18] Vgl. dazu auch K. Haacker: Der Brief des Paulus an die Römer; ThHK 6, S. 200.

Die beiden Gerechtigkeiten (10,1-17)

Wiederum in der 1. Person Singular beginnt Paulus in V. 1f den nächsten Abschnitt mit einer sehr persönlichen Bemerkung (vgl. auch 9,1-3 und 11,1). Die vorgezogene Anrede mit ἀδελφοί hat nicht nur rhetorische Funktion,[1] sondern entspricht den Ausführungen von 8,15ff, nach denen die „Wir" als Adoptierte gemeinsam Kinder Gottes und insofern Geschwister sind. Paulus spricht dabei zunächst in V. 1a von einem persönlichen Herzenswunsch. Der Ausdruck τῆς ἐμῆς καρδίας ist selbstreflexiv und meint dabei wiederum „the seat of emotions, but also of thought and will".[2] Dieser menschlichen Sicht wird in V. 1b theologisch ein an Gott gerichtetes Gebet gegenübergestellt, das die unklaren Formulierungen aus 9,1ff konkretisiert. „Mit dem Neueinsatz in 10,1 nimmt Paulus den Eröffnungstext (9,1-3) wieder auf. Jetzt aber formuliert er seinen Gebetswunsch positiv und spricht ihn in klaren Worten aus: Er bittet Gott um das Heil für Israel."[3] J. Lambrecht hat gemeint, dass sich zwischen 9,30-33 eine tiefe Zäsur beobachten lasse.[4] Dem wird man einerseits zustimmen müssen, weil auch die sehr persönliche Bemerkung des Paulus deutlich einen Neuansatz signalisiert. Andererseits führt Paulus aber die Röm 9,30-33 eingeführte Thematik der Gerechtigkeit zugleich konsequent weiter.

Nach der persönlichen Einleitung V. 1 sind die folgenden Verse 2,3,4 und 5 formal durch eine Kette begründender und explikativer γάρ miteinander verbunden.[5] Die Parallelität zu den Aussagen des Paulus über sich selbst in Phil 3,5ff zeigt jedoch, dass Paulus hier nicht nur abstrakte Überlegungen über die oben genannten „Israeliten" und das Gesetz vorlegt, sondern dass sein eigenes Selbstverständnis dabei mitschwingt. Die Argumentation schließt an die in den vorigen Kapiteln und besonders im vorigen Abschnitt unter dem Begriff der δικαιοσύνη bereits thematisierten beiden Existenzweisen ἐκ πίστεως und ἐξ ἔργων an.

Paulus begründet in V. 2 seine Fürbitte (γάρ). Er bezeugt für die Israeliten in V. 2a zunächst aus persönlicher Sicht (μαρτυρῶ), dass sie offensichtlich um Gott eifern (ζῆλος θεοῦ, vgl. Phil 3,6: κατὰ ζῆλος διώκων τὴν ἐκκλησίαν). Das ist jedoch eine deutlich menschliche Sichtweise, nach der der Eifer und der gute Wille zählen und die bereits in 9,30ff in theologischer Sicht für wenig hilfreich, ja sogar abträglich erklärt wurde. Deshalb relativiert V. 2b diese Sicht sogleich aus theologischer Perspektive mit οὐ κατ' ἐπίγνωσιν (durch ἀλλά entgegengesetzt). Diese Behauptung wird in V. 3a, die theologische Perspektive fortsetzend, durch einen für die ersten Verse des Abschnittes strukturbildenden Begriff expliziert (γάρ), den der δικαιοσύνη θεοῦ. Damit stellt Paulus dem persönlichen Eifer (V. 2a) die Gerechtigkeit Gottes entgegen, die durch den Eifer gerade nicht wahrgenommen wird (ἀγνοοῦντες). Diese Behauptung hat dabei nicht nur theoretische Bedeutung, sondern sie muss – gerade als Fortsetzung der persönlichen Bemerkung von V. 1f – auch selbstreflexiv und autobiographisch verstanden werden.[6]

---

[1]   So K. Haacker: Der Brief des Paulus an die Römer; ThHK 6, S. 202.

[2]   J. D. G. Dunn: The Theology of Paul the Apostle, S. 74f.

[3]   A. Lindemann: Israel im Neuen Testament, S. 179f.

[4]   J. Lambrecht: The Caesura between Romans 9.30-3 and 10.1-4; in: NTS 45 (1999), S. 141-147. Er kommt zu dem Schluss: „It appears to us, that between 9.30-3 and 10.1-4 there is a significant break in the argument: in chapter 10 there is no longer diatribe-style, no longer theodicy; the focus lies on human responsibility and culpability." (A.a.O., S. 147)

[5]   Vgl. auch A. Lindemann: Israel im Neuen Testament, S. 180.

[6]   So auch K. Haacker: Der Brief des Paulus an die Römer; ThHK 6, S. 204.

Denn in verschiedenen Konflikten waren die Gegner des Paulus gerade solche Eiferer. Sie wendeten sich gegen die von ihm behauptete Freiheit von bestimmten Gesetzesbestimmungen, was ihm selbst oft genug persönliche Anfeindungen einbrachte (vgl. z.B. Gal 2,4; 2,11ff; 5,11f) und möglicherweise auch zu seiner Festnahme in Jerusalem kurz nach Verfassen des Röm führte (vgl. Act 21,17ff, bes. 22,3 und Röm 15,25). Er selbst hat sich vor der Offenbarung Christi, die sein Leben grundlegend veränderte (Gal 1,12), auch als ein solcher Eiferer verstanden, der deshalb auch die Christen verfolgte (Phil 3,6: κατὰ ζῆλος, vgl. Gal 1,13). Wenn Paulus V. 3ff von Gerechtigkeit spricht, dann reflektiert er damit auch zwei Phasen bzw. Weisen seiner eigenen Existenz.

In diesem Sinne werden in einer weiteren Gegenüberstellung (angeschlossen mit καί) in V. 3b und c zwei Formen der Gerechtigkeit einander gegenübergestellt: in menschlicher Sichtweise die ἰδία δικαιοσύνη[7] und wiederum in theologischer Sicht die δικαιοσύνη τοῦ θεοῦ. An dieser Unterscheidung orientiert sich dann die Charakterisierung der beiden in 10,5ff dargestellten Wege der δικαιοσύνη ἐκ τοῦ νόμου bzw. ἐκ πίστεως. Ἰδία δικαιοσύνη meint nicht kollektiv die den Juden eigene Gerechtigkeit,[8] sondern bezieht sich – wie Phil 3,9 mit der Gegenüberstellung „meiner Gerechtigkeit aus dem Gesetz" und "der Gerechtigkeit aus Gott" – auf den einzelnen Menschen.[9] Der Ausdruck bezeichnet den Versuch des Menschen im allgemeinen (und des Paulus im besonderen), die eigene Gerechtigkeit (in juridischer Metaphorik: den Freispruch durch Gott) durch sich selbst erreichen zu wollen (ζητοῦντες στῆσαι). Dem wird in V. 3c mit δικαιοσύνη τοῦ θεοῦ in theologischer Sicht die Souveränität des Urteilsspruches Gottes entgegengehalten, dem man sich fügen muss (ὑποτάσσω). V. 3c ist deutlich parallel zu V. 3a formuliert. Es ist aus dem Text nicht klar zu ersehen, ob es sich dabei ausschließlich um ein Problem bestimmter Israeliten (derjenigen, die nicht zum "Israel" im theologischen Sinne von 9,6 gehören) handelt oder um ein spezielles Problem in der Vergangenheit des Paulus oder ob damit eine grundsätzliche anthropologische Schwierigkeit angesprochen ist. Von 7,7ff her wird man das letzte annehmen müssen, nur ist die Frage hier auf das spezielle Verhältnis von Juden und Nichtjuden unter den genannten Voraussetzungen fokussiert.

Nach dieser einführenden Gegenüberstellung der beiden „Gerechtigkeiten" bringt Paulus den vieldiskutierten Satz in V. 4, der den hermeneutischen Schlüssel für das Verständnis der folgenden Argumentation bietet. K. Haacker ist der Ansicht, der Vers solle in seiner Bedeutung nicht überschätzt werden, denn dafür, dass es sich hier um einen zentralen Satz der paulinischen Theologie handelt, gäbe der Kontext keine Hinweise.[10] Demgegenüber wird man feststellen müssen, dass hier eine zentrale Zuordnung von Christus und Gesetz vorgenommen wird, die sich im Röm nach vorn

---

[7] Das zweite δικαιοσύνην in 10,3 ist gut bezeugt, aber selbst wenn man das Wort weglässt, ergibt sich doch deutlich eine Unterscheidung zwischen einer an sich selbst (und der eigenen Gerechtigkeit) orientierten Lebensweise und einer Anerkennung der Gerechtigkeit Gottes.

[8] Gegen R. Liebers: Das Gesetz als Evangelium. Untersuchungen zur Gesetzeskritik des Paulus; Zürich 1989. S. 55.

[9] So auch K. Haacker: Der Brief des Paulus an die Römer; ThHK 6, S. 205. Gegen U. Wilckens: Der Brief an die Römer; EKK VI, 2, S. 221, der den Ausdruck hier anders als in Phil 3 nicht auf den Wandel der Existenz des Paulus, sondern auf die Heilsordnung bezieht.

[10] Vgl. dazu K. Haacker: „Ende des Gesetzes" und kein Ende? Zur Diskussion über τέλος νόμου in Röm 10,4; in: K. Wengst, G. Saß (Hrsg.): Ja und Nein. Christliche Theologie im Angesicht Israels. (Festschrift W. Schrage); Neukirchen-Vluyn 1998, S. 127-138, dort S. 127f, unter anderem gegen R. Bultmann: Theologie des Neuen Testaments, S. 264.

und hinten auswirkt. Formal fungiert der Vers durch seine Einleitung mit γάρ als letzte Begründung der vorhergehenden Sätze in V. 1-3. Ihm folgen in V. 5ff Schriftzitate, die als weitere Ausführung von V. 4 verstanden werden können.

In 10,4 wird Christus als τέλος νόμου bezeichnet. Heftig umstritten ist dabei, ob τέλος „Ziel"[11] oder „Ende"[12] meint oder ob sich beide Bedeutungen kombinieren lassen.[13] Es handelt sich hier um eine schwerwiegende Entscheidung, die für das Verständnis der zweiten Ex-istenzweise „aus Glauben" und „in Christus", um die es Paulus offenbar im Röm geht, große Auswirkungen besitzt. Die Literatur zu dieser Frage ist deshalb kaum überschaubar.[14] Wenn Christus als „Ende" des Gesetzes zu verstehen ist, so bedeutet dies, dass durch die Ex-istenz in Christus für die Glaubenden die Geltung des Gesetzes beendet ist. So meint z.B. – exemplarisch für viele andere – O. Hofius mit Bezug auf andere Stellen im Röm: „Der Aussage von Röm 10,4, daß in Christus der verklagende und verurteilende νόμος ein Ende gefunden hat und zum Schweigen gebracht ist, korrespondieren die Aussagen, daß die Christus angehörenden ‚dem Gesetz getötet' (Röm 7,4), ‚dem Gesetz gestorben' (Röm 7,6; Gal 2,19) und ‚von dem Gesetz definitiv getrennt' (Röm 7,6) sind und somit nicht mehr ‚unter dem Gesetz' – d.h. nicht mehr unter seiner Anklage und einem Todesurteil – stehen (Röm 6,14 f; Gal 5,18; vgl. Gal 3, 23; 4,5)."[15] Außerdem werde aus Röm 3,21f deutlich, dass die Gottesgerechtigkeit χωρὶς νόμου offenbar geworden sei. Deshalb müsse τέλος auf jeden Fall „Ende" heißen.

Es ist jedoch fraglich, ob die von Hofius genannten Stellen aus Röm 7 als Belege herangezogen werden können. Denn in Röm 7,1-6 erläutert Paulus die Freiheit der Glaubenden, indem er dafür die Metapher (!) der Befreiung der Frau von ihren ehelichen Pflichten durch den Tod des Mannes verwendet: Wenn der Mann tot ist, dann sind für sie auch die auf ihn bezogenen Gesetze „tot" und insofern beendet. Die Befreiung von den Verpflichtungen gegenüber dem Mann geschieht jedoch dem Gesetz entsprechend und setzt ein bestehendes Ehegesetz gerade voraus. Das Beispiel hat deshalb mit grundsätzlichen Aussagen über das Ende des Gesetzes an sich nichts zu tun, sondern charakterisiert die Freiheit der Glaubenden von anderen Abhängigkeiten und die direkte Bindung an Christus (vgl. 7,4-6). So wird dann auch wenige Verse später das Gesetz ausdrücklich als heilig bezeichnet (7,12).

An der weiter von Hofius angeführten Stelle in Röm 6,15 wird die Behauptung, man könne sündigen, weil man nicht mehr unter dem Gesetz sei, energisch mit μὴ γένοιτο abgelehnt. Dass die Glaubenden nicht mehr „unter" dem Gesetz sind (6,14), heißt deshalb nicht, dass das Gesetz für sie „beendet" ist, sondern dass sie es – gerade

---

[11] So z.B. Haacker: Der Brief des Paulus an die Römer; ThHK 6, S. 206ff; C. E. B. Cranfield: The Epistle to the Romans; (ICC), vol. 2, S. 519: „Christ is the goal, the aim, the intention, the real meaning and the substance of the law – apart from Him it cannot be properly unterstood at all."

[12] So mit vielen anderen z.B. R. Bultmann: Theologie des Neuen Testaments, S. 264; O. Hofius: Das Gesetz des Mose und das Gesetz Christi; in: ders.: Paulusstudien (WUNT 51) Tübingen 1989, S. 50-74, dort S. 64f; A. Lindemann: Israel in Neuen Testament, S. 180, E. Lohse: Der Brief an die Römer; (KEK 4) 15. Aufl. Göttingen 2003, S. 292f.

[13] Einen Mittelweg sucht U. Wilckens mit seiner Übersetzung "Endziel". (U. Wilckens: Der Brief an die Römer; EKK VI, 2, S. 217 und 221ff). Vgl. auch F. Siegert: Argumentation bei Paulus, S. 149: „In dieser Hinsicht, nämlich εἰς δικαιοσύνην, ist Christus das *Ende des Gesetzes* (V.4). Man kann aber auch *Ziel* übersetzen, solange man ein erreichtes Ziel damit meint." (Hervorhebungen von Siegert)

[14] Als Überblick siehe K. Haacker: „Ende des Gesetzes" und kein Ende?, S. 127-138 sowie M. Theobald: Der Römerbrief; (EdF 294) Darmstadt 2000, S. 216-219..

[15] O. Hofius: Das Gesetz des Mose und das Gesetz Christi, S. 64f; Anm. 51.

weil sie ihm nicht mehr unterworfen sind – in einer Röm 13,8ff näher bestimmten Weise achten sollen. Die schließlich von Hofius angeführte Stelle Röm 3,21, dass die Offenbarung der Gerechtigkeit Gottes χωρὶς νόμου erfolge, wird mit den nächsten Worten sogleich präzisiert, und es wird dabei die positive Geltung des νόμος hervorgehoben: μαρτυρουμένη ὑπὸ τοῦ νόμου. Von Röm 3,20 her ist dann klar, dass der Ausdruck χωρὶς νόμου das dortige ἐξ ἔργων νόμου verkürzt wiedergibt und nicht das Gesetz an sich, sondern eine bestimmte Auffassung des Gesetzes kritisiert. Darüber hinaus scheint Hofius jedenfalls aus dem Röm keine weiteren Belege für eine „Beendigung" des Gesetzes anführen zu können. Es sei ihm zugestanden, dass Gal ein etwas anderes Verständnis hat und eher die Diskontinuität zwischen christlichem Glauben und νόμος betont – ohne dass dabei jedoch die Geltung des νόμος grundsätzlich verneint wird.[16] Auch die von Hofius weiter genannte Stelle aus II Kor 3 kann sehr wohl so interpretiert werden, dass Paulus dort die *Geltung* des Gesetzes hervorhebt.[17] Gleichwohl deutet schon die Formulierung von Hofius, „dass der *verklagende und verurteilende* νόμος ein Ende gefunden hat",[18] an, dass das Gesetz im Röm und besonders in 10,4 nicht nur negativ, sondern auch noch in einem anderen, positiven Sinne verstanden werden kann (vgl. die Ausführungen oben zu Röm 2,12).

Gegen ein Verständnis von τέλος in Röm 10,4 als „Ende" im Sinne von Aufhören sprechen eine Fülle von Argumenten:

1. Im Griechischen ist die Bedeutung "Ende" gegenüber "Ziel" deutlich nachrangig. So bieten z.B. Liddell, Scott, Jones als erste Nennungen englische Ausdrücke für "Ziel" und führen erst ganz am Ende einige wenige an, die "Ende" bedeuten.[19] G. Delling nennt bei aller Unklarheit des etymologischen Ursprunges als Grundbedeutung den Akt des Vollbringens bzw. den Zustand der Vollendung.[20] W. Bauer schwankt für Röm 10,4 zwischen den Bedeutungen „Aufhören" und „Ziel".[21] Wenn τέλος in Röm 10,4 nicht „Aufhören" bedeutet, dann wäre jedoch der einzige verbleibende Beleg für diese Bedeutung bei Paulus II Kor 3,13.

2. K. Haacker konstatiert: Bei den entsprechenden Formulierungen „τέλος von X ist Y" hat an keiner Stelle im Neuen Testament τέλος „die rein temporale Bedeutung ‚das Aufhören', ‚die Beendigung'."[22]

---

[16] Zu den Differenzierungen im Gal siehe im Detail F. Vouga: An die Galater; HNT 10, S. 95: „1. Das Ziel, mit dem das Gesetz gegeben worden ist, ist zeitlich bis zum Kommen Christi begrenzt (Gal 3,19). 2. Entsprechend implizieren die beiden Metaphern des Pädagogen und des Vormundes, daß das Gesetz für die Christen jede Bedeutung verloren hat (Gal 3,23-25; 4,1-5): Der Glaubende ist nicht mehr ὑπὸ νόμον (Gal 3,23; 4,5). Anders als in Röm 3,31; 7,7-8,4 liegt der Akzent auf der Diskontinuität. 3. Die Einführung des Begriffes des νόμος τοῦ Χριστοῦ, der an die Stelle des Gesetzes als Maßstab für das Verhalten der Christen in Gal 5,13-6,10 tritt, und die heilsgeschichtliche Betrachtung, nach welcher das Gesetz im Wort von Lev 19,18 seine Erfüllung gefunden hat, verstärken die Vorstellung, daß ein Gesetz der neuen Schöpfung (Gal 6,15) das Gesetz der alten Welt (Gal 1,4) ersetzt hat (umgekehrt setzt wiederum die hermeneutische Formulierung von Röm 13,8 die Kontinuität des Gesetzes und seiner Stellung voraus)."

[17] Siehe dazu D. Starnitzke: Der Dienst des Paulus. Zur Interpretation von Ex 34 in 2 Kor 3; in: WuD 25 (1999), S. 193-207.

[18] O. Hofius: Das Gesetz des Mose und das Gesetz Christi, S. 64f; Anm. 51, Hervorhebungen von mir.

[19] Vgl. Liddell, Scott, Jones: A Greek-English Lexicon, Sp. 1772b-1774a und K. Haacker: Der Brief des Paulus an die Römer; ThHK 6, S. 207.

[20] G. Delling: Artikel τέλος κτλ.; in: ThWNT, Bd. 8, S. 50-88, dort S. 50ff. Für das NT gibt er drei Grundbedeutungen an: 1. Ausführung; 2. Ziel, Ausgang, Ende, Abschluss; 3. Abgabe, Steuer.

[21] Vgl. W. Bauer: Griechisch-Deutsches Wörterbuch zum Neuen Testament, Sp. 1605ff.

[22] K. Haacker: Der Brief des Paulus an die Römer; ThHK 6, S. 207f.

3. Paulus argumentiert im Röm an zahllosen Stellen gerade mit dem „Gesetz", d.h. mit Stellen aus der Tora und in einem weiteren Sinne aus dem Alten Testament insgesamt – und zwar nicht so, dass das dort Gesagte durch Christus beendet sei, sondern dass es gerade positiv auf das paulinische Evangelium von Christus bezogen werden kann.[23]

4. An zahlreichen Stellen, die sich durch den ganzen Röm ziehen, wird explizit gesagt, dass es Paulus bei der Verkündigung des Evangeliums gerade um eine Bestätigung des Gesetzes geht. Sein Evangelium ist in heiligen Schriften vorher verheißen (1,2). Die Offenbarung der Gottesgerechtigkeit wird vom Gesetz bezeugt (3,21). Das Gesetz wird von Paulus nicht aufgehoben, sondern aufgerichtet (3,31). Er kann deshalb auch vom „Gesetz des Glaubens" sprechen (3,27) und sogar in gewisser Weise meinen, dass die Täter des Gesetzes gerechtfertigt werden (2,13). Die Befreiung vom „Gesetz der Sünde und des Todes" geschieht durch ein anderes Gesetz, nämlich durch das „des Geistes des Lebens in Christus Jesus" (8,2). Das δικαίωμα des Gesetzes soll von den Glaubenden erfüllt werden (8,4). Für die Glaubenden gelten zwar nicht mehr einzelne Gesetzesbestimmungen, wie der ethische Teil in Kap. 12-15,13 zeigt, aber es geht Paulus in einem bestimmten Sinne um eine „Erfüllung" des Gesetzes, welches gerade durch das Liebesgebot aus Lev 19,18 zusammengefasst wird (vgl. Röm 13,8-10 und unten die Ausführungen zur Stelle).

5. Wenn durch Christus das Gesetz beendet wäre, dann wird die in V. 5ff anschließende Argumentation unverständlich, in der nicht nur für die Gerechtigkeit aus dem Gesetz (V. 5), sondern auch für die „aus dem Glauben" (V. 6-8) mit Textstellen aus dem Gesetz (Dtn 30,12f) argumentiert wird.

6. Demgegenüber setzt das Verständnis von τέλος als „Ziel" sinnvoll die Wettkampfmetaphorik und die Aussagen aus 9,30-33 fort.[24] Das Ziel, das „Israel" nicht erreicht, obwohl es ihm nach Kräften nachläuft (V. 31f), ist Christus.

Aus den genannten Gründen wird im folgenden davon ausgegangen, dass Paulus hier τέλος im Sinne von „Ziel" verwendet. Das Ziel des Gesetzes erschließt sich also für den Glaubenden durch Christus. Die Formulierung παντὶ τῷ πιστεύοντι unterstreicht dabei, dass es Paulus hier nicht um die Zuordnung von Kollektiven wie Juden – Nichtjuden[25] oder Berufene – nicht Berufene geht, sondern um die Glaubensentscheidung des einzelnen Menschen (vgl. 1,16). Der Singular steht hier nicht zufällig, weil für Paulus der Glaube an Christus kein kollektiver, sondern ein individueller ist, der eine neue Gemeinschaft nicht einfach als Kollektiv, sondern als Gemeinschaft von Individuen konstituiert (vgl. dazu die Ausführungen zu 1,16f und 12,3ff)

V. 4 bietet damit das hermeneutische Schema, das an jenes von Röm 1,2 gut anschließt. In geläufiger menschlicher Sicht bekannte Formulierungen aus dem Gesetz (V. 4a) werden von Paulus im folgenden in theologischer Perspektive von Christus her bzw. auf ihn hin interpretiert (V. 4b). Damit erschließt sich für Paulus zugleich der aktuelle Sinn dieser Schriftstellen (τοῦτ' ἔστιν, V. 6,7,8). Dadurch ergeben sich prinzipiell zwei Zugangsmöglichkeiten zum Gesetz: ἐκ τοῦ νόμου (V. 5, aus dem Gesetz selbst) oder ἐκ πίστεως (V. 6b; 7b; 8b, aus dem Glauben an Christus). Die doppelte Sicht des Paulus eröffnet hier also eine biblische Hermeneutik, die bekannte Textstellen in christologischer Perspektive interpretiert.

---

[23] Vgl. dazu die bei H. Hübner (Hrsg.): Vetus Testamentum in Novo, Bd. 2, auf 218 (!) Seiten aufgeführten Parallelen.

[24] Vgl. K. Haacker: Der Brief des Paulus an die Römer; ThHK 6, S. 209.

[25] Vgl. auch U. Wilckens: Der Brief an die Römer; EKK VI, 2, S. 223.

Es geht Paulus also darum, Christus als das eigentliche Ziel des Gesetzes zu erweisen.[26] Diese Bedeutung „Ziel" schließt dabei ein Aufhören des Gesetzes in einem spezifischen Sinne durchaus mit ein. „Beendet" ist, wenn man so will, ein Verständnis des Gesetzes, das dieses eindimensional auf seine reinen Gesetzesbestimmungen reduziert, und das den darin enthaltenen, zusätzlichen Aspekt der Verheißung (vgl. Röm 4) oder des Bezuges auf Christus (vgl. Röm 10,5ff) nicht berücksichtigt. Beendet ist also ein bestimmter, problematischer Zugang zum Gesetz, nicht aber das Gesetz selbst. Es geht Paulus nicht prinzipiell um ein Ende des Gesetzes, sondern nur um ein Ende der falschen Einsicht, dass man durch eigene Taten, die sich möglicherweise am Gesetz orientieren, die eigene Gerechtigkeit erwirken kann. Deshalb schließt er auch die Formulierung εἰς δικαιοσύνην παντὶ τῷ πιστεύοντι an. Wenn man δικαιοσύνη, wie oben im Exkurs zu dem Begriff vorgeschlagen, vom Zuspruch der Freiheit her interpretiert, dann geschieht dieser Freispruch, wie Paulus dies in Kap. 1-8 ausführlich dargelegt hatte, dadurch, dass der Glaubende von dem Versuch Abstand nimmt, diesen durch eigene Taten, Fähigkeiten oder Eigenschaften zu erwirken (vgl. Kap. 2,1-3,18). Statt dessen glaubt er daran und vertraut darauf, dass seine Ex-istenz in Christus bereits neu begründet ist und das dies seine Befreiung von der Knechtschaft zur Freiheit der Kinder Gottes bewirkt (vgl. Kap. 8).

In einer ersten Gegenüberstellung wird nach diesem Schema V. 5 – wie in Gal 3,12 – Lev 18,5 zitiert und damit die Gerechtigkeit "aus dem Gesetz" charakterisiert. Dem von Nestle-Aland in der 27. Aufl. gebotenen Text ist dabei zu folgen.[27] Gegenüber Lev ist allein das αὐτά aus dem vorhergehenden Halbsatz hier eingefügt, sonst folgt Paulus dem Text wörtlich. Der Leviticustext wird zunächst in einer geläufigen menschlichen Sicht verstanden:[28] der Mensch, der die Weisungen Gottes tut, wird „in ihnen"[29] (den Vorschriften des Gesetzes) leben. Es ist sicherlich nicht zufällig, dass Paulus hier ein Zitat wählt, bei dem der Mensch (ἄνθρωπος) im Singular in den Blick kommt. Auch die Wahl des Zitates zeigt, dass der Ansatzpunkt der Argumentation weniger in der Unterscheidung zwischen Juden und Nichtjuden besteht als vielmehr in einer anthropologischen Analyse.[30] Αὐτά und ἐν αὐτοῖς beziehen sich in Lev auf die

---

[26] Vos hat hier den Vorwurf an Paulus gerichtet, sich einer sophistischen Interpretation zu bedienen, die zwischen dem Buchstaben des Gesetzes und der eigentlichen Intention des Gesetzgebers unterscheidet. Paulus verwende deshalb in Röm 10,5ff für Dtn 30,11-20 in unangemessener Weise zwei verschiedene Interpretationsmuster und unterschlage dabei wesentliche Teile des Textes. Siehe J. S. Vos: Sophistische Argumentation im Römerbrief des Paulus; in: NT 43 (2001), S. 224-244, dort S. 242f.

[27] Als alternative zweite Lesart findet sich bei (א*) (A) (33*) 81 630 1506 1739 (1881) pc co die in der 25. Aufl. des Novum Testamentum Graece noch favorisierte Fassung: Μωυσῆς γὰρ γράφει ὅτι τὴν δικαιοσύνην τὴν ἐκ τοῦ νόμου ὁ ποιήσας ἄνθρωπος ζήσεται ἐν αὐτῇ. Diese Lesart kann als sekundäre aufgefasst werden, weil sie am Anfang sprachliche Erleichterungen enthält, das ἐν αὐτοῖς an τὴν δικαιοσύνην angleicht und eine Parallelität zur Zitateinleitung in V. 6 erzeugt. Vgl. D.-A. Koch: Die Schrift als Zeuge des Evangeliums, S. 293f. B und D* kombinieren beide Textfassungen. Zu den insgesamt acht Textvarianten siehe A. Lindemann: Die Gerechtigkeit aus dem Gesetz. Erwägungen zur Auslegung und zur Textgeschichte von Römer 10,5; in: ZNW 73 (1982), S. 231-250, dort S. 233. Lindemann entscheidet sich a.a.O., S. 237 ebenfalls für die erste Lesart, die sich im Text der 27. Aufl. von Nestle-Aland findet.

[28] Die Zitatformel hebt erneut den menschlichen Autor hervor und betont dadurch den vorgegebenen Text, der dann im folgenden zusätzlich theologisch interpretiert werden muss. Vgl. D.-A. Koch: Die Schrift als Zeuge des Evangeliums, S. 31f

[29] Der Lesart ἐν αὐτοῖς ist zu folgen. Siehe dazu die Begründung oben.

[30] Vgl. auch A. Lindemann: Die Gerechtigkeit aus dem Gesetz, S. 245: „das unbestimmte ὁ ποιήσας αὐτὰ ἄνθρωπος schließt ja ebenfalls jede Differenzierung zwischen Juden und Heiden aus."

Weisungen Gottes (πάντα τὰ προστάγματά μου καὶ πάντα τὰ κρίματά μου). Aus dem Versuch des Menschen, seine eigene Gerechtigkeit selbst herzustellen (V. 3), resultiert für Paulus eine problematische Beziehung zum Gesetz. Das gilt im allgemein für den Menschen in Bezug auf die für ihn relevanten Gesetzen wie auch konkret für den Juden in Bezug auf die Gesetzesbestimmungen des Alten Testaments.

Paulus meint hier eine Existenzhaltung, nach der der Mensch bzw. konkret der Jude[31] sich selbst durch sein Tun definiert, also durch seine Fähigkeiten und Leistungen (ὁ ποιήσας αὐτὰ ἄνθρωπος). Diese Selbstdefinition führt dazu, dass er sich „in" die Bestimmungen des Gesetzes hinein begibt und sein Leben vollständig durch das Tun derselben definiert (ζήσεται ἐν αὐτοῖς). Das ζῆν ist dabei offenkundig nicht eschatologisch oder soteriologisch gemeint, sondern als Beschreibung einer auf eigenen Taten beruhenden Existenzweise.[32] Er ist nicht in der Lage, zu ihnen in eine Distanz zu treten und zwischen sich selbst und seinen Tätigkeiten und Eigenschaften zu unterscheiden, sondern identifiziert sich vollständig mit der Erfüllung der Bestimmungen, die zwar von Gott gegeben sind, aber vom Menschen eindimensional und ohne Bezug auf Gott nur von ihrem anweisenden Charakter her gelesen werden. Dass diese Konzentration auf die eigene Taten in Aporien führt, wurde bereits in Röm 2,1-3,18 und 7,7ff gezeigt. „Diese Gerechtigkeit, die an das ‚Tun' gebunden ist, ist aber nicht Gottes Gerechtigkeit".[33]

Dieser Sichtweise wird in V. 6a durch adversatives δέ in theologischer Sicht eine zweite gegenübergestellt, die aus Dtn 9,4 entnommen ist. Durch sie wird die Gerechtigkeit aus Glauben charakterisiert. „Mit der Entgegensetzung der δικαιοσύνη ἐκ νόμου und der ἐκ πίστεως führt Paulus nicht nur die Gegenüberstellung von ἰδία δικαιοσύνη und δικαιοσύνη θεοῦ fort, sondern nimmt auch die Antithese von ἔργα und πίστις aus 9,32 auf."[34] Das Zitat aus Dtn 9,4 fungiert keineswegs als Einleitung weiterer Zitate aus Dtn 30,12ff in V. 6-8, sondern steht für sich. Es muss von der Fortsetzung des Satzes in Dtn her verstanden werden, der exakt zur Aussage von Röm 10,5f passt: Die Gerechtigkeit aus Glauben verbietet den Menschen gemäß Dtn 9 (!) zu meinen, sie würden wegen ihrer eigenen Gerechtigkeit etwas von Gott ererben. Mit den Worten des Septuagintatextes (nach A. Rahlfs): μὴ εἴπῃς ἐν τῇ καρδίᾳ σου [...] Διὰ τὰς δικαιοσύνας μου εἰσήγαγέν με κύριος κληρονομῆσαι τὴν γῆν τὴν ἀγαθὴν ταύτην. Das bedeutet: die V. 6a zitierte Schriftstelle mit ihrer Einleitung durch ἡ δὲ ἐκ πίστεως δικαιοσύνη οὕτως λέγει ist für Paulus „Einleitung zu der Mahnung, die Gaben Gottes nicht als Lohn für die ‚eigene Gerechtigkeit' zu verstehen",[35] und bietet insofern in gekürzter Form aus theologischer Perspektive das Gegenkonzept zu der in Röm 10,5

---

[31] Dass diese Schriftstelle sehr wohl zur Charakterisierung jüdischer Lebensweise herangezogen werden konnte, zeigt die spätere Verwendung bei den Rabbinen. Vgl. F. Avemarie: Tora und Leben. Untersuchungen zur Heilsbedeutung der Tora in der frühen rabbinischen Literatur; (TSAJ 55) Tübingen 1996, S. 104ff. Damit soll von Paulus natürlich nicht pauschal eine bestimmte jüdische Existenzhaltung kritisiert werden, denn er ist sich wohl darüber im Klaren, dass das Judentum sich nicht grundsätzlich in dieser Weise beschreiben lässt.

[32] Vgl. auch A. Lindemann: Die Gerechtigkeit aus dem Gesetz, S. 242: „Denn Paulus will ja offenbar nicht sagen, daß der Täter der Werke (oder der Gebote) ‚das Leben' tatsächlich ‚durch sie' erhält." Vgl. dazu auch die rabbinische Tradition, die diesen Vers gern anführt, um „für den Fall einer akuten Lebensgefahr die Außerkraftsetzung von Geboten zu rechtfertigen". (F. Avemarie: Tora und Leben, S. 104f.)

[33] Lindemann, a.a.O., S. 250.

[34] D.-A. Koch: Die Schrift als Zeuge des Evangeliums, S. 295.

[35] K. Haacker: Der Brief des Paulus an die Römer; ThHK 6, S. 210.

charakterisierten Lebenshaltung. Die zweite Existenzhaltung der Gerechtigkeit „aus dem Glauben" lehnt also eine Begründung der Gerechtigkeit „aus dem Gesetz" (V. 5) prinzipiell ab. Diese Kurzformel wird in den folgenden Versen durch weitere Gegenüberstellungen erläutert.

Die V. 6b,7ff zeigen, wie auf dieser Basis das alttestamentliche Gesetz von seinem eigentlichen Sinn her, der sich in Christus erschließt, neu gelesen werden kann. Paulus zitiert hier zur Verdeutlichung seiner These, dass das Ziel des Gesetzes Christus ist, mehrfach Dtn 30,11-14[36] und interpretiert die Stelle christologisch durch dreimaliges τοῦτ' ἔστιν.

V. 6b gibt zunächst fast wörtlich Dtn 30,12 wieder.[37] Es findet sich zwar nicht unmittelbar vorher eine Zitateinleitung, aber durch das Μωϋσῆς γὰρ γράφει in V. 5a, durch das οὕτως λέγει in V. 6a und vor allem durch das sich anschließende τοῦτ' ἔστιν ist das Zitat eindeutig bestimmt.[38] Damit führt Paulus erneut in menschlicher Sicht eine bekannte Schriftstelle ein, um diese dann am Schluss des Verses gemäß der hermeneutischen Formel aus V. 4 in christologischer Perspektive zu deuten. Die Frage aus Dtn 30 wird dazu – über ihren dortigen Wortsinn hinausgehend, der sich auf das Gebot Gottes bezieht – von Christus her beantwortet. Gefragt ist nach Paulus Dtn 30,12 nicht nur nach dem Gebot, sondern in letzter Hinsicht danach, wer Christus aus dem Himmel herabholt. Das entspricht aber genau der hermeneutischen Aussage von V. 4, nach der das Gesetz auf Christus zielt.[39] Die hier vorgenommene Deutung bestimmter anderer Begriffe aus Schriftstellen auf Christus hin, also z.B. der ἐντολή aus Dtn 30,12f (τοῦτ' ἔστιν Χριστὸν κτλ.), ist eine hermeneutische Methode, die bei Paulus keineswegs singulär ist. So kann er z.B. in I Kor 10,4 Christus mit dem Felsen identifizieren, von dem die Israeliten auf der Wanderung durch die Wüste tranken: ἡ πέτρα δὲ ἦν ὁ Χριστός. Oder es wird in Gal 3,16 die Verheißung der Nachkommenschaft Abrahams direkt auf Christus bezogen: καί τῷ σπέρματί σου ὅς ἐστιν Χριστός. Die Identifikation der ἐντολή mit Christus erscheint für den ersten Teil des Zitates in V. 6 noch relativ stimmig. Die aus Dtn 30,12 zitierte Frage τίς ἀναβήσεται εἰς τὸν οὐρανόν; wird offenbar auf die Himmelfahrt Christi bezogen.[40]

Analog zu V. 6b nimmt Paulus in V. 7 die zweite mit τίς eingeleitete Frage aus Dtn 30,13 auf, wobei er den Text jetzt aber deutlich verändert.[41] Es handelt sich insofern nicht um ein durchgängiges Zitat, sondern um eine sonst bei Paulus nicht übliche „schrittweise Kommentierung"[42] von Dtn 30, 12-14. Die christologische Interpretation, die wiederum in V. 7b, eingeleitet mit τοῦτ' ἔστιν geschieht, greift hier stark in den Dtn-Text der LXX ein. Die dortige Frage τίς διαπεράσει ἡμῖν εἰς τὸ πέραν τῆς θαλάσσης; ersetzt Paulus durch die auf den Tod Christi bezogene Formulierung τίς καταβήσεται εἰς τὴν ἄβυσσον; Erst so wird dann die christologische Sichtweise überhaupt möglich. Ob sich Paulus bei den christologischen Deutungen V. 6b und 7b

---

[36] Es handelt sich dabei trotz erheblicher Verkürzungen um ein Zitat. Vgl. D.-A. Koch: Die Schrift als Zeuge des Evangeliums, S. 129f.

[37] Dabei wird lediglich ἡμῖν weggelassen.

[38] Vgl. auch D.-A. Koch: Die Schrift als Zeuge des Evangeliums, S. 130.

[39] Gegen Koch, a.a.O, S. 130f, der meint, dass Paulus durch die gewählten Zitatausschnitte das Thema des Gesetzes gerade ausblende.

[40] Paulus streicht dabei das ἡμῖν aus Dtn.

[41] Vgl. H. Hübner (Hrsg.): Vetus Testamentum in Novo, Bd. 2, S. 170ff, der die Abweichungen für so stark erachtet, dass er den Vers nicht einmal als Parallele aufführt.

[42] So D.-A. Koch: Die Schrift als Zeuge des Evangeliums, S. 156.

auf traditionelle Vorstellungen oder Formeln bezieht[43] oder gar auf jüdische Auslegungstraditionen von Dtn 30, 12ff,[44] ist schwer entscheidbar. Es verwundert ein wenig die gegenüber der herkömmlichen Christologie umgekehrte Reihenfolge von Himmelfahrt und Erniedrigung (vgl. z.B. Phil 2,6ff), die aber eben durch die Abfolge der Fragen in Dtn 30,12f verursacht sein kann.

Diesen beiden direkt auf Christus bezogenen Deutungen folgt in Röm 10,8 eine dritte. Wieder wird in V. 8a eine Schriftstelle zitiert und dieser dann in spezifisch theologischer Sicht, erneut mit τοῦτ' ἔστιν eingeleitet, eine Deutung nachgestellt. Paulus gibt dabei fast wörtlich Dtn 30,14 wieder,[45] bezeichnenderweise wird aber der Schluss des Verses weggelassen. Denn danach ist das Wort nicht nur im Mund und im Herzen, sondern auch in den Händen und zielt auf ein Tun. Es heißt dort nach der Septuaginta (in der Fassung von A. Rahlfs): ἔστιν σου ἐγγὺς τὸ ῥῆμα σφόδρα [...] καὶ ἐν ταῖς χερσίν σου αὐτὸ ποιεῖν. Für Paulus war aber die erste Existenzhaltung der Gerechtigkeit aus dem Gesetz durch das Tun gekennzeichnet (Röm 10,5 in Verbindung mit Lev 18,5). Deshalb werden die Hände und der Tätigkeitsaspekt hier bewusst gestrichen. Das „Wort" des Gesetzes (ῥῆμα, bezogen auf ἐντολή) setzt Paulus dann in V. 8b in theologischer Sicht mit dem Wort der Verkündigung des Glaubens durch Paulus gleich: τοῦτ' ἔστιν τὸ ῥῆμα τῆς πίστεως ὃ κηρύσσομεν. Dem hermeneutischen Schema aus Röm 1,2 entsprechend wird also die zitierte Schriftstelle unmittelbar auf die Verkündigung des Paulus bezogen. Das κηρύσσομεν ist dabei offenbar als schriftstellerischer Plural zu verstehen und meint Paulus selbst. Als Sitz dieses Wortes nennt Paulus durch das verkürzte Dtn-Zitat den Mund und das Herz. Damit wird der von Paulus gepredigte Glaube wiederum, wie schon in vorherigen Zusammenhängen, verinnerlicht und individualisiert.

In V. 9f setzt Paulus bei dieser durch καρδία und στόμα betonten Innerlichkeit und Individualität des Glaubens an und führt diese weiter (angeschlossen mit ὅτι). Er verfährt dabei so, dass er V. 10 die Aussage von Dtn über die Nähe des Wortes in Herz und Mund aufnimmt und diese Aussage in V. 9 – also vorangestellt – erneut in theologischer Sicht auf Christus hin interpretiert. Die allgemein menschliche Einsicht, nach der mit dem Mund bekannt und mit dem Herzen geglaubt wird (V. 10), bezieht Paulus dabei durch die Hinzufügung von εἰς δικαιοσύνην und εἰς σωτηρίαν auf die Aussage von V. 9 (angeschlossen mit γάρ). V. 9 selbst erklärt dann in theologischer Perspektive durch eine erneute christologische Interpretation (eingeleitet mit ἐάν), dass derjenige Mensch gerettet wird, der mit seinem Mund Jesus als Herrn[46] bekennt und der in seinem Herzen glaubt, dass Gott ihn auferweckt hat. Die Verwendung des Begriffes κύριος kann bei Paulus variieren, er kann entweder auf Gott oder auf Christus bezogen sein, und die Übergänge können durchaus fließend sein (vgl Röm 14,4-12). Im hellenistischen Kontext können damit aber auch andere Götter oder Herrscher (vgl. I

---

[43] So z.B. F. Siegert: Argumentation bei Paulus, S. 150.

[44] Vgl. K. Haacker: Der Brief des Paulus an die Römer; ThHK 6, S. 20f. Zu diesen Traditionen vgl. auch D.-A. Koch: Die Schrift als Zeuge des Evangeliums, S. 156ff.

[45] Nur das σφόδρα aus Dtn 30 ist gestrichen. Vgl. Hübner (Hrsg.): Vetus Testamentum in Novo, Bd. 2, S. 172.

[46] Die Kurzformel κύριος Ἰησοῦς erinnert an die in Röm 1,3f entfaltete doppelte, menschliche und theologische Doppelsicht Jesu Christi. Vgl. zu diesem Ausdruck auch E. Lohse: Der Brief an die Römer; KEK 4, S. 296f: „Nicht nur der erhöhte und der kommende Herr, sondern auch der irdische Jesus erhielt die Bezeichnung Kyrios." (Lohse, a.a.o., S: 297 mit Verweis auf I Thess 4,15 und I Kor 7,10.12; 9,14; 11,23).

Kor 8,5) oder der Kaiser benannt werden (vgl. Act 5,26).[47] Hier ist der Begriff jedoch eindeutig als christologischer Titel gebraucht. Die direkte Anrede eines Du in V. 9 hat wiederum nicht nur rhetorische Funktion, sondern entspricht dem in der Einführung dargelegten Interesse am einzelnen Menschen.

In V. 11-17 zitiert Paulus nach dem Schema von V. 4-8 – das bereits im Präskript in Röm 1,2 eingeführt wurde – weiterhin einerseits bekannte Schriftworte (wobei V. 13 nicht als Zitat gekennzeichnet ist), die dann andererseits auf das von ihm verkündigte Evangelium von Jesus Christus hin interpretiert werden. Das erste Zitat V. 11 stammt aus Jes 28,16 und wird wiederum durch eine zurückhaltende Zitationsformel eingeleitet (λέγει γὰρ ἡ γραφή), die den Schriftcharakter betont.[48] Paulus stellt bewusst dem Zitat ein πᾶς voran (vgl. 9,33; 10,4), um zu zeigen, dass der Glaube, den er meint, sich auf jeden Einzelnen bezieht. Durch dieses individuelle Glaubensverständnis wird die kollektive Unterscheidung Juden-Nichtjuden modifiziert und aufgehoben (vgl. Röm 1,16f und die Ausführungen dazu). In diesem Sinne wird deshalb auch aus dem Schriftzitat V. 12 in theologischer Perspektive die Konsequenz gezogen (angeschlossen mit γάρ). Dass es zwischen einem Juden (im Singular) und einem Griechen (im Singular) diesbezüglich keinen Unterschied gibt, liegt an der Individualität (im wörtlichen Sinne) und der Einheit Gottes mit sich selbst. „Hier (sc. V. 12) zieht Paulus aus der Bindung des Heils ausschließlich an die πίστις die Schlußfolgerung [...], und er begründet dies – analog zu Röm 3,29f – mit der Einheit bzw. Selbigkeit des κύριος".[49] Das κύριος bedeutet, wie bereits in V. 9, Jesus Christus, so dass das ἐπ᾽ αὐτῷ aus Jes 28,16 wie bereits in Röm 9,33 christologisch modifiziert wird. Die Schlussformulierung πλουτῶν εἰς πάντας τοὺς ἐπικαλουμένους αὐτόν bereitet mit ἐπικαλέω die nächste Gegenüberstellung vor.[50]

V. 13 ist an das Vorhergehende mit γάρ angeschlossen und bildet nicht den Abschluss von V. 1-13, sondern ist – entgegen der im Druckbild von Nestle-Aland (27. Aufl.) vorgeschlagenen Einteilung – mit V. 14 und 15a zusammen zu lesen.[51] V. 13f ist wieder nach dem erwähnten Schema so aufgebaut, dass zunächst eine Schriftstelle zitiert und diese dann aus christologischer Sicht interpretiert wird, wobei zugleich die Individualisierung des Glaubens hervorgehoben wird. Das wörtliche Zitat von Joel 3,5 in V. 13[52] hebt dabei erneut hervor, dass die Anrufung des κύριος zur Rettung führt (vgl. bereits σωθήσῃ V. 9 und εἰς σωτηρίαν V. 10). Dieses Zitat berücksichtigt durchaus den Kontext der Schriftstelle. Joel 3,1 spricht von der Ausgießung des Geistes Gottes auf „alles Fleisch" und in Joel 4,2 wird die Zusammenführung „aller Völker" prophezeit. Diese Geschehnisse bezieht Paulus offensichtlich auf die Verkündigung seines Evangeliums. Sie hat, weil sie universal alle und individuell jeden einzelnen Menschen betrifft, notwendigerweise für Paulus weltweite Ausrichtung. Potentiell jedem und allen Menschen kann und soll die Glaubensbotschaft verkündigt werden. Das einleitende πᾶς nimmt die Ergänzung aus V. 11 auf und betont erneut die individuelle und universale Bedeutung des Gesagten.

---

[47] Siehe dazu auch K. Haacker: Der Brief des Paulus an die Römer; ThHK 6, S. 212.
[48] Vgl. D.-A. Koch: Die Schrift als Zeuge des Evangeliums, S. 31f.
[49] Koch, a.a.O., S. 133f.
[50] Vgl. F. Siegert: Argumentation bei Paulus, S. 151f.
[51] Gegen K. Haacker: Der Brief des Paulus an die Römer; ThHK 6, S. 214, der zwar meint: „Die Zäsur zwischen V. 13 und 14 ist nicht einschneidend", der aber dennoch der Zweiteilung hinter V. 13 folgt.
[52] Vgl. H. Hübner (Hrsg.): Vetus Testamentum in Novo, Bd. 2, S. 172.

In V. 14 und 15a wird dieses Zitat, angeschlossen mit οὖν, erneut aus einer spezifisch theologischen Sicht interpretiert. Grundlegend dafür ist die bereits zu Röm 1,2 und 10,4 erläuterte Hermeneutik, nach der die Schriften des AT auf die Verkündigung des Evangeliums von Jesus Christus hinzielen. Paulus zeigt hierbei die notwendige Voraussetzung der Anrufung des κύριος durch alle Menschen auf: die weltweite Verkündigung der Glaubensbotschaft. Er knüpft dabei an ἐπικαλέω aus Joel 3,5 LXX an. Es handelt sich um die „Anwendung der im Hellenismus verbreiteten rhetorischen Figur des Kettenschlusses, der hier in einem Begriff des betreffenden Zitats seinen Ausgangspunkt hat".[53] Die in V. 14, 15a folgenden Begriffe sind formal also (wie bereits in Röm 5,3b-5 und 8,29f) in Form einer Katene angeordnet. Sie sind dadurch miteinander verknüpft, dass jeweils das letzte Wort des vorhergehenden Satzteiles im neuen Satzteil wieder aufgenommen wird.[54] Die dadurch gestaltete Sequenz rhetorischer Fragen zielt auf den Gedanken, dass es nötig ist Boten, zur Verkündigung des Evangeliums überall hin zu senden: ἐὰν μὴ ἀποσταλῶσιν. Das persönliche Anliegen des Paulus, von den Römern für die – im Prinzip weltweite – Mission nach Spanien entsandt oder zumindest unterstützt zu werden (vgl. 15,24), steht offensichtlich im Hintergrund dieser Argumentation.

V. 15b und 16a gehen erneut nach dem bereits bekannten Schema vor, so dass zunächst eine Schriftstelle zitiert wird (καθὼς γέγραπται) und diese von Paulus dann theologisch im Hinblick auf Christus und die Verkündigung des Evangeliums ausgelegt wird.[55] V. 15b gibt dabei zunächst Jes 52,7 in gegenüber dem Septuagintatext erheblich verkürzter und veränderter Form wieder. Die Veränderungen beruhen vermutlich darauf, dass Paulus hier eine griechische Fassung als Vorlage hatte, die den Septuagintatext vom hebräischen Text her korrigiert hat.[56] Die ungefähr rekonstruierbare griechische Fassung[57] wird von Paulus so variiert, dass sie in der theologischen Deutung V. 16a auf seine eigene Evangeliumsverkündigung bezogen werden kann: Die Friedensthematik aus Jesaja wird weggelassen (und in der variierenden Lesart wieder eingeführt), ebenso der Bezug auf die Berge und damit auf Zion. Das Partizip Singular der Vorlage wird in den Plural verändert, „was die Deutung der Stelle auf die urchristlichen Verkündiger erleichtert".[58] V. 16a deutet das modifizierte Zitat theologisch im Hinblick auf die Evangeliumsverkündigung des Paulus (vgl. Röm 1,2). Durch adversatives ἀλλά wird betont, dass die meisten Menschen das Evangelium von Christus noch nicht angenommen haben. Das τῶν εὐαγγελιζομένων aus dem Zitat wird dazu durch τῷ εὐαγγελίῳ aufgenommen. Wenn man ὡς ὡραῖοι zeitlich versteht, dann geht es Paulus um eine „rechtzeitige"

---

[53] D.-A. Koch: Die Schrift als Zeuge des Evangeliums, S. 230.
[54] Der Zusammenhang der Glieder lässt sich dabei verschieden beschreiben. Siehe F. Siegert: Argumentation bei Paulus, S. 151: „eine Kette [...], deren Glieder so zusammenhängen, daß das Rhema des einen das Thema des nächsten wird". Oder U. Wilckens: Der Brief an die Römer; EKK VI, 2, S. 228: „Die Stringenz dieses jeweils auf die Bedingung des voranstehenden Gliedes zurückführenden Kettenschlusses kommt in den ‚Wie'-Fragen zu starker rhetorischer Wirkung."
[55] Gegen K. Haacker: Der Brief des Paulus an die Römer; ThHK 6, S. 214, der V. 15 von V. 14 her versteht.
[56] Vgl. D.-A. Koch: Die Schrift als Zeuge des Evangeliums, z.B. S. 66: „In Röm 10,15 ist [...] die syntaktische Struktur des HT wiederhergestellt."
[57] Nach Koch, a.a.O., S. 69 lautet sie: „ὡς ὡραῖοι ἐπὶ τῶν ὀρέων πόδες εὐαγγελιζομένου ἀκοὴν εἰρήνης εὐαγγελιζομένου ἀγαθά."
[58] K. Haacker: Der Brief des Paulus an die Römer; ThHK 6, S. 214.

Verkündigung des von ihm vorgestellten Evangeliums.[59] Das ist deshalb nötig, weil einerseits noch nicht alle die Botschaft gehört haben bzw. weil andererseits die, die es gehört haben, noch nicht alle dem Evangelium gehorsam sind.[60]

V. 16b und 17 bieten eine weitere Gegenüberstellung eines alttestamentlichen Zitates und einer daraus abgeleiteten zweiten und theologisch bzw. christologisch bestimmten Sichtweise. Das Zitat aus Jes 53,1 (LXX) hat wiederum eine zurückhaltende Zitateinleitung, die den Schriftcharakter und die menschliche Verfasserschaft hervorhebt.[61] Das κύριε ist bereits in der Septuaginta hinzugefügt.[62] Die Botschaft (ἀκοή) aus dem Gottesknechtslied in Jes 53, die dort mit der rhetorischen Frage charakterisiert wird, wer sie denn verstehe, setzt Paulus V. 17 in christologischer Sicht mit dem von ihm verkündigten Evangelium gleich. Die Schriftstelle wird also erneut nach dem hermeneutischen Schema von Röm 10,4 auf Christus bezogen (διὰ ῥήματος Χριστοῦ,[63] vgl. bereits 10,8b). Von daher reflektieren V. 16b und 17 für Paulus die Erfahrung, dass nicht alle – und von Kap. 9 her vor allem nicht alle Juden – der christlichen Botschaft geglaubt haben.

Aufgrund der aufgezeigten Struktur von Schriftzitat und anschließender christologischer Interpretation ist es unnötig, V. 17 umzustellen oder als Glosse zu verstehen,[64] wie R. Bultmann und andere vorgeschlagen haben. Der den Abschnitt abschließende V. 17 fasst (angeschlossen mit ἄρα) zusammen, dass zwar der Glaube die Verkündigung bzw. das Hören der Botschaft voraussetzt, Paulus bleibt jedoch nicht bei rein strategischen Überlegungen des Zusammenhanges von Verkündigung und Glaube und damit bei einer vordergründigen Legitimation seiner Missionsabsichten im westlichen Mittelmeer stehen. Vielmehr stellt er diesen, wie dann programmatisch in 15,17f ausgeführt werden wird, eine christologische Sicht gegenüber, nach der die Botschaft letztlich nicht nur durch den Verkündiger, sondern zugleich durch Christus selbst geschehen muss, der durch den Menschen wirkt.[65]

---

[59] R. Bultmann schreibt dazu: „Das ἀποσταλῆναι hat bereits stattgefunden; denn schon Jesaja hat die Entsendung der Boten geweissagt. Das ist umso deutlicher, wenn Paulus das ὡραῖοι in dem ursprünglichen und immer lebendigen Sinn von ‚rechtzeitig', ‚zur rechten Zeit sich einstellend' verstanden hat." (R. Bultmann: Glossen im Römerbrief; in: ders.: Exegetica, S. 278-284, dort S. 280.) Vgl. dazu auch W. Schmithals: Der Römerbrief, S. 380f.

[60] Das ὑπήκουσαν ist insofern doppeldeutig. Es meint zum einen diejenigen, die dem bereits gehörten Evangelium nicht gehorchen (so K. Haacker: Der Brief des Paulus an die Römer; ThHK 6, S. 216, der hier eine Rückbezug auf das Thema von Kap. 9 sieht: den Unglauben Israels), und zum anderen die vielen, die noch nicht auf das Evangelium hören konnten, weil sie es noch nicht kennen.

[61] Vgl. D.-A. Koch: Die Schrift als Zeuge des Evangeliums, S. 31f.

[62] Vgl. H. Hübner (Hrsg.): Vetus Testamentum in Novo, Bd. 2, S. 174f. Koch, a.a.O., S. 86, Anm. 19.

[63] Die variierende Lesart θεοῦ ignoriert die durchgehend christologische Argumentation des Abschnittes.

[64] Dazu R. Bultmann: „Ebenso (sc. wie mit 7,25b und 8,1) steht es mit 10,17, wo wieder das charakteristische ἄρα erscheint, um eine sentenziöse Zusammenfassung von V. 14 f einzuführen. Müller hat darin völlig Recht, daß 10,17 eine an falscher Stelle in den Text geratene Randbemerkung ist, die eigentlich hinter V. 15 ihren Platz haben sollte, - nur daß die Randbemerkung die eines Glossators sein dürfte." (R. Bultmann: Glossen im Römerbrief; in: Exegetica, S. 278-284, dort S. 280. Mit Bezug auf F. Müller: Zwei Marginalien im Brief des Paulus an die Römer; in: ZNW 40, 1941, S. 249-254.)

[65] Ähnlich K. Haacker: Der Brief des Paulus an die Römer; ThHK 6, S. 215: „‚Ῥῆμα Χριστοῦ meint wohl die Sendung der Apostel durch einen Auftrag Christi und nicht das Wort von Christus".

Röm 10,1-17 lassen sich damit in folgender Weise strukturieren:

10,1: 'Αδελφοί	ἡ μὲν εὐδοκία τῆς ἐμῆς καρδίας	καὶ ἡ δέησις πρὸς τὸν θεὸν ὑπὲρ αὐτῶν εἰς σωτηρίαν
2+3a: γὰρ	μαρτυρῶ αὐτοῖς ὅτι ζῆλον θεοῦ ἔχουσιν	ἀλλ' οὐ κατ' ἐπίγνωσιν ἀγνοοῦντες γὰρ τὴν τοῦ θεοῦ δικαιοσύνην
3b: καὶ	τὴν ἰδίαν δικαιοσύνην ζητοῦντες στῆσαι	τῇ δικαιοσύνῃ τοῦ θεοῦ οὐχ ὑπετάγησαν
4: γὰρ	τέλος νόμου	Χριστὸς εἰς δικαιοσύνην παντὶ τῷ πιστεύοντι
5+6a: Μωϋσῆς γὰρ γράφει	τὴν δικαιοσύνην τὴν ἐκ τοῦ νόμου ὅτι ὁ ποιήσας αὐτὰ ἄνθρωπος ζήσεται ἐν αὐτοῖς	ἡ δὲ ἐκ πίστεως δικαιοσύνη οὕτως λέγει Μὴ εἴπῃς ἐν τῇ καρδίᾳ σου
6b:	Τίς ἀναβήσεται εἰς τὸν οὐρανόν	τοῦτ' ἔστιν Χριστὸν καταγαγεῖν
7: ἤ	Τίς καταβήσεται εἰς τὴν ἄβυσσον	τοῦτ' ἔστιν Χριστὸν ἐκ νεκρῶν ἀναγαγεῖν
8: ἀλλὰ τί λέγει	Ἐγγύς σου τὸ ῥῆμά ἐστιν ἐν τῷ στόματί σου καὶ ἐν τῇ καρδίᾳ σου	τοῦτ' ἔστιν τὸ ῥῆμα τῆς πίστεως ὃ κηρύσσομεν
9+10: ὅτι	καρδίᾳ γὰρ πιστεύεται εἰς δικαιοσύνην στόματι δὲ ὁμολογεῖται εἰς σωτηρίαν (2)	ἐὰν ὁμολογήσῃς ἐν τῷ στόματί σου κύριον Ἰησοῦν καὶ πιστεύσῃς ἐν τῇ καρδίᾳ σου ὅτι ὁ θεὸς αὐτὸν ἤγειρεν ἐκ νεκρῶν σωθήσῃ (1)
11+12: λέγει γὰρ ἡ γραφή	Πᾶς ὁ πιστεύων ἐπ' αὐτῷ οὐ καταισχυνθήσεται	οὐ γάρ ἐστιν διαστολὴ Ἰουδαίου τε καὶ Ἕλληνος ὁ γὰρ αὐτὸς κύριος πάντων πλουτῶν εἰς πάντας τοὺς ἐπικαλουμένους αὐτόν
13-15a: γὰρ	Πᾶς ὃς ἂν ἐπικαλέσηται τὸ ὄνομα κυρίου σωθήσεται	Πῶς οὖν ἐπικαλέσωνται εἰς ὃν οὐκ ἐπίστευσαν πῶς δὲ πιστεύσωσιν οὗ οὐκ ἤκουσαν πῶς δὲ ἀκούσωσιν χωρὶς κηρύσσοντος πῶς δὲ κηρύξωσιν ἐὰν μὴ ἀποσταλῶσιν
15b+16a: καθὼς γέγραπται	Ὡς ὡραῖοι οἱ πόδες τῶν εὐαγγελιζομένων τὰ ἀγαθά	Ἀλλ' οὐ πάντες ὑπήκουσαν τῷ εὐαγγελίῳ
16b+17: Ἡσαΐας γὰρ λέγει	Κύριε τίς ἐπίστευσεν τῇ ἀκοῇ ἡμῶν	ἄρα ἡ πίστις ἐξ ἀκοῆς ἡ δὲ ἀκοὴ διὰ ῥήματος Χριστοῦ

Israel und die universale Verkündigung (10,18-21)

V. 18ff beginnt wiederum mit einer doppelten Bemerkung des Paulus in der 1. Person Singular (ἀλλὰ λέγω, V. 18 und 19) ein kurzer neuer Abschnitt, der bis zum Ende des Kapitels reicht.[1] Die parallel strukturierten ersten beiden Verse beschäftigen sich, an das Vorhergehende anknüpfend, mit dem universalen Hören und Verstehen der paulinischen Botschaft (V. 18 und 19). Die Argumentation folgt dem Schema des vorhergehenden Abschnittes, nach dem jeweils bekannte Schriftstellen in theologischer bzw. christologischer Perspektive auf die paulinische Botschaft bezogen werden. Der Abschnitt ist dadurch klar strukturiert, dass wieder jeweils eine (V. 18b) oder mehrere Schriftstellen (V. 19b-21) zitiert werden und diese, eingeleitet mit ἀλλὰ λέγω, durch einen vorangestellten Satz in einer spezifisch theologischen Sicht interpretiert werden (V. 18a und 19a).

V. 18b gibt Paulus wörtlich, aber ohne Zitateinleitung, Ps 18,5 (LXX) wieder. Der Text wird jedoch dadurch als Zitat sichtbar, dass er sich stilistisch deutlich vom Kontext abhebt.[2] Der Psalm beinhaltet in seinem ersten Teil eigentlich ein Lob des Schöpfers durch die Schöpfung. Diesem bekannten Psalmtext wird in V. 18a eine theologische Interpretation gegenübergestellt, die die Form einer rhetorischen Frage hat, welche anschließend eindeutig positiv beantwortet wird: μὴ οὐκ ἤκουσαν; μενοῦνγε. Durch die weltweite Perspektive des zitierten Psalms soll gesagt werden, dass das Evangelium von allen Menschen, Juden wie Nichtjuden, gehört wird. Von den vorigen Versen ausgehend deutet Paulus die Psalmstelle hier offenbar um: Das Lob der Herrlichkeit Gottes, das im Psalm durch die Himmel erfolgt, bezieht er jetzt auf die Verkündigung Christi in der ganzen Welt, die nicht zuletzt durch ihn selbst geschieht. „Paulus sieht in dem Vers offensichtlich eine Anspielung auf die Weltmission".[3] V. 18 behauptet also, dass schon in den Psalmen von der weltweiten Verkündigung Christi gesprochen wird (vgl. Röm 1,2 und oben die Ausführungen zur Stelle). Besonders die Formulierungen εἰς πᾶσαν τὴν γῆν und εἰς τὰ πέρατα τῆς οἰκουμένης aus dem Psalm betonen diese „ökumenische" Perspektive. Der Begriff οἰκουμένη findet sich bei Paulus ausschließlich hier.

Die zweite Gegenüberstellung V. 19, die erneut mit ἀλλὰ λέγω eingeleitet wird, benennt nun erstmals seit 9,31 wieder Israel konkret. Die universale Sicht wird damit auf die Eingangsfrage von Kap. 9 und 10 konzentriert, welches Verständnis von „Israel" sich angesichts des paulinischen Evangeliums ergibt und was mit denjenigen „aus Israel" ist, die dieses Evangelium nicht angenommen haben. Paulus zitiert in V. 19b fast wörtlich Dtn 32,21 – erneut mit zurückhaltender Zitateinleitung, die die menschliche Verfasserschaft hervorhebt (Μωϋσῆς λέγει, vgl. auch die nächsten Zitateinleitungen in V. 20 und 21).[4] Der Personwechsel gegenüber dem Septuagintatext (von αὐτούς zu ὑμᾶς) ergibt sich aus dem neuen Zusammenhang in Röm 10 und beinhaltet keine

---

[1] Die Verse werden jedoch trotz des herausgehobenen λέγω (vgl. 9,1; 11,1.11.13) in den meisten Auslegungen zum Vorhergehenden gezogen. Vgl. z.B. F. Siegert: Argumentation bei Paulus, S. 118f, der diese Einleitung in seiner Gliederung von Kap 9-11 hervorhebt, sie aber bei der Interpretation a.a.O., S. 154ff, nicht angemessen berücksichtigt.

[2] Vgl. D.-A. Koch: Die Schrift als Zeuge des Evangeliums, S. 13f.

[3] K. Haacker: Der Brief des Paulus an die Römer; ThHK 6, S. 216.

[4] Zur Person des Moses vgl. M. Quesnel: La figure de Moïse en Romains 9-11; in: NTS 49 (2003), S. 321-335.

inhaltlichen Änderungen.[5] Der Text in Dtn 32 enthält eine Kritik der Israeliten und den Verweis auf ein „anderes Volk". Der Ausdruck οὐκ ἔθνος setzt οὐ λαός μου aus 9,25 fort. Das Zitat aus Dtn wird in V. 20f durch eine zweite Schriftstelle aus Jes 65,1+2 (LXX) weitergeführt. Damit schließt Paulus zugleich – ähnlich wie bereits in 9,25-28 – den Gedankengang durch eine längere Zitatkombination ab (vgl. auch z.B. 3,10-18). Der Jesajatext wird in zwei Teilen vorgestellt. Der erste bezieht sich durch den Anschluss an V. 19 (mit δέ) – entgegen der Aussage von Jes 65 – auf die universale Annahme der Botschaft Gottes über die Israeliten hinaus und der zweite (ebenfalls angeschlossen mit δέ) auf Gottes Ringen um Israel. Die Abfolge einer ersten Aussage über die universale Verkündigung des Evangeliums und einer sich anschließenden Konkretisierung für Israel aus V. 18f wird also hier in V. 20f wiederholt. Die Zitate fassen dabei nicht nur das unmittelbar Vorhergehende zusammen, sondern greifen darüber hinaus auch auf den größeren Zusammenhang seit Kap. 9 zurück. „Jes 65, 1a.b (Röm 10,20) fügt sich seinerseits bruchlos an das Zitat in 10,19 an, formuliert aber positiv, daß es gerade die ‚Nichtsuchenden' und ‚Nichtfragenden' sind, die das Heil erlangt haben, was auf die Ausgangsfeststellung des gesamten Abschnitts in Röm 9,30f verweist".[6] Der zweite Teil des Jesajatextes wendet sich demgegenüber durch seine Zitateinleitung gegen Israel selbst,[7] das sich Gott widersetzt und dem er sich dennoch zuwendet. Auch hier ergibt sich ein Bezug auf die vorhergehende Argumentation. "Ebenso hat das Zitat von Jes 65, in Röm 10,21 die Funktion, das Ergebnis von 9,30-10,19 – jetzt in Bezug auf Israel – zu formulieren."[8]

Paulus interpretiert die drei genannten Zitate so, dass er sie in einer bestimmten theologisch-christologischen Sicht auf das Verstehen der Botschaft von Christus bezieht. Wiederum wird – wie in V. 18a eingeleitet durch ἀλλὰ λέγω – mit einer rhetorischen Frage V. 19a diese zweite Sicht vorangestellt. Das πρῶτος gehört dabei nicht, entgegen der Zeichensetzung von Nestle-Aland (27. Aufl.), zur Zitateinleitung, sondern zu μὴ Ἰσραὴλ οὐκ ἔγνω, so dass die Aussage darin besteht, dass Israel die Botschaft zuerst gehört hat (vgl. auch 1,16).[9] Für das Verständnis der Frage ist entscheidend, ob als Antwort „nein" oder „doch" erwartet wird. Eine verneinende Antwort könnte an das ἀγνοοῦντες aus V. 3 anknüpfen und damit behaupten, dass Israel nicht erkannt hat.[10] Die Parallelität zu V. 18 und die Zitateinleitung legt demgegenüber jedoch eine Bejahung der Frage nahe. „Wenn das Zitat aufzeigen soll, daß Israel sehr wohl ‚erkannt' hat, dann muß für Paulus das Erkennen Israels in seiner (von Gott angekündigten und bewirkten) ‚Eifersucht' auf das ‚Nicht-Volk' gegeben sein. Israels ‚Eifersucht' zeigt also, daß es durchaus verstanden hat, was jetzt als Heil für Juden und Griechen verkündigt wird – und dies bewußt ablehnt."[11]

---

[5] Vgl. D.-A. Koch: Die Schrift als Zeuge des Evangeliums, S. 110.

[6] Koch, ebd.

[7] Πρὸς λαὸν ἀπειθοῦντα καὶ ἀντιλέγοντα innerhalb des Zitates meint – hier wohl dem Jesajatext entsprechend – Israel und nicht das andere Volk.

[8] D.-A. Koch: Die Schrift als Zeuge des Evangeliums, S. 281.

[9] Vgl. K. Haacker: Der Brief des Paulus an die Römer; ThHK 6, S. 216f mit Bezug auf T. Zahn. Deshalb gibt es auch keine Fortsetzung mit δεύτερος. Gegen E. Käsemann: An die Römer; HNT 8a, S. 287.

[10] So z.B. Käsemann, ebd.: „Die Frage von 19, rhetorisch auf Verneinung hin formuliert, wird damit beantwortet, daß Israel hätte erkennen können, es aber nicht getan hat." Ähnlich auch Haacker, a.a.O., S. 217.

[11] D.-A. Koch: Die Schrift als Zeuge des Evangeliums, S. 281. Ähnlich auch A. Lindemann: Israel im Neuen Testament, S. 180.

Die drei Zitate aus Gesetz (Dtn 32,21), Propheten (Jes 65,1f) und Schriften (Ps 18,5)[12] – jeweils nach LXX wiedergegeben – in V. 18-21 zeigen insgesamt für Paulus, dass die jetzt geschehene Ausweitung der Verkündigung des Evangeliums über die Grenzen des Volkes Israel hinaus mit der Schrift übereinstimmt und aus ihr begründbar ist. Paulus legitimiert damit implizit die geplante Ausweitung seiner Missionsabsicht gegenüber den Nichtjuden und bis nach Spanien aus den Schriften selbst. Das Evangelium ist für Paulus letztlich nicht an Israel oder irgendwelche anderen kollektiven Größen gebunden. Es kann sich jetzt an alle Menschen richten, weil jeder und jede in der Lage ist, persönlich zu glauben (vgl. bereits 1,16 und oben die Ausführungen dazu).

Es ist zu betonen, dass auch die abschließenden Aussagen dieses Kapitels keine pauschalen Aussagen über alle Israeliten beinhalten. Sie gehen vielmehr immer noch von der bereits in 9,6 entwickelten Unterscheidung zwischen „Israel" und „alle aus Israel" aus. Vorausgesetzt ist dabei eine individuelle Entscheidungsfähigkeit,[13] die dazu führt, dass einige „aus Israel" sowie einige andere Menschen das Evangelium angenommen haben und deshalb von Paulus zum „Israel" im eigentlichen Sinne gezählt werden, während die meisten anderen, die sowohl „aus Israel" als auch nicht „aus Israel" stammen, dies ablehnen. Mit dieser Situation wird sich auf der Basis des Gesagten das 11. Kap. eingehend beschäftigen.

Der kurze Abschnitt Röm 10,18-21 lässt sich damit wie folgt strukturieren:

18: ἀλλὰ λέγω	εἰς πᾶσαν τὴν γῆν ἐξῆλθεν ὁ φθόγγος αὐτῶν καὶ εἰς τὰ πέρατα τῆς οἰκουμένης τὰ ῥήματα αὐτῶν (2)	μὴ οὐκ ἤκουσαν; μενοῦνγε (1)
19-21: ἀλλὰ λέγω	Μωϋσῆς λέγει Ἐγὼ παραζηλώσω ὑμᾶς ἐπ' οὐκ ἔθνει ἐπ' ἔθνει ἀσυνέτῳ παροργιῶ ὑμᾶς Ἠσαΐας δὲ ἀποτολμᾷ καὶ λέγει Εὑρέθην ἐν τοῖς ἐμὲ μὴ ζητοῦσιν ἐμφανὴς ἐγενόμην τοῖς ἐμὲ μὴ ἐπερωτῶσιν πρὸς δὲ τὸν Ἰσραὴλ λέγει Ὅλην τὴν ἡμέραν ἐξεπέτασα τὰς χεῖράς μου πρὸς λαὸν ἀπειθοῦντα καὶ ἀντιλέγοντα (2)	μὴ Ἰσραὴλ οὐκ ἔγνω πρῶτος (1)

---

[12] Es handelt sich damit um eine Zitatkombination aus den verschiedenen Teilen der Schrift, die nicht nur in der rabbinischen Literatur, sondern auch in der jüdisch-hellenistischen Homilie festzustellen ist. Vgl. Koch, a.a.O., S. 223.

[13] In diesem Sinne spricht D.-A. Koch: Die Schrift als Zeuge des Evangeliums, S. 281 zutreffend von einer bewussten Ablehnung. Die Freiheit der eigenen Entscheidung betont auch F. Siegert in seinem Exkurs „Zum Problem der menschlichen Entscheidungsfreiheit". (F. Siegert: Argumentation bei Paulus, S. 144-148.)

Die individuelle Erwählung auch der Israeliten (11,1-10)

Ein erneutes λέγω (vgl. 10,18.19; 11,11) leitet in der 1. Person Singular den Abschnitt ein, und das οὖν zeigt, dass Kap. 11 dabei zugleich an das Vorhergehende anschließt. Analog zum Beginn der Kap. 9 und 10 stellt Paulus in V. 1 eine ausführliche, persönliche Bemerkung der folgenden Argumentation voran und strukturiert dadurch zugleich den großen Zusammenhang von Kap. 9-11 in einzelne Abschnitte. Die Argumentation folgt erneut dem aus den beiden vorherigen Kapiteln bekannten hermeneutischen Schema, nach dem jeweils eine Schriftstelle von Paulus aufgenommen wird und dieser dann eine theologische bzw. christologische Deutung gegenübergestellt wird. V. 1a und 2a nimmt dazu eine Schriftstelle aus I Sam 12,22 auf. V. 2b-6 folgt dann eine längere Gegenüberstellung, in der Paulus zunächst V. 2b-4 auf I Reg 19,10ff eingeht (eingeleitet mit ἢ οὐκ οἴδατε), um diese Stelle V. 5f auf seine aktuelle Situation hin theologisch zu deuten. V. 7-10 folgt eine weitere längere Gegenüberstellung, die in den V. 8-10 zum Schluss des Abschnittes wiederum eine Zitatkombination bringt und diese in V. 7 durch einen von Paulus vorangestellten Satz theologisch interpretiert.

    V. 1a setzt mit einer aus I Sam 12,22 (nach LXX) entnommenen Formulierung an. Es handelt sich dabei noch nicht um ein Zitat, sondern zunächst nur um eine bewusste „Aufnahme der Sprache der Schrift".[1] Dass Paulus dabei die Schriftstelle konkret vor Augen hat, zeigt deren Zitat in V. 2a. Der Kontext des Verses innerhalb von I Sam 12 entspricht dabei durchaus der Problemstellung von Röm 9-11. Es geht dort um die Frage, ob Gott zu Israel steht, obwohl dieses böse gehandelt hat (vgl. I Sam 12,20). Diese Frage wird durch das von Paulus aufgenommene Samuelwort positiv beantwortet. Mit der in V. 1a formulierten Frage wird also eine menschliche Sichtweise wiedergegeben, nach der Gott – wie ein Mensch – den „zurückstößt",[2] der ihm nicht gehorcht. „Das Fragepronomen μή signalisiert dabei allerdings von vornherein die zu erwartende negative Antwort".[3] In theologischer Perspektive wird diese Sichtweise deshalb zunächst kategorisch mit μὴ γένοιτο abgelehnt. Diese Ablehnung wird, angeschlossen mit γάρ, in V. 1b theologisch begründet. Paulus führt dazu seine eigene Person an: Dass Gott nicht ganz Israel „zurückgestoßen" hat, zeigt sich an ihm selbst, der einerseits „Israelit"[4] ist und andererseits das Evangelium angenommen hat. Es handelt sich hier um eine ausgesprochen selbstzentrierte – um nicht zu sagen egozentrische – Argumentation: Die Treue Gottes zu Israel zeigt sich an Paulus selbst! Es wird damit erneut, wie bereits zu Beginn von Kap. 9 und 10 und auch sonst im Röm, deutlich, dass es Paulus nicht um eine abstrakte und heilsgeschichtliche Abhandlung über das Verhältnis von Juden und Christen geht, sondern dass an dieser Frage sein eigenes Selbstverständnis als Jude und an Christus Glaubender hängt. Diese Sicht wird allerdings in V. 5 etwas relativiert werden, wo Paulus den Gedanken des „Restes"

---

[1]   D.-A. Koch: Die Schrift als Zeuge des Evangeliums, S. 168.
[2]   Dazu K. Haacker: Der Brief des Paulus an die Römer; ThHK 6, S. 219: „Das Verbum ἀπωθέομαι drückt eine heftige Abwehrbewegung aus und beschreibt damit – ebenso anthropomorph wie 10,21 – einen denkbaren Umschlag von bittender Zuwendung in zornige Distanzierung [...] Die verbreitete Übersetzung mit ‚verstoßen' hat einen zu einseitig juristischen Klang".
[3]   A. Lindemann: Israel im Neuen Testament, S. 180f.
[4]   Ἰσραηλίτης verwendet Paulus ausschließlich selbstreflexiv auf seine eigene Person bezogen (vgl. Röm 9,4 und II Kor 11,22). Siehe auch Lindemann, a.a.O., S. 174.

wieder aufnimmt und sich selbst offenbar als Teil desselben versteht.[5] In jedem Fall zeigt sich jedoch für Paulus die Treue Gottes gegenüber Israel an einzelnen Personen wie ihm selbst und wenigen anderen und nicht an einem kollektiven Ganzen.

V. 2 setzt dieses Argument etwas distanzierter fort. Paulus greift zunächst in V. 2a wiederum I Sam 12, 22 auf,[6] wobei er jetzt den Text fast wörtlich wiedergibt. Geändert ist vor allem (neben κύριος zu ὁ θεός) ἀπώσεται zu ἀπώσατο,[7] Paulus deutet durch den Tempuswechsel bereits im Zitat an, dass die Aussage sich dort auf die Zeit des Paulus (und ihn selbst als Person, V. 1b !) beziehen lässt. Es fehlt zwar eine Zitationsformel, die Worte sind jedoch aufgrund der Wiederholung aus V. 1a, durch die stilistische Abhebung vom Kontext[8] und durch den in Kap. 9-11 häufig erfolgenden Wechsel von Schriftstelle und Interpretation als Zitat erkennbar. Nach dem genannten hermeneutischen Schema wird dem Zitat anschließend erneut eine theologische Interpretation hinzugefügt. Sie besteht hier aus dem kurzen Ausdruck ὃν προέγνω, der nicht zum Zitat dazugehört.[9] Paulus weist damit auf Röm 8,28 zurück, wo das προέγνω den Anfang der Katene V. 28-30 bildete, die deutlich machte, dass die Glaubenden als Kinder Gottes dem Bild Christi gleichgestaltet werden (vgl. V. 29: συμμόρφους τῆς εἰκόνος τοῦ υἱοῦ αὐτοῦ). Diese kurze Erläuterung unterstreicht erneut den Zusammenhang von Kap. 9 mit Kap. 1-8 und entspricht dem 10,4 entfalteten hermeneutischen Schema, dass die Aussagen der Schrift auf Christus zielen: Das „vorher Erkennen" Gottes bezieht sich auf die an Christus Glaubenden, für die gilt, dass Christus als Erstgeborener unter vielen Geschwistern zu verstehen ist, dem die Glaubenden ähnlich sind. Damit ist zugleich deutlich, dass sich der Satz οὐκ ἀπώσατο ὁ θεὸς τὸν λαὸν αὐτοῦ nicht auf das ganze Volk, also ganz Israel bezieht, sondern nur auf diejenigen, die wie Paulus an Christus glauben. Diese Einschränkung – und Ausweitung! – der Begriffe „Israel", „Nachkommenschaft" und „Volk" auf die an Christus Glaubenden war aber bereits vorher in 9,6 und 24f, in Kap. 4 und noch öfter geschehen.

Gottes Treue gegenüber Israel wird in V. 2b-6 in einem längeren Argumentationsgang erläutert (eingeführt mit ἢ οὐκ οἴδατε). Die wiederum vorangestellte Schriftstelle umfasst diesmal einen größeren Textabschnitt aus I Reg 19, der durch die Zitate von I Reg 19,10 und 18 in V. 3 und 4 abgesteckt ist. Dieser längere Schriftteil wird deshalb auch durch eine ausführliche Zitationsformel in V. 2b eingeleitet (ἐν Ἠλίᾳ τί λέγει ἡ γραφή, ὡς ἐντυγχάνει τῷ θεῷ κατὰ τοῦ Ἰσραήλ). Die Einleitung gibt „das Folgende sozusagen als bibelkundliches Pflichtwissen"[10] aus und knüpft damit zunächst wiederum an eine offenbar geläufige Schriftstelle an. Die Zitate selbst weisen einige sprachliche Unterschiede zum Septuagintatext auf, die wohl daher rühren, dass Paulus hier einen griechischen Text verwendet, der „im Vergleich zur LXX jeweils eine

---

[5]　Lindemann weist a.a.O., S. 181 auf diese Relativierung hin: „wobei Paulus hier natürlich nicht allein an seine eigene Person denkt, sondern sich als *pars pro toto* sieht (vgl. V.4f)". (Hervorhebung von Lindemann)

[6]　Der gleiche Satz findet sich zwar auch noch in Ps 93,14 (LXX), aber aufgrund des Kontextes ist der Bezug auf I Sam 12 wahrscheinlicher. Vgl. auch K. Haacker: Der Brief des Paulus an die Römer; ThHK 6, S. 220.

[7]　Vgl. H. Hübner (Hrsg.): Vetus Testamentum in Novo, Bd. 2, S. 174-177.

[8]　Zu diesen beiden Kriterien vgl. D.-A. Koch: Die Schrift als Zeuge des Evangeliums, S. 13f, obwohl dieser hier Röm 11,1f nicht explizit nennt.

[9]　Vgl. K. Haacker: Der Brief des Paulus an die Römer; ThHK 6, S. 220.

[10]　Haacker, a.a.O., S. 221.

sprachliche Verbesserung"[11] darstellt. Daraus ergeben sich jedoch keine wesentlichen inhaltlichen Veränderungen. Die Schriftstelle berichtet davon, dass sich zur Zeit des Elia ein großer Teil des Volkes Baal zuwandte. Mit ὑπελείφθην wird der schon aus Röm 9,27 im Jesajazitat enthaltene Gedanke des Restes (ὑπόλειμμα) aufgenommen (vgl. λεῖμμα, V. 5).[12] Damit zielt die Argumentation – wie bereits in V. 1 – deutlich auf einen eingegrenzten Kreis von Personen. Es wird durch das Zitat aus I Reg 19,10 ausdrücklich betont, dass Elia nach seiner eigenen Meinung als einziger Prophet übrig geblieben sei. Thematisiert ist hier die Existenz des einzelnen Menschen Elia, der sich selbst von seinem Volk distanziert und der gerade dadurch als Individuum erscheint. Die individuelle Entscheidung, Baal nicht zu dienen, isoliert ihn zugleich und führt ihn in die Verzweiflung, so dass er nicht mehr weiter leben möchte. Dem folgt jedoch in V. 4 eine Relativierung der rein selbstbezüglichen Sichtweise. Das zweite Zitat ist wiederum durch eine Zitationsformel deutlich gekennzeichnet (ἀλλὰ τί λέγει αὐτῷ ὁ χρηματισμός;). Gott antwortet Elia I Reg 19,18, dass er siebentausend Männer übriggelassen habe, die Baal nicht angebetet hätten.[13]

Die in V. 3f zitierten Schriftstellen werden in V. 5f erneut auf die aktuelle Situation des Paulus bezogen und nach dem hermeneutischen Schema von Röm 1,2 aus theologischer Sicht interpretiert (angeschlossen mit οὕτως οὖν καί). Die Verbindung zwischen der Zeit Elias und der Gegenwart stellt Paulus in V. 2b und 5f durch die zeitliche Differenzierung ἐν Ἡλίᾳ – ἐν τῷ νῦν καιρῷ her.[14] Der Gedankengang wird damit auf das „Jetzt" des Kommunikationsgeschehens im Röm fokussiert (zu diesem exponierten Verständnis des νῦν vgl. die Erläuterungen zu Röm 3,21). Paulus thematisiert keine abstrakte Heilsgeschichte, sondern die Gegenwart des Glaubens wird für die an der Kommunikation Beteiligten im Lichte der Vergangenheit, d.h. aus den Erfahrungen des Alten Testament heraus, interpretiert. Zugleich reflektiert Paulus selbst durch die Voranstellung von V. 1 auf dem Hintergrund des Eliatextes seine aktuelle, persönliche Existenz. Auch er hat wie Elia aufgrund seiner Berufung unter Nachstellungen zu leiden.[15] Paulus verwendet die Schrift also hier nicht nur zu argumentativen Zwecken, sondern auch zur Selbstreflexion.

„Man muß sich die ungeheure Schärfe dessen, was der Israelit Paulus hier schreibt, bewußt machen: Die Ablehnung des Christusglaubens durch die Mehrzahl der Juden in der Gegenwart wird von ihm gleichgesetzt mit dem Baalsdienst zur Zeit des Elia."[16] Dabei wird man allerdings die paulinische Argumentation, ohne ihr damit die Spitze abzubrechen, auch von ihrer positiven Aussage her verstehen müssen.[17] Die Nichtannahme des Evangeliums durch den Großteil der Juden bedeutet für Paulus nicht, dass Israel damit prinzipiell von Gott „zurückgestoßen" wäre. Vielmehr hat er in dieser

---

[11] Vgl. D.-A. Koch: Die Schrift als Zeuge des Evangeliums, S. 74-77. Koch sieht als einzige wahrscheinlich auf Paulus zurückgehende Änderungen die Streichung von ἐν ῥομφαίᾳ V. 3 und ἐν Ἰσραήλ V. 4 an.

[12] Vgl. O. Hofius: Das Evangelium und Israel. Erwägungen zu Römer 9-11; in: ders.: Paulusstudien; (WUNT 51) Tübingen 1989, S. 175- 202, dort S. 180.

[13] Nach D.-A. Koch: Die Schrift als Zeuge des Evangeliums, S. 76 ist „mit einer Zitatverkürzung durch Paulus zu rechnen: Die Auslassung von ἐν Ἰσραήλ, für die weder der HT noch die LXX einen Anlaß bieten, fällt aus der Linie der bisher festgestellten Abänderungen von III Reg 19,18[LXX] heraus."

[14] Vgl. Koch, a.a.O., S. 306.

[15] Vgl. II Kor 11,22ff, wo sich Paulus ebenfalls eingangs als Israelit bezeichnet und dann auf seine Leiden zu sprechen kommt.

[16] A. Lindemann: Israel im Neuen Testament, S. 181.

[17] Vgl. dazu K. Haacker: Der Brief des Paulus an die Römer; ThHK 6, S. 223.

Sicht aus diesem Volk auch in der Gegenwart einige ausgewählt (λεῖμμα κατ' ἐκλογὴν χάριτος γέγονεν). Diese Erwählung orientiert sich nach V. 6 nicht an den Taten, sondern sie geschieht durch Gnade. Die Unterscheidung χάριτι – οὐκέτι ἐξ ἔργων verweist zurück auf ἐκ τοῦ καλοῦντος – οὐκ ἐξ ἔργων in 9,12 und auf πίστει – χωρὶς ἔργων in 3,28. Betont wird damit die Freiheit der Erwählung Gottes.[18] Damit wird aber nicht die Entscheidungsfreiheit des einzelnen Menschen für oder gegen das Evangelium aufgehoben, denn die Entscheidung für das Evangelium besteht ja gerade darin, auf jede Form der eigenen „Mitwirkung" an der Erwählung zu verzichten und sich dadurch für Gottes Handeln zu öffnen (vgl. dazu auch oben die Ausführungen zu 9,19ff und 6,15ff).

In V. 7-10 schließt sich eine weitere längere Gegenüberstellung an, bei der Paulus nach dem bekannten hermeneutischen Schema in V. 8-10 erneut verschiedene Schriftstellen zitiert und diese – in V. 7 vorangestellt – im Hinblick auf die von ihm verkündigte Botschaft in theologischer Perspektive interpretiert. Bei den Zitaten handelt es sich um eine Kombination aus verschiedenen Teilen der Schrift (Dtn und Ps).[19] In V. 8 kombiniert Paulus (eingeleitet mit καθὼς γέγραπται) Dtn 29,3 und Jes 29,10: er ersetzt im Dtn-Text vor allem οὐκ [...] καρδίαν εἰδέναι durch πνεῦμα κατανύξεως aus Jes 29,10.[20] Die Stelle in Dtn 29 handelt ebenfalls von der Uneinsichtigkeit Israels. Darüber hinaus ist interessant, dass bereits dort in V. 13f von einer Ausweitung des Bundes gesprochen wird. Das ἕως τῆς σήμερον ἡμέρας hilft Paulus offenbar, den Text wie schon in Röm 9,5 auf seine Gegenwart anzuwenden.

In V. 9f schließt sich dem ein fast wörtliches Zitat aus Ps 68,23f (LXX) an, das wiederum mit der zurückhaltenden Zitationsformel καὶ Δαυὶδ λέγει eingeleitet wird, die die menschliche Verfasserschaft betont.[21] „Als Brücke zwischen den beiden Zitaten ist das Motiv der nicht sehenden Augen anzunehmen, das auch das Hauptanliegen der Zitierung enthalten dürfte."[22] Die Voranstellung von σκάνδαλον in V. 9b[23] hat die Funktion, diesen Begriff, der bereits im Zitat in Röm 9,33 auftauchte, nochmals hervorzuheben.[24] Es ist möglich, dass Paulus mit τράπεζα in einem bestimmten Sinne den jüdischen Kult kritisiert (vgl. 3,25f und oben die Ausführungen dazu).[25] Vor allem aber leitet das V. 9 gewählte Motiv der Falle einerseits gut zur Metaphorik des Strauchelns Israels in V. 11ff über und setzt andererseits auch die Metaphorik des hinterher Laufens und Stolperns (9,31ff) und des Erstrebens und nicht Erreichens (11,7) weiter fort. Durch den Verweis auf Ps 68,23f (LXX) verdeutlicht Paulus schließlich am Beispiel Davids, was er zuvor schon in Bezug auf Elia (V. 3f) und nicht zuletzt auf sich selbst (V. 1b) gezeigt hat: dass schon des öfteren einzelne Menschen unter der Blindheit und den Nachstellungen der anderen Israeliten zu leiden hatten und dass sich Gottes Gnadenwahl damit bereits des öfteren individuell auf einzelne beschränkt hat. Der

---

[18] Vgl. Haacker, ebd.
[19] Vgl. D.-A. Koch: Die Schrift als Zeuge des Evangeliums, S.223f.
[20] Vgl. Koch a.a.O., S. 170f und H. Hübner (Hrsg.): Vetus Testamentum in Novo, Bd.2, S. 176f.
[21] Vgl. Koch, a.a.O., S. 31f.
[22] K. Haacker: Der Brief des Paulus an die Römer; ThHK 6, S. 224.
[23] Vgl. H. Hübner (Hrsg.): Vetus Testamentum in Novo, Bd. 2, S. 178f.
[24] Vgl. D.-A. Koch: Die Schrift als Zeuge des Evangeliums, S. 105f und 137 sowie K. Haacker: Der Brief des Paulus an die Römer; ThHK 6, S. 224.
[25] So z.B. U. Wilckens: Der Brief an die Römer; EKK VI, 2, S. 239 und Koch, a.a.O., S. 138 mit Verweis auf I Kor 10,21: τράπεζα κυρίου bzw. δαιμονίων. Im Psalmtext bezieht sich der Begriff auf den vorhergehenden Vers: das Speisen Davids mit Galle und das Tränken mit Essig. Gemeint ist deshalb dort wohl „Tisch".

Abschnitt orientiert sich damit wiederum an dem bereits aufgezeigten Gedanken, dass die Auswahl Gottes nicht Kollektiven, sondern einzelnen Menschen gilt.

Die oben dargestellte Zitatkombination wird durch den vorangestellten V. 7 in einer bestimmten theologischen Perspektive interpretiert. Das einleitende τί οὖν (vgl. 3,9; 6,15) „deutet [...] eine Verlegenheit an, ein noch nicht ganz bewältigtes Mißverständnis."[26] Die Formulierung V. 7a variiert die Aussage von Röm 9,31, die dort mit der Wettkampfmetaphorik ausgedrückt worden war, durch die Entgegensetzung von Erstreben und nicht Erreichen (ἐπιζητεῖ – οὐκ ἐπέτυχεν). Von Röm 9,32 her ist klar, dass Israels Problem gerade in seinem eifrigen Streben besteht (vgl. 10,2).[27] Demgegenüber betont Paulus in V. 7b wiederum die paradoxe Struktur von 9,30: Die von Gott Ausgewählten erreichen, was Israel erstrebt, ohne es zu wollen, oder noch pointierter: gerade weil sie auf eigenes Streben verzichten. Damit ist erneut die Kap. 3,19ff bereits entfaltet Existenzweise charakterisiert, die sich – auch und gerade in Bezug auf das eigene Heil – nicht auf eigene Leistungen gründet, sondern bewusst darauf verzichtet und Gott vertraut. Das ἐπωρώθησαν darf nicht einfach im Sinne einer heilsgeschichtlichen „Verstockung" Israels durch Gott interpretiert werden.[28] Das „verhärtet" Sein der „Übrigen" (οἱ λοιποί) durch Gott ist zwar passivum divinum,[29] Paulus zeigte jedoch schon am Beispiel des Pharao (9,16f), dass solcher Verhärtung eine positive Intention Gottes zugrunde liegt: „es wird verstockt *zugunsten Anderer*".[30] Mit dieser Formulierung bringt Paulus nicht eine heilsgeschichtliche Disqualifikation Israels zum Ausdruck, sondern sie impliziert die Hoffnung, dass die Verhärtung der „Übrigen" sich bereits in der Gegenwart im Sinne eines universalen Erbarmens Gottes auswirkt (vgl. 11,30-32 und unten die Erläuterungen dazu).

Durch die Unterscheidung zwischen ἡ ἐκλογή und οἱ λοιποί wird – wie bereits am Anfang des großen Argumentationszusammenhanges in Röm 9,6 – der Begriff Israels (V.2) in theologischer Perspektive modifiziert. Die „Auswahl" ist bereits 10,5 mit der Gnade in Verbindung gebracht worden: λεῖμμα κατ' ἐκλογὴν χάριτος γέγονεν. In V. 7 führt das zu der Differenzierung Israels in ἡ ἐκλογή und οἱ λοιποί, wobei zur ἐκλογή zusätzlich auch solche gehören können, die nicht „aus Israel" stammen. Damit wird, wie am Anfang in 9,6, so auch am Ende der bisherigen Argumentation nochmals präzisiert, dass Paulus, wenn er in den vorherigen Versen negativ von „Israel" sprach, die λοιποί meinte – also diejenigen „aus Israel", die nicht an Christus glauben – und nicht Israel im theologischen Sinne von 9,6. Denn dieses übertragen gemeinte Israel ist, wie die Kap. 9-11 insgesamt zeigen wollen, für Paulus durch Gottes Erwählung und Verheißung qualifiziert und nicht einfach durch Herkunft aus dem oder durch Übertritt zum Judentum. Es ergibt sich damit – ähnlich wie für andere Begriffe wie νόμος oder δικαιοσύνη im Röm – erneut die Beobachtung, dass Paulus den Israelbegriff hier doppelt und damit auch doppeldeutig gebraucht: zum einen in 9,6ff für die „Kinder der Verheißung" im Gegensatz zu „allen aus Israel" und zum anderen in 11,2ff für die „Übrigen", die nicht erwählt sind, im Gegensatz zu den „Erwählten".

---

[26] F. Siegert: Argumentation bei Paulus, S. 165.
[27] Vgl. K. Haacker: Der Brief des Paulus an die Römer; ThHK 6, S. 223.
[28] Vgl. Haacker, ebd.
[29] So auch U. Wilckens: Der Brief an die Römer; EKK VI, 2, S. 238.
[30] F. Siegert: Argumentation bei Paulus, S. 165, Hervorhebung von Siegert.

Röm 11,1-10 lassen sich damit wie folgt strukturieren:

11,1: Λέγω οὖν	μὴ ἀπώσατο ὁ θεὸς τὸν λαὸν αὐτοῦ	μὴ γένοιτο καὶ γὰρ ἐγὼ Ἰσραηλίτης εἰμί ἐκ σπέρματος Ἀβραάμ φυλῆς Βενιαμίν
2a:	οὐκ ἀπώσατο ὁ θεὸς τὸν λαὸν αὐτοῦ	ὃν προέγνω
2b-6: ἢ οὐκ οἴδατε	ἐν Ἠλίᾳ τί λέγει ἡ γραφή ὡς ἐντυγχάνει τῷ θεῷ κατὰ τοῦ Ἰσραήλ Κύριε τοὺς προφήτας σου ἀπέκτειναν τὰ θυσιαστήριά σου κατέσκαψαν κἀγὼ ὑπελείφθην μόνος καὶ ζητοῦσιν τὴν ψυχήν μου ἀλλὰ τί λέγει αὐτῷ ὁ χρηματισμός Κατέλιπον ἐμαυτῷ ἑπτακισχιλίους ἄνδρας οἵτινες οὐκ ἔκαμψαν γόνυ τῇ Βάαλ	οὕτως οὖν καὶ ἐν τῷ νῦν καιρῷ λεῖμμα κατ' ἐκλογὴν χάριτος γέγονεν εἰ δὲ χάριτι οὐκέτι ἐξ ἔργων ἐπεὶ ἡ χάρις οὐκέτι γίνεται χάρις
7: τί οὖν	καθὼς γέγραπται Ἔδωκεν αὐτοῖς ὁ θεὸς πνεῦμα κατανύξεως ὀφθαλμοὺς τοῦ μὴ βλέπειν καὶ ὦτα τοῦ μὴ ἀκούειν ἕως τῆς σήμερον ἡμέρας καὶ Δαυὶδ λέγει Γενηθήτω ἡ τράπεζα αὐτῶν εἰς παγίδα καὶ εἰς θήραν καὶ εἰς σκάνδαλον καὶ εἰς ἀνταπόδομα αὐτοῖς σκοτισθήτωσαν οἱ ὀφθαλμοὶ αὐτῶν τοῦ μὴ βλέπειν καὶ τὸν νῶτον αὐτῶν διὰ παντὸς σύγκαμψον (2)	ὃ ἐπιζητεῖ Ἰσραήλ τοῦτο οὐκ ἐπέτυχεν ἡ δὲ ἐκλογὴ ἐπέτυχεν οἱ δὲ λοιποὶ ἐπωρώθησαν (1)

Der Sinn der Erwählung nur eines Teiles Israels (11,11+12)

Ein erneutes λέγω οὖν in der 1. Person Singular eröffnet den kleinen Zwischenabschnitt V. 11f.[1] Er ist formal parallel zu V. 1 aufgebaut, was deutlich für einen Neuanfang spricht: identische Eingangsformulierung, anschließende rhetorische Frage und deren Abwehr mit μὴ γένοιτο. In den Versen geht es um die Frage, warum bislang nur ein Teil der Israeliten zur ἐκλογή gehören und was der Sinn dessen ist, dass die übrigen verhärtet worden sind (vgl. V. 7). Die Verse stellen ein Verhältnis des nicht zur ἐκλογή gehörenden Teiles Israels (vgl. V. 7-10) zu den „Völkern" (=Nichtisraeliten) her. Die in V. 11ff angesprochenen „Sie" sind also die λοιποί aus V. 7.[2] Der Teil 11,11-24 ist damit durchgehend durch die Unterscheidung αὐτοί (= οἱ λοιποί) – τὰ ἔθνη strukturiert. Nachdem Paulus 9,6-11,10 fast hauptsächlich mit Hilfe eines Wechsels von Schriftzitat und theologischer Interpretation desselben arbeitete, verlässt er im folgenden dieses Schema wieder.[3]

V. 11a gibt zunächst in Form einer rhetorischen Frage eine menschliche Sicht wieder, nach der die Juden, die nicht wie Paulus das Evangelium angenommen haben, „fallen" werden. Diese Frage nimmt inhaltlich die Frage zu Beginn des vorigen Abschnittes in V. 1 wieder auf. Damit wird zugleich die Metaphorik des Laufens (und Nichterreichens bzw. des in die Falle Tappens) fortgesetzt, die bereits in 9,30ff sowie in 11,7 und 9 vorausgesetzt worden war. Der Eindruck, dass die αὐτοί „hinfallen" werden (πίπτω), wird jedoch in theologischer Perspektive mit μὴ γένοιτο sogleich abgelehnt. Eine nähere Begründung dieser Ablehnung wird in den folgenden Sätzen gegeben.

V. 11b und 12 sind so strukturiert, dass sie zunächst jeweils auf den Fehltritt und Schaden Israels eingehen und diesen dann in theologischer Perspektive deuten. Es ergeben sich dadurch insgesamt vier kürzere Gegenüberstellungen. In V. 11b wird zunächst (verbunden mit ἀλλά) in menschlicher Perspektive auf den Einwand von 11a eingegangen, dass sich Israel (im oben genannten Sinne) verfehlt hat (τῷ αὐτῶν παραπτώματι). Dieser Sicht wird dann sogleich aus theologischer Perspektive der Sinn ihres Fehltrittes gegenübergestellt. Er besteht darin, „daß auf diese Weise das Heil zu den ‚Heiden' gelangt und zugleich die Juden ‚eifersüchtig' gemacht werden".[4] Das παραζηλόω fand sich bereits im Zitat aus Dtn 32,21 (LXX) in Röm 10,19,[5] so dass die dortige Aussage hier fortgeführt wird.[6] Das Wort παράπτωμα unterstreicht dabei die bewusste Verfehlung der Juden, also die aktive Ablehnung des bekannten und verstandenen Evangeliums. Mit dem Begriff wurde bereits in 5,15-18 die Verfehlung Adams beschrieben, es wurde aber auch bereits in 4,25 gesagt, dass Christus um genau solcher Verfehlungen willen hingegeben wurde.[7] Paulus setzt hier also für die „Sie" keine göttliche „Verstockung" in dem Sinne voraus, dass sie sich gar nicht anders entscheiden könnten, sondern die Ablehnung wird als bewusster, verantwortlicher Entscheidungsakt verstanden. Der Begriff παράπτωμα bleibt in der Metaphorik des

---

[1] Zur Begründung dieser Abgrenzung siehe unten die Ausführungen zu V. 13.
[2] Gegen K. Haacker: Der Brief des Paulus an die Römer; ThHK 6, S. 231, der meint, V. 11-15 würden sich auf Israel insgesamt beziehen.
[3] Vgl. auch H. Hübner: Gottes Ich und Israel, S. 107.
[4] A. Lindemann: Israel im Neuen Testament, S. 182.
[5] Vgl. auch F. Siegert: Argumentation bei Paulus, S. 166.
[6] Gegen D.-A. Koch: Die Schrift als Zeuge des Evangeliums, S. 281.
[7] Vgl. K. Haacker: Der Brief des Paulus an die Römer; ThHK 6, S. 225.

Laufens, Stolperns, in die Falle Gehens usw.: Das „Straucheln" (V. 11a) geschieht durch den „Fehltritt" (V. 11b).

V. 12 verdeutlicht den gleichen Gedanken mit Hilfe der ökonomischen Metaphorik des Geschäftes (eingeleitet mit εἰ δέ, wodurch ein Argument a minore ad maius vorbereitet wird): Was der einen Verlust ist, ist der anderen Gewinn. Mit Hilfe dieser ökonomischen Logik werden das Verhältnis der ἔθνη zu den λοιποί charakterisiert und die Gegenüberstellungen V. 12 strukturiert (V. 12a: παράπτωμα – πλοῦτος; V. 12b: ἥττημα – πλοῦτος, V. 12c: πλήρωμα, πλοῦτος ist hier sinngemäß zu ergänzen). Dabei wird wieder in geläufiger Sicht von der Nichtannahme des Evangeliums durch die „Sie" ausgegangen und diese als „Verlust" bezeichnet, und es wird dann sofort in theologischer Perspektive der tiefere Sinn dieses Umstandes erläutert: Die Bereicherung für die Völker bzw. die „Welt". Die Gegenüberstellung V. 12a rückt möglicherweise das von Paulus skizzierte Geschehen sogar in eine kosmologische Perspektive (vgl. auch V. 15). Entweder meint κόσμος hier eher anthropozentrisch gedacht die ganze Menschheit und entspricht damit den Aussagen V. 11b und 12b, oder es wird hier – an Röm 8,18ff anknüpfend – darüber hinaus der gesamte Kosmos einbezogen. V. 12b und c setzen die Gegenüberstellung zwischen den αὐτοί und den ἔθνη fort und führen das Argument a minore ad maius aus (verbunden durch πόσῳ μᾶλλον).[8] Offenbar muss hier gedanklich parallel zu V. 12a und b πλοῦτος ἐθνῶν oder κόσμου ergänzt werden, so dass die Aussage etwa lautet: „Der gegenwärtige Schaden oder Verlust wird einmal geheilt oder wettgemacht, und für die Völkerwelt muß das [...] noch segensreicher sein als Israels gegenwärtige Zurücksetzung."[9] Paulus scheint hier davon auszugehen, dass irgendwann auch die αὐτοί am „Reichtum" des Glaubens an Christus teilhaben werden.

Wenn durch die genannten Gegenüberstellungen und Metaphern verdeutlicht werden soll, dass die Annahme des Glaubens durch einen kleinen Teil der Juden und darüber hinaus durch Nichtjuden einen tieferen Sinn hat, so handelt es sich, wie aus der vorherigen Argumentation deutlich wurde, nicht um eine kollektive Ausweitung auf andere Völker und Kulturen, sondern auch für die Nichtjuden eröffnet sich dieser „Reichtum" nur als einzelnen Personen und aufgrund persönlicher Erwählung und Entscheidung. Diese individuelle Annahme des Glaubens (vgl. 1,16f) geschieht für Paulus jedoch in universaler Perspektive und im Hinblick auf das Erbarmen Gottes über alle Menschen (vgl. Röm 11,30-32). Der kurze Abschnitt Röm 11,11f lässt sich damit wie folgt strukturieren:

11: Λέγω οὖν	μὴ ἔπταισαν ἵνα πέσωσιν	μὴ γένοιτο
ἀλλὰ	τῷ αὐτῶν παραπτώματι	ἡ σωτηρία τοῖς ἔθνεσιν εἰς τὸ παραζηλῶσαι αὐτούς
12: εἰ δὲ	τὸ παράπτωμα αὐτῶν	πλοῦτος κόσμου
καὶ	τὸ ἥττημα αὐτῶν	πλοῦτος ἐθνῶν
πόσῳ μᾶλλον	τὸ πλήρωμα αὐτῶν	(ergänze: πλοῦτος κόσμου oder πλοῦτος ἐθνῶν)

---

[8] Vgl. dazu F. Siegert: Argumentation bei Paulus, S. 166 und 190f.
[9] K. Haacker: Der Brief des Paulus an die Römer; ThHK 6, S. 225.

Die Unteilbarkeit der Gemeinschaft der Glaubenden (11,13-24)

V. 13ff werden zumeist als Fortsetzung von V. 11f aufgefasst.[1] Von V. 13 an redet Paulus jedoch erstens persönlich die Nichtjuden (ὑμῖν) und dann ab V. 17 den Nichtjuden (σύ, im Singular!) an. Zweitens beginnt der Satz wiederum in der 1. Person Singular mit λέγω (vgl. 9,1; 11,1 und 11), und drittens argumentiert Paulus in V. 13b parallel zu V. 1b erneut mit seiner eigenen Person. Diese dreifache Beobachtung spricht dafür, hier einen neuen Abschnitt beginnen zu lassen,[2] der sich bis zum erneuten Einsatz in der 1. Person Singular in V. 25 erstreckt.[3]

Das einleitende ὑμῖν δὲ λέγω τοῖς ἔθνεσιν beginnt einen expliziten Dialog mit den Nichtjuden – genau gesagt: denjenigen, die Christus angenommen haben und nicht aus dem Judentum stammen –, wobei z.B. aus der Grußliste des Röm in Kap. 16 deutlich wird, dass die dortige Gemeinschaft der an Christus Glaubenden nicht nur aus Nichtjuden, sondern auch aus Juden bestanden hat.[4] Der so begonnene Dialog findet jedoch entsprechend dem in Röm 15,17f ausgeführten Kommunikationsverständnis des Paulus nicht nur auf persönlicher Ebene statt, sondern Paulus wechselt in V. 13b, eingeleitet mit ἐφ' ὅσον, gleich auf die theologische Ebene und bezeichnet sich als „Apostel der Nichtjuden".[5] Paulus beginnt also, wie bereits in V. 1b, erneut nach einer einleitenden Formulierung den Abschnitt mit einem Hinweis auf sich selbst[6] in theologischer Perspektive, was wiederum deutlich den selbstreflexiven Charakter der Argumentation zeigt. Stellte er sich in V. 1b mit seiner Herkunft aus dem Judentum vor, so betont er hier zunächst seine Verbindung zu den Nichtjuden, wobei das ἐγώ deutlich verstärkend eingesetzt ist. Bei der Selbstbezeichnung als Apostel[7] der Nichtjuden könnte man meinen, dass dies die auf dem sogenannten Apostelkonvent vereinbarte Trennung der Wirkungsbereiche voraussetzt (vgl. Gal 2, 7ff). Die Tätigkeit als Apostel beschränkte sich für Paulus aber offensichtlich nicht auf Nichtjuden, sondern bezog sich zumindest mittelbar auch auf Juden (vgl. oben Röm 1,14-16 und die Ausführungen dazu). Das ἐφ' ὅσον leitet deshalb zugleich eine Einschränkung der Aussage ein, die in V. 14 weiter ausgeführt wird, sinngemäß: insofern ich Apostel der Nichtjuden bin, rühme ich meinen Dienst, ob ich vielleicht dadurch auch einige Juden eifersüchtig mache und vom Glauben an Christus überzeugen kann. Der Ausdruck ἡ διακονία μου bezeichnet nochmals mit anderen Worten den paulinischen Verkündigungsdienst (vg. II Kor 3, 7ff). Der Stolz des Paulus (δοξάζω) bezieht sich nicht auf seine Person als solche, sondern auf seinen Aposteldienst an den Nichtjuden. Diese doppelte, persönliche und theologische Selbstvorstellung entspricht damit insgesamt der von Röm 1, 1.

---

[1] So auch die Einteilung bei Nestle-Aland (27. Aufl.), wo vor V. 13 lediglich eine kleine Lücke gelassen wird.

[2] Vgl. F. Siegert: Argumentation bei Paulus, S. 119. Er nimmt diese richtige Beobachtung jedoch S. 166 wieder etwas zurück.

[3] Gegen K. Haacker: Der Brief des Paulus an die Römer; ThHK 6, S. 225ff, der V. 11-16 zusammenfasst und die „Bildrede" V. 17-24 als eigenen Abschnitt auffasst.

[4] Vgl. dazu oben die Erläuterungen zu den Adressaten zu Röm 1,5ff.

[5] Weil im Folgenden die Differenz zwischen Juden und Nichtjuden behandelt wird, bedeutet hier ἔθνη im Gegensatz zum Präskript und Proömium Nichtjuden. Der Artikel kann bei Wörtern, die „Eigennamen nahe kommen", fehlen. Vgl. Blass, Debrunner, Rehkopf: Grammatik des neutestamentlichen Griechisch, § 254, 5.

[6] Vgl. auch A. Lindemann: Israel im Neuen Testament, S. 182.

[7] Zur Verwendung des Apostelbegriffes bei Paulus siehe oben die Ausführungen zu Röm 1,1.

In V. 14a setzt Paulus bei seiner leiblichen Verwandtschaft zu den Juden ein (μου τὴν σάρκα; vgl. 9,3; 11,1). Er argumentiert dann zunächst in menschlicher Sicht psychologisch. Vorsichtig (εἴ πως) äußert er „die Hoffnung, daß die Bekehrung so vieler Heiden [...] die noch abseits stehenden Juden beschämen und zu einem heilsamen Wettbewerb anreizen könnte."[8] Paulus gebraucht παραζηλοῦν damit zum drittenmal. Meinte es im Zitat in Röm 10,19 und dann in Röm 11,11 in theologischer Perspektive eine Absicht Gottes, so argumentiert Paulus hier offenbar mit dem gleichen Wort auf menschlicher Ebene und bezeichnet damit seine eigene Tätigkeit.[9] Dieser Ansatz wird (angeschlossen mit καί) V. 14b durch das σώσω zusätzlich in eine theologische Perspektive gestellt. Bei der Eifersucht geht es nicht nur um menschliche Gefühle, sondern um die Rettung der Menschen (vgl. Röm 1,16: εἰς σωτηρίαν). Bemerkenswerter Weise spricht Paulus dabei nicht pauschal von den αὐτοί sondern gezielt nur von „einigen". Das ist nicht nur eine realistische Einschätzung der nur beschränkten Annahme des paulinischen Evangeliums durch die Juden,[10] sondern damit betont Paulus erneut, dass sich seine Botschaft jeweils an einzelne Menschen und nicht an Kollektive richtet.

Mit V. 15 folgen einige Gegenüberstellungen, die den Gedankengang von V. 11f wieder aufnehmen. Der genitivus ist nicht obiectivus, so dass von der Verwerfung und Annahme der αὐτῶν durch Gott die Rede wäre,[11] sondern subiectivus, und es geht um das Verwerfen (ἀποβολή) und Annehmen (προσλήμψις, hier ist sinngemäß αὐτῶν zu ergänzen) des Evangeliums durch Juden.[12] Die bewusste Entscheidung der αὐτοί gegen oder für das Evangelium ist hier wieder vorausgesetzt. Die Logik ist die gleiche wie bereits V. 11f. Paulus geht zunächst in menschlicher Sicht von der offensichtlichen Ablehnung der Botschaft durch die „Sie" aus, um dann in theologischer Perspektive deren Sinn zu erläutern. Das zeitweilige Verwerfen des Evangeliums durch die λοιποί (vgl. V. 7) ermöglicht die Errettung der Welt bzw. der Menschheit,[13] und die von Paulus erwartete Annahme des Evangeliums durch alle Juden bringt schließlich auch diesen das Leben (vgl. dazu auch 11,32). Der Ausdruck ζωή ἐκ νεκρῶν ist nicht allgemein metaphorisch gebraucht, sondern bezieht sich in christologischer Perspektive auf die paulinische Botschaft von Christus (vgl. ῥίζα in V. 16ff und unten die Erläuterungen dazu).[14] Paulus hatte in Kap. 5-8 durchgehend mit der Differenz Tod – Leben argumentiert und gezeigt, dass eine Existenz gemäß Adam den Tod zur Folge hat und eine Ex-istenz „in Christus" vom Tod zum Leben durchdringt. Dementsprechend werden die „Sie" auch „aus Toten" zum Leben kommen, wenn sie das Evangelium annehmen und sich Christus zuwenden. Der Ausdruck bereitet also eine christologische Auslegung der Metaphern in V. 16-24 vor.[15]

---

[8] K. Haacker: Der Brief des Paulus an die Römer; ThHK 6, S. 226.

[9] So auch F. Siegert: Argumentation bei Paulus, S. 166.

[10] So K. Haacker: Der Brief des Paulus an die Römer; ThHK 6, S. 227.

[11] So U. Wilckens: Der Brief an die Römer; EKK VI, 2,S. 244f.

[12] Ähnlich auch K. Haacker: Der Brief des Paulus an die Römer; ThHK 6, S. 227f, der diese Möglichkeit erwägt, sich dann jedoch in ökonomischer Metaphorik für folgende Übersetzung entscheidet: „Denn wenn ihr Verlust der Welt die Versöhnung gebracht hat, was wird dann ihr Gewinn mit sich bringen, wenn nicht Leben aus dem Totenreich?" (A.a.O., S. 225).

[13] Auch hier (vgl. V. 12) ist zu fragen, ob κόσμος nicht im Sinne von Röm 8,18ff über die Menschheit hinaus die ganze Schöpfung meint.

[14] Gegen K. Haacker: Der Brief des Paulus an die Römer; ThHK 6, S. 230, der meint, dies bezeichne „einen – wie auch immer gearteten – radikalen Umbruch vom Bösen zum Guten".

[15] Vgl. dazu die Ausführungen unten.

Von V. 13f her ist zu dem in V. 15 Gesagten zu betonen, dass es hier nicht um eine abstrakte Geschichtstheologie geht, in der das Verhältnis von Juden, Nichtjuden und Christen allgemeingültig beschrieben würde, sondern es geht vor allem um das Selbstverständnis des Paulus als desjenigen, der aus dem Judentum kommt und nun das Evangelium den Nichtjuden verkündigt (vgl. 9,1-3; 10,1f; 11,1).[16]

Nach der Metaphorik des Laufens und Strauchelns bzw. in die Falle Gehens (V. 7-11) und der ökonomischen von Gewinn und Verlust (V. 12) bedient sich Paulus in V. 16 erst einer kultischen und dann einer Vegetationsmetaphorik. In V. 16a geht es zum einen um die Teighebe und das Verhältnis von Erstlingsgabe und Teig und in V. 16b und den folgenden Versen zum anderen um das Verhältnis von Wurzel und Zweigen. Die beiden werden zunächst in V. 16 kombiniert.[17] Die erste Metapher vom kultischen Opfer soll verdeutlichen, dass auch eine kleine Menge die Gesamtheit heiligen kann. Die Opfermetaphorik bezieht sich auf die Darbringung der Erstlingsgabe des Teigs gemäß Num 15,17-21.[18] Die Formulierung εἰ δὲ ἡ ἀπαρχὴ ἁγία meint zunächst in geläufiger Sicht diesen bekannten Vorgang. Die zweite Formulierung καὶ τὸ φύραμα verkehrt dies jedoch in theologischer Perspektive ins Gegenteil, indem behauptet wird, dass derjenige Teil, der nicht „Erstlingsgabe" ist, damit zugleich geheiligt ist. Die kultische Praxis setzt aber gerade voraus, dass nur der abgetrennte Teil der Erstlingsgabe als heilig galt (und dem Priester zustand), während der andere Teil dem öffentlichen Gebrauch offen stand.[19] Bei der Frage, auf wen sich diese Metaphorik bezieht, werden verschiedene Möglichkeiten erörtert. So wird z.B. angenommen, dass damit „das Verhältnis Israels (ob gläubig oder nicht) zu den Heidenchristen deutlich gemacht wird".[20] Oder es wird angenommen, dass damit das Verhältnis Israels zu den Erzvätern gemeint ist.[21] Oder die Metapher wird auf einzelne Menschen bezogen.[22] Als Erstlingsgabe sind in dieser Sicht jene vorgestellt, die das paulinische Evangelium schon angenommen haben und von denen aus es zu anderen weiter dringt. Diese Vorstellung findet sich Paulus auch an anderen Stellen. So kann Epainetos Röm 16,5 ἀπαρχὴ τῆς Ἀσίας εἰς Χριστόν genannt werden und I Kor 16,15 Stephanas ἀπαρχὴ τῆς Ἀχαΐας. In I Kor 7,14 wird sogar behauptet, dass ein nicht an Christus glaubender Mensch durch seinen glaubenden Ehepartner „geheiligt" wird.[23] Gegenüber diesen Interpretationen wird im Folgenden eine andere vorgeschlagen, die die ἀπαρχή unmittelbar auf Christus bezieht.

Parallel zu V. 16a wird (verbunden mit καί) von V. 16b-24 das "Bildwort"[24] vom Baum gebraucht. Mit dem Bildwort verbindet sich analog zu V. 16a die

---

[16] Ähnlich auch K. Haacker: Der Brief des Paulus an die Römer; ThHK 6, S. 229: „Die Geschichtstheologie, die er vertritt, gehört zu seinem beruflichen Selbstverständnis".

[17] Vgl. dazu im Detail M. Hartung: Die kultische bzw. agrartechnisch-biologische Logik der Gleichnisse von der Teighebe und vom Ölbaum in Röm 11.16-24 und die sich daraus ergebenden theologischen Konsequenzen; in: NTS 45 (1999), S. 127-140.

[18] Vgl. H. Hübner (Hrsg.): Vetus Testamentum in Novo; Bd. 2, S. 178f.

[19] Siehe dazu M. Hartung: Die kultische bzw. agrartechnisch-biologische Logik der Gleichnisse von der Teighebe und vom Ölbaum in Röm 11.16-24, S. 128f.

[20] F. Siegert: Argumentation bei Paulus, S. 166f.

[21] So z.B. U. Wilckens: Der Brief an die Römer; EKK VI, 2, S. 246.

[22] Vgl. K. Haacker: Der Brief des Paulus an die Römer; ThHK 6, S. 230f.

[23] Siehe auch Haacker, ebd.

[24] Vgl. P. von Gemünden: Vegetationsmetaphorik im Neuen Testament und seiner Umwelt. Eine Bildfelduntersuchung; (NTOA 18) Freiburg (Schweiz) und Göttingen 1993, S. 275f: „Im allgemeinen wird die Perikope als Gleichnis charakterisiert. Es fragt sich jedoch, ob hier wirklich ein häufig zu beobachtender Sachverhalt vorliegt [...] Eine vollständige Allegorie liegt insofern nicht vor, als die

Vorstellung, dass die Wurzel die Zweige veredelt. Die folgende Argumentation in V. 17-24 setzt dieses Bildwort fort. Dabei wird deutlich, dass Paulus – wie schon V. 16a – einen bekannten Vorgang ins' Gegenteil verkehrt. Wird normalerweise der wilde Baum durch Einpfropfen edler Zweige veredelt, so behauptet Paulus umgekehrt, dass die Veredelung (im Bildwort: Heiligung) der wilden Zweige durch die Wurzel des edlen Ölbaumes geschieht.[25] „Den in der Gartenbautechnik tatsächlich angewandten Pfropfvorgang zum Veredeln von Kulturpflanzen kehrt Paulus im Ölbaumgleichnis bis ins Detail absichtlich um, um zu zeigen, daß Gott in seinem Handeln völlig frei ist".[26]

Auch die Bedeutung der zweiten und breit entfalteten Metapher des Ölbaums ist in verschiedener Weise interpretiert worden. W. Schmithals meint, dass die Metapher nicht den Sinn haben könne, die Hinzunahme der Nichtjuden in die jüdische Glaubensgemeinschaft zu beschreiben.[27] Allerdings wird in Jer 11,16f Israel als Ölbaum (ἐλαία) mit Zweigen (κλάδοι) bezeichnet, die vergehen können.[28] Und der Anschluss der Proselyten an das Judentum kann in einem ähnlichen Bild mit dem Einsenken eines Schösslings in den Wurzelstamm verglichen werden.[29] Der Gedanke, dass die an Christus glaubenden Nichtjuden damit in einem bestimmten theologischen Sinne zu „Israel" gehören, ist keineswegs überraschend. Er entspricht der Argumentation von Röm 2,25ff; 4,1ff; 8,1ff und 8,15, nach der Begriffe wie ‚Berufung', ‚Beschneidung', ‚Nachkommenschaft Abrahams', ‚Gesetz' und ‚Kinder Gottes', die bisher Israel vorbehalten waren, nun auch für diejenigen gelten, die an Christus glauben.[30] K. Haacker meint deshalb, dass sich die Metapher auf die „Frage nach dem Verhältnis zwischen Israel und den Völkern" bezieht, und zwar im Sinne der „Partizipation von Nichtjuden (tendentiell aller Menschen) an Israels Gottesverhältnis".[31] Die Verse hätten dann den Sinn, die Unteilbarkeit der Gemeinschaft der ἐκλογή aus V. 7 bzw. des „Israel" im eigentlichen Sinne aus 9,6 (d.h. der Juden, die das Evangelium angenommen haben) mit den ἔθνη zu verdeutlichen: selbst wenn die beiden von verschiedenen Bäumen abstammten, so ist doch in dieser Sicht die mit der Einpfropfung der neuen Zweige durch Gott begründete neue Gemeinschaft ebenso konsistent wie ein Baum, in den neue Zweige eingepfropft wurden. Wenn man die Wurzel als Teil des Baumes der Israeliten auffasst, so würde Paulus in V. 18 nach dieser Interpretation meinen, dass die an Christus Glaubenden nichtjüdischer Herkunft von den „Wurzeln" des Judentums getragen würden. Dementsprechend wird oft angenommen, dass sich der

---

Perikope in sich selbst sinntragend ist. Von daher ist die neutralere Bezeichnung ‚Bildwort' vorzuziehen." F. Siegert hält das über den Baum Gesagte dagegen für eine „Allegorie", (F. Siegert: Argumentation bei Paulus, S. 168ff), M. Hartung (ders.: Die kultische bzw. agrartechnisch-biologische Logik der Gleichnisse von der Teighebe und vom Ölbaum in Röm 11.16-24, S. 127) für ein Gleichnis.

[25] Vgl. dazu M. Hartung, a.a.O., S. 137f: „Paulus dreht also diesen Vorgang exakt um, wenn in seinem Bild wilde Zweige in einen edlen Ölbaum eingepfropft werden. In der Regel werden alle wilden Zweige entfernt, um die Kraft der wilden Unterlage voll den Propfreisern zukommen zu lassen."

[26] Hartung, a.a.O., S. 127.

[27] W. Schmithals: Der Römerbrief. Ein Kommentar, S. 400: „Doch widerspricht es der Meinung des Paulus, wenn man den Apostel allegorisierend dahingehend versteht, daß die Heidenchristen in Israel eingepflanzt werden. [...] Für diesen Gedanken gibt es in der paulinischen Theologie keinen Platz.".

[28] Vgl. Hübner (Hrsg.): Vetus Testamentum in Novo, Bd. 2, S. 181.

[29] Vgl. H. L. Strack und P. Billerbeck: Kommentar zum Neuen Testament aus Talmud und Midrasch. Dritter Band, S. 291f mit Bezug auf R. Eleazar.

[30] Vgl. auch K. Haacker: Der Brief des Paulus an die Römer; ThHK 6, S. 231.

[31] Haacker, ebd.

Begriff der Wurzel auf die Stammväter Israels bezieht (vgl. 9,4f).[32] Der Begriff kann aber auch allgemeiner auf die geschichtliche Herkunft oder auf Jerusalem als Zentrum des Judentums bezogen werden.[33] Man hätte dann eine Zuordnung zweier Kollektive: der Glaubensgemeinschaft der Juden (oder zumindest der an Christus glaubenden Juden) und der dazugekommenen, an Christus glaubenden Nichtjuden.

Gegenüber diesen Überlegungen zum Umfang der durch das Bildwort des Ölbaumes gemeinten Gemeinschaft, die sich an der Verhältnisbestimmung von Kollektiven orientieren, ist jedoch zusätzlich der paulinische Ansatz beim einzelnen Menschen zu beachten. V. 17ff beschäftigen sich schwerpunktmäßig nicht mit einer abstrakten Beschreibung der Gemeinschaft der Glaubenden und ihrer Zusammensetzung, sondern sie richten sich konsequent an ein „Du", also im Singular an ein Individuum, das an der Gemeinschaft der Glaubenden (dem Ölbaum) teil bekommen hat.[34] Paulus geht es weder in erster Linie um das Verhältnis der Juden zu den Christen[35] noch um das der an Christus glaubenden Juden zu den an Christus glaubenden Nichtjuden noch um irgendwelche anderen Verhältnisbestimmungen von Kollektiven. Es geht ihm vor allem um das „Du" und sein Selbstverständnis. Angesprochen wird von ihm der einzelne Mensch. Paulus widerspricht prinzipiell gerade dem Versuch, die eigene Identität durch Zugehörigkeit zu einer bestimmten Gemeinschaft definieren zu wollen. (V. 18a: μὴ κατακαυχῶ τῶν κλάδων, V. 20: μὴ ὑψηλὰ φρόνει). Die Zugehörigkeit zur hier gemeinten Gemeinschaft (im Bild: zum Ölbaum) wird für ihn vielmehr individuell durch den Glauben des einzelnen Menschen konstituiert (V. 20: σὺ δὲ τῇ πίστει ἕστηκας).[36] Mit dem „Du" ist zwar zunächst offenbar ein Nichtjude unmittelbar angesprochen (vgl. V. 13), an der Gemeinschaft mit Christus können aber – wie das Beispiel des Paulus selbst zeigt – Menschen jüdischer wie nichtjüdischer Herkunft gleichermaßen teilhaben. Die Differenz, die den Baum definiert, ist nicht Jude – Nichtjude, sondern glaubender – nicht glaubender Mensch (V. 20: πίστις – ἀπιστία). So gehören auch die Juden, die sich entschließen, an Christus zu glauben, selbstverständlich zum Baum dazu (V. 23), weil sie nun „mit" und „in" Christus leben.

Über die genannten kollektiven Interpretationen von ῥίζα und ἀπαρχή hinausgehend soll deshalb im Folgenden die These vertreten werden, dass beide Begriffe christologisch zu verstehen sind.[37] An der einzigen Stelle, an der sich

---

[32] So z.B. U. Wilckens: Der Brief an die Römer; EKK VI, 2, S. 246: „Im Unterschied zu 9,6ff, aber im Sinne von 9,4f, sind also alle Israeliten als Zweige des Baumes, dessen Wurzel die Erzväter sind, geheiligt und haben teil an der Erwählung der Väter." Ähnlich M. Hartung: Die kultische bzw. agrartechnisch-biologische Logik der Gleichnisse von der Teighebe und vom Ölbaum in Röm 11.16-24, S. 140; P. von Gemünden: Vegetationsmetaphorik im Neuen Testament und seiner Umwelt, S. 280.

[33] Vgl. dazu K. Haacker: Der Brief des Paulus an die Römer; ThHK 6, S. 31 mit Verweis Ez 16,3 (LXX) und Josephus (Bellum Judaicum 6,339).

[34] Der Singular hat nicht nur dem Stil der Diatribe entsprechend rhetorische Funktion, sondern er entspricht vor allem dem theologischen Ansatz des Römerbriefes beim einzelnen Menschen und seinem Selbstverständnis.

[35] So z.B.P. P. von Gemünden: Vegetationsmetaphorik im Neuen Testament und seiner Umwelt, S. 318: „Rö 11,16ff überschreitet Paulus den Gemeinderahmen, wenn er das Verhältnis von Juden und Christen in ihrem Zu- und Nacheinander diskutiert."

[36] Vgl. dazu bereits die grundsätzlichen Überlegungen oben zu Röm 1,16f.

[37] Eine in diese Richtung gehende Interpretation liefert auch K. Barth. Er akzentuiert die Verse jedoch nicht christologisch, sondern theologisch: „Der heilige ‚Anbruch', die heilige ‚Wurzel' ist die letzte eschatologische Möglichkeit, die das Thema und als solches das Gericht und die Verheißung der Kirche ist. An ihr entsteht die Kirche und muß sie immer wieder entstehen. [...] Mag sein, daß Paulus

außerhalb von V. 17-24 das Wort ῥίζα bei Paulus findet, bezieht sich das Zitat von Jes 11,10 (LXX) in Röm 15,12 – im Anschluss an Röm 15,8 – offensichtlich ebenfalls auf Christus (vgl. Apk 5,5 und 22,16). In dieser Sicht sind dann οἱ κλάδοι die Menschen jüdischer oder nichtjüdischer Herkunft, die sich mit Christus – jeweils individuell – verbunden wissen. Die „Wurzel" ihres Glaubens und ihrer Existenz ist Christus. Die Deutung des Bildes verschiebt sich dann von der Verhältnisbestimmung verschiedener, wie auch immer zu definierender Kollektive auf das Verhältnis des einzelnen Menschen (also des Zweiges, σύ) zu Christus als seiner „Wurzel". Dies ist ein Verständnis, das sich in die am einzelnen Menschen und seinem Verhältnis zu Christus orientierte Gesamtargumentation des Röm gut einfügt. Entsprechend kann auch ἀπαρχή in V. 16a christologisch verstanden werden. Das entspricht exakt dem Sprachgebrauch von I Kor 15, 20 und 23 (ἀπαρχὴ Χριστός). In Röm 8, 23 wird das Wort für den Geist Christi gebraucht, der in den Glaubenden wohnt und durch den ihre neue Existenz begründet ist (vgl. Röm 8,9). Von daher bedeutet V. 16a: Durch die Heiligkeit des „Erstlings" Christus werden die zu Christus Gehörenden (also der „Teig") auch heilig. Und für V. 16b heißt das: Durch die Heiligkeit der „Wurzel" Christus werden diejenigen, die mit dieser Wurzel in Verbindung sind (die „Zweige"), ebenfalls heilig. Paulus setzt also jeweils in menschlicher Sicht mit einem Bild vom Teig und den Zweigen an, um dieses in christologischer Perspektive zu deuten. V. 16 schließt insofern an V. 15 an, als sich die Annahme und Verwerfung, die durch die αὐτοί geschieht, unmittelbar auf diesen Christus bezieht. Auch der Ausdruck ζωὴ ἐκ νεκρῶν am Ende von V. 15 legt ein christologisches Verständnis des Folgenden nahe. Auf diesem Hintergrund sollen deshalb die V. 17-24 hier christologisch interpretiert werden.

Die V. 17ff sprechen – wie bereits erwähnt – durchgehend ein „Du" im Singular an. Die nun folgenden Gegenüberstellungen richten sich gegen eine selbstrühmerische Haltung dieses „Du" und versuchen demgegenüber, den Einzelnen auf seine Abhängigkeit von der „Wurzel" Christus hinzuweisen. Dementsprechend wird im Folgenden jeweils im ersten Teil der Gegenüberstellung eine solche, rein auf sich selbst bezogene Haltung kritisiert (vgl. Röm 7,7-25a) und im zweiten Teil in christologischer Perspektive auf die „Wurzel" verwiesen ((vgl. Röm 8,1ff).

V. 17a setzt zunächst in geläufiger menschlicher Sicht bei dem Bild von den verschiedenen Zweigen an. Es wird gesagt, dass einige Zweige abgebrochen worden sind und das „Du", das vom wilden Ölbaum stammt, an ihrer Stelle eingepfropft worden ist. Dem wird in V. 17b die christologische Perspektive gegenübergestellt, nach der das entscheidende an der Zugehörigkeit zum Baum nicht die Konkurrenz zu den anderen, abgebrochenen Zweigen ist, sondern die Verbindung mit der Wurzel Christus. Das Bild des „eingepfropft"-Seins bezieht sich auf die Neubegründung der Ex-istenz der Glaubenden „in Christus" (vgl. 8, 2) und ein Lebens „mit" Christus (συγκοινωνὸς τῆς ῥίζης; vgl. 6,1ff) und versteht dies als einen Akt Gottes (vgl. die zweifache Formulierung im passivum divinum in diesem Vers). Umgekehrt meint das „Abbrechen" der Zweige die Trennung bestimmter Menschen von Christus, was

---

bei den Worten ‚Anbruch' und ‚Wurzel' an die Erzväter denkt, mag sein an die Auserwählten aus Israel (11,9), aber auch an diese geschichtlichen Figuren nur als Träger jener eschatologischen Möglichkeit [...] Die Heiligkeit Gottes in strengster Transzendenz und Wunderbarkeit [...] ist die Hoffnung der Kirche. [...] Und diese Hoffnung *heiligt* die Kirche in ihrer ganzen Unheiligkeit und wird sie immer wieder heiligen." (K. Barth: Der Römerbrief; Zweite Fassung, S. 428, Hervorhebung von Barth.)

einerseits der eigenen Entscheidung entspricht, andererseits aber dabei in theologischer Perspektive die Souveränität des Handelns Gottes nicht aufhebt.

V. 18a führt diesen Gedanken weiter, indem Paulus nun auf die Haltung des „Du" eingeht, das in der Gefahr steht, aus seiner Verbindung mit Christus arrogante Schlüsse zu ziehen. Abgelehnt werden soll, wie der Imperativ verdeutlicht, eine bestimmte menschliche Sicht, nach der die Entscheidung für Christus Gegenstand des eigenen Rühmens und der Verachtung der anderen wird (μὴ κατακαυχῶ τῶν κλάδων). Paulus hatte das Rühmen bereits in 2,23; 3,27 und 4,2 als Haltung dargestellt, die der des Glaubens widerspricht und in 5,2f und 5,11 diesem Rühmen der eigenen Person in theologischer Sicht das Rühmen Gottes gegenübergestellt. Dementsprechend fordert er in V. 18a den einzelnen Menschen auf, nicht wiederum aus seiner Glaubensentscheidung eigenen Ruhm abzuleiten und damit hochmütig zu denken. V. 18b stellt dieser problematischen Selbsteinschätzung erneut in christologischer Perspektive die Verbindung zur „Wurzel" gegenüber. Analog zu Röm 5 setzt Paulus dem Selbstrühmen das Rühmen Christi gegenüber – in Röm 5 war es das Rühmen Gottes. Das Rühmen des „Du" soll der "Wurzel" gelten, weil sie das „Du" trägt – und nicht umgekehrt (vgl. auch Röm 15,17).[38]

V. 19 und 20a setzen diese Gegenüberstellungen eines selbstbezogenen Rühmens und einer christologischen Sichtweise fort. V. 19 (eingeleitet mit ἐρεῖς οὖν) beschreibt eine arrogante und egozentrische Haltung (ἵνα ἐγὼ ἐγκεντρισθῶ), derzufolge die anderen, die keine Verbindung mit Christus haben, um des „Du" willen „herausgebrochen" worden sind. Das entspricht exakt der Haltung des Selbstruhmes aus V. 18a. „Dieser Vers malt mit dem betonten ἐγώ das übersteigerte Selbstbewußtsein aus, vor dem V. 18 gewarnt hat."[39] Es geht Paulus also wieder um das Selbstverhältnis des einzelnen Menschen. Indem derjenige, der Christus angenommen hat und „in" bzw. „mit" ihm lebt, sich selbst als Ich in dieser Weise selbstfixiert hervorhebt, untersteht er erneut der in Kap. 7,7ff aufgezeigten Gefahr einer Begründung des Ich durch sich selbst, die zur Gespaltenheit in sich selbst und zur Verzweiflung führt. Deshalb stellt Paulus der menschlichen, selbstfixierten Sicht V. 20a wiederum eine christologische entgegen. Das καλῶς drückt zunächst eine Zustimmung aus,[40] und der Ausdruck τῇ πίστει ἕστηκας bringt den Glauben des „Du" an Christus auch positiv zum Ausdruck.[41] Die Formulierung τῇ ἀπιστίᾳ ἐξεκλάσθησαν verdeutlicht jedoch im passivum divinum, dass das Herausbrechen der Anderen zwar aufgrund ihres Unglaubens, aber zugleich durch Gottes souveräner Handeln geschehen ist, und dass damit – wie V. 21 zeigen wird – Gott jederzeit auch das „Du" wieder herausbrechen kann. Zur Arroganz besteht also kein Anlass.

V. 20b richtet sich, wie bereits V. 18a, erneut im Imperativ an das „Du". Der einzelne Mensch wird aufgefordert, nicht in der dargestellten Weise hochmütig zu denken (μὴ ὑψηλὰ φρόνει, vgl. 12,16). Damit ist wieder eine menschliche Denkweise bezeichnet, die übertrieben selbstsicher das eigene Leben meistern zu können meint. Das φοβοῦ bezeichnet nicht einfach nur psychologisch eine ängstliche Lebenshaltung,

---

[38] Vgl. dazu auch R. Bultmann: Theologie des Neuen Testaments, S. 242, der im καυχᾶσθαι den Inbegriff einer eigenmächtigen und deshalb sündigen Existenzweise des Menschen sieht.

[39] K. Haacker: Der Brief des Paulus an die Römer; ThHK 6, S. 234.

[40] Die concessio ist dabei ein rhetorisches Argumentationsmittel, vgl. F. Siegert: Argumentation bei Paulus, S. 169. „Ganz recht! (V.20) lautet die concessio [...] des Paulus, sein scheinbares Nachgeben."

[41] „Stehen" ist hier der Gegensatz zu dem „Fallen" in V. 11. Vgl. K. Haacker: Der Brief des Paulus an die Römer; ThHK 6, S. 234.

sondern stellt dem hochmütigen Denken – mit ἀλλά angeschlossen – eine theologische Perspektive gegenüber. Bei dem Fürchten geht es um eine Berücksichtigung der Souveränität des Handelns Gottes im eigenen Leben.[42]

Diese angemessene Lebenshaltung wird in V. 21 (angeschlossen mit γάρ) begründet. V. 21a setzt erneut in menschlicher Perspektive ein. Das κατὰ φύσιν entspricht dem κατὰ σάρκα und meint die leibliche Verwandtschaft der Juden mit Christus (vgl. 9,5). Die Formulierung εἰ ὁ θεὸς τῶν κατὰ φύσιν κλάδων οὐκ ἐφείσατο setzt den Gedanken aus V. 19 fort, nach dem in geläufiger Sicht einige Zweige „herausgebrochen" sind, also derzeit offensichtlich nicht mit der „Wurzel" Christus in Verbindung stehen. Dem wird in V. 21b eine theologische Sicht gegenübergestellt, nach der das Gleiche auch für das „Du" gelten könnte. „Gott hat selbstverständlich die Macht, die eingepfropften Zweige wieder auszureißen".[43] Die hochmütige Meinung des „Du", es könne sich seines Lebens und Heils sicher sein, wird dadurch in Frage gestellt.[44] Das den Halbvers einleitende μή πως ist die schwierigere Lesart[45] und eine typisch paulinische Wendung.[46] Es gehört deshalb, auch wenn dessen Streichung recht gut bezeugt ist,[47] zum ursprünglichen Text.[48] Damit wird ein mechanistisches Verständnis abgewehrt, nach dem Gott diejenigen quasi automatisch nicht verschont, die hochmütig denken. Das μή πως relativiert diesen Mechanismus und unterstreicht damit die Freiheit Gottes. Es bezieht sich zugleich auf das φοβοῦ in V. 20b zurück.[49]

Die V. 22-24 ziehen aus dem bisher Gesagten mit οὖν die Folgerung. Sie sind dadurch strukturiert, dass auf der einen Seite in geläufiger Sicht die Strenge Gottes (ἀποτομία) hervorgehoben wird und dieser auf der anderen Seite in theologischer Perspektive die Güte Gottes (χρηστότης) gegenübergestellt wird, die dadurch sichtbar wird, dass er Zweige immer wieder einpfropft.

V. 22a präzisiert in diesem Sinne einleitend die in V. 20b charakterisierte, angemessene menschliche Denkweise mit einem weiteren Imperativ. Der Mensch soll auf Gottes Strenge (die Möglichkeit, jeden jederzeit „herauszubrechen") schauen (ἴδε). Er soll dabei aber auch in theologischer Perspektive seine Güte nicht vergessen, die auch für die jetzt scheinbar „Ausgebrochenen" eine neue Chance ermöglichen könnte. Dieser Gedanke nimmt die Definition Gottes aus Röm 9,15f wieder auf, nach der Gott durch umfassendes Erbarmen gekennzeichnet ist. Er weist zugleich auf den Schluss des großen Argumentationszusammenhanges in 11,30-32 hin, demzufolge sich Gott aller erbarmen wird. Dies ist erneut gegen die eitle Sichtweise eines „Du" gesagt, der sich über die anscheinend Ungläubigen erhebt und sich des eigenen Glaubens brüstet.

V. 22 b führt diesen Gedanken weiter aus. Die Güte und Strenge Gottes stellt sich für das „Du" gegenwärtig so dar, dass bestimmte Menschen anscheinend in

---

[42] Vgl. U. Wilckens: Der Brief an die Römer; EKK VI, 2, S. 247: „Darum darf er sich [...] nicht überheben, sondern muß Gott fürchten." Wilckens reduziert dabei das Gesagte jedoch auf den Heiden.

[43] A. Lindemann: Israel im Neuen Testament, S. 183.

[44] So auch K. Haacker: Der Brief des Paulus an die Römer; ThHK 6, S. 234: „Das aber verbietet alle selbstgefällige securitas, weil niemand für sich selbst garantieren kann".

[45] Es „konkurriert syntaktisch mit dem οὐδέ" (Haacker, a.a.O., S. 232) und wurde deshalb von den unten in Anm. 48 genannten Textzeugen gestrichen.

[46] Vgl. B. M. Metzger: A Textual Commentary on the Greek New Testament, S. 465.

[47] Die Streichung bezeugen ℵ B C P 6.81.365.630.1506.1739.1881 und wenige koptische Handschriften.

[48] Gegen C. E. B. Cranfield: The Epistle to the Romans; (ICC) vol. 2, S. 569; U. Wilckens: Der Brief an die Römer; EKK VI, 2, S. 247 und andere.

[49] So auch W. Haubeck, H. von Siebenthal: Neuer sprachlicher Schlüssel zum griechischen Neuen Testament; Bd. 2, S. 37: „in freier Weise (daher Fut. statt Konj.) abhängig von φοβοῦ".

geläufiger Sicht durch Gottes Strenge „gefallen" sind und dass demgegenüber das „Du"
als Eingepfropfter und dadurch mit Christus Verbundener Gottes Güte erfahren durfte.
Das τοὺς πέσοντας bezeichnet nicht die Juden, die nicht an Christus glauben, als
„Abgefallene".[50] Denn Paulus hatte in V. 11 explizit bestritten, dass sie „gefallen" sind.
Vielmehr bleibt der Ausdruck in der Vegetationsmetaphorik: Die herausgebrochenen
Verse fallen auf die Erde. Damit sind all diejenigen gemeint, die derzeit nicht mit der
„Wurzel" Christus in Verbindung stehen.

V. 22c wendet die Unterscheidung von Gottes Strenge und Güte nicht nur auf
die „Abgefallenen", sondern auch auf das „Du" selbst an. Paulus meint dabei
offensichtlich, dass das göttliche Handeln sich auch nach der menschlichen
Entscheidung richtet oder jedenfalls nicht völlig losgelöst von ihr stattfindet. Wenn das
„Du" nicht in Gottes Güte verbleibt, dann folgt daraus, dass Gott – im passivum
divinum formuliert – die Verbindung zu Christus als der Wurzel trennen wird.

V. 23 enthält den umgekehrten Gedanken für diejenigen, die jetzt nicht an
Christus glauben. Paulus setzt in V. 23a wiederum mit der geläufigen Sichtweise ein,
nach der bestimmte Menschen (noch) im „Unglauben" verharren. Dem fügt er jedoch in
V. 23b in theologischer Sicht hinzu: Wenn sie sich dazu entschließen, wird Gott –
wiederum im passivum divinum – sie „einpfropfen", dadurch ihre Verbindung mit
Christus herstellen und sich als gütig erweisen. Das δυνατὸς γάρ ἐστιν ὁ θεὸς πάλιν
ἐγκεντρίσαι αὐτούς zeigt dabei dieses Übernatürliche und Analogielose der Güte
Gottes, denn biologisch können ausgebrochene Zweige offenbar nicht in denselben
Baum wieder eingepflanzt werden. „Sachlich bedeutsam ist dabei, daß Paulus hier den
Unglauben Israels, den er in 10,16-21 beklagt hat, nicht für unabänderlich hält."[51]

V. 24 fasst diese außerordentliche Fähigkeit Gottes nochmals zusammen
(eingeleitet mit εἰ γάρ). V. 24a setzt zunächst bei der Erfahrung des „Du" an, das aus
seiner natürlichen Herkunft (κατὰ φύσιν) herausgelöst worden ist. Damit sind die
anderen religiösen und kulturellen Zusammenhänge gemeint, in denen das „Du" sich
vorher befunden hat. Die Vorstellung ist offenbar – in der hier vorliegenden
Vegetationsmetaphorik gesprochen –, dass die alten „Wurzeln" abgeschnitten worden
sind. Der edle Ölbaum und seine „Wurzel" Christus ist für Paulus der neue
Zusammenhang, der die alten, natürlichen Bindungen ersetzt. Das ἐνεκεντρίσθης im
passivum divinum zeigt erneut, dass diese neue Verbindung zwar einerseits auf einer
persönlichen Entscheidung des „Du" beruht, andererseits aber auch als göttlicher Akt zu
verstehen ist (vgl. Röm 8,3).

Paulus schließt den Abschnitt in V. 24b durch einen Schluss a minore ad maius
ab (angeschlossen mit πόσῳ μᾶλλον). Nachdem er zunächst in geläufiger Sicht in V. 24a
erneut auf die bekannte Praxis der Einpfropfung Bezug genommen hat, stellt er dieser
abschließend nochmals die besondere Fähigkeit Gottes gegenüber, die über diesen
natürlichen Vorgang hinausgeht. Wenn Gott schon das „Du" aus einem wilden Ölbaum
in einen edlen einpflanzen konnte – was zwar nicht der üblichen Praxis entspricht, aber
doch möglich war[52] – so kann er darüber hinaus auch diejenigen aus dem Judentum, die
nicht an Christus glauben (mit dem sie ja κατὰ φύσιν verbunden sind, vgl. 9,5),
wiederum in den „eigenen" Baum einpfropfen und ihnen damit die Gemeinschaft mit
Christus ermöglichen. Der gegenwärtigen Erfahrung des „Du", in die Verbindung mit

---

[50] Gegen U. Wilckens: Der Brief an die Römer; EKK VI, 2, S. 247.
[51] K. Haacker: Der Brief des Paulus an die Römer, ThHk 6, S. 234.
[52] Vgl. Haacker, a.a.O., S. 233, mit Verweis auf Columella, De re rustica V. 9,16; 11,15 u.a.

Christus „eingepfropft" worden zu sein (V. 24a), wird in theologischer Perspektive die Möglichkeit gegenübergestellt, dass Gott dies auch mit anderen, zurzeit „Ausgehauenen" (wieder) tun kann (V. 24b). Die Argumentation zielt also auf die Aufhebung der Selbstfixierung des „Du", das zwischen sich selbst und den anderen, „Ausgehauenen" unterscheidet und sich über sie erhebt. Diese arrogante Selbstbezüglichkeit soll unter Hinweis auf das universale Erbarmen Gottes aufgebrochen werden, wie Paulus es in 11,32 beschreibt.

Der Sinn der gesamten Argumentation in V. 17ff ist also nicht primär, ein heilsgeschichtliches theologisches Schema des Verhältnisses von Juden und Nichtjuden zu entwerfen. Paulus geht es vielmehr auf dem Hintergrund der Verhältnisbestimmung von Juden und Nichtjuden vor allem darum, den Einzelnen zu ermahnen, im Glauben und bei Christus zu bleiben und sich dabei nicht seiner selbst zu rühmen. „Inhaltlich dominiert eine paränetische Zielsetzung."[53]

Röm 11,13-24 lassen sich aufgrund des oben Ausgeführten damit folgendermaßen strukturieren:[54]

13: δέ	Ὑμῖν λέγω τοῖς ἔθνεσιν	ἐφ᾽ ὅσον μὲν οὖν εἰμι ἐγὼ ἐθνῶν ἀπόστολος τὴν διακονίαν μου δοξάζω
14: εἴ πως	παραζηλώσω μου τὴν σάρκα	καὶ σώσω τινὰς ἐξ αὐτῶν
15: γὰρ	εἰ ἡ ἀποβολὴ αὐτῶν	καταλλαγὴ κόσμου
	τίς ἡ πρόσλημψις	εἰ μὴ ζωὴ ἐκ νεκρῶν
16: εἰ δὲ	καὶ τὸ φύραμα (2)	ἡ ἀπαρχὴ ἁγία (1)
καὶ εἰ	καὶ οἱ κλάδοι (2)	ἡ ῥίζα ἁγία (1)
17: εἰ δέ	τινες τῶν κλάδων ἐξεκλάσθησαν σὺ δὲ ἀγριέλαιος ὢν ἐνεκεντρίσθης ἐν αὐτοῖς	καὶ συγκοινωνὸς τῆς ῥίζης τῆς πιότητος τῆς ἐλαίας ἐγένου
18:	μὴ κατακαυχῶ τῶν κλάδων εἰ δὲ κατακαυχᾶσαι	οὐ σὺ τὴν ῥίζαν βαστάζεις ἀλλὰ ἡ ῥίζα σέ
19+20a: ἐρεῖς οὖν	Ἐξεκλάσθησαν κλάδοι ἵνα ἐγὼ ἐγκεντρισθῶ	καλῶς τῇ ἀπιστίᾳ ἐξεκλάσθησαν σὺ δὲ τῇ πίστει ἕστηκας
20b:	μὴ ὑψηλὰ φρόνει	ἀλλὰ φοβοῦ
21: γὰρ	εἰ ὁ θεὸς τῶν κατὰ φύσιν κλάδων οὐκ ἐφείσατο	μή πως οὐδὲ σοῦ φείσεται
22: οὖν	καὶ ἀποτομίαν θεοῦ (2)	ἴδε χρηστότητα (1)
	ἐπὶ μὲν τοὺς πεσόντας ἀποτομία	ἐπὶ δὲ σὲ χρηστότης θεοῦ
	ἐπεὶ καὶ σὺ ἐκκοπήσῃ (2)	ἐὰν ἐπιμένῃς τῇ χρηστότητι (1)
23: δέ	κἀκεῖνοι ἐὰν μὴ ἐπιμένωσιν τῇ ἀπιστίᾳ	ἐγκεντρισθήσονται δυνατὸς γάρ ἐστιν ὁ θεὸς πάλιν ἐγκεντρίσαι αὐτούς
24: εἰ γὰρ	σὺ ἐκ τῆς κατὰ φύσιν ἐξεκόπης ἀγριελαίου καὶ παρὰ φύσιν ἐνεκεντρίσθης εἰς καλλιέλαιον	πόσῳ μᾶλλον οὗτοι οἱ κατὰ φύσιν ἐγκεντρισθήσονται τῇ ἰδίᾳ ἐλαίᾳ

---

[53] Haacker, a.a.O., S. 232.
[54] Einen anderen, etwas unübersichtlichen Strukturierungsvorschlag bietet P. von Gemünden: Vegetationsmetaphorik im Neuen Testament und seiner Umwelt, S. 276f.

Die Universalität des Erbarmens Gottes über alle Menschen (11,25-36)

Auch der letzte Argumentationsabschnitt des größeren Zusammenhanges in Kap 9-11 wird von Paulus mit einer persönlichen Formulierung in der 1. Person Singular eingeleitet.[1] „Paulus wechselt abschließend wieder in offene, nicht-metaphorische Sprache."[2] Das ὑμᾶς setzt die Anrede der an Christus Glaubenden Nichtjuden aus V. 13 und – im Singular – aus V. 17 fort (vgl. V. 28).

Die Aussage von V. 25a scheint paradox, denn ein Geheimnis, das mitgeteilt wird, ist kein Geheimnis mehr. Die Paradoxie kommt durch die Gegenüberstellung einer menschlichen und einer theologischen Sicht zustande. Menschlich gesehen möchte Paulus die „Ihr" über das Evangelium nicht in Unkenntnis lassen, sondern es ihnen im Röm mitteilen (οὐ γὰρ θέλω ὑμᾶς ἀγνοεῖν ἀδελφοί). Theologisch gesehen handelt es sich bei dem Gesagten jedoch um ein „Geheimnis" (μυστήριον),[3] weil Gottes Wille prinzipiell unerforschlich ist (vgl. V. 34) und jedes Reden über Gott deshalb der Paradoxie unterliegt, das Unaussprechliche auszusprechen. Möglicherweise spielt Paulus mit diesem Begriff auf sein persönliches Erlebnis der Christusoffenbarung an, das für ihn die Basis seiner weiteren Existenz und der Evangeliumsverkündigung gewesen ist.[4] Paulus argumentiert also auch im Schlussabschnitt nicht abstrakt, sondern er beginnt wieder mit persönlichen Bemerkungen (vgl. 9,1-3; 10,1f; 11,1).

Worin das Geheimnis besteht, wird in V. 25b ausgeführt: „Israel" sei „zum Teil" verhärtet worden, aber nur bis zu dem Zeitpunkt (ἄχρι οὗ),[5] an dem die volle Zahl (τὸ πλήρωμα) der Nichtjuden eingetreten sei (εἰσέλθῃ). Paulus scheint es hier mit der Unterscheidung Ἰσραήλ – τὰ ἔθνη erneut um eine Verhältnisbestimmung von Juden und Nichtjuden zu gehen. Genauer gesagt beschäftigt er sich mit demjenigen „Teil" (μέρος) der Juden (vgl. die λοιποί in 11,7), die Christus nicht angenommen haben, in ihrem Verhältnis zu den Nichtjuden. Daß τὰ ἔθνη hier einfach „Völker" heißt,[6] ist – im Gegensatz zu anderen Stellen im Röm (z.B. im Präskript in 1,5) – unwahrscheinlich, weil Israel als Gegenbegriff fungiert und damit eine binäre Differenz Juden – Nichtjuden gesetzt wird.[7] Für das Wort πλήρωμα ist überlegt worden, ob damit alle Nichtjuden gemeint sind oder lediglich „alle von Gott zum Heil bestimmten Heiden"[8] und somit ein „numerus clausus"[9] einer festgelegten Zahl von Nichtjuden oder die

---

[1] Zu dieser strukturierenden Bedeutung der 1. Person Singular für Kap. 9-11 vgl. F. Siegert: Argumentation bei Paulus, S. 118f.

[2] A. Lindemann: Israel im Neuen Testament, S. 184.

[3] Vgl. K. Barth: Der Römerbrief; Zweite Fassung, a.a.O., S. 434: „‚Geheimnis' dürfte in der Sprache des Paulus das sein, was wir das Paradox nennen."

[4] Vgl. S. Kim: The „mistery" of Rom 11,25-6 once more; in: NTS 43 (1997), S. 412-429.

[5] Zum Verständnis dieses Ausdruckes vgl. O. Hofius: Das Evangelium und Israel. Erwägungen zu Römer 9-11; in: ders.: Paulusstudien; (WUNT 51) Tübingen 1989, S. 175-202, dort S. 190: „Steht das Prädikat eines durch ἄχρι οὗ (= ἄχρι χρόνου ᾧ) eingeleiteten Temporalsatzes im Konjunktiv des Aorists, so bezieht es sich entweder auf ein punktuelles Ereignis der Zukunft (z.B. 1Kor 11,26) oder auf den zukünftigen Abschluß eines Vorganges, der sich über einen bestimmten Zeitraum erstreckt (so z.B. 1Kor 15,25). Da das ‚Eingehen' der Heiden ein bereits im Gang befindlicher Prozeß ist, liegt an unserer Stelle der letztgenannte Prozeß vor."

[6] Vgl. dazu K. Haacker: Der Brief des Paulus an die Römer; ThHK 6, S. 237f.

[7] Zum Verständnis der binären Differenz vgl. die Einführung unter 2. und G. Spencer Brown: Laws of Form, 2. Aufl. New York 1979.

[8] So P. Stuhlmacher: Der Brief an die Römer; NTD 6, S. 155.

[9] So R. Stuhlmann: Das eschatologische Maß im Neuen Testament; Göttingen 1983.

„Vollzahl der Völker",[10] also lediglich einzelne Menschen aus allen Völkern. Auch wenn man zugesteht, dass Paulus aufgrund seiner persönlichen Erfahrungen realistischerweise nicht mit einem „Eingehen" aller Nichtjuden rechnen kann, so argumentiert er hier, wie der Schluss des Abschnittes zeigt, in theologischer Perspektive deutlich universalistisch. Die Erwartung ist offensichtlich, daß *alle* Nichtjuden und dann „ganz Israel" (V. 26) und damit in der Summe alle Menschen gerettet werden (vgl. ἵνα τοὺς πάντας ἐλεήσῃ, V. 32). Wie dies näher zu verstehen ist, wird unten zur Stelle zu erläutern sein. Umstritten ist unter den Interpreten weiter das εἰσέλθῃ. Es wird entweder auf dem Hintergrund der Völkerwallfahrt zum Zion verstanden als Eingehen „in die endzeitliche Heilsgemeinde Israels"[11] bzw. „in die Heilsgemeinde, für die die endzeitliche Gottesstadt auf dem Zion bereitet ist (vgl. Jes 6,2; 4Esr 7; 36.13f; 13,36)",[12] oder als "Eingang in die Gottesherrschaft".[13] Es fehlt allerdings im Text eine genaue Ortsangabe.[14] Wenn man das Vorhergehende christologisch verstehen kann, so meint Paulus hier die Zugehörigkeit zu Christus und das „Eingehen" in die Christusgemeinschaft (metaphorisch vom Vorhergehenden her gesprochen: das eingepfropft Werden in den Baum).

Man könnte damit den Eindruck gewinnen, dass es Paulus um eine geschichtstheologische oder eschatologische Zuordnung der beiden kollektiven Größen Israels und der Nichtjuden geht. Grundlage der paulinischen Argumentation ist aber erneut – wie bereits in V. 17ff – nicht eine allgemeine theologische Abhandlung, sondern die Ermahnung an die „Ihr", nicht wegen ihres Glaubens überheblich zu sein (μὴ ἦτε παρ' ἑαυτοῖς φρόνιμοι). Abgewehrt werden soll also durch die Einführung einer als "Geheimnis" charakterisierten, theologischen Perspektive eine auf sich selbst reduzierte menschliche Sicht, die das Selbstverständnis aus der eigenen Klugheit ableitet. Demgegenüber gibt Paulus zu bedenken, dass es noch andere Perspektiven gibt, nämlich gewissermaßen einen globalen Kontext, innerhalb dessen sich die eigene Existenz abspielt. Paulus richtet sich mit seinen allgemeinen Aussagen über das Verhältnis von Juden und Nichtjuden also in Fortsetzung von V. 17ff gegen eine rein selbstbezogene Denkweise der Christen nichtjüdischer Herkunft, die sich selbstherrlich über die nicht an Christus glaubenden Juden erhebt. Das παρ' ἑαυτοῖς unterstreicht diese rein selbstreflexive, incurvative Denkart.[15] Die Konsequenzen dieser rein selbstbezüglichen Haltung hatte Paulus bereits bei der Selbstanalyse des Ich in Röm 7,7ff ausgeführt.

V. 26f argumentiert auf dieser Basis erneut nach dem bereits in 9,6 bis 11,8 und auch sonst im Röm häufig verwendeten hermeneutischen Schema, indem in V. 26b+27 eine bekannte Schriftstelle zitiert wird und dieser V. 26a aus spezifisch theologischer Perspektive eine Interpretation gegenübergestellt wird (vgl. dazu grundsätzlich Röm 1,2). In dem durch καθὼς γέγραπται eingeleiteten Zitat kombiniert Paulus Jes 59,20f und 27,9.[16] Er achtet dabei durchaus auf den ursprünglichen Sinn der Schriftstellen. „Jes

---

[10] So K. Haacker: Der Brief des Paulus an die Römer; ThHK 6, S. 237f.

[11] U. Wilckens: Der Brief an die Römer; EKK VI, 2, S. 254f.

[12] P. Stuhlmacher: Der Brief an die Römer; NTD 6, S. 155.

[13] E. Käsemann: An die Römer; HNT 8a, S. 303.

[14] Vgl. K. Haacker: Der Brief des Paulus an die Römer; ThHK 6, S. 237.

[15] Das παρ' ist dabei textkritisch nicht ganz sicher, verstärkt aber treffend den Sinn und ist durch א C D al recht gut bezeugt. Vgl. B. M. Metzger: A Textual Commentary on the Greek New Testament, S. 465.

[16] Vgl. H. Hübner (Hrsg.): Vetus Testamentum in Novo, Bd. 2, S. 182f.

59,20f und 27, 9 sind Heilsankündigungen, die die Aufhebung der ἀσέβεια bzw. ἀνομία „Jakobs' zum Thema haben."[17] Paulus folgt dem Septuagintatext recht genau, eine wesentliche Differenz bildet lediglich das ἕνεκεν Σιών aus Jes 59,20 gegenüber ἐκ Σιών bei Paulus. Diese Veränderung könnte entweder auf eine vorpaulinische Vorlage zurückgehen,[18] oder das ἕνεκεν könnte versehentlich mit dem häufigen ἐκ Σιών verwechselt worden sein oder das EK aus einem ursprünglichen ΕΙΣ in Majuskelschrift entstanden sein.[19] Wahrscheinlicher ist jedoch, dass Paulus durch das ἐκ den Text selbst in Richtung auf eine christologische Interpretation verändert hat und damit an die christologische Deutung des Ölbaumes V. 17ff anschließt. Wenn dem so ist, dann versteht Paulus die Stelle nach der hermeneutischen Aussage von Röm 10,4, derzufolge das Gesetz – und in einem weiteren Sinne die ganze Schrift – Christus zum Ziel hat (vgl. dazu eingehend oben die Erläuterungen zu 10,4). „Nach dem Verständnis des Apostels ist der 'Retter', dessen Kommen in dem Text verheißen wird, zweifellos Christus".[20] Ist der Sinn des Zitates ursprünglich, dass Israel von Gott Gnade erfahren wird, so wird diese Aussage nun auf Christus bezogen.

Das Schriftzitat interpretiert Paulus also in V. 26a in christologischer Perspektive, und zwar so, dass „ganz Israel" gerettet werden wird (πᾶς Ἰσραὴλ σωθήσεται). Für das Verständnis des Ausdruckes „ganz Israel", der parallel zu τὸ πλήρωμα τῶν ἐθνῶν in V. 25 steht, sind – wie K. Haacker gezeigt hat – folgende Interpretationen vorgeschlagen worden: „1. Das ganze Volk ohne jede Ausnahme (A. Jülicher, E. Kühl, K. L. Schmidt). 2. Das Volk als Ganzheit ungeachtet etwaiger individueller Ausnahmen (B. Weiss, Th. Zahn). 3. Das geistliche Israel (Augustinus, Theodoret, Martin Luther). 4. Der auserwählte Rest aus Israel nach 9,6 (Calov, J. A. Bengel). 5. Die Kirche aus Juden und Heiden (J. Calvin, K. Barth)."[21] Paulus stellt das πᾶς jedoch erstens deutlich dem ἀπὸ μέρους in V. 25 entgegen und hebt damit die Differenzierung Israels in einzelne Teile wie Ἰσραήλ und πάντες οἱ ἐξ Ἰσραήλ in 9,6 bzw. ἡ ἐκλογή und οἱ λοιποί in 11,7 am Ende der Argumentation von Kap. 9-11 auf, weswegen die Interpretationen nach dem Typus 2., 3. und 4. wohl nicht zutreffen. Zweitens unterscheidet er zwischen „ganz Israel" und der „Vollzahl der Nichtjuden" (V. 25), was eine Verbindung von Juden und Heiden unter dem Begriff „ganz Israel" gemäß dem 5. Vorschlag unmöglich macht. Damit meint Paulus offensichtlich – wie bereits in V. 25 in Bezug auf die Nichtjuden – alle Israeliten ohne jede Ausnahme im Sinne des 1. Vorschlages (vgl. V. 32 und unten die Ausführungen dazu). Es sei dabei jedoch nochmals betont, dass es hier Paulus nicht primär um die Definition eines Kollektivs geht, sondern es geht ihm um jeden einzelnen Menschen, sei es ein Nichtjude (V. 25) oder ein Jude (V. 26), der gerettet werden soll. Paulus differenziert in Kap. 9-11 den Israelbegriff – ausgehend von der Formulierung πάντες οἱ ἐξ Ἰσραήλ – in ein Ἰσραήλ im engeren theologischen Sinne (9,6) oder τὰ τέκνα τῆς ἐπαγγελίας (9,8) oder die ἐκλογή (11,7) auf der einen Seite und

---

[17] D.-A. Koch: Die Schrift als Zeuge des Evangeliums, S. 175.

[18] So Koch, a.a.O., S. 175f.

[19] Vgl. B. Schaller: ΗΞΕΙ ΕΚ ΣΙΩΝ Ο ΡΥΟΜΕΝΟΣ. Zur Textgestalt von Jes 59:20f in Röm 11,26f; in: A. Pietersma, C. Cox (Hrsg.): De Septuaginta. Studies in Honour of John William Wevers on his sixty-fifth Birthday; Ontario 1984, S. 201-206, dort S. 203-205.

[20] O. Hofius: Das Evangelium und Israel, S. 196. Vgl. auch F. Siegert: Argumentation bei Paulus, S. 173, der dazu noch auf die Sündenvergebung am Schluss des Zitates verweist, die für Paulus durch Christus geschehe. Siehe auch A. Lindemann: Israel im Neuen Testament, S. 184, der zusätzlich auf die parallele Formulierung ὁ ῥυόμενος in I Thess 1,10 aufmerksam macht.

[21] K. Haacker: Der Brief des Paulus an die Römer; ThHK 6, S. 238f.

alle anderen „aus Israel" auf der anderen Seite, um diese Differenzierung dann am Ende mit der Formulierung πᾶς Ἰσραήλ wieder aufzuheben.

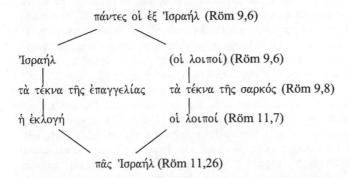

πάντες οἱ ἐξ Ἰσραήλ (Röm 9,6)

Ἰσραήλ   (οἱ λοιποί) (Röm 9,6)

τὰ τέκνα τῆς ἐπαγγελίας   τὰ τέκνα τῆς σαρκός (Röm 9,8)

ἡ ἐκλογή   οἱ λοιποί (Röm 11,7)

πᾶς Ἰσραήλ (Röm 11,26)

Ein spezielles Problem besteht in der Verbindung der beiden Gedanken des „Eingangs der Fülle der Nichtjuden" und der „Rettung ganz Israels" durch καὶ οὕτως (V. 26a). Eine zeitliche Interpretation im Sinne von „und dann"[22] ist aus sachlichen Gründen unwahrscheinlich, weil das paulinische Zeitverständnis überhaupt keine Heilsgeschichte in Form von Zeitabschnitten konstruieren möchte.[23] Paulus hat auch nicht ein ursprünglich ihm überliefertes „und dann" zu einem modalen „und so" verändert.[24] In welcher Weise die Rettung ganz Israels geschieht, erläutern jedoch die folgenden Zitate aus Jes 59,20f und 27,9. Trotz der sprachlich ungewöhnlichen Konstruktion bezieht sich das καὶ οὕτως deshalb auf καθὼς γέγραπται[25] und markiert damit die Verbindung von Schriftzitat (V. 26b+27) und vorausgehender christologisch-theologischer Interpretation (V. 26a) gemäß dem hermeneutischen Schema von Röm 1,2.

In V. 28f wird die in V. 25f entwickelte Unterscheidung von „allen Nichtjuden" (τὸ πλήρωμα τῶν ἐθνῶν) und „allen Juden" (πᾶς Ἰσραήλ)[26] vorausgesetzt und weitergeführt. V. 28a geht zunächst wiederum in menschlicher Sicht von einem selbstfixierten Selbstverständnis des „Du" (vgl. V. 20) bzw. der „Ihr" (V. 25), also der an Christus glaubenden Nichtjuden aus. In dieser überzogenen Selbsteinschätzung wird behauptet, dass die nicht an Christus glaubenden Juden um der Annahme des Evangeliums durch die Nichtjuden willen ἐχθροί seien. Das Wort meint, weil es die reduzierte menschliche Sicht wiedergibt, durchaus „Feinde" und nicht vorsichtiger „einen partiellen Liebesentzug".[27] Dieser Sichtweise wird in V. 28b und 29 (verbunden durch μέν – δέ) eine theologische entgegengestellt, nach der „ganz Israel" nach wie vor von Gott geliebt ist, auch wenn oder gerade weil dies in geläufiger Sicht zurzeit anders erscheinen mag. Das διὰ τοὺν πατέρας (vgl, 9,5) bezieht sich nicht auf die Verdienste

---

[22] So z.B. E. Käsemann: An die Römer; HNT 8a, S. 301: „Sodann", vgl. auch die Einheitsübersetzung von 1979.

[23] Vgl. zum paulinischen Zeitverständnis, das radikal von der Gegenwart (νῦν) aus konstruiert ist, die Erläuterungen zu Röm 3,21.

[24] So W. Schmithals: Der Römerbrief, S. 403.

[25] Vgl. P. Stuhlmacher: Zur Interpretation von Röm 11,25-32; in: H.-W. Wolff (Hrsg.): Probleme biblischer Theologie (FS v. Rad); 1971, S. 560.

[26] Gegen F. Siegert: Argumentation bei Paulus, S. 173: „gemeint ist das ungläubige Israel".

[27] Gegen K. Haacker: Der Brief des Paulus an die Römer; ThHK 6, S. 242.

der Väter, sondern in Kombination mit κατὰ τὴν ἐκλογήν auf die souveräne Auswahl Gottes,[28] die gemäß 9,6ff Abraham, Isaak und Jakob galt und dabei deren Taten gerade nicht mit einbezog (vgl. 9,11f). Damit meint Paulus, „daß die Beziehung Gottes zu seinem Volk *von Gott her* unverändert fortbesteht".[29] Diese theologische Sicht wird in V. 29 weitergeführt und mit γάρ begründet. Abgewehrt wird damit ein anthropomorphes Verständnis Gottes, nachdem er Stimmungsschwankungen und Entscheidungsrevisionen unterworfen sei.[30] Das ἀμεταμέλητα bezieht sich dabei lediglich auf die positiven Begriffe der Gnadengaben und der Berufung Gottes (vgl. auch Num 23,19; I Sam 15,29; Jer 4,28; Ps 110,4). Dass ihn negative Entscheidungen jedoch sehr wohl reuen können, berichten demgegenüber jedoch z.B. Gen 6,6f, Jona 4,2.[31] Dies entspricht der Selbstdefinition Gottes von Röm 9,15 (Ex 33,19, LXX), nach der er sich grundsätzlich durch die positiven Eigenschaften des Erbarmens und Mitleids bestimmt. Die „Berufung" bezieht sich dabei nicht pauschal auf Israel und setzt nicht „eine Personifikation des Gottesvolkes voraus",[32] sondern Paulus hatte gerade an den „Vätern" gezeigt, dass sein Ruf immer nur einzelnen Menschen gilt (vg. 9,6ff). Er meint hier offenbar in individualisierender und zugleich universalisierender Sicht, dass diese individuelle Erwählung jedem einzelnen Juden gilt – wie auch jedem einzelnem Nichtjuden.

Die V. 30f setzen diese Gegenüberstellung von ὑμᾶς (=die Nichtjuden) und αὐτοί (=die Juden) fort. Die beiden Verse sind, mit ὥσπερ – οὕτως verbunden, formal fast völlig parallel gebaut. Nach U. Wilckens ergibt sich folgende Struktur: [33]

```
„V30a ὥσπερ γὰρ ὑμεῖς      ποτε  ἠπειθήσατε   τῷ θεῷ
b                          νῦν δὲ ἠλεήθητε    τῇ τούτων ἀπειθείᾳ,
V31a οὕτως καὶ οὗτοι        νῦν   ἠπείθησαν    τῷ ὑμετέρῳ ἐλέει,
b     ἵνα καὶ αὐτοὶ         [νῦν] ἐλεηθῶσιν."
```

Durch diesen parallelen Aufbau entsteht wiederum eine Gegenüberstellung von aktueller Erfahrung und Einschätzung der „Ihr" und einem dieser Erfahrung entgegenstehenden Festhalten Gottes an „ganz Israel". Damit verbunden ist eine zeitliche Differenzierung. In V. 30 lautet diese Differenz ποτέ – νῦν, wobei dieses νῦν nicht einfach die Gegenwart meint, sondern das „Jetzt" des Heils, in dem die an Christus Glaubenden permanent leben.[34] Es geht Paulus hier nicht um eine zeitlich strukturierte Heilsökonomie,[35] denn die Aussagen zielen auch hier auf eine Interpretation der Existenz der Glaubenden in der Gegenwart. Das paulinische Zeitverständnis, welches nicht auf einer linearen Vorstellung von der Vergangenheit über die Gegenwart in die Zukunft, sondern von der Unterscheidung in Leben im „Jetzt" und außerhalb des „Jetzt" ausgeht, wurde bereits zu 3,21ff und öfter erläutert.

---

[28] So auch Haacker, a.a.O., S. 243 und 248.

[29] A. Lindemann: Israel im Neuen Testament, S. 187, Hervorhebungen von Lindemann.

[30] Vgl. K. Haacker: Der Brief des Paulus an die Römer; ThHK 6, S. 243f.

[31] Vgl. auch Haacker, ebd.

[32] So Haacker, a.a.O., S. 244.

[33] Vgl. U. Wilckens: Der Brief an die Römer; EKK, VI, 2, S. 259, mit geringfügigen Abweichungen durch die Formatierung.

[34] In diesem Sinne spricht z.B. E. Käsemann: An die Römer; HNT 8a, S. 303 von „νῦν als der angebrochenen Heilszeit".

[35] U. Wilckens: Der Brief an die Römer; EKK VI, 2, S. 259 spricht diesbezüglich von einer „Geschichte der Heilsteilhabe, in der Juden und Heiden auf höchst paradoxe Weise aneinander gebunden sind.".

Wenn man dem von ℵ B D*·ᶜ u.a. überlieferten Text folgt,[36] beziehen sich in 11,30b und 31b beide Aussagen, also die über das Erbarmen Gottes gegenüber den Nichtjuden wie gegenüber den Juden, auf die jetzige Zeit (νῦν). Der zweite Teil der Verse gibt damit jeweils die theologische Perspektive unter dem Aspekt der Gegenwart des Heils (νῦν) wieder, während der erste in V. 30a und 31a vom Augenschein ausgeht.

V. 30a interpretiert die Vergangenheit der „Ihr" von ihrer jetzigen Entscheidung für eine Ex-istenz in Christus her (V. 30b) als Ungehorsam gegenüber Gott. Das ποτέ bezieht sich also nicht auf die Nichtjuden an sich, sondern auf die spezifische Biographie jedes Einzelnen dieser „Ihr" und unterscheidet bei ihnen eine Zeit außerhalb des „Jetzt" und im „Jetzt" (vgl. Röm 7,5f bzw. 7,7-25 und 8,1ff). Der Existenz außerhalb des „Jetzt" wird dann in V. 30b – verbunden mit adversativem δέ – in theologischer Sicht die Barmherzigkeit Gottes[37] gegenübergestellt, die jeder und jede der "Ihr" für sich im „Jetzt" erfahren darf. Die Zeitvorstellung ist damit in V. 30 vom νῦν aus konstruiert. Es geht nicht um ein lineares Zeitverständnis, das zwischen ungläubiger Vergangenheit, gegenwärtigem Glauben und zukünftigem Heil unterscheidet,[38] sondern die Zeit wird radikal von der Gegenwart des νῦν her konstituiert und die Vergangenheit von dort aus verstanden.

Dieser Aufbau betrifft auch V. 31. Paulus geht zunächst in V. 31a aus menschlicher Sicht von der augenscheinlichen Situation aus, dass der größte Teil der Juden Christus nicht angenommen hat. Er nennt dies parallel zu V. 30a wiederum Ungehorsam gegenüber Gott. Die Auslassung des τῷ θεῷ geschieht um der Parallelität mit V. 30 willen, weil Paulus V. 31 mit τῷ ὑμετέρῳ ἐλέει einen anderen Dativ einführt. Diese Formulierung hat erneut den Sinn, den Hochmut der „Ihr" zu bremsen und ihnen, wie bereits in V. 25 mitzuteilen, dass ihre Teilhabe am Heil nicht nur auf eigener Entscheidung beruht, sondern vor allem auf Gottes Erbarmen (vgl. auch V. 18 und 20). Einerseits wird damit die gegenwärtige Erfahrung des Erbarmens Gottes durch die „Ihr" bestätigt, andererseits wird sie von V. 31b her dann als selbstfixierte menschliche Sicht identifiziert, wenn sie dazu führt, das Erbarmen Gottes über „ganz Israel" grundsätzlich zu bestreiten und nur auf das eigene Heil zu schauen.

Dieser menschlichen Sicht, die von einer offensichtlichen Ablehnung des Evangeliums durch ein Großteil der Juden ausgeht, wird in V. 31b eine theologische Perspektive entgegengestellt, die behauptet, dass im „Jetzt" (νῦν) auch den Juden Gottes Erbarmen gilt. E. Käsemann hat diese Behauptung mit der unmittelbaren Parusieerwartung des Paulus erklärt (vgl. auch 13,11ff).[39] Dem scheint zu widersprechen, dass Paulus gemäß den beiden futurischen Verben in V. 26 die Errettung ganz Israels erst von der Zukunft erwartet.[40] Das muss jedoch nicht dazu führen, das νῦν zu streichen,[41] sondern der scheinbare Widerspruch zwischen V. 26 und 31 erklärt sich dadurch, dass Paulus eben nicht im Zeitschema von Vergangenheit,

---

[36] Das nochmalige νῦν ist die schwierigere Lesart. Dessen Weglassung ist zwar gut bezeugt, stellt aber eine sekundäre Simplifizierung des Gedankenganges dar. Die Ersetzung des νῦν durch ὕστερον bei einigen Textzeugen ist deutlich eine spätere Interpretation. Vgl. dazu auch B. M. Metzger: A Textual Commentary on the Greek New Testament, S. 465.

[37] Das ἠλεήθητε ist passivum divinum.

[38] So z.B. U. Wilckens: Der Brief an die Römer; EKK VI, 2, S. 259.

[39] Vgl. E. Käsemann: An die Römer; HNT 8a, S. 303: „Paulus erwartet die Parusie wohl noch zu seinen Lebzeiten."

[40] Vgl. A. Lindemann: Israel im Neuen Testament, S. 184f.

[41] Vgl. z.B. U. Wilckens: Der Brief an die Römer; EKK VI, 2, S. 261f sowie Lindemann, a.a.O., S. 185.

Gegenwart und Zukunft denkt, sondern wie die Vergangenheit (V. 30a), so auch die Zukunft von der Erfahrung des Heils in der Gegenwart her konstruiert. Entscheidend für die Zukunftsaussage in V. 26, dass „ganz Israel" gerettet *werden* wird, ist die gegenwärtige Erfahrung, dass bereits einige Juden das Evangelium angenommen haben, z.B. er selbst (vgl. 11,1f). Diese Erfahrung des Heils in der Gegenwart konstituiert dann die Zukunftshoffnung, und zwar nicht als bestimmtes, datierbares oder eschatologisch undatierbares Ereignis in noch ausstehender Zeit, sondern als Aspekt der Gegenwart, durch den die aktuelle Erfahrung der „Gegenwart" des Heils in die Zukunft hinein weiter entfaltet wird. Paulus bringt hier also die Hoffnung zum Ausdruck, dass in diesem so verstandenen „Jetzt" alle Menschen, Juden wie Nichtjuden, an dem von ihm in den vorigen Kapiteln charakterisierten Erbarmen Gottes Anteil haben können. Das νῦν bezeichnet zumindest in V. 30b und 31b keinen Zeitpunkt auf einer Zeitskala, sondern in theologischer Sicht die Erfahrung des Erbarmens Gottes. Anders gesagt bricht dann das νῦν, die Gegenwart des Heils, in vollem Umfang an, wenn Juden wie Nichtjuden individuell und alle gemeinsam das Erbarmen Gottes erfahren dürfen.

V. 32 fasst zum einen die Argumentation des größeren Abschnittes in Kap. 9-11 und darüber hinausgehend auch von Kap. 1-11 zusammen. Paulus geht damit abschließend vor Beginn der Paränese in einem programmatischen Schlusssatz nochmals auf den „Ungehorsam" des Großteiles der Juden (Kap. 9-11) und der Menschen im allgemeinen (Kap. 1,16-3,18) ein.[42] Der Vers setzt aber auch zum anderen die Gegenüberstellung von Ungehorsam der Menschen und Erbarmen Gottes aus V. 30f fort. Den vorhergehenden Versen entsprechend gibt ἀπείθεια dabei wiederum im ersten Halbvers eine menschliche Erfahrung wieder, nach der sowohl Nichtjuden (V. 30) als auch Juden (V. 31) und insofern alle Menschen insgesamt (vgl. 3,9 und 23) Gott gegenüber ungehorsam sind. Paulus korrigiert solche Erfahrungen dadurch, dass er dieser auf den Ungehorsam der Menschen fixierten Sicht in V. 32b das Ziel des göttlichen Handelns entgegenstellt. Weil Gott für Paulus gemäß Röm 9,15 (Ex 33,19, LXX) durch sein umfassendes Erbarmen definiert ist, lässt Paulus am Ende des argumentativen Teiles in Kap. 1-11 keinen Zweifel, dass sich sein Handeln trotz des offensichtlichen Ungehorsams der Menschen grundsätzlich auf das Erbarmen gegenüber allen Menschen richtet.[43] Die Verse 30-32 sind damit insgesamt durch die Gegenüberstellung des menschlichen Ungehorsams (ἀπείθεια) und des göttlichen Erbarmens (ἐλεέω) strukturiert.

Auch hier führt die in den vorigen Abschnitten dargestellte Individualisierung des Glaubens zu einer Universalisierung, die in der Aussage gipfelt, dass alle Menschen des Erbarmens Gottes teilhaftig werden (11,32): ἵνα τοὺς πάντας ἐλεήσῃ. Diese Aussage widerspricht grundsätzlich der dogmatischen These einer doppelten Prädestination zur Erwählung und zur Verwerfung (praedestinatio gemina),[44] weil Gottes Handeln gegenüber den Menschen, wie die lange Argumentation in Kap. 9-11 zeigen sollte, grundsätzlich von Erbarmen gekennzeichnet ist und weil er selbst geradezu als sich Erbarmender definiert ist (vgl. Röm 9,15 und Ex 33,19, LXX). Es geht Paulus aber auch nicht um eine dogmatisch-spekulative Aussage oder Lehre im Sinne

---

[42] Vgl. K. Haacker: Der Brief des Paulus an die Römer; ThHK 6, S. 245.

[43] Vgl. mit anderen Worten auch K. Barth: Der Römerbrief; Erste Fassung 1919, S. 342: „Sondern immer ist die Erwählung das Erste, das Ursprüngliche, die eigentliche Meinung Gottes mit den Menschen".

[44] So auch W. Schmithals: Der Römerbrief, S. 348ff.

einer „Allversöhnung" bzw. ἀποκατάστασις πάντων,[45] sondern er bringt hier in einer universalen Formulierung seine persönliche Überzeugung zum Ausdruck, dass Gottes Erbarmen allen Menschen und jedem Einzelnen gilt.[46] Paulus geht es, wie auch die sehr persönlichen Eingangsformulierungen in 9,1-3; 10,1f und 11,1 zeigen, hier vor allem darum, seine persönliche Glaubensüberzeugung zum Ausdruck zu bringen und zugleich seine eigene Biographie zu reflektieren.[47] Das führt ihn zu der Schlussbehauptung, dass – so seine persönliche Erfahrung – Gott sich durch umfassendes Erbarmen auszeichnet und dass gegen jeden Augenschein sein Erbarmen allen Menschen, Juden wie Nichtjuden, gilt.

Diese Überzeugung führt 11,33-36 zu einer abschließenden Doxologie, die im allgemeinen als Hymnus bezeichnet wird.[48] V. 33-35 folgt dabei zunächst dem bekannten hermeneutischen Schema aus Röm 1,2, nach dem Paulus V. 34f Schriftstellen aufnimmt und diese – in V. 33 vorangestellt – aus theologischer Sicht interpretiert. V. 34 zitiert er, allerdings ohne Zitateinleitung, den ersten Teil von Jes 40,13.[49] Dem folgt V. 35 eine Wiedergabe von Hiob 41,3a, die aber erhebliche Differenzen zum Septuagintatext aufweist und wahrscheinlich auf eine vorpaulinische Rezension zurückgeht, die sich stärker am hebräischen Text orientiert.[50] „Die Textausschnitte sind jeweils so gewählt, daß sich ein geschlossenes Zitat ergibt, dessen drei Zeilen jeweils mit τίς einsetzen."[51] Die intendierte Antwort auf diese rhetorische Frage ist wohl jedes mal eine Verneinung.[52] Damit ergibt sich auch formal eine gewisse Ähnlichkeit mit dem hymnischen Schluss in Röm 8,31-39, der ebenfalls einen größeren Gedankengang abschloss und in dem das τίς auch mehrfach aufgenommen wurde. Betonen die beiden Schriftzitate in V. 34f in ihrem Kontext vor allem die Größe Gottes, so interpretiert Paulus in V. 33 diese im Hinblick auf die Unerforschlichkeit und Unergründbarkeit seiner Entscheidungen und Wege (ὡς ἀνεξεραύνητα τὰ κρίματα αὐτοῦ καὶ ἀνεξιχνίαστοι αἱ ὁδοὶ αὐτοῦ).[53] V. 33a nimmt dabei mit den Begriffen πλοῦτος, σοφία und γνῶσις die drei Fragen aus V. 34f in umgekehrter Reihenfolge auf

---

[45] Zu dieser Vorstellung vgl. z.B. H. Rosenau: Artikel „Allversöhnung"; in: RGG, 4. Aufl., hrsg. v. H. D. Betz, D. S. Browning; B. Janowski, E. Jüngel; Bd. 1, Tübingen 1998, Sp. 322-323. Gegen eine solche abstrakte Theorie des göttlichen Heilsplanes sind mit Recht „immer wieder gravierende Einwände [...] konfessionsunabhängig vorgetragen worden, die, abgesehen von ethischen, pastoralen und missionstheol. Überlegungen, insbes. das Geheimnis des göttlichen Ratschlusses sowie die Freiheit bzw. Verantwortlichkeit des Menschen gegenüber dem Heilsangebot Gottes wahren möchten." (A.a.O., Sp. 232.)

[46] So meint auch A. Lindemann: Israel im Neuen Testament, S. 185, „daß man vermuten muß, der Apostel vertrete hier faktisch die Lehre von der Annahme *aller* Menschen". (Hervorhebung von Lindemann)

[47] E. Käsemann hat sich gegen ein solches individuelles Verständnis von Kap. 9-11 ausgesprochen, obwohl er die individualisierenden Züge der Rechtfertigungslehre grundsätzlich anerkennt. Siehe z.B. Käsemann: An die Römer; HNT 8a, S. 245: „So gewiß die paulinische Botschaft von der Gerechtigkeit Gottes sich in der Rechtfertigung des Einzelnen konkretisiert, so wenig darf sie darauf reduziert werden. Gottes Gnade will selbst im Einzelnen noch Welt."

[48] Vgl. dazu K. Haacker: Der Brief des Paulus an die Römer; ThHK 6, S. 246: „Die Form dieser Doxologie folgt [...] keinem strengen poetischen Schema, und der Begriff ‚Hymnus' ist nur deshalb anwendbar, weil seine Verwendung in der Forschung insgesamt wenig festgelegt ist."

[49] Vgl. H. Hübner (Hrsg.): Vetus Testamentum in Novo, Bd. 2, S 188f.

[50] Vgl. D.-A. Koch: Die Schrift als Zeuge des Evangeliums, S. 72f.

[51] Koch, a.a.O., S. 178.

[52] Gegen K. Haacker: Der Brief des Paulus an die Römer; ThHK 6, S. 247f.

[53] Die Motive des Gerichtes und des Weges finden sich dabei schon im Anschluss an das Zitat in Jes 40,14.

und beantwortet sie nach dem nicht ausgesprochenen, aber vorausgesetzten „Nein" mit einem dreifachen Ausruf: „1. ‚Wer hat den Sinn des Herrn erkannt?' [...] ὦ βάθος γνώσεως θεοῦ. 2. ‚Wer ist sein Ratgeber gewesen?' [...] ὦ βάθος σοφίας. 3. ‚Wer hat ihm zuvor etwas gegeben', so daß Gott nun verpflichtet wäre, ihm zum Dank das Empfangene zurückzuerstatten? [...] ὦ βάθος πλούτου."[54] Mit dieser Schlussaussage wird erneut deutlich, dass es Paulus hier um die Abwehr eines überzogenen Selbstbewusstseins geht, das aus der eigenen Glaubensentscheidung besondere Einsichten ableitet und damit andere disqualifiziert (vgl. 10,3; 11,20.25). Dem entsprechend sind auch die persönlichen Äußerungen des Paulus zu Anfang der einzelnen Kapitel (9,1-3; 10,1f; 11,1) nicht von souveränem Wissen, sondern von Zweifeln und vom Ringen geprägt.

V. 36 beendet den Abschnitt mit einer doxologischen Formel, die I Kor 8,6 ähnlich ist. Dort wird allerdings zwischen Gott, „aus dem alles" ist und Christus „durch den alles" ist, unterschieden. Die Formel hier ist rein theologisch gemeint. Eine Parallele findet sich bei Marc Aurel, wo von der φύσις gesagt wird: „Alles, was deine Jahrläufe bringen, ist mir Frucht, o Natur: ἐκ σοῦ πάντα, ἐν σοὶ πάντα, εἰς σὲ πάντα."[55] Bei Paulus ist auf diesem Hintergrund bemerkenswert, dass er den Immanenzgedanken eliminiert[56] und nicht die Natur, sondern Gott als Ursprung und Ziel aller Dinge ansieht.[57] Gott ist damit derjenige, der den Dingen gegenübersteht, was auch der formalen Struktur des Römerbriefes entspricht, bei der die transzendente, theologische Perspektive der immanenten Sicht jeweils gegenübergestellt ist. Paulus sagt deshalb im Mittelteil nicht wie Marc Aurel ἐν σοί, sondern δι' αὐτοῦ, und betont damit die Nähe und gleichzeitige Distanz Gottes zu seiner Schöpfung.[58] Das τὰ πάντα meint die gesamte Menschheit (vgl. V. 32) und darüber hinaus die gesamte Schöpfung (vgl. Röm 8,18ff). Die abschließende Hervorhebung der δόξα Gottes entspricht ebenfalls der Gesamtintention des Abschnittes Kap. 9-11 und darüber hinaus von Kap. 1-8, nämlich Gott die Ehre zu geben und dabei von den problematischen Versuchen abzusehen, die eigene Ehre durch sich selbst begründen zu wollen (vgl. V. 13). V. 36 bietet als doxologischer Schluss keine menschliche und theologische Doppelperspektive.

---

[54] Vgl. G. Bornkamm: Der Lobpreis Gottes. Röm 11,33-36; in: ders.: Das Ende des Gesetzes. Paulusstudien; München 1952, S. 70-75, dort S. 72f.

[55] Marc Aurel: Selbstgespräche IV, 23, hier zitiert nach Bornkamm, a.a.O., S. 73.

[56] Vgl. dazu G. Bornkamm, ebd.

[57] Das ἐξ und εἰς muss dabei nicht unbedingt zeitlich im Sinne eines Geschichtsverlaufes gefasst werden, vgl. K. Haacker: Der Brief des Paulus an die Römer; ThHK 6, S. 248f.

[58] Vgl. Bornkamm: Der Lobpreis Gottes, S. 73: „Die Formel hat damit ihren pantheistischen Charakter verloren; sie preist das Wirken des Schöpfers".

Für Röm 11,25-36 lässt sich damit folgende Struktur angeben:

25a: γὰρ	Οὐ θέλω ὑμᾶς ἀγνοεῖν ἀδελφοί	τὸ μυστήριον τοῦτο
25b: ἵνα	μὴ ἦτε παρ' ἑαυτοῖς φρόνιμοι	ὅτι πώρωσις ἀπὸ μέρους τῷ Ἰσραὴλ γέγονεν ἄχρι οὗ τὸ πλήρωμα τῶν ἐθνῶν εἰσέλθῃ
26+27: καὶ	καθὼς γέγραπται Ἥξει ἐκ Σιὼν ὁ ῥυόμενος ἀποστρέψει ἀσεβείας ἀπὸ Ἰακώβ καὶ αὕτη αὐτοῖς ἡ παρ' ἐμοῦ διαθήκη ὅταν ἀφέλωμαι τὰς ἁμαρτίας αὐτῶν (2)	οὕτως πᾶς Ἰσραὴλ σωθήσεται (1)
28+29:	κατὰ μὲν τὸ εὐαγγέλιον ἐχθροὶ δι' ὑμᾶς	κατὰ δὲ τὴν ἐκλογὴν ἀγαπητοὶ διὰ τοὺς πατέρας ἀμεταμέλητα γὰρ τὰ χαρίσματα καὶ ἡ κλῆσις τοῦ θεοῦ
30: ὥσπερ γὰρ	ὑμεῖς ποτε ἠπειθήσατε τῷ θεῷ	νῦν δὲ ἠλεήθητε τῇ τούτων ἀπειθείᾳ
31: οὕτως καὶ	οὗτοι νῦν ἠπείθησαν τῷ ὑμετέρῳ ἐλέει	ἵνα καὶ αὐτοὶ νῦν ἐλεηθῶσιν
32: γὰρ	συνέκλεισεν ὁ θεὸς τοὺς πάντας εἰς ἀπείθειαν	ἵνα τοὺς πάντας ἐλεήσῃ
33-35:	Τίς γὰρ ἔγνω νοῦν κυρίου ἢ τίς σύμβουλος αὐτοῦ ἐγένετο ἢ τίς προέδωκεν αὐτῷ καὶ ἀνταποδοθήσεται αὐτῷ (2)	Ὦ βάθος πλούτου καὶ σοφίας καὶ γνώσεως θεοῦ ὡς ἀνεξεραύνητα τὰ κρίματα αὐτοῦ καὶ ἀνεξιχνίαστοι αἱ ὁδοὶ αὐτοῦ (1)

V. 36: ὅτι ἐξ αὐτοῦ καὶ δι' αὐτοῦ καὶ εἰς αὐτὸν τὰ πάντα· αὐτῷ ἡ δόξα εἰς τοὺς αἰῶνας ἀμήν (abschließende Doxologie ohne Doppelstruktur)

Das Verhalten des Glaubenden als Konsequenz der Neubegründung der Ex-istenz „in Christus" (12,1-15,13)

Der parakletische Teil des Röm beginnt wiederum in der 1. Person, mit einem παρακαλῶ. Das οὖν zieht gewissermaßen die Konsequenzen aus den gesamten Ausführungen der Kapitel 1-11.[1] Im Gegensatz zu seinen anderen Briefen – die entweder von konkreten Problemen (I Kor, Phlm) oder von heftigen Auseinandersetzungen (II Kor, Gal, Phil, vgl. besonders 3,2ff) geprägt sind oder in denen er auf schon gegebene Anweisungen verweist (I Thess 4,1f) – enthält Röm 12,1-15,13 eine grundsätzliche Entfaltung christlicher Ethik, die relativ unabhängig von konkreten Fragen der Adressaten verfasst ist.[2] Diese grundlegenden Überlegungen werden nicht zuletzt auch dadurch möglich, dass Paulus wenig von den konkreten Problemen der Christen in Rom weiß. Beachtenswert ist dabei, dass Paulus im Folgenden kaum konkrete Verhaltensanweisungen gibt (eine gewisse Ausnahme ist lediglich 13,1-7), sondern dass es ihm vor allem auf einer Metaebene um die Entfaltung der Voraussetzungen einer spezifisch christlichen Ethik geht, die dann in der jeweiligen Situation und Problematik konkretisiert werden müssen.[3] Dass in Röm 12,1-15,13 ethische Überlegungen den grundsätzlichen Ausführungen von Kap. 1-11 nachgestellt sind, zeigt, in welcher Weise Paulus die folgenden Anweisungen verstanden haben möchte. Bereits in Röm 1,16-3,18 hatte er gezeigt, dass durch eigene Taten eine Begründung der Existenz – in juridischer Metaphorik formuliert: ein Freispruch im göttlichen Gericht – vor Gott nicht möglich ist. Demgegenüber hatte er in Röm 3,19-4,25 einen Weg aufgezeigt, der auf die Begründung der Existenz bzw. des Freispruchs durch eigene Taten verzichtet und dies vertrauensvoll Gott überlässt. Diese beiden Wege wurden in Kap. 5-8 parallel als Weg gemäß Adam und gemäß Christus charakterisiert, zwischen denen man sich entscheiden soll. In Kap. 9-11 wurde deutlich, dass das Erbarmen Gottes dabei grundsätzlich allen Menschen gilt, unabhängig davon, ob sie sich bereits für eine Existenz „in" und „mit" Christus entschieden haben.

Auf der Basis der bisherigen Ausführungen ist zu beachten, dass es bei der nun folgenden Paraklese nicht erneut um die Begründung der neuen, von Gott geschenkten, christlichen Ex-istenz durch Taten gehen kann, denn das würde eine Existenzweise bedeuten, die vorher in ihrer Ausweglosigkeit aufgezeigt worden war. Das im Folgenden Gesagte betrifft vielmehr das Verhalten derjenigen, die "in" Christus eine neue Ex-istenz gefunden haben und die deshalb von dem Zwang befreit sind, sich in bestimmter Weise verhalten zu müssen. Dieser Zusammenhang zwischen vorhergehender Entfaltung der christlichen Ex-istenz und nachfolgender Ethik ist verschiedentlich unter den Begriffen von Indikativ und Imperativ verdeutlicht worden. Damit ist zugleich eine Antinomie benannt, die darin besteht, dass einerseits für den an Christus Glaubenden eine neue Ex-istenz im Indikativ beschreibbar ist, die von der Sünde befreit ist, und dass aus dieser andererseits ein Verhalten abgeleitet wird, das

---

[1] Vgl. K. Haacker: Der Brief des Paulus an die Römer; ThHK 6, S. 252.

[2] Vgl. H.D. Betz: Das Problem der Grundlagen der paulinischen Ethik (Röm 12,1-2); in: ders.: Gesammelte Aufsätze III, Paulinische Studien, S. 184-205, dort S. 189ff.

[3] P.F. Esler hat hier die Bezüge zu stoischen ethischen Traditionen untersucht und dabei nochmals betont, dass es bei Paulus um eine eigenständige Ethik handelt. Vgl. P.F. Esler: Paul and Stoicism: Romans 12 as a Test Case; in: NTS 50 (2004), S. 106-124, der dort S. 106 über den paulinischen Ansatz sagt: „a radically different moral vision." Den grundlegenden Unterschied sieht Esler vor allem in der Konzentration auf das Liebesgebot. Vgl. dazu unten die Erläuterungen zu 13,8-10.

Sünde gerade vermeiden soll.[4] Wie immer man diese Antinomie auflösen mag – sei es durch den Begriff des „Gehorsams"[5] oder durch den der „konsekutiven Ethik" im Sinne der „Dankbarkeit"[6] oder durch die Formel des „werde, was du bist" oder noch anders – so ist doch in jedem Falle die Voraussetzung der Möglichkeit, ein bestimmtes Verhalten vom einzelnen Menschen fordern zu können, offenbar seine freie Entscheidungs-fähigkeit. In welcher Weise sie verstanden werden kann und welche ethischen Konsequenzen sich daraus ergeben, wird im folgenden zu untersuchen sein. Dabei wird sich zeigen, dass Paulus wiederum vom Selbstverhältnis des einzelnen Menschen ausgeht und dieses in theologischer Perspektive mit dem Verhältnis zum anderen und zu Gott in Beziehung setzt (vgl. besonders das Liebesgebot 13,8-10 und die Ausführungen dazu). Grundlage der Paraklese ist damit die in den vorigen Kapiteln entwickelte Neubegründung der Ex-istenz des Einzelnen „in Christus", die zu einer Befreiung von einer rein selbstbezüglichen Existenz führt (vgl. dazu programmatisch 7,7-8,4 und oben die Ausführungen dazu). Wenn auch von Paulus bestimmte Taten der Glaubenden, auf die im Folgenden zum Teil eingegangen wird, kritisiert oder abgelehnt werden können, so ändert dies nichts daran, dass sich der einzelne Mensch, in juridischer Metaphorik gesprochen, seines Frei-Spruches durch Gott letztlich sicher sein kann (vgl. auch I Kor 3,14f und 5,5)[7] und sich auf dieser Basis mit seiner Entscheidungsfreiheit bemühen kann, sich so zu verhalten, wie es seiner Ex-istenz „in Christus" entspricht.

Die Möglichkeit zur individuellen Veränderung (12,1-2)

V. 1f bieten einige grundsätzliche Vorüberlegungen, die man auch ‚ethisches Prinzip'[8] oder ‚Präambel'[9] genannt hat. Ihnen folgen dann ab V. 3 (wiederum in der 1. Person eingeleitet mit λέγω) konkretere Ausführungen.[10] Die mit παρακαλῶ οὖν ὑμᾶς eingeleitete Ermutigung[11] des Paulus ist nicht nur eine von Mensch zu Mensch, sondern

---

[4] Vgl. R. Bultmann: Das Problem der Ethik bei Paulus; in ders.: Exegetica, S. 36-54, dort S. 36: „Für fast alle Versuche, das Problem zu verstehen, ist charakteristisch, daß man die *Antinomie* als einen *Widerspruch* auffaßt, der so zu erklären sei, daß man je die eine Seite – den Indikativ wie den Imperativ – *für sich* nimmt und sie so historisch oder psychologisch verständlich macht, auf besondere Gründe zurückführt und damit auch den Widerspruch als solchen historisch-psychologisch begreift". (Hervorhebungen von Bultmann)

[5] Vgl. Bultmann, a.a.O., S. 51: „Das sittliche Handeln des neuen Menschen kann natürlich nicht mehr den Sinn der 'Werke' haben, d.h. es kann nicht die Beziehung des Menschen zum Jenseits begründen wollen, nicht die Gerechtigkeit realisieren wollen; denn diese ist ja realisiert. Es kann nur den Sinn des Gehorsams haben: der ganze Mensch weiß sich vor Gott stehend, und sofern er handelt, stellt er sich Gott zur Verfügung (Röm 6,13: παραστήσατε ἑαυτοὺς τῷ θεῷ)."

[6] Vgl. K. Haacker: Der Brief des Paulus an die Römer; ThHK 6, S. 252: „Christliche Ethik ist konsekutive Ethik im Zeichen der Vorgaben Gottes in der Sendung seines Sohnes Jesus Christus." Und dazu als Anmerkung: „Der Heidelberger Katechismus bringt diese Struktur christlicher Ethik durch die Überschrift seines dritten Hauptteils ‚Von der Dankbarkeit' zum Ausdruck."

[7] Vgl. dazu auch den Exkurs zur Paraklese bei P. Stuhlmacher: Der Brief an die Römer; NTD 6, S. 191-194, besonders S. 191f..

[8] H. Conzelmann, A. Lindemann: Arbeitsbuch zum Neuen Testament, S. 281.

[9] K. Haacker: Der Brief des Paulus an die Römer; ThHK 6, S. 252.

[10] Zu dieser Einteilung vgl. auch A. Reichert: Der Römerbrief als Gratwanderung, S. 224: „In 12,3a wird ein Neuansatz durch den metakommunikativen Einleitungssatz signalisiert".

[11] Die Übersetzung von παρακαλῶ mit „ermahnen" setzt voraus, dass die Adressaten sich falsch verhalten hätten. Das aber kann aus Röm 12ff nicht geschlossen werden. Gegen Reichert, a.a.O., S. 229, die für die Bedeutung „ermahnen" vor allem grammatische Argumente nennt.

in Aufnahme des in den vorhergehenden Kapiteln dargelegten Verständnisses wird sie zusätzlich in eine theologische Perspektive gestellt. Die ὑμᾶς sind zugleich die ἀδελφοί (vgl. Röm 8,15f), an die Paulus von Bruder zu Geschwistern, also im Kontext der christlichen Gemeinschaft, bestimmte Anweisungen bzw. Ermutigungen richtet. Diese Gemeinschaft wird V. 3ff näher charakterisiert werden. Die Formulierung διὰ τῶν οἰκτιρμῶν τοῦ θεοῦ V. 1b zeigt, dass die Autorität, durch die Paulus die Adressaten ermutigen kann, keine rein persönlich in ihm selbst begründete ist, sondern dass dies durch die Barmherzigkeit Gottes geschieht. Das οἰκτιρμός erinnert an die Selbstvorstellung Gottes in 9,15 (Ex 33,19, LXX) nach der Gott durch umfassendes Erbarmen charakterisiert ist. Der Bezug auf das vorher entfaltete Erbarmen Gottes ist damit Ausgangspunkt der folgenden Verhaltensanweisungen.[12] Es ergibt sich eine deutliche Kontinuität zu dem in Kap. 1-11 Gesagten.[13]

V. 1c und d verwenden wiederum kultische Metaphorik (vgl. z.B. Röm 3,25f). Paulus geht V. 1d mit dem Begriff der λατρεία in menschlicher Sicht von der den Adressaten bekannten Kultpraxis aus. Das Wort λογικός weist jedoch schon darauf hin, dass es ihm dann um ein übertragenes Verständnis des Kultes geht.[14] Diese Übertragung geschieht für Paulus in theologischer Perspektive dadurch, dass das herkömmliche Verständnis des Kultes in V. 1c selbstreflexiv auf die Glaubenden bezogen und dadurch wesentlich verändert wird. Anstelle des Opfers eines Tieres oder von Gegenständen wird das Opfern auf das σῶμα der Glaubenden selbst bezogen und dadurch internalisiert. „Um Gott wirklich zu gefallen, müssen nicht massenweise blutige Opfer gebracht werden [...] sondern das ganze Leben der Gläubigen soll ein (unblutiger) Gottesdienst sein".[15] Σῶμα meint dabei nicht den toten Leib, sondern ein Verhältnis zu sich selbst. Der Mensch "heißt σῶμα, sofern er sich selbst zum Objekt seines Tuns machen kann oder sich selbst als Subjekt eines Geschehens, eines Erleidens erfährt. Er kann also σῶμα genannt werden, sofern er ein Verhältnis zu sich selbst hat, sich in gewisser Weise von sich selbst distanzieren kann; genauer: als der, gegen den er sich in seinem Subjektsein distanziert, mit dem er als dem Objekt seines eigenen Verhaltens umgehen und den er wiederum auch als einem fremden, nicht dem eigenen Wollen entsprungenen Geschehen unterworfen erfahren kann".[16] Speziell im Röm bedeutet σῶμα darüber hinaus noch den bewussten Verzicht auf die Existenzweise κατὰ σάρκα, die dadurch charakterisiert ist, die eigene Existenz durch sich selbst begründen zu wollen. Der Begriff betont demgegenüber das sich Öffnen für den Geist (vgl. dazu besonders Röm 8,13 und die dortigen Erläuterungen). Das lebendige heilige Opfer der Adressaten soll also nicht darin bestehen, sich selbst auf- und hinzugeben,[17] sondern Paulus möchte aus der Erfahrung der Neubegründung der Existenz „in Christus" heraus, die in den vorhergehenden Kapiteln erläutert worden war, dazu ermuntern, gerade deshalb auf eine

---

[12] Vgl. U. Wilckens: Der Brief an die Römer; EKK, VI, 3, S. 2.

[13] Gegen die Teilungshypothesen von W. Schmithals, der in 12,1ff die Einleitung eines eigenen Briefes sieht, vgl. ders.: Der Römerbrief, S. 417ff.

[14] Vgl. U. Wilckens: Der Brief an die Römer; EKK VI, 3, S.6: „Man kann deshalb am besten übersetzen: ‚das ist euer *wahrer*, euer eigentlicher Kult'." (Hervorhebung von Wilckens)

[15] K. Haacker: Der Brief des Paulus an die Römer; ThHK 6, S. 253.

[16] R. Bultmann: Theologie des Neuen Testaments, S. 196. Gegen diesen ganz auf das Selbstverhältnis des Menschen bezogenen Ansatz Bultmanns betont E. Schweizer die Leiblichkeit des σῶμα-Begriffes. Vgl. ders.: Art. σῶμα κτλ.; in: ThWNT, Bd. 7, S. 1024-1091, dort 1061f.

[17] Gegen C. H. Dodd: The Epistle of Paul to the Romans, S. 189ff, für den es um „self-dedication" geht. Vgl. z.B. S. 191: „For Christians, Paul says, the real worship of Got is their self-dedication to Him for ethical ends."

Selbstbegründung der Existenz zu verzichten und dies fürderhin Gott, Christus und dem Geist zu überlassen. Die hier offenbar vorausgesetzte kultische Metaphorik wird also in V. 1c in theologischer Sicht in Richtung auf eine sinnvolle individuelle Lebensgestaltung der Gläubigen „spiritualisiert".[18] Das παραστῆσαι verweist dabei auf Röm 6,12ff, wo der Dienst gegenüber der Sünde und gegenüber Gott als Alternativen dargestellt worden waren und wo die Aufforderung an die Adressaten erging, sich dem zweiten Dienst zur Verfügung zu stellen.[19]

V. 2 stellt, mit καί daran anknüpfend, wiederum zwei Sichtweisen einander gegenüber. Die erste wird in V. 2a charakterisiert als eine Angleichung an „diesen Äon", die zweite in V. 2b – antithetisch entgegengesetzt durch ἀλλά – als eine Umgestaltung des Lebens durch die Erneuerung des Denkens (τῇ ἀνακαινώσει τοῦ νοός). Der Ausdruck αἰὼν οὗτος entstammt zwar apokalyptischer Sprache,[20] Paulus bezeichnet damit jedoch nicht die Existenz der Glaubenden in einem bestimmten Äon, sondern eine lediglich an der vorfindbaren Welt orientierten Denk- und Lebensweise, die die Christen vermeiden sollen. Dem wird in V. 2b eine theologische Perspektive gegenübergestellt, die sich von solcher Orientierung an der vorfindlichen Welt freimacht und sich auf der Basis der neuen, in Christus begründeten Existenz nach der eigenen Vernunft richtet. Paulus setzt hier offenbar voraus, dass der einzelne Mensch aufgrund seines Glaubens in der Lage ist, sich mit Hilfe seines Verstandes zu verändern, und dass er deshalb zu einem dem Willen Gottes entsprechenden Verhalten aufgefordert werden und dieses auch selbst beurteilen kann (V. 2c und d). Sonst wären die in Röm 12,3-15,13 folgenden Verhaltensanweisungen sinnlos. Paulus spricht hier „von einer inneren Verwandlung durch die ‚Erneuerung des Denkens', die zum eigenen ethischen Urteil fähig macht. Hier überrascht die hohe Bewertung der Vernunft".[21] In diesem positiven Sinne war der Begriff νοῦς bereits in Röm 7,23 als Gegenbegriff zu ἁμαρτία verwendet worden. Die auf den beiden Seiten der Gegenüberstellung in V. 2 a und b genannten Alternativen stellen den an Christus glaubenden Menschen vor eine Entscheidung: entweder die eindimensionale Orientierung an der vorfindbaren Welt oder die doppelte Orientierung an der eigenen Vernunft und an Gottes Willen (vgl. V. 2c und d). V. 2 bezieht sich dabei nicht nur auf die Taufe als bereits geschehene Verwandlung der Existenz,[22] sondern setzt voraus, dass diese Entscheidung von den Adressaten jeweils neu getroffen werden muss. Paulus ermahnt die römischen Christen, sich nicht der ersten, sondern der zweiten Seite der Gegenüberstellung (V. 2b) zuzuwenden. Das sich „gleichschalten"[23] Lassen (συσχηματίζεσθε) und das sich umgestalten Lassen (μεταμορφοῦσθε) wird dann allerdings im Passiv formuliert. Damit wird einerseits die bereits vorher ausgeführte Einsicht aufgenommen, dass der Mensch sich für die Verwandlung durch Gott entscheiden kann. Andererseits wird zugleich deutlich, dass in theologischer Sicht das Subjekt dieser „Erneuerung" und „Verwandlung" (μεταμορφοῦσθαι) Gott selbst ist. Zugleich wird deutlich, dass der Mensch, wenn er diese positive Entscheidung für Gott und die eigene Vernunft nicht fällt, nach wie vor der eindimensionalen Sichtweise untersteht, die sich auf diese Welt

---

[18] So K. Haacker: Der Brief des Paulus an die Römer; ThHK 6, S. 253.
[19] Vgl. U. Wilckens: Der Brief an die Römer; EKK VI, 3, S. 3.
[20] Vgl. E. Käsemann: An die Römer; HNT 8a, S. 317.
[21] Vgl. K. Haacker: Der Brief des Paulus an die Römer; ThHK 6, S. 254.
[22] So E. Käsemann: An die Römer; HNT 8a, S. 317; U. Wilckens: Der Brief an die Römer; EKK VI, 3, S. 7.
[23] So übersetzt Käsemann, a.a.O., S. 313.

beschränkt und die theologische Dimension dabei ausblendet (vgl. 1,18ff und die Ausführungen dazu). Eben dies führt aber zur Anpassung (συσχηματίζεσθαι) und damit zur Unselbständigkeit.

V. 2c und d führen das vorher Gesagte, angeschlossen mit εἰς τό, fort. Erläutert wird nun die Art und Weise, wie die „Erneuerung der Vernunft" zu verstehen ist. Paulus skizziert hier eine Lebenshaltung die einerseits bei der eigenen Erkenntnisfähigkeit ansetzt (V. 2c), diese aber andererseits nicht eindimensional verwendet, sondern zugleich in eine zweite, theologische Dimension stellt (V. 2d). Die Adressaten sollen sich zunächst in menschlicher Sicht an ihrer Urteilsfähigkeit orientieren. Sie sollen prüfen (δοκιμάζειν, V. 2c), wie sie sich zu verhalten haben. Diese Selbstprüfung soll jedoch nicht rein selbstbezüglich auf der Grundlage der eigenen Erkenntnis- und Willenskräfte erfolgen, sondern sie soll zusätzlich in theologischer Perspektive nach dem Willen Gottes fragen. Der Mensch ist also für Paulus gerade dann zu selbständigem ethischem Verhalten fähig, wenn er dabei zugleich den Willen Gottes prüft. Konkrete Entscheidungs- und Beurteilungsfähigkeit setzt für ihn immer eine zweite, theologische Perspektive voraus, die mit zu berücksichtigen ist. Ein ethisches Handeln, das nur durch das handelnde Ich selbst begründet ist, unterliegt demgegenüber der in Kap. 7 analysierten Problematik der Diskrepanz von Wollen und Tun. Auf dieser Basis wird gleich zu Beginn des parakletischen Abschnittes in 12,1-15,13 der zentrale ethische Begriff des Guten definiert (vgl. V. 9 und 12; 13,3f):[24] gut ist, was sich an Gottes Willen orientiert (V. 2d): τὸ θέλημα τοῦ θεοῦ τὸ ἀγαθὸν καὶ εὐάρεστον καὶ τέλειον. Von diesem theologischen Gedanken aus kann Paulus die Differenz gut – böse bzw. schlecht als ethische Leitunterscheidung entwickeln[25]. Unter der Voraussetzung, dass sich der Mensch in dieser Weise entschließt, die „Erneuerung des Verstandes" durch Gott zuzulassen, lebt er hinfort in einer doppelten Struktur. Er prüft und beurteilt sein Verhalten einerseits mit Hilfe seines Verstandes und seiner Urteilsfähigkeit selbst. Die zentrale Orientierung dieser Prüfung bilden andererseits nicht einfach nur die eigene Einschätzung oder das eigene Interesse, sondern jeweils parallel dazu die Frage nach Gottes Willen. Dieser gedanklichen Grundstruktur werden die Ausführungen der Paränese bzw. Paraklese Röm. 12,3-15,7 durchgehend folgen. Die beiden einleitenden Verse des 12. Kapitels lassen sich demnach wie folgt strukturieren:[26]

12,1: οὖν	Παρακαλῶ ὑμᾶς	ἀδελφοί διὰ τῶν οἰκτιρμῶν τοῦ θεοῦ
	τὴν λογικὴν λατρείαν ὑμῶν (2)	παραστῆσαι τὰ σώματα ὑμῶν θυσίαν ζῶσαν ἁγίαν εὐάρεστον τῷ θεῷ (1)
2: καὶ	μὴ συσχηματίζεσθε τῷ αἰῶνι τούτῳ	ἀλλὰ μεταμορφοῦσθε τῇ ἀνακαινώσει τοῦ νοός
εἰς τό	δοκιμάζειν ὑμᾶς	τί τὸ θέλημα τοῦ θεοῦ τὸ ἀγαθὸν καὶ εὐάρεστον καὶ τέλειον

---

[24] Vgl. U. Wilckens: Der Brief an die Römer; EKK VI, 3, S. 7.
[25] Der Begriff κακόν erscheint im Röm als Gegenteil zu ἀγαθόν 2,9; 3,8; 7,19; 12,21; 13,4; 16,19 und zu καλόν 7,21; 12,17; 14,20f.
[26] Eine ganz ähnliche Aufteilung der Verse nimmt A. Reichert: Der Römerbrief als Gratwanderung, S. 230 vor.

Die individuellen Begabungen innerhalb der christlichen Gemeinschaft (12,3-13)

Die V. 3-13 behandeln zunächst das Verhalten innerhalb der christlichen Gemeinschaft, deren Aufbau in V. 3-6a eingangs erläutert wird. Die V. 14ff beschäftigen sich daran anschließend, die Adressaten mit einem Imperativ neu ansprechend (εὐλογεῖτε), vor allem mit dem Verhalten gegenüber Menschen außerhalb dieser Gemeinschaft.

Der Abschnitt beginnt wiederum mit einem persönlichen λέγω des Paulus. „In 12,3a wird ein Neuansatz durch den metakommunikativen Einleitungssatz signalisiert".[1] Paulus setzt erneut beim einzelnen Menschen (παντὶ τῷ ὄντι ἐν ὑμῖν) an (V. 3b). Er wendet sich nicht an die Gemeinschaft der Adressaten insgesamt, sondern an jeden Einzelnen. Zusätzlich zu dieser Ansprache der Adressaten betont Paulus in V. 3a gleich zu Beginn, dass das im folgenden Gesagte nicht nur eine persönliche Dimension hat, sondern dass es zugleich in theologischer Perspektive διὰ τῆς χάριτος τῆς δοθείσης μοι geschieht. Diese Formulierung fungiert zugleich als Einleitung für die in den folgenden Versen ausgeführten Gedanken, nach denen persönliche Begabungen einerseits wahrgenommen und andererseits aber auch theologisch als Gabe verstanden werden sollen. Das gilt also auch für die Paraklese des Paulus selbst und die von ihm im folgenden ausgeführten Regeln und Grundsätze.

Zu Beginn seiner ethischen Ausführungen kommt Paulus auf die Gesinnung der Adressaten zu sprechen (φρονεῖν). Bereits in 11,25 hatte er die Argumentation von Kap. 9-11 damit abgeschlossen, dass er eine Gesinnung ablehnte, die sich selbst für klug hält und dabei auf die anderen herabsieht. Entsprechend beginnt er auch den neuen großen Argumentationszusammenhang in Kap. 12ff mit einer „Warnung vor einem Geltungsstreben, das Gott als den Geber aller Gaben vergißt".[2] Disqualifiziert wird zunächst eine menschliche Haltung, die sich nicht am Nötigen orientiert, sondern für sich den größtmöglichen erreichbaren Zielen nachstrebt (μὴ ὑπερφρονεῖν παρ' ὃ δεῖ φρονεῖν).[3] Dem stellt Paulus in theologischer Sicht eine maßvolle Haltung gegenüber (angeschlossen durch ἀλλά), die sich durch Besonnenheit (σωφρονεῖν) auszeichnet[4] und bei der sich jeder Mensch an dem „Maß" orientiert, das Gott ihm gegeben hat. Der Ausdruck μέτρον πίστεως meint dabei nicht eine Quantifizierung des Glaubens in dem Sinne, dass Gott dem einen mehr und dem anderen weniger Glauben schenkt,[5] sondern πίστις muss hier in einem etwas weiteren Sinne als „Anvertrauen einer Gabe oder die Betrauung mit einer Aufgabe"[6] verstanden werden (vgl. auch das Verb in 3,2). Das ἕκαστος unterstreicht erneut, dass es Paulus dabei um den einzelnen Menschen und seine Selbsteinschätzung geht.

Nach diesen einführenden Bemerkungen wird in 12,4-6a das Bild vom Leib entwickelt. Es hat die Funktion, die in V. 3 eingeführte These von den individuell anvertrauten Gaben zu verdeutlichen (angeschlossen mit γάρ). V. 4 wird dazu zunächst in menschlicher Sicht das bekannte Beispiel vom Körper im Hinblick auf die Vielfalt seiner einzelnen Funktionen entfaltet (eingeleitet mit καθάπερ). Die Körpermetaphorik

---

[1]   A. Reichert: Der Römerbrief als Gratwanderung, S. 224.
[2]   K. Haacker: Der Brief des Paulus an die Römer; ThHK 6, S. 255.
[3]   Vgl. dazu die Übersetzung von Haacker, a.a.O., S. 250: „steckt euch keine zu hohen Ziele".
[4]   Insofern setzt diese Empfehlung die positive Orientierung an der Vernunft aus V. 2 fort.
[5]   Vgl. U. Wilckens: Der Brief an die Römer; EKK VI, 3, S. 11f.
[6]   K. Haacker: Der Brief des Paulus an die Römer; ThHK 6, S. 254.

wird dabei in der Antike gern zur Verdeutlichung sozialer Zusammenhänge verwendet.[7] Paulus interpretiert dies in V. 5 und 6 (verbunden durch οὕτως) jedoch nicht soziologisch, sondern christologisch im Hinblick auf das Verhältnis der „Wir" zueinander. Damit sind alle diejenigen gemeint, die entsprechend den Ausführungen der vorherigen Kapitel „in Christus" ex-istieren.

Bei der Interpretation des an dieser Stelle verwendeten Bildes vom Leib ist zunächst darauf zu achten, dass die Sichtweise hier nicht ganz identisch mit I Kor 12 ist. Kann in I Kor 12,27 gesagt werden, dass die Christen in Korinth der Leib Christi sind (ὑμεῖς δέ ἐστε σῶμα Χριστοῦ καὶ μέλη ἐκ μέρους), so lautet in Röm 12,5 die präzise Formulierung ἓν σῶμά ἐσμεν ἐν Χριστῷ. Die mit σῶμα gemeinte Gemeinschaft bezeichnet also im Röm nicht, wie im I Kor, die konkrete Gemeinde in Korinth ekklesiologisch und kollektiv als „Leib Christi",[8] sondern sie beschreibt eine „in Christus" konstituierte, größere Einheit einzelner Individuen („Glieder"), in die sich Paulus selbst ausdrücklich mit einbezieht. „Die Wendung ἓν σῶμά ἐσμεν ἐν Χριστῷ in Röm 12,5 charakterisiert also den Sachverhalt, daß das ‚Ein-Leib'-Sein der ‚vielen' eine Wirklichkeit ist, die durch Christus bestimmt wird. Die Vorstellung des ‚Leibes Christi' im Sinne der ekklesiologischen Metapher, wie sie in 1Kor 12,27 vorliegt, ist in Röm 12,4-8 nicht enthalten."[9] Das wird auch durch den Ausdruck τὸ καθ᾽ εἷς deutlich. „Vom einen Leib kann nicht gesprochen werden, ohne daß zugleich auf die Funktion der einzelnen innerhalb dieses Leibes verwiesen wird".[10] Zu dieser Feststellung, dass Paulus im Röm keine Ortsgemeinde vor Augen hat, die er mit der ekklesiologischen Metapher des Leibes beschreibt, passt auch die Beobachtung zu Röm 1,7, dass Paulus den Röm nicht an eine bestimmte Gemeinde richtet. Vielmehr wendet er sich direkt an die Adressaten und vermeidet den Begriff der ἐκκλησία in Bezug auf die christliche Gemeinschaft in Rom. (Er verwendet ihn lediglich Röm 16,5 in Bezug auf die Hausgemeinde von Priska und Aquila).

Für das nähere Verständnis der christologischen Interpretation (V. 5 und 6a) des Bildes vom Leib (V. 4) ist es hilfreich, auf die sich entsprechenden Ausdrücke zu achten.[11] Die Vielzahl der Körperteile (πολλὰ μέλη ἔχομεν) ist auf die Vielzahl der „Wir" (οἱ πολλοὶ ἓν σῶμά ἐσμεν) bezogen, die Körperteile entsprechen also den einzelnen Personen. Diese Körperteile „haben" verschiedene Funktionen (οὐ τὴν αὐτὴν ἔχει πρᾶξιν), was den verschiedenen Begabungen entspricht, die die „Wir" „haben" (ἔχοντες χαρίσματα [...] διάφορα). Die Gegenüberstellung hat also zwei zentrale Momente. Sie betont einerseits die qualitative Gleichheit der Körperteile untereinander – und damit in der theologischen Interpretation den gleichbleibenden Wert jeder Person durch ihren Bezug auf Christus. Sie behandelt auf dieser Basis andererseits die Unterschiedlichkeit der Tätigkeiten der Körperteile bzw. der Personen innerhalb der Gemeinschaft.

---

[7] Vgl. die entsprechenden Belege in G. Strecker, U. Schnelle (Hrsg.): Neuer Wettstein. Texte zum Neuen Testament aus Griechentum und Hellenismus, Bd. II, Teilband 1, S. 185-188.

[8] A. Lindemann hat darauf hingewiesen, dass sich für die verbreitete Meinung, Paulus vertrete eine Ekklesiologie, die sich an der Kirche als σῶμα Χριστοῦ orientiere, in den Paulusbriefen als einziger Beleg lediglich I Kor 12 anführen lasse. Siehe A. Lindemann: Die Kirche als Leib. Beobachtungen zur „demokratischen" Ekklesiologie bei Paulus; in: ders.: Paulus, Apostel und Lehrer der Kirche. Studien zu Paulus und zum frühen Paulusverständnis; Tübingen 1999, S. 132-157, besonders S. 154.

[9] Lindemann, ebd, Hervorhebung von Lindemann.

[10] Lindemann, a.a.O., S. 152, Hervorhebungen von Lindemann.

[11] Zu der Parallelität von V. 4 und 5-6a vgl. A. Reichert: Der Römerbrief als Gratwanderung, S. 252.

Paulus unterscheidet also hier in konsequenter Umsetzung der zentralen Differenz ἐξ ἔργων νόμου – ἐκ πίστεως aus Röm 3,19ff zwischen der Persönlichkeit selbst, die durch den Glauben und in Christus gerechtfertigt und konstituiert wird, und den Taten, die für den in Christus gerechtfertigten Menschen eine Konsequenz der Gnadengaben Gottes sind und nicht mit der Persönlichkeit selbst verwechselt werden dürfen. Der Begriff der χαρίσματα ist dabei nicht speziell christlich, wird aber durch die Hinzufügung des κατὰ τὴν χάριν τὴν δοθεῖσαν ἡμῖν theologisch verstanden.[12] Es wird also eine Unterscheidung zwischen der Person (den Einzelnen, die den „Wir" zugehören) und ihrem Werk (πρᾶξις) vorausgesetzt. Die Personen sind als Halter (ἔχοντες) der individuell verschiedenen Gaben (χαρίσματα) vorgestellt.

Röm 12,4-6 definiert also die „in Christus" sich konstituierende Gemeinschaft der Gläubigen als Einheit besonderer Art. Es geht um einen „in Christus"[13] begründeten Zusammenhang der einzelnen Personen,[14] der erst sekundär durch die „Praxis" verschiedener Geistesgaben gekennzeichnet ist. Die Einheit, die hier beschrieben wird, ist also primär eine Personengemeinschaft. In ihr wird jeweils vom einzelnen Menschen ausgegangen,[15] der sich in bestimmter Weise gegenüber den anderen verhalten soll.

Dieses zu Beginn des parakletischen Teiles 12,1-15,13 entwickelte Verständnis christlicher Gemeinschaft hat Konsequenzen für die Interpretation der gesamten folgenden Kapitel. Es geht davon aus, dass die Innenverhältnisse des „in Christus" sich konstituierenden sozialen Gefüges als Relationen zwischen Individuen (τὸ καθ' εἷς) aufzufassen sind. Andere soziale Differenzierungen wie z.B. zwischen arm und reich oder Juden und Nichtjuden sind damit „in Christus"[16] aufgehoben. Sie werden ersetzt durch eine neue Differenzierung, die sich jeweils nach bestimmten Aufgaben richtet und damit keine hierarchische Über- oder Unterordnung der Personen mit sich bringt.

Auf der Basis des Gesagten benennt Paulus im Folgenden in V. 6b, 7ff einzelne Charismata. Deren Aufzählung ist dabei nicht, wie die Einteilung der 27. Aufl. des Textes von Nestle-Aland nahe legt, auf V. 6-8,[17] also Prophetie, Diakonie, Lehre, Seelsorge, Spendengabe, Vorstands- und Barmherzigkeitstätigkeit beschränkt, sondern die in V. 9ff genannten Tätigkeiten folgen der gleichen Grundstruktur und gehören damit zur Aufzählung dazu. Der die Aufzählung strukturierende Grundgedanke besteht

---

[12] Vgl. K. Haacker: Der Brief des Paulus an die Römer; ThHK 6, S. 254f.

[13] Die Formel ist auch hier durchaus lokal zu verstehen. Vgl. dazu oben die Ausführungen zu Röm 8,2. Gemeint ist hier wie dort die Neubegründung der Ex-istenz des einzelnen „in" einem anderen.

[14] Vgl. auch analog dazu das Bild des Ölbaumes in Röm 11,17ff, wo die einzelnen Zweige in der Wurzel Christus gründen.

[15] Vgl. dazu auch die entsprechenden Formulierungen in Gal 3,26-29. Siehe dazu A. Lindemann: Die Kirche als Leib, S. 153f: „In gleicher Weise wie in 1 Kor 12 und in Röm 12 zeigt sich also auch in Gal 3 die Betonung der Vielfalt in der Einheit – nun aber nicht bezogen auf die Vorstellung von der Kirche als dem ‚Leib (Christi)', sondern bezogen auf das durch Christus bestimmte Dasein des einzelnen, wie es seit der Taufe und aufgrund der Taufe der Christinnen und Christen unterschiedlicher Herkunft und unterschiedlicher sozialer Stellung gemeinsam gegeben ist."

[16] Vgl. auch Gal. 3,28.

[17] Z.B. gegen E. Käsemann: An die Römer; HNT 8a, S. 319, der den Abschnitt nach V. 8 enden lässt. Wesentlich differenzierter A. Reichert: Der Römerbrief als Gratwanderung, S. 225f: „Die Aufzählung unterschiedlicher Charismen bzw. Charismenträger (V,6b-8) ist in V. 8d abgeschlossen, damit scheint auch das Ende des mit V. 3 einsetzenden Passus angezeigt zu sein. Andererseits knüpft die folgende, im Plural formulierte Aufzählung von Einstellungen und Verhaltensweisen, die für alle gelten (V. 9b-13) stilistisch und inhaltlich an die Charismenliste aus V. 6b-8 an. Der unpersönlich, aber ebenfalls ohne finites Verb als Prädikat formulierte Zwischensatz in V. 9a (ἡ ἀγάπη ἀνυπόκριτος) stellt den Übergang von der einen zur anderen Aufzählung her."

darin, dass sich jeder zum einen in menschlicher Sicht auf seine eigenen, individuellen Begabungen konzentrieren und diese zum anderen in theologischer Perspektive gezielt zum Wohle der Anderen einsetzen soll. Durch diese doppelte Sicht erklären sich die redundant wirkenden Formulierungen (z.B. V. 7 und 8a). Die Begabungen sind gemäß V. 3b nicht einfach nur als persönliche Befähigungen aufzufassen, sondern sie vor allem theologisch als Geschenk Gottes verstanden werden. Deshalb findet sich auch bei der Aufzählung der Gaben, diesmal sehr verdichtet, die bekannte Doppelstruktur. Es werden nicht nur die Begabungen genannt, sondern es wird zugleich gesagt, dass sie als von Gott gegebene Charismen mit der entsprechenden Gesinnung gebraucht werden sollen.[18]

Paulus beginnt die Aufzählung in V. 6b mit der Gabe der Prophetie. Die ersten vier Glieder der folgenden Liste sind durch εἴτε miteinander verbunden. Die Voranstellung der Prophetie beinhaltet entsprechend dem oben Ausgeführten keinen Vorzug dieser Gabe gegenüber den anderen.[19] Paulus knüpft zunächst in menschlicher Sicht an die konkrete Erfahrung der Prophetie an. Dieser wird mit κατὰ τὴν ἀναλογίαν τῆς πίστεως eine theologische Sicht hinzugefügt. Die Formulierung knüpft an den Ausdruck μέτρον πίστεως aus V. 3 an,[20] der dort als Gegensatz zum ὑπερφρονεῖν eingeführt worden war. Paulus bezieht sich damit, nachdem er das Bild vom Körper zwischengeschoben hatte, auf die dortige, grundlegende Aussage zurück, dass sich niemand über den anderen erheben, sondern sich maßvoll und dem ihm von Gott Zugeteilten entsprechend verhalten soll – auch die Propheten.[21]

In V. 7a nennt Paulus als Nächstes die Gabe und Aufgabe der διακονία. Der Begriff ist bei Paulus in verschiedenster Weise gebraucht. Er kann den paulinischen „Dienst" der Evangeliumsverkündigung meinen (z.B. Röm 11,13; II Kor 3) oder die Kollekte für Jerusalem (vgl. Röm 15,31; II Kor 8 und 9). In I Kor 12,5 fungiert er sogar im Plural als Oberbegriff für sämtliche Aufgaben in der Gemeinde. Διάκονος bezeichnet aber auch eine an bestimmte Personen gebundene Funktion der Fürsorge oder Leitung innerhalb christlicher Gemeinden (Phöbe im Maskulinum in Röm 16,1) und ein aus der Gemeinde herausgehobenes Amt neben dem des ἐπίσκοπος (vgl. Phil 1,1). Darüber hinaus können Röm in 15,8 Christus und in 13,4 die politische Macht als διάκονος bezeichnet werden. Um einerseits die Offenheit des Begriffes zu erhalten und ihn andererseits zu konturieren, hat U. Wilckens für 12,7 vorgeschlagen, Diakonie „in der speziellen Bedeutung der Wahrnehmung von allerlei organisatorischen und karitativen Aufgaben in der Gemeinde"[22] zu verstehen. Von den folgenden Partizipien ordnet Wilckens deshalb die ersten beiden der Prophetie und die nächsten drei der Diakonie als Oberbegriff zu. Betrachtet man jedoch die griechische Verwendung der διακον-Wortgruppe, so sind damit weniger karitative Tätigkeiten gemeint, sondern vielmehr vermittelnde Aktivitäten.[23] Der Begriff διακονία kann deshalb hier am besten im Sinne

---

[18] So auch W. Schmithals: Der Römerbrief, S. 443, allerdings nur für die in V. 8 genannten letzten drei Funktionen.

[19] Gegen K. Haacker: Der Brief des Paulus an die Römer; ThHK 6, S. 255f.

[20] Vgl. U. Wilckens: Der Brief an die Römer; EKK VI, 3, S. 11f und 14.

[21] Ähnlich auch K. Haacker: Der Brief des Paulus an die Römer; ThHK 6, S 255f.

[22] U. Wilckens: Der Brief an die Römer; EKK VI, 3, S. 14f.

[23] Vgl. dazu auch D. Starnitzke: Die Bedeutung von diakonos im frühen Christentum; in: V. Hermann, R. Merz, H. Schmidt: Diakonische Konturen; (VDWI 18) Heidelberg 2003, S. 184-212 im Anschluss an Beobachtungen von J.N. Collins: Diakonia. Re-interpreting the Ancient Sources; New York/Oxford 1990.

der Wahrnehmung von Außenkontakten einer Gemeinschaft aufgefasst werden.[24] Diesem bekannten Verständnis stellt Paulus durch das ἐν τῇ διακονίᾳ erneut eine theologische Sicht gegenüber. Der Ausdruck ist nicht redundant. Er meint, dass man nicht nur – sofern man diese Fähigkeit hat – Außenkontakte für die Gemeinde pflegen soll. Dies soll vielmehr auch mit einer dem Glauben entsprechenden (vgl. V. 6b) Einstellung geschehen, die die persönliche Fähigkeit zugleich als Gabe, als Begabung Gottes versteht und in diesem Sinne und Bewusstsein gebraucht.[25] Paulus ergänzt in gleicher Weise im Folgenden bis V. 8 kontinuierlich die Eingangsformulierung durch eine zweite, oft gleichlautende Wendung, die mit ἐν eingeleitet wird. Dieses ἐν bezeichnet zum einen die Haltung, mit der der jeweils angesprochene Mensch die Tätigkeit ausübt und die theologisch geprägt sein soll. Vielleicht beziehen sich die ἐν-Formulierungen aber darüber hinaus auch auf das ἐν Χριστῷ in V. 5 zurück und bekommen dadurch eine christologische Bedeutung, etwa in dem Sinne von Phil 2,5: Handelt in einer Gesinnung, die der Gemeinschaft in Christus entspricht.

In V. 7b nennt Paulus daran anschließend die Gabe der Lehre. Der Wechsel vom Substantiv zum Partizip hat, wie die durchgehende Verbindung mit εἴτε zeigt, keine besondere Bedeutung.[26] Das ὁ ist ein Hinweis darauf, dass sich Paulus wiederum einzelne Menschen für die Ausübung dieser Tätigkeit vorstellt.[27] Diese in geläufiger menschlicher Sicht bekannte Tätigkeit des Unterrichtens hatte Paulus in 2,20 im Sinne der Selbstüberschätzung des Juden gebraucht. Dem vorhergehenden V. 7a entsprechend wird dem ὁ διδάσκων in theologischer Perspektive ein anscheinend redundantes ἐν τῇ διδασκαλίᾳ hinzugefügt. Wenn man berücksichtigt, dass διδασκαλία sowohl aktiven wie auch passiven Sinn haben kann,[28] könnte damit gemeint sein, dass der Lehrende nicht nur in geläufiger Sicht etwas vermitteln, sondern darüber hinaus in theologischer Perspektive zugleich selbst Lernender sein soll, sich also in seiner Lehrtätigkeit nicht selbst überschätzen sollte. In jedem Falle soll die persönliche Fähigkeit zu lehren erneut als Gabe Gottes verstanden werden.

In V. 8 bezieht sich Paulus – zum letzten Mal mit εἴτε eingeleitet – auf die Tätigkeit der Paraklese. Das Partizip kann zunächst in geläufigem Sinne als „Zureden", also als Zuwendung zu einem anderen Menschen verstanden werden.[29] Diese Zuwendung wird durch den erneut redundant wirkenden Dativ parallel zu dem Vorhergehenden in eine theologische Perspektive gestellt. Nach 12,1 übt Paulus selbst mit den geschriebenen Zeilen diese Tätigkeit der Paraklese aus, so dass die Aussage einen selbstreflexiven Sinn bekommt. Wenn man den Begriff durch das in 12,1-15,13 Ausgeführte insgesamt erläutert sieht, so meint er etwa in einem zweiten, spezifisch

---

[24] Vgl. Starnitzke, a.a.O., S. 211f.

[25] Vgl. die Übersetzung von E. Käsemann: An die Römer; HNT 8a, S. 319: "etwa Diakonie, dann (wirklich) im Dienst".

[26] Gegen U. Wilckens: Der Brief an die Römer; EKK VI, 3, S. 15.

[27] Vgl. E. Käsemann: An die Römer; HNT 8a, S. 326: „ein fester Personenkreis als Träger dieser Dienste".

[28] Vgl. K. H. Rengstorf: Artikel διδασκαλία κτλ.; in: ThWNT, Bd. 2, S. 163-168, dort S. 163: „ebenso im aktiven Sinne als *Lehrtätigkeit* [...] wie im passiven Sinne als *Belehrtwerden*." (Hervorhebungen von Rengstorf)

[29] So gibt auch O. Schmitz als Grundbedeutung für παρακαλέω im NT an: „Sie (sc. die verschiedenen Bedeutungen) werden, da das ursprüngliche *Herzurufen* bei der nt.lichen Verwendung des Wortes stark zurücktritt gegenüber der sprechenden Zuwendung zum andern, zusammengehalten durch den ihnen gemeinsamen Sinn des *Zuredens*." (O. Schmitz: Artikel παρακαλέω und παράκλησις im Neuen Testament; in: ThWNT, Bd. 5, S. 790-798, dort S. 791, Hervorhebungen von Schmitz).

theologischen Sinn „Ermutigung zu christlicher Lebensgestaltung durch das Erinnern an die Grundlagen des Christseins".[30] Auch hier hat die Hinzufügung des ἐν τῇ παρακλήσει den Sinn, in theologischer Sicht über den reinen Vollzug der Tätigkeit hinausgehend auf die Begabung durch Gott und auf die rechte Gesinnung (vgl. V. 3) in der Zuwendung zum anderen Menschen hinzuweisen. Für das zwischenmenschliche Verhältnis bedeutet dies: Wer den anderen ermahnt oder ermutigt, soll dabei nicht auf ihn herabsehen, sondern ihm beistehen.[31]

V. 8b fügt dem die Tätigkeit der materiellen Unterstützung hinzu. Das μεταδίδωμι kann dabei sowohl das Austeilen bereits gesammelter Gaben[32] als auch die Spende eigener Mittel bezeichnen.[33] Auch hier besteht die Gefahr, dass der Gebende sich in allzu menschlicher Gesinnung über den Nehmenden erhebt (vgl. V. 3: μὴ ὑπερφρονεῖν). Er wird deshalb dazu ermutigt, dies ἐν ἁπλότητι zu tun[34] und dabei erneut anzuerkennen, dass die Fähigkeit zu geben selbst eine Gabe Gottes ist.

V. 8c nennt die Funktion der Leitung (προΐσταμαι). Damit wird zum einen deutlich, dass Paulus mit der Aufzählung insgesamt nicht besondere Tätigkeiten meint, die dann später zu Leitungsämtern führen,[35] sondern dass er einfach verschiedene Aktivitäten in der christlichen Gemeinschaft benennt, um sie in eine theologische Perspektive zu stellen. Zum anderen zeigt sich durch die relativ späte Nennung der eigentlichen Leitungsfunktion, dass die geläufige Hierarchisierung der Tätigkeiten in Leitung und niedere Aufgaben von Paulus aufgehoben ist.[36] Gleichwohl muss man dabei sehr wohl davon ausgehen, dass es bereits zur Zeit des Paulus auch in den christlichen Gemeinschaften bereits Leitungstätigkeiten gegeben hat, z.B. als Vorsteher einer Gemeinde (vgl. I Thess 5,12) oder als προστάτις Bedürftiger (Phöbe in Röm 16,2).[37] Die Versuchung ist auch hier in menschlicher Sicht, dass der mit einer Leitungsfunktion betraute Mensch zu sehr auf seine persönliche Fähigkeit vertraut – und dabei ignoriert, dass ihm diese Tätigkeit von Gott und anderen Menschen verliehen wurde –, dass er sich auf ihr ausruht und sich durch sie über andere erhebt. Dieser Haltung steuert Paulus aus theologischer Sicht mit dem ἐν σπουδῇ entgegen, das auf die eifrige und aktive Wahrnehmung der Leitungstätigkeit im Interesse des anderen Menschen zielt.[38]

V. 8d schließt mit der Tätigkeit der Barmherzigkeit an. Das ἐλεῶν meint „jedwede praktische Hilfestellung (vgl. Luk. 10,37!), also z.B. Krankenpflege, Gefangenfürsorge und ähnliches".[39] Paulus sieht dabei wohl vor allem die Gefahr, dass

---

[30] Vgl. K. Haacker: Der Brief des Paulus an die Römer; ThHK 6, S. 256.
[31] Vgl. die Übersetzung von E. Käsemann: An die Römer; HNT 8a, S. 319: "etwa der Seelsorger im Beistand".
[32] So K. Haacker: Der Brief des Paulus an die Römer; ThHK 6, S. 250; Käsemann, a.a.O., S. 319.
[33] Vgl. U. Wilckens: Der Brief an die Römer; EKK VI, 3, S. 15.
[34] Vgl. E. Käsemann: An die Römer; HNT 8a, S. 319: „in schlichter Sachlichkeit". Ähnlich auch Haacker a.a.O., S. 251 in den Erläuterungen: „,einfältig', d.h. ohne Hintergedanken". Die Wiedergabe in der Übersetzung Haackers mit „selbstlos" ist demgegenüber weniger gelungen, weil sie eine Selbstlosigkeit des Glaubenden unterstellt, die Paulus gerade durch die Begründung des Ich in Christus (vgl. 8,1f) überwinden will.
[35] Gegen Käsemann, a.a.O., S. 328f.
[36] Vgl. K. Haacker: Der Brief des Paulus an die Römer; ThHK 6, S. 256.
[37] Vgl. auch U. Wilckens: Der Brief an die Römer; EKK VI, 3, S. 15.
[38] Vgl. Wilckens, a.a.O., S. 10: „mit persönlichem Einsatz".
[39] Wilckens, a.a.O., S. 15f.

die Barmherzigkeit und das Mitleid mit dem anderen die eigene Fröhlichkeit vertreibt.[40] Gegen eine menschliche Haltung, die allzu sehr auf den Vollzug der Hilfe fixiert ist und dabei durch das erfahrene Leid anderer betrübt wird, stellt er erneut eine theologische Perspektive, die die Fähigkeit, anderen beizustehen, als Gabe Gottes versteht und sich daran freuen kann. Deshalb der Zusatz ἐν ἱλαρότητι.

Die durch korrelatives εἴτε[41] strukturierte Liste der in V. 6-8 genannten Begabungen ist nicht vollständig, sondern nur exemplarisch.[42] Die V. 9ff weiten einerseits die Aufzählung aus, indem nun nicht mehr spezielle Funktionen innerhalb der christlichen Gemeinschaft, sondern allgemeine Wertmaßstäbe für das gegenseitige Verhalten aufgelistet werden.[43] Die V. 10-13 folgen jedoch – nach der eher grundsätzlichen Aussage in V. 9 – andererseits der bereits in V. 6-8 vorhandenen Struktur, nach der einer konkreten Fähigkeit oder Tätigkeit (meist als Partizip ausgedrückt) die Angabe der dem Glauben gemäßen Gesinnung (meist im Dativ) gegenübergestellt wird. Die Partizipien von V. 9b-13 sind ohne direkten Anschluss an ein Verbum finitum gebildet,[44] aus dem Kontext wird jedoch deutlich, dass sie im imperativischen Sinne gemeint sind.[45] Erst in V. 14 beginnt mit einer erneuten Anrede der Adressaten im Imperativ ein neuer Sinnabschnitt. Der Grundgedanke der Aufzählung in V. 6b bis 13 besteht gemäß der Einführung in V. 3 darin, dass die Glaubenden sich nicht nur an ihren eigenen Interessen und Fähigkeiten orientieren sollen, sondern zusätzlich die eigene Situation in einer zweiten, theologischen Perspektive wahrnehmen und eine Gesinnung annehmen sollen, die nach dem Willen Gottes (V. 2) und den Bedürfnissen des anderen fragt. Dieser Grundgedanke schließt an die Analyse von Kap. 7,7ff an, nach der das rein selbstzentrierte Verfolgen eigener Interessen und Fähigkeiten in die Verzweiflung führt.

V. 9a setzt die Liste mit einem zentralen ethischen Begriff des Paulus fort: ἀγάπη. In Röm 13,8-10 wird Paulus das Verständnis des gesamten Gesetzes vom Liebesgebot her entwickeln und die Liebe damit als entscheidendes Verhaltensprinzip der Glaubenden hervorheben. Hier ist der Begriff zunächst in geläufiger menschlicher Sicht im Sinne der liebevollen Zuwendung zum anderen Menschen verwendet. Paulus stellt dem zwischenmenschlichen Verhalten dann eine zweite Perspektive gegenüber, die gemäß V. 3 nach der angemessenen Gesinnung fragt. Paulus geht dabei offensichtlich davon aus, dass die liebende Zuwendung auch innerhalb der christlichen Gemeinschaft oft genug gespielt ist. Er meint deshalb, dass sich die Liebe in theologischer Sicht dadurch auszeichnen soll, dass sie ἀνυπόκριτος ist.[46] Dieser Ansatz beim ethischen Zentralbegriff der Liebe hat wieder einen deutlich selbstreflexiven und selbstkritischen Zug. „Daß die Agape ,ungeheuchelt' sein soll (V. 9a), ist im Grunde selbstverständlich, weist aber auf die Gefahr hin, daß auch ein noch so starker Einsatz

---

[40] Dies ist eine in helfenden Berufen bis heute weit verbreitete, menschliche Erfahrung.

[41] Vgl. Blass, Debrunner, Rehkopf: Grammatik des neutestamentlichen Griechisch, § 454, 3.

[42] Es fehlt z.B. die Erwähnung der Glossolalie, vgl. K. Haacker: Der Brief des Paulus an die Römer; ThHK 6, S. 256.

[43] Vgl. Haacker, a.a.O., S. 256f.

[44] C. H. Talbert vermutet hier mit D. Daube ein möglicherweise ursprünglich hebräisches oder aramäisches Traditionsstück, das V. 9b-13 umfasst und das Paulus aufgenommen hat. Vgl. C. H. Talbert: Tradition and Redaction in Romans XII. 9-21; in: NTS 16 (1969/70), S. 83-94, dort S. 84ff.

[45] Vgl. Blass, Debrunner, Rehkopf: Grammatik des neutestamentlichen Griechisch, § 468, 2b.

[46] K. Haacker: Der Brief des Paulus an die Römer; ThHK 6, S. 250 übersetzt: „kein Theaterspiel".

für den nächsten eine subtile Form der Selbstsucht sein kann. 12,9a ist also Aufruf zur kritischen Selbstprüfung."[47]

In V. 9b setzt Paulus seine grundsätzliche ethische Zwischenbemerkung fort, die die beiden Reihen V. 6-8 und 10-13 miteinander verbindet. Er schließt zunächst an den Zentralbegriff der Liebe die ethische Leitunterscheidung von gut und böse (hier τὸ ἀγαθόν - τὸ πονηρόν) an (vgl. V. 2). Durch die Nennung der Liebe vor der moralischen Unterscheidung gut – böse[48] zeigt Paulus, dass er diese vom Liebesbegriff her verstanden wissen möchte (vgl. 13,10). Liebe wird aber in 13,8f durch das Doppelgebot der Selbst- und Nächstenliebe als angemessene Relation von Selbstverhältnis und Verhältnis zum Nächsten definiert. Paulus zeigt damit zu Beginn der Aufzählung anerkannter ethischer Werte, dass die Liebe – verstanden als ausgewogenes Verhältnis von Selbst- und Nächstenliebe – Priorität vor allen anderen ethischen Werten hat (vgl. I Kor 13) und diese von der Liebe her zu verstehen und zu interpretieren sind. Speziell der moralische Code gut – böse wird jedenfalls hier im ethischen Teil nicht als gegebene und allgemein bekannte Wertvorstellung von Paulus gesehen,[49] sondern ausgehend vom Liebesbegriff neu eingeführt und interpretiert. Liebe ist dabei nicht gemeint als vages Gefühl der Zuneigung, welches das Leben der Glaubenden erfüllen soll, sondern als durchaus nüchterne ethische Entscheidung nach dem Schema von gut und böse[50] auf der Basis der ausgewogenen Relation von Selbstverhältnis und Verhältnis zum anderen (vgl. dazu eingehend unten die Erläuterungen zu 13,8-10).

In V. 10 beginnt Paulus eine Reihe, die formal die V. 6-8 fortsetzt. Zumeist durch ein Partizip wird jeweils in menschlicher Sicht ein stark emotional gefärbter Begriff eingeführt. Dieser wird dann vor allem im Dativ in theologischer Perspektive neu gefüllt und interpretiert – wobei der Dativ im Gegensatz zu V. 7-8 nun durchgehend vorangestellt ist. Das φιλόστοργος findet sich u.a. in erotischen Kontexten und meint dort die innige Zuwendung zum Liebespartner.[51] Dieser Begriff wird jedoch dadurch neu gefüllt, dass er im Dativ in theologischer Perspektive mit φιλαδελφία verbunden wird. Damit ist nicht gemeint, dass die Liebe zwischen den an Christus Glaubenden derjenigen unter erotischen Partnern oder Verwandten ähneln solle.[52] Die geschwisterliche Liebe unter Christen soll wohl im Gegenteil zu allzu starken menschlichen Gefühlen in theologischer Perspektive eher ein Korrektiv bilden.

Der Ausdruck ἀλλήλους προηγούμενοι hat nicht unbedingt eine positive Klang und könnte in menschlicher Sicht zunächst auf einen Konkurrenzkampf hinweisen: „einander übertreffen"[53] bzw. „zuvorkommen".[54] Durch die Voranstellung des τῇ τιμῇ

---

[47] T. Söding: Das Liebesgebot bei Paulus; NTA NF 26, S. 243.

[48] Zur Bedeutung dieser moralischen Unterscheidung als „Zweitcodierung" der Religion neben dem ersten und eigentlichen Code immanent – transzendent vgl. N. Luhmann: Die Ausdifferenzierung der Religion; in ders.: Gesellschaftsstruktur und Semantik, Bd. 3, S. 259-357, z.B. S. 319: „Offensichtlich ist dies Problem, daß die Codierung Immanenz / Transzendenz von Moral unabhängig wird und zugleich auf Moral angewiesen bleibt, bis heute nicht gelöst, sondern nur verblaßt."

[49] Vgl. jedoch Röm 2,7ff, wo Paulus gut und böse als ethisch feststehende Begriffe verwendet, ohne sich über deren Herkunft und Begründung zu äußern.

[50] Vgl. dazu auch K. Haacker: Der Brief des Paulus an die Römer; ThHK 6, S. 257: "Wenn Paulus darauf Wert legt, daß die Liebe echt und nicht nur gespielt sein soll, und wenn er in der Fortsetzung die Entscheidung zwischen Gut und Böse entschärft, so impliziert das, daß Liebe Ja und Nein sagen kann und nicht nur Ja und Amen."

[51] Vgl. Haacker, ebd. mit Verweis auf Josephus: Antiquitates 15, 66.68.69.83.222.

[52] So T. Söding: Das Liebesgebot bei Paulus, S. 243.

[53] W. Haubeck, H. von Siebenthal. Neuer sprachlicher Schlüssel zum griechischen Neuen Testament, Bd. 2, S. 41.

wird jedoch deutlich, dass es in theologischer Perspektive unter den Glaubenden nicht um Konkurrenz geht, sondern darum, dem anderen die ihm angemessene Ehre zu erweisen (vgl. ähnlich auch Phil 2,3).

Das μὴ ὀκνηρός in V. 11a meint zunächst in menschlicher Sicht eine fleißige Lebenshaltung. Dieser Begriff wird in theologischer Sicht im Dativ durch die Voranstellung von τῇ σπουδῇ ergänzt, also durch jenes Wort, das bereits für die eifrige Wahrnehmung der Leitungsaufgaben verwendet worden war. Gemeint ist damit erneut eine Einstellung, die den eigenen Fleiß zugleich als Gabe versteht und von dorther in anderer Weise eifrig sein kann.

Ζέω in V. 11b heißt zunächst „kochen" und bezeichnet dann übertragen auf menschliche Gemütszustände eine hitzige Erregung, die nicht unbedingt positiv sein muss: „Zorn, Liebe, Eifer".[55] Durch die pneumatologische Ergänzung im Dativ wird der Begriff dann jedoch anders interpretiert: man soll nicht in eigenen Emotionen gefangen sein, sondern sich vom göttlichen Geist „durchglühen lassen".[56]

Das δουλεύω in V. 11c klingt in menschlicher Sicht zunächst eher negativ. Bereits in Kap. 6 wurde jedoch deutlich, dass der Sklavendienst, wenn er theologisch gefüllt wird,[57] auch im positiven Sinne verstanden werden kann (vgl. Röm 6,16ff und 14,7-9). Das geschieht hier durch die Hinzufügung von τῷ κυρίῳ.

V. 12 setzt bei den wieder mit Partizipien formulierten, positiven menschlichen Eigenschaften der Fröhlichkeit, Standhaftigkeit und Ausdauer ein. Diese werden jedoch nicht für sich selbst betrachtet, sondern durch die Begriffe der Hoffnung, der Bedrängnis und des Gebetes aus theologischer Sicht näher qualifiziert. Die Freude soll durch die christliche Hoffnung genährt sein (vgl. 8,24), die Standhaftigkeit soll sich in der Bedrängnis bewähren (vgl. 5,3f und den dortigen Zusammenhang mit der Hoffnung) und die Ausdauer soll sich im Gebet erweisen.

In V. 13a wird analog dazu die positive menschliche Eigenschaft der Anteilnahme (κοινωνέω) durch die Hinzufügung ταῖς χρείαις τῶν ἁγίων theologisch qualifiziert. Mit κοινωνία meint Paulus Röm 15,26 und II Kor 8,4 in diesem Sinne konkret die Kollekte für die Jerusalemer Gemeinde.[58] Ähnlich wird in V. 13b die Tätigkeit des zielstrebigen Verfolgens (διώκω), die noch in 9,30f negativ verwendet worden war, durch φιλονεξία in theologischer Sicht positiv gefüllt. Die φιλονεξία ist als Gastfreundschaft vor allem gegenüber Glaubensgeschwistern zu verstehen (vgl. III Joh 5-10). Damit endet eine lange Reihe von sehr dichten Formulierungen christlicher Verhaltensanweisungen, die deutlich auf das Verhältnis zu anderen Christen bezogen ist.[59] Ab V. 14 wird dann, einsetzend mit einer erneuten Ansprache der Adressaten im Imperativ, vor allem auf das Verhalten zu Menschen außerhalb der christlichen Gemeinschaft eingegangen.[60]

---

[54] T. Söding: Das Liebesgebot bei Paulus, S. 244.
[55] Vgl. W. Bauer: Griechisch-Deutsches Wörterbuch zu den Schriften des Neuen Testaments, Sp. 667.
[56] Bauer, ebd.
[57] Die Lesart τῷ καιρῷ (D*·c F G u.a.) stellt eine sekundäre Vereinfachung des Gedankenganges dar, vgl. K. Haacker: Der Brief des Paulus an die Römer; ThHK 6, S. 257.
[58] Vgl. auch Haacker, ebd.
[59] Gegen W. Schmithals: Der Römerbrief, S. 449, der die Liste erst V. 15 enden lässt (wobei er den Imperativ V. 14 ausklammert) und V. 9-15 als Vorlage auffasst, die Paulus aufgreift.
[60] Vgl. T. Söding: Das Liebesgebot bei Paulus, S. 246ff.

Für Röm 12,3-13 lässt sich demnach folgende Struktur angeben:

3: Λέγω γάρ	παντὶ τῷ ὄντι ἐν ὑμῖν (2)	διὰ τῆς χάριτος τῆς δοθείσης μοι (1)
	μὴ ὑπερφρονεῖν παρ' ὃ δεῖ φρονεῖν	ἀλλὰ φρονεῖν εἰς τὸ σωφρονεῖν ἑκάστῳ ὡς ὁ θεὸς ἐμέρισεν μέτρον πίστεως
4-6a: γάρ	καθάπερ ἐν ἑνὶ σώματι πολλὰ μέλη ἔχομεν τὰ δὲ μέλη πάντα οὐ τὴν αὐτὴν ἔχει πρᾶξιν	οὕτως οἱ πολλοὶ ἓν σῶμά ἐσμεν ἐν Χριστῷ τὸ δὲ καθ' εἷς ἀλλήλων μέλη ἔχοντες δὲ χαρίσματα κατὰ τὴν χάριν τὴν δοθεῖσαν ἡμῖν διάφορα
6b: εἴτε	προφητείαν	κατὰ τὴν ἀναλογίαν τῆς πίστεως
7: εἴτε	διακονίαν	ἐν τῇ διακονίᾳ
εἴτε	ὁ διδάσκων	ἐν τῇ διδασκαλίᾳ
8: εἴτε	ὁ παρακαλῶν	ἐν τῇ παρακλήσει
	ὁ μεταδιδοὺς	ἐν ἁπλότητι
	ὁ προϊστάμενος	ἐν σπουδῇ
	ὁ ἐλεῶν	ἐν ἱλαρότητι
9:	Ἡ ἀγάπη	ἀνυπόκριτος
	ἀποστυγοῦντες τὸ πονηρόν	κολλώμενοι τῷ ἀγαθῷ
10:	εἰς ἀλλήλους φιλόστοργοι (2)	τῇ φιλαδελφίᾳ (1)
	ἀλλήλους προηγούμενοι (2)	τῇ τιμῇ (1)
11:	μὴ ὀκνηροί (2)	τῇ σπουδῇ (1)
	ζέοντες (2)	τῷ πνεύματι (1)
	δουλεύοντες (2)	τῷ κυρίῳ (1)
12:	χαίροντες (2)	τῇ ἐλπίδι (1)
	ὑπομένοντες (2)	τῇ θλίψει (1)
	προσκαρτεροῦντες (2)	τῇ προσευχῇ (1)
13:	κοινωνοῦντες (2)	ταῖς χρείαις τῶν ἁγίων (1)
	διώκοντες (2)	τὴν φιλοξενίαν (1)

Das Verhalten der Glaubenden gegenüber Menschen außerhalb der christlichen Gemeinschaft (12,14-21)

Nach dieser ersten Ermutigung zu einem angemessenen Verhalten entsprechend den persönlichen Begabungen, die in den vorhergehenden Versen durch Partizipien geschah, folgt in V. 14 ein Imperativ, der formal und inhaltlich unterbricht und neu ansetzt (εὐλογεῖτε).[1] Durch ihn wird ein neuer Teilabschnitt eingeleitet, der sich mit dem Verhalten der Glaubenden gegenüber Menschen außerhalb der christlichen Gemeinschaft beschäftigt. Die Struktur der folgenden Verse verändert sich gegenüber dem Vorhergehenden, weil nun jeweils in kompletten Satzteilen eine menschliche und eine theologisch qualifizierte Verhaltensweise gegenübergestellt werden. Das abzulehnende, rein menschliche Verhalten wird dabei durch eine Negation deutlich gekennzeichnet: μή V. 14, 16 (zweimal), 16, 17, 19, 21. Dem wird in theologischer Perspektive eine andere Verhaltensweise entgegengesetzt, die an einigen Stellen mit ἀλλά eingeleitet wird: V. 16c, 19b, 20, 21. Durch die Entgegensetzung mit μή bzw. ἀλλά ergibt sich eine recht klare Strukturierung des Abschnittes in Gegenüberstellungen.

V. 14 schließt an V. 13 an, indem das dortige διώκοντες wieder aufgenommen wird, nun aber in ganz anderem Sinne.[2] Die Verfolger sind hier ganz offensichtlich Menschen außerhalb der Gemeinschaft, unter denen die Christen zu leiden haben.[3] V. 14b stellt (eingeleitet mit μή) die übliche menschliche Verhaltensweise vor, die darin besteht, Gleiches mit Gleichem zu vergelten und konkret die Verfolger zu verfluchen. Dieser wird in V. 14a eine spezifisch christliche Verhaltensmaxime entgegengestellt, die sich deutlich an der Jesustradition orientiert (vgl. Lk 6,28, Mt 5,44).[4] Das ὑμᾶς ist als gut bezeugte Lesart vorzuziehen, die auch die Jesustradition besser bewahrt.[5] Dadurch bekommt die Argumentation wieder selbstreflexiven Sinn: Es geht um die Verfolgungen, die man selbst zu erleiden hat, und um die Fähigkeit, von der daraus resultierenden eigenen Wut Abstand nehmen zu können.

Nach dem Imperativ in V. 14 fährt Paulus in V. 15 im „imperativischen" Infinitiv[6] fort.[7] Der Vers ist – entgegen der geläufigen Interpretation – mit dem Beginn von V. 16 zusammen zu lesen. V. 15 konkretisiert, was V. 16a als allgemeine Anweisung ausgibt. Der Ausdruck τὸ αὐτὸ εἰς ἀλλήλους φρονοῦντες wird durch das gemeinsame Weinen und Lachen gefüllt. Dabei meint das εἰς ἀλλήλους nicht nur die Adressaten untereinander, sondern gemäß der Universalisierung der Perspektive in V.

---

[1]   Gegen die Einteilung im Text der 27. Aufl. von Nestle-Aland, die V. 9-21 als einen durchgehenden Abschnitt auffasst. Vgl. W. Schmithals: Der Römerbrief, S. 447f, der dies aber nicht als Anhaltspunkt für den Beginn eines neuen Abschnittes wertet, sondern den Vers aus dem Zusammenhang V. 9-15 herausnimmt..

[2]   Vgl. Talbert: Tradition and Redaction in Romans XII. 9-21, S. 92f.

[3]   Vgl. T. Söding: Das Liebesgebot bei Paulus, S. 246.

[4]   So auch K. Haacker: Der Brief des Paulus an die Römer; ThHK 6, S. 258. Zum möglichen Zusammenhang zwischen solcher Jesustradition und dem Römerbrief vgl. P. Stuhlmacher: Jesustradition im Römerbrief? in: ThBeitr 14 (1983), S. 240-250. Söding meint jedoch a.a.O., S. 246f, dass Paulus diese Tradition nicht selbst gekannt habe, sondern eine Sentenz aufnehme, weil er sie sonst als Jesus-Wort gekennzeichnet hätte.

[5]   Vgl. B. M. Metzger: A Textual Commentary on the Greek New Testament, S. 466.

[6]   Vgl. W. Haubeck, W. von Siebenthal: Neuer sprachlicher Schlüssel zum griechischen Neuen Testament, Bd. 2, S. 495.

[7]   Gegen W. Schmithals: Der Römerbrief, S. 449, der V. 15 nach vorn zu V. 13 zieht.

14 das Verhältnis zu allen Menschen.[8] Diese Haltung wird als theologische Gegenperspektive zu einer Haltung gesetzt, die nur am Eigenen orientiert ist und sich nicht für die Gefühle des anderen Menschen öffnen kann. Paulus fasst sie in V. 16d mit den Worten μὴ γίνεσθε φρόνιμοι παρ' ἑαυτοῖς zusammen. Die identische Formulierung findet sich bereits Röm 11,25. Sie meint offenbar eine arrogante Haltung, mit der der einzelne Mensch sich selbst überschätzt und auf andere herabsieht.

Die Struktur von V. 16 ist etwas komplizierter angelegt. Die vier Versteile, die sich alle um das Wort φρονεῖν drehen, sind konzentrisch angeordnet. Im Zentrum stehen, durch μή – ἀλλά miteinander verbunden, V. 16b und c, während V. 16a (zusammen mit V. 15, siehe oben) und V. 16d den Rahmen bilden.[9] In fast identischer Formulierung mit V. 3 wird V. 16b kritisch auf eine geläufige menschliche Haltung eingegangen, die sich an hohen Zielen orientiert (μὴ τὰ ὑψηλὰ φρονοῦντες, vgl. V. 3: μὴ ὑπερφρονεῖν παρ' ὃ δεῖ φρονεῖν).[10] Dem wird in V. 16c in theologischer Sicht ein Denken gegenübergestellt, das sich nach den „niedrigen", einfachen Dingen richtet. Die Gegenüberstellung ist damit durch die Differenz ὑψηλός – ταπεινός geprägt.

Durch diese doppelten Ausführungen zur rechten Gesinnung am Anfang des vorhergehenden Abschnittes in V. 3 und in V. 16 wird erneut deutlich, dass es Paulus vor allem um eine angemessene Selbsteinschätzung und Einstellung geht, die sich nicht nur an eigenen Interessen, sondern auch am anderen Menschen orientiert und die im konkreten Handeln entsprechende Konsequenzen hat. Man soll sich nicht nur an seiner eigenen Klugheit orientieren, sondern nach Konsens suchen. Ebenso sollen die Adressaten für sich selbst nicht nach Hohem streben, sondern auch Gemeinschaft mit in geläufiger Sicht „niedrigen", einfachen Menschen pflegen bzw. „niedere" Tätigkeiten ausführen.[11]

V. 17f verdeutlichen den verallgemeinernden Zug diese Abschnittes, in dem es um das Verhalten gegenüber allen Menschen außerhalb der christlichen Gemeinschaft geht, durch zweimaliges πάντων ἀνθρώπων. V. 17a gibt kritisch (eingeleitet mit μηδενί) eine geläufige menschliche Gesinnung wieder, nach der man Böses mit Bösem vergilt. Diesem bekannten Vergeltungsprinzip wird in V. 17b und 18 in theologischer Perspektive eine Haltung gegenübergestellt, die „vor"[12] oder "gegenüber allen Menschen" auf das Gute bedacht ist[13] und die deshalb mit allen Menschen Frieden hält. Die strukturierende Differenz ist als Variation des moralischen Codes gut – böse (vgl. V. 9) hier κακός – καλός. Eine nahezu identische Formulierung beider Versteile findet sich I Thess 5,15.[14] Den zweiten Satzteil, der sich auf das Gute bezieht, schreibt Paulus ähnlich auch in II Kor 8,21, wo es um die Vermeidung übler Nachrede bei der Überbringung der Kollekte geht. Dieser Appell zur guten Gesinnung ist nicht abstrakt gemeint, er muss auf dem Hintergrund der konkreten Situation in Rom verstanden werden. Durch die Christen soll vor allem unnötiges Aufsehen vermieden werden. Der Sinn der paulinischen Aussage zeigte sich spätestens einige Jahre nach Verfassen des Röm, als die Christen nach dem Rombrand verfolgt wurden, weil sie als gefährlich

---

[8]   Gegen A. Reichert: Der Römerbrief als Gratwanderung, S. 263.
[9]   Ähnlich auch Reichert, ebd., die dabei aber keine Verbindung von V. 16a und 15 sieht.
[10] K. Haacker: Der Brief des Paulus an die Römer; ThHK 6, S. 251 übersetzt: „Macht keine hochfliegenden Pläne".
[11] Τοῖς ταπεινοῖς kann sowohl als Maskulinum als auch als Neutrum verstanden werden.
[12] So K. Haacker: Der Brief des Paulus an die Römer; ThHK 6, S. 251, Anm. 4.
[13] So auch das Verständnis von T. Söding: Das Liebesgebot bei Paulus, S. 247f.
[14] Vgl. Söding, a.a.O., S. 248.

galten.[15] In die gleiche Richtung weist auch V. 18, der die theologische Perspektive von V. 17b fortsetzt. Dort wird betont, dass die Christen mit allen Menschen Frieden halten sollen. Die friedliche Gesinnung wird hier explizit über die christliche Gemeinschaft hinaus auf alle Menschen ausgedehnt.[16] Dieser Anweisung fügt Paulus in V. 18a einen Vorbehalt hinzu (εἰ δυνατόν τὸ ἐξ ὑμῶν). Damit wird reflektiert, dass solches Bemühen – auch sicherlich nach der Erfahrung der Adressaten und des Paulus selbst – nicht notwendigerweise zum Erfolg führt.[17]

V. 19a bringt eine weitere Gegenüberstellung, die nach dem Schema μή – ἀλλά strukturiert ist.[18] Abgelehnt wird am Anfang erneut eine geläufige menschliche Haltung, die versucht, sich gemäß dem Vergeltungsprinzip selbst zu rächen. Die Interpretation hat durch das ἑαυτούς eine deutlich selbstreflexive Ausrichtung. Die Einleitung mit ἀλλά stellt dem eine theologische Perspektive gegenüber. Die Glaubenden sollen im Hinblick auf erfahrenes Unrecht dem „Zorn" Raum geben. Dass hier der Zorn Gottes gemeint ist, zeigt die Fortsetzung in V. 19b. Die Argumentation zielt damit erneut darauf, den Glaubenden in theologischer Perspektive einen Abstand von eigenen Emotionen, Interessen und Gedanken und damit von einer Selbstfixiertheit zu ermöglichen. Das δότε τόπον τῇ ὀργῇ ist in diesem Sinne eher tolerativ als aktiv gemeint.

V. 19b und 20 bieten am Abschluss des Kapitels eine Argumentation, die mit einer bestimmten Variation dem hermeneutischen Konzept von Röm 1,2 folgt, das in Kap. 9-11 fast durchgehend vorausgesetzt worden war. Nach diesem Schema wird in V. 19b eine Schriftstelle aufgenommen und in V. 20 (allerdings durch eine andere Schriftstelle) ausgelegt. V. 19b zitiert (gerahmt durch γέγραπται γάρ und λέγει κύριος) Dtn 32,25a in einer vom Septuagintatext stark abweichenden und vom hebräischen Text beeinflussten Fassung.[19] Das Zitat hat „die Form eines kurzen und sehr prägnanten Logions erhalten [...] Zugleich hat damit dieser Text eine bestimmte inhaltliche Interpretation erfahren. Er ist zur Aussage über die Souveränität Gottes als dem allein Richtenden geworden."[20]

In V. 20 schließt Paulus – erneut mit ἀλλά gegenübergestellt – einen mit dem Septuagintatext von Prov 25, 21.22a identischen Satz an. Die Fremdheit des Wortlautes macht den Satz zwar für Kundige als Zitat erkennbar, er ist allerdings nicht als Zitat markiert und wird von Paulus deshalb auch nicht so verwendet. Man hat V. 20 als unmittelbare Fortsetzung von V. 19b aufgefasst und die beiden Texte zusammengefasst. Die Aussage zielt dann eher auf die Hilfe für den Feind und fügt sich damit anscheinend in den Gesamtduktus der Feindesliebe, der den Abschnitt in V. 14ff zu durchziehen scheint.[21] Durch das einleitende ἀλλά bezeichnet V. 20 jedoch offensichtlich einen Gegensatz, der sich auf den vorhergehenden V. 19b beziehen muss, weil sich in V. 19a eine eigene Gegenüberstellung mit μή – ἀλλά findet. Die Interpretation von A. Reichert, die V. 20 als Negation von V. 19b versteht, ist deshalb überzeugend: „Die Aufforderung, die Vergeltung Gott zu überlassen, könnte falsch verstanden werden i.S.

---

[15] Vgl. K. Haacker: Der Brief des Paulus an die Römer; ThHK 6, S. 259, mit Verweis auf Tacitus, Annales 15,44.

[16] Vgl. Haacker, a.a.O. S. 259.

[17] So auch A. Reichert: Der Römerbrief als Gratwanderung, S. 265.

[18] Gegen Reichert, ebd., die V. 17-19a zusammenfasst und hier ein konzentrisches Arrangement von V. 17a und 19a sowie V. 17b und 18b mit V. 18a in der Mitte annimmt.

[19] Vgl. D.-A. Koch: Die Schrift als Zeuge des Evangeliums, S. 79.

[20] Koch, a.a.O., S. 77f.

[21] Vgl. Koch, a.a.O., S. 270f.

einer Aufforderung zum Rückzug und zum passiven Abwarten. Demgegenüber macht V. 20a.b eine Handlungsweise geltend, die [...] zeigt, daß sich Vergeltungsverzicht prinzipiell nicht im Abwarten erschöpft, sondern mit der Bereitschaft verbindet, dem Feind Gutes zu tun."[22]

V. 21 schließt das Kapitel und die bisherige Argumentation mit einem markanten Schlusssatz ab. Strukturbildend ist hier neben dem μή – ἀλλά erneut die ethische Leitunterscheidung gut – böse (vgl. V. 9 und 17). Dieser Schlusssatz ist an den einzelnen Menschen gerichtet, womit erneut deutlich wird, dass auch die Paraklese auf das einzelne Individuum zielt.[23] In V. 21a wird das Böse offensichtlich zunächst als eigenständige Macht verstanden, die den Menschen überwinden und besiegen kann. Dies wäre der Fall, wenn nach dem in V. 14-20 dargestellten Vergeltungsprinzip gehandelt würde, nach dem das Erleiden des Bösen eine adäquate Antwort verlangt, was zu einer permanenten Reproduktion des Bösen führen würde.[24] Demgegenüber betont Paulus in V. 21b in theologischer Perspektive, dass sich der einzelne Mensch nicht in dieser Weise vom Bösen (als Angriff und Versuch eigener adäquater Vergeltung) überwinden lassen muss, sondern dass er die Möglichkeit hat, sich diesem im Guten entgegenzustellen. Das ἐν τῷ ἀγαθῷ verweist auf die Einleitung der Paraklese V. 2, wo das Gute durch das Fragen nach dem Willen Gottes charakterisiert worden war. Paulus setzt hier erneut die Fähigkeit des einzelnen Glaubenden voraus, sich aufgrund der Kap. 1-11 ausgeführten Neubegründung der Ex-istenz in Christus gut verhalten zu können.

Paulus fordert von den Adressaten nicht Selbstverzicht und eine den eigenen Emotionen widersprechende Liebe der Feinde,[25] sondern er gibt ihnen in dem Bedürfnis, über solche bösen Anfeindungen siegen zu wollen, recht. Er meint jedoch, dass dieser Sieg über das Böse dadurch erreicht werden kann, dass dem Zorn Gottes „Raum" gegeben wird und dass man dabei dem Feind aktiv Gutes tut. Die den letzten Vers strukturierende moralische Unterscheidung gut – böse schließt einerseits den Gedankengang des Kapitels ab und leitet andererseits zu Röm 13,1-7 über (vgl. 13,3f).

Der Abschnitt in V. 14-21 zeigt insgesamt: Die neue Begründung der Ex-istenz der Glaubenden „in Christus", die sich gerade darin zeigt, die eigene Ex-istenz nicht mehr durch sich selbst, durch eigene Tätigkeiten und Fähigkeiten sichern zu müssen, hat auch außerhalb der christlichen Gemeinschaft konkrete ethische Konsequenzen. Der ethische Grundansatz, von einer reinen Selbstfixiertheit absehen und auf den Anderen sowie auf Gottes Willen achten zu können, gilt auch im Kontakt von Christinnen und Christen mit Menschen außerhalb der christlichen Gemeinschaft.

---

[22] A. Reichert: Der Römerbrief als Gratwanderung, S. 267.

[23] Bereits in V. 20 wurde nicht mehr im Plural, sondern im Singular der einzelne Mensch angesprochen.

[24] So auch A. Reichert: Der Römerbrief als Gratwanderung, S. 269f.

[25] Gegen T. Söding: Das Liebesgebot bei Paulus, S. 249f. Vgl. auch die Ausführungen zu Röm 13,9, wo nicht nur einseitig Nächstenliebe oder gar, wie in Mt 5,43f, Feindesliebe gefordert ist, sondern auch die eigenen Interessen im Gebot der Selbstliebe Berücksichtigung finden.

Insgesamt ergibt sich damit für Röm 12,14-21 folgende Struktur, wobei das strukturierende μή bzw. ἀλλά jeweils hervorgehoben ist:

14:	καὶ *μὴ* καταρᾶσθε (2)	εὐλογεῖτε τοὺς διώκοντας ὑμᾶς εὐλογεῖτε (1)
15, 16a+d:	*μὴ* γίνεσθε φρόνιμοι παρ' ἑαυτοῖς (2)	χαίρειν μετὰ χαιρόντων κλαίειν μετὰ κλαιόντων τὸ αὐτὸ εἰς ἀλλήλους φρονοῦντες (1)
16b+c:	*μὴ* τὰ ὑψηλὰ φρονοῦντες	*ἀλλὰ* τοῖς ταπεινοῖς συναπαγόμενοι
17+18:	*μηδενὶ* κακὸν ἀντὶ κακοῦ ἀποδιδόντες	προνοούμενοι καλὰ ἐνώπιον πάντων ἀνθρώπων εἰ δυνατόν τὸ ἐξ ὑμῶν μετὰ πάντων ἀνθρώπων εἰρηνεύοντες
19a:	*μὴ* ἑαυτοὺς ἐκδικοῦντες ἀγαπητοι	*ἀλλὰ* δότε τόπον τῇ ὀργῇ
19b+20:	γέγραπται γάρ Ἐμοὶ ἐκδίκησις ἐγὼ ἀνταποδώσω λέγει κύριος	*ἀλλὰ* ἐὰν πεινᾷ ὁ ἐχθρός σου ψώμιζε αὐτόν ἐὰν διψᾷ πότιζε αὐτόν τοῦτο γὰρ ποιῶν ἄνθρακας πυρὸς σωρεύσεις ἐπὶ τὴν κεφαλὴν αὐτοῦ
21:	*μὴ* νικῶ ὑπὸ τοῦ κακοῦ	*ἀλλὰ* νίκα ἐν τῷ ἀγαθῷ τὸ κακόν

Der Gehorsam gegenüber dem eigenen Gewissen (13,1-7)

In V. 1-7 geht Paulus auf das Verhältnis der an Christus Glaubenden im Allgemeinen bzw. der Adressaten im Besonderen zur politischen Macht ein. Diesem Abschnitt wird zumeist innerhalb des Röm eine Sonderstellung beigemessen. In der Kirchengeschichte ist er immer wieder isoliert zur theologischen Legitimation des Herrschaftsanspruches politischer Kräfte verwendet und mitunter auch missbraucht worden. Es fällt deshalb schwer, ihn aufgrund seiner problematischen Wirkungsgeschichte unvoreingenommen und im Rahmen der Gesamtargumentation des Römerbriefes wahrzunehmen.[1] Der Zusammenhang dieser Verse mit dem Kontext ist nicht ohne weiteres einsichtig. „Eigenartig wie das Thema als solches ist auch die Argumentation, welche jeder spezifisch eschatologischen und christologischen Motivation unseres Abschnittes in sich selbst entbehrt".[2] Es ist deshalb immer wieder gemeint worden, dass sich der Abschnitt nicht in den Kontext von Kap. 12 und 13,8ff fügt.[3] Man hat sogar dafür plädiert, V. 1-7 als sekundären Einschub zu verstehen.[4] Es gibt jedoch deutliche Verbindungen mit dem Kontext, die eindeutig dagegen sprechen, V. 1-7 als spätere Einfügung zu verstehen.

1. Der Abschnitt fügt sich in den Gesamtduktus von Kap. 12 und 13, der durch eine allmähliche Ausweitung der ethischen Perspektive gekennzeichnet ist. Im 12. Kapitel wurde zunächst das Verhältnis der an Christus Glaubenden untereinander angesprochen wurde (V. 1-13) und dies im Hinblick auf Menschen außerhalb der christlichen Gemeinschaft ausgeweitet (V. 14-21). In Röm 13 öffnet Paulus die Perspektive nochmals und behandelt in V. 1-7 die Frage der Haltung der Christen zu den bestehenden gesellschaftlichen Machtverhältnissen, um dann in V. 8-10 das Prinzip seiner Ethik darzulegen und in V. 11-14 die bisherigen, allgemeinen Ausführungen zur Ethik zusammenzufassen.

2. Es gibt deutliche sprachliche und begriffliche Verbindungen mit dem Kontext. So setzt V. 1 den Imperativ Passiv aus 12,21 unmittelbar fort. Das ἀποδίδωμι aus V. 7 findet sich bereits in 12,17 und im Zitat 12,19b. Auch der Übergang von V. 7 nach 8 ist recht homogen: ἀπόδοτε πᾶσιν τὰς ὀφειλάς [...] μηδενὶ μηδὲν ὀφείλετε. Der Begriff ὀφειλή bereitet offenbar den Übergang zum ὀφείλω in V. 8 vor.[5] Dass die Worte dabei im jeweiligen Zusammenhang verschiedene Bedeutung haben können, ist für Paulus nicht ungewöhnlich.[6]

3. Der Text nimmt in V. 3f die ethische Leitunterscheidung von gut und böse auf. Sie wurde in der Paränese bereits in 12,9 eingeführt, dann in 12,17 wieder aufgenommen und bildete in 12,21 den Abschluss des letzten Abschnittes. Auch der anschließende Teil 13,8-10 läuft auf sie hinaus: ἡ ἀγάπη τῷ πλησίον κακὸν οὐκ ἐργάζεται (V. 10).

---

[1] Vgl. dazu den Exkurs „Wirkungsgeschichte von Röm 13,1-7" bei U. Wilckens: Der Brief an die Römer; EKK VI, 3, S. 43-66.

[2] E. Käsemann: An die Römer; HNT 8a, S. 338.

[3] Vgl. die bei W. Schmithals: Der Römerbrief, S. 458ff genannten Argumente und Interpreten.

[4] So Schmithals, a.a.O., S. 462: „Bei V. 1-7 handelt es sich demzufolge um einen unpaulinischen Text, der indessen [...] die Interessen des Herausgebers und Redaktors der Paulusbriefe verrät".

[5] K. Haacker: Der Brief des Paulus an die Römer; ThHK 6, S. 261ff zieht den Abschnitt deshalb auch mit 13,8-14 unter der Überschrift „Das christliche Verhältnis zu Staat und Gesellschaft" zusammen.

[6] Gegen W. Schmithals: Der Römerbrief, S. 460f.

4. In Bezug auf das Vorhergehende lässt sich 13,1-7 „als eine Konkretion zu der Mahnung von 12,18 verstehen: ‚Nach Möglichkeit, so weit es an euch liegt, lebt mit allen Menschen im Frieden.'"[7]

5. Die hier angesprochene Frage besitzt für eine christliche Gemeinschaft besondere Relevanz, die sich im Zentrum der damaligen Macht, in Rom befindet. Wenn die geschichtlichen Notizen zutreffen, waren gerade die Juden in Rom kurze Zeit vor Verfassen des Röm durch das Edikt des Kaisers Claudius unmittelbar betroffen.[8] Wie immer man die historischen Einzelheiten beurteilen mag[9] – in jedem Falle wird zumindest den Mitgliedern der christlichen Gemeinschaft, die aus dem Judentum stammten, die Bedeutung des Verhältnisses zur politischen Macht besonders wichtig gewesen sein. Es macht deshalb Sinn, dass Paulus diese Frage im Rahmen des ethischen Teiles thematisiert.[10]

6. Die Argumentation arbeitet, wie im Prinzip der gesamte Röm, mit der Gegenüberstellung einer menschlichen und einer theologischen Perspektive und fügt sich damit in die Gesamtargumentation formal gut ein. Der Abschnitt in V. 1-7 ist deutlich dadurch strukturiert, dass jeweils in der zweiten Vershälfte eine theologische Sichtweise eingebracht wird, die jedes Mal explizit das Wort θεός enthält: ὑπὸ θεοῦ τεταγμέναι(V. 1), τῇ τοῦ θεοῦ διαταγῇ (V. 2), θεοῦ διάκονος (zweimal in V. 3+4), λειτουργοὶ θεοῦ (V. 6). Es handelt sich insofern tatsächlich um eine konzentriert theologische Argumentation ohne christologische oder pneumatologische Aspekte. Das Fehlen explizit christologischer Argumente ist jedoch im Röm in zahlreichen Abschnitten zu beobachten und spricht deshalb nicht gegen eine Zugehörigkeit von V. 1-7 zum ursprünglichen Text des Röm.

7. Der Abschnitt enthält schließlich auch deutlich den inhaltlichen Leitgedanken des Selbstverhältnisses des einzelnen Menschen und führt damit auch den inhaltlichen Gesamtduktus weiter. Paulus liefert in V. 1-7 nicht einfach eine theologische Begründung des Gehorsams gegenüber gesellschaftlichen Machthabern, sondern er verweist den einzelnen in diesem Zusammenhang vor allem selbstreflexiv an sich selbst (V. 2b: ἑαυτοῖς) und an sein Gewissen (V. 5: συνείδησις). Die theologische Argumentation, die sonst im Abschnitt durch das Wort θεός gekennzeichnet ist, wird deshalb in V. 3 und 5 durch diese selbstreflexive Argumentation ergänzt (vgl. dazu unten die aufgeführte Strukturierung des Textes).

Insofern fügt sich der wirkungsgeschichtlich sehr umstrittene Abschnitt gut in die Gesamtargumentation ein und muss von dort her verstanden werden.[11]

---

[7] K. Haacker: Der Brief des Paulus an die Römer; ThHK 6, S. 265.

[8] Dieses Edikt ist auch Act 18,2 vorausgesetzt. Sueton schreibt darüber: „Die Juden vertrieb er aus Rom, weil sie, von Chrestus aufgehetzt, fortwährend Unruhe stifteten". (Sueton: Leben der Caesaren, Claudius 25,4, zitiert nach F. Vouga: Geschichte des frühen Christentums; Tübingen/Basel 1994; S. 81) Allerdings ist nicht genau klar, wann das Edikt zu datieren ist und ob dadurch tatsächlich alle Juden aus Rom vertrieben worden sind. „Nach Orosius wurde das Edikt im Jahre 49, nach Cassius Dio im Jahre 41 erlassen." (Vouga, a.a.O., S. 82, vgl. Orosius: Historiam adversum paganos liber septimus, 6,15f.) Nach Cassius Dio wurden dabei die Juden aufgrund ihrer großen Zahl nicht aus Rom vertrieben, sondern Claudius erließ lediglich ein Versammlungsverbot. (Vgl. dazu Cassius Dio: Römische Geschichte; 60,6,6f.)

[9] Siehe dazu auch J. Friedrich, W. Pöhlmann, P. Stuhlmacher: Zur historischen Situation und Intention von Röm 13,1-7; in: ZThK 73 (1976), S. 131-166.

[10] Siehe auch E. Käsemann: An die Römer; HNT 8a, S. 338.

[11] Als nicht mehr ganz aktuellen, aber instruktiven Überblick über die verschiedenen exegetischen Positionen zu diesem Abschnitt siehe V. Riekkinen: Römer 13. Aufzeichnung und Weiterführung einer exegetischen Diskussion; (AASF.DHL 23) Helsinki 1980.

Die den Abschnitt einleitende Eingangsformulierung ist diesmal von Paulus nicht in der 1. Person Sing. oder Pl. gehalten, sondern er redet im Imperativ Passiv der 3. Singular in Fortführung von Röm 12,21 einen jeden glaubenden Menschen einzeln an (πᾶσα ψυχή). Die alternative Lesart von P^{46} D* G u.a., die anstelle von ὑποτασσέσθω den Plural ὑποτάσσεσθε bringt, ist deutlich sekundär.[12] Der Ansatz ist wieder individuell und zugleich universal. Es wird zunächst in dieser wichtigen politischen Frage jede einzelne „Seele" persönlich angesprochen. „Alttestamentlicher Redeweise entspricht der Gebrauch von πᾶσα ψυχή im Sinne von jedermann (Rm 2,9; 13,1). In ihm zeigt sich schon, daß auch ψυχή die Bedeutung von Person, Ich annehmen kann". [13] V. 1a benennt damit eine durchaus geläufige menschliche Sicht, nach der jeder Mensch, und damit auch die Glaubenden, die bestehende politische Macht grundsätzlich erst einmal akzeptieren soll.[14] Der Begriff ἐξουσία ist dabei ein „Formalbegriff, der sich auf die verschiedensten Formen und Instanzen politischer Macht anwenden läßt".[15] Gemeint sind damit nicht allein die obersten Machthaber, sondern umfassender sämtliche gesellschaftlichen Machtverhältnisse.

V. 1b stellt diesen Gedanken – angeschlossen mit begründendem γάρ – in eine theologische Perspektive. Es handelt sich dabei nicht um eine „sekundäre ‚Theologisierung'",[16] sondern es gehört gerade zur Eigenart der paulinischen Kommunikation im Röm, dass er jeder geläufigen menschlichen eine theologisch geprägte Sichtweise hinzufügt. V. 1b ist keine pauschale Legitimation bestehender politischer Verhältnisse und behauptet nicht, dass jede faktisch bestehende politische Macht von Gott eingesetzt wäre.[17] Vielmehr wird diese im Gegenteil in theologischer Perspektive in ihrer Bedeutung relativiert und einem theologischen Kriterium unterworfen: Politische Mächte sind von Gott und als solche Gott *untergeordnet* (ὑπό mit Genitiv im Sinne der Urheberschaft und damit zugleich diesem Urheber unterstellt),[18] wie auch die Christen sich „unter" die bestehende Ordnung geben sollen. Das bedeutet: Bestehende politische Mächte müssen als von Gott eingesetzte und damit auch Gott unterstehende verstanden werden können. Sie sind folglich auch in theologischer Perspektive kritisch unter dieser Fragestellung zu prüfen. Sofern sie diesem Kriterium nicht genügen, sind und haben sie auch nicht ἐξουσία im hier gemeinten Sinne, sondern sind lediglich Machtkonstrukte von Menschen und existieren in theologischer Perspektive eigentlich gar nicht (αἱ δὲ οὖσαι). Paulus verlangt demnach nicht von den Glaubenden, dass sie sich allen bestehenden politischen Mächten unterstellen sollen, sondern sie sollen unter voller Wahrung ihrer „in Christus" gegebenen ethischen Entscheidungsfähigkeit (vgl. 12,1f) bestehende gesellschaftliche

---

[12] Vgl. B. M. Metzger; A Textual Commentary on the Greek New Testament, S. 467: „perhaps in order to avoid the Hebraic idiom involved in πᾶσα ψυχή". Die vollständige Variante lautet: πάσαις ἐξουσίαις ὑπερεχούσαις ὑποτάσσεσθε.

[13] Vgl. R. Bultmann: Theologie des Neuen Testaments, S. 205.

[14] Vgl. K. Haacker: Der Brief des Paulus an die Römer; ThHK 6, S. 265f: „ὑποτάσσεσθαι: eine Ordnung respektieren als Haltung derer, die in dieser Ordnung niedriger eingestuft sind [...] Es wäre also eine Überspitzung, hier einen sklavischen Untertanengeist gepredigt zu finden".

[15] Haacker, a.a.O., S. 265.

[16] Gegen W. Schmithals: Der Römerbrief, S. 465.

[17] So interpretiert die Lesart ἀπό (D* F G 6229.945 pc), die aber deutlich sekundär ist.

[18] Siehe Blass, Debrunner, Rehkopf: Grammatik des neutestamentlichen Griechisch, § 232,2. Vgl. auch die Übersetzung von K. Haacker: Der Brief des Paulus an die Römer; ThHK 6, S. 261: „denn alle Ämter unterstehen Gott".

Machtverhältnisse akzeptieren, sofern sie diese als von Gott eingesetzt und Gott unterstehend verstehen können.

Die V. 2a und b ziehen unter diesen Voraussetzungen die Konsequenzen aus der Aussage von V. 1 (angeschlossen mit ὥστε).[19] V. 2a behandelt in geläufiger Sicht den im damaligen Römischen Reich sicherlich zu Genüge bekannten Fall, dass sich jemand der politischen Macht widersetzt. Konkret könnte Paulus vom Ende des Abschnittes in V. 7 her den Widerstand gegen überzogene Steuerbelastungen meinen, unter denen die Adressaten zu leiden hatten.[20] Dem wird erneut in theologischer Sicht V. 2b entgegengehalten, dass derjenige Mensch sich damit nicht nur der politischen Macht widersetzt, sondern auch Gottes Ordnung – sofern gemäß V. 1 die politische Gewalt von Gott kommt und ihr untersteht.

Paulus belässt es jedoch nicht bei diesem Argument, sondern er führt (angeschlossen mit δέ) in V. 2c und d gezielt einen zusätzlichen Gedanken ein, der sich auf das Selbstverhältnis der Glaubenden bezieht. Er setzt damit die den Röm durchziehende Orientierung am einzelnen Menschen und seinem Verhältnis zu sich selbst auch in diesem Abschnitt fort. Wenn Glaubende den oben charakterisierten, öffentlichen Gewalten zuwider handeln, steht das nicht nur Gottes Anordnung entgegen, sondern sie werden sich vor allem mit ihrem falschen Verhalten selbst disqualifizieren (V. 2d): ἑαυτοῖς κρίμα λήμψονται. Es handelt sich hier bei dem Dativ um eine recht freie Verbindung, die besonders Paulus zu eigen ist[21] und die in diesem Falle etwa übersetzt werden kann: „sie sprechen sich selbst das Urteil".[22] Dieses selbstreflexive Argument schließt an die allgemeineren Ausführungen von Kap. 12 an, die darauf zielten, sich nicht selbst zu überschätzen und nicht zu hohe Ziele anzustreben. „Letztlich setzt sich hier die Mahnung von Kap. 12 fort, nicht ‚hoch hinaus' zu wollen, sondern seinen passenden Platz in der Gesellschaft zu finden und auszufüllen".[23] Paulus erblickt also im Widerstand gegen eine theologisch akzeptable Gesellschaftsordnung eine problematische Gesinnung, die in einer überzogenen Selbsteinschätzung wurzelt, weil sie eigenmächtig meint, sich über die bestehenden gesellschaftlichen Verhältnisse hinwegsetzen zu können (V. 2c: οἱ δὲ ἀνθεστηκότες). Das ist im Grunde eine anmaßende und sich selbst überschätzende Existenzweise gemäß Adam, die bereits in Kap. 5-8 durchgehend disqualifiziert worden war. Die futurische Formulierung κρίμα λήμψονται hat deshalb nicht primär eine juristische und politische[24] oder eschatologische[25] sondern vor allem eine selbstreflexive und theologische Dimension:

---

[19] Vgl. U. Wilckens: Der Brief an die Römer; EKK VI, 3, S. 33.

[20] So meint Wilckens, a.a.O., S. 34 im Anschluss an die Hypothese von J. Friedrich, W. Pöhlmann, P. Stuhlmacher: Zur historischen Situation und Intention von Röm 13,1-7, S. 156ff: „Möglich ist jedoch, daß die Warnung veranlaßt ist durch heftige Erregungen über die drückenden Steuerlasten, die in jenen Jahren nachweislich die Bevölkerung Roms erfaßt und im Jahre 58 zu einer Protestaktion vor Nero geführt haben." (Vgl. Tacitus, Annales 13,50f.) Gegen K. Haacker: Der Brief des Paulus an die Römer; ThHK 6, S. 268, Anm. 35, der meint, dass Paulus im Röm noch nicht auf dieses spätere Ereignis Bezug genommen haben könne und dass die Relevanz dieser Fragestellung für die Zeit des Verfassens des Röm nicht nachweisbar sei.

[21] Blass, Debrunner Rehkopf: Grammatik des neutestamentlichen Griechisch, § 188,2.

[22] So W. Schmithals: Der Römerbrief, S. 465, mit Verweis auf eine ähnliche Formulierung in I Kor 11,29.

[23] Vgl. K. Haacker: Der Brief des Paulus an die Römer; ThHK 6, S. 266.

[24] So Haacker, der a.a.O., S. 261 übersetzt: „die Widerständer müssen mit Strafverfolgung rechnen."

[25] So E. Käsemann: An die Römer; HNT 8a, S. 345: „2b droht den Aufsässigen das κρίμα an, das nach 2a und bei eschatologisch verstandenem Futur auf das göttliche Gericht geht, bei logischem Futur [...] aber auch auf die irdische Bestrafung bezogen werden kann."

Wer sich in dieser Weise selbst überschätzt, sorgt letztlich selbst dafür, dass es ihm nicht gut gehen wird. Die Beurteilung der eigenen bösen Taten und deren Verurteilung wird also von Paulus nicht nur an ein weltliches oder göttliches Gericht verwiesen, sondern sie findet vor allem im einzelnen Menschen selbst statt (vgl. V. 5).

V. 3 setzt – angeschlossen mit γάρ – zunächst bei der geläufigen Erfahrung an, dass Übeltäter die Herrschenden zu fürchten haben, weil sie von deren Strafe bedroht werden. Das ἄρχοντες bezeichnet nicht dämonische Mächte, sondern die politischen Machthaber.[26] Die Konsequenz daraus ist, immer noch in einer allgemein bekannten menschlichen Sicht, Gutes zu Tun und damit von der politischen Macht „Anerkennung" zu bekommen. Paulus verwendet hier die ethische Leitunterscheidung gut – böse offenbar nicht in einem spezifisch theologischen, sondern in einem geläufigen politischen, juristischen und gesellschaftlichen Sinne (als ἔργον).[27] Der Ausdruck ἔπαινος bezieht sich auf die antike Praxis der öffentlichen Belobigung, die große gesellschaftliche Bedeutung hatte und für das Selbstverständnis des Belobigten außerordentlich wichtig war.[28] Dieser Beschreibung innergesellschaftlichen Verhaltens aus menschlicher Sicht stellt Paulus (verbunden mit γάρ) in V. 4a eine theologische Perspektive gegenüber. Danach ist die politische Macht διάκονος θεοῦ. Dieser Ausdruck bestätigt zunächst, dass jede legitime politische Macht sich Gott zu unterstellen hat (vgl. V. 1). Paulus geht dann zu einer unmittelbaren Anrede des Einzelnen über (σοί). Die Argumentation ist damit erneut auf den einzelnen Menschen konzentriert. Die Furcht vor der Strafe politischer Machthaber ist für Paulus nicht das einzige und entscheidende Motiv, Gutes zu tun. Vielmehr sieht Paulus den Sinn solcher politischen Macht darin, dass man sie gerade nicht zu fürchten braucht, sofern man Gutes tut und dass Gott dadurch mittelbar den Einzelnen zum Guten führen möchte. Hier ist mit ἀγαθόν durchaus das Gute im theologischen Sinne von 12, 2.9.17.21 gemeint. Insofern der einzelne Glaubende sich mit seinem Verhalten am Guten, d.h. gemäß Röm 12,2 an Gottes Willen, orientiert, hat er nichts zu befürchten und lebt mit den politischen Mächten im Einklang – wenn es ihnen tatsächlich auch um das Gute geht und sie nicht tyrannisch sind.

V. 4b und c erörtern – durch adversatives δέ angeschlossen - den umgekehrten Fall. In Anknüpfung an V. 2 und 3[29] wird in geläufiger Sicht gesagt, dass Übeltäter mit Bestrafung zu rechnen haben. Angesprochen bleibt dabei erneut – wie bereits in V. 4a – das „Du" im Singular. Der Begriff μάχαιρα ist übertragen gemeint und bezeichnet allgemein die „Straf- und Polizeigewalt".[30] Der schon in V. 3 angeführte Zusammenhang von Tun des Bösen und Bestrafung durch die Machthaber soll bei den Übeltätern gerade zur Furcht führen (φοβοῦ). V. 4c stellt dem erneut (verbunden mit γάρ) eine theologische Sicht gegenüber, nach der – parallel zu V. 4a formuliert – die politische

---

[26] Vgl. U. Wilckens: Der Brief an die Römer; EKK VI, 3, S. 34, Anm. 162.

[27] So auch E. Käsemann: An die Römer, S. 345: „Das Gute ist auch hier nicht auf das Gottesverhältnis [...] bezogen, sondern auf die allgemeine Ehrbarkeit."

[28] „Diese Praxis der öffentlichen ‚Belobigung' ist ein Merkmal der antiken Gesellschaft, von dem wir uns kaum eine Vorstellung machen können, jedenfalls im Westen: in den sozialistischen Ländern wurde ein vielleicht vergleichbarer Aufwand um die offizielle Anerkennung persönlicher Leistungen getrieben. Man braucht nur römische Grabinschriften zu studieren, um darauf aufmerksam zu werden, in welchem Maße die Identität eines Römers an den Ehrungen hing, die ihm im Laufe seines Lebens zuteil wurden". (K. Haacker: Der Brief des Paulus an die Römer; ThHK 6, S. 267)

[29] Vgl. E. Käsemann: An die Römer; HNT 8a, S. 345.

[30] So U. Wilckens: Der Brief an die Römer; EKK VI, 3, S. 35.

Macht διάκονος Gottes ist, wenn sie sich gegenüber bösen Taten als zornig erweist und als Vergelter (ἔκδικος) fungiert. Dabei meint ὀργή sicherlich nicht nur den Zorn der Machthaber, sondern bezieht sich wie bereits in 1,18 darüber hinaus auf Gott. Aus den vorherigen Kapiteln des Röm wurde bereits deutlich, dass es sich bei dieser Gerichtsterminologie um eine metaphorische Sprache handelt,[31] die die Befreiung des Einzelnen und die Befähigung, Gutes zu tun, zum Ziel hat.[32]

Paulus bleibt aber auch hier, wie bereits in V. 2, nicht bei einer theologischen Betrachtung der politischen Mächte stehen, sondern er fügt in V. 5 ein zusätzliches und darüber hinausgehendes Argument an, das sich am Selbstverhältnis des einzelnen als leitender Fragestellung des Röm orientiert. Er fasst das bisher Gesagte in V. 5a zusammen (eingeleitet mit διό).[33] Den bestehenden Machtverhältnissen solle man sich schon aus praktischer Notwendigkeit (ἀνάγκη) heraus unterstellen, was wieder der geläufigen menschlichen Sicht entspricht (vgl. V. 1a). Diese „Notwendigkeit" wird verstärkt, indem eine theologische Perspektive eingeführt wird, die sich zunächst im Anschluss an V. 4c am Begriff der ὀργή orientiert. Über diese erneute Erwähnung von Gottes Zorn (vgl. auch 1,18) hinausgehend führt Paulus dann, verbunden mit οὐ μόνον – ἀλλὰ καί, erneut den Begriff des Gewissens ein, der bereits 2,15 im Kontext der Selbstprüfung der Nichtjuden eingeführt wurde und 9,1 für die Authentizität des Paulus mit sich selbst stand. Dieser Gedanke scheint den bisherigen Zusammenhang, der durch eine theologische Argumentation mit dem Gottesbegriff geprägt ist, zu sprengen – jedenfalls wenn man das Ende von V. 2 mit seiner deutlich selbstreflexiven Argumentation nicht ernst nimmt. R. Bultmann hat deshalb den Vers für eine Glosse gehalten.[34] Der Satz führt die Argumentation aber sinnvoll fort[35] und in einem bestimmten Sinne auch weiter. Der einzelne Glaubende soll sich nicht nur aus Furcht vor Gottes Zorn gut verhalten, sondern zugleich um mit sich selbst und seinem Gewissen im Reinen zu sein.[36] Der Gewissensbegriff ist bei Paulus nicht politisch oder ethisch oder philosophisch, sondern theologisch qualifiziert. Er meint die durch die Existenz „in Christus" ermöglichte Übereinstimmung des Glaubenden mit sich selbst und

---

[31] Gegen W. Schmithals: Der Römerbrief, S. 465: „Dabei ist bei dem ‚Zorngericht' in V.4c anscheinend an die göttliche Strafe gedacht, von der schon in V.2b die Rede war und die der irdische Richter als ‚Vollzieher' oder Anwalt' (ekdikos) im Dienst Gottes vollstreckt". Ähnlich auch E. Käsemann: An die Römer; HNT 8a, S. 346: „Die irdische Strafe vollstreckt Gottes Urteil."

[32] Vgl. dazu grundsätzlich P. von Gemünden, G. Theißen: Metaphorische Logik im Römerbrief, a.a.O., S. 108-131.

[33] Vgl. E. Käsemann: Der Brief an die Römer; HNT 8a, S. 246.

[34] R. Bultmann begründet seine Entscheidung folgendermaßen: „Es läßt sich doch nicht leugnen, daß sich das διὰ τοῦτο γάρ V. 6 auf den Satz von V. 4 bezieht: θεοῦ γὰρ διάκονός ἐστιν (sc. ἡ ἐξουσία), für den V. 6 ganz sachgemäß den Erkenntnisgrund bringt; deshalb, weil die Behörde Gottes Dienerin ist, zahlt ihr ja auch Steuern; denn sie (die Behörden) sind ja Gottes Beamte, die eben dafür Sorge tragen." (R. Bultmann: Glossen im Römerbrief; ThLZ 72, S. 197-202; neu abgedruckt in: ders.: Exegetica, S. 278-284, dort S. 281f.)

[35] U. Wilckens betont vor allem den Zusammenhang mit Röm 2,15. „Faßt man das ‚Gewissen' wegen der Adressierung des Kontextes an ‚jedermann' (V1) im Sinne von 2,15 auf, [...] so ist gemeint: sondern auch weil man in seinem Gewissen selbst weiß, daß man Gutes und nicht Böses tun soll, muß man sich der Staatsgewalt unterordnen." (U. Wilckens: Der Brief an die Römer; EKK VI, 3, S. 36)

[36] Vgl. mit etwas anderer Akzentsetzung K. Haacker: Der Brief des Paulus an die Römer; ThHK 6, S. 267: „Die Anerkennung der herrschenden Verfassung ist nicht nur ein Gebot der Klugheit zur Vermeidung drohender Strafen (διὰ τὴν ὀργήν), sondern auch ein Gebot grundsätzlicher Einsicht (διὰ τὴν συνείδησιν), also nicht nur eine praktische, sondern auch eine sittliche Notwendigkeit." Haacker verweist a.a.O., S. 267f, Anm. 32 zu diesem Gedanken auf Parallelen bei z.B. Seneca (De Vita Beata 20,4; De Ira III 41,1), und Cicero (Pro T. Annio Milone 61).

dem Gesetz (vgl. Röm 9,1 und 2,15 sowie oben die Ausführungen dazu). Das bedeutet in diesem Falle: Die Dimensionen des Selbstverhältnisses, des Gottesverhältnisses und des sozialen Verhaltens sollen übereinstimmen (vgl. 13,8-10 und unten die Erläuterungen dazu). Das gute Verhalten erwächst dabei für Paulus nicht nur aus der Angst vor politischer Strafe oder vor dem Zorn im göttlichen Gericht, sondern vor allem aus einem authentischen Verhältnis zu sich selbst. Wenn der Glaubende Böses tut, sich also nicht in seinem persönlichen Verhalten an seinem eigenen Gewissen orientiert, so handelt er damit nicht nur gegen die politischen Gewalten und muss sich vor ihnen fürchten, sondern und auch gegen Gott und muss seinen Zorn fürchten. Er disqualifiziert sich vor allem vor sich selbst (vgl. V. 2), weil er mit seinem Verhalten seiner neuen Ex-istenz, die nicht in ihm selbst, sondern durch Gott, aus dem Glauben und in Christus begründet ist (vgl. 8,1ff), widerspricht. Der Abschnitt möchte keine theologisch legitimierte Staatsmetaphysik entwickeln, sondern die Argumentation zielt auch hier vor allem auf das Selbstverhältnis des einzelnen Glaubenden. Der Einzelne soll seiner Verantwortung im Gemeinwesen nachkommen, weil und insofern er die politischen Mächte als Gott unterstellt begreifen kann und im Falle der Ablehnung dieser Verantwortung mit sich selbst in Gewissenskonflikte kommen würde.

V. 6f beschäftigt sich (angeschlossen mit διὰ τοῦτο γάρ) auf dem Hintergrund dieser grundsätzlichen Überlegungen mit den praktischen Konsequenzen in Bezug auf die konkrete Verpflichtung von Zahlungen gegenüber den römischen Machthabern.[37] Paulus geht hier offenbar von der Bereitschaft zur Tributzahlung bei den Adressaten aus.[38] Der Imperativ in V. 7 spricht dafür, daß auch τελεῖτε in V. 6 als Imperativ aufzufassen ist und Paulus damit nicht von einer grundsätzlichen Bereitschaft, den Tribut zu zahlen, ausgeht.[39] Er spricht sich damit in V. 6f offenbar grundsätzlich dafür aus, dass die Adressaten Tribut und andere Abgaben entrichten sollen. Möglicherweise beziehen sich die Ausführungen in V. 2ff über das sich Widersetzen und das Tun des Bösen zum Teil auch auf die fehlende Bereitschaft zur Abgabenzahlung.

Die Ermahnung in V. 6a, dass die Adressaten Tribut zahlen sollen, setzt wiederum in menschlicher Perspektive bei der politischen Verpflichtung an, die dann in V. 6b nochmals in theologischer Perspektive betrachtet wird. Die Bemerkung über den Tribut enthält, wenn sie für die römischen Christinnen und Christen tatsächlich zutrifft, einen wichtigen Hinweis auf die Zusammensetzung der dortigen Gemeinschaft. Paulus gebraucht „die Vokabel φόρος, deren normale Bedeutung ‚Tribut' ist, tributpflichtig waren aber zur Zeit des Paulus nicht die römischen Bürger, sondern nur die von den Römern unterworfenen Völker. Die Christen in Rom dürften also in ihrer großen Mehrheit keine römischen Bürger gewesen sein, sondern Zugereiste (peregrini) aus den von Rom unterworfenen Völkern der Provinzen."[40] Die Zahlung des Tributes bedeutet, dass man das römische Imperium als Herrschaft anerkennt und damit auch das römische Recht akzeptiert. Seine Ermahnung, den Tribut in diesem Sinne treu zu entrichten und damit auch die rechtliche Ordnung des Imperiums anzunehmen, begründet Paulus in V. 6b (angeschlossen mit γάρ) erneut theologisch. Er bezieht sich jetzt nicht allgemein auf

---

[37] Schmithals schreibt V. 6f wegen des seiner Meinung nach unbefriedigenden Überganges von V. 5 zu 6 einem Redaktor zu. (Vgl. W. Schmithals: Der Römerbrief, S 467f).

[38] Vgl. K. Haacker: Der Brief des Paulus an die Römer; ThHK 6, S. 268f. So auch E. Lohse: Der Brief an die Römer; (KEK 4) 15. Aufl. Göttingen 2003, S. 357, Anm. 34: „Das Prädikat τελεῖτε ist als indikativ zu fassen."

[39] So auch W. Schmithals: Der Römerbrief, S. 469, gegen Haacker, a.a.O., S. 261 und 268.

[40] Haacker, a.a.O., S. 263f.

die politische Macht, sondern konkret auf ihr Personal, die Beamten,[41] und bezeichnet diese – analog zu θεοῦ διάκονος in V. 4 – als λειτουργοὶ θεοῦ. Die Formulierung εἰς αὐτὸ τοῦτο προσκαρτεροῦντες leitet nicht V. 7 ein,[42] sondern bezieht sich attributiv oder modal auf λειτουργοὶ θεοῦ und bezeichnet ihren eifrigen Dienst.[43] V. 6b meint damit, dass auch die römischen Beamten, gerade wenn sie Steuern oder andere Abgaben eifrig einnehmen, von den Adressaten akzeptiert werden sollen, weil sie nicht nur Bedienstete des Imperiums sind, sondern – weil der Staat ja Gott untersteht (vgl. V. 1-4) – damit zugleich „Diener Gottes".

Auch die abschließende Aufzählung in V. 7 enthält einerseits eine geläufige menschliche und andererseits eine theologisch geprägte Perspektive. Die ersten beiden Begriffe φόρος und τέλος meinen zum einen den Tribut im genannten Sinne und zum anderen weitere Abgaben.[44] Das ἀπόδοτε πᾶσιν τὰς ὀφειλάς benennt also zunächst V. 7a in geläufiger Sicht die politischen Verpflichtungen gegenüber den römischen Machthabern. Umstritten ist, ob sich auch das zweite Begriffspaar φόβος und τιμή auf die politischen Mächte bezieht[45] oder auf Gott.[46] Der Begriff φόβος wurde zwar vorher (V. 3) schon auf die Herrschenden bezogen, aber die Differenzierung zwischen Gott und Kaiser an ähnlichen Stellen in Mk 12,17 und Parallelen[47] spricht dafür, dass auch Paulus hier zwischen einer politischen und einer theologischen Perspektive unterscheidet und das zweite Begriffspaar theologisch Gott zuordnet.[48] Paulus macht damit am Schluss des Abschnittes, wie schon am Anfang in V. 1 erneut deutlich, dass der Machtanspruch jeder politischen Gewalt durch die Furcht und Ehrung Gottes relativiert und begrenzt wird.

---

[41] Vgl. W. Schmithals: Der Römerbrief, S. 468: „Im vorliegenden Zusammenhang [...] gibt der Begriff die stereotype hellenistische Bezeichnung für einen profanen Verwaltungsbeamten, vor allem den Steuereinnehmer, wieder.

[42] So K. Haacker: Der Brief des Paulus an die Römer; ThHK 6, S. 261 und 263, Anm. 4, der deshalb mit Riekkinen die Zeichensetzung des Textes der 27. Aufl. von Nestle-Aland ändert.

[43] So W. Haubeck, W. von Siebenthal: Neuer sprachlicher Schlüssel zum griechischen Neuen Testament, S. 43.

[44] K. Haacker: Der Brief des Paulus an die Römer; ThHK 6, S. 261 Tributpflicht (φόρος) und Steuer (τέλος).

[45] So z.B. E. Käsemann: An die Römer; HNT 8a, S. 346; Haacker, a.a.O., S. 269f.

[46] So C.E.B. Cranfield: The Epistle to the Romans, ICC, vol. 2, S. 670f und U. Wilckens: Der Brief an die Römer; EKK VI, 3, S. 38.

[47] Zum möglichen Einfluß der Jesustradition auf die Paränese des Römerbriefes vgl. P. Stuhlmacher: Jesustradition im Römerbrief? In: ThBeitr 14 (1983), S. 240-250.

[48] P. Stuhlmacher: Der Brief des Paulus an die Römer; NTD 6, S. 182 stellt unentschieden beide Möglichkeiten nebeneinander.

Der Abschnitt Röm 13,1-7 lässt sich damit wie folgt strukturieren, wobei in theologischer Perspektive das Wort θεός und die zusätzliche selbstreflexive Argumentation hervorgehoben sind:

13,1:	Πᾶσα ψυχὴ ἐξουσίαις ὑπερεχούσαις ὑποτασσέσθω	οὐ γὰρ ἔστιν ἐξουσία εἰ μὴ ὑπὸ **θεοῦ** αἱ δὲ οὖσαι ὑπὸ **θεοῦ** τεταγμέναι εἰσίν
2: ὥστε	ὁ ἀντιτασσόμενος τῇ ἐξουσίᾳ	τῇ τοῦ **θεοῦ** διαταγῇ ἀνθέστηκεν
δὲ	οἱ ἀνθεστηκότες	*ἑαυτοῖς* κρίμα λήμψονται
3-4a: γὰρ	οἱ ἄρχοντες οὐκ εἰσὶν φόβος τῷ ἀγαθῷ ἔργῳ ἀλλὰ τῷ κακῷ θέλεις δὲ μὴ φοβεῖσθαι τὴν ἐξουσίαν τὸ ἀγαθὸν ποίει καὶ ἕξεις ἔπαινον ἐξ αὐτῆς	**θεοῦ** γὰρ διάκονός ἐστιν σοὶ εἰς τὸ ἀγαθόν
4b und c: δὲ	ἐὰν τὸ κακὸν ποιῇς φοβοῦ οὐ γὰρ εἰκῇ τὴν μάχαιραν φορεῖ	**θεοῦ** γὰρ διάκονός ἐστιν ἔκδικος εἰς ὀργὴν τῷ τὸ κακὸν πράσσοντι
5: διὸ	ἀνάγκη ὑποτάσσεσθαι	οὐ μόνον διὰ τὴν ὀργὴν ἀλλὰ καὶ διὰ *τὴν συνείδησιν*
6: διὰ τοῦτο γὰρ	καὶ φόρους τελεῖτε	λειτουργοὶ γὰρ **θεοῦ** εἰσιν εἰς αὐτὸ τοῦτο προσκαρτεροῦντες
7:	ἀπόδοτε πᾶσιν τὰς ὀφειλάς τῷ τὸν φόρον τὸν φόρον τῷ τὸ τέλος τὸ τέλος	τῷ τὸν φόβον τὸν φόβον τῷ τὴν τιμὴν τὴν τιμήν

Formulierung des ethischen Prinzips (13,8-10)

Nachdem Paulus in einer sich allmählich ausweitenden Gedankenführung auf das Verhalten der Adressaten innerhalb der christlichen Gemeinschaft (12,3-13), dann gegenüber allen Menschen (12,14-21) und schließlich den Machthabern innerhalb der Gesellschaft (13,1-7) eingegangen ist, folgt ein kurzer Abschnitt, in dem die grundsätzlichen ethischen Weichenstellungen geschehen. Dieser darf jedoch nicht von dem Vorherigen losgelöst betrachtet werden.[1] Denn er knüpft mit der Eingangsformulierung μηδενὶ μηδὲν ὀφείλετε deutlich an V. 7 an (ἀπόδοτε πᾶσιν τὰς ὀφειλάς) und setzt V. 1-7 auch insofern sinnvoll fort, als er die Frage nach politischer Pflichterfüllung und dem Tun des Guten vom Gedanken der Liebe her nochmals in ein anderes Licht rückt. Paulus beginnt den Abschnitt nicht in der 1. Person Singular oder Plural, sondern diesmal – V. 6f fortsetzend – mit einer Anrede der Adressaten im Imperativ der 2. Person Plural. Ein wichtiges Indiz für den Beginn eines neuen Abschnittes ist das Fehlen einer Konjunktion in V. 8.

V. 8-10 benennen ein theologisches Prinzip, von dem her und auf das hin alles Verhalten und alle Bestimmungen des Gesetzes zu verstehen sind: Die Liebe (ἀγάπη).[2] Paulus hatte bereits in 12,9 die ἀγάπη dem moralischen Code gut – böse vorangestellt, was der paulinischen Hochschätzung der Liebe auch in anderen Kontexten entspricht (vgl. I Kor 13). Der kurze Abschnitt ist so strukturiert, dass Paulus jeweils in menschlicher Sicht mit einem üblichen und akzeptierten Verhalten einsetzt und diesem in theologischer Sicht das ethische Prinzip der Liebe gegenüberstellt (vgl. unten die Strukturierung des griechischen Textes in der Tabelle).

V. 8a setzt dementsprechend, an V. 7 anknüpfend, in geläufiger menschlicher Sicht mit der konkreten Mahnung ein, Schulden zu bezahlen oder gar nicht erst Schulden zu machen. Die Aussage ist, wie bereits in V. 7a, durchaus nicht gleich im übertragenen Sinne als moralische Haltung gemeint, sondern bezieht sich zunächst konkret auf finanzielle Schulden.[3] Dieser allseits akzeptierten Verhaltensregel setzt Paulus dann jedoch eine theologische Perspektive gegenüber, die von einer bleibenden Verpflichtung gegenüber dem anderen handelt. In diesem Sinne hatte Paulus bereits in Röm 1,14f von seiner Verpflichtung zur Evangeliumsverkündigung gesprochen. Das eigenartige εἰ μή drückt diesen Übergang zur theologischen Perspektive aus (vgl. V. 1). V. 8b meint nicht, dass man die Verpflichtung zur Liebe dem anderen gegenüber niemals erfüllen kann,[4] sondern das εἰ μή ist adversativ gemeint.[5] Die Verpflichtung zur

---

[1] So auch K. Haacker: Der Brief des Paulus an die Römer; ThHK 6, S. 270; gegen W. Schmithals: Der Römerbrief, S. 471, der 13,8-10 als Fortsetzung von 12,17-21 auffasst.

[2] Diese Konzentration auf den Liebesbegriff ist für Esler das Spezifische gegenüber anderen vergleichbaren Ethiken, z.B. aus der stoischen Tradition: „Paul's paramount concern with the nature of face-to-face contacts between Christ-followers, who must treat one another with avga,ph (...), is so radically different from anything in Stoic thought that it brings into sharp focus his distinctive vision of moral life in Christ." (P.F. Esler: Paul and Stoicism: Romans 12 as a Test Case; in: NTS 50 (2004), S. 106-124, dort S. 124.)

[3] Zu dieser Unterscheidung vgl. Haacker, a.a.O., S. 271: „Wenn man bedenkt, welche Gefahren das antike Kreditwesen für säumige Schuldner mit sich brachte, welche sozialen Unruhen mit der Hoffnung auf Schuldenerlaß gelegentlich verbunden waren und wie in der zeitgenössischen Ethik über finanzielle und moralische Schulden diskutiert wurde, dann verwundert es nicht, daß Paulus dieses Problem zum Gegenstand christlicher Ethik macht."

[4] So P. Althaus: Der Brief an die Römer; NTD 6, S. 122: „Hier ist man nie fertig, sondern bleibt immer schuldig. Paulus meint damit nicht nur die Unvollkommenheit alles unseres Liebens – je mehr wir

Liebe wird hier gegenüber V. 8a übertragen gebraucht, in der Formulierung von C.K. Barrett: „Owe no man anything – but you ought to love".[6] Das ἀλλήλους scheint sich dabei zunächst nur auf das Verhältnis der Adressaten untereinander zu beziehen. Diese binnenchristliche Perspektive wird jedoch durch das einleitende μηδενὶ μηδέν und dann durch das V. 9f folgende Gebot der Nächstenliebe universal auf alle Menschen ausgeweitet.[7] Paulus folgt damit der Struktur der vorhergehenden Abschnitte, die von dem Verhalten untereinander ausgingen (12,3-13) und dann das Verhältnis zu Außenstehenden behandelten (12,14-21 und 13,1-7).

Diese einleitende Aufforderung fortsetzend nehmen (verbunden mit γάρ) die V. 8c und d eine erste Verhältnisbestimmung zwischen Gesetz und Liebe vor. Paulus setzt hier offenbar eine Unterscheidung zwischen dem eigentlichen Prinzip des Gesetzes, der Liebe (ὁ ἀγαπῶν), und dem „anderen Gesetz", also allen anderen Gesetzesbestimmungen des Pentateuch voraus.[8] Man könnte den Ausdruck τὸν ἕτερον im Zusammenhang mit ὁ ἀγαπῶν sehen und analog zu τὸν πλησίον als Formulierung der Nächstenliebe mit anderen Worten verstehen.[9] Es spricht aber auch einiges dafür, dass τὸν ἕτερον sich auf νόμον bezieht:[10] Erstens ergibt sich die Unterscheidung von ὁ ἀγαπῶν und τὸν ἕτερον νόμον aus der oben ausgeführten inhaltlichen Differenzierung zwischen Liebesprinzip und konkreten Gesetzesbestimmungen. Zweitens steht dann der Ausdruck τὸν ἕτερον νόμον in V. 8 parallel zu εἴ τις ἑτέρα ἐντολή im nächsten Vers. Drittens taucht der Ausdruck ἕτερος νόμος bereits in 7,23 auf. Deshalb wird im Folgenden dieser Textaufteilung der Vorzug gegeben. In Übereinstimmung mit anderen Stellen im Röm, an denen der Gesetzesbegriff reflektiert wird,[11] unterscheidet Paulus damit auch bei dieser letzten Erwähnung des νόμος im Röm zwischen den konkreten Gesetzesbestimmungen und ihrem eigentlichen, nur in theologischer bzw. christologischer (vgl. 10,4) Perspektive wahrzunehmenden Sinn, der gleichwohl im Gesetz selbst festgehalten ist (vgl. dazu auch oben die Ausführungen zu Röm 2,12).

Νόμος meint, wie aus den Zitaten in V. 9 deutlich wird, zunächst eindeutig die Tora. Innerhalb derselben wird nun eine ihrer Bestimmungen V. 8c in einer spezifischen Sicht als „Haupt"-Wort (ἀνακεφαλαιοῦται) angeführt: das Liebesgebot aus Lev 19,18. Der Begriff ἀγάπη markiert deshalb in allen Gegenüberstellungen dieses Abschnittes die spezifisch theologische Perspektive (siehe dazu unten die griechische Tabelle), aus der

---

lieben, desto mehr erkennen wir, wieviel wir von dieser Schuldigkeit schuldig bleiben – sondern auch die Unerschöpflichkeit echten Liebeswillens; er kann sich nie genug tun, er ist unerschöpfliche Bewegung." Ähnlich auch U. Wilckens: Der Brief an die Römer; EKK VI, 3, S. 67.

[5] Vgl. T. Söding: Das Liebesgebot bei Paulus, S. 256: „Sie (sc. Die Formulierung) zielt kaum darauf ab, die Agape als das zu erklären, was die Menschen immer schuldig bleiben, weil sie dem Anspruch des Liebesgebotes nie gerecht werden können. Eher ist an ein adversatives Verständnis zu denken".

[6] C. K. Barrett: The Epistle to the Romans; BNTC, S. 230.

[7] Vgl. U. Wilckens: Der Brief an die Römer; EKK VI, 3, S. 67f.

[8] Die Distinktion ist also insofern eine binäre im Sinne G. Spencer Browns und N. Luhmanns, als sie ein Gesetz näher bestimmt und es von allen anderen unterscheidet. Vgl. dazu oben die Einführung unter 2.

[9] So die gängige Auffassung, vgl. z.B. U. Wilckens: Der Brief an die Römer; EKK VI, 3, S. 68: „τὸν ἕτερον gehört als Objekt zu ἀγαπῶν, nicht als Attribut zu νόμον."

[10] Vgl W. Gutbrod: Artikel νόμος κτλ.; in: ThWNT, Bd. 4, S. 1029-1084, dort S. 1069, der allerdings ὁ ἕτερος νόμος nicht auf die anderen gesetzliche Bestimmungen (vgl. V. 9) bezieht, sondern das Liebesgebot selbst als „anderes Gesetz" auffasst.

[11] Vgl. z.B.: Röm 2,14f; 3,25.27.31; Kap. 4; 7,7-8,4; 10,4ff sowie die gesamte Argumentation mit Gesetzestexten, die von Paulus zur Bestätigung seiner Evangeliumsverkündigung herangezogen werden, z.B. in Kap. 9-11.

Paulus hier das Gesetz interpretiert. Das Wort bildet in systemtheoretischer Sicht das Element, das innerhalb des Systems die über das System hinausgehende Perspektive präsentiert: „something in the system that works at the system as if it were outside."[12] Alle Gesetzesbestimmungen erfahren vom Prinzip der Liebe her ihren eigentlichen „Sinn". Paulus operiert also wieder mit dem Gesetzesbegriff so, dass er einen favorisierten Aspekt des Gesetzes, nämlich hier den des Liebesgebotes, hervorhebt und die anderen Gesetzesbestimmungen, z.B. einzelne Gebote des Dekaloges, von dort her versteht.[13]

Diese in V. 8c und d eingeführte Differenzierung zwischen der Liebe und dem „anderen Gesetz" wird von Paulus in V. 9 dadurch weiter ausgeführt (angeschlossen mit γάρ), dass er zunächst in geläufiger Sicht explizit auf vier konkrete Toragebote aus dem Dekalog eingeht. In V. 9a zitiert Paulus mit οὐ μοιχεύσεις, οὐ φονεύσεις, οὐ κλέψεις zunächst den Dekalog in der Textform von Dtn 5,17-19 (LXX), und zwar in der Lesart von B und V.[14] Dem fügt er mit οὐκ ἐπιθυμήσεις eine Kurzfassung von Dtn 5,21 (LXX) hinzu (vgl. bereits Röm 7,7).[15] Das τό fungiert dabei als Zitateinleitung. Durch die Hinzufügung von καὶ εἴ τις ἑτέρα ἐντολή zeigt Paulus, dass diese vier Gebote lediglich exemplarisch für alle anderen Toragebote gemeint sind. Dem stellt er V. 9b ein anderes Zitat aus Lev 19,18 gegenüber, von dem er in theologischer Sicht behauptet, dass es alle anderen zusammenfasst (ἀνακεφαλαιοῦται).[16] Das Liebesgebot aus Lev 19,18 erscheint damit als eigentliches ethisches Prinzip, von dem her das ganze „andere Gesetz" und alle „anderen Gebote" zu verstehen sind.

Das Liebesgebot aus Lev 19,18 als ethisches Prinzip

Um die Besonderheit der paulinischen Interpretation von Lev 19,18 als ethisches Prinzip zu verstehen, ist es sinnvoll, zunächst einige grundsätzliche Überlegungen zum Liebesgebot auszuführen.[17] Das von Paulus zitierte Gebot findet sich im AT nur an einer Stelle im Rahmen des Heiligkeitsgesetzes.[18] Dort existiert es in einer doppelten Fassung: als Liebe des Volksgenossen (רֵעַ, was vor allem ein verwandtschaftliches Verhältnis voraussetzt) in Lev 19,18 und dann als Liebe gegenüber dem Fremden, d.h. dem unter Israeliten wohnenden Nichtisraeliten (גֵּר) in 19,34. Das Gebot setzt also eine

---

[12] Vgl. D. R. Hofstaedter: Gödel, Escher, Bach: An eternal golden braid; Hassocks, Sussex UK 1979, S. 691, der diesen Vorgang für die Logik, die Malerei und die Musik untersucht hat.

[13] Vgl. dazu auch z.B. die Auslegung der Zehn Worte (des Dekalogs) von F. Crüsemann: Kinder der Freiheit?! Die Struktur des Dekalogs und die gegenwärtige Diskussion um Menschenrechte, Wertewandel und christliche Ethik; in: H.-H. Brandhorst, D. Starnitzke, M. Wedek (Hrsg.): Die Freiheit bestehen. Beiträge zum Jahresthema 2000 der v. Bodelschwinghschen Anstalten Bethel; Bielefeld 2001, S. 15-27. Crüsemann sieht das Zentrum der Zehn Worte a.a.O., S. 20f im Tötungsverbot und interpretiert von dort ausgehend die anderen Worte.

[14] Vgl. D.-A. Koch: Die Schrift als Zeuge des Evangeliums, S. 34. Paulus folgt damit nicht Ex 20,13-15.

[15] Vgl. H. Hübner (Hrsg.): Vetus Testamentum in Novo, Bd. 2, S. 198-201.

[16] Die Verbindung der beiden Textstellen aus Dtn 5 und Lev 19 geschieht implizit nach der Methode des Analogieschlusses (gezera schawa, vgl. auch z.B. Röm 4), weil sich Dtn 5,21 bereits der Begriff πλησίον findet (vgl. K. Haacker: Der Brief des Paulus an die Römer; ThHK 6, S. 270).

[17] Als ersten Entwurf zu den folgenden Überlegungen vgl. D. Starnitzke: Bezeichnungen diakonisch betreuter Menschen und das Liebesgebot; in: WuD 26 (2001), S. 291-305, dort S. 298ff.

[18] Zu den exegetischen Problemen vgl. im einzelnen H.-P. Mathys: Liebe deinen Nächsten wie dich selbst. Untersuchungen zum alttestamentlichen Gebot der Nächstenliebe (Lev 19,18); OBO 71, Freiburg (Schweiz) und Göttingen 1986.

Differenzierung zwischen Israeliten und Nichtisraeliten voraus, enthält folglich eine abstammungsmäßige und religiöse Komponente, um dann zu sagen: Du sollst beide, den israelitischen Volksgenossen und den Nichtisraeliten – wohlgemerkt unter Beachtung dieser Differenz – lieben. Diese Differenz wird dadurch noch verdeutlicht, dass – wie durchgehend im sogenannten Heiligkeitsgesetz Lev 17-26 – hinzugefügt wird: אני יהוה.

Paulus legt hier aber – wie auch sonst – nicht den hebräischen Text zugrunde, sondern den griechischen. Die Übersetzung des hebräischen Textes von Lev 19,18 in der Septuaginta zeichnet sich vor allem durch zwei Veränderungen aus: 1. wird der Begriff des Volksgenossen (רע) verallgemeinert, und 2. wird die nicht ganz eindeutige Formulierung כמוך *übersetzt mit* ὡς σεαυτόν.

Zu 1.: Die abstammungsmäßige bzw. religiöse Differenzierung zwischen Volksgenossen und anderen wird in der Septuaginta universalisiert, indem רע *mit* ὁ πλησίον *wiedergegeben wird. Das ist eine bemerkenswerte Begriffsverschiebung, denn* πλησίον *hat nicht primär abstammungsmäßige oder religiöse Implikationen, sondern meint zunächst lokal den Nachbarn, denjenigen, der in der Nähe wohnt oder sich jetzt gerade aktuell in der Nähe befindet.[19] Vorausgesetzt ist hier offenbar ein Gemeinwesen, in dem Menschen verschiedener Religion und Volkszugehörigkeit nahe beieinander wohnen.[20] Bemerkenswert ist außerdem die Verwendung des Neutrums* πλησίον *statt der maskulinen Form. „Das Wort* ὁ πλησίον *ist eine eigenartige Bildung. Eigentlich müßte es doch* ὁ πλησίος *heißen [...] Das ist auffällig. Es ist ein Adverbium, das renominalisiert worden ist."[21] Alle Menschen, Männer wie Frauen, werden so – unabhängig von ihrem Geschlecht und ihrer Herkunft – unter dem Aspekt der räumlichen Nähe in das Liebesgebot mit einbezogen.*

Zu 2.: In der neueren jüdischen Auslegung sind verschiedene Interpretationen und Übersetzungen des Ausdruckes כמוך *vorgeschlagen worden. M. Buber und F. Rosenzweig haben ihn in ihrer Verdeutschung des Alten Testamentes mit der Formulierung wiedergegeben: „Halte lieb deinen Genossen, dir gleich."[22] In einer zweiten Variante wurde das* כמוך *bereits von Wessely als vollständiger Nebensatz übersetzt: „der dir gleich ist."[23] Maybaum hat den Ausdruck, noch darüber hinausgehend, als selbständigen Satz übersetzt: „Er ist wie du"[24] Eine weitere interessante Interpretationsvariante bietet E. Levinas, der* כמוך *auf den gesamten Vorgang des Liebens bezieht und in diesen gleichzeitig das Selbstverhältnis des im Gebot Angesprochenen einführt: "Aime ton prochain; tout cela c'est toi-même; cette oeuvre est toi-même; cet amour est toi-même."[25]*

---

[19] Vgl. K. Berger: Das Verhältnis von Gottes- und Nächstenliebe nach dem Neuen Testament; in: A. Götzelmann (Hrsg.): Einführung in die Theologie der Diakonie. Heidelberger Ringvorlesung; Heidelberg 1999, S. 55-74, dort S. 57f.

[20] Die Voranstellung von οὐ μηνιεῖς τοῖς υἱοῖς τοῦ λαοῦ σου V. 18a zeigt dabei natürlich, dass damit Israeliten gemeint sind.

[21] K. Berger: Das Verhältnis von Gottes- und Nächstenliebe nach dem Neuen Testament, S. 57.

[22] Die fünf Bücher der Weisung. Verdeutscht von M. Buber gemeinsam mit F. Rosenzweig, S. 326.

[23] Zitiert nach H.-P. Mathys: Liebe deinen Nächsten wie dich selbst, S. 6f.

[24] Zitiert nach Mathys, a.a.O., S. 6.

[25] Zitiert nach H. van de Spijker: Narzißtische Kompetenz – Selbstliebe –Nächstenliebe. Sigmund Freuds Herausforderung der Theologie und Pastoral; Freiburg, Basel, Wien 1993, S. 38, der sich auf R. Burggraeve: Van zelfontlooiing naar verantwoordlijkheid. een theische lezing van het verlangen: oetmoeting tussen psychoanalyse en Levinas; 4. Aufl. Leuven-Amersfort; 1987, S. 91, bezieht.

Man kann mit H. van de Spijker also mindestens drei Interpretationstypen von Lev 19,18 auf der Basis des hebräischen Textes unterscheiden und wird sie im Hinblick auf ihre grammatische Plausibilität verschieden beurteilen müssen. Lev 19,18 wird übersetzt „in der klassischen Übersetzung ‚wie dich selbst‘, in jenen ‚jüdischen‘ Übersetzungen ‚dir gleich‘, ‚der dir gleich ist‘ und ‚er ist dir gleich‘; in der levinatischen Übersetzung ‚liegt dein Selbst‘.

- Die hebräische Vokabel kamoka ist, grammatikalisch gesehen, sowohl mit ‚wie dich selbst‘ als auch mit ‚dir gleich‘ übersetzbar.

- Die gleiche Vokabel ist, grammatikalisch gesehen, nicht mit ‚der dir gleich ist‘, ‚Er ist dir gleich‘, und ‚liegt dein Selbst‘ zu übersetzen."[26]

Die Übersetzung von כמוך durch ὡς σεαυτόν in der Septuaginta verstärkt nun den selbstreflexiven Aspekt des Liebesgebotes und konzentriert das Verständnis des Satzes auf die Verhältnisbestimmung von der Beziehung zum Nächsten einerseits und der Beziehung zu sich selbst andererseits. Dieses offensichtlich sehr verschieden interpretierbare Liebesgebot, das im AT keine besonders herausgehobene Stellung einnimmt, wird im NT in dieser Formulierung acht Mal aufgenommen (Mt 5,43; 19,19; 22,39; Mk 12,31; Lk 10,27; Röm 13,9; Gal 5,14; Jak 2,8). Dabei geschieht nicht nur quantitativ, sondern auch von seiner Bedeutung her, eine wesentliche Aufwertung des Gebotes.[27] Der älteste literarische Belege für die Aufnahme des Liebesgebotes im NT findet sich bei Paulus neben Röm 13,9[28] in Gal 5,14, allerdings in einem etwas anderen Argumentationszusammenhang.[29]

---

[26] Van de Spijker, S. 40f, mit Bezug auf H.-P. Mathys.

[27] In Mk 12,28ff wird dies Gebot der Nächstenliebe, mit dem der Gottesliebe aus Dtn 6,4f kombiniert. Das entspricht durchaus auch dem Grundgedanken von Lev 19, wo diese Verbindung zwischen Nächstenliebe und Gott durch das אני יהוה explizit hergestellt wurde. Das Gebot der Gottesliebe wird als „erstes" Gebot bezeichnet, das der Nächstenliebe als „zweites", die Nächstenliebe ist also bei Mk der Gottesliebe nachgeordnet. Auch die Parallelstellen in den synoptischen Evangelien Mt 22,34ff und Lk 10,25ff übernehmen die Verbindung von Gottesliebe und Nächstenliebe. Mt stellt dabei beide Gebote gleich (wobei er Dtn 6,4 weglässt). Bei Mt findet sich das Gebot der Nächstenliebe noch an zwei anderen Stellen: In 19,19 wird es in Verbindung mit anderen Bestimmungen aus dem Dekalog aufgezählt, ohne dass gesagt würde, dass es sich dabei um ein besonders herausragendes Gebot handelt. In 5,43 findet sich dann eine bemerkenswerte Engführung des Gebotes, die für dessen reduziertes Verständnis bis heute entscheidend zu sein scheint. Es heißt dort nur noch „Liebe deinen Nächsten", und dies Gebot wird im Hinblick auf die Feindesliebe erweitert. Das „wie dich selbst", also der Aspekt der Selbstliebe, wird dagegen weggelassen. Lk verbindet dann die beiden Gebote aus Lev 19 und Dtn 6,5 (ohne V. 4) mit der Erzählung vom barmherzigen Samaritaner. Damit soll gezeigt werden, dass derjenige der Nächste im Sinne des Liebesgebotes „geworden ist", der sich dem anderen zuwendet und ihm hilft – auch wenn er kein Israelit im engeren Sinne, sondern Samaritaner ist. Nächster bzw. Nächste ist man für Lk also nicht durch die religiöse oder herkunftsmäßige Zugehörigkeit oder den Wohnort, sondern man wird es durch die Tat des Erbarmens (ὁ ποιήσας τὸ ἔλεος μετ' αὐτοῦ). Das Liebesgebot hat darüber hinaus ohne expliziten Bezug auf Lev 19,18 in der johanneischen Literatur wichtige Bedeutung. Es fehlt dabei aber der selbstreflexive Bezug durch ὡς σεαυτόν (vgl. z.B. Joh 13,34).

[28] Lev 19,18 ist bei Paulus tatsächlich als Gebot gemeint. Gegen W. Jens: Der Römerbrief, S. 65, der die futurische Formulierung aus Röm 13,9 und der Septuaginta wörtlich nimmt: „Lieben wirst Du Deinen Nächsten wie Dich selbst."

[29] Vgl. dazu im Detail F. Vouga: An die Galater; HNT 10, S. 129f. Die Frage, ob die Gal nach der gängigen These den Röm vorbereitet oder umgekehrt, ist unentscheidbar (vgl. Vouga, a.a.O., S. 3-5). Man kann jedoch behaupten, dass die Argumentation im Röm noch weitaus mehr als im Gal auf den individuellen Glauben und die Verantwortung des Einzelnen abzielt. Wenn auch der Gal „für die Entstehung des geistigen Lebens des Individuums im Abendland grundlegenden Charakter hat"

Bemerkenswert ist an Röm 13,9 im Vergleich mit den anderen .
neutestamentlichen Stellen (ausgenommen Gal 5,14) Folgendes: Erstens zitiert Paulus
das Gebot überraschenderweise ohne jede Aussage über Gott, sei es in der
Kombination mit dem Gebot der Gottesliebe oder durch die Weiterführung des Zitates
mit ἐγώ εἰμι κύριος. Er behauptet zweitens, dass genau in diesem einen alle anderen
Gebote des Alten Testamentes zusammengefasst sind (ἀνακεφαλαιοῦται, V. 9) und mit
erfüllt werden (πεπλήρωκεν, V. 8; πλήρωμα, V. 10). Er stellt drittens damit alle anderen
Gebote in die zentrale Perspektive einer zwischenmenschlichen Relation zwischen
einem „Du" und seinem „Nächsten". Er universalisiert viertens die Geltung des
Liebesgebotes über die Glaubensgemeinschaft der Christen hinausgehend in Richtung
auf die Relation der Christen zu allen anderen Menschen. Hier bekommt also das
Liebesgebot eine herausragende Bedeutung. Es wird gegenüber den in V. 9a genannten
und allen anderen Geboten in eine übergeordnete theologische Position gestellt. Für
die Glaubenden wird es zu einem universalen Verhaltensprinzip, das alle anderen
Gebote zusammenfasst.[30] Aus der Formulierung τὸ ἀλλήλους ἀγαπᾶν könnte man
zunächst schließen, dass sich dabei das Liebesgebot nur auf das Verhältnis der an
Christus Glaubenden untereinander bezieht. Der Anschluss von V. 8a an V. 7 zeigt
jedoch, dass darüber hinaus in gesellschaftlicher Hinsicht auch eine Verpflichtung
gegenüber allen anderen Menschen gemeint ist: ἀπόδοτε πᾶσιν τὰς ὀφειλάς – μηδενὶ
μηδὲν ὀφείλετε. Μηδενί meint deshalb alle Menschen im Sinne des πᾶσιν bzw. genauer
gesagt: jeden Einzelnen. Der „Nächste" ist damit für Paulus nicht nur der Angehörige
des gleichen Glaubens, sondern potentiell jeder Mensch.

Bemerkenswert am geläufigen Verständnis des Liebesgebotes ist, dass der Satz
zumeist als Gebot der Nächstenliebe aufgefasst wird. Man folgt damit jedoch der
Reduktion von Mt 5,43f und geht an der Röm 13 zugrunde liegenden Aussage und
Intention vorbei. Der Satz enthält zumindest in der paulinischen Interpretation einen
Doppelaspekt, den der Nächstenliebe und der Selbstliebe. Von der Logik der Aussage
kommt dabei dem Gebot der Selbstliebe ebenso große Priorität zu wie dem der
Nächstenliebe. Die Nächstenliebe soll ihr rechtes Maß in der Selbstliebe finden und
umgekehrt.[31] Das bedeutet zum einen: Wenn die Selbstliebe größer ist als die Liebe zum
Nächsten, widerspricht das dem Gebot. In der theologischen Tradition hat man sich
zumeist auf diesen Aspekt konzentriert. Es heißt aber auch zum anderen: Eine
Nächstenliebe, die die Liebe zu sich selbst überschreitet, entspricht nicht dem hier
vorliegenden, doppelten Liebesgebot. Diese Bedeutung der Selbstliebe wird offenbar
theologisch verschieden beurteilt: positiv äußert sich z.B. R. Völkl[32], negativ dagegen
sehr entschieden F. Maass[33] und differenziert H.-P. Mathys.[34]

(Vouga, a.a.O., S. V) so findet dieser Gedanke erst (oder bereits?) im Römerbrief seine volle Entfaltung.

[30] Einer übermäßigen Konzentration auf das Liebesgebot widerspricht demgegenüber der Jakobusbrief. In Jak 2,8ff wird ausgeführt, dass das Gesetz nicht dadurch erfüllt wird, wenn man nur das Liebesgebot einhält. Vielmehr solle man alle Gebote einzeln und für sich erfüllen, obwohl das Liebesgebot als „königliches Gebot" gesehen wird.

[31] Diesen wichtigen Zusammenhang hat E. Fromm in psychologischer Sicht verdeutlicht. Vgl. ders.: Die Kunst des Liebens; Stuttgart 1980.

[32] R. Völkl: Die Selbstliebe in der Heiligen Schrift und bei Thomas von Aquin; MThS.S 12 (1956).

[33] F. Maass: Die Selbstliebe nach Leviticus 19,18; in: Festschrift F. Baumgärtel zum 70. Geburtstag, hrsg. v. L. Rost; ErF 10 (1959), S. 109-113.

[34] H.-P. Mathys: Liebe deinen Nächsten wie dich selbst, a.a.O.

Durch das Zitat von Lev 19,18 wird von Paulus der Zusammenhang von Selbstverhältnis und Verhältnis zum Nächsten in seiner grundsätzlichen Bedeutung für die christliche Ethik thematisiert. Diese Herausstellung des Liebesgebotes in Gal 5,14 und Röm 13,9 setzt voraus, „daß der Einzelne als Person und unabhängig von seinen Eigenschaften von Gott anerkannt wird".[35] Daraus folgt, „daß er sich selbst als Person und unabhängig von seinen Eigenschaften lieben darf und daß er den Anderen als Person, unabhängig von seinen Eigenschaften lieben soll."[36] Im Liebesgebot ist für Paulus also gerade die eigentümliche Korrespondenz von Selbstliebe und Liebe zum anderen Menschen, von Selbstverhältnis und Fremdverhältnis, von Selbstwahrnehmung und Wahrnehmung des Anderen zum Ausdruck gebracht, die in der grundsätzlichen Annahme des einzelnen Menschen durch Gott begründet ist. Liebe ist die Ausgewogenheit von Selbstverhältnis und Fremdverhältnis. Selbstbezüglichkeit findet ihr rechtes Maß in der Zuwendung zum anderen. Steht sie dahinter zurück, tendiert sie zur Selbstverleugnung und ist dem Gelingen des eigenen Lebens eher hinderlich. Überwiegt die Selbstbezüglichkeit jedoch die Relation zum anderen Menschen, so tendiert dies zur Egozentrik und fördert deshalb ebenfalls nicht das Gelingen des eigenen Lebens.

Maßstab der Nächstenliebe ist in diesem Sinne das liebevolle Verhältnis des Menschen zu sich selbst. Das aber setzt die gesamte Argumentation von Röm 1-11 voraus, nach der eine Klärung des Selbstverhältnisses nicht durch den Menschen selbst, sondern nur durch den Glauben und „in Christus" geschehen kann.[37] Von diesem inneren Zusammenhang von Selbst- und Nächstenliebe her ergibt sich ein bestimmtes Verständnis des (alttestamentlichen) Gesetzes. Die Erfüllung des Gesetzes besteht nicht in der Befolgung einzelner ethischer Anweisungen, sondern in einem liebevollen Verhältnis zu sich selbst und einer dem entsprechenden Relation zum Nächsten. Insofern kann man auch hier von einem „Doppelgebot der Liebe" sprechen, jetzt aber verstanden als Gebot der Selbst- und Nächstenliebe. Wenn es stimmt, dass das Selbstverhältnis dabei für Paulus Ausgangspunkt der Gedankenführung ist, dann geht es folglich primär um eine rechte Bestimmung der Selbstliebe in theologischer Perspektive, die dann ein entsprechendes Verhalten gegenüber dem Nächsten zur Folge hat. Diese kann einerseits nicht einfach im Narzißmus[38] bestehen, andererseits widerspricht das Gebot der Selbstliebe aber auch deutlich einer Haltung der Selbstlosigkeit. Gemeint ist wohl auch nicht ein Mittelweg zwischen Selbstverwirklichung und Selbstlosigkeit,[39] sondern das Gebot der Selbstliebe setzt ein Ich voraus, das in der in Kap. 8 beschriebenen Weise ἐν Χριστῷ konstituiert ist und dort ex-istiert (vgl. Röm 8,1f und oben die Ausführungen dazu). Dieses neue Ich kann

---

[35] F. Vouga: An die Galater; HNT 10, S. V.

[36] Vouga, ebd.

[37] Diesen Zusammenhang formuliert Vouga erneut a.a.O., S. 130 auch für Gal 5,14: „Das Bewußtsein des Einzelnen, gestorben und in Christus neu geboren zu sein (Gal 2,19f), begründet und ermöglicht sowohl die Liebe zu sich selbst als Individuum wie auch die bedingungslose Liebe des Nächsten als Person".

[38] Vgl. G. Schneider-Flume: Narzißmus als theologisches Problem; ZThK 82 (1985), S. 88-110.

[39] Vgl. zu diesem Mittelweg im Anschluss an Schneider-Flume auch C. Vogel: Spiel-Raum der Gefühle. Die Funktion des Gefühls im seelsorgerlichen Gespräch; (ErTh 35) Frankfurt/Main 2000, S. 198ff. Zum Begriff der Selbstverwirklichung siehe auch H.-M. Barth: Das Ethos der Selbstverwirklichung und der christliche Glaube; in F. de Boor (Hrsg.): Selbstverwirklichung als theologisches Problem; Halle 1988, S. 7-30.

und soll zu sich selbst in eine positive Beziehung treten, die dann auch Maßstab des Verhaltens gegenüber Anderen sein kann.

Der in 13,8-10 vorausgesetzte Grundgedanke ist also: Die Selbstliebe und die Liebe zum anderen sollen einander entsprechen. Bezeichnenderweise ist dabei auch das Gegenüber nicht als Kollektiv, sondern als Individuum im Singular gedacht. Dieser unmittelbare Zusammenhang führt zu einer radikalen Individualisierung der Ethik. In der Sicht von Röm 13,8-10 findet ethisches Handeln offenbar zwischen einzelnen Personen statt. Das ist in mehrfacher Hinsicht eine Reduktion und Konzentration der ethischen Fragestellung.

Erstens werden damit ökologische Probleme und Fragen der Tierethik ausgeklammert. Der gesamte Bereich der alttestamentlichen Bestimmungen des Verhaltens gegenüber der Natur wird nicht thematisiert. Statt dessen ist der ethische Ansatz eindeutig anthropozentrisch. Möglicherweise ist das auch eine Folge der Konzentration der paulinischen Mission auf die städtischen Zentren, in denen notwendigerweise menschliche Konflikte in den Vordergrund treten und das Verhalten gegenüber Tieren und Pflanzen eine untergeordnete Rolle spielt.

Zweitens findet sich im Vergleich mit den Überlieferungen des Liebesgebotes in den Evangelien das Gebot der Selbst- und Nächstenliebe hier nicht im Zusammenhang mit dem Gebot der Gottesliebe.[40] Das rechte Verhalten zwischen Menschen wird damit nicht direkt und explizit mit der Gottesbeziehung in Verbindung gebracht, sondern die theologische Argumentation arbeitet implizit. Paulus hat in den ersten elf Kapiteln des Briefes gezeigt, dass das rechte Verhältnis zu sich selbst und damit die Möglichkeit, sich selbst zu lieben, nur durch Gott und durch Jesus Christus eröffnet werden kann. Das führt in 12,1f zu der Ermutigung, nun auch sich selbst dem entsprechend Gott zu widmen. Die ethischen Kapitel 12-15,13 beschäftigen sich dann mit der Frage, welche Konsequenzen diese theologisch begründete Klärung des Selbstverhältnisses für das Verhalten gegenüber sich selbst und dem anderen Menschen hat. Diese Frage wird im doppelten Liebesgebot gebündelt.

Drittens ist in der Sicht von Röm 13,8-10 ein kollektives Verhalten bestimmter Gruppen gegenüber anderen sozialen Gruppierungen nicht im Blick. Es geht deshalb bei konkreten ethischen Fragestellungen im Röm nicht darum, verschiedene Parteien wie z.B. Christen jüdischer und nichtjüdischer Herkunft[41] oder Christen und Nichtchristen oder Christen und Juden in ein Verhältnis zueinander zu setzen. Die Frage, welche Selbstdefinition der religiösen Gemeinschaft aus dem Liebesgebot resultiert,[42] wird nicht thematisiert. Vielmehr bezieht sich die ethische Argumentation im Ansatz im Röm immer auf den einzelnen Menschen und sein Verhältnis zum Anderen.[43]

An diese programmatischen Aussagen des V. 9 schließt V. 10 an. Er ist so strukturiert, dass Paulus sowohl in 10a als auch in 10b wiederum die Liebe als ethisches Prinzip in

---

[40] Vgl. dazu auch K. Haacker: Der Brief des Paulus an die Römer; ThHK 6, S. 272: "Paulus [...] spricht nur in 8,28 [...] von der Liebe zu Gott."

[41] Kap. 14,1ff werden solche Gruppierungen mit der Unterscheidung Starke – Schwache ansatzweise erörtert, aber die Argumentation wird dann immer wieder individualisiert.

[42] So hat z.B. das Liebesgebot im Johannesevangelium offensichtlich auch die Funktion, die Gemeinschaft der Christen nach außen sichtbar werden zu lassen, vgl. Joh 13,34f.

[43] Auch Röm 12,3ff bezieht sich nicht auf die christliche Gemeinschaft als Kollektiv, sondern auf das Verhältnis der einzelnen Glaubenden zueinander und zu anderen Menschen außerhalb der Gemeinschaft. Siehe oben die Erläuterungen zur Stelle.

theologischer Perspektive ausführt und diesem ein gängiges menschliches Verhalten gegenüberstellt. V. 10a erläutert die Verbindung des so verstandenen Liebesgebotes zur ethischen Leitunterscheidung gut – böse (vgl. bereits Röm 12,9). Die Formulierung τῷ πλησίον κακὸν οὐκ ἐργάζεται bezeichnet zunächst in geläufiger menschlicher Sicht eine Verhaltensnorm, die vorsichtig formuliert ist und negativ davon ausgeht, dem anderen zumindest nichts Böses anzutun. Diesem geläufigen Grundsatz wird in theologischer Perspektive erneut die ἀγάπη als ethisches Prinzip gegenübergestellt. Die Beachtung des Liebesgebotes schließt für Paulus also die Erfüllung solcher geläufigen ethischen Regeln ein, wie z.B. böse Taten zu vermeiden.

Parallel zu V. 10a ist auch 10b strukturiert. Der Teilvers zieht mit οὖν die Schlussfolgerungen für das Verhältnis von νόμος und ἀγάπη. Der Begriff νόμος bezeichnet, parallel zu V. 9a, die Summe aller Gesetzesbestimmungen, um ihnen dann erneut das ethische Prinzip der Liebe (als Torawort!) gegenüberzustellen, in dem alle diese Bestimmungen „erfüllt" sind. Die Torabestimmungen werden damit einerseits in gewissem Sinne bestätigt und andererseits in ihrer eigenständigen Bedeutung unabhängig vom Liebesgebot relativiert. Wie weit diese Relativierung geht, wird von den Interpreten jeweils verschieden beurteilt.[44] Das führt Paulus jedenfalls zu einer individuellen Freiheit, einzelne alttestamentliche Gebote nicht mehr zu beachten (z.B. das Beschneidungsgebot aus Gen 17) und zugleich andere zu erfüllen,[45] sofern sie dem Liebesgebot entsprechen (z.B. die von Paulus genannten Dekaloggebote).[46] Das Kriterium der Erfüllung von Gesetzesbestimmungen fungiert demnach für Paulus nicht mehr als Selbstdefinition des Judentums oder des Christentums oder irgendeiner anderen religiösen Gemeinschaft und als Abgrenzung gegenüber anderen. An die Stelle des Beachtens eines bestimmten Verhaltenskodex tritt die Frage nach einem liebevollen – d.h. dem Verhältnis zu sich selbst entsprechenden – Verhalten des einzelnen Glaubenden gegenüber einem Anderen. Sämtliche Aspekte der Individualisierung und Universalisierung der paulinischen Botschaft, wie sie in den vorigen und noch folgenden Abschnitten entfaltet sind, müssen hierbei mit bedacht werden.

Das bedeutet vor allem, dass sich unter den genannten Voraussetzungen innerhalb der an Christus Glaubenden keine konkreten Verhaltensregeln mehr benennen lassen, die für alle verbindlich sind, sondern jedes Verhaltensproblem – z.B. die Frage, was man essen soll – muss sich auf einer ethischen Metaebene am Selbstverhältnis und dem Verhältnis zum anderen orientieren, um von dort aus jeweils zu vorläufigen und jederzeit revidierbaren Verhaltensregeln zu kommen. Was dies für konkrete

---

[44] So meint z.B. A. Lindemann: „Indem Paulus [...] in v. 10b die ἀγάπη als πλήρωμα νόμου bezeichnet, setzt er nicht etwa nachträglich die Geltung der einzelnen Toragebote wieder in Kraft, sondern macht deutlich, daß seine in v. 10a formulierte ‚Definition' der Liebe auch gerade gegenüber den Toranormen gilt." (A. Lindemann: Die biblischen Toragebote und die paulinische Ethik, in: ders.: Paulus, Apostel und Lehrer der Kirche. Studien zu Paulus und zum frühen Paulusverständnis; Tübingen 1999, S. 91-114, dort S. 112.) Mit anderer Akzentuierung K. Haacker: Der Brief des Paulus an die Römer; ThHK 6, S. 272, der die Toragebote damit nicht aufgehoben sieht: „‚Erfüllen' heißt nicht ‚erledigen', sondern den in Worten umrissenen Raum mit Wirklichkeit ausfüllen".

[45] Natürlich werden dadurch Verbote wie das des Diebstahls oder des Mordes gerade nicht aufgehoben, sie sind jedoch vom Liebesgebot her eher als Konkretionen desselben zu verstehen.

[46] Vgl. dazu F. Vouga: Une théologie du Nouveau Testament, S. 154: „Le sens de la déclaration de l'apôtre est que la mise en pratique du commandement d'amour signifie le respect de toute loi. Son premier présupposé est que les croyants, libérés de la loi, ont à accomplir la loi. [...] Aussi l'amour de soi-même et d'autrui est-il l'accomplissement parfait de la loi bien comprise comme volonté du Dieu qui justifie et aime pour rien et inconditionnellement.".

Fragestellungen des täglichen Lebens bedeuten kann, wird Paulus im zweiten Teil der Paränese in 14,1ff erläutern.

Aufgrund der ausgeführten Überlegungen lässt sich damit für Röm 13,8-10 abschließend folgende Struktur angeben, wobei der zentrale Begriff ἀγάπη jeweils hervorgehoben ist:

8:	Μηδενὶ μηδὲν ὀφείλετε	εἰ μὴ τὸ ἀλλήλους *ἀγαπᾶν*
γὰρ	τὸν ἕτερον νόμον πεπλήρωκεν (2)	ὁ *ἀγαπῶν* (1)
9: γὰρ	τὸ Οὐ μοιχεύσεις Οὐ φονεύσεις Οὐ κλέψεις Οὐκ ἐπιθυμήσεις καὶ εἴ τις ἑτέρα ἐντολή	ἐν τῷ λόγῳ τούτῳ ἀνακεφαλαιοῦται ἐν τῷ Ἀγαπήσεις τὸν πλησίον σου ὡς σεαυτόν
10:	τῷ πλησίον κακὸν οὐκ ἐργάζεται (2)	ἡ *ἀγάπη* (1)
οὖν	πλήρωμα νόμου	ἡ *ἀγάπη*

Die Beurteilung der Zeit und deren ethische Konsequenzen (13,11-14)

Die V. 11-14 schließen den allgemeinen paränetischen Teil 12,1-13,14 ab[1] und interpretieren die dortigen ethischen Aussagen im Kontext des von der Neubegründung der Existenz des einzelnen Glaubenden her konstruierten, neuen Zeitverständnisses (vgl. die Ausführungen zu νῦν in 3,21). Das καὶ τοῦτο ist eine Ellipse und bezieht sich auf die vorhergehenden Verse, zu ergänzen wäre etwa „laßt uns tun".[2] Der Abschnitt wird, wie zumeist im Röm, durch eine Formulierung in der 1. Pers., diesmal im Plural eingeleitet (εἰδότες, was sich auf ἐπιστεύσαμεν V. 11b bezieht). Er ist so strukturiert, dass Paulus jeweils in einer Vershälfte von dem alltäglichen Vorgang des morgendlichen Aufstehens und Ankleidens ausgeht (V. 11a, 12a, 13) und diesen dann in der anderen Vershälfte aus theologischer Sicht metaphorisch interpretiert (V. 11b, 12b, 14).

Paulus setzt in V. 11a in geläufiger menschlicher Sicht mit dem bekannten Ablauf ein, dass die Zeit gekommen ist, um aus dem Schlaf aufzuwachen und aufzustehen (ὥρα ἤδη ὑμᾶς ἐξ ὕπνου ἐγερθῆναι). Dazu gibt es morgens einen bestimmten Zeitpunkt, der nicht verpasst werden sollte (εἰδότες τὸν καιρόν).[3] V. 11b interpretiert diese tägliche Erfahrung (angeschlossen mit γάρ), indem in theologischer Perspektive erneut die bekannte zeitliche Unterscheidung ὅτε - νῦν aufgenommen wird (vgl. z.B. 7,5f). V. 11a wird damit in seiner Bedeutung übertragen und als Metapher gedeutet.[4] Paulus geht dabei in geläufiger menschlicher Sicht von der Biographie der „Wir" – also wahrscheinlich seiner selbst und anscheinend auch der Adressaten – aus, die sich zu einem bestimmten Zeitpunkt ihres Lebens für Christus entschieden haben (ὅτε ἐπιστεύσαμεν). Hier ist mit der zeitlichen Differenzierung ὅτε – νῦν offenbar eine biographische Einteilung des Lebens gemeint. Paulus rechnet mit einem individuell bestimmbaren Zeitpunkt, an dem die „Wir" mit dem Glauben an Christus angefangen haben. Offenbar bezieht sich dabei Paulus jedoch nicht nur auf die Adressaten, sondern vor allem auch auf seine eigene Erfahrung, so dass diese Aussage auch selbstreflexiv zu verstehen ist.[5] Über die Biographie der Adressaten wird Paulus mit Ausnahme der in Kap. 16 benannten Personen, die ihm näher bekannt sind, nichts sagen können. Er kann allenfalls allgemein davon ausgehen, dass sie sich irgendwann für den Glauben an Christus entschieden haben.[6] Die allgemeine Paränese bzw. Paraklese in Kap. 12-13,

---

[1] Gegen W. Schmithals: Der Römerbrief, S. 482, der aufgrund der fehlenden Einbindung in den Kontext V. 12b-14 als paulinisches Fragment ansieht, das erst sekundär unter Hinzufügung von V. 11 und 12a durch einen Redaktor ergänzt wurde.

[2] Vgl. Blass, Debrunner, Rehkopf: Grammatik des neutestamentlichen Griechisch, § 480c und Anm. 9. Anders K. Haacker: Der Brief des Paulus an die Römer; ThHK 6, S. 261: „Das alles steht unter dem Vorzeichen".

[3] U. Wilckens hält V. 11 a (mit Verweis auf Eph 5,14) für einen Teil einer urchristlichen Taufliturgie, die V. 12 fortgesetzt wird und V. 13f für eine Mahnung im Rahmen der Taufkatechese (mit Verweis auf I Thess 4,3ff; I Kor 6,9-11; Kol 3,5ff.11ff; Eph 5,5.8.11-14). Vgl. U. Wilckens: Der Brief an die Römer; EKK VI, 3, S. 75. E. Käsemann: An die Römer; HNT 8a, S. 349, meint, dass καιρός hier apokalyptisch gemeint ist.

[4] Vgl. K. Haacker: Der Brief des Paulus an die Römer; ThHK 6, S. 273: „Er (sc. Paulus) bedient sich dabei der Metapher der vorgerückten Nachtstunde und des nahenden Morgens."

[5] Vgl. für die Person des Paulus die autobiographischen Ausführungen Gal 1,13ff.

[6] Zu pointiert ist hier wohl die Position von K. Haacker: "Das zum-Glauben-Kommen, von dem aus gesehen das Ende inzwischen näher gerückt ist, dürfte – trotz der Wirform der Aussage – die eigene Bekehrung des Paulus sein; denn die Adressaten des Briefes können ja nicht alle zur gleichen Zeit zum Glauben gekommen sein."(K. Haacker: Der Brief des Paulus an die Römer; ThHK 6, S. 273.)

der dann in 14,1ff konkrete ethische Überlegungen folgen werden, läuft also in ihrem Schlussteil nicht nur auf eine allgemeine Anrede der Adressaten hinaus, sondern vor allem auf eine autobiographische Selbstreflexion des Paulus. Diese ist allerdings nicht so persönlich und ausführlich wie in Gal 1 und 2 oder Phil 3,4ff formuliert. Die 1. Person Plural ist also zum Teil auch als schriftstellerischer Plural zu verstehen. Die Adressaten sind dabei gleichwohl eingeladen, sich mit ihren je eigenen Erfahrungen an dieser Selbstreflexion zu beteiligen. Das νῦν meint, wie auch sonst im Röm, nicht einfach die Gegenwart, sondern das Leben im „Jetzt", das durch den Glauben und die Neubegründung der Ex-istenz „in Christus" geprägt ist (vgl. dazu die Ausführungen oben zu Röm 3,21).

Die Erwartung der eigenen „Rettung" (σωτηρία, vgl. 1,16) konstruiert Paulus von diesem „Jetzt" her. Wie bereits in Kap. 8,18ff erläutert, steht das endgültige „Sichtbarwerden der Gotteskinder" (8,19) noch aus, sie sind dem jedoch schon „jetzt" ganz nahe. Am Ende des großen Abschnittes in Kap 9-11 behauptete Paulus dementsprechend, dass das Erbarmen Gottes im „Jetzt" (νῦν) allen zuteil wird (11,30f). Das Missverständnis einer rein auf das Diesseits bezogenen und damit falsch verstandenen präsentischen Eschatologie wird jedoch „hier durch das vorangehende ἐγγύτερον in seiner Bedeutung präzisiert: Das Herbeikommen des Endes ist noch im Gange, wenn auch spürbar fortgeschritten."[7] Die Funktion des Verses ist jedoch nicht, das „Jetzt" der Glaubenden von einer noch ausstehenden eschatologischen Perspektive her zu relativieren,[8] sondern die Zukunftserwartung des endgültigen Anbruches des Heils in ihrer Relevanz für die Gegenwart aufzuzeigen und damit die Glaubenden gerade auf das „Jetzt" zu verweisen.

V. 12a setzt in geläufiger menschlicher Sicht bei dem Vorgang des anbrechenden Tages an (ἡ νὺξ προέκοψεν ἡ δὲ ἡμέρα ἤγγικεν). Dieser wird dann in V. 12b in theologischer Sicht auf die Ex-istenz des Glaubenden übertragen und metaphorisch interpretiert (angeschlossen mit οὖν). Paulus ergänzt dazu den Vorgang des Ausziehens der Nachtbekleidung und des Anziehens der Kleidung für den Tag durch die Begriffe ἔργα und ὅπλα. Das Anziehen (ἐνδύω) ist eine in der Antike geläufige Metaphorik.[9] Was mit den ἔργα τοῦ σκότους konkret gemeint ist, wird in V. 13b gesagt werden. Der entgegengesetzte Ausdruck τὰ ὅπλα τοῦ φωτός[10] muss nicht unbedingt „Waffen" bedeuten und damit auf den Kampf zwischen den dualistisch vorgestellten Mächten des „Lichts" und der „Finsternis" bezogen sein.[11] Vielmehr wurde mit ὅπλα in Röm 6,13 die Selbstbereitstellung der „Glieder" (μέλη) der Glaubenden als „Werkzeuge" für Gott bezeichnet, wobei der Ausdruck μέλη auch für die konkreten Taten stehen kann (vgl. 7,23). Deshalb versteht man V. 12b besser in diesem Sinne: die „Wir" sollen jetzt „Werkzeuge des Lichtes" anlegen, um damit gute Werke tun zu

---

[7] Vgl. Haacker, a.a.O., S. 273, ähnlich auch U. Wilckens: Der Brief an die Römer; EKK VI, 3, S. 76.

[8] So W. Schmithals: Der Römerbrief, S. 481f, der den Vers aus diesen Gründen für unpaulinisch hält.

[9] Vgl. P. W. van der Horst: Observations on a Pauline Expression; in: NTS 19 (1973), S. 181-187, der nach Nennung der zahlreichen Parallelen in rabbinischer und griechischer Literatur S. 184 zu dem Schluss kommt: „All these passages show that ‚clothing' metaphors were used rather frequently and this may have facilitated Paul's use of his own bold metaphors."

[10] Die Ersetzung von ὅπλα durch ἔργα bei A D pc ist als sekundäre Angleichung an das Vorhergehende zu verstehen.

[11] So z.B. U. Wilckens: Der Brief an die Römer; EKK VI, 3, S. 76f, C.E.B. Cranfield: The Epistle to the Romans; ICC, vol. 2, S. 686.

können.[12] Das adversativ gebrauchte δέ verdeutlicht die Gegenüberstellung und ist gut bezeugt.

V. 13 setzt in geläufiger Sicht den bekannten allmorgendlichen Vorgang aus V. 11a und 12a fort. Wenn man sich morgens angekleidet hat, kann man in „guter äußerer Erscheinung"[13] durch den Tag gehen (ἐν ἡμέρᾳ εὐσχημόνως περιπατήσωμεν). Dieser Vorgang wird dadurch weiter ausgeführt, dass einige Formen schlechter äußerer Erscheinung in einem Lasterkatalog exemplarisch aufgezählt werden. Die genannten Fehlverhalten sind so gewählt, dass sie in bekannter menschlicher Sicht an die möglichen Erfahrungen der Adressaten in Rom anknüpfen können und möglicherweise sogar den ausschweifenden damaligen Lebensstil in Rom charakterisieren und kritisieren wollen.[14] Diese paulinische Disqualifikation lasterhafter Verhaltensweisen entspricht der Kritik der römischen Philosophen und Intellektuellen,[15] sie ist bei Paulus aber christologisch begründet.

Dieser durchaus geläufigen Sicht von V. 13 setzt Paulus mit V. 14, gekennzeichnet durch adversatives ἀλλά, eine christologische Perspektive entgegen. Die Adressaten werden zum Abschluss der allgemeinen Paränese wieder direkt im Imperativ angesprochen. Sie sollen den Herrn Jesus Christus „anziehen". Damit wird die Metaphorik des Aus- und Anziehens aus V. 12 wieder aufgenommen, sie wird jedoch hier unmittelbar auf Christus bezogen. In Bezug auf Namen oder Personen wird das ἐνδύω in der Antike in der Metaphorik des Schauspiels verwandt und bezeichnet dann das Annehmen einer Rolle.[16] Paulus meint hier nicht einfach, dass die Adressaten die „Rolle" Christi übernehmen sollen, sondern das „Anziehen Christi" bezeichnet gemäß Gal 3,27f die Neubegründung der Existenz „in Christus", die durch die Taufe geschieht. Gemeint ist damit der gleiche Vorgang, der bereits zu Beginn von Kap. 6 und 8 eingehend beschrieben worden war, nämlich die Annahme einer neuen Identität, die „in Christus" gegeben ist. Diese ermöglicht zugleich eine Distanzierung von der Notwendigkeit, für die Begründung der eigenen Existenz selbst sorgen zu müssen (V. 14b). Wenn Paulus hier nicht, wie in Gal 3,27, den Indikativ, sondern den Imperativ verwendet, möchte er im Rahmen der Paränese sagen, dass die Adressaten zwar „in Christus" eine neu begründete Ex-istenz gefunden haben, dass diese neue Ex-istenz dann auch ein entsprechendes Verhalten nach sich ziehen soll. „Christ is put on first in baptism [...] but we must continually renew that live with which we have been clothed".[17]

V. 14b führt die der Neubegründung der Ex-istenz „in Christus" entsprechende Lebenshaltung weiter aus. Das πρόνοιαν ποιεῖσθαι mit Genitiv ist ein zusammenhängender Ausdruck im Sinn von „für etwas Sorge tragen".[18] Dass man für

---

[12] Vielleicht sind mit ὅπλα dabei tatsächlich innerhalb der Metaphorik des morgendlichen Aufstehens die „Werkzeuge" gemeint, die man für die tägliche Arbeit braucht.

[13] Vgl. K. Haacker: Der Brief des Paulus an die Römer; ThHK 6, S. 263, Anm. 7.

[14] So U. Wilckens: Der Brief an die Römer; EKK VI, 3, S. 77: „Sie sollen die Werke der Finsternis meiden, die Paulus mit dem kleinen Lasterkatalog so konkretisiert, daß den Adressaten plastisch vor Augen steht, was in den Tavernen des damaligen Rom des Nachts vielfach tatsächlich zu geschehen pflegte."

[15] Vgl. die von K. Haacker: Der Brief des Paulus an die Römer; ThHK 6, S. 274f genannten Belege z.B. bei Seneca: Ad Helviam matrem de consolatione, 10,2f.

[16] Vgl. P. W. van der Horst: Observations on a Pauline Expression, S. 182f.

[17] W. Sanday, A. C. Headlam: The Epistle to the Romans; ICC, S. 379.

[18] K. Haacker: Der Brief des Paulus an die Römer; ThHK 6, S. 275 mit Verweis z.B. auf Demosthenes: Reden 21,97 und Josephus: Antiquitates 12,153; Vita 62.

den Leib (τῆς σαρκός) und seine Bedürfnisse sorgen soll, wird damit nicht grundsätzlich disqualifiziert, aber dies soll nicht soweit führen, dass die Sorge um das körperlich Lebensnotwendige zu den V. 13 genannten Übertreibungen ausartet[19] oder dass sogar die Sorge um die täglichen Lebensbedürfnisse selbst zur Begierde wird (μὴ ποιεῖσθε εἰς ἐπιθυμίας).[20] Paulus disqualifiziert damit eine Existenzweise, die in der Sorge um das für das Leben Notwendige aufgeht und dabei die theologische Perspektive ignoriert, nach der die Sicherung der materiellen Existenz auch ein Geschenk Gottes ist (vgl. Mt 5,25ff; Lk 12,22ff).

Der die allgemeine Paränese abschließende Abschnitt lässt sich damit folgendermaßen strukturieren:

11: Καὶ τοῦτο	εἰδότες τὸν καιρόν ὅτι ὥρα ἤδη ὑμᾶς ἐξ ὕπνου ἐγερθῆναι	νῦν γὰρ ἐγγύτερον ἡμῶν ἡ σωτηρία ἢ ὅτε ἐπιστεύσαμεν
12:	ἡ νὺξ προέκοψεν ἡ δὲ ἡμέρα ἤγγικεν	ἀποθώμεθα οὖν τὰ ἔργα τοῦ σκότους ἐνδυσώμεθα δὲ τὰ ὅπλα τοῦ φωτός
13+14:	ὡς ἐν ἡμέρᾳ εὐσχημόνως περιπατήσωμεν μὴ κώμοις καὶ μέθαις μὴ κοίταις καὶ ἀσελγείαις μὴ ἔριδι καὶ ζήλῳ	ἀλλὰ ἐνδύσασθε τὸν κύριον Ἰησοῦν Χριστόν καὶ τῆς σαρκὸς πρόνοιαν μὴ ποιεῖσθε εἰς ἐπιθυμίας

---

[19] So Haacker, ebd.
[20] Vgl. dazu die Übersetzung von J. Eckert: „und des Fleisches Sorge macht nicht zu Begierden." (Ders.: "Zieht den Herrn Jesus Christus an ...!" [Röm 13,14] Zu einer enthusiastischen Metapher der neutestamentlichen Verkündigung; in: TTZ 105,1 [1996], S. 39-60, dort S. 43.)

Die Glaubensverantwortung des Einzelnen vor Gott (14,1-13)

Auf die allgemeinen Ausführungen in Kap. 12,1-13,14 folgt, verbunden durch kopulatives δέ, ein konkreter ethischer Teil,[1] eine spezielle Paränese, die von 14,1-15,7[2] reicht und durch das προσλαμβάνω in 14,1 und 15,7 eingerahmt ist.[3] Damit ist klar, dass es im Folgenden um das Thema der gegenseitigen Annahme geht.[4] Die konkrete Ausführungen müssen auf dem Hintergrund des Liebesgebotes in Röm 13,9 verstanden werden.[5] Es geht dann darum, dieses Gebot als ethisches Prinzip an einzelnen Beispielen aus dem alltäglichen Leben deutlich zu machen (vgl. 14,15: οὐκέτι κατὰ ἀγάπην περιπατεῖς). Ein Vergleich mit den entsprechenden Ausführungen im I Kor zeigt allerdings, dass Paulus, obwohl er sich nun konkreten ethischen Fragen zuwendet, wenig Einblick in die Situation der christlichen Gemeinschaft in Rom hat. Es findet sich kein Bezug auf eine konkrete Problematik der Adressaten.

Den ersten Abschnitt dieses konkreten – und zugleich unkonkreten – ethischen Teils bilden die V. 1-13.[6] Paulus beginnt nicht in der 1. Person, sondern mit einer persönlichen Anrede des Paulus an die Adressaten (genauer gesagt die „Starken" unter ihnen) im Imperativ. V. 14 leitet dann mit einer doppelten Formulierung in der 1. Person Singular einen neuen Abschnitt ein (οἶδα καὶ πέπεισμαι).[7] Der Abschnitt ist insgesamt in seiner Struktur deutlich dadurch bestimmt, dass Paulus auf der einen Seite in menschlicher Sicht jeweils auf konkrete Fragen des Verhaltens eingeht, z.B. was man essen und trinken und welche Feiertage man halten soll. Diese Sicht wird vor allem durch das häufige κρίνω mit seinen Varianten charakterisiert (V. 1.3.4.5.10.13). Jenen Fragen wird dann jeweils eine theologische Perspektive gegenübergestellt, die durch die Begriff κύριος, θεός oder Χριστός gekennzeichnet ist und von der aus die genannten Fragen in ihrer Bedeutung relativiert werden (vgl. dazu unten die Strukturierung des griechischen Textes). Einzige Ausnahme ist V. 5, wo Paulus – wie bereits in 13,2 und 5 – den einzelnen Menschen an sein Selbstverhältnis verweist und meint, jeder solle von seiner eigenen Gesinnung selbst überzeugt sein (ἕκαστος ἐν τῷ ἰδίῳ νοΐ πληροφορείσθω).

V. 1 leitet mit einer ersten Gegenüberstellung in die allgemeine Problematik ein. In V. 1b wird in geläufiger Sicht von der bekannten Erfahrung ausgegangen, dass es verschiedene Ansichten gibt, die zu persönlichen Differenzen und sogar zum Streit

---

[1]　Gegen A. Reichert: Der Römerbrief als Gratwanderung, S. 227, die vor 14,1 keinen tieferen Einschnitt sieht, weil sich der Kreis der Angesprochenen gegenüber Kap. 13 nach ihrer Meinung nicht verändert.

[2]　15,8-13 gehören nicht mehr unmittelbar zur speziellen Paränese, sondern bilden einen christologischen Schlussteil, der in der 1. Person Singular mit λέγω eingeleitet ist und zugleich den Übergang zum Briefschluss bietet. Die Entscheidung, den Abschnitt erst mit V. 8 beginnen zu lassen, wird unten zur Stelle ausführlich begründet.

[3]　Vgl. K. Haacker: Der Brief des Paulus an die Römer: ThHK 6, S. 279.

[4]　So auch W. Schmithals: Der Römerbrief, S. 423, der jedoch in diesem Thema den zentralen Gedanken der gesamten Paränese Kap. 12-15 sieht und damit die Bedeutung des Liebesgebotes relativiert.

[5]　So überschreibt z.B. U. Wilckens den Abschnitt 14,1-15,13 recht treffend: „Gegenseitige Annahme als Konkretion des Liebesgebotes". (Ders: Der Brief an die Römer, EKK VI, 3, S. 79).

[6]　Gegen A. Reichert: Der Römerbrief als Gratwanderung, S. 285f, die die Zäsur bereits in V. 13b setzt. Für sie wird die in V. 1 begonnene, direkte Anrede an die Adressaten in V. 2-13a unterbrochen, bevor dann in V. 13b diese Anrede fortgesetzt wird.

[7]　Anders die in der 27. Aufl. von Nestle-Aland vorgeschlagene Einteilung, die den Abschnitt bereit in V. 13 beginnen lässt und der die meisten Ausleger folgen.

führen können. Der Ausdruck εἰς διακρίσεις διαλογισμῶν ist nicht leicht zu verstehen.[8] Er wird jedoch in V. 2 und 3a im Sinne der gegenseitigen Intoleranz wegen verschiedener Meinungen über die rechte Lebensführung näher erläutert.[9] Dieser Haltung, die von Paulus mit μή abgelehnt wird, stellt er in V. 1a in theologischer Perspektive eine zweite gegenüber, die den Anderen[10] und vor allem den „Schwachen" in seiner Meinung annimmt (τὸν ἀσθενοῦντα τῇ πίστει προσλαμβάνεσθε). Damit ist zugleich das Leitthema der gegenseitigen Annahme eingeführt. Der Ausdruck τῇ πίστει ist hier deutlich in theologischem Sinne und nicht wie das Verb in V. 2 in einer allgemeineren Bedeutung gebraucht. Das τὸν ἀσθενοῦντα ist allgemein und konkret zugleich gemeint. Denn Paulus hatte bereits in 13,8-10 entfaltet, dass sich das Liebesgebot als ethisches Prinzip immer auf einzelne Menschen (Du und Dein Nächster) bezieht. Diese anscheinend allgemeine Aussage soll von den Adressaten für den Einzelfall und die einzelne Person jeweils konkretisiert werden. Der Sinn des προσλαμβάνεσθε wird in V. 3b theologisch erläutert.[11] Es geht Paulus darum, dem anderen Glaubenden eine Annahme zuteil werden zu lassen (V. 1a), die der Annahme des Anderen durch Gott entspricht (V. 3b). Dieser Gedanke setzt im Grunde die gesamte Argumentation von Kap. 1-13 voraus.

In einer zweiten Gegenüberstellung benennt Paulus V. 2 und 3a zunächst in geläufiger menschlicher Sicht das Problem des Essens oder Vermeidens bestimmter Speisen als konkreten Grund für Streitigkeiten. Er stellt diese Frage dann in V. 3b, verbunden mit γάρ, in eine bestimmte theologische Perspektive. Paulus spricht damit einerseits eine Problematik der Adressaten in Rom an,[12] die sich nicht zuletzt durch die verschiedenen Kulturen und Lebensstile in der weltoffenen Stadt und deren Einfluss auf die christliche Gemeinschaft fast zwangsläufig ergeben haben wird. Andererseits wird die Fragestellung darüber hinaus auch von seinen Erfahrungen in Korinth, dem wahrscheinlichen Ort der Entstehung des Röm, geprägt sein.[13] V. 2 benennt zwei verschiedene Ess- und damit Lebensweisen. Die Argumentation wechselt jetzt vom Plural auf die Ebene des Verhältnisses von Einzelpersonen zueinander, die im Liebesgebot vorausgesetzt worden war (vgl. Röm 13,9): der eine isst alle Speisen, der andere nur „Gemüse" (durch μέν – δέ miteinander verbunden). Die zweite Praxis wird in V. 21 als Verzicht auf Fleisch (und Wein) konkretisiert.[14] Das πιστεύει ist im Gegensatz zu V. 1 nicht im theologischen Sinne gemeint, sondern „wohl auf der Linie von ‚sich

---

[8] Zu den verschiedenen Übersetzungen vgl. C.E.B. Cranfield: The Epistle to the Romans; (ICC) vol. 2, S. 701.

[9] In diesem Sinne übersetzen W. Haubeck und H. von Siebenthal den Ausdruck: „ohne mit ihm über seine Ansichten zu streiten." (Dies.: Neuer sprachlicher Schlüssel zum griechischen Neuen Testament, Bd. 2, S. 44f.)

[10] Dass sich diese Aufforderung zur Annahme nicht nur an die „Starken" richtet, sondern an alle, zeigt die folgende Argumentation.

[11] Zu den verschiedenen Interpretationsmöglichkeiten von προσλαμβάνεσθαι vgl. A. Reichert: Der Römerbrief als Gratwanderung, S. 272ff.

[12] Vgl. J. M. G. Barclay: ‚Do we undermine the Law?' A Study of Romans 14.1-15.6; in: J.D.G. Dunn (Hrsg.): Paul and the Mosaic Law; (WUNT 89), S. 287-308, dort S. 288.

[13] Darauf weisen einige Parallelen zwischen dem Röm und dem I Kor hin, z.B. die Behandlung derselben Problematik in I Kor 8-10, die Bezeichnung einer bestimmten Gruppierung in der Gemeinschaft als „Schwache" (Röm 14,1f und I Kor 8,9ff, dort bezogen auf den Begriff der συνείδησις) sowie die grundsätzliche Freigabe aller Speisen und statt dessen die Anweisung, auf den anderen Rücksicht zu nehmen (Röm 14,14f und I Kor 10,23f). Zur Gemeindesituation in Korinth vgl. A. Lindemann: Der Erste Korintherbrief; (HNT 9,1) Tübingen 2000, S. 11-14.

[14] Vgl. K. Haacker: Der Brief des Paulus an die Römer; ThHK 6, S. 280f.

trauen' bzw. ‚von einem (eigenen) Handeln überzeugt sein' (oder auch: ‚etwas aus Überzeugung tun')".[15] Damit kann zum einen ein Gegensatz von jüdischen und anderen Speisevorschriften gemeint sein (vgl. Gal 2,11ff)[16] – gerade wenn man voraussetzt, dass ein guter Teil der römischen Christen aus dem Judentum stammt (siehe Röm 16,3ff). Darüber hinaus können sich die Überlegungen auch allgemein auf eine unterschiedliche menschliche Lebenspraxis beziehen, die mehr oder weniger enthaltsam ausgerichtet ist.[17] V. 3a wird diese geläufige menschliche Sicht fortgesetzt. Das Problem besteht für Paulus nicht darin, dass die verschiedenen Menschen unterschiedliche Lebensgewohnheiten haben, sondern dass sie sich deshalb möglicherweise gegenseitig verachten und verurteilen. Das κρίνω nimmt dabei διάκρισις aus V. 1 auf und bezeichnet im folgenden im ganzen Abschnitt eine allzu menschliche Lebenshaltung, die die Eigenarten des anderen Menschen nicht akzeptiert. Dies lehnt Paulus zunächst ab.

In V. 3b folgt in theologischer Perspektive die Begründung, warum man den anderen akzeptieren und ihn nicht verurteilen soll (angeschlossen mit γάρ). Der „Schwache" soll angenommen werden, weil Gott ihn angenommen hat – und umgekehrt. Das αὐτόν bezieht sich sowohl auf τὸν ἐσθίοντα als auch auf τὸν μὴ ἐσθίοντα,[18] weil Paulus in Kap. 1-11 ausführlich begründet hatte, dass Gott den Glaubenden unabhängig von seinen Taten annimmt. Das προσελάβετο meint also die Neubegründung der Ex-istenz „in Christus" durch den Glauben, die Paulus in den vorhergehenden Kapiteln entfaltet hat. Die gegenseitige Annahme des Anderen wird damit theologisch durch den gemeinsamen Glauben begründet, der „Starke" und „Schwache" zu Geschwistern macht, die einander in ihren Eigenarten akzeptieren sollen (vgl. Röm 8,15ff. Die Argumentation ist hier am Anfang ähnlich wie am Ende des größeren Argumentationszusammenhanges in 15,7, wo die gegenseitige Annahme christologisch begründet wird (προσλαμβάνεσθε ἀλλήλους καθὼς καὶ ὁ Χριστὸς προσελάβετο ὑμᾶς). Markant ist dabei, dass Paulus in V. 2f nicht nur die Annahme des „Schwachen", der nicht jede Speise isst, durch den „Starken", der jede Speise essen kann, in den Blick nimmt (vgl. V. 1), sondern die gegenseitige Annahme der beiden (μὴ ἐξουθενείτω [...] μὴ κρινέτω). Eine Hierarchisierung der christlichen Gemeinschaft, die durch die Bezeichnungen "Schwache" und (implizit) „Starke" (vgl. δυνατός – ἀδύνατος in 15,1) zunächst suggeriert wird, ist damit im Prinzip ausgeschlossen.[19]

Paulus führt zur Verdeutlichung des individuellen Verhältnisses zwischen dem einzelnen Glaubenden und Gott, der ihn angenommen hat, in V. 4a wiederum das Beispiel vom Herrn (κύριος) und seinem Knecht (οἰκέτης) ein, das bereits 6,15ff (dort als δοῦλος) breit entfaltet worden war. Das σύ spricht nun einen Menschen gezielt an (vgl. auch 2,3ff; 2,17ff; 9,19f und 11,17ff), was nicht nur rhetorisches Mittel ist,[20] sondern vor allem dem Interesse des Röm am einzelnen Menschen entspricht. Ähnlich

---

[15] Hacker, a.a.O. S. 280.
[16] J. M. G. Barclay: ‚Do we undermine the Law?' A.a.O., S. 290f. Der Fleischverzicht konnte sich daraus ergeben, dass bei nicht selbst zubereiteten Fleischgerichten unklar war, ob sie jüdischen Speisevorschriften entsprachen.
[17] Vgl. U. Wilckens: Der Brief an die Römer; EKK VI, 3, S. 81f. Gegen Barclay, a.a.O., S. 289.
[18] So auch A. Reichert: Der Römerbrief als Gratwanderung, S. 277, z.B. gegen Wilckens, a.a.O., S. 82.
[19] Paulus rechnet sich selbst offenbar in 15,1 zu den „Starken", um dann jedoch in V. 2ff über diese Klassifizierung das Prinzip zu stellen, sich nicht mit solchen Einteilungen selbst zu gefallen.
[20] Zu dem Verhältnis dieser Du-Aussagen im Röm zur Diatribe vgl. S.K. Stowers: The Diatribe and Paul's Letter to the Romans, S. 79ff.

wie für das Ich in Röm 7,7ff gilt hier, dass es sich zwar um ein allgemeines und in gewissem Sinne typisiertes Du handelt, dass dieses aber zugleich konkret jeden einzelnen der Adressaten – und sogar als inneres Gespräch verstanden Paulus selbst – meinen kann. Dem vorher ausgeführten Prinzip der gegenseitigen Annahme entsprechend ist mit dem ὁ κρίνων über V. 3 hinausgehend nicht nur der Schwache, sondern auch der „Starke" gemeint.[21] Zunächst wird in V. 4a – wie bereits in V. 1b und 2,3a – eine Haltung abgelehnt, die den sich anders Verhaltenden verurteilt. Dies wird immer noch innerhalb der Oikos-Metaphorik[22] des Haussklaven dadurch begründet, dass jeder Sklave seinem eigenen Herrn verantwortlich ist und nur von ihm gelobt oder getadelt werden kann. Der Dativ τῷ κυρίῳ meint hier nicht „ihm zulieb oder für ihn",[23] sondern „durch ihn".[24] Das ἀλλότριον impliziert dabei, dass jeder – also auch der „Starke" – selbst „Sklave" ist und deshalb nicht über dem anderen steht.[25]

Dieser geläufigen Sicht wird in V. 4b – mit adversativem δέ verbunden – eine spezifisch theologische bzw. christologische gegenübergestellt, nach der der andere Sklave nicht fallen, sondern stehen bleiben wird (σταθήσεται δέ). Die Begründung wird mit γάρ angeschlossen: Der κύριος kann ihn aufrecht halten.[26] Der Begriff κύριος ist nun nicht mehr, wie noch im Rahmen der Oikos-Metaphorik, auf den Hausherrn bezogen, sondern christologisch gemeint. Der Begriff war bereits in 13,14 für Jesus Christus verwendet worden, und auch die Differenzierung von θεός und κύριος in V. 6 spricht dafür, dass das Wort sich hier auf Christus bezieht. Die Aussage von V. 4 ist damit: Der einzelne Glaubende soll den Anderen nicht verurteilen, und zwar nicht nur deshalb, weil dieser sich selbst vor seinem Herrn – und niemand anderem – verantworten muss, sondern vor allem weil dieser Herr, der Jesus Christus ist, ihn nicht fallen lassen wird. Mit der Oikos-Metaphorik des Sklaven ist also – wie auch bereits in 6,15ff – nicht gesagt, dass die Glaubenden prinzipiell „Sklaven" Christi wären und damit grundsätzlich unfrei wären, sondern Paulus führt in geläufiger menschlicher Sicht dies bekannte Beispiel aus dem Alltagsleben an, um es in V. 4b in theologischer Sicht metaphorisch zu deuten. Die Abhängigkeit des Einzelnen von seinem „Herrn" dient Paulus paradoxerweise gerade zur Begründung der Freiheit des individuellen Verhaltens.

V. 5a bringt nach dem Problem des rechten Essens und Trinkens in geläufiger menschlicher Sicht das der verschiedenen Feiertage zur Sprache (verbunden mit μέν – δέ). Hier spricht Paulus zum einen konkret die Frage an, ob der Sabbat und die jüdischen Festtage eingehalten werden sollen.[27] Zum anderen kann auch ganz allgemein

[21] So auch W. Schmithals: Der Römerbrief, S. 498. Gegen A. Reichert: Der Römerbrief als Gratwanderung, S. 277ff, die meint, hier sei von V. 3 her nur der „Schwache" angesprochen, bevor V. 5 sich wieder an „Starke" und „Schwache" wende. Wenn aber das αὐτόν beide meint, und sich also die Schlussaussage aus V. 3 an beide richtet, so gilt das wohl auch für V. 4.

[22] Zur Metaphorik im Röm vgl. P. von Gemünden, G. Theißen: Metaphorische Logik im Römerbrief, a.a.O., S. 108-131, dort besonders S. 128ff.

[23] So E. Käsemann: An die Römer; HNT 8a, S. 357.

[24] So W. Schmithals: Der Römerbrief, S. 498.

[25] Siehe U. Wilckens: Der Brief an die Römer; EKK VI, 3, S. 82: „,fremd' ist sein Mitsklave für ihn, weil der wie er selbst das Eigentum seines *Herrn* und damit seinem eigenen Urteil entzogen ist." (Hervorhebung von Wilckens)

[26] Zu diesem Verständnis von σταθήσεται und στῆσαι siehe A. Reichert: Der Römerbrief als Gratwanderung, S. 278 und C.E.B. Cranfield: The Epistle to the Romans; ICC, vol. 2, S. 703f.

[27] Vgl. J.M.G. Barclay: ‚Do we undermine the Law?', S. 292 und 296ff.

die hohe Zahl der römischen Feiertage[28] zu Kontroversen führen, wie man sich an dem jeweiligen Tag zu verhalten habe. Das doppelte κρίνει in Bezug auf ἡμέρα charakterisiert erneut die geläufige menschliche Sicht (vgl. V. 3 und 4 sowie διάκρισις in V. 1), nach der es verschiedene Positionen und daraus resultierenden Streit geben kann.

Paulus gibt, analog zu V. 1-3, keinen Hinweis darauf, welches konkrete Verhalten das objektiv „Richtige" ist. Statt dessen verweist er in V. 5b in theologischer Perspektive jeden einzelnen Menschen darauf, dass sein Verhalten einfach nur mit dem eigenen Verstand übereinstimmen soll (ἕκαστος ἐν τῷ ἰδίῳ νοΐ πληροφορείσθω). Diese Anweisung entspricht der Erneuerung des νοῦς, zu der Paulus zu Beginn der Paränese aufgerufen hatte (12,2). Dass der Verstand von ihm als menschliche Reflexionsinstanz sehr hoch eingeschätzt wird, wurde bereits in 7,23 deutlich (νόμος τοῦ νοός μοῦ parallel zu νόμος τοῦ θεοῦ). Paulus argumentiert damit ähnlich wie in 13,5 und verweist den einzelnen Glaubenden wie dort auf sein Gewissen so hier auf seine Vernunft: Jedes Verhalten, das vor dem durch die Ex-istenz „in" Christus erneuerten Verstand bestehen kann, ist grundsätzlich legitim. Parallel zu den anthropologischen Begriffen συνείδησις (vgl. z.B. 2,15; 9,1; 13,5) und καρδία[29] zeigt sich auch hier am Begriff des νοῦς, dass Paulus dem einzelnen Menschen zumindest auf der Basis der Neubegründung der Ex-istenz „in Christus" und der Anerkennung Christi als κύριος zutraut, für sich selbst beurteilen zu können, was das für ihn angemessene Verhalten ist. Paulus knüpft hier offensichtlich an die individuelle Beziehung jedes einzelnen Glaubenden zu seinem „Herrn" an (vgl. V. 4) und leitet von dort eine radikale Individualisierung der Ethik ab. „On the matter of days each individual is to act according his/her own individual conviction [...] The individual definition of morality could hardly be more plainly stated and is further reinforced towards the end of the discussion".[30] Diese individuelle Sicht der Ethik entspricht dem paulinischen Ansatz bei der Neubegründung des Ich (7,7-8,2), der Definition der christlichen Gemeinschaft als Gemeinschaft von Individuen (vgl. 12,3ff) und dem doppelten Liebesgebot, das individuell bei der Ausgewogenheit des Verhältnisses des Einzelnen zu sich selbst und zum Anderen ansetzt (vgl. Röm 13,9).

Hier ist also offenbar ein ganz persönliches Gottes- bzw. Christusverhältnis vorausgesetzt, welches das Aufstellen pauschaler Verhaltensanweisungen verhindert und statt dessen eine individuelle Einschätzung, die persönliche Verantwortung vor Gott bzw. Christus und die Auseinandersetzung mit der individuellen Meinung des anderen fordert. In Bezug auf die in Röm 14 genannten konkreten Probleme, die sicherlich für das tägliche Zusammenleben der christlichen Gemeinschaft ausgesprochen wichtig waren, findet sich deshalb keinerlei inhaltliche Festlegung. Es bleibt unklar, was ein Mitglied der christlichen Gemeinschaft zu sich nehmen und welche Feiertage es beachten soll. Paulus lässt diese wesentlichen Fragen der Lebensführung bewusst und aus theologischen Gründen inhaltlich offen. Man wird dabei vermuten können, dass hier die genannten Bereiche des Essens und Trinkens und der Feiertage exemplarisch für eine grundsätzliche paulinische Öffnung des möglichen Verhaltens in allen Lebensbereichen stehen. Damit ist jedoch kein unguter Libertinismus gemeint, sondern

---

[28] Mindestens jeder dritte Tag war offenbar in der augusteischen Zeit ein Feiertag. Vgl. K. Haacker: Der Brief des Paulus an die Römer; ThHK 6, S. 282, Anm. 27 mit Bezug auf K. Nicolai: Feiertage und Werktage im römischen Leben, besonders in der Zeit der ausgehenden Republik und in der frühen Kaiserzeit; in: Saeculum 14 (1963), S. 194-220, dort S. 202.

[29] Zu καρδία in einem ähnlichen Sinne siehe Röm 2,15 und 29; 5,5; 6,17; 8,27; 9,2; 10,1 und 10;

[30] J.M.G. Barclay: ‚Do we undermine the Law?', S. 301.

dem Verweis auf den eigenen Verstand und die individuelle Einschätzung folgt eine ausführliche theologische Argumentation.

In V. 6 begründet Paulus die individuelle Freiheit des Einzelnen theologisch bzw. christologisch. Damit ist zugleich umgekehrt gesagt, dass nur solches Verhalten freigestellt ist, das sich solcher Verbindung zu Christus und Gott gewiss sein kann. Paulus spielt dazu die vorher genannten Positionen (verbunden mit καί) im einzelnen durch. Dabei wird zunächst in menschlicher Sicht jeweils die persönliche Meinung benannt (ὁ φρονῶν τὴν ἡμέραν, ὁ ἐσθίων, ὁ μὴ ἐσθίων). Dies wird dann in theologischer Perspektive durch die Bezeichnung κύριος vom Verhältnis zu Christus her begründet bzw. durch θεός vom Verhältnis zu Gott her. Das Beachten eines bestimmten (Feier-)Tages geschieht demnach für den κύριος. Das φρονεῖν τὴν ἡμέραν V. 6a ist so allgemein formuliert, dass es sowohl den Sabbat[31] als auch alle anderen besonderen jüdischen[32] und römischen Feiertage meinen kann. Das Essen geschieht ebenfalls für den κύριος, weil und sofern dabei Gott gedankt wird. Aber auch das Weglassen bestimmter Speisen geschieht für den Herrn, wenn dabei Gott gedankt wird.

Die V. 7ff weiten diese christologische bzw. theologische Begründung konkreter Verhaltensweisen in Richtung auf eine allgemeine Reflexion christlicher Ex-istenz aus (angeschlossen mit γάρ). Als leitende Differenz von V. 7-9 fungiert zunächst offenbar ζάω – ἀποθνῄσκω, wie das bereits in Kap. mit θάνατος – ζωή der Fall war. Diesmal ist jedoch die Reihenfolge umgekehrt, weil es hier nicht um die Überwindung des Todes durch das (ewige) Leben geht. Durch die Gegenüberstellung von V. 7 und 8a wird dann eine zweite Differenzierung erzeugt, die die Unterscheidung von Leben und Sterben in sich integriert: ἑαυτῷ – τῷ κυρίῳ. Damit wird deutlich, dass es letztlich im Essen und Nichtessen des Fleisches, in der Einhaltung bestimmter Feiertage und schließlich generalisiert im Leben wie im Tod um die Frage des rechten Selbstverhältnisses und damit zusammenhängend um das rechte Verhältnis zum Herrn geht.

Es ist bemerkenswert, dass Paulus die konkreten Fragen des rechten Essens und Feierns in eine Selbstreflexion überführt, die wiederum den Einzelnen in seinem Selbstverhältnis und seinem Verhältnis zu Gott und Christus thematisiert.[33] Das οὐδείς spitzt diesen Gedanken nochmals auf die (Selbst-) Betrachtung des einzelnen Menschen zu. Und in dem anschließenden ἡμῶν ist ja Paulus ausdrücklich mit einbezogen, wodurch das im folgenden Gesagte auch einen auf Paulus bezogenen, selbstreflexiven Sinn bekommt. Dass die Christen nicht mehr inkurvativ in sich selbst leben, sondern „in Christus" eine neue und außerhalb ihrer selbst liegende Begründung ihrer Ex-istenz finden, wurde bereits in Röm 7,7ff und 8,1ff ausführlich begründet. In V. 7 benennt Paulus analog dazu mit ἑαυτῷ in menschlicher Sicht eine Haltung, die (wie das Ich in Röm 7,7-25a) solipsistisch nur auf sich selbst bezogen ist und die in Kap. 5-8 als

---

[31] So K. Haacker: Der Brief des Paulus an die Römer; ThHK 6, S. 282f.

[32] Vgl. U. Wilckens: Der Brief an die Römer; EKK VI, 3, S. 83.

[33] Sehr zu Recht schreibt zu diesem Vers M. Theobald: „Aber eine Geringschätzung des Individuums, des ‚Einzelnen‘ beinhaltet das gerade nicht. Im Gegenteil! ‚Dem Herrn gehören‘, ‚ihm leben‘ meint eine *persönliche* Beziehung, die nicht im Allgemeinen aufgeht. Der ‚Einzelne‘ wird als ‚Einzelner‘ in seiner Verantwortung und seinem Gewissensentscheid im Rahmen dieser persönlichen Beziehung freigesetzt – coram deo –, wobei es eben der *gemeinsame* Bezug aller Glaubenden auf *denselben* ‚Herrn‘ ist, der die Einzelnen gleichzeitig auch in die Verantwortung füreinander samt Respekt vor dem Weg der Anderen stellt." (M. Theobald: Der Einsamkeit des Selbst entnommen – dem Herrn gehörig. Ein christologisches Lehrstück des Paulus (Röm 14,7-9), in: ders.: Studien zum Römerbrief; WUNT 136, Tübingen 2001, S. 142-161, dort S. 161, Kursivsetzung von Theobald.)

Existenzweise gemäß Adam charakterisiert worden war.[34] Dass jeder Mensch sein eigenes Leben lebt und seinen eigenen Tod stirbt, kann geradezu als triviale Lebensweisheit gelten.

Diese Sichtweise wird von der theologischen Sicht in V. 8a her für die Glaubenden durch ihre permanente Beziehung zum Herrn abgelehnt, ebenfalls angeschlossen mit γάρ. Charakterisiert wird in diesem Halbvers die zu V. 7 gegenteilige Lebenshaltung, welche nicht rein inkurvativ an sich selbst orientiert ist, sondern sich Christus zugehörig fühlt, also jene Ex-istenzweise „in Christus", die in Kap. 5-8 derjenigen gemäß Adam entgegengestellt worden war. Auch hier ist – wie bereits in V. 4-6 – der Dativ charakteristisch. Das κυρίῳ entspricht dem ליהוה und bezeichnet in der LXX (vor allem in Lev und den Ps) die Handlung, mit der Sachen oder Menschen Gott geweiht werden.[35] Diese bekannte Formel wird hier christologisch auf die enge Beziehung der Glaubenden zu Christus bezogen, die durch das „in seinen Tod getauft" Sein (vgl. 6,3)[36] und das „in ihm" Leben (8,1f) begründet ist. Insofern leben und sterben die Glaubenden „für den Herrn", nämlich Christus.[37]

Die V. 8b und c ziehen mit οὖν aus dem bisher Gesagten die Schlussfolgerung: Ob die Glaubenden leben oder sterben, so gehören sie zum Herrn. Die Wendung ἐάν τε ζῶμεν ἐάν τε ἀποθνῄσκωμεν in V. 8b setzt bei der menschlichen Erfahrung des Lebens und Sterbens an und nimmt zugleich Formulierungen aus V. 7 auf. Diesen wird dann aber in V. 8c eine christologische Perspektive gegenübergestellt, die das eigene Leben und Sterben aus den genannten Gründen in Christus geborgen weiß. Der Gedankenfortschritt zu den vorherigen Versen „liegt darin, daß an die Stelle der Dativs (sic!) der Gemeinschaft (‚dem Herrn'), der V. 6-8a [...] bestimmte, in V. 8b der Genitiv der Zugehörigkeit tritt, an den Paulus in den folgenden Versen anknüpft."[38]

V. 9 und 10a bilden eine zusammenhängende Gegenüberstellung. Das εἰς τοῦτο signalisiert dabei einen gewissen Neuansatz. Nachdem Paulus in V. 1-5 auf konkrete Fragen des Essens und Feierns eingegangen war und diese in V. 6-8 in eine Selbstreflexion in christologischer Perspektive überführt hatte, werden in V. 9f beide Aspekte wieder zusammengeführt. V. 10a spricht deshalb in geläufiger menschlicher Sicht erneut mit dem Verb κρίνω das Problem des gegenseitigen Verurteilens an. Dieses Problem wird, in V. 9 vorangestellt, durch die Aufnahme eines Gedankens aus den vorhergehenden Versen in eine christologische Perspektive gestellt.

In theologischer Perspektive wird die Zugehörigkeit zu Christus in V. 9 durch die universale Herrschaft Christi begründet (erneut mit γάρ verbunden). Christus sei gestorben und lebendig geworden, damit er über Tote und Lebende herrsche. Der Begriff κύριος wird durch das Verb κυριεύω weiter entfaltet. Die Besonderheit Christi besteht darin, dass bei ihm das Begriffspaar von Leben und Tod ins Gegenteil verkehrt ist. Bei ihm bildet das Sterben den Ausgangspunkt, was formal daran zu erkennen ist, dass Paulus in 14,9 das in den vorhergehenden Versen verwendete Begriffspaar ζάω – ἀποθνῄσκω ins Gegenteil umdreht: Χριστὸς ἀπέθανεν καὶ ἔζησεν. Die Formulierung bezieht sich offensichtlich auf das Kerygma von Tod und Auferstehung Christi, nur dass

---

[34] Vgl. Wilckens, a.a.O., S. 84, der dies als „bekannte Losung gegen Solipsismus und Egozentik" bezeichnet.

[35] Vgl. K. Haacker: Der Brief des Paulus an die Römer; ThHK 6, S. 283.

[36] Vgl. U. Wilckens: Der Brief an die Römer; EKK VI, 3, S. 84.

[37] Vgl. auch Röm 8,38f: Weder Tod noch Leben können die Glaubenden von der Liebe Gottes trennen, die in Christus ist.

[38] W. Schmithals: Der Römerbrief, S 502.

hier aufgrund des Kontextes nicht „auferstehen" sondern „leben" steht. Die universale Herrschaft Christi resultiert also aus seinem Tod und seiner Auferstehung. Nachdem die Unterscheidung von Tod und Leben (zumeist in dieser Reihenfolge!)[39] in Kap. 5-8 eine zentrale Rolle spielte, wird sie hier also im ethischen Teil letztlich wieder aufgenommen.[40] Paulus geht es offenbar darum, die genannten konkreten Probleme des Essens und Feierns nochmals von dem in Kap. 5-8 Gesagten her grundsätzlich zu reflektieren.

Von dieser in V. 9 entfalteten, christologischen Sicht her wird – mit einem wohl adversativ gemeinten δέ verbunden – in V. 10a die konkrete menschliche Problematik des Verachtens oder Verurteilens des anderen nochmals eingebracht und deutlich durch zwei rhetorische Fragen kritisiert.[41] Das Argument ist ähnlich wie V. 4 gebaut, hier aber deutlicher auf Christus bezogen: weil Christus über alle herrscht, können sich die hier Angesprochenen (V. 4: die Sklaven) nicht mehr gegenseitig verurteilen. Die direkte Anrede eines Einzelnen mit σύ und die Frageform nehmen ebenfalls V. 4 auf.[42] Sie regt erneut zur Selbstreflexion des Angesprochenen an und ist nicht nur ein rhetorisches Mittel.

V. 10b und 11 fügen diesem christologischen Hauptargument, angeschlossen mit γάρ, ein theologisches hinzu.[43] Paulus folgt erneut dem hermeneutischen Schema von Röm 1,2, indem er in menschlicher Sicht ein bekanntes Schriftwort aufnimmt, um dieses dann in theologischer Perspektive auf sein Evangelium von Christus hin zu interpretieren – wobei diese theologische Sicht hier in V. 10b vorangestellt ist. V. 11 zitiert er (eingeleitet durch γέγραπται γάρ) Jes 45,23 mit einer einleitenden Wendung (ζῶ ἐγώ λέγει κύριος), die aus Jes 49,18 stammt.[44] Paulus interpretiert dann dieses Zitat in V. 10b von der in V. 1-9 dargestellten Problematik her im Hinblick auf die Metaphorik des göttlichen Gerichtes.[45] Damit „ist die Perspektive gegenüber Jes 45, 20-25 verändert: Gottes uneingeschränkter Herrschaftsanspruch und sein Anspruch exklusiver Einzigartigkeit (45,2c) sind dort der Grund für Israels Heil (45,25) und aller, die sich zu ihm bekehren (45,22a.b). In Röm 14,10f steht dagegen nicht das Moment der Errettung im Mittelpunkt, sondern Gott in seiner Richtermacht."[46] Diese Konzentration auf die universale Richtermacht Gottes hat, wie schon die christologische Aussage in V. 9, die Funktion, die konkreten Probleme der individuellen Handhabung des Essens und Feierns in einen universalen Kontext zu stellen.[47] Die Aussage des Paulus lautet: Die Glaubenden sollen sich nicht gegenseitig verurteilen, weil alle Menschen vor Gott erscheinen werden und sich dort verantworten müssen. Die juridische Metaphorik hat

---

[39] Vgl. z.B. am Anfang 5,10 und am Ende 8,38.

[40] Eine ähnliche Kombination von Tod und Auferstehung Christi und Leben der Glaubenden findet sich auch II Kor 5,14f, nur ist hier das Sterben der Glaubenden nicht mit einbezogen. Vgl. K. Haacker: Der Brief des Paulus an die Römer; ThHK 6, S. 284.

[41] Vgl. U. Wilckens: Der Brief an die Römer; EKK VI, 3, S. 84f, gegen Haacker, a.a.O., S. 285f, der V. 10 zu 11f zieht.

[42] Gegen W. Schmithals: Der Römerbrief, S. 495, der in einer Ringkomposition V. 4 auf V. 9 und V. 3 auf V. 10 bezieht.

[43] Vgl. Schmithals, a.a.O., S. 85.

[44] Vgl. D.-A. Koch: Die Schrift als Zeuge des Evangeliums, S. 184f.

[45] Der κύριος aus dem Zitat ist hier also Gott und nicht wie in V. 4ff Christus.

[46] D.-A. Koch: Die Schrift als Zeuge des Evangeliums, S. 184.

[47] Siehe A. Reichert: Der Römerbrief als Gratwanderung, S. 283: „Die christologische Aussage dort und die theologische Aussage hier [...] öffnen die Perspektive auf die umfassende Weite der Christusherrschaft und auf den endzeitlichen Triumph Gottes, dem sich jeder unterwerfen wird und der von jedem gepriesen wird."

auch hier nicht den Sinn, die Angesprochenen einzuschüchtern, sondern sie zu einer toleranten Annahme der Meinung und Lebenspraxis des Anderen zu führen. Die Aussage ist also analog zu den vorhergehenden Versen, dass die Glaubenden sich untereinander nicht beurteilen oder verurteilen sollen, weil dies Gottes bzw. Christi Sache ist. Die Argumentation ist insofern paradox, als die Betonung der Abhängigkeit von dem „Urteil" Gottes, die durch die juridische Metaphorik verdeutlicht werden soll, die eigene grundsätzliche Handlungsfreiheit und die Toleranz gegenüber dem Anderen und seiner Freiheit begründet.

Die letzten beiden Verse 12 und 13 ziehen in einer abschließenden Gegenüberstellung die Konsequenz aus der bisherigen Argumentation des Abschnittes. V. 12 knüpft (angeschlossen mit ἄρα οὖν)[48] in theologischer Sicht an V. 11 an.[49] Die Aussage ist deutlich parallel zu V. 10b formuliert. Die Argumentation ist auf der Basis der dortigen universalen Formulierung (πάντες) jetzt stark individualisierend (ἕκαστος).[50] Paulus erläutert in V. 12 in Anknüpfung an das Zitat in V. 11, dass jeder und jede einzeln vor Gott Rechenschaft ablegen muss. Das περὶ ἑαυτοῦ unterstreicht den selbstreflexiven Charakter der Argumentation. Jeder Glaubende ist vor Gott auf sich selbst verwiesen und muss deshalb auch bei ethischen Problemen zunächst einmal mit sich selbst abklären, ob er seines Verhaltens sicher ist (vgl. V. 5). Diese Selbstklärung soll aber in dem Bewusstsein geschehen, dass sie vor Gott bestehen können muss (vgl. V. 22). Das τῷ θεῷ ist sehr gut bezeugt,[51] es schließt sinnvoll an das theologische Argument und das auf Gott bezogene Zitat in V. 11 an und gehört deshalb zum Text.[52] Es setzt die Reihe der Dative, die in V. 4-8 die auf Christus bzw. Gott bezogene Existenzhaltung zum Ausdruck brachten, weiter fort.

V. 13 bringt dann am Ende des Abschnittes erneut die menschliche Sicht ins Spiel, nach der es um das gegenseitige Richten des anderen geht. Der Vers bildet nicht, wie die Einteilung von Nestle-Aland (27. Auf.) nahe legt, den Anfang eines neuen Abschnittes,[53] sondern zieht gewissermaßen als Fazit die Konsequenz aus dem Vorhergehenden (mit erneutem οὖν angeschlossen).[54] Der neue Abschnitt beginnt erst in V. 14 mit einer doppelten Formulierung in der 1. Person.[55] Das κρίνω bildet den Leitfaden, durch den der ganze Abschnitt zusammengehalten wird (vgl. V. 3,4, zweimal in 5,10, zweimal in 13, siehe auch διάκρισις in V. 1).[56] Dieses Verb kennzeichnet durchgehend die geläufige menschliche Sicht. Das gegenseitige Richten und Verurteilen ist für Paulus nach der bisherigen Argumentation ausgeschlossen (V. 13a). Statt dessen bietet er in V. 13b eine andere Verhaltensweise an, die sich bemüht, dem anderen mit dem eigenen Verhalten keinen Anstoß zu geben. Nachdem Paulus im vorhergehenden Vers nochmals die theologische Ebene der Verantwortung des einzelnen Menschen vor

---

[48] Das οὖν ist gut bezeugt und kann daher mitgelesen werden.
[49] Vgl. E. Käsemann: An die Römer; HNT 8a, S. 360; U. Wilckens: Der Brief an die Römer; EKK VI, 3, S. 85f, C.E.B. Cranfield: The Epistle to the Romans; ICC, vol. 2, S. 711.
[50] Zu dieser Individualisierungstendenz der paulinischen Ethik vgl. J. M. G. Barclay: 'Do we undermine the Law?' A.a.O., S. 301.
[51] Textzeugen dieser Lesart sind ℵ A C D Ψ 33.1739.1881 𝔐.
[52] Vgl. B. M. Metzger: A Textual Commentary on the Greek New Testament, S. 469.
[53] So teilen auch z.B. E. Käsemann: An die Römer; HNT 8a, S. 361 und U. Wilckens: Der Brief an die Römer; EKK VI, 3, S. 89f ein.
[54] Vgl. C.E.B. Cranfield: The Epistle to the Romans; ICC, vol. 2, S. 711f.
[55] Gegen A. Reichert: Der Römerbrief als Gratwanderung, S. 285, die den neuen Abschnitt in V. 13b beginnen lässt, weil dort die direkte Anrede an die Adressaten aus 14,1 wieder aufgenommen werde.
[56] Der Begriff kommt sonst, außer negativ in V. 22, nur noch in Kap. 2 und 3 im Röm vor.

Gott herausgehoben hat, kommt er nun auf der zwischenmenschlichen Ebene auf das pragmatische Verhalten gegenüber dem anderen Menschen zu sprechen. Die Begriffe πρόσκομμα und σκάνδαλον wurden von Paulus bereits in Röm 9,32 durch das dortige Jesajazitat aufgenommen und dort auf Christus hin gedeutet. Hier hingegen beziehen sie sich im Sinne von „Hindernis" und „Falle" auf die Metaphorik des Stehens und Fallens aus V. 4. Man soll das eigene Urteil darauf richten, dass der andere nicht durch das eigene Verhalten „hinfällt". Dass Christus dabei auch jeden, der gefallen ist, wieder aufrichten kann, wurde bereits in V. 4b gesagt.[57]

Die Argumentation endet selbstreflexiv auf den Einzelnen bezogen. Das geschieht, indem mit dem Verb κρίνω gespielt wird: an die Stelle der gegenseitigen Verurteilung des Anderen (μηκέτι οὖν ἀλλήλους κρίνωμεν) setzt Paulus selbstreflexiv die Aufmerksamkeit gegenüber sich selbst, die darauf zielt, das eigene Verhalten in den Blick zu nehmen und dessen mögliche Konsequenzen für den Anderen zu reflektieren (τοῦτο κρίνατε μᾶλλον τὸ μὴ τιθέναι πρόσκομμα τῷ ἀδελφῷ ἢ σκάνδαλον, durch ἀλλά verbunden).[58] In Bezug auf die Problematik des gegenseitigen Verurteilens verweist Paulus also am Ende die Angesprochenen auf sich selbst (vgl. z.B. 2,17ff u.ö.). Sie sollen gemäß dem Liebesgebot (vgl. 13,8-10 und oben die Ausführungen dazu) ihr Selbstverhältnisses mit dem Verhältnis zum anderen Menschen koordinieren. Jeder Glaubende soll erstens sein eigenes Verhalten selbstkritisch betrachten und es zweitens so ausrichten, dass der Andere nicht darüber „stolpert", wobei Paulus offenbar wiederum ein Verhalten gegenüber einem Einzelnen (τῷ ἀδελφῷ) im Blick hat.

Aufgrund der ausgeführten Überlegungen lässt sich der Abschnitt in V. 1-13 damit folgendermaßen strukturieren, wobei die die theologische Perspektive kennzeichnenden Begriffe κύριος, θεός und Χριστός hervorgehoben sind. Auf der ersten Seite der Gegenüberstellung wird zusätzlich das κρίνω mit seinen Varianten hervorgehoben, das in menschlicher Sicht die hier zugrundeliegende Problematik benennt:

---

[57] Anders K. Haacker: Der Brief des Paulus an die Römer; ThHK 6, S. 285, der meint, „daß die im vorliegenden Zusammenhang drohenden Versündigungen (vgl. V. 23) den ganzen Heilsstand der gefährdeten Mitchristen in Frage stellen."

[58] Der Personwechsel in die 2. Plural stellt keinen neuen Anfang dar, sondern bildet mit 14,1 eine Klammer um den Abschnitt, gegen A. Reichert: Der Römerbrief als Gratwanderung, S. 285f.

14,1-3: δὲ	μὴ εἰς *διακρίσεις* διαλογισμῶν (2)	Τὸν ἀσθενοῦντα τῇ πίστει προσλαμβάνεσθε (1)
2+3:	ὃς μὲν πιστεύει φαγεῖν πάντα ὁ δὲ ἀσθενῶν λάχανα ἐσθίει ὁ ἐσθίων τὸν μὴ ἐσθίοντα μὴ ἐξουθενείτω ὁ δὲ μὴ ἐσθίων τὸν ἐσθίοντα μὴ *κρινέτω*	ὁ *θεὸς* γὰρ αὐτὸν προσελάβετο
4:	σὺ τίς εἶ ὁ *κρίνων* ἀλλότριον οἰκέτην τῷ ἰδίῳ κυρίῳ στήκει ἢ πίπτει	σταθήσεται δέ δυνατεῖ γὰρ ὁ *κύριος* στῆσαι αὐτόν
5:	ὃς μὲν *κρίνει* ἡμέραν παρ' ἡμέραν ὃς δὲ *κρίνει* πᾶσαν ἡμέραν	ἕκαστος ἐν τῷ ἰδίῳ νοΐ πληροφορείσθω
6:	ὁ φρονῶν τὴν ἡμέραν	*κυρίῳ* φρονεῖ
καὶ	ὁ ἐσθίων	*κυρίῳ* ἐσθίει εὐχαριστεῖ γὰρ τῷ *θεῷ*
καὶ	ὁ μὴ ἐσθίων	*κυρίῳ* οὐκ ἐσθίει καὶ εὐχαριστεῖ τῷ *θεῷ*
7+8a: γὰρ	οὐδεὶς ἡμῶν ἑαυτῷ ζῇ καὶ οὐδεὶς ἑαυτῷ ἀποθνῄσκει	ἐάν τε γὰρ ζῶμεν *τῷ κυρίῳ* ζῶμεν ἐάν τε ἀποθνῄσκωμεν *τῷ κυρίῳ* ἀποθνῄσκομεν
8b+c: οὖν	ἐάν τε ζῶμεν ἐάν τε ἀποθνῄσκωμεν	*τοῦ κυρίου* ἐσμέν
9+10a: εἰς τοῦτο γὰρ	σὺ δὲ τί *κρίνεις* τὸν ἀδελφόν σου ἢ καὶ σὺ τί ἐξουθενεῖς τὸν ἀδελφόν σου (2)	*Χριστὸς* ἀπέθανεν καὶ ἔζησεν ἵνα καὶ νεκρῶν καὶ ζώντων *κυριεύσῃ* (1)
10b+11: γὰρ	γέγραπται γάρ Ζῶ ἐγώ λέγει κύριος ὅτι ἐμοὶ κάμψει πᾶν γόνυ καὶ πᾶσα γλῶσσα ἐξομολογήσεται τῷ θεῷ (2)	πάντες παραστησόμεθα τῷ βήματι *τοῦ θεοῦ* (1)
12+13: ἄρα οὖν	μηκέτι οὖν ἀλλήλους *κρίνωμεν* ἀλλὰ τοῦτο *κρίνατε* μᾶλλον τὸ μὴ τιθέναι πρόσκομμα τῷ ἀδελφῷ ἢ σκάνδαλον (2)	ἕκαστος ἡμῶν περὶ ἑαυτοῦ λόγον δώσει τῷ *θεῷ* (1)

Die Selbstprüfung des Glaubenden (14,14-23)

Paulus beginnt den neuen Abschnitt in V. 14a mit einer emphatischen doppelten Formulierung in der 1. Person Singular (οἶδα καὶ πέπεισμαι).[1] Wie bereits in 9,1 und 10,1 wird jedoch deutlich, dass das Folgende nicht nur eine persönliche Stimmung oder Meinung des Paulus wiedergibt, sondern christologisch begründet ist. Damit kommt Paulus implizit erneut auf die Begründung seiner persönlichen Ex-istenz zu sprechen, die sein Wissen und seine Überzeugungen bestimmt und die „in Christus" gegeben ist.[2] Das ἐν κυρίῳ Ἰησοῦ knüpft dabei zugleich an die Dative in V. 4-8 an.

In den folgenden Versen geht Paulus jeweils zunächst in einer auf das Materielle reduzierten, menschlichen Sicht auf verschiedene Speisen und Getränke und die daraus resultierenden Konflikte ein und kennzeichnet dies durch entsprechende Begriffe (z.B. βρῶμα, βρῶσις, κρέας, οἶνος, φαγεῖν sowie allgemeiner οὐδέν und πάντα). Dieser eindimensionalen Sichtweise stellt er dann eine theologisch bzw. christologisch geprägte Perspektive gegenüber, die durch die Begriffe Christus, Gott, Heiliger Geist, Glauben und Liebe angezeigt wird (vgl. unten den griechischen Text und die Hervorhebungen darin).

Der Eingangsformulierung in V. 14a folgt unter diesen Voraussetzungen V. 14b mit ὅτι eingeleitet eine allgemeine These, die dann (angeschlossen mit γάρ) in V. 15ff auf die hier zugrundeliegende Fragestellung hin konkretisiert werden wird. Paulus setzt in geläufiger Sicht bei der Erkenntnis an, dass kein Gegenstand von sich aus κοινός sei. Der Begriff wird hier offenbar nicht dem profangriechischen Sprachgebrauch entsprechend positiv verstanden. Paulus verwendet ihn vielmehr in der im Judentum üblichen negativen Bedeutung: unrein im Gegensatz zu rein.[3] Paulus erklärt zunächst, dass – abgesehen von solchen religiös motivierten Beurteilungen – alle Lebensmittel im geläufigen Verständnis materiell betrachtet „von sich aus, an sich"[4] (δι' ἑαυτοῦ) erlaubt bzw. rein seien.[5]

Die anschließende Formulierung in V. 14c gibt demgegenüber die spezielle theologische Sicht des Paulus wieder, nach der die Entscheidung, ob man diese Lebensmittel zu sich nehmen kann, vom subjektiven und individuellen Glauben der einzelnen Person abhängig ist. Das εἰ μή ist adversativ im Sinne von ἀλλά gemeint.[6] Solche theologische Bindung des angemessenen Verhaltens an die eigene Einschätzung hatte Paulus bereits im vorhergehenden Abschnitt erläutert (vgl. V. 5). „V. 14b ist schon auf V. 14c hin formuliert (δι' ἑαυτοῦ steht im Gegensatz zu τῷ λογιζομένῳ)."[7] Dabei

---

[1] Vgl. C.E.B. Cranfield: The Epistle to the Romans; ICC, vol. 2, S. 712: „strikingly emphatic".

[2] Vgl. auch K. Haacker: Der Brief des Paulus an die Römer; ThHK 6, S. 285f.

[3] „Die Wortgruppe κοινός hat in der gesamten Profangräzität einen positiven bisweilen sogar hohen Klang. Seine negative Füllung bekommt κοινός [...] im Judentum durch den Versuch der seleukischen Religionspolitik, die Juden in religiöser Hinsicht an die hellenistische ‚Allgemeinheit' anzupassen, z.B. durch das Essen von Schweinefleisch." (Haacker, a.a.O., S. 286, mit Verweis auf I Makk 1,47.62; IV Makk 7,6; Josephus: Antiquitates 12,320; 13,4)

[4] So z.B. U. Wilckens: Der Brief an die Römer; EKK VI, 3, S. 89; C.E.B. Cranfield: The Epistle to the Romans; ICC, vol. 2 , S. 713.

[5] Die erste Aussage ist damit ganz ähnlich wie in Mk 7,15. Vgl. K. Haacker: Der Brief des Paulus an die Römer; ThHK 6, S. 286. Zur möglichen Verbindung zwischen Röm und Jesustradition vgl. grundsätzlich P. Stuhlmacher: Jesustradition im Römerbrief? Eine Skizze; in: ThBeitr 14 (1983), S. 240-250.

[6] Vgl. Blass, Debrunner, Rehkopf: Grammatik des neutestamentlichen Griechisch, § 448, Anm. 9.

[7] A. Reichert: Der Römerbrief als Gratwanderung; S. 287.

äußert sich Paulus nicht nur über die sogenannten Schwachen im Glauben, so wenig wie er in V. 14b einfach die Position der „Starken" wiedergibt, sondern die Aussage ist, dass Vorbehalte gegenüber bestimmten Verhaltensweise – unabhängig von der Frage, ob man „schwach" oder „stark" im Glauben ist[8] – jeweils an der subjektiven Einschätzung des Einzelnen hängen.[9]

Nachdem Paulus in V. 14 gezeigt hatte, dass die Frage des rechten Verhaltens eine Sache der individuellen Einschätzung ist,[10] geht er im folgenden – angeschlossen mit γάρ – die besagten Konflikt um die Ess- und Trinkgewohnheiten von seinem ethischen Prinzip des Liebesgebotes her an (vgl. 13,8-10). Man könnte aufgrund der vorherigen Aussagen meinen, dass die Entscheidung über das rechte Verhalten ganz dem Individuum überlassen wäre, unabhängig von anderen Bezügen. Dieser Meinung möchte Paulus entgegentreten, indem er im folgenden den Anderen und Christus in bestimmter Weise in den Blick nimmt. Von dorther ergibt sich für ihn der Schlüssel, wie man mit den verschiedenen alttestamentlichen und anderen Speisevorschriften umgehen kann. Es geht in dieser Sicht weder um das Einhalten einzelner Essensvorschriften noch um eine subjektive Einschätzung des rechten Verhaltens, sondern um ein Verhalten, das Selbstverhältnis und Verhältnis zum Anderen, Selbsteinschätzung und Einschätzung der Haltung des Anderen in eine ausgewogene Relation zueinander setzt.

Paulus geht in V. 15a auf die konkrete Möglichkeit ein (eingeleitet mit εἰ γάρ), dass durch den Genuss bestimmter Speisen ein anderer Glaubender betrübt wird[11] (λυπεῖται). Der Begriff βρῶμα kennzeichnet hier wie im folgenden die menschliche Sicht, die sich am Gegenstand selbst orientiert. In theologischer Perspektive wird diese Haltung dann in V. 15b kritisiert. Dies geschieht bemerkenswerter Weise aber nicht so, dass Paulus ein bestimmtes Speisegebot oder irgendein anderes Gebot anführt. „Das in Röm 14, ausführlich erörterte ethische Problem der Freiheit im Essen wird von Paulus nicht anders als im Ersten Korintherbrief ohne Rückgriff auf die Tora diskutiert und dann entschieden",[12] wobei allerdings zu berücksichtigen ist, dass das statt dessen angeführte Liebesgebot selbst Lev 19,18 entstammt. Mit der Formulierung οὐκέτι κατὰ ἀγάπην περιπατεῖς meint Paulus völlig unabhängig von irgendwelchen inhaltlichen Festlegungen, dass ein solches, in V. 15a beschriebenes Verhalten ein unausgewogenes Verhältnis von Selbstverhältnis und Verhältnis zum Nächsten zum Ausdruck bringt und damit dem Liebesgebot als zentralem ethischen Prinzip widerspricht (siehe dazu ausführlich die Erläuterungen zu 13,8-10). Das Essen der besagten Speise wird damit als selbstfixiertes Verhalten (vgl. 7,7ff) disqualifiziert, das nur auf sich selbst achtet und die Skrupel des Nächsten nicht in einer den eigenen Interessen gleichrangigen Weise

---

[8] Zu den Versuchen, V. 14f eindeutig den beiden Positionen der „Starken" und „Schwachen" zuzuordnen und ihren Schwierigkeiten siehe eingehend Reichert, a.a.O., S. 287ff.

[9] So könnte etwa durchaus jemand in Bezug auf die Speisen die Position des „Starken" einnehmen, alle essen zu können, in Bezug auf die Feiertage aber die Position des „Schwachen".

[10] Daraus ist nicht schon eine „allowance for individual perception" abzuleiten, sondern die Individualität der Einschätzungen bietet gerade das Problem, für das Paulus hier Lösungsvorschläge unterbreitet. Gegen J.M.G. Barclay: ‚Do we undermine the law?', S. 301.

[11] Barclay, a.a.O., S. 302 sieht hier eine Fortsetzung der Metaphorik von Stolpern und Fallen aus V.13: „Paul warns the strong against putting a stumbling-block in the path of weak (14.13), which could result in their injury (14.15a)".

[12] A. Lindemann: Die biblischen Toragebote und die paulinische Ethik; in: ders.: Paulus, Apostel und Lehrer der Kirche. Studien zu Paulus und zum frühen Paulusverständnis; Tübingen 1999, S. 91-114, dort S. 111.

beachtet, unabhängig davon, um welche Speise es geht. Die ἀγάπη gibt damit erneut wie bereits in 13,8-10 die theologische Perspektive wieder.

V. 15c verschärft das Argument von V. 15a.b durch das ἀπόλλυε (vgl. V. 20 κατάλυε). Die Aussage findet sich ähnlich auch in I Kor 8,11 formuliert.[13] Dass in Röm 14 mit ἀπόλλυμι der Verlust des Heils und des Reiches Gottes gemeint ist, ist eher unwahrscheinlich.[14] Denn in V. 17 wird ausdrücklich gesagt, dass das Gottesreich nicht mit Speisevorschriften in Verbindung gebracht werden soll, und in V. 4 wurde bereits festgestellt, dass der Herr jeden „Sklaven" wieder aufrichten kann und wird. Die Aussage ist vielmehr parallel zu V. 15a (λυπεῖται) zu verstehen und meint in abgeschwächter Form „verlieren".[15] Das bedeutet: indem der Eine Speisen zu sich nimmt, die für den Anderen nicht akzeptabel sind, „verliert" er den Anderen. Es kommt zum persönlichen Konflikt, ohne dass die grundsätzliche Zugehörigkeit beider zu Christus gefährdet würde. Diese Aussage wird deshalb in V. 15d in eine christologische Perspektive gestellt. Man soll auf den anderen Rücksicht nehmen und ihn nicht „verlieren", weil Christus auch für ihn gestorben ist. Die Formulierung ὑπὲρ οὗ Χριστὸς ἀπέθανεν setzt das ἐν κυρίῳ Ἰησοῦ aus V. 14a fort. Der menschlichen Sicht, die am Materiellen orientiert und auf die Speise gerichtet ist, stellt Paulus damit eine christologische entgegen, die auf die Person des anderen und seine Gefährdungen achtet und damit in der Lage ist, ein rein selbstbezügliches Verhalten aufzubrechen.

V. 16 zieht mit οὖν die Konsequenzen aus dem Vorhergehenden. Der Anfang des Verses enthält eine sehr knappe und deshalb etwas unverständliche Formulierung. Das βλασφημεῖν kann zum einen das Lästern über die christliche Gemeinschaft von außen aufgrund der genannten inneren Probleme bedeuten, zum anderen aber auch innerchristliche Streitigkeiten.[16] Der Ausdruck bezeichnet an der parallelen Stelle in I Kor 10,30 die Haltung desjenigen, der an der Freiheit des Paulus Anstoß nimmt, alles essen zu können. Paulus kommt dem entsprechend auch hier zunächst in geläufiger menschlicher Sicht auf zwischenmenschliche Konflikte zu sprechen, die sich durch Lästereien äußern. Das einleitende μή ist dabei parallel zu V. 15c formuliert. Dem wird mit der Wendung ὑμῶν τὸ ἀγαθόν eine theologische Perspektive gegenübergestellt, die an das in V. 15d Gesagte anknüpft. Diese Formulierung wahrscheinlich nicht „auf den persönlichen Standpunkt bezogen: ‚das in euren Augen Gute'."[17] Sondern ὑμῶν τὸ ἀγαθόν bedeutet eher „das den Adressaten mit allen anderen Christen gemeinsame ‚Gute', also ihren Stand im Heil, der durch das Sterben Christi (V. 15c) verursacht ist."[18]

---

[13] Dort lautet das Argument: Wenn ein „Schwacher" den „Starken" Speisen essen sieht, die er mit seinem eigenen Gewissen nicht vereinbaren kann, dann kann ihn das gefährden (dort ἀπόλλυται), indem er selbst diese Speisen zu sich nimmt. Vgl. C.E.B. Cranfield: The Epistle to the Romans; ICC, vol. 2, S. 715.

[14] Gegen A. Reichert: Der Römerbrief als Gratwanderung, S. 289. Sehr zugespitzt ist hier die Position von M. Luther, der das V. 15 beschriebene Verhalten als Mord bezeichnet (WA 56, 509).

[15] Vgl. W. Bauer: Griechisch-Deutsches Wörterbuch zu den Schriften des Neuen Testaments, Sp. 188, die Bedeutung unter 1.b. Bauer selbst versteht jedoch Röm 14,15 im Sinne von „ins Verderben bringen".

[16] So die differenzierte Sicht von A. Reichert: Der Römerbrief als Gratwanderung, S. 289f. K. Haacker: Der Brief des Paulus an die Römer; ThHK 6, S. 287 betont demgegenüber die zweite Deutung, und E. Käsemann: An die Römer; HNT 8a, S. 364 die erstgenannte.

[17] Vgl. Haacker, ebd.

[18] A. Reichert: Der Römerbrief als Gratwanderung, S. 290.

V. 17a schließt mit γάρ an und stellt aus menschlicher Sicht eine Position dar, die diese Fragen des rechten Essens und Trinkens mit dem „Reich Gottes" in Verbindung bringt. Die Begriffe βρῶσις und πόσις verdeutlichen erneut, dass diese Sicht auf das Materielle konzentriert ist. Diese Verbindung eines bestimmten, auf materielle Güter bezogenen Verhaltens mit dem Reich Gottes wird jedoch von Paulus völlig abgelehnt. Damit ist gesagt, dass er die offenbar in der frühen Christenheit sehr kontrovers diskutierte Frage, was man essen und trinken darf (vgl. neben I Kor 8-10 z.B. Gal 2,11ff), in theologischer Hinsicht für unwesentlich hält. Sie spielt als solche in Bezug auf das Gottesreich schlicht keine Rolle. Interessant ist für Paulus allein, welche Streitigkeiten diese Fragen unter den Glaubenden auslösen können und wie man ihnen begegnen kann.

Deshalb stellt er in V. 17b der allein auf die Speisen bezogenen Sicht eine zweite, theologische entgegen (adversativ mit ἀλλά angeschlossen), die die Begriffe der Gerechtigkeit, des Friedens und der Freude als entscheidende Orientierungspunkte in den Blick nimmt. Diese drei gründen im Heiligen Geist.[19] Der Geist war bereits in Röm 8 als gemeinsames Charakteristikum der Gotteskinder genannt worden. Wer also den anderen lästert oder verachtet, weil er die Fragen rechter Speisen und Getränke für wesentlich hält, widerspricht damit der gemeinsamen Basis der christlichen Gemeinschaft, die im Geist gegeben ist und die in der Freiheit der Kinder Gottes von jeglicher Knechtschaft besteht (vgl. Röm 8, 15). Das ἐν πνεύματι ἁγίῳ setzt ἐν κυρίῳ Ἰησοῦ aus V. 14 und die Dative aus V. 4-8 fort. Dass Paulus auf den Zentralbegriff der Verkündigung Jesu βασιλεία τοῦ θεοῦ zu sprechen kommt, ist im Röm singulär und auch sonst relativ selten (vgl. I Thess 2,12; I Kor 4,20; 6,9f; 15, 24+50; Gal 5,21).[20] Die Erwähnung des Begriffes δικαιοσύνη innerhalb der Reihe zeigt einerseits, dass der Begriff im Röm zwar wichtig ist, die Hinzufügung von εἰρήνη und χαρά weist jedoch darauf hin, dass er dabei nicht die einzigartige Rolle spielt, die ihm zumeist zugemessen wird (vgl. dazu die Ausführungen oben zu 1,17). Das Wort einschließlich seiner Varianten kommt nach Röm 10,10 nur noch hier und zwar relativ wenig markant im Rahmen einer Aufzählung vor, spielt also im Grunde für die gesamte Paränese kaum eine Rolle. Χαρά und εἰρήνη erscheinen auch in der Paränese des Gal zusammen, und zwar in 5,22 als Frucht des Geistes.[21]

V. 18 setzt (angeschlossen mit γάρ) V. 16f fort. V. 18a führt zunächst die theologische Perspektive weiter. Das ἐν τούτῳ bezieht sich auf das unmittelbar vorhergehende ἐν πνεύματι ἁγίῳ [22] und setzt darüber hinaus die Reihe der Dative aus V. 4-8, 12 und 14 fort. Das ἐν zeigt, wie bereits in V. 14 am Beispiel des Paulus, dass die Glaubenden nicht in sich selbst gründen, sondern ihre Ex-istenz „in Christus" bzw. „im Geist" gegründet wissen (vgl. 8,1ff). V. 18a gibt damit die theologische Perspektive mit einer bemerkenswerten dreifachen Formulierung wieder: Derjenige, der im heiligen

---

[19] Anders K. Haacker: Der Brief des Paulus an die Römer; ThHK 6, S. 289, der den Ausdruck ἐν πνεύματι ἁγίῳ nur auf χαρά bezieht.

[20] Vgl. Haacker, a.a.O., S. 287. Zur möglichen Beziehung zwischen Jesustradition und Röm vgl. P. Stuhlmacher: Jesustradition im Römerbrief?, S. 240-250.

[21] Vgl. auch Käsemann, a.a.O., S. 364.

[22] Zu den verschiedenen Interpretationsmöglichkeiten des Ausdruckes vgl. C.E.B. Cranfield: The Epistle to the Romans; ICC, vol. 2, S. 719f. Cranfield entscheidet sich dafür, das ἐν τούτῳ (als Singular) auf die Aufzählung von Gerechtigkeit, Friede und Freude insgesamt zu beziehen. Er folgt damit sinngemäß der alternativen Lesart ἐν τούτοις des Mehrheitstextes. Dann ist aber schwer verständlich, warum in V. 19 nur der Aspekt des Friedens aufgenommen wird.

Geist Christus dient, ist Gott wohlgefällig. Bereits in Röm 1,9 und 7,6 hatte Paulus von einem Dienst im Geist gesprochen (vgl. auch Phil 3,3),[23] und nach Kap. 8 ist die neue Ex-istenz der Glaubenden durch den Geist bestimmt. Der Dienst im Geist schließt dann aber die drei in V. 17 genannten Werte der Gerechtigkeit, des Friedens und der Freude mit ein.[24] Als Diener Christi Jesu hatte sich Paulus bereits in seiner Selbstvorstellung in Röm 1,1 bezeichnet. In Kap. 6 und 8 wurde dabei deutlich, dass das δουλεύω metaphorisch zu verstehen ist: die Verbundenheit mit Christus und dem Heiligen Geist führt nicht in eine neue Sklaverei, sondern zur Freiheit der Kinder Gottes (vgl. besonders 8,15ff). V. 18b behauptet Paulus daran anschließend in menschlicher Sicht (verbunden mit καί), dass jemand, der sich in dieser Weise Gott wohlgefällig verhält, auch bei den Menschen anerkannt wird. Das entspricht nicht unbedingt der eigenen Lebenserfahrung des Paulus (vgl. z.B. II Kor 11,23ff).[25] Ihm geht es hier jedoch darum, innerhalb der christlichen Gemeinschaft die Konvergenz zwischen theologischer Perspektive und einem sinnvollen zwischenmenschlichen Verhalten aufzuzeigen.

V. 19 zieht die Konsequenz aus der bisherigen Argumentation (angeschlossen mit ἄρα οὖν). Als Verb ist nicht, wie von Nestle-Aland (27. Aufl.) vorgeschlagen, der Konjunktiv,[26] sondern der Indikativ zu lesen.[27] Erstens ist diese Textvariante sehr gut bezeugt,[28] zweitens leitet ἄρα οὖν im Röm immer eine Feststellung im Indikativ ein (vgl. 5,18; 7,3.25; 8,2; 9,16.18; 14,12) und drittens nimmt Paulus hier εἰρήνη aus V. 17 auf und setzt damit die Verse 17 und 18 fort, die ebenfalls im Indikativ formuliert sind. Im Schema von Indikativ und Imperativ gesprochen, benennt Paulus hier im Indikativ den unter den Glaubenden schon herrschenden Frieden (vgl. 5,1), von dem her die vorhergehenden und nachfolgenden Imperative verstanden werden müssen. Unter diesen Voraussetzungen entfaltet V. 19 wiederum eine doppelte Sicht: V. 19a setzt die theologisch bzw. pneumatologisch geprägte Perspektive aus V. 17b fort, nach der der Friede eine Konsequenz der Ex-istenz „im Heiligen Geist" ist. Dem wird jedoch in V. 19b sogleich eine zwischenmenschliche Perspektive gegenübergestellt: Die Glaubenden folgen (als Feststellung im Indikativ) den Dingen, die den anderen aufbauen, d.h. sie sind in der Lage, die Eigeninteressen mit dem, was den anderen fördert, in Einklang zu bringen. Der Begriff der οἰκοδομή ist, wie auch in 15,2, nicht ekklesiologisch,[29] sondern zwischenmenschlich gemeint und bezeichnet auf der Ebene von Röm 12,3ff und 13,8-10 die Beziehung Einzelner zueinander:[30] τῆς εἰς ἀλλήλους.

---

[23] Siehe auch K. Haacker: Der Brief des Paulus an die Römer; ThHK 6, S. 289.

[24] So auch W. Schmithals: Der Römerbrief, S. 506.

[25] Die vorsichtige Übersetzung Reicherts von δόκιμος mit „glaubwürdig" ist deshalb erwägenswert (vgl. A. Reichert: Der Römerbrief als Gratwanderung, S. 291).

[26] Die Begründung von B. M. Metzger für diese Lesart ist nicht überzeugend. Nachdem er die wichtigsten Gegenargumente genannt hat, meint er einfach: „the Commitee felt, that, on the whole, the context here calls for the cohortary subjunctive (cf. the imperatives in ver. 13 and 20)." (B. M. Metzger: A Textual Commentary on the Greek New Testament, S. 469)

[27] So auch P. Stuhlmacher: Der Brief an die Römer; NTD 6, S. 200.

[28] Textzeugen sind א A B F G L P 048.0209.6.326.629 al.

[29] So U. Wilckens: Der Brief an die Römer; EKK VI, 3, S. 95; C.K. Barrett: A Commentary on the Epistle to the Romans; BNTC 7, S. 244; E. Käsemann: An die Römer; HNT 8a, S. 365.

[30] So auch T. Zahn: Der Brief des Paulus an die Römer; KNT 6, S. 583. C.E.B. Cranfield: The Epistle to the Romans; ICC, vol. 2, S. 722 relativiert dies und meint, man müsse beide Aspekte, den individuellen und den ekklesiologischen berücksichtigen. A. Reichert: Der Römerbrief als Gratwanderung, S. 292, Anm. 5 spricht sich mit Vielhauer gegen die individuelle Interpretation aus.

Auf der Basis dieses Indikativs gibt Paulus die in V. 20 folgenden Anweisungen im Imperativ. V. 20a und b ist parallel zu V. 15 c und d gebaut. Die Fixierung auf die eigenen Eßgewohnheiten (ἕνεκεν βρώματος) soll nicht dazu führen, dass der andere „losgelöst" wird. Das κατάλυε ist, ebenso wie ἀπόλλυε in V. 15, nicht radikal im Sinne des Heilsverlustes gemeint, sondern bezeichnet eher die „Loslösung" der zwischenmenschlichen Beziehung.[31] Die Begründung war in V. 15 christologisch und ist hier theologisch. Der Andere ist ein „Werk Gottes" und soll deshalb ernst- und wahrgenommen werden. Der Ausdruck τὸ ἔργον τοῦ θεοῦ bezieht sich dabei nicht auf die Gemeinde,[32] sondern auf den Anderen und seine Ex-istenz, die durch Gott und „in Christus" neu konstituiert wurde (vgl. II Kor 5,17).

V. 20b bringt Paulus in positiver Formulierung erneut die allgemeine Aussage V. 14,[33] die negativ formuliert bereits den Ausgangspunkt des Abschnittes bildete. Das πάντα καθαρά entspricht dem οὐδὲν κοινόν aus V. 14 und gibt die geläufige menschliche Sicht wieder, nach der alle Dinge für sich und materiell betrachtet rein, d.h. erlaubt sind (vgl. I Kor 6,12; 10,23).[34] Ebenso entspricht das κακὸν τῷ ἀνθρώπῳ τῷ διὰ προσκόμματος ἐσθίοντι in V. 20c dem τῷ λογιζομένῳ τι κοινὸν εἶναι ἐκείνῳ κοινόν aus V. 14 und stellt damit dieser menschlichen Sicht die theologische Perspektive entgegen, dass es dennoch aus bestimmten Gründen problematisch sein kann, bestimmte Speisen zu essen.[35] Wenn man sie διὰ προσκόμματος zu sich nimmt, wird dies von Paulus als schlecht (κακόν) bezeichnet. Was mit πρόσκομμα gemeint ist, wurde bereits am Ende des vorherigen Abschnittes in V. 13 gesagt: der Anstoß, den der Bruder bzw. die Schwester nimmt, die Skrupel des anderen. Paulus meint also wieder, dass man sich in Bezug auf das Essen – und damit exemplarisch auch für andere Lebensbereiche – nicht nur an der eigenen Einschätzung orientieren soll, sondern zusätzlich an der Toleranzfähigkeit des anderen Glaubenden und beide Aspekte ausgewogen beachten soll.

V. 21 ergänzt diese theologische, weil dem Liebesgebot entsprechende Sichtweise aus V. 20c durch die entsprechende positive Formulierung: Wie es schlecht sei, dem Anderen durch das Essen einen Anstoß zu geben, so sei es gut, kein Fleisch zu essen und keinen Wein zu trinken, wenn dadurch der Andere Anstoß nehmen könnte. Der Bezug auf das Fleischessen nimmt dabei offensichtlich die Formulierung λάχανα ἐσθίει aus V. 2 auf. Das προσκόπτει[36] erläutert, was mit dem διὰ προσκόμματος in V. 20 gemeint war. Es sind nicht „innere Bedenken",[37] sondern die Skrupel des Anderen – der ja ein „Werk Gottes" ist – die dazu führen sollen, bestimmte Speisen und Getränke nicht zu sich zu nehmen. Die Begriffe κρέας und οἶνος weisen einerseits speziell auf jüdische Bedenken hin, die darin bestanden, dass man in einer großen Stadt wie Rom nicht wissen konnte, ob das Fleisch oder der Wein den Vorschriften entsprechend zubereitet

---

[31] Vgl. W. Bauer: Griechisch-Deutsches Wörterbuch, Sp. 819, Bedeutung 1.a.: „ganz und gar lösen". Bauer selbst versteht den Ausdruck hier jedoch ekklesiologisch im Sinne der Gemeinde als Bauwerk Gottes, das nicht niedergerissen werden soll.

[32] Gegen A. Reichert: Der Römerbrief als Gratwanderung, S. 292.

[33] Vgl. K. Haacker: Der Brief des Paulus an die Römer; ThHK 6, S. 290.

[34] Vgl. U. Wilckens: Der Brief an die Römer; EKK VI, 3, S. 95.

[35] Die Verbindung mit μέν – ἀλλά zeigt, dass die erste Aussage ein Zugeständnis enthält, dass es Paulus aber auf die zweite Aussage besonders ankommt.

[36] Die alternative Lesart des Mehrheitstextes stellt eine sekundäre Erweiterung dar. Vgl. B.M. Metzger: A Textual Commentary on the Greek New Testament, S. 469.

[37] Gegen W. Haubeck, H. von Siebenthal: Neuer sprachlicher Schlüssel zum griechischen Neuen Testament, Bd. 2, S. 46.

oder bereits für bestimmte heidnische Riten verwendet worden war.[38] Sie können andererseits aber auch in einem allgemeineren Sinne verstanden werden.[39] Das Fehlen des Verbs nach dem zweiten μηδέ weist daraufhin, dass Fleisch und Wein hier nur exemplarisch für jedes mögliche Handeln stehen.[40] Dass Paulus hier wieder im Singular einen einzelnen Menschen anredet (σου), ist nicht einfach rhetorisch als Typisierung zu verstehen, sondern zeigt, dass diese Fragen jeweils individuell in Verantwortung vor sich selbst, dem anderen und Gott entschieden werden müssen.

Diesen dreifachen Bezug erläutert eingehend V. 22, in dem die Anrede des Du fortgesetzt wird. Hier werden – wie schon in V. 1 und 2 mit πίστις und πιστεύω – zwei verschiedene Verständnisse von πίστις entfaltet. In V. 22a meint das Wort parallel zu V. 2 die persönliche Überzeugung des angesprochenen Du,[41] also des einzelnen Menschen, der für sich selbst bestimmte Handlungen für falsch oder richtig hält. Das κατὰ σεαυτόν unterstreicht den wiederum stark selbstreflexiven Charakter der Argumentation. Gegenüber dieser geläufigen menschlichen Sichtweise, die ganz auf sich selbst fixiert ist (ἔχεις κατὰ σεαυτόν, vgl. 7,7ff), weist Paulus nun das Du darauf hin, dass es zusätzlich auch eine theologische Perspektive beachten soll (ἔχε ἐνώπιον θεοῦ). Wenn die eigene Überzeugung (πίστις) in dieser Weise vor Gott gebracht wird, dann wird sie zu einer πίστις im theologischen Sinne, einem Glauben, der das eigene Leben und Handeln coram Deo vollzieht. Wer in solcher kritischen Prüfung seines Verhaltens vor sich selbst und vor Gott bestehen kann, den bedenkt Paulus mit einem Makarismus (μακάριος ὁ μὴ κρίνων ἑαυτόν). Markant ist dabei, dass Paulus hier offenbar die Vorstellung hat, dass dieses Richten nicht nur durch Gott,[42] sondern vor allem – selbstreflexiv gedacht – durch den Menschen geschieht, der nicht mit sich selbst im Reinen ist (vgl. ähnlich bereits z.B. Röm 2,1; 13,2). Göttliches Gericht und Selbstgericht korrelieren hier.

V. 23 beleuchtet, angeschlossen mit adversativem δέ, das gegenteilige Verhalten: Wer angesichts solcher kritischen Selbstprüfung coram Deo „mit sich selbst im Streit" (ὁ διακρινόμενος),[43] d.h. nicht völlig von der Richtigkeit seines Verhaltens überzeugt ist, der ist bereits verurteilt, wenn er bestimmte Speisen zu sich nimmt (ἐὰν φάγῃ) bzw. im Sinne der grundsätzlichen Ausweitung des Gesagten sich anders verhält, als er es vor sich selbst und vor Gott vertreten kann. Das κατακέκριται ist wieder nicht im strengen theologischen Sinne als ewige Verdammnis gemeint (vgl. 8,1), sondern bezeichnet eine ethische Verfehlung. Zu dieser in V. 23a zunächst in menschlicher Sicht vorgetragenen ethischen Haltung, nur das zu tun, was mit voller Überzeugung getan werden kann, gibt es durchaus antike Parallelen.[44] Die Besonderheit der paulinischen Sicht besteht darin, dass hier die Selbstprüfung und die theologische Prüfung vor Gott Hand in Hand gehen. Paulus stellt dieser Sichtweise deshalb in V. 23b, angeschlossen mit ὅτι, als Begrün-

---

[38] Vgl. J.M.G. Barclay: ‚Do we undermine the Law?', S. 291f.

[39] So auch A. Reichert: Der Römerbrief als Gratwanderung, S. 293f.

[40] Vgl. C.E.B. Cranfield: The Epistle to the Romans; ICC, vol. 2, S. 725, Anm. 1 und Reichert, a.a.O., S. 293.

[41] Das ἦν ist aufgrund der hohen Qualität der Textzeugen (א A B C u.a.) mitzulesen.

[42] Dass die Glaubenden von Gott nicht mehr verurteilt werden, wurde bereits in Röm 8,1 und 34 zugesichert.

[43] Vgl. W. Bauer: Griechisch-Deutsches Wörterbuch zu den Schriften des Neuen Testaments, Sp. 367.

[44] Vgl. K. Haacker: Der Brief des Paulus an die Römer; ThHK 6, S. 291 mit Verweis z.B. auf Cicero: De Officiis, I (9) 30; Seneca: Briefe an Lucilius, X 82,18; Plinius d. J.: Briefe I 18,5: „Quod dubites, ne feceris!".

dung eine theologische Perspektive gegenüber, wobei er neben πίστις das gewichtige Wort ἁμαρτία verwendet. Dieses ist hier, ebenso wie πίστις, im eigentlichen theologischen Sinne gemeint.[45] Paulus verwendete den Sündenbegriff in Röm 7 zur Bezeichnung der inneren Selbstzerrissenheit des Menschen. Genau diese Selbstzerrissenheit ist jedoch in dem genannten Falle vorhanden, wenn ein Glaubender etwas tut, wovon er bei sich selbst und vor Gott nicht völlig überzeugt ist. Insofern korrespondieren bei Paulus die kritische Selbstprüfung und die theologische Prüfung des Verhaltens vor Gott (V. 22). Was in diesem Sinne aus voller Überzeugung getan wird, ist ethisch korrekt (vgl. V. 5: ἕκαστος ἐν τῷ ἰδίῳ νοΐ πληροφορείσθω), die eigene Überzeugung muss dabei jedoch vor Gott Bestand haben können (vgl. V. 22). Nur in dieser doppelten Sicherheit von persönlichem Glauben und Glauben vor Gott gehandelt wird, ist dieses Handeln im theologischen Sinne „selbstsicher" und deshalb ethisch vertretbar. Wo das nicht geschieht, führt es nicht nur zur Dissoziation mit Gott, sondern vor allem auch zur Desintegration der eigenen Person, die in Kap. 7 mit Hilfe des Sündenbegriffes charakterisiert worden war. Deshalb beendet Paulus den Abschnitt mit dem programmatischen Satz: πᾶν δὲ ὃ οὐκ ἐκ πίστεως ἁμαρτία ἐστίν. Der Begriff der Sünde bezeichnet also auch hier nicht das falsche Verhalten an sich, sondern das problematische Selbstverhältnis des einzelnen Menschen, das dazu führt, dass man mit seinem Handeln sich selbst und seiner besseren Einsicht widerspricht und damit das eigene Handeln selbst verurteilen muss (vgl. Röm 7,14ff).

Wie aus den vorhergehenden Ausführungen deutlich wurde, kommt zu den beiden Aspekten des Selbstverhältnisses und des Gottesverhältnisses noch ein dritter Aspekt hinzu: das Verhältnis zum anderen Glaubenden. Was Paulus in 13,8-10 grundsätzlich für das Verhalten des einzelnen Glaubenden gegenüber jedem anderen Menschen dargestellt hatte, wird in Kap. 14 speziell in Bezug auf das Verhältnis zu einem Glaubensbruder oder einer Glaubenschwester konkretisiert. Dem Liebesgebot entsprechend kommt es Paulus zusätzlich darauf an, die coram Deo gewonnene Überzeugung mit derjenigen des anderen Glaubenden zu koordinieren. Die eigene und vor Gott gewonnene Sicherheit darf nicht dazu führen, dass die Bedenken des Bruders bzw. der Schwester ausgeblendet werden, sondern diese müssen ebenso zur Klärung des konkreten eigenen Verhaltens mit einbezogen werden (vgl. z.B. V. 13,20,21). Das macht auch verständlich, warum Paulus weder konkrete Verhaltensanweisungen gibt noch die eigene Glaubenseinsicht zur allgemeingültigen Verhaltensnorm erklärt. Eine Klärung des ethischen Verhaltens ist für ihn eben nur im Diskurs und bei gleichzeitiger Berücksichtigung des Selbstverhältnisses, des Gottesverhältnisses und des Verhältnisses zum Anderen möglich und bleibt deshalb ohne weitere inhaltliche Festlegung.

Christliche Ethik ist in diesem Sinne für Paulus sozusagen dreidimensional, weil der Glaubende ständig mit den genannten drei Relationen zu sich selbst, zum Nächsten und zu Gott parallel umgehen soll.[46] Paulus spricht sich damit für eine hochgradig differenzierte, individuelle Verhaltensweise aus. Diese soll sich weder primär an konkreten Ge- oder Verboten noch an der persönlichen Einschätzung orientieren, sondern sie soll jeweils in der konkreten Situation und unter Berücksichtigung der drei genannten Relationen *für sich, vor Gott und angesichts des Anderen* entscheiden, welches Verhalten angemessen ist.

---

[45] Anders wiederum K. Haacker: Der Brief des Paulus an die Römer; ThHK 6, S. 291.
[46] Vgl. dazu auch das sogenannte Doppelgebot der Liebe in Mk 12,28ff mit Parallelen, in dem die drei Aspekte der Gottesliebe, Nächstenliebe und Selbstliebe ebenfalls zusammengefasst werden.

Der Abschnitt[47] lässt damit folgendermaßen strukturieren, wobei jeweils die charakteristischen Wörter hervorgehoben sind. Auf der Seite der menschlichen Sichtweise sind das die Begriffe, die die materiellen Aspekte zum Ausdruck bringen, auf der Seite der theologisch geprägten Perspektive die entsprechenden Begriffe wie Christus, Gott, Heiliger Geist, Liebe und Glaube.

14a:	οἶδα καὶ πέπεισμαι	ἐν *κυρίῳ Ἰησοῦ*
14b+c: ὅτι	*οὐδὲν* κοινὸν *δι' ἑαυτοῦ*	εἰ μὴ τῷ λογιζομένῳ τι κοινὸν εἶναι ἐκείνῳ κοινόν
15a+b: γὰρ	εἰ διὰ *βρῶμα* ὁ ἀδελφός σου λυπεῖται	οὐκέτι κατὰ *ἀγάπην* περιπατεῖς
15c+d:	μὴ τῷ *βρώματί* σου ἐκεῖνον ἀπόλλυε	ὑπὲρ οὗ *Χριστὸς* ἀπέθανεν
16: οὖν	μὴ βλασφημείσθω	ὑμῶν τὸ ἀγαθόν
17: γὰρ	οὐ(κ) ἐστιν ἡ βασιλεία τοῦ θεοῦ *βρῶσις* καὶ *πόσις*	ἀλλὰ δικαιοσύνη καὶ εἰρήνη καὶ χαρὰ ἐν *πνεύματι ἁγίῳ*
18: γὰρ	καὶ δόκιμος τοῖς ἀνθρώποις (2)	ὁ ἐν *τούτῳ* δουλεύων τῷ *Χριστῷ* εὐάρεστος τῷ *θεῷ* (1)
19: ἄρα οὖν	καὶ τὰ τῆς οἰκοδομῆς τῆς εἰς ἀλλήλους (2)	τὰ τῆς εἰρήνης διώκομεν (1)
20a:	μὴ ἕνεκεν *βρώματος* κατάλυε	τὸ ἔργον *τοῦ θεοῦ*
20b+c+ 21:	*πάντα* μὲν καθαρά	ἀλλὰ κακὸν τῷ ἀνθρώπῳ τῷ διὰ προσκόμματος ἐσθίοντι καλὸν τὸ μὴ φαγεῖν κρέα μηδὲ πιεῖν οἶνον μηδὲ ἐν ᾧ ὁ ἀδελφός σου προσκόπτει
22:	σὺ πίστιν ἣν ἔχεις κατὰ σεαυτὸν	ἔχε ἐνώπιον *τοῦ θεοῦ* μακάριος ὁ μὴ κρίνων ἑαυτὸν ἐν ᾧ δοκιμάζει
23: δὲ	ὁ διακρινόμενος ἐὰν *φάγῃ* κατακέκριται	ὅτι οὐκ ἐκ *πίστεως* πᾶν δὲ ὃ οὐκ ἐκ *πίστεως* ἁμαρτία ἐστίν

---

[47] Nach V. 23 findet sich in einer Reihe von Handschriften die Doxologie aus Röm 16,25-27, in einzelnen sogar mit vorangestelltem Vers 16,24. 16,24 und 25-27 sind aber erstens mit einiger Wahrscheinlichkeit nicht paulinisch (vgl. unten die Ausführungen zu 16,24ff), zweitens unterbricht die Einfügung nach 14,23 den homogenen Gedankengang zwischen Kap. 14 und 15 und drittens ist die Stellung von 16,24 und 25-27 insgesamt von den Textzeugen ausgesprochen kontrovers überliefert. 16,24 und 25ff dürften deshalb mit einiger Sicherheit nicht im ursprünglichen Text nach 14,23 gestanden haben. Vgl. dazu im Detail B. M. Metzger: A Textual Commentary on the Greek New Testament, S. 470-473.

Die gegenseitige Annahme des anderen (15,1-7)

V. 1 führt die Argumentation von Kap. 15 einerseits fort (angeschlossen mit δέ), setzt aber andererseits mit einer Formulierung in der 1. Person Plural (ὀφείλομεν ἡμεῖς) deutlich neu ein. Die Abgrenzung des Abschnittes nach hinten bereitet gewisse Schwierigkeiten. In 15,8 begegnet unvermittelt wieder die Differenzierung περιτομή – τὰ ἔθνη, die in Kap. 9-11 dominierend war und dann im gesamten paränetischen Teil keine Rolle mehr spielte. Diese Beobachtung führt Schmithals dazu, 15,8-13 als Schluss von Kap 9-11 zu verstehen.[1] Man wird nicht soweit gehen müssen, diese Verse literarkritisch aus Kap. 15 herauszunehmen, denn der Zusammenhang mit der christologischen Begründung in V. 3 und 7 ist recht homogen. Auch wenn das Druckbild der Ausgabe von Nestle-Aland (27. Aufl.) vorschlägt, den Abschnitt mit V. 6 enden zu lassen,[2] ist deutlich, dass die Argumentation in 15,1ff auf V. 7 hinausläuft, der abschließend feststellt, dass die von Paulus Angesprochenen sich untereinander annehmen sollen wie Christus sie angenommen hat. Das προσλαμβάνεσθε aus V. 7 nimmt das identische Wort aus 14,1 wieder auf und bildet damit eine Klammer um die spezielle Paränese.[3] V. 8-13 argumentieren zwar in Fortsetzung von V. 1-7 weiter christologisch, sie behandeln aber als Abschluss der Sachargumentation des Briefes eine Thematik, die in Röm 1-15 insgesamt grundlegend war, nämlich die universale Gemeinschaft der Glaubenden z.B. aus Juden und Nichtjuden.[4] V. 8 beginnt wieder mit einer Formulierung in der 1. Person Singular, was deutlich für einen neuen Anfang spricht. Aus diesen Gründen empfiehlt es sich, 15,8-13 separat zu behandeln und gewissermaßen als Abschluss des gesamten Briefkorpus zu betrachten.[5]

V. 1 eröffnet den neuen Abschnitt, wie meist im Röm, mit einer Formulierung in der 1. Person, diesmal im Plural. Die Argumentation schließt zunächst an die Problematik von Kap. 14 an, indem sie das Wort τὸν ἀσθενοῦντα aus 14,1 wieder aufnimmt und variiert. Dieser „Schwache" war in Kap 14 dadurch charakterisiert, dass er nicht alle Speisen essen konnte oder wollte. Ihm wird in 15,1 jetzt im Plural erstmals explizit eine zweite Gruppierung entgegengestellt, die implizit schon seit 14,1 von Paulus angesprochen worden war. Die beiden Gruppen werden jetzt durch die Differenz δυνατός – ἀδύνατος gekennzeichnet. Es handelt sich dabei formal um eine eindeutig binäre Unterscheidung. Sie bezeichnet positiv die erste Seite und lässt die zweite Seite offen.[6] Angeredet sind in 15,1f zunächst nur die „Wir", also die „Starken", zu denen sich Paulus offensichtlich auch selbst zählt. Die Überlegungen haben also, weil sie implizit auch auf Paulus bezogen sind, zugleich einen selbstreflexiven Charakter.

V. 1f bilden eine zusammenhängende Gegenüberstellung, die durch das doppelte ἀρέσκειν strukturiert wird. Paulus setzt in V. 1 zunächst bei einer geläufigen menschlichen Sicht ein, die zwischen Starken und Schwachen unterscheidet, was ein

---

[1] Vgl. W. Schmithals: Der Römerbrief. Ein Kommentar; Gütersloh 1988, S. 521.

[2] Dieser Einteilung folgt neuerdings auch wieder A. Reichert: Der Römerbrief als Gratwanderung, S. 295ff.

[3] Vgl. K. Haacker: Der Brief des Paulus an die Römer; ThHK 6, S. 295.

[4] Über Haacker, a.a.O., S. 293 hinausgehend, der diesen Gedanken der Universalität auf die Verhältnisbestimmung von Juden und Nichtjuden eingrenzt. Vgl. aber Röm 1,14 und oben die Ausführungen dazu.

[5] Vgl. dazu auch M. Müller: Vom Schluß zum Ganzen. Zur Bedeutung des paulinischen Briefkorpusabschlusses; (FRLANT 172) Göttingen 1997, S. 223ff.

[6] Zu dieser Differenzierungstechnik vgl. oben die Einführung unter 2. und G. Spencer Brown: Laws of Form; 2. Aufl. New York 1979.

gewisses Selbstbewusstsein widerspiegelt. Das ὀφείλομεν meint dann betont vorangestellt die ethische Verpflichtung der „Stärkeren" gegenüber den „Schwächeren" und besagt in geläufiger Sicht, dass die Schwächen der „Schwachen" von den „Starken" getragen werden sollen (τὰ ἀσθενήματα τῶν ἀδυνάτων βαστάζειν). Das βαστάζειν meint nicht einfach nur eine Duldung, sondern einen aktiven Akt der Annahme.[7] V. 1b entfaltet diese geläufige menschliche Sicht weiter. Ging es Paulus in 14,1 darum, Streit zu vermeiden (μὴ εἰς διακρίσεις διαλογισμῶν), so fordert er hier dazu auf, dass das Verhalten nicht unter der Prämisse der Selbstgefälligkeit geschehen soll (μὴ ἑαυτοῖς ἀρέσκειν). Dass eine rein selbstbezügliche Existenzweise, die lediglich bemüht ist, sich selbst zu gefallen, in die Verzweiflung führt, war bereits für das Ich von Röm 7,7ff gezeigt worden. Das ἀρέσκειν mit seinen Varianten bezieht sich deshalb an anderen Stellen im Röm darauf, Gott zu gefallen (vgl. 8,8; 12,1f; 14,18, vgl. auch 15,3).[8]

Gegenüber dieser selbstgefälligen Haltung favorisiert Paulus ein entgegengesetztes Verhalten, das er zunächst in theologischer Sicht V. 2a mit der Anweisung beschreibt, dem anderen Menschen zu gefallen (τῷ πλησίον ἀρεσκέτω). Damit ist jedoch nicht gemeint, dass man lediglich dem Anderen zu Gefallen leben soll, sondern Paulus entfaltet damit die drei Relationen, die Dreidimensionalität christlicher Ethik in theologischer Perspektive anhand des Verbes ἀρέσκειν. Der Glaubende soll nicht nur und ausschließlich sich selbst gefallen (V. 1), sondern auch dem anderen (V. 2) und Gott (εὐάρεστος τῷ θεῷ, 12,1f; 14,18). Damit ist kein Selbstverzicht gefordert, denn das Liebesgebot setzt auch die Selbstliebe positiv voraus (vgl. die Ausführungen zu 13,8-10). Paulus spricht sich vielmehr – wie in Röm 14 an konkreten Beispielen ausgeführt – für eine ausgewogene Relation von Beachten der eigenen Interessen und derjenigen des Anderen aus, die dem Liebesgebot entspricht und einem rein selbstgefälligen Leben widerspricht. Das πλησίον nimmt dabei explizit die Benennung des Anderen aus dem Liebesgebot in Röm 13,9 (Lev 19,18) wieder auf.[9] Die Perspektive ist erneut über die innerchristliche Sicht hinausgehend universal auf alle Menschen gerichtet,[10] wobei Paulus zugleich darauf hinweist, dass es um ein individuelles Verhalten von Person zu Person geht (ἕκαστος ἡμῶν). Der Ausdruck εἰς τὸ ἀγαθὸν πρὸς οἰκοδομήν beschreibt dann in V. 2b in theologischer Perspektive das Ziel dieser Hinwendung zum Anderen. Eine Gesinnung, die nicht nur sich selbst, sondern auch dem Anderen "gefallen" möchte, zielt auf das Gute für den Nächsten und baut ihn auf. Der Begriff οἰκοδομή[11] bezieht sich dabei wie bereits 14, 19 auf die einzelne Person und nicht ekklesiologisch auf die Gemeinschaft.

Die Aussage aus V. 1f wird in V. 3 durch eine weitere Gegenüberstellung begründet (angeschlossen mit γάρ): „Auch Christus hat nicht sich selbst zu gefallen gelebt."[12] Das ἀρέσκειν wird mit der Wendung καὶ ὁ Χριστὸς οὐχ ἑαυτῷ ἤρεσεν zum dritten Male aufgenommen und bildet damit einen Kerngedanken des Abschnittes. Der dreidimensionale ethische Ansatz, demzufolge man in seinem Verhalten nicht nur sich

---

[7]   So auch A. Reichert: Der Römerbrief als Gratwanderung, S. 295.

[8]   Vgl. K. Haacker: Der Brief des Paulus an die Römer; ThHK 6, S. 293.

[9]   So auch E. Käsemann: An die Römer; HNT 8a, S. 368.

[10] Vgl. auch A. Reichert: Der Römerbrief als Gratwanderung, S. 296.

[11] So z.B. C.E.B. Cranfield: The Epistle to the Romans; ICC, vol. 2, S. 732, der hier etwas deutlicher als noch zu 14, 19 sagen kann: „a pleasing which is directed toward his (sc. the neighbour's) edification". Gegen Reichert, a.a.O., S. 296, die πρὸς οἰκοδομήν ekklesiologisch deutet.

[12] H. Probst: Paulus und der Brief. Die Rhetorik des antiken Briefes als Form der paulinischen Korintherkorrespondenz; (WUNT II, 45) Tübingen 1991, S. 374.

selbst, sondern auch dem Nächsten und Gott gefallen soll, wird also am Beispiel Christi verdeutlicht. Das Argument in V. 3a setzt einerseits die christologische Sichtweise fort, die bereits Kap. 14 durchgehend zu beobachten war. Sie führt andererseits gedanklich weiter, indem nun nicht nur die Begründung der Ex-istenz der Glaubenden „in Christus" vorausgesetzt wird, sondern das Verhalten Christi selbst eingebracht wird, an dem sich die Glaubenden orientieren sollen. Damit wird schon deutlich auf V. 7 vorausgewiesen.[13] V. 3b setzt Paulus den Gedankengang mit einem Schriftzitat fort, das erneut die geläufige Sicht wiedergeben soll. Diese Anordnung folgt der hermeneutischen Regel von Röm 1,2, nach der die Schrift das Evangelium von Christus vorher verheißen hat. In dieser Weise kann Paulus hier – wie an zahlreichen anderen Stellen im Röm – seine in V. 3a eingebrachte christologische Sicht aus der Schrift begründen. Er gibt nach der Zitateinleitung καθὼς γέγραπται wörtlich Ps 68,10b (LXX) wieder.[14] Das dortige Klagegebet des unter Nachstellungen leidenden David ist von Paulus aufgrund der vorhergehenden Interpretation in V. 3a so verändert, dass der Satz nun von Christus (ἐπέπεσαν ἐπ' ἐμέ) zu Gott (οἱ ὀνειδισμοὶ τῶν ὀνειδιζόντων σε) gesprochen wird.[15] Die Verbindung zwischen Christus und David war bereits in Röm 1,3 von Paulus hergestellt worden (ἐκ σπέρματος Δαυίδ). Die Deutung ist ganz auf die gegenwärtige Situation der Adressaten konzentriert. „Daß das Zitat (obwohl es im Aorist formuliert ist) zuvor ein anderes Geschehen gemeint haben könnte, verschwindet völlig hinter der jetzigen Verwendung des Textes."[16] Diese gewagte christologische Deutung entspricht der Aussage von Röm 10,4, nach der sämtliche Aussagen des Gesetzes und damit auch in einem weiteren Sinne der ganzen Schrift auf Christus zielen. Es ist nicht gesagt, dass das Zitat unmittelbar auf die Passion Jesu verweist. Das wäre die einzige paulinische Verwendung in diesem Sinne.[17] Wahrscheinlicher ist, dass Paulus sich hier auf das Leben Jesu bezieht, welches nach den Evangelien von solchen Nachstellungen geprägt war.[18] Mit dem Zitat und seiner Deutung ist also nicht gemeint, dass die Glaubenden hinfort eine leidende Grundhaltung einnehmen sollen, die der Passion Jesu entspricht, sondern die Aussage ist im Rahmen der Gesamtargumentation zu verstehen, mit der ein rein selbstbezügliches und selbstgefälliges Verhalten von der Relation zum anderen Menschen und zu Gott her kritisch hinterfragt werden soll.

V. 4 begründet die sehr freie Schriftinterpretation und Aktualisierung aus V. 3 mit Hilfe einer grundsätzlichen hermeneutischen Aussage (angeschlossen mit γάρ), die auf der Linie von Röm 1,2 liegt. Er meint, was zuvor geschrieben wurde, sei zu „unserer" Belehrung geschrieben.[19] Das ὅσα προεγράφη steht parallel zum Wortlaut des Psalmzitates in menschlicher Sicht für den bekannten Wortlaut der Schrift.[20] Die Formulierung εἰς τὴν ἡμετέραν διδασκαλίαν ἐγράφη transformiert diesen Wortlaut dann in theologischer Sicht in die Situation der Glaubenden und macht damit eine

---

[13] Vgl. K. Haacker: Der Brief des Paulus an die Römer; ThHK 6, S. 293.
[14] Vgl. H. Hübner (Hrsg.): Vetus Testamentum in Novo, Bd. 2, S. 208f.
[15] Vgl. H. Probst: Paulus und der Brief, S. 374.
[16] D.-A. Koch: Die Schrift als Zeuge des Evangeliums, S. 325.
[17] Vgl. Koch, a.a.O., S. 324.
[18] So E. Käsemann: An die Römer; HNT 8a, S. 369.
[19] Zum Verhältnis von „alttestamentlichen" und „neutestamentlichen" Texten vgl. grundsätzlich und mit Bezug auf Röm 15,4 F. Crüsemann: Wie alttestamentlich muß evangelische Theologie sein? In: EvTh 57 (1997), S. 10-18, besonders S. 18.
[20] Vgl. E. Käsemann: An die Römer, HNT 8a, S. 369: „ὅσα meint bereits die gesamte Schrift".

aktualisierende christologische Interpretation wie die in V. 3 möglich.[21] Das entspricht dem paulinischen Zeitverständnis, welches radikal von der Gegenwart des Heils her konstituiert ist (vgl. dazu die Ausführungen zu Röm 3,21) und nicht in einem linearen Zeitverständnis zwischen Vergangenheit (vorher Geschriebenem) und Gegenwart (Übertragung des Geschriebenen auf die jetzige Situation) unterscheidet: „der Zweck des ‚zuvor Geschriebenen' ist ja ‚unsere' διδασκαλία. Eine andere, davon unabhängige Funktion des Zitates kommt überhaupt nicht in den Blick."[22]

V. 4b und 5a bilden eine weitere Gegenüberstellung, die die oben dargestellte Verwendung der Schrift weiter ausführt. Die Gegenüberstellung ist durch die parallele Verwendung der beiden Begriffe ὑπομονή und παράκλησις in 4b und 5a gekennzeichnet. V. 4b nennt Paulus zunächst in menschlicher Sicht das Ziel der Belehrung durch die Schriften (angeschlossen mit ἵνα). Die „Wir" sollen durch ὑπομονή und παράκλησις der Schriften Hoffnung bekommen.[23] Paulus benennt damit in menschlicher Sicht zunächst die Meinung, dass die Schriften Geduld und Ermutigung bewirken können und dass dies zur Hoffnung führt. Sowohl ὑπομονή und παράκλησις als auch ἐλπίς beziehen sich demnach auf die Schriften.[24] Demgegenüber wird in V. 5a in theologischer Sicht das Handeln Gottes betont (angeschlossen mit δέ, was in gewissem Sinne auch adversativ gemeint ist). Nicht die Schrift, sondern er selbst ist Ursache der Geduld und des Trostes (ὁ δὲ θεὸς τῆς ὑπομονῆς καὶ τῆς παρακλήσεως). Letztlich kann deshalb nur er bewirken, dass trotz der genannten Kontroversen unter den Glaubenden Einmütigkeit herrscht.[25] Die Fähigkeit zu einmütigem Denken und Handeln lässt sich nicht allein durch die am ethischen Diskurs beteiligten Subjekte herstellen und auch nicht durch deren Orientierung an den Heiligen Schriften sicherstellen. Sie ist letztlich – bei aller notwendigen Bemühung des einzelnen – eine Gabe Gottes, um die man bitten soll (ὁ θεὸς [...] δῴη ὑμῖν). Der Gebetswunsch signalisiert zugleich formal, dass die Argumentation eines größeren Zusammenhanges sich ihrem Ende zuneigt. Der Verweis auf die παράκλησις Gottes am Ende der Paraklese des Paulus zeigt zugleich, dass er sein eigenes, einleitendes παρακαλῶ aus 12,1 und damit sämtliche Aufforderungen in 12,1-15,7 in der zusätzlichen Perspektive versteht, dass Gott selbst die Ermunterung bzw. Ermahnung der Glaubenden bewirkt.

V. 5b benennt das Ziel der speziellen Paraklese in Kap. 14,1ff. Die Glaubenden sollen – zunächst auf der zwischenmenschlichen Ebene betrachtet – auf dasselbe bedacht sein (τὸ αὐτὸ φρονεῖν ἐν ἀλλήλοις, vgl. 14,1: μὴ εἰς διακρίσεις διαλογισμῶν). Damit wird zugleich fast wörtlich die Aufforderung aus der allgemeinen Paraklese in 12,16a wiederholt (vgl. auch 12,3). Der Ausdruck wurde dort einer Haltung entgegengestellt, die nur auf sich selbst und das Eigene bedacht ist (φρόνιμοι παρ' ἑαυτοῖς, 12,16d). Dementsprechend geht es Paulus hier zentral darum, angesichts der Verschiedenartigkeit der Ansichten über rechte Speisen, Getränke, Feiertage usw. die reine Selbstbezüglichkeit der eigenen Existenz aufzubrechen und untereinander zum

---

[21] Die beiden schlechter bezeugten Textvarianten zu V. 4a und b, die jeweils προεγράφη und ἐγράφη vertauschen, ebnen diesen Übergang ein und sind als sekundär aufzufassen.

[22] D.-A. Koch: Die Schrift als Zeuge des Evangeliums, S. 325.

[23] Die Begriffe ὑπομονή und ἐλπίς wurden bereits in der Katene in Röm 5,3-5 kombiniert. Die Verbindung der beiden mit dem dritten Begriff der παράκλησις findet sich auch in II Kor 1,6f. Vgl. K. Haacker: Der Brief des Paulus an die Römer; ThHK 6, S. 294.

[24] Vgl. U. Wilckens: Der Brief an die Römer; EKK VI, 3, S. 102: „Die Belehrung durch die Schrift hat den Effekt, daß wir Geduld und Trost empfangen, die uns befähigen, an der Hoffnung festzuhalten".

[25] Vgl. Wilckens, a.a.O., S. 102.

Konsens zu kommen, das heißt: zu einer gegenseitigen Akzeptanz der unterschiedlichen Position des Anderen und zu einer Berücksichtigung der Vorbehalte seiner Position gegenüber der eigenen.[26] Mit der Formulierung κατὰ Χριστὸν Ἰησοῦν werden solche zwischenmenschlichen Konsensbemühungen erneut in eine christologische Perspektive gestellt, was zugleich an die Aussagen von V. 3a und 14,6ff anschließt. Wenn man zu Übereinstimmungen oder zur gegenseitigen Akzeptanz der Verschiedenheiten kommt, so ist das nicht die Folge persönlicher Kompromissbereitschaft, sondern es entspricht der Neubegründung der Ex-istenz in Christus. Solche christologisch begründete Fähigkeit zur Konsensbildung muss sich dabei nicht selbstlos an der Passion Jesu orientieren.[27] Die drei ethischen Dimensionen des Selbstbezuges, des Bezuges zum Nächsten und zu Gott sollen vielmehr in einem ausgewogenen Verhältnis zueinander stehen, wenn der Konsens tragfähig sein soll.

V. 6 vertieft diesen Gedanken nochmals (angeschlossen mit ἵνα, vgl. V. 4b). Paulus spricht in V. 6a parallel zu V. 5 in menschlicher Sicht erneut von der Einmütigkeit der Glaubenden, diesmal in Bezug auf ihr Reden (ὁμοθυμαδὸν ἐν ἑνὶ στόματι).[28] Diese einmütige Rede meint jedoch keine Gleichmacherei, sondern sie wird in V. 6b in eine theologische Perspektive gestellt. Zu beachten ist dabei, dass die Aussage durch den Segenswunsch in V. 5 eingeleitet wird (ὁ θεὸς δῴη ὑμῖν). Gott soll den Adressaten Einmütigkeit schenken, damit sie ihn mit einer Stimme loben können. Die Einigkeit der Glaubenden – bei aller Verschiedenheit der Ansichten – soll sich nach dem Wunsch des Paulus dadurch ergeben, dass sie von Gott geschenkt wird, und sie hat zum Ziel (ἵνα), dass die Glaubenden gemeinsam Gott, den Vater des Herrn Jesus Christus loben. Die gegenseitige Akzeptanz und der Konsens im alltäglichen Verhalten münden also für Paulus im gemeinsamen Gottesdienst und Gotteslob. Er geht damit ebenso wie schon in 12,1f auf eine gottesdienstliche Situation ein, die für das Leben der Glaubenden und ihr Verhalten untereinander grundlegend sein soll.[29] Dieser Gedanke bildet quasi eine Klammer um die Paraklese. Die christologische Schlussformel schließt den engeren Gedankengang Kap. 14,1-15,6 ab[30] und leitet dabei zu dem noch folgenden allgemeinen ethischen Leitsatz über. V. 6 ist aber nicht Abschluss des Abschnittes[31] oder gar bereits ein Teil des Briefschlusses.[32] Der neue Abschnitt beginnt vielmehr erst in V. 8 mit λέγω in der 1. Person Singular.

---

[26] Dazu meint A. Reichert: Der Römerbrief als Gratwanderung, S. 297 zurecht: „Das erbetene τὸ αὐτὸ φρονεῖν ἐν ἀλλήλοις kann sich nicht auf eine Übereinstimmung der Adressaten hinsichtlich des Essens, der Tagebeachtung, des Weins und anderer für den Schwachen problematischer Punkte beziehen, weil 14,5c einer Nichtübereinstimmung in diesen Dingen ausdrücklich ihr Recht eingeräumt hatte."

[27] Gegen H. Probst: Paulus und der Brief, S. 374: „Die Interpretation dieses Psalmverses (sc. 68,10, LXX) durch Paulus (Röm 15,5) macht deutlich, daß hier an eine Passionstheologie erinnert wird."

[28] Vgl. dazu E. Käsemann: An die Römer; HNT 8a, S. 371: Das „von Paulus nur hier gebrauchte ὁμοθυμαδόν stammt ursprünglich [...] aus der politischen Versammlung, während das plerophorisch hinzugefügte ‚einstimmig' [...] das Bild des Chores voraussetzt."

[29] Vgl. K. Haacker: Der Brief des Paulus an die Römer; ThHK 6, S. 295.

[30] Vgl. mit ähnlicher Funktion auch die christologischen Schlüsse 4,24f; 5,21; 6,23; 7,25a; 8,39. Siehe auch Haacker, a.a.O., S. 295.

[31] So z.B. U. Wilckens: Der Brief an die Römer; EKK VI, 3, S. 102f; E. Käsemann: An die Römer; HNT 8a, S. 370f; A. Reichert: Der Römerbrief als Gratwanderung, S. 297.

[32] So W. Schmithals: Der Römerbrief, S. 513f: „V. 5-6 enthalten den stereotyp zum paulinischen Briefschluß gehörenden fürbittenden Segenswunsch". Schmithals zieht außerdem V. 7 vor 4b (a.a.O., S. 512).

V. 7 enthält, eingeleitet mit διό einen Schlusssatz, der die Argumentation der gesamten Paraklese (12,1-15,6) zusammenfasst.[33] Das προσλαμβάνεσθε nimmt zum einen das gleichlautende Wort in 14,1 auf und bezieht sich damit auf die spezielle Paraklese in Kap. 14,1ff. Die christologische Begründung der Paraklese für das Verhältnis der Glaubenden untereinander war aber über Kap. 14f hinausgehend bereits in 12,4ff entwickelt worden. In V. 7a fordert Paulus zunächst auf zwischenmenschlicher Ebene die Adressaten auf, einander anzunehmen, d.h. konkret den anderen mit seinen persönlichen und subjektiven Lebensgewohnheiten zu akzeptieren (Kap. 14,1-15,6) und ihn mit seinen spezifischen Gaben wertzuschätzen (12,3ff). Dem folgt erneut in V. 7b eine christologische Begründung: ihr seid von Christus angenommen (im Aorist).[34] Paulus begründet also den Imperativ der gegenseitigen Annahme mit dem Indikativ der bereits geschehenen Annahme durch Christus.[35] Die gesamte Paraklese 12,1-15,6 wird also von diesem Schluss her an die bereits bestehende Annahme der Glaubenden durch Christus zurückgebunden. Das entspricht dem Gesamtarrangement des Röm, in dem Kap. 1-11 die Neubegründung der Ex-istenz (im Indikativ, vgl. 5,1) der Paraklese Kap. 12ff (mit ihren Imperativen) *vorangestellt* ist (vgl. dazu oben die Ausführungen zu 12,1ff). Diese Reihenfolge stimmt zum Teil auch im Detail mit dem Argumentationsverlauf innerhalb der Paraklese überein. Die Imperative sind hier als *Folge* der im Indikativ zugesprochenen und bereits realen, neuen Wirklichkeit (oder Wirklichkeitssicht) zu verstehen, die „in Christus" begründet ist (vgl. z.B:.12,4-6a vor V. 6bff; 14,14 vor V. 15f; 14,17-19 vor 20ff usw.). Der Abschnitt V. 1-7 lässt sich damit wie folgt strukturieren, wobei auf der Seite der theologisch geprägten Perspektive die Begriffe Gott und Christus hervorgehoben sind:

15,1+2: δέ	Ὀφείλομεν ἡμεῖς οἱ δυνατοὶ τὰ ἀσθενήματα τῶν ἀδυνάτων βαστάζειν καὶ μὴ ἑαυτοῖς ἀρέσκειν	ἕκαστος ἡμῶν τῷ πλησίον ἀρεσκέτω εἰς τὸ ἀγαθὸν πρὸς οἰκοδομήν
3: γάρ	ἀλλὰ καθὼς γέγραπται Οἱ ὀνειδισμοὶ τῶν ὀνειδιζόντων σε ἐπέπεσαν ἐπ' ἐμέ (2)	καὶ ὁ *Χριστὸς* οὐχ ἑαυτῷ ἤρεσεν (1)
4a: γάρ	ὅσα προεγράφη	εἰς τὴν ἡμετέραν διδασκαλίαν ἐγράφη
4b+5a: ἵνα	διὰ τῆς ὑπομονῆς καὶ διὰ τῆς παρακλήσεως τῶν γραφῶν τὴν ἐλπίδα ἔχωμεν	ὁ δὲ *θεὸς* τῆς ὑπομονῆς καὶ τῆς παρακλήσεως δῴη ὑμῖν
5b:	τὸ αὐτὸ φρονεῖν ἐν ἀλλήλοις	κατὰ *Χριστὸν Ἰησοῦν*
6: ἵνα	ὁμοθυμαδὸν ἐν ἑνὶ στόματι	δοξάζητε *τὸν θεὸν καὶ πατέρα τοῦ κυρίου ἡμῶν Ἰησοῦ Χριστοῦ*
7: Διὸ	προσλαμβάνεσθε ἀλλήλους	καθὼς καὶ ὁ *Χριστὸς* προσελάβετο ὑμᾶς εἰς δόξαν τοῦ θεοῦ

---

[33] M. Müller: Vom Schluß zum Ganzen, S. 223 nennt V. 7 „Überleitungsvers als Schlußparänese".

[34] Mit der 27. und gegen die 25. Aufl. von Nestle-Aland ist hier ὑμᾶς zu lesen, weil diese Lesart gut bezeugt ist, sie nahtlos an V. 7a anschließt und seit V. 5 durchgehend die Adressaten in der 2. Person angeredet wurden. Vgl. B. M. Metzger: A Textual Commentary on the Greek New Testament, S. 473.

[35] Dazu K. Haacker: Der Brief des Paulus an die Römer; ThHK 6, S. 295: „In dieser Allgemeinheit ist der Satz ein – noch viel zu wenig beachtetes – Beispiel für die Verknüpfung von Indikativ (Soteriologie) und Imperativ (Ethik), die für die Theologie des Apostels so charakteristisch ist."

Abschluss des Briefkorpus: Die universale Gemeinschaft der Glaubenden (15,8-13)

Der Abschnitt bringt nicht nur den paränetischen Teil,[1] sondern darüber hinaus die gesamte Sachargumentation zum Abschluss und leitet zum persönlich gehaltenen Briefende über. Die Verse bilden also den Schluss des Briefkorpus[2] und werden wiederum mit einem markanten λέγω in der 1. Person Singular eingeleitet, das auch sonst im Röm häufig den Anfang eines neuen Abschnittes signalisiert (vgl. 3,5.19; 4,9, im Plural; 9,1; 11,1.11.13; 12,3). Sie schließen mit γάρ an die vorhergehende Argumentation an und behandeln aus dem Schluss des vorigen Abschnittes in V. 9ff mit δοξάζειν, ἐξομολογεῖσθαι, ψάλλειν, εὐφραίνεσθαι, αἰνεῖν und ἐπαινεῖν vor allem das Motiv des Gotteslobes weiter (vgl. V. 6: ἵνα ... δοξάζητε τὸν θεόν, V. 7: εἰς δόξαν τοῦ θεοῦ).[3]

Paulus nimmt am Ende des Briefkorpus erneut die Differenz zwischen Juden und Nichtjuden (περιτομή – τὰ ἔθνη) auf, die bereits in Kap. 1-4, 9-11 und – sofern das konkrete Problem der Speisen und Feiertage auch eines der Christen jüdischer Herkunft anspricht – implizit Röm 14 und 15 mit behandelt wurde. Der Abschnitt ist dadurch strukturiert, dass in zwei Gegenüberstellungen das durch Christus für alle eröffnete Heil zunächst in Bezug auf die Juden (V. 8) und dann auf die Nichtjuden (V. 9-12) mit Aussagen aus der Schrift in Zusammenhang gebracht wird.[4] Dabei folgt Paulus erneut dem hermeneutischen Schema von Röm 1,2, nach dem das Evangelium von Christus bereits in den Heiligen Schriften vorher verheißen worden ist (ὃ προεπηγγείλατο [...] ἐν γραφαῖς ἁγίαις).

V. 8b setzt diesem Schema entsprechend in menschlicher Sicht bei den aus der Schrift bekannten Verheißungen der Väter ein, die nach Meinung des Paulus wahr geworden sind (εἰς τὸ βεβαιῶσαι τὰς ἐπαγγελίας τῶν πατέρων). Mit „Väter" waren jedenfalls in Röm 9,5ff die Stammväter Israels wie Abraham, Isaak und Jakob gemeint. Unabhängig davon, ob man βεβαιῶσαι mit „bekräftigen",[5] „confirm"[6], „als wahr erweisen",[7] „verwirklichen"[8] oder anders übersetzt, ist klar, dass Paulus im Röm sehr häufig die Schrift als „Zeuge" (vgl. 3,21, dort bezogen auf νόμος) seines Evangeliums und in zahlreichen Abschnitten als zentralen Bezugspunkt der Argumentation anführt.[9] In V. 8a stellt er dies in eine christologische Perspektive, indem er die in den Schriften festgehaltenen Verheißungen der Väter direkt auf Christus bezieht. Damit folgt er der zentralen Aussage von 10,4, nach der das Gesetz (und in einem weiteren Sinn die ganze

---

[1] Anders W. Schmithals: Der Römerbrief, S. 519ff, für den der Abschnitt jetzt „in einem für ihn unmöglichen Zusammenhang" steht, weil er ursprünglich an das Ende von Kapitel 11 angeschlossen habe. Allerdings meint Schmithals zu Recht, dass der Abschnitt in V. 8-13 umfasse und nicht bereits mit V. 7 beginne.

[2] Vgl. M. Müller: Vom Schluß zum Ganzen, S. 223ff, der dabei V. 7 als Überleitungsvers versteht.

[3] Vgl. A. Reichert: Der Römerbrief als Gratwanderung; S. 299f. Reichert meint allerdings, dass bereits V. 7 den Anfang des neuen Abschnittes bildet.

[4] Zu dieser Einteilung vgl. auch K. Haacker: Der Brief des Paulus an die Römer; ThHK 6, S. 296.

[5] So U. Wilckens: Der Brief an die Römer; EKK VI, 3, S. 104.

[6] So C.K. Barrett: A Commentary on the Epistle to the Romans; BNTC 7, S. 246.

[7] P. Althaus: Der Brief an die Römer; NTD 6, S. 130.

[8] K. Barth: Der Römerbrief; Zweite Fassung, S. 555.

[9] Vgl. dazu grundsätzlich D.-A. Koch: Die Schrift als Zeuge des Evangeliums. Untersuchungen zur Verwendung und zum Verständnis der Schrift bei Paulus; (BHTh 69) Tübingen 1986.

Schrift) auf Christus hinzielt (vgl. auch 15,3f). V. 8a enthält einen „christologischen 'Kernsatz'".[10] Christus wird in Bezug auf die Verheißungen der Väter als „Diener der Beschneidung" bezeichnet. Dieser Ausdruck setzt zum einen die im Vergleich zum Gal positive Aufnahme des Beschneidungsbegriffes in Röm 2,25ff und die Bezeichnung der Juden mit diesem Begriff fort.[11] Zum anderen spielt der Begriff διάκονος[12] möglicherweise auf das Wort aus der Jesustradition an, nach dem der Menschensohn gekommen ist, um zu dienen (vgl. Mk 10,45).[13] Der Satz fasst insgesamt die Ausführungen der Kap. 9-11 (besonders 10,4ff) zusammen, dass die Verheißungen in den Schriften auf den Dienst Christi zielen und durch ihn erfüllt werden.[14] Dies geschieht um der Wahrhaftigkeit Gottes Willen, der zu dem steht, was er verheißen hat (vgl. auch 11,29 und öfter).

Nachdem Paulus auf das Verhältnis der Juden zu Christus eingegangen ist, führt er in V. 9-12 das Verhältnis der Nichtjuden zu seinem Evangelium von Christus aus. Die beiden Argumente in V. 8 und 9ff stehen nicht im Verhältnis eines „zwar – aber"[15] zueinander. Sie ergänzen sich vielmehr im Sinne eines „sowohl, als auch", welches von der Gewissheit des universalen Erbarmens Gottes über die Juden und die Nichtjuden ausgeht (vgl. 11,30-32). Die syntaktische Struktur des Zusammenhanges von V. 9 mit 8 wird kontrovers betrachtet. J. R. Wagner hat z.B. eine Interpretation vorgeschlagen, die die Parallelität zwischen den beiden Versen betont.[16] Dies setzt allerdings die Hinzufügung eines zweiten εἰς τό voraus:

λέγω γὰρ
Χριστὸν διάκονον γεγενῆσθαι

> περιτομῆς   ὑπὲρ ἀληθείας θεοῦ, εἰς τὸ βεβαιῶσαι   τὰς
                                                        ἐπαγγελίας
                                                        τῶν πατέρων,
> τὰ δὲ ἔθνη   ὑπὲρ ἐλέους   (εἰς τὸ) δοξάσαι   τὸν θεόν

Damit werden die beiden parallelen Aussagen inhaltlich von Christus abhängig.

Demgegenüber hat A. Reichert dargelegt, dass sprachlich die beiden Satzteile Χριστὸν διάκονον γεγενῆσθαι περιτομῆς ὑπὲρ ἀληθείας θεοῦ und τὰ ἔθνη ὑπὲρ ἐλέους δοξάσαι τὸν θεόν gleichrangig sind und von λέγω γάρ abhängen.[17] Das führt zu der in der griechischen Tabelle unten gezeigten Parallelität von V. 8a und 9a. Beide Teilverse bringen jeweils die theologische bzw. christologische Perspektive zur Sprache und

---

[10] So M. Müller: Vom Schluß zum Ganzen, S. 224.

[11] Vgl. auch K. Haacker: Der Brief des Paulus an die Römer; ThHK 6, S. 296.

[12] Der Begriff wird in 13,4 auf die ἐξουσία bezogen und in 16,1 auf Phöbe.

[13] Vgl. K. Haacker: Der Brief des Paulus an die Römer; ThHK 6, S. 296f; zum Verhältnis von Röm und Jesustradition vgl. grundsätzlich P. Stuhlmacher: Jesustradition im Römerbrief?, S. 240-250.

[14] Insofern enthält die literarkritische Hypothese von W. Schmithals, dass 15,8 Kap. 11 fortsetzt, zumindest eine inhaltlich zutreffende Beobachtung. Vgl. W. Schmithals: Der Römerbrief, S. 521f.

[15] So K. Haacker: Der Brief des Paulus an die Römer; ThHK 6, S. 296. Er bemerkt jedoch selbst, dass hier ein dem entsprechendes μέν fehlt.

[16] Vgl. J. R. Wagner: The Christ, servant of Jew and Gentile: A fresh approach to Romans 15:8-9; in: JBL 116 (1997), S. 473-485, dort S. 481. Ähnlich auch F. Wilk: Die Bedeutung des Jesajabuches für Paulus; (FRLANT 179) Göttingen 1998, S. 147.

[17] Siehe A. Reichert: Der Römerbrief als Gratwanderung, S. 303f.

beziehen diese zunächst aus der Sicht der Juden in V. 8b und dann aus der Sicht der Nichtjuden in V. 9bff auf die Schrift. Das beide verbindende δέ ist nicht adversativ, sondern kopulativ gemeint. Das ὑπὲρ ἐλέους nimmt das ὑπὲρ ἀληθείας aus V. 8a wieder auf. Diese Formulierung bezieht sich zurück auf 9,15f, wo Gott durch sein umfassendes Erbarmen definiert worden war.[18]

Paulus kombiniert auf dieser Basis nach dem hermeneutischen Schema von 1,2 ausführlich in V. 9b-12 mehrere Schriftzitate, die er durch die Aussage in V. 9a theologisch interpretiert wissen möchte.[19] „Das Zitat von Ψ 17,50 in V 9b hat Eröffnungsfunktion [...] V 10 (Dtn 32,43c) und V 11 (Ψ 116,1) formulieren direkt die an die Heiden gerichtete Aufforderung zur Freude und zum Loben – und zwar als Aufforderung der Schrift selbst. Der Abschluß in V 12 setzt diese doxologische Struktur der Zitate nicht fort. Hier nennt Paulus mit Hilfe des bereits traditionellen Zitats Jes 11,10 die Voraussetzung, auf der das Lob der ἔθνη beruht: Christus als Grund und Inhalt der Hoffnung – und damit auch der Rettung – gerade der ἔθνη."[20] Auch diese Zitatkombination zielt also auf ein christologisches Argument, das allerdings nur implizit ausgesprochen wird, indem Christus als „Wurzel" verstanden wird (vgl. 11,18 und die Ausführungen dazu). Ein Bezug auf Christus ergibt sich zusätzlich dadurch, dass der die Zitate einleitende V. 9a parallel zu V. 8a formuliert ist. Die Zitatkombination signalisiert zugleich das Ende eines größeren Abschnittes (vgl. z.B. auch 3,10-18).

Zu V. 9b findet sich noch eine fast gleichlautende Parallele in II Sam 22,50 (LXX). Die wörtliche Übereinstimmung mit Ps 17,50 (LXX) und die Tatsache, dass Paulus sonst häufig die Psalmen und nie II Sam zitiert, machen es jedoch wahrscheinlich, dass es sich hier um ein Psalmzitat handelt.[21] Paulus zitiert damit an dieser wichtigen Stelle am Ende des Briefkorpus aus allen drei Teilen der Heiligen Schriften (Gesetz, Propheten und Schriften). Es handelt sich hier um einen Davidspsalm (vgl. bereits Röm 15,3). Mit σοι und σου ist im Psalm (dort ist ergänzt: κύριε) wie auch in Röm 15,9b Gott gemeint (vgl. V. 9a). Darüber hinaus ergibt sich jedoch möglicherweise eine zusätzliche Verbindung zum vorhergehenden christologischen Gedankengang, weil anschließend in Psalm 17,51 (LXX) gesagt wird, dass Gott seinem Gesalbten (τῷ χριστῷ αὐτοῦ), nämlich David und seinem Nachkommen (καὶ τῷ σπέρματι αὐτοῦ) in Ewigkeit Gnade erweist.[22] Die 1. Person Singular aus dem Zitat (ἐξομολογήσομαι) ist aufgrund der Nähe zu V. 8a wohl nicht auf David,[23] sondern auf Paulus selbst bezogen.[24] Gleichwohl wird man dabei mit A. Reichert zwischen zitierendem Ich in V. 8a und zitiertem Ich in V. 9b unterscheiden müssen.[25] Paulus führt also am Ende des Briefkorpus in V. 8 und 9 erneut seine eigene Person explizit und deutlich ein, um das Persönliche des vorher Gesagten zu unterstreichen. Zugleich

---

[18] Vgl. F. Wilk: Die Bedeutung des Jesajabuches für Paulus, S. 152, Anm. 45. Wilk meint jedoch zu eng, dass das Erbarmen Gottes primär auf die Juden bezogen sei.

[19] Gegen Wilk, a.a.O., S. 153, der die Zitatenkette auf V. 8-9a insgesamt bezieht.

[20] D.-A. Koch: Die Schrift als Zeuge des Evangeliums, S. 282f.

[21] Vgl. Koch, a.a.O., S. 34f.

[22] Vgl. auch K. Haacker: Der Brief des Paulus an die Römer; ThHK 6, S. 297 und F. Wilk: Die Bedeutung des Jesajabuches für Paulus, S. 154f.

[23] So z.B. J.D.G. Dunn: Romans 9-16; World Biblical Commentary 38, Bd. 2; Dallas 1988, S. 849.

[24] So auch F. Wilk: Die Bedeutung des Jesajabuches für Paulus, S. 154: „Da für den Psalm (anders als in RÖm 153!) kein Sprecher benannt wird, liegt die Identifizierung des hier zu Wort kommenden ‚Ichs' mit dem ‚Ich' des Paulus in v.8a (,λέγω γάρ ...') nahe." .

[25] A. Reichert: Der Römerbrief als Gratwanderung, S. 308 und Anm. 379.

bereitet das Psalmzitat den Briefschluss in 15,14ff vor, nach dem das Bekennen Gottes unter den Nichtjuden Paulus in seiner Mission bis nach Spanien führen soll (15,24). Das Erbarmen Gottes führt für Paulus zum Gotteslob, das auch von den Nichtjuden gehört und geteilt werden soll.

Den zweiten Aspekt betont das Zitat in V. 10. Es ist mit einer neuen Zitateinleitung (καὶ πάλιν λέγει) an das Vorhergehende angeschlossen. Paulus hatte Dtn 32 bereits in 10,19 (V. 21c und d) zitiert, um von dort aus die These von der Universalität der Geltung des Evangeliums über die Juden hinaus zu entfalten.[26] Nun zitiert er in ähnlicher Absicht aus dem Schluss des sogenannten Moseliedes wörtlich nach der Septuaginta (V. 43c).[27] Die Verbindung zum vorhergehenden Zitat – wie auch zu den folgenden – ergibt sich durch das Wort ἔθνη. Mit den Ausdrücken λαὸς αὐτοῦ und ἔθνη wird die binäre Unterscheidung Juden – Nichtjuden aufgenommen[28] und eine Aufforderung zum universalen Lob Gottes zum Ausdruck gebracht (vgl. Röm 11,30-32). Diese Aufforderung ist nicht eschatologisch gemeint,[29] sondern sie bezieht sich für Paulus auf seine Gegenwart (vgl. das dreifache νῦν in 11,30f).

V. 11 setzt die Reihe der Zitate (eingeleitet durch καὶ πάλιν) mit Ps 116,1 (LXX) fort. Die Verbindung zu den beiden vorhergehenden Schriftstellen ergibt sich durch ἔθνη und durch das Thema des Gotteslobes. Auch hier ist die Berücksichtigung des Kontextes hilfreich, denn der folgende Vers spricht im Psalm von dem Erbarmen (ἔλεος) und der Wahrheit (ἀλήθεια) des Herrn und enthält damit die beiden zentralen Begriffe, die Paulus in V. 8 und 9 parallel gesetzt hatte.[30] Paulus folgt dem Septuagintatext bis auf eine inhaltliche unerhebliche Veränderung der Wortfolge im ersten Halbvers[31] wörtlich.[32] Der Ausdruck πάντες οἱ λαοί meint aufgrund der Parallelität zu πάντα τὰ ἔθνη auch bei Paulus nicht alle Völker insgesamt, sondern die Nichtjuden und setzt damit die Unterscheidung in Juden und Nichtjuden aus den vorhergehenden Versen fort. Hatte Paulus mit dem Zitat in V. 10 noch vorsichtig von der Freude der Nichtjuden (ἔθνη) mit den Juden gesprochen, so wird hier deutlich, dass πάντα τὰ ἔθνη sowie πάντες οἱ λαοί zusammen mit den Juden Gott preisen sollen, dass es Paulus also um ein universales Gotteslob aller Menschen geht (vgl. zu diesem Gedanken auch 11,30-32 und oben die Ausführungen dazu).

V. 12 zitiert wörtlich Jes 11,10, wobei durch die Zitateinleitung καὶ πάλιν Ἠσαΐας λέγει deutlich wird, dass diesem Zitat besondere Bedeutung zukommt. Es stellt die Schlussaussage der gesamten Zitatenkette und darüber hinaus sogar des gesamten Briefkorpus dar. Im zitierten Text ist mit dem von Jesaja verheißenen Davididen offensichtlich Christus gemeint, wobei die christologische Interpretation dieser

---

[26] Vgl. D.-A. Koch: Die Schrift als Zeuge des Evangeliums, S. 21.

[27] Vgl. H. Hübner (Hrsg.): Vetus Testamentum in Novo; Bd. 2, S. 212f.

[28] Zu dieser Unterscheidungsform vgl. die Einführung unter 2.

[29] Gegen A. Reichert: Der Römerbrief als Gratwanderung, S. 309.

[30] Vgl. K. Haacker: Der Brief des Paulus an die Römer; ThHK 6, S. 298 und J.D.G. Dunn: Romans 9-16; (World Biblical Commentary 38 B) Dallas 1988, S. 850.

[31] Mit Koch kann man die Nachstellung von τὸν κύριον als „Umstellung im Sinne einer normalen Wortfolge" verstehen (D.-A. Koch: Die Schrift als Zeuge des Evangeliums, S. 109).

[32] Das gut bezeugte ἐπαινεσάτωσαν in Röm 15,11 findet sich anstelle des in der Septuagintaausgabe von Rahlfs vorgezogenen ἐπαινέσατε auch in wichtigen Textzeugen des Septuagintatextes. Vgl. Koch, a.a.O., S. 111, Anm. 2. Anders K. Haacker: Der Brief des Paulus an die Römer; ThHK 6, S. 298, der eine Beeinflussung einiger Textzeugen des Septuagintatextes durch den Röm erwägt.

Schriftstelle wohl bereits vorpaulinisch ist.[33] Paulus hatte schon in 11,17 den Begriff ῥίζα, offenbar von Jes 11,10 und Röm 15,12 her, christologisch interpretiert (vgl. die Ausführungen oben zur Stelle). Hier ist nun das christologische Verständnis der Schriftstelle eindeutig durch die Tradition vorgegeben. Mit „Wurzel Isais" ist zunächst David (der Sohn Isais) gemeint, und dieses Verständnis kann gemäß Röm 1,3 (Christus Jesus als Davidssohn) und anderer Stellen, an denen David und Christus miteinander in Verbindung gebracht werden (vgl. 15,3), auf Christus übertragen werden.[34] Die christologische Interpretation der Schriftstelle, sei es durch Paulus selbst oder bereits vor Paulus, erklärt auch das Fehlen des ἐν τῇ ἡμέρᾳ ἐκείνῃ. Nach paulinischem Zeit- und Schriftverständnis bedeutet dies: Die vorher ergangene Verheißung des Sprosses Davids, auf den die Nichtjuden hoffen sollen, ist jetzt in Christus Realität geworden.[35] Das Futur ἔσται wird als Verheißung für die Gegenwart des Paulus aufgefasst. Die Zitatkombination zielt also inhaltlich auf die jetzt angebrochene Herrschaft Christi, die im Gotteslob der Nichtjuden zum Ausdruck kommt.[36] Die Argumentationsstrategie entspricht wieder den hermeneutischen Grundaussagen von Röm 1,2 und 10,4, dass das Evangelium von Jesus Christus in den Heiligen Schriften bereits vorher verheißen worden ist und dass deshalb das „Gesetz" auf Christus hinzielt.

Die Aussage der Zitatenkette, dass die nun in Christus erfüllte Verheißung der Schriften auf ein universales Gotteslob hinausläuft, bereitet inhaltlich schon das Briefende 15,14ff vor, in dem Paulus seine Pläne für eine weltweite und konkret bis Spanien reichende Mission erläutern wird. Die Sachargumentation, 1,16-15,13, die einerseits sehr allgemeine theologische Gedanken enthält, stand insofern immer im Zusammenhang mit dem konkreten persönlichen Vorhaben des Paulus.[37]

Der Segens- oder Gebetswunsch in V. 13 könnte formal bereits als Teil des Briefschlusses des Röm fungieren, weshalb W. Schmithals ihn als Ende eines paulinischen Lehrschreibens nach Rom (Röm A) versteht.[38] Paulus würde dann jedoch mit einem universalen und unpersönlichen Abschnitt enden, was gerade der am einzelnen Menschen und seinem Selbstverständnis orientierten Intention und dem Charakter des Röm widersprechen würde. Der Vers ist jedoch besser als Gotteslob am Ende eines längeren Argumentationsabschnittes zu finden, wie z.B. auch in 4,25; 8,31-39; 11,33-36).[39] Im Anschluss an V. 13 bringt Paulus V. 14-33 dann noch einen längeren und sehr persönlich gehaltenen Briefteil, bevor er in Kap. 16 mit einer – wiederum persönlichen – Empfehlung der Phöbe, einer langen Liste persönlicher Grüße und einem förmlichen Schluss den Brief beendet. V. 13 ist deshalb sowohl als förmlicher Abschluss der Paraklese als auch als Ende des gesamten Briefkorpus zu

---

[33] Vgl. Koch, a.a.O., S.95 und dazu im Detail D.-A. Koch: Beobachtungen zum christologischen Schriftgebrauch in den vorpaulinischen Gemeinden; in: ZNW 71 (1980), S. 174-191, besonders S. 185f.

[34] Vgl. K. Haacker: Der Brief des Paulus an die Römer; ThHK 6, S. 298f.

[35] Siehe zu diesem Grundgedanken T. Söding: Verheißung und Erfüllung im Lichte paulinischer Theologie; in: NTS 47 (2001), S. 146-170, besonders S. 167f.

[36] So auch A. Reichert: Der Römerbrief als Gratwanderung, S. 310.

[37] Diesen konkreten Sinn der gesamten Argumentation betont z.B. J. C. Beker: Paul the Apostel. The Triumph of God in Life and Thought; Edinburgh 1980, S. 69ff.

[38] W. Schmithals: Der Römerbrief, S. 522f: Schmithals vermisst hinter V. 13 „von den festen Teilen des Briefschlusses [...] nur noch die Grüße, die Schlußparänese [...] und den Schlußsegen." Diese habe der Redaktor gestrichen.

[39] So auch E. Lohse: Das Evangelium für Juden und Griechen. Erwägungen zur Theologie des Römerbriefes; in: ZNW 92 (2001), S. 168-184, dort S. 184.

verstehen, dem 15,14ff der persönlich gefasste Briefschluss folgt. Der Vers fasst deshalb nochmals einige wichtige Motive und Begriffe des Briefkorpus auf.[40]

Die Kombination der Begriffe χαρά und εἰρήνη fand sich bereits in 14,17 zur Charakterisierung des Gottesreiches. Der Begriff Friede tauchte darüber hinaus bereits in 1,7; 2,10; 3,17; 5,1; 8,6; 12,18; und 14,9 auf (vgl. auch unten 15,33; 16,20). Das Wort δύναμις fand sich bereits in 1,4; 1,16.20; 9,17 und wird zu Beginn des Briefschlusses noch 15,14.19 aufgenommen. Es hat also überleitende Funktion. Den Ausdruck (Heiliger) Geist verwendete Paulus schon 1,4; 5,5; 8,4.5.6.9-16.23.26f; 14,17, vgl. auch 15,16.19.30. Die zweimalige Nennung der Hoffnung verweist auf 4,18; 5,2.4.5; 8,20.24; 12,12 und 15,4 und nimmt zugleich das Verb ἐλπίζω im unmittelbar vorhergehenden Jesajazitat Röm 15,12 auf.[41] Das Wort πιστεύειν benennt schließlich einen der zentralen theologischen Begriffe des Röm (vgl. 1,16f; 3,2,4,5.11.24; 5,1f; 6,8; 9,30-33; 10,4; 10,9-11; 14,1.22.23). Durch dieses Wort wurde vor allem die Haltung des einzelnen Menschen charakterisiert, der sich für die Begründung der eigenen Ex-istenz (in juridischer Metaphorik: den Frei-Spruch im göttlichen Gericht) nicht auf die eigenen Taten, Leistungen, Eigenschaften und Fähigkeiten beruft, sondern Gott vertraut, dass diese Ex-istenz bereits durch ihn „in Christus" neu begründet ist. V. 13 weist als abschließender Gebetswunsch keine Doppelstruktur von menschlicher und theologischer Perspektive auf.

Für V. 8-13 lässt sich damit folgende Struktur angeben:

8: λέγω γὰρ	εἰς τὸ βεβαιῶσαι τὰς ἐπαγγελίας τῶν πατέρων (2)	Χριστὸν διάκονον γεγενῆσθαι περιτομῆς ὑπὲρ ἀληθείας θεοῦ (1)
9: δὲ	καθὼς γέγραπται Διὰ τοῦτο ἐξομολογήσομαί σοι ἐν ἔθνεσιν καὶ τῷ ὀνόματί σου ψαλῶ καὶ πάλιν λέγει Εὐφράνθητε, ἔθνη, μετὰ τοῦ λαοῦ αὐτοῦ καὶ πάλιν Αἰνεῖτε πάντα τὰ ἔθνη τὸν κύριον καὶ ἐπαινεσάτωσαν αὐτὸν πάντες οἱ λαοί καὶ πάλιν Ἠσαΐας λέγει Ἔσται ἡ ῥίζα τοῦ Ἰεσσαί καὶ ὁ ἀνιστάμενος ἄρχειν ἐθνῶν ἐπ᾽ αὐτῷ ἔθνη ἐλπιοῦσιν (1)	τὰ ἔθνη ὑπὲρ ἐλέους δοξάσαι τὸν θεόν (1)

V. 13: (Segenswunsch ohne Doppelstruktur am Ende des Abschnittes):
ὁ δὲ θεὸς τῆς ἐλπίδος πληρώσαι ὑμᾶς πάσης χαρᾶς καὶ εἰρήνης ἐν τῷ πιστεύειν εἰς τὸ περισσεύειν ὑμᾶς ἐν τῇ ἐλπίδι ἐν δυνάμει πνεύματος ἁγίου

---

[40] Zum Folgenden vgl. M. Müller: Vom Schluß zum Ganzen, S. 228ff.
[41] Diesen zentralen Aspekt der Hoffnung betont auch K. Haacker: Der Brief des Paulus an die Römer; ThHK 6, S. 299 mit Verweis auf J.P. Heil: Romans – Paul's Letter of Hope; Rom 1987.

Briefschluss (15,14-16,23)

Die universale Verkündigungsabsicht und die individuellen Pläne des Paulus (15,14-33)

Von der universalen Perspektive der in Christus begründeten Glaubensgemeinschaft ausgehend, wie sie im gesamten Römerbrief dargelegt wurde und in Röm 15,8-13 nochmals abschließend beschrieben wurde, kann Paulus am Schluss des Briefes auf sein persönliches Anliegen zurückkommen, das er bereits in den letzten Versen des Briefkorpus vorbereitet hatte. Es geht ihm einerseits äußerlich um eine universale, weltweite Verkündigung des Evangeliums, die sämtliche kulturellen und sozialen Differenzierungen prinzipiell überwindet und die er durch den Brief an die Römer zugleich begründen und in Gang bringen möchte, konkret: um die Vorbereitung seiner Missionspläne in Spanien. Andererseits ist es ihm an dieser Schwelle seiner Missionstätigkeit offenbar auch wichtig, über sich selbst und sein bisheriges Leben nachzudenken und seine Ex-istenz grundlegend in theologischer Perspektive zu reflektieren, wie dies im Röm insgesamt geschieht. Diese persönliche Dimension des im Röm formulierten paulinischen Evangeliums kommt im Briefschluss erneut deutlich zum Vorschein. Es sei dabei nochmals betont, dass Paulus der einzige neutestamentliche Verfasser ist, von dem wir detaillierte Kenntnisse seiner Person besitzen – nicht zuletzt deshalb, weil er selbst im Rahmen der Verkündigung seines Evangeliums in seinen Briefen seine eigene Person immer wieder massiv mit einbringt.[1]

Der Briefschluss lässt sich ebenfalls recht gut mit Hilfe des Kriteriums der Einleitung eines neuen Abschnittes in der 1. Person Singular gliedern. Paulus legt zunächst in V. 14-29 seine persönliche Situation dar, wobei er sich in V. 14-16 (πέπεισμαι) zu seinem Selbstverständnis, in V. 17-21 (ἔχω οὖν τὴν καύχησιν) zum Prinzip seiner bisherigen Arbeit und in V. 22-29 (ἐνεκοπτόμην) zu seinen Zukunftsplänen äußert. Dem schließt sich eine erste Schlussparänese an (παρακαλῶ), die eine Bitte zur Fürbitte für Paulus enthält. In V. 16,1f (συνίστημι) folgt eine kurze Empfehlung der Phöbe, dann eine längere Grußliste (im Imperativ der 2. Person eingeleitet, ἀσπάσασθε) und in V. 17-20 eine zweite Schlussparänese (παρακαλῶ) mit einem den eigentlichen Brief abschließenden Gnadenwunsch (V. 20b). In V. 21-23 sind noch Grüße der Mitarbeiter des Paulus (V. 22 des Tertius in der 1. Person) angeführt.[2] Bei V. 24-27 handelt es sich um sekundäre Erweiterungen (siehe dazu unten die Erläuterungen zur Stelle).

Das Selbstverständnis des Paulus (15,14-16)

Den Briefschluss leitet – wie bereits erwähnt – eine Formulierung in der 1. Person Singular ein (angeschlossen mit δέ). Das πέπεισμαι dient dabei wie in 14,14 zur Markierung eines neuen Abschnittes, der dadurch insgesamt als persönliche

---

[1] Dabei ist, wie A. Reichert gezeigt hat, in den Texten immer zwischen einer autor- und einer textbezogenen Seite zu unterscheiden. Vgl. A. Reichert: Der Römerbrief als Gratwanderung, S. 73f.
[2] Zum Aufbau des Briefschlusses vgl. auch M. Müller: Vom Schluß zum Ganzen, S. 212ff.

Überzeugung des Paulus charakterisiert wird (vgl. 8,38f). Das αὐτὸς ἐγώ betont noch den Selbstbezug der Aussage, es geht offenbar um eine persönliche Einschätzung. Paulus scheint nur auf zwischenmenschlicher Ebene zu sprechen (πέπεισμαι [...] περὶ ὑμῶν).

V. 14b wird diese persönliche Einschätzung der Adressaten jedoch in eine theologische Perspektive gestellt, die deshalb gegenüber der persönlichen Einleitung in V. 14a „eigentümlich flächendeckend formuliert"[3] anmutet (eingeleitet mit ἵνα). Paulus sei sich sicher, dass die Adressaten „voll" der Güte[4] und „angefüllt" mit jeder Erkenntnis seien (μεστοί ἐστε ἀγαθωσύνης πεπληρωμένοι πάσης τῆς γνώσεως). Die anthropologische Vorstellung ist hier offenbar analog zu Röm 1,29,[5] dass der Mensch ein Gefäß ist, in den bestimmte Dinge von außen, z.B. durch Gott oder durch andere transzendente Mächte, hineingefüllt werden können. Das πεπληρωμένοι setzt dabei zugleich das πληρῶσαι aus dem Gebetswunsch von V. 13 fort und bietet damit einen Übergang zwischen Briefkorpus und Briefschluss. Ebenso lässt sich das Wort μεστοί auf περισσεύειν in V. 13 beziehen.[6] Der Schluss des Verses 14 zeigt dann jedoch, dass die Glaubenden für Paulus nicht einfach passive Gefäße sind, sondern dass sie zugleich in der Lage sind, sich gegenseitig zu ermahnen. Das Verhältnis der einzelnen Glaubenden zueinander (ἀλλήλους) hatte Paulus bereits in 12,5 als gegenseitige Beziehung einzelner Individuen beschrieben (vgl. die Ausführungen zur Stelle). Die Befähigung, einander zu ermahnen, haben die Adressaten jedoch nicht durch sich selbst, sondern wie δυνάμενοι im passivum divinum formuliert, ebenfalls von Gott bzw. durch den Heiligen Geist. Auch dieser Begriff schließt an ἐν δυνάμει aus V. 13 an. Der Beginn des Briefschlusses wird also durch die Aufnahme verschiedener Elemente eng mit der vorhergehenden Argumentation verbunden. Die sehr allgemeinen Begriffe der Güte und Erkenntnis zeigen dabei, dass Paulus die Gemeinde nicht näher kennt und kaum Konkretes zu sagen weiß. Dies ist aber offenbar für die stark selbstreflexiven Tendenzen des Röm gerade hilfreich. Weil Paulus kaum persönliche Kenntnisse von den römischen Christen besitzt (mit Ausnahme der in Kap. 16 genannten) und deshalb im Brief auch auf keine konkreten Fragen der Adressaten eingehen kann und muss, kann er sich auf die theologische Klärung seines Selbstverständnisses konzentrieren.

In V. 15a setzt Paulus erneut auf zwischenmenschlicher Ebene ein, angeschlossen mit δέ.[7] Er habe den Adressaten teilweise „verwegen" geschrieben (τολμηρότερον δὲ ἔγραψα ὑμῖν) und sie nur an etwas erinnert (ὡς ἐπαναμιμνῄσκων ὑμᾶς), was sie eigentlich schon gewusst hätten.[8] Diese Charakterisierungen zielen nicht primär auf eine Verhältnisbestimmung zwischen Paulus und den Adressaten. Damit soll z.B. nicht gesagt werden, dass Paulus hier im Nachhinein etwas von seinen mitunter scharfen Formulierungen zurücknehmen will (vgl. z.B. 11,25), oder dass er sich

---

3   So A. Reichert: Der Römerbrief als Gratwanderung, S. 137.
4   Das τῆς ist gegenüber dessen Auslassung besser bezeugt und als weniger pointierte Lesart ursprünglich, vgl. U. Wilckens: Der Brief an die Römer; EKK VI, 3, S. 117.
5   Auf diesen Bezug weist auch Wilckens, a.a.O., S. 117, Anm. 564 hin.
6   Vgl. K. Haacker: Der Brief des Paulus an die Römer; ThHK 6, S. 302.
7   Das δέ muss dabei gegen A. Reichert: Der Römerbrief als Gratwanderung, S. 138 nicht adversativ verstanden werden, denn mit den gewagten Formulierungen des Briefes wollte Paulus, wie er sagt, die Adressaten nur an ihre V. 14b genannten Güter erinnern.
8   Zu diesen noch öfter bei Paulus vorkommenden Formulierungen einer Anamnese vgl. R. Burnet: L'anamnèse: structure fondamentale de la lettre paulienne; in: NTS 49 (2003), S. 57-69.

kompetenten Adressaten gegenüber weiß[9] – er kennt sie ja nicht näher. Vielmehr wird die scheinbar auf die Adressaten bezogene Aussage in V. 15b in eine Relation zu Gott gestellt, „die von der Beziehung zwischen Verfasser und Adressaten völlig absieht".[10] Paulus verbleibt nicht auf dieser zwischenmenschlichen Ebene, er betont vielmehr: Was er geschrieben habe, beruhe nicht auf seiner eigenen Autorität, sondern es sei in theologischer Perspektive durch die ihm von Gott gegebene Gnade geschehen (vgl. bereits 1,5).[11] So eröffnen die beiden einleitenden Verse des Briefschlusses entgegen dem Anschein nicht primär eine persönliche Kommunikation mit den Adressaten, sondern sie haben vor allem die Funktion, das Selbstverständnis des Paulus vor einem imaginären Adressatenkreis zu verdeutlichen. Die selbstreflexive Grundintention des Briefes wird dadurch erneut deutlich.

Worin diese Gnade besteht, wird in V. 16 (angeschlossen mit εἰς τό) erläutert. Der Vers legt erneut keinen besonderen Wert auf die Beschreibung des Verhältnisses zwischen Paulus und den Adressaten, sondern Paulus beschäftigt sich hier weiterhin vor allem mit sich selbst.[12] Er charakterisiert sein Selbstverständnis mit Hilfe kultischer Begrifflichkeit (V. 16a und c), die dann in V. 16b und d jeweils in eine Beziehung zu Gott und dem Heiligen Geist gestellt und damit übertragen gebraucht wird.[13] Er versteht sich dabei zunächst als λειτουργός[14] in Bezug auf die ἔθνη. Ob ἔθνη Nichtjuden oder Heiden meint, ist nicht ganz eindeutig. Es fehlt ein Gegenbegriff wie περιτομή oder ähnliches, und wenn man diese Ausführungen als Fortsetzung des brieflichen Rahmens aus 1,1-15 versteht, so könnte es sein, dass Paulus hier eine universale Perspektive hat und alle „Völker", Juden wie Nichtjuden, in den Blick nimmt (vgl. auch 1,14f sowie oben die Ausführungen dazu). Von der Unterscheidung zwischen Juden und Nichtjuden in V. 9-12 und der Abgrenzung des Begriffes gegenüber den Jerusalemern in V. 27 her ist wahrscheinlicher, dass Paulus dabei die Nichtjuden meint. Die Selbstbezeichnungen aus V. 16a werden dann von Paulus in V. 16b in einem spezifischen theologischen Sinne übertragen und metaphorisch verstanden: sein Dienst besteht in der Verkündigung des Evangeliums Gottes, den er wie ein Priester versieht (ἱερουργοῦντα).

V. 16c kehrt Paulus in geläufiger menschlicher Sicht zur Beschreibung des Kultes zurück. Er spricht vom „Opfer" der ἔθνη. Diese Formulierung wird häufig so verstanden, dass die ἔθνη selbst die Opfer sind.[15] Paulus hatte jedoch bereits in 3,25 gezeigt, dass durch Christus keine weiteren Opfer nötig sind und dass die Glaubenden sich deshalb nicht selbst opfern müssen (vgl. 12,1 und die Ausführungen dazu.). Demgegenüber legt der Kontext nahe, dass Paulus mit dem „Opfer" konkret die Kollekte meint, die er nach Jerusalem zu überbringen gedenkt (V. 25ff, vgl. auch Gal 2,10) und von der er hofft, dass sie dort, so V. 31 in identischer Formulierung wie hier,

---

[9] Diese Möglichkeiten erwägt K. Haacker: Der Brief des Paulus an die Römer; ThHK 6, S. 303.

[10] So A. Reichert: Der Römerbrief als Gratwanderung, S. 138.

[11] So auch M. Müller: Vom Schluß zum Ganzen, S. 213.

[12] Gegen A. Reichert: Der Römerbrief als Gratwanderung, S. 139f, die meint, dass die Adressaten „ohne hier nochmals erwähnt zu werden ins Gegenüber zum Verfasser" geraten.

[13] Zur Verwendung kultischer und anderer Metaphorik im Röm vgl. grundsätzlich P. von Gemünden und G. Theißen: Metaphorische Logik im Römerbrief, S. 108-131.

[14] Der Begriff selbst ist noch nicht unbedingt liturgisch festgelegt, sondern kann sich auf Dienstleistungen jeglicher Art beziehen, aber der Kontext weist deutlich auf eine kultische Metaphorik hin, vgl. U. Wilckens: Der Brief an die Römer; EKK VI, 3, S. 118.

[15] So z.B. Wilckens, a.a.O., S. 118; K. Haacker: Der Brief des Paulus an die Römer; ThHK 6, S. 304, der bei der Vorstellung von Menschen als Opfern auf 12,1 (θυσία) verweist.

εὐπρόσδεκτος sei (vgl. auch ebenfalls im Zusammenhang mit der Kollekte II Kor 8,12). Der genitivus ist dann nicht als epexigeticus[16] oder obiectivus, sondern als subiectivus zu verstehen. Diese kultische Sprache wird am Ende des Verses nochmals in eine theologische Perspektive gestellt, indem ein pneumatologischer Gedanke eingeführt wird (ἡγιασμένη ἐν πνεύματι ἁγίῳ). Paulus bringt damit seine Hoffnung zum Ausdruck, dass die von ihm zu überbringende Geldsammlung seiner Gemeinden „im Heiligen Geist geheiligt" sei und deshalb auch Gott (und den Glaubenden in Jerusalem) wohlgefällig ist. Der Heilige Geist war bereits in 8,15ff als allen Glaubenden gemeinsames Charakteristikum bezeichnet worden, das alle, Juden wie Nichtjuden, untereinander zu Geschwistern macht.

V. 14-16 lassen sich demnach wie folgt strukturieren:

15,14: δέ	Πέπεισμαι ἀδελφοί μου καὶ αὐτὸς ἐγὼ περὶ ὑμῶν	ὅτι καὶ αὐτοὶ μεστοί ἐστε ἀγαθωσύνης πεπληρωμένοι πάσης τῆς γνώσεως δυνάμενοι καὶ ἀλλήλους νουθετεῖν
15: δέ	τολμηρότερον ἔγραψα ὑμῖν ἀπὸ μέρους ὡς ἐπαναμιμνῄσκων ὑμᾶς	διὰ τὴν χάριν τὴν δοθεῖσάν μοι ὑπὸ τοῦ θεοῦ
16: εἰς τὸ	εἶναί με λειτουργὸν Χριστοῦ Ἰησοῦ εἰς τὰ ἔθνη	ἱερουργοῦντα τὸ εὐαγγέλιον τοῦ θεοῦ
ἵνα	γένηται ἡ προσφορὰ τῶν ἐθνῶν εὐπρόσδεκτος	ἡγιασμένη ἐν πνεύματι ἁγίῳ

---

[16] So W. Haubeck, H. von Siebenthal: Neuer sprachlicher Schlüssel zum griechischen Neuen Testament, Bd. 2, S. 49.

Das Prinzip des paulinischen Redens und Handelns (15,17-21)

Die V. 17ff formulieren, wiederum eingeleitet in der 1.Pers. Sing. mit ἔχω οὖν, das Kommunikations- und Handlungsprinzip des Paulus. Sie bieten damit, wie bereits in der Einführung erläutert, so etwas wie den hermeneutischen Schlüssel des Röm – und vielleicht auch anderer paulinischer Texte (vgl. dazu oben die Einführung). Markanterweise kommen in diesem Abschnitt die Adressaten, obwohl es sich um den Anfang des Briefschlusses handelt, gar nicht vor. Vielmehr setzt Paulus seine bereits in V. 14-16 begonnene Selbstreflexion hier fort.

Er redet in V. 17a zunächst in menschlicher Sicht ausgesprochen selbstbewusst von seinem Grund zum Rühmen (ἔχω οὖν καύχησιν).[1] Durch den fehlenden Artikel τήν wird deutlich, dass Paulus sich nicht auf V. 16 zurückbezieht, sondern hier grundsätzlich neu ansetzt, um nach den Äußerungen über seinen Dienst nun prinzipiell auf sein spezifisches Verständnis des eigenen Redens und Handelns einzugehen.[2] Für den Beginn eines neuen Abschnittes spricht auch das οὖν. Diese sehr selbstbewusste Behauptung mit dem Begriff καύχησις überrascht zunächst, denn Paulus hatte in 3,27 grundsätzlich bestritten, dass es für die aus Glauben Lebenden ein (sich selbst) Rühmen geben könnte. Durch V. 17b setzt Paulus dann diese Aussage in eine Beziehung zu Gott und Christus. Sein Grund zum Rühmen bestehe demnach in Bezug auf das, was Gott angeht (τὰ πρὸς τὸν θεόν), nicht in seinen persönlichen Leistungen oder Fähigkeiten, sondern darin, „in" Christus Jesus zu sein und ihn in sich selbst wirken zu lassen (ἐν Χριστῷ Ἰησοῦ). Es handelt sich hier erneut um jene Kurzformel, durch die Paulus im gesamten Briefkorpus die Neubegründung der Ex-istenz formuliert hatte (vgl. besonders 8,1) und die er nun auf sich selbst anwendet. Insofern wird nun deutlich, dass er im Vorhergehenden, wenn er diese Formel im Briefkorpus gebrauchte, immer auch von sich selbst gesprochen hat. Dabei versteht sich Paulus „in Christus Jesus" nicht als passives Medium, sondern es ist sein eigenes, ganz persönliches Reden und Tun, durch das zugleich Christus wirken kann (vgl. V. 18f). Dies schließt durchaus auch ein gewisses Selbstbewusstsein mit ein.[3] Seine Kommunikation hat für Paulus demnach immer eine doppelte Dimension: Was Paulus einerseits als einzelne Person redet, versteht er andererseits als Wirken Christi Jesu durch ihn.

Die Doppelstruktur der Kommunikation des Römerbriefes, die in dieser Untersuchung aufgezeigt werden sollte, wird also von Paulus an dieser Stelle nach der eigentlichen Argumentation im Briefkorpus und zu Beginn des Briefschlusses nochmals grundsätzlich reflektiert. Die doppelten, oft redundant wirkenden und mitunter schwer durchschaubaren Formulierungen und Sichtweisen im Röm haben ihren Grund nicht zuletzt darin, dass Paulus seine Rede nicht nur von sich selbst her als menschliche Rede verstanden wissen möchte, sondern dass jeder seiner Sätze in diesem Brief zugleich als Wirken Christi verstanden werden soll. Dieser zweite Aspekt kommt deshalb auch in der Doppelstruktur der paulinischen Sprache jeweils zum Ausdruck.

---

[1] Die Auslassung des τήν ist durch P⁴⁶ ℵ A Ψ 33.1739.1881 und den Mehrheitstext gut bezeugt.

[2] Vgl. dazu C.E.B. Cranfield: The Epistle to the Romans; ICC, vol. 2, S. 757.

[3] Gegen A. Reichert: Der Römerbrief als Gratwanderung, S. 141, die meint: „Dieser (sc. der Verfasser) fungiert als Instrument in einem Geschehen, dessen eigentliches Subjekt der erhöhte, machtvoll wirkende Christus ist". Die Wirksamkeit Christi durch Paulus hebt ihn aber, wie die vorhergehende Argumentation im Briefkorpus zeigen sollte, als Subjekt nicht auf, sondern begründet ihn gerade in einem bestimmten theologischen und christologischen Sinne als Subjekt (neu).

Das paulinische Selbstverständnis, das in diesen Sätzen zum Ausdruck kommt, entspricht ganz der sonstigen Argumentation des Römerbriefes. Paulus hatte in 7,7ff gezeigt, dass der Versuch des Ich, das eigene Wollen und Tun nur durch sich selbst zu bestimmen, in die Verzweiflung führen muss. Und er hatte die Befreiung des Ich aus dieser Verzweiflung in 8,1ff darin gesehen, dass der Mensch bereit ist, sich dem Wirken des Geistes Gottes in ihm zu öffnen bzw. „in Christus Jesus" zu leben. Das hat zur Konsequenz, dass dann alles Reden und Tun und die ganze Ex-istenz des Glaubenden im Allgemeinen und des Paulus im Besonderen zugleich als Wirken Christi verstanden werden kann und soll. Der Röm selbst ist dafür ein anschauliches Beispiel und eine Verifikation dieser These des Paulus. Auf dieser Basis kann Paulus dann aber seine eigene Person und sein Selbstverständnis durchaus deutlich hervorheben. "Zu den für uns befremdlichen [...] Zügen der Persönlichkeit des Paulus gehören die Äußerungen eines hohen Selbstbewußtseins."[4]

Unter diesen Voraussetzungen möchte Paulus sein ganzes persönliches Reden verstanden wissen. Er meint deshalb in V. 18a – angeschlossen mit γάρ – zunächst in menschlicher Sicht, er werde nicht wagen, etwas zu sagen (οὐ τολμήσω τι λαλεῖν).[5] Das entspricht ganz der Selbstdarstellung seines persönlichen Auftretens, das offenbar rein äußerlich gesehen nicht besonders beeindruckend war (vgl. z.B. Gal 4,13f) und auch nicht von einer großen Begabung zur Rede zeugte (vgl. II Kor 10,10 – dort aber immerhin mit einer Anerkennung der Fähigkeit, gute Briefe zu schreiben – und 11,6).

Dieser menschlichen Sicht stellt Paulus in V. 18b in Weiterführung der Aussage von 17b eine christologische Perspektive gegenüber. Dass er es dennoch „wagt",[6] etwas zu sagen und sogar das Evangelium zu verkünden, liege darin begründet, dass Christus gerade durch sein vielleicht nicht besonders geschicktes Reden wirke. Er selbst werde deshalb von sich aus nichts aussprechen, es sei denn, dass Christus es in ihm bewirkt habe. Insofern der Röm selbst eine „Rede" des Paulus ist – Paulus hat den Brief wohl diktiert (vgl. 16,22) – fungiert die hier vorliegende Selbstdefinition des paulinischen Redens zugleich als hermeneutischer Schlüssel für das Verständnis der Struktur der Kommunikation und Argumentation im Röm insgesamt (vgl. dazu grundsätzlich die Einführung). Das Futur τολμήσω hat nicht nur den Sinn, auf die Art seines zukünftigen Redens in Rom vorzubereiten, sondern bringt als „energische Aussage" gewissermaßen ein Kriterium zum Ausdruck, an dem Paulus sich selbst für sein Reden und Handeln grundsätzlich, also auch im Röm, orientieren will.[7]

Seine bisherige Tätigkeit versteht Paulus dementsprechend in doppelter Weise (angeschlossen mit εἰς): Er wirke einerseits selbst mit Worten und Werken (V. 18c), um unter den „Völkern" Gehorsam (ὑπακοή) zu erreichen, wobei ἔθνη in Fortsetzung von V. 16 wohl die Nichtjuden meint. Dies Wirken geschehe aber andererseits zugleich nicht nur durch ihn selbst und zum Zwecke des Gehorsams, sondern in der Kraft des Geistes Gottes (ἐν δυνάμει σημείων καὶ τεράτων, ἐν δυνάμει πνεύματος θεοῦ, V. 19a).[8] „Das

---

[4] K. Haacker: Der Brief des Paulus an die Römer; ThHK 6, S. 305.

[5] Die Umstellungen der Reihenfolge dieser Worte in den verschiedenen anderen Lesarten sind deutlich schlechter bezeugt.

[6] Das τολμήσω knüpft insofern an τολμηρότερον in V. 15 an.

[7] Vgl. Blass, Debrunner, Rehkopf: Grammatik des neutestamentlichen Griechisch, § 362,1: „Der Indikativ des Futurums für energische Aussagen in Hauptsätzen", z.B. in Anlehnung an die Gesetzessprache in der Septuaginta.

[8] Die Lesart θεοῦ ist gut bezeugt und signalisiert einen Wechsel von der christologischen zur theologischen Sicht.

λόγῳ καὶ ἔργῳ bestimmt κατειργάσατο näher. Der Bezug der beiden folgenden parallelen ἐν δυνάμει-Wendungen ist weniger deutlich. Man kann sie neben λόγῳ καὶ ἔργῳ auf κατειργάσατο beziehen oder als Ausführung des λόγῳ καὶ ἔργῳ verstehen [...] Außerdem wird die Deutung vertreten, die zweite ἐν δυνάμει-Wendung (‚in der Kraft des Geistes') fasse λόγῳ καὶ ἔργῳ und die erste ἐν δυνάμει-Wendung (‚in der Kraft der Zeichen und Wunder') resümierend zusammen."[9] Von der hier vorausgesetzten Hypothese einer geläufigen menschlichen und einer christologisch bzw. theologisch geprägten Doppelsicht her kann man bei der zweiten der drei vorgestellten Interpretationsmöglichkeiten ansetzen. Die Formulierung λόγῳ καὶ ἔργῳ meint zunächst die persönliche Anstrengung des Paulus, aber durch den Kontext und besonders durch die ἐν δυνάμει-Wendungen[10] wird dieses Verständnis in theologischer Sicht ausgeführt und erweitert. Die Taten und Worte des Paulus sind demnach zugleich Krafterweise Gottes.[11] Die Formulierung σημεῖα καὶ τέρατα ist eine feststehende Wendung, die sowohl alttestamentliche als auch hellenistische Vorläufer hat[12] und von Paulus vor allem in Verbindung mit seiner Missionstätigkeit gebraucht wird.[13]

Paulus berichtet, auf diese Weise (ὥστε) sei von ihm im ganzen Gebiet von Jerusalem καὶ κύκλῳ[14] bis Illyrien[15] das Evangelium verkündet worden (V. 19b). In

---

9 W. Weiß: „Zeichen und Wunder". Eine Studie zu der Sprachtradition und ihrer Verwendung im Neuen Testament; (WMANT 67) Neukirchen-Vluyn 1995, S. 43. Die erstgenannte Deutung bezieht sich dabei auf U. Wilckens: Der Brief an die Römer; EKK VI,3, S. 119, die zweite auf O. Michel: Der Brief an die Römer; KEK IV, S. 457 und die dritte auf E. Käsemann: An die Römer; HNT 8a, S. 379 und W. Schmithals: Der Römerbrief; S. 529.

10 „Die beiden (sc. ἐν δυνάμει-) Wendungen sind syntaktisch nebengeordnet. Die erste Wendung bezeichnet die Kraft, die sich in ‚Zeichen und Wundern' äußert, die zweite die Kraft, die vom Geist ausgeht oder die in dem Geist selbst besteht." (Weiß, a.a.O., S. 44)

11 „Versteht man ihn (sc. den Ausdruck λόγῳ καὶ ἔργῳ) im umfassenden Sinne von Reden und Handeln des Menschen, so wären Verkündigung und Auftreten des Paulus gemeint. Diese Deutung hat den Wortlaut in 2Thess 2,17 und Kol 3,17 für sich. An diesen Stellen bezeichnet der Begriff das Gesamtverhalten des Menschen, sein alltägliches Leben. Ein solcher Sinn ist in Röm 15,18 aber wohl nicht allein im Blick. Denn sowohl die Fortführung in V.19b (ὥστε κτλ.) als auch V. 18a geben dem λόγῳ καὶ ἔργῳ neben der eigentlichen eine übertragene Bedeutung. Denn was Christus durch Paulus zum Glaubensgehorsam mittels Wort und Werk gewirkt hat, führt zur Vervollständigung (πεπληρωκέναι) des paulinischen Missionsgebietes. Daher wird die Wendung zumindest den Nebensinn besitzen von Verkündigung und Werk." (Weiß, a.a.O., S. 43f)

12 Zur Wendung אותות ומופתים vgl. Weiß, a.a.O., S. 6ff, besonders S. 13: „Die Wendung אותות ומופתים gilt primär als Ausdruck des Ägyptengeschehens, besonders der Plagen. In dieser Anwendung handelt es sich um eine deuteronomisch-deuteronomistische Sprachtradition." Zur Verwendung der Formulierung σημεῖα καὶ τέρατα in der hellenistischen Literatur vgl. Weiß, a.a.O., S. 18ff, besonders S. 21. „Die Unterschiede zum alt- wie neutestamentlichen Sprachgebrauch liegen auf der Hand: Die σημεῖα καὶ τέρατα sind wundersame Erscheinungen, die als Vorzeichen oder Prodigien verstanden auf (meist böses) Geschehen hinweisen, das durch entsprechende Handlungen auf seiten der Menschen abzuwenden gesucht wird."

13 „Die ursprüngliche Sprachtradition besitzt einen typischen Verwendungsbereich, und zwar den der Mission. Denn sowohl Paulus (2Kor 12,12; Röm 15,18f; vgl. 1Thess 1,5) als auch die Tradition von Hebr 2,4 greifen auf die Anfangs- und Missionserfahrung zurück." (Weiß, a.a.O., S. 143)

14 Die Formulierung lässt nicht eindeutig erkennen, ob Jerusalem damit geographisch die Mitte eines Kreises bildet oder den Anfangspunkt eine großen Bogens bis nach Illyrien. Nach Gal 1,17 hat Paulus jedenfalls in der Arabia, also auch östlich von Jerusalem, gewirkt.

15 Zum Umfang Illyriens schreibt Sueton: „Illyrien in seiner ganzen Ausdehnung von Italien bis zum Königreich Noricum, bis Thrakien und Makedonien, von der Donau bis zur Adria." (Vitae Caesarum, Tiberius 16; zitiert nach: Gaius Suetonis Tranquillus: Leben der Caesaren; übersetzt und

diesem Zusammenhang überrascht einigermaßen die im eigentlichen Wortsinn zentrale Bedeutung Jerusalems bei der Beschreibung des bisherigen Wirkungsgebietes. Im Gal bestreitet Paulus, dass Jerusalem und die dortigen Führungspersönlichkeiten für ihn eine wichtige Bedeutung gehabt hätten (vgl. 1,12-2,10). Im Röm hingegen erscheint die Stadt als Ausgangspunkt (ἀπὸ Ἰερουσαλήμ, V. 19) und aktueller Zielpunkt (εἰς Ἰερουσαλήμ, V. 25+31) der bisherigen paulinischen Arbeit. Es stellt sich damit die Frage, warum die Stadt – offenbar im Gegensatz zum Gal – zum Zeitpunkt des Verfassens des Röm für ihn solche Bedeutung hatte. Das leitet über zu den persönlichen Reiseplänen, die Paulus in V. 22ff äußert. „Die Angabe über die geographische Reichweite der bisherigen Mission des Apostels enthält bis heute ungelöste Probleme. Zum einen ist der Ausdruck ‚das Evangelium erfüllen' rätselhaft und nicht umzudeuten im Sinne der Durchdringung des *Raumes* zwischen Jerusalem und Illyrien *mit* dem Evangelium (so jedoch die vorherrschende Erklärung). Zweitens steht die Behauptung eines missionarischen Wirkens des Paulus in Jerusalem (womöglich samt Umgebung) in Spannung zu Gal 1,17 f.22 f. Drittens hat ein etwaiges Wirken des Paulus in Illyrien weder in den sonstigen Paulusbriefen noch in der Darstellung der Apostelgeschichte Spuren hinterlassen."[16]

Nachdem Paulus auf diese Weise in V. 19b zunächst in geläufiger menschlicher Sicht – bei aller Unklarheit im Detail – die Gebiete benennt, in denen er bislang tätig gewesen ist, stellt er in V. 19c diese Tätigkeit in theologischer Perspektive als „Erfüllen" (πεπληρωκέναι) des Evangeliums dar. Die selbstreflexive Grundtendenz des Röm wird hier besonders deutlich, wenn Paulus behauptet, er habe tatsächlich allein (με) in diesem riesigen Gebiet „das Evangelium Christi erfüllt". Zum einen kommt damit nicht zum Ausdruck, dass Paulus nach dem Zeugnis aller anderen authentischen Paulusbriefe im Team gearbeitet hat, zum anderen scheint der Umfang seines bisherigen Tätigkeitsgebietes, das er ja laut V. 24 sogar bis Spanien ausweiten möchte, für eine einzige Person etwas übertrieben. Ein angemessenes Verständnis dieser überzogen anmutenden Behauptung ergibt sich vielleicht dadurch, wenn man den Ausdruck „das Evangelium erfüllen" in einem übertragenen Sinne versteht, etwa so, dass Paulus hier das Gebiet benennt, in dem er bis jetzt für Christus tätig gewesen ist (und in dem nach V. 17f zugleich Christus durch ihn gewirkt hat). Wie in Röm 13,8-10 meint Paulus mit πληρόω dabei nicht das vollständige Füllen eines Raumes, sondern eine Konzentration auf die wesentlichen Punkte, von denen aus sich das Ganze erschließt – hier vielleicht die Städte, in denen er gewirkt hat und von denen aus sich dann auch das Umland erschließen lässt.

V. 20 stellt Paulus seine bisherige Tätigkeit für das Evangelium weiter dar (angeschlossen mit δέ). Das οὕτως φιλοτιμούμενον erweckt zunächst den Anschein, als ob Paulus hier in menschlicher Sicht seine eigene Ehre gesucht hätte.[17] „Das Verb an sich (bei Paulus ohne negativen Beiklang gebraucht; vgl. 2. Kor. 5,9; 1. Thess. 4,11) bedeutet der Wortbildung nach ‚Ehre lieben' und mit Ergänzungen ‚einen Ehrgeiz' in etwas setzen"".[18] Von daher ergibt sich ein Bezug zu καύχησις in V. 17. Der Abschnitt V. 17-21 ist damit durch zwei Aussagen geprägt, die auch das Selbstbewusstsein des

---

herausgegeben von A. Lambert; München 1980, S. 131.) Vgl. auch K. Haacker: Der Brief des Paulus an die Römer; ThHK 6, S. 307, Anm. 30.

[16] Haacker, a.a.O., S. 307, Hervorhebungen von Haacker.

[17] Die alternative Lesart des finiten Verbes durch P^{46}, B D* FG u.a. stellt eine spätere syntaktische Vereinfachung des komplizierten Satzbaus dar.

[18] K. Haacker: Der Brief des Paulus an die Römer; ThHK 6, S. 308.

Paulus zum Ausdruck bringen, das aber durch Christus begründet wird. Das φιλοτιμούμενον wird deshalb in V. 20b sofort in eine theologische Perspektive gestellt. Der Halbvers schränkt die pauschale Aussage von V. 19 noch weiter ein. Paulus habe lediglich dort gewirkt, wo Christus noch nicht bekannt gewesen sei. Εὐαγγελίζεσθαι bezieht sich also auf das „Erfüllen des Evangeliums Christi" aus V. 19 im erläuterten Sinne. Gemeint ist mit der Formulierung οὐχ ὅπου ὠνομάσθη Χριστός offensichtlich eine erste Verkündigung des Evangeliums, „Pioniermission". Damit muss nicht unbedingt die auf dem sogenannten Apostelkonvent vereinbarte Trennung der Wirkungsbereiche gemäß Gal 2,8f gemeint sein. "Paul's motive is not simply to avoid possible rivalry (cf. Gl ii.9; 2 Cor x.13-18 [...]) but to cover as wide an area as possible."[19]

Diese theologisch und christologisch orientierte Darstellung seiner bisherigen Tätigkeit schließt Paulus in V. 20c und 21 durch eine Gegenüberstellung ab, die sich wiederum an dem bereits in Röm 1,2 entfalteten Schriftverständnis orientiert (angeschlossen mit ἵνα). Danach sind die Heiligen Schriften so zu verstehen, dass sie das von Paulus verkündigte Evangelium von Christus vorher verheißen haben. Nach diesem hermeneutischen Schema zitiert Paulus zunächst, eingeleitet mit καθὼς γέγραπται, in geläufiger Sicht in V. 21 wörtlich nach der Septuaginta Jes 52,15,[20] eine Stelle, die sich dort auf den deuterojesajanischen „Gottesknecht"[21] bezieht. Dem in Röm 10,4 erläuterten Prinzip entsprechend, dass das Gesetz und in einem weiteren Sinne die ganze Schrift auf Christus ziele (τέλος γὰρ νόμου Χριστός), wird diese Stelle nun aber in christologischer Perspektive durch den vorangestellten V. 20c interpretiert. Paulus bezieht die Aussage Jesajas offensichtlich – isoliert von ihrem ursprünglichen Kontext[22] – auf seine eigene Verkündigung des Evangeliums. Das περὶ αὐτοῦ wird dadurch auf Christus hin gedeutet. Indem Paulus Christus nur dort verkündigte, wo er bislang nicht bekannt gewesen sei, habe er sich bemüht, nicht auf dem Fundament (θεμέλιος, vgl. I Kor 3,10ff) eines anderen Verkündigers aufzubauen. Damit bewahrheite sich zugleich die Verheißung aus Jes 52,15. Die V. 17-21 lassen sich damit wie folgt strukturieren, wobei in der zweiten, theologisch bzw. christologisch geprägten Perspektive die Begriffe Gott und Christus hervorgehoben sind:

17: οὖν	ἔχω καύχησιν	ἐν *Χριστῷ* Ἰησοῦ τὰ πρὸς τὸν *θεόν*
18: γάρ	οὐ τολμήσω τι λαλεῖν	ὧν οὐ κατειργάσατο *Χριστὸς* δι' ἐμοῦ
18c+19a:	εἰς ὑπακοὴν ἐθνῶν λόγῳ καὶ ἔργῳ	ἐν δυνάμει σημείων καὶ τεράτων ἐν δυνάμει πνεύματος *θεοῦ*
19b+c: ὥστε	με ἀπὸ Ἰερουσαλὴμ καὶ κύκλῳ μέχρι τοῦ Ἰλλυρικοῦ	πεπληρωκέναι τὸ εὐαγγέλιον τοῦ *Χριστοῦ*
20a+b: δέ	οὕτως φιλοτιμούμενον	εὐαγγελίζεσθαι οὐχ ὅπου ὠνομάσθη *Χριστός*
20c+21: ἵνα	ἀλλὰ καθὼς γέγραπται Οἷς οὐκ ἀνηγγέλη περὶ αὐτοῦ ὄψονται καὶ οἳ οὐκ ἀκηκόασιν συνήσουσιν (2)	μὴ ἐπ' ἀλλότριον θεμέλιον οἰκοδομῶ (1)

[19] C. K. Barrett: A Commentary on the Epistle to the Romans; BNTC 7, S. 253f
[20] Vgl. H. Hübner (Hrsg.): Vetus Testamentum in Novo; Bd. 2, S. 216.
[21] Vgl. K. Haacker: Der Brief des Paulus an die Römer; ThHK 6, S. 309.
[22] Vgl. dazu D.-A. Koch: Die Schrift als Zeuge des Evangeliums; BHTh 69, S. 234.

Die persönlichen Reisepläne (15, 22-29)

Der Abschnitt beginnt mit einem schlussfolgernden διό und wiederum mit einer persönlichen Bemerkung in der 1. Person Singular. Paulus fährt dann mit einem markanten doppelten νυνί (V. 23 und 25) fort. Nachdem Paulus in den vorhergehenden Versen seine bisherige Tätigkeit beschrieben hat, erläutert er zu Beginn dieses Abschnittes seine zukünftigen Reiseabsichten: Er wolle sein Wirkungsfeld bis Spanien ausdehnen und dabei in Rom Zwischenstation machen (15,23f). Nachdem Paulus in V. 17-21 nur über sich selbst redete, wendet er sich nun erneut den Adressaten zu. Das von ihm den römischen Christen dargelegte Konzept der Evangeliumsverkündigung bis ans westliche Ende des Mittelmeeres entspricht der im Briefkorpus dargelegten universalen Sichtweise und konkretisiert diese für die Missionstätigkeit des Paulus: Weil das Evangelium per definitionem alle religiösen, ethnischen und räumlichen Unterscheidungen aufhebt (vgl. die Ausführungen zu Röm 1,14f und 1,16f) und sich an alle Menschen richtet, muss es auch überall auf der Welt allen Menschen verkündigt werden, wozu Paulus seinen Beitrag leisten möchte.

Bei der nun folgenden Darlegung seiner weiteren Vorhaben zeigt Paulus, dass er sich auch für die Zukunft bewusst ist, dass seine Reisepläne nicht nur persönlicher Natur sind, sondern dass sie zugleich in theologischer und christologischer Perspektive gesehen werden müssen. Er beginnt den Abschnitt in V. 22-24a mit einer längeren Gegenüberstellung, die diese doppelte Sicht seiner bisherigen und zukünftigen Pläne ausführlich erläutert.

Paulus setzt in V. 22 in theologischer Perspektive an. Das διό bezieht die folgenden Aussagen auf V. 17-21 zurück. Er sei durch die in diesen Versen dargestellte Tätigkeit vielfach (τὰ πολλά) gehindert worden, nach Rom zu kommen. 'ενεκοπτόμην[1] ist wohl als passivum divinum zu verstehen, weil es sich auf die vorher beschriebene Evangeliumsverkündigung „von Rom bis Illyrien" bezieht. Gott selbst habe also Paulus bisher daran gehindert, nach Rom zu kommen, weil er durch ihn im östlichen Mittelmeerraum gewirkt hat.

V. 23 und 24a erläutert Paulus gegenüber dieser theologischen Sicht in menschlicher Perspektive seine persönlichen Pläne, angeschlossen durch δέ. Νυνί meint hier nicht wie im Briefkorpus das „Jetzt" in seinem tiefen theologischen Sinn als Gegenwart des Heils (vgl. die Ausführungen zu 3,21), sondern einfach einen biographischen Punkt, an dem sich Paulus nach Rom und Spanien aufmachen möchte. Die sich anschließende Formulierung μηκέτι τόπον ἔχων ist, wie schon das πεπληρωκέναι τὸ εὐαγγέλιον (V. 19) nicht in dem wörtlichen Sinne gemeint, dass Paulus nun in dem genannten riesigen Gebiet keinen „Raum" mehr habe. Sie ist vielmehr übertragen zu verstehen, etwa in dem Sinne, dass es in diesen Regionen für seine Wirksamkeit keinen Ort mehr gegeben habe.[2] Mit dem Wort ἐπιποθία bringt Paulus zum Ausdruck, dass er schon seit vielen Jahren das Verlangen habe, zu den

---

[1] Vgl. als ähnlichen Gedanken im Briefanfang das ἐκωλύθην in Röm 1,13 und oben die Ausführungen zur Stelle.

[2] Vgl. auch A. Reichert: Der Römerbrief als Gratwanderung, S. 142. In einem negativen Sinne versteht die Formulierung dagegen K. Haacker: Der Brief des Paulus an die Römer; ThHK 6, S. 309: „Der Ausdruck könnte aber auch in einem stärker negativen übertragenen Sinne bedeuten, daß die Möglichkeiten des Paulus erschöpft sind (vgl. Joseph. Ant. 15, 158)."

Adressaten zu kommen, und dass er diesem nun nachkommen wolle, „wenn"[3] er demnächst nach Spanien reise.

Dass Paulus die geplante Ausweitung seiner Evangeliumsverkündigung auf den westlichen Mittelmeerraum nicht nur als privaten Wunsch verstanden wissen möchte, soll die doppelte Formulierung in V. 24b und c weiter verdeutlichen. V. 24b beginnt mit ἐλπίζω und schließt mit γάρ an das Vorhergehende an. Paulus bringt zunächst die persönliche Hoffnung zum Ausdruck, dass er auf dem Weg nach Spanien einen Besuch in Rom abstatten kann (διαπορευόμενος θεάσασθαι ὑμᾶς). Dann betont er jedoch in theologischer Perspektive V. 24c (angeschlossen mit καί), dass er zusätzlich von den Römern dorthin weiter geschickt werden wolle, so dass er damit nicht nur als Privatperson, sondern zugleich als Gesandter der römischen Christen nach Spanien reist. Προπημφθῆναι bezieht sich deshalb nicht nur auf die materielle Ausstattung für die Weiterreise, sondern hat vor allem einen geistlichen Aspekt: die paulinische Mission soll zugleich von der römischen Gemeinde ausgehen. „Dies ist mit προπημφθῆναι konkret gemeint: Aussendung durch die Gemeindeversammlung im Gottesdienst, vgl. Apg 15,3, wozu wohl auch die Ausstattung mit den nötigen Reisemitteln gehört (vgl. 1Kor 16,6; 2Kor 1,16; 3Joh 5) und vor allem Reisegeleit (vgl. Apg 20,38), d.h. wegkundige Begleiter bis zur ersten Station."[4] Vorher wolle Paulus jedoch ein wenig bei den Adressaten „erfüllt" werden (ἐμπλησθῶ), was hier ebenfalls nicht nur die physische Stärkung bezeichnet, sondern geistlich gemeint ist (vgl. Röm 15,13).

Gegenüber diesen weitergehenden Plänen geht Paulus in V. 25ff nun auf seine derzeitige Situation ein (angeschlossen mit δέ). Das erneute νυνί signalisiert wie bereits in V. 23, dass er sich an einer markanten Stelle seines Lebens befindet. Er beschreibt zunächst in geläufiger menschlicher Sicht, dass er vorhabe, zunächst nach Jerusalem zu reisen und damit seine bisherige Arbeit im östlichen Mittelmeerraum zu beenden. Der Ausdruck διακονῶν τοῖς ἁγίοις erläutert dann in theologischer Perspektive den tieferen Sinn der Reise. Er bezieht sich auf die Kollekte, die gemäß Gal 2,10 auf dem sogenannten Apostelkonzil in Jerusalem vereinbart worden war (vgl. bereits Röm 15,16).

In V. 26 beschreibt Paulus zunächst in geläufiger Sicht den derzeitigen Stand der Kollekte. Den Gemeinden in Mazedonien und Achaja habe es gefallen (εὐδόκησαν),[5] eine „Gemeinschaftsaktion"[6] (κοινωνία) für die Armen in Jerusalem (εἰς τοὺς πτωχοὺς τῶν ἁγίων τῶν ἐν Ἰερουσαλήμ) zu unternehmen und für sie zu sammeln. Diese Sammlung zu initiieren, war nach Bekunden des Paulus die einzige Auflage, die er beim Apostelkonvent in Jerusalem von den dortigen Autoritäten für seine Missionsarbeit unter den Nichtjuden bekommen hatte (vgl. Gal 2,10: μόνον τῶν πτωχῶν ἵνα μνημονεύωμεν).[7] Diese Feststellung überrascht um so mehr, als Paulus gerade im Gal ein besonderes Interesse an der Darstellung der Unabhängigkeit seiner Arbeit von

---

[3]　Das ὡς ἄν mit Konjunktiv entspricht bei Paulus ὅταν mit Konjunktiv, vgl. Blass, Debrunner Rehkopf: Grammatik des neutestamentlichen Griechisch, § 455,2.

[4]　U. Wilckens: Der Brief an die Römer; EKK VI, 3, S. 124, mit Bezug auf E. Käsemann: An die Römer; HNT 8a, S. 383.

[5]　Es geht hier offensichtlich nicht nur um den Beschluss (so die Übersetzungen in den Kommentaren von Haacker, Wilckens und Käsemann), sondern auch um die bereits geschehene Ausführung, denn sonst könnte Paulus die Kollekte nicht „jetzt" überbringen.

[6]　So U. Wilckens: Der Brief an die Römer; EKK VI, 3, S. 123.

[7]　Zur Rekonstruktion des Ablaufes der Kollekte vgl. D. Georgi: Der Armen zu gedenken: Die Geschichte der Kollekte des Paulus für Jerusalem; 2. Aufl. Neukirchen-Vluyn 1994.

irgendwelchen Menschen hat. Das Gelingen der Kollekte wird damit offenbar zu einer auch für die Person des Paulus und seine Missionsarbeit entscheidenden Frage. Deshalb hat er sich um sie auch sehr bemüht (vgl. Gal 2,10b). Die Erfüllung dieser Auflage bereitete Paulus mehrfach Probleme. Er musste die Kollekte in den Gemeinden in Galatien eigens anordnen (I Kor 16,1) und auch in Korinth detaillierte Anweisungen für eine wöchentliche Sammlung geben (16,2f), damit die Sammlung voran kam. Nach dem missglückten Zwischenbesuch in Korinth und dem folgenden Aufenthalt in Makedonien (vgl. II Kor 7,5-16) wurde vor allem dort erfolgreich gesammelt. Die Kollekte in Korinth und dann darüber hinaus in Achaja musste Paulus jedoch durch weitere Anweisungen neu anstoßen (II Kor 8 und 9). Die von ihm erwähnten Sicherheitsvorkehrungen, wie z.B. die Sendung von Delegierten zur Beaufsichtigung der Kollekte (II Kor 8,16ff), zeugen einerseits davon, welch heikles Thema die paulinische Kollekte gewesen sein muss, und zeigen andererseits, dass es sich um keine kleine Summe gehandelt haben kann. Offenbar steht dieses schwierige Vorhaben während des Verfassens des Römerbriefes unmittelbar vor seinem Abschluss. Dass nur die Gemeinden in Mazedonien und Achaja gesammelt haben sollen, spricht dafür, dass die Kollekte in Galatien nicht zustande gekommen ist. Paulus möchte nun sein auf dem Apostelkonvent geleistetes Versprechen einlösen und nach Jerusalem reisen, um sie dort – wahrscheinlich unter Begleitung von Delegierten – abzugeben.

Paulus geht es jedoch nicht allein um den materiellen Aspekt dieser Sammlung und um die Ausführung der Kollekte durch die paulinischen Gemeinden, sondern in einer markanten Doppelformulierung stellt er in V. 27a und b wiederum eine menschliche und eine theologische Perspektive einander gegenüber (angeschlossen mit γάρ). Das εὐδόκησαν nimmt die gleichlautende Formulierung aus V. 26 auf und stellt die Kollekte damit zunächst in menschlicher Sicht als selbständige Entscheidung und Neigung der paulinischen Gemeinden dar. „Die Formulierungen von V. 26 f. lassen freilich keinen Zusammenhang mit dem Apostelkonzil erkennen, sondern erwecken durch das zweimalige εὐδόκησαν γαρ [...] den Eindruck einer Eigeninitiative der Gemeinden in Mazedonien und Achaja."[8] Dieses εὐδόκησαν wird dann allerdings durch καὶ ὀφειλέται εἰσὶν αὐτῶν in theologischer Perspektive modifiziert und spricht damit gerade die theologische Verpflichtung der paulinischen Gemeinde aus, die nicht zuletzt aufgrund des Apostelkonzils besteht. Der Begriff ὀφειλέτης war von Paulus bereits in 1,14 im Sinne einer geistlichen Verpflichtung auf ihn selbst bezogen worden.

Den Zusammenhang des materiellen und geistlichen Aspektes betont Paulus in V. 27c und d. Er bedient sich dazu der Unterscheidung πνευματικός – σαρκικός (vgl. dazu auch in anderem Sinne 8,4ff), wobei sich das erste Wort in theologischer Sicht auf geistliche Güter und das zweite in geläufiger menschlicher Sicht auf materielle bezieht. Durch diese Unterscheidung wird der innere Zusammenhang der paulinischen Gemeinden mit der Gemeinde in Jerusalem angesprochen. Der universale Zusammenhang der Evangeliumsverkündigung an Juden und Nichtjuden, der bereits im Proömium (vgl. 1,14f) und dann immer wieder im Briefkorpus thematisiert wurde, wird hier nochmals abschließend am Beispiel der Kollekte aufgezeigt. Die Jerusalemer Gemeinde mit den sie leitenden δοκοῦντες (Gal 2,1-10) bestand wahrscheinlich hauptsächlich aus Glaubenden jüdischer Herkunft, und die mit Paulus in engem Kontakt stehenden Gemeinden waren überwiegend nichtjüdischer Herkunft. Paulus meint offenbar, dass die Gemeinden, in denen er tätig gewesen ist, in theologischer Sicht an

---

[8] K. Haacker: Der Brief des Paulus an die Römer; ThHK 6, S. 311.

den geistlichen Gütern der Jerusalemer Christen vor allem jüdischer Herkunft teilhaben (ἐκοινώνησαν) – nicht zuletzt durch seine eigene Tätigkeit. Deshalb sind sie auch verpflichtet (ὀφείλουσιν), den Jerusalemern zumindest in menschlicher Sicht mit materiellen Gütern zu helfen. Die Kollekte, die von Paulus nach Jerusalem gebracht werden soll, dokumentiert also nicht zuletzt die Einheit dieser beiden Teile des frühen Christentums. Offenbar war das Zusammentragen der Kollekte eine Tätigkeit, die die gesamte paulinische Mission seit dem sogenannten „Apostelkonvent" begleitet hat und die für die universale Einheit der Kirche als Gemeinschaft aus Gläubigen jüdischer und nichtjüdischer Herkunft zumindest für Paulus große Bedeutung hatte.

In V. 28f skizziert Paulus zum Ende dieses Abschnittes seine weiteren Reisepläne (angeschlossen mit οὖν). In V. 28 beschreibt er in geläufiger menschlicher Sicht die Reiseroute. Er wolle die Bemühungen um die Kollekte abschließen (τοῦτο ἐπιτελέσας), indem er diese in Jerusalem sicher abgebe, und dann zunächst nach Rom und von dort aus weiter nach Spanien reisen. Dabei meint der etwas rätselhafte Ausdruck (σφραγισάμενος αὐτοῖς τὸν καρπὸν[9] τοῦτον) nicht das gesamte Missionswerk des Paulus, das durch die Überbringung der Kollekte „besiegelt" wird,[10] weil Paulus danach noch mit der Spanienmission weitere große Pläne hat. Es handelt sich eher um einen metaphorischen Ausdruck für die Bescheinigung eines Ertrages.[11] Das δι' ὑμῶν in der weiteren Reiseangabe zeigt, dass Paulus Rom wirklich nur als Durchgangsstation für seine weiteren Missionspläne sieht.

Diese persönlichen Pläne stellt Paulus abschließend wiederum in V. 29 in eine theologische Perspektive (angeschlossen mit δέ). Das οἶδα am Anfang bringt seine Glaubensgewissheit zum Ausdruck. Er ist sich offenbar bewusst, dass seine Vorhaben nicht nur aufgrund seiner persönlicher Planung gelingen können, sondern dass dafür zugleich der Segen Gottes und Christi unerlässlich ist. Dies bringt er durch die abschließende Formulierung ἐν πληρώματι εὐλογίας Χριστοῦ ἐλεύσομαι zum Ausdruck (V. 29b). „Im kirchlichen Sprachgebrauch ist ein Reden vom Segen auf der Linie unseres Verses weit verbreitet, wenn zum Ausdruck gebracht werden soll, daß das Gelingen geistlicher Arbeit weder durch guten Willen noch durch kluge Methoden garantiert werden kann, sondern in Gottes Hand liegt. Die Feststellung von εὐλογία = ‚Segen' fällt dabei zusammen mit εὐλογία = ‚Lob' (Gottes)."[12] Paulus ist sich in diesem Sinne gewiss, dass er in der Fülle des Segens Christi in Rom angelangen wird. Damit ist jedoch nicht gemeint, dass Paulus damit lediglich „Instrument" der Macht Christi sei,[13] sondern diese Gewissheit führt Paulus dazu, seine Pläne selbstbewusst anzugehen. In der Betonung der Zuversicht schwingt allerdings zugleich ein skeptischer Unterton mit. Nicht nur für die Sammlung, sondern auch für die Überbringung der Kollekte haben sich für Paulus offenbar große Schwierigkeiten ergeben, die der nächste Abschnitt in V. 30-33 verdeutlichen wird. Möglicherweise waren sie ein Grund dafür, dass seine Jerusalemreise, wenn man dem Bericht der Act in Grundzügen Glauben schenken kann, wenig erfolgreich war (vgl. Act 21,27ff, dort allerdings ohne Erwähnung der Kollekte).

---

[9] Zu καρπός vgl. auch Röm 1,13.
[10] Vgl. H.-W. Bartsch: ... wenn ich ihnen diese Frucht versiegelt habe. Röm 15, 28. Ein Beitrag zum Verständnis der paulinischen Mission; in: ZNW 63 (1972), S. 95-107.
[11] K. Haacker übersetzt: „und ihnen diesen Ertrag bescheinigt habe." (K. Haacker: Der Brief des Paulus an die Römer; ThHK 6, S. 302.)
[12] Haacker, a.a.O., S. 312.
[13] Gegen A. Reichert: Der Römerbrief als Gratwanderung, S. 143.

Die V. 22-29 lassen sich aufgrund des oben Ausgeführten demnach folgendermaßen strukturieren:

22-24a: Διὸ καὶ	νυνὶ δὲ μηκέτι τόπον ἔχων ἐν τοῖς κλίμασι τούτοις ἐπιποθίαν δὲ ἔχων τοῦ ἐλθεῖν πρὸς ὑμᾶς ἀπὸ πολλῶν ἐτῶν ὡς ἂν πορεύωμαι εἰς τὴν Σπανίαν (2)	ἐνεκοπτόμην τὰ πολλὰ τοῦ ἐλθεῖν πρὸς ὑμᾶς (1)
24b+c: γὰρ	ἐλπίζω διαπορευόμενος θεάσασθαι ὑμᾶς	καὶ ὑφ' ὑμῶν προπεμφθῆναι ἐκεῖ ἐὰν ὑμῶν πρῶτον ἀπὸ μέρους ἐμπλησθῶ
25: δὲ	νυνὶ πορεύομαι εἰς Ἰερουσαλὴμ	διακονῶν τοῖς ἁγίοις
26-27b: γάρ	εὐδόκησαν γὰρ Μακεδονία καὶ Ἀχαΐα κοινωνίαν τινὰ ποιήσασθαι εἰς τοὺς πτωχοὺς τῶν ἁγίων τῶν ἐν Ἰερουσαλήμ εὐδόκησαν	καὶ ὀφειλέται εἰσὶν αὐτῶν
27c+d: γὰρ	ὀφείλουσιν καὶ ἐν τοῖς σαρκικοῖς λειτουργῆσαι αὐτοῖς (2)	εἰ τοῖς πνευματικοῖς αὐτῶν ἐκοινώνησαν τὰ ἔθνη (1)
28+29: οὖν	τοῦτο ἐπιτελέσας καὶ σφραγισάμενος αὐτοῖς τὸν καρπὸν τοῦτον ἀπελεύσομαι δι' ὑμῶν εἰς Σπανίαν	οἶδα δὲ ὅτι ἐρχόμενος πρὸς ὑμᾶς ἐν πληρώματι εὐλογίας Χριστοῦ ἐλεύσομαι

Erste Schlussparänese (15,30-33)

An diese persönlichen Bemerkungen des Paulus schließt sich eine erste kurze Schlussmahnung an. Ihr wird 16,17-20 eine zweite folgen. Es handelt sich hier nicht um eine Doppelung, sondern 15,30-33 sind deutlich auf die persönliche Situation des Paulus bezogen, während der Abschnitt 16,17-20 die eigentliche Schlussmahnung darstellt, die zur festen Form des Briefabschlusses gehört.[1]

Die Verse werden wiederum in der 1. Person Singular mit charakteristischem παρακαλῶ eingeleitet. Paulus wendet sich jedoch nicht nur in V. 30a auf persönlicher Ebene an die Adressaten. Die Ermahnung bzw. Ermutigung der ἀδελφοί[2] ist vielmehr durch V. 30b erneut (vgl. Röm 12,1) für Paulus nicht durch seine persönliche Autorität begründet, sondern durch Jesus Christus und die Liebe des Geistes.

V. 30c benennt den konkreten Gegenstand der Ermahnung: Die Adressaten sollen mit Paulus kämpfen (συναγωνίσασθαί μοι), wobei der Ausdruck hier von V. 31 her weniger eine sportliche, sondern vielmehr eine militärische Konnotation hat.[3] Diese Formulierung wird wieder in V. 30d in eine theologische Perspektive gestellt: der gemeinsame Kampf bezieht sich auf das Fürbittengebet, das die Adressaten für Paulus halten sollen (ἐν ταῖς προσευχαῖς ὑπὲρ ἐμοῦ πρὸς τὸν θεόν).[4]

V. 31a werden auf diesem Hintergrund zunächst die konkreten menschlichen Gefahren benannt, die Paulus in Jerusalem erwartet (angeschlossen mit ἵνα). Er vermutet, dass er dort von den nicht an Christus Glaubenden (ἀπὸ τῶν ἀπειθούντων ἐν τῇ Ἰουδαίᾳ)[5] bedroht werden und Rettung nötig haben wird (ῥύομαι). Dass dies eine realistische Einschätzung war, verdeutlichen Act 21,27ff, sofern das dort Berichtete einen historischen Kern besitzt.[6] Diese menschliche Bedrohung stellt Paulus dann in V. 31b in eine theologische Perspektive (angeschlossen mit καί), die zeigt, dass er in den zu erwartenden Konfrontationen mit den Kontrahenten auf das Gebet und die Unterstützung Gottes setzt. Paulus fordert deshalb die Adressaten in V. 30 zur Fürbitte auf, damit die diakonische Sammlung (und damit auch er selbst) von den Jerusalemer Christinnen und Christen wohlwollend aufgenommen werde. Das εὐπρόσδεκτος tauchte bereits in 15,16 in Bezug auf den paulinischen Dienst auf. Ἡ διακονία μου ist zum einen die konkrete Bezeichnung für die Kollekte (vgl. V. 25), kann aber darüber hinaus auch die gesamte apostolische Tätigkeit des Paulus meinen (vgl. z.B. II Kor 3,6ff). Er möchte durch die Bitte um die Fürbitte der Römer nochmals verdeutlichen, dass auch die Jerusalemreise für ihn nicht nur als privates Vorhaben zu verstehen ist, sondern zugleich auf der Unterstützung der römischen (und anderer) Gemeinden im Gebet beruht. In diesen Versen wird gegenüber V. 29 deutlich, dass sich Paulus des Gelingens seines Vorhabens und der Annahme der Kollekte in Jerusalem doch nicht so sicher ist. An dieser Annahme hängt aber von Gal 2,1-10 her mittelbar auch die Akzeptanz der

---

[1] Vgl. M. Müller: Vom Schluß zum Ganzen, S. 218.

[2] Das Wort ist sehr gut bezeugt und deshalb mitzulesen.

[3] Gegen K. Haacker: Der Brief des Paulus an die Römer; ThHK 6, S. 313.

[4] Insofern sind die Christen in Rom tatsächlich als Mitstreiter des Paulus angesprochen, vgl. A. Reichert: Der Römerbrief als Gratwanderung, S. 143.

[5] Möglicherweise meint Paulus hier die „falschen Brüder" aus Gal 2,4, die bereits auf dem sogenannten Apostelkonvent gegen ihn polemisiert haben (vgl. U. Wilckens: Der Brief an die Römer; EKK VI, 3, S. 130)

[6] So auch K. Haacker: Der Brief des Paulus an die Römer; ThHK 6, S. 313, der dabei allerdings die Authentizität der Aussagen in Act generell hoch einschätzt.

bisherigen paulinischen Missionsarbeit durch die Jerusalemer. Denn bei dem Konsens, der auf dem „Apostelkonvent" in Jerusalem Jahre zuvor erzielt wurde, war Paulus, wie bereits erwähnt, als einzige Auflage für seine Evangeliumsverkündigung unter den Nichtjuden die Durchführung der Sammlung aufgetragen worden (vgl. Gal 2,10).[7]

In V. 32a geht Paulus in menschlicher Sicht zunächst auf seine weiteren Pläne ein, ebenfalls angeschlossen mit ἵνα. Er wolle, wenn in Jerusalem alles gut geht, fröhlich zu den Adressaten nach Rom kommen (ἐν χαρᾷ ἐλθὼν πρὸς ὑμᾶς). Dabei ist er sich sehr wohl bewusst, dass das Gelingen dieser Absicht nicht in seiner Hand liegt, sondern dass er sich nur bei den Römern wird ausruhen können, wenn dies Gottes Wille ist (vgl. 1,10). Dies bringt Paulus in V. 32b in theologischer Perspektive durch die Formulierung διὰ θελήματος θεοῦ zum Ausdruck. Dass jedes menschliche Planen unter diesem Vorbehalt geschehen soll, meint auch Jak 4,13-16. Das συναναπαύεσθαι nimmt συναγωνίσασθαι aus V. 30 wieder auf und betont erneut die von Paulus erhoffte Gemeinschaft mit den Adressaten.[8]

Der Segenswunsch beendet den ersten Teil des Briefschlusses. Er weist als formelhafter Abschluss keine Doppelstruktur auf.[9] Dass Gott ein Gott des Friedens ist, bezieht sich nicht nur auf die Aussagen der Paränese (14,17.20; 15,13) zurück, sondern auch auf die vorher erwähnten, möglichen Auseinandersetzungen.[10] Das "Amen" schießt den Segenswunsch ab.[11]

Damit ergibt sich für V. 30-33 die folgende Struktur:

30: δὲ	Παρακαλῶ ὑμᾶς ἀδελφοί	διὰ τοῦ κυρίου ἡμῶν Ἰησοῦ Χριστοῦ καὶ διὰ τῆς ἀγάπης τοῦ πνεύματος
	συναγωνίσασθαί μοι	ἐν ταῖς προσευχαῖς ὑπὲρ ἐμοῦ πρὸς τὸν θεόν
31: ἵνα	ῥυσθῶ ἀπὸ τῶν ἀπειθούντων ἐν τῇ Ἰουδαίᾳ	καὶ ἡ διακονία μου ἡ εἰς Ἰερουσαλὴμ εὐπρόσδεκτος τοῖς ἁγίοις γένηται
32: ἵνα	ἐν χαρᾷ ἐλθὼν πρὸς ὑμᾶς	διὰ θελήματος θεοῦ συναναπαύσωμαι ὑμῖν

V. 33 (Friedenswunsch ohne Doppelstruktur zum Abschluß):
ὁ δὲ θεὸς τῆς εἰρήνης μετὰ πάντων ὑμῶν ἀμήν

---

[7] Die Überbringung der Kollekte ist jedoch nicht nur innerchristlich im Hinblick auf die Beziehung zwischen den paulinischen Gemeinden und derjenigen in Jerusalem problematisch, sondern auch aus innerjüdischer Perspektive. „Die Andeutung des Paulus muß darüber hinaus in einen speziellen zeitgeschichtlichen Zusammenhang gestellt werden. Nach Josephus hat es in der Zeit vor dem jüdischen Aufstand im Judentum Kontroversen darüber gegeben, ob Israeliten Spenden von Heiden annehmen dürften [...] Mit der Annahme oder Ablehnung der heidenchristlichen Spenden hatte die Gemeinde von Jerusalem also eine Entscheidung in einem aktuellen innerjüdischen Streit zu fällen; sie konnte sich dabei Sympathien im Volk verscherzen oder mußte sogar mit Repressalien von Seiten der Sikarier rechnen." (Haacker, a.a.O., S. 9f.)

[8] So auch A. Reichert: Der Römerbrief als Gratwanderung, S. 143.

[9] Zur schwierigen Frage des ursprünglichen Schlusses des Römerbriefes siehe unten die Erläuterungen zu 16,1ff und 16,24-27.

[10] So auch U. Wilckens: Der Brief an die Römer; EKK VI, 3, S. 130.

[11] Vgl. auch 1,25; 9,5; 11,36.

Empfehlung und Briefabschluss (16,1-23)

An dieser Stelle muss zunächst auf die literarkritische Frage eingegangen werden, ob das Empfehlungsschreiben für Phöbe in 16,1ff mit der Grußliste als ursprünglich zum Römerbrief zugehörig betrachtet werden kann. Im Folgenden wird davon ausgegangen, dass Röm 16, 1-23 bereits ursprünglich zum Röm gehört hat und dass die V. 1-20 kein späteres Schreiben, z.B. nach Ephesus, beinhalten.[1] Darauf weist schon die Konjunktion δέ hin: „δέ in 16,1 setzt einen *vorangegangenen* Text voraus."[2] Eine Teilungshypothese für 16,1-20 oder 16,1-23 ist aus textkritischer Sicht kaum begründbar, denn der Abschnitt ist entweder mit Kap. 15 zusammen ausgelassen oder gemeinsam überliefert.[3] Auch von der formalen und inhaltlichen Struktur her folgt 16,1-23 exakt den auch sonst im Brief nachweisbaren beiden Hypothesen der Orientierung am einzelnen Menschen und der doppelten Perspektive (vgl. dazu oben die Einführung).

Zum einen fällt die sehr am einzelnen Menschen orientierte Denkweise auf, die sich durch die Grüße an einzelne, konkret benannte Personen äußert. Das ist von Vertretern einer Teilungshypothese gerade als Gegenargument für die Homogenität des Briefes angeführt worden.[4] Zwar ist die Beobachtung richtig, dass Paulus sonst nie in dieser Ausführlichkeit einzelne Gemeindeglieder grüßt. Das spricht jedoch gerade nicht für eine Teilung des Briefes, denn innerhalb des Römerbriefes ist das Interesse am einzelnen Menschen gerade der inhaltliche Leitfaden der Argumentation. Auch die Tatsache, dass Paulus sich – ebenfalls entgegen seiner sonstigen Gewohnheit – als alleiniger Verfasser des Römerbriefes nennt, spricht gerade für den unbedingten Zusammenhang von 1,1-7 und 16,1ff. Dementsprechend bringt Paulus auch bei einem großen Teil der genannten Personen die persönliche Beziehung zu ihm selbst zur Sprache: Phöbe habe auch ihm selbst beigestanden (V. 2: προστάτις καὶ ἐμοῦ αὐτοῦ), Priska und Aquila seien seine Mitarbeiter (V. 3: τοὺς συνεργούς μου) und hätten für ihn (V. 4: ὑπὲρ τῆς ψυχῆς μου) ihren Hals hingehalten, wofür er ihnen persönlich sehr dankbar ist (ἐγὼ εὐχαριστῶ). Epänetus bezeichnet er als seinen Geliebten (V. 5: τὸν ἀγαπητόν μου), Andronikus und Junia als mit ihm aus dem jüdischen Volk Stammende und als seine ehemaligen Mitgefangenen (V. 7: τοὺς συγγενεῖς μου καὶ συναιχμαλώτους μου), die bereits vor ihm zum Glauben an Christus gekommen seien (οἱ πρὸ ἐμοῦ γέγοναν ἐν Χριστῷ). Ampliatus sei sein Geliebter im Herrn (V. 8), Urbanus sei „unser" Mitarbeiter (V. 9a), also offenbar dem paulinischen Mitarbeiterkreis zugehörig gewesen, Stachys sein Geliebter (V. 9b), Herodion sein Stammverwandter; die Mutter des Rufus bezeichnet Paulus auch als seine eigene (V. 13: ἡ μητέρα αὐτοῦ καί ἐμοῦ). Dieses Aufzeigen persönlicher Bindungen der genannten Personen zu Paulus hat nicht nur die taktische Funktion, die Bekanntheit und Akzeptanz des Paulus hervorzuheben und zu erhöhen. Die einzelnen Menschen werden gewissermaßen im Röm durch ihre Beziehung zu dem selbstbewusst gebrauchten μου des Paulus definiert. Auch die in V.

---

[1] Gegen W. Schmithals: Der Römerbrief, S. 544ff. Vgl. auch D. Trobisch: Die Entstehung der Paulusbriefsammlung. Studien zu den Anfängen christlicher Publizistik; NTOA 10, S. 130; sowie ders.: Die Paulusbriefe und die Anfänge der christlichen Publizistik; Gütersloh 1994, S. 104.

[2] P. Lampe: Die stadtrömischen Christen in den ersten beiden Jahrhunderten; WUNT 2,18, S. 126, Hervorhebung von Lampe. Ebenso verlangt nach Lampe der Friedengruss in 15,33 nach einem förmlichen Briefschluss mit Schlussgrüßen, die Kap. 16 folgen.

[3] Vgl. B. M. Metzger: A Textual Commentary on the Greek New Testament, S. 470ff. Siehe auch unten die Ausführungen zu Röm 16,24ff.

[4] So z.B. W. Schmithals: Der Römerbrief als historisches Problem; Gütersloh 1975, S. 143-147.

21-23 genannten Personen werden – mit Ausnahme von Erastus und Quartus – von ihrer
Beziehung zu Paulus her bestimmt. Die weite Teile des Römerbriefes durchziehende,
selbstreflexive Bindung der Ausführungen an die Person des Paulus wird also auch in
Bezug auf die persönlichen Kontakte in diesem Kapitel durchgehalten.

Zum anderen findet sich formal gesehen bei jedem der in 16,1-23 genannten
Menschen – analog zur Struktur in Kap. 1-15 – eine doppelte Qualifikation (vgl.
besonders Röm 1,1), die einmal in geläufiger menschlicher Sicht die jeweilige Person
durch ihren Namen bezeichnet und dieser in theologischer oder christologischer
Perspektive eine zweite Bezeichnung gegenüberstellt, die jede Person im Rahmen ihrer
Ex-istenz in Christus und vor Gott und innerhalb der christlichen Gemeinschaft
qualifiziert. Aufgrund dieser formalen und inhaltlichen Übereinstimmungen und der
fehlenden textkritischen Hinweise ist eine literarkritische Trennung des 16. Kapitels
vom Vorhergehenden sehr unwahrscheinlich.

Die Empfehlung der Phöbe (16,1-2)

Die ersten beiden Verse des Kapitels enthalten ein kurzes Empfehlungsschreiben
(eingeleitet mit συνίστημι). In V. 1 wird Phöbe den Adressaten anempfohlen. Sie wird
dabei nicht nur profan mit ihrem Namen, sondern zusätzlich in theologischer Sicht als
Schwester und als Diakonin der Gemeinde in Kenchreä charakterisiert.[5] Es stellt sich
dabei die Frage, ob man hier mit διάκονος bereits von einer Amtsbezeichnung ausgehen
kann. D. Reininger sieht in Phöbe zumindest „einen Widerschein, eine Wurzel oder
einen ersten Ansatzpunkt für die weibliche diakonia innerhalb der noch völlig im Fluß
befindlichen Ämterordnung."[6] Die Verwendung des Maskulinums für eine Frau weist
darauf hin, dass es sich hier bereits wohl um eine Art Titel und eine herausgehobene
Funktion in der Gemeinde handelt (vgl. Phil 1,1). Dafür spricht auch das προστάτις in
V. 2, dass offenbar eine leitende Tätigkeit bezeichnet.[7]

Phöbe ist eine von 10 Frauen (gegenüber 18 Männern), die explizit in der
Grußliste benannt werden. Vergleicht man das Verhältnis der besonders aktiven
Christinnen und Christen zueinander, so stehen sogar sieben Frauen fünf Männern
gegenüber.[8] Darin kommt zum Ausdruck, dass Frauen offenbar in der römischen
Christenheit sowohl in Bezug auf ihre Anzahl als auch auf ihre Stellung eine wichtige
Bedeutung hatten. Vielleicht gilt das sogar für das frühe Christentum im Allgemeinen.[9]
Der paulinische Grundgedanke der Individualität aller Glaubenden hat für die
Geschlechterdifferenz jedenfalls zur Folge, dass, ähnlich wie bei den gesellschaftlichen
Differenzierungen Grieche – Barbare (1,14), Jude – Nichtjude (1,16) oder auch Freier –

---

[5] Das καί ist schwach bezeugt und trägt inhaltlich nicht viel aus. Es kann deshalb wegfallen.

[6] D. Reininger: Diakonat der Frau in der einen Kirche; Ostfildern 1999, S. 74.

[7] Zur Bedeutung von πρόστατις als Leitung vgl. M. Crüsemann: Die Brief nach Thessaloniki und das
gerechte Gericht; Dissertation Kassel 1999, S. 98. Die Diakonentätigkeit war also offenbar kein
niederer Dienst, sondern ein Leitungsamt.

[8] Vgl. P. Lampe: Die stadtrömischen Christen in den ersten beiden Jahrhunderten, S. 136f: Priska,
Maria, Tryphäna, Thryphosa, Persis, des Rufus Mutter und Junia gegenüber Aquila, Andronikus,
Urbanus, Apelles und Rufus.

[9] Das hat z.B. R. Stark: Der Aufstieg des Christentums. Neue Erkenntnisse aus soziologischer Sicht;
Weinheim 1997, zu der These geführt, dass der Erfolg des frühen Christentum auch mit der
Aufwertung der Stellung der Frauen zusammen hängt.

Sklave, die Unterscheidung Mann – Frau oder Frau – Mann zugunsten einer Betrachtung des einzelnen Menschen ihre Relevanz verliert.[10]

Die von Paulus vorgetragene Empfehlung zielt in V. 2a zunächst in menschlicher Sicht darauf hin (angeschlossen mit ἵνα), dass Phöbe von den römischen Christen akzeptiert werden soll (αὐτὴν προσδέξησθε). Die Annahme wird dann aber in V. 2b nicht nur durch die persönliche Empfehlung des Paulus begründet, sondern zusätzlich christologisch dadurch, dass Phöbe „im Herrn"[11] ist und deshalb eine den „Heiligen" entsprechende Behandlung verdient. Mit dem Begriff ἅγιος bezeichnet Paulus im Röm durchgehend die Glaubenden (vgl. 1,7; 8,27; 12,13; 15,25f.31; 16,15)

In V. 2c und d wird diese Bitte um Unterstützung konkretisiert (angeschlossen mit καί). Phöbe soll in den Angelegenheiten, in denen sie die Hilfe der römischen Christen nötig hat, von ihnen unterstützt werden. Paulus bezieht sich dabei mit dem Ausdruck ἐν ᾧ ἂν ὑμῶν χρῄζῃ πράγματι in geläufiger Sicht auf alle möglichen menschlichen Bedürfnisse. Die Begründung dieses Beistandes ist dann in V. 2d eine theologische (eingeleitet durch καὶ γάρ): Phöbe habe – offenbar in ihrer Funktion als Diakonin in der Hafenstadt vor Korinth – auch vielen Christen beigestanden oder sogar vorgestanden (αὐτὴ προστάτις πολλῶν). Abschließend zeigt sich wieder der enge, selbstreflexive Bezug des Röm auf die Person des Paulus, wenn er betont, dass Phöbe auch ihm selbst beigestanden habe. Paulus vermeidet bei der Formulierung der Bitte den Imperativ,[12] weil er erstens den römischen Christinnen und Christen keine Vorschriften machen möchte, weil er zweitens davon ausgehen kann, dass sie sich entsprechend den Darlegungen von Kap. 12-15, z.B. 12,13,[13] angemessen gegenüber Phöbe verhalten und weil er drittens in der Paränese des Röm gerade die persönliche Entscheidungsfreiheit des Einzelnen dem Gehorsam gegenüber bestimmten Verhaltensregeln vorgeordnet hatte. Das Empfehlungsschreiben weist insgesamt darauf hin, dass Phöbe wohl die Überbringerin des wahrscheinlich in Korinth entstandenen Briefes nach Rom und damit möglicherweise bei eventuellen Rückfragen auch dessen erste Interpretin gewesen ist. Sie hatte offenbar eine so wichtige Position inne und genoss solch einen guten Ruf, dass ihr Paulus diesen Brief anvertraute, der für seine weiteren Vorhaben und dann in seiner Rezeption für die gesamte Christenheit so wichtig gewesen ist. Aus dieser Reise- und Vermittlungstätigkeit der Phöbe lässt sich zusammen mit anderen Belegen aus den Paulusbriefen schließen, dass die Aufgabe des διάκονος genau solche Tätigkeiten umfasste.[14] Für die Verse ergibt sich damit folgende Struktur:

| 16,1: δέ | Συνίστημι ὑμῖν Φοίβην | τὴν ἀδελφὴν ἡμῶν οὖσαν διάκονον τῆς ἐκκλησίας τῆς ἐν Κεγχρεαῖς |
| 2: ἵνα | αὐτὴν προσδέξησθε | ἐν κυρίῳ ἀξίως τῶν ἁγίων |

---

[10] Vgl. dazu auch Gal 3,28.

[11] Ἐν κυρίῳ ist zum einen Definition für die zur Gemeinschaft der Heiligen, also der an Christus Glaubenden, zum anderen aber auch Grundlage der Neubegründung der eigenen Ex-istenz (vgl. 8,2)

[12] Παραστῆτε ist Aorist Konjunktiv und setzt die ἵνα-Konstruktion fort.

[13] Die dort beschriebene Annahme der Heiligen und die Gastfreundschaft gegenüber Fremden sind durch die Partizipialkonstruktion einerseits Aufforderungen, andererseits aber auch – obwohl in 12,14 ein Imperativ folgt – Festellungen des in der Gemeinde Selbstverständlichen.

[14] Vgl. dazu D. Starnitzke: Die Bedeutung von diakonos im frühen Christentum; in: V. Hermann, R. Merz, H. Schmidt: Diakonische Konturen; (VDWI 18) Heidelberg 2003, S. 184-212.

Persönliche Grüße des Paulus (16,3-16)

Das ἀσπάσασθε, das in den folgenden Versen ständig wiederholt wird, markiert den
Beginn der langen Grußliste in V. 3-16. Dass Paulus Grüße an einzelne der Adressaten
ausrichtet, ist innerhalb des Corpus Paulinum einzigartig. „Paulus nennt sonst in seinen
Briefen Einzelnamen nur in Grüßen aus seiner Umgebung an die Adressaten, während
sich eine Grußbestellung nur noch einmal findet, und zwar in allgemeiner Formulierung
ohne Nennung von Namen (Phil 4,21a)."[1] Diese in den Paulusbriefen sonst unübliche,
lange Grußliste hat nicht nur die „strategische" Funktion, daran zu erinnern, dass es
bereits zahlreiche Christinnen und Christen gibt, die er persönlich kennt, um seine
Aufnahme und die Aufnahme des Briefes in Rom zu erleichtern.[2] Sie fügt sich vielmehr
in das Gesamtkonzept des Röm, das am einzelnen Menschen interessiert ist. Schon im
Präskript fungierte Paulus in für die authentischen Paulusbriefe einmaliger Weise als
einziger Absender (vgl. 1,1). Er sprach die Adressaten in ebenfalls einmaliger Weise als
einzelne Menschen und nicht als Gemeinde an (vgl. 1,6f und oben die Ausführungen
dazu). Die Liste in 16,3-16 zeigt schließlich, dass Paulus seine im Brief entfaltete
Konzeption eines an der einzelnen Person orientierten Glaubens konsequenterweise mit
einer Vielzahl persönlicher Grüße[3] an jeweils konkrete Einzelpersonen abschließt.

V. 3f lässt Paulus zunächst Priska und Aquila grüßen. Das sind wahrscheinlich
die auch in Act 18,2 genannten (dort: Priskilla), von denen geschrieben wird, dass sie
ursprünglich aus Italien (Rom?) kommen und dieses aufgrund ihrer jüdischen Herkunft
durch das Edikt des Claudius Rom verlassen mussten. Sie seien zunächst in Korinth
gewesen und dann mit Paulus nach Ephesus gegangen (vgl. Act 18,18 und 26 und I Kor
16,19, wo sie sich offenbar bereits in Ephesus aufhalten). Bemerkenswert ist die sonst
unübliche Voranstellung der Frau, die dafür spricht, dass Priska eine herausragendere
Rolle spielt als ihr Mann.[4] Wenn die oben begründete Annahme stimmt, dass Röm 16,1-
20 nicht nach Ephesus, sondern nach Rom gerichtet ist, dann müssen die beiden
inzwischen wieder, nachdem das Edikt nicht mehr wirksam war, nach dort
zurückgekehrt sein. Auch hier beginnt Paulus zunächst in geläufiger Sicht mit der
Nennung der Namen, um die beiden dann aus theologischer Sicht nochmals zu
charakterisieren (vgl. z.B. auch 1,1 und 16,1). Sie werden von Paulus V. 3b als „meine
Mitarbeiter in Christus Jesus" bezeichnet, also nicht durch deren persönliche Tätigkeit,
sondern durch ihre Beziehung zu Paulus und dessen Verkündigungstätigkeit definiert.

In V. 4 werden die beiden, angeschlossen mit οἵτινες, noch näher beschrieben.
Paulus beginnt zunächst erneut in V. 4a in geläufiger menschlicher Sicht mit einer
persönlichen Erfahrung. Der Ausdruck οἵτινες ὑπὲρ τῆς ψυχῆς μου τὸν ἑαυτῶν
τράχηλον ὑπέθηκαν meint offensichtlich ein konkretes Erlebnis, bei dem sich die beiden

---

[1]   U. Wilckens: Der Brief an die Römer; EKK VI, 3, S. 133.

[2]   Dazu U. Wilckens: „Die lange Grußliste als ganze hat aber auch eine sozusagen ‚strategische'
      Bedeutung. Paulus will hier konkret zum Ausdruck und auch zur Wirkung kommen lassen, daß es
      schon einen großen Kreis mit ihm Verbundener in Rom gibt, so daß er nicht ein vereinzelter Fremder
      sein wird, der demnächst das Gastrecht des durchreisenden Missionars in Anspruch nehmen wird, aber
      auch nicht der umstrittene Sonderapostel, ja der unter Umständen gefährliche Apostat, als welcher er
      derzeit zumindest im Osten im Gerede ist und womöglich vor seiner Ankunft in Rom ins Gerede
      gebracht wird, sondern vielmehr einer, der mittelbar schon zur Gemeinde in Rom dazugehört, eben
      weil schon so viele der Seinen dort leben." (Wilckens, a.a.O., S. 138)

[3]   Es handelt sich hier um die umfangreichste Auflistung von Einzelpersonen in den authentischen
      Paulusbriefen.

[4]   Vgl. P. Lampe: Die stadtrömischen Christen in den ersten beiden Jahrhunderten, S. 137.

so für Paulus eingesetzt haben müssen, dass er aus einer lebensbedrohlichen Situation gerettet wurde. Paulus vermeidet den Begriff ζωή, weil dieser für ihn vor allem in Kap. 5-8 des Röm theologisch viel umfassender gefüllt ist und wählt statt dessen in geläufiger Sicht ψυχή im Sinne von Person.[5] Auch diese Erfahrung wird jedoch in V. 4b sogleich in eine theologische Perspektive gestellt. Diesen Einsatz dankt ihnen nicht nur Paulus persönlich, sondern auch – wenn man wie in 1,13 und öfter τὰ ἔθνη ohne die Opposition der Juden als universalen Begriff auffasst[6] – alle (!) christlichen Gemeinden sind ihnen dafür dankbar. Die Perspektive ist also zum einen auf die Person des Paulus konzentriert und zum anderen deutlich universalisiert. Dass angeblich alle Christen insgesamt Priska und Aquila für die Rettung des Paulus dankbar sein sollen, zeigt nochmals deutlich die einerseits auf die eigene Person bezogene und andererseits universal ansetzende Sichtweise des Paulus. Hier kommt ein Selbstbewusstsein zum Ausdruck, das man fast schon übersteigert nennen kann, das aber wiederum nicht durch die Person des Paulus selbst begründet ist, sondern in theologischer Perspektive, diesmal ekklesiologisch. Die Logik ist offenbar: Die Rettung des Paulus hat die Christenheit durch seine sich anschließende, erfolgreiche Verkündigungsarbeit sehr bereichert, wofür sie dankbar sein kann.

In V. 5a erweitert Paulus seinen Gruß über Priska und Aquila hinausgehend auf deren Haus. Der Begriff des οἶκος nimmt die profane Bezeichnung der kleinsten sozialen Einheit auf, die Familie und Hausangestellte umfasst. Dieses Wort wird dann jedoch sogleich in theologischer Perspektive neu qualifiziert. Das „Haus" von Priska und Aquila ist Treffpunkt einer offenbar über die Familie hinaus gehenden Glaubensgemeinschaft. Die beiden haben in Rom eine Hausgemeinde (ἐκκλησία) um sich versammelt, die einer der wichtigsten Ausgangspunkte für das Verlesen und die erste Diskussion des Röm gewesen sein könnte. Diese Gemeinde wird deshalb anschließend eigens gegrüßt. Aus dieser Formulierung kann man schließen, dass die römische christliche Gemeinschaft aus einzelnen kleineren Gruppierungen (vgl. V. 10f) bestand, die jeweils in Privathäusern als Hausgemeinden zusammenkamen.[7] Wie die Verbindung dieser Gemeinden zur Gesamtheit der römischen Christen vorzustellen ist, wird nicht recht deutlich.[8] Offenbar war damit die Christenheit im sechsten Jahrzehnt n. Chr. nicht nur hinsichtlich ihrer Sitten und Verhaltensweisen (vgl. Kap. 14f), sondern auch in Bezug auf ihre Versammlungsorte und Gruppierungen ein plurales Gebilde.

Mit Epänetus wird dann in V. 5b ein weiterer Christ persönlich gegrüßt. Nach der Nennung des geläufigen Namens fügt Paulus auch hier in theologischer Perspektive eine zweite Beschreibung hinzu, indem er ihn als „meinen Geliebten" bezeichnet (vgl. auch V. 8,9 und 12). Das meint jedoch nicht einfach nur ein persönliches Liebesverhältnis, sondern durch die weitere, mit ὅς ἐστιν angefügte Beschreibung wird deutlich, warum er ihn besonders liebt und auch sehr früh in der Grußliste nennt: Er ist offenbar der erste Christ in Asien gewesen (ἀπαρχή, vgl. auch I Kor 16,15). Das bedeutet, dass auch er – wie Priska und Aquila - aus dem Osten nach Rom gekommen ist.

---

[5] Vgl. dazu J.D.G. Dunn: The Theology of Paul the Apostle, S. 76: „Psychē denoting the person."

[6] Vgl. dazu oben die Interpretation von 1,13f. Der universale Ausdruck πᾶσαι αἱ ἐκκλησίαι τῶν ἐθνῶν wird in diesem Zusammenhang kaum nur die Christen nichtjüdischer Herkunft meinen.

[7] Nach P. Lampe lassen sich aus der Grußliste des Röm mindestens sieben solcher christlichen Kristallisationspunkte ermitteln. Vgl. P. Lampe: Urchristliche Missionswege nach Rom. Haushalte paganer Herrschaft als jüdisch-christliche Keimzellen; in: ZNW 92 (2001), S. 123-127, dort S. 126.

[8] Vgl. dazu auch die Ausführungen zu Röm 1,7.

Die als nächstes gegrüßte Maria (V. 6) ist ebenfalls nicht nur durch ihren Namen, sondern auch durch ihre Tätigkeit in der christlichen Gemeinschaft zusätzlich theologisch qualifiziert. Paulus ist offenbar bekannt, dass sie sich viel um die Adressaten bemüht hat. Κοπιάω meint bei Paulus eine geistliche Arbeit innerhalb der christlichen Gemeinschaft und qualifiziert insofern Maria theologisch. Obwohl in Kap. 16 mit κοπιᾶν vier Frauen charakterisiert werden, muss damit keineswegs nur eine helfende Tätigkeit gemeint sein,[9] sondern der Kontext der vorhergehenden Verse und des folgenden Satzes legt eher eine gemeindeleitende Funktion nahe, und das πολλά hebt an dieser Stelle Maria noch besonders heraus.[10]

Paulus lässt dann in V. 7 zunächst in menschlicher Perspektive Andronikus und Junia grüßen, offenbar ein Ehepaar. Längere Zeit war in der Forschung und den Übersetzungen angenommen worden, dass mit dem Akkusativ IOYNIAN und der sich in V. 7b anschließenden Bezeichnung eines hervorragenden Apostels nur ein Mann gemeint sein kann, dass also Ἰουνιᾶν zu lesen ist. Diese Lesart bietet zunächst auch der griechische Text von Nestle-Aland in den ersten Lieferungen der 27. Auflage. Allerdings werden für diese maskuline Akzentsetzung keine nennenswerten Zeugen benannt, weil die Majuskeln hier keine brauchbaren Hinweise bieten können. „Dabei lesen die ältesten Majuskelhandschriften (ℵ, A, B*, C, D) selbstverständlich ohne Akzent, also IOYNIAN, die ältesten und wichtigsten Zeugen für eine Akzentuierung, nämlich die zweite Korrektorgruppe des Codex Vaticanus (B², 6./7. Jhdt.), die zweite Korrektorgruppe des Codex Claromontanus (D², 9. Jhdt.), sowie die ‚Königin der Minuskeln' (33, 9. Jhdt.) allesamt Ἰουνίαν, was auf den weiblichen Eigennamen Ἰουνία zurückzuführen ist."[11] Dem entspricht auch der Textbefund im Koptischen.[12] Die weibliche Form ist in griechischen und lateinischen Inschriften über 250 Mal allein in Rom belegt, die männliche hingegen nirgends.[13] Es kann deshalb als sprachlich sicher gelten, dass das Wort eine Frau meint und Ἰουνίαν akzentuiert werden muss. Diese Lesart übernimmt deshalb der Text von Nestle-Aland auch in den neueren Lieferungen.

Die beiden zunächst in menschlicher Perspektive durch ihren Namen benannten Personen werden dann aus theologischer Sicht in V. 7b weiter charakterisiert. Συγγενεῖς μου meint zweifellos die jüdische Herkunft der beiden. Andronikus und Junia sind dann möglicherweise, wie Aquila und Priska, ein besonders hervorragendes christliches Ehepaar, das sich schon vor Paulus für eine neue Ex-istenz „in Christus" entschieden hat (οἳ καὶ πρὸ ἐμοῦ γέγοναν ἐν Χριστῷ). Συναιχμαλώτους μου bezieht sich wohl auf eine der paulinischen Gefangenschaften,[14] bei denen offenbar die beiden Genannten mit inhaftiert waren. All dies sind theologische Qualifikationen. Die gemeinsame Zugehörigkeit zum Volke Israel ist, wie Kap. 9-11 gezeigt hat, nicht nur eine Abstammungsfrage, sondern vor allem ein theologisch zu beachtendes Faktum. Auch die hier erwähnte Gefangenschaft bezieht sich nicht auf ein Strafdelikt, sondern ist wohl

---

[9] Z.B. gegen J. Gnilka: Paulus von Tarsus, S. 143.

[10] S. Schreiber nimmt an, dass das „Mühen" Marias (V.6), Tryphänas, Tryphosas und der Persis (V.12) eine „charismatische Leitungsfunktion von Frauen meint." S. Schreiber: Arbeit mit der Gemeinde. Zur versunkenen Möglichkeit der Gemeindeleitung durch Frauen; in: NTS 46 (2000), S. 204-226, dort bes. S. 204f.

[11] U.-K. Plisch: Die Apostelin Junia: Das exegetische Problem in Röm 16.7 im Licht von Nestle-Aland²⁷ und der sahidischen Überlieferung; in: NTS 42 (1996), S. 477-478, dort S. 477.

[12] Vgl. Plisch, a.a.O., S. 478.

[13] Vgl. B. M. Metzger: A Textual Commentary on the Greek New Testament, S. 475.

[14] Vgl. z.B. Phil 1,7ff; Phlm 9f, 13, 22f; evtl. auch I Kor 15,32 und II Kor 11,8ff.

durch die christliche Ex-istenz des Paulus verursacht worden und stellt insofern eine theologische Qualifikation dar.[15]

Nach wie vor nicht unumstritten ist die Bezeichnung von Andronikus und Junia mit οἵτινές εἰσιν ἐπίσημοι ἐν τοῖς ἀποστόλοις. In der neueren Forschung wird zumeist angenommen, dass Paulus hier eine Frau als Apostel bezeichnet. M. H. Burer und D. B. Wallace haben jedoch durch eine nähere sprachliche Analyse des ἐπίσημος in Verbindung mit ἐν und personalem Dativ zu zeigen versucht, dass diese Kombination fast immer exklusiv gebraucht wird, dass also Andronikus und Junia nicht *unter*, sondern *bei* den Aposteln bekannt seien: „well known *to* the apostles".[16] Die Kombination mit den anderen Charakterisierungen in V. 7, dass beide zu einem sehr frühen Zeitpunkt Christen geworden und sogar mit Paulus gefangen gewesen seien, spricht allerdings eher dafür, dass sie hier von Paulus als hervorragende Glaubende benannt werden, für die der Aposteltitel durchaus angemessen ist – nicht zuletzt auch deshalb, weil er bei Paulus variabel ist (vgl. z.B. I Kor 9,1f). Das abschließende ἐν Χριστῷ bezeichnet schließlich erneut den Wechsel der Ex-istenz in Christus hinein, den Paulus ausführlich im Briefkorpus dargelegt hatte.

Auch für die folgenden Personen (V. 8-10a) gilt, dass sie persönlich mit Namen genannt und gegrüßt und dann durch eine theologische Bezeichnung näher qualifiziert werden. Die liebevollen Beziehungen des Paulus zu Ampliatus (V. 8) und Stachys (V. 9b) sind wie bei Epänetus christologisch gedeutet: sie sind Geliebte „im Herrn" (bei Stachys ausgelassen, aber durch den Kontext klar). Urbanus (V. 9a) ist entsprechend „unser[17] Mitarbeiter in Christus", die Bewährtheit des Apelles (V. 10) bezieht sich ebenfalls auf seine Ex-istenz "in Christus".

Beim Gruß derer aus dem Haus des Aristobul (V. 10b) findet sich keine nähere theologische Bestimmung. Spätestens aus V. 16a wird jedoch klar, dass es sich um geistlich motivierte Grüße handelt, und dass auch damit Mitglieder der christlichen Gemeinschaft gemeint sind, so dass in V. 10b parallel zu V. 11b (die aus dem Haus des Narcissus) zu ergänzen wäre: τοὺς ὄντας ἐν κυρίῳ. Mit P. Lampe kann dabei angenommen werden, „daß (a) die beiden Patrone keine Christen waren, sonst wären sie mitgegrüßt worden, und daß (b) nicht *alle* Freigelassenen und/oder Sklaven der beiden Haushalte zum stadtrömischen Christentum gehörten, sonst hätte Paulus viel einfacher formulieren können und schlicht ,die Leute des Aristobul' und ,die des Narcissus' grüßen lassen."[18] Man kann hier davon ausgehen, dass sich jeweils eine Hausgemeinde (ἐκκλησία, vgl. V. 5) im Haus des Aristobul und des Narzissus getroffen hat und dies von den Hausherren geduldet wurde.[19]

Herodion (V. 11a) ist, wie bereits Andronikus und Junia durch seine jüdische Herkunft theologisch näher qualifiziert (συγγενής).

Tryphäna und Tryphosa werden in V. 12 als „im Herrn" sich Mühende bezeichnet, also als solche, die in der christlichen Gemeinschaft tätig sind. Κοπιάω (vgl. V. 6) wird, wie bereits erwähnt, bei Paulus stets übertragen als Arbeit im geistlichen

---

[15] Vgl. dazu auch die Charakterisierung seiner Gefangenschaft (in Ephesus?) im Philipperbrief, z.B. Phil 1,13.

[16] M. H. Burer, D. B. Wallace: Was Junia really an Apostle? A Re-examination of Rom 16.7; in: NTS 47 (2001), S. 76-91, dort S. 90, Hervorhebung durch die Verfasser.

[17] Aufgrund der Parallelität zur Formulierung in V. 3 (τοὺς συνεργούς μου ἐν Χριστῷ) ist zu überlegen, ob Paulus mit ἡμῶν hier nicht im schriftstellerischen Plural sich selbst meint.

[18] P. Lampe: Urchristliche Missionswege nach Rom, S. 126.

[19] So auch Lampe, a.a.O., S. 127.

Sinne gebraucht. In dieser Weise wird auch Persis charakterisiert (ἥτις πολλὰ ἐκοπίασεν ἐν κυρίῳ) und dabei zugleich „Geliebte" genannt, was ebenfalls, wie schon in V. 5, geistlich gemeint ist. Das κοπιᾶν meint hier, wie auch das πολλά verdeutlicht, wie in V. 6 weniger eine helfende als eine führende Tätigkeit.

Bezüglich des Namens Rufus in V. 13a ist überlegt worden, ob hier der Mk 15,21 genannte Sohn des Simon von Kyrene gemeint sein könnte.[20] Das ἐκλεκτός bezieht sich wohl kaum auf die spezielle Erwählung dieses Menschen, sondern allgemeiner in theologischer Perspektive auf die Erwählung aller Glaubenden, die ἐν κυρίῳ ihre Ex-istenz neu begründet glauben dürfen (vgl. 8,33).[21]

Auch die Mutter des Rufus wird in V. 13b in doppelter Perspektive betrachtet: sie ist zum einen in geläufiger Sicht die leibliche Mutter desselben – ohne dabei mit Namen benannt zu werden – und zum anderen in theologischer Perspektive Mutter des Paulus (καὶ ἐμοῦ). Diese Bezeichnung spricht dafür, dass Paulus die Frau persönlich sehr gut kannte[22] und dass er zu ihr ein besonderes Verhältnis hatte.

Die Namen Asynkritus, Phlegon, Hermes, Patrobas und Hermas werden in V. 14 zwar nicht wie die vorherigen Personen theologisch weiter erläutert, aber die Hinzufügung καὶ τοὺς σὺν αὐτοῖς ἀδελφούς[23] zeigt, dass auch diese zusätzlich zu ihren geläufigen Namen in V. 14b in theologischer Sicht in den Blick kommen und als Geschwister gegrüßt werden. Dasselbe gilt auch in V. 15 für Philologus, Julia, Nereus, dessen – wohl leibliche – Schwester und Olympas. Durch die Hinzufügung „und alle Heiligen mit ihnen" werden auch sie selbst V. 15b zusätzlich in theologischer Perspektive als Mitglieder der christlichen Gemeinschaft qualifiziert.

Die V. 14 und 15 sind durch die beiden Formulierungen καὶ τοὺς σὺν αὐτοῖς ἀδελφοὺς und καὶ τοὺς σὺν αὐτοῖς πάντας ἁγίους zusammen mit V. 5 (καὶ τὴν κατ' οἶκον αὐτῶν ἐκκλησίαν) für die Beurteilung der Organisationsstruktur der christlichen Gemeinschaft(en) in Rom wichtig. Es werden also allein in den genannten Versen drei Hausgemeinden konkret erwähnt, hinzu kommen die beiden Gemeinschaften in den Häusern des Aristobul und des Narzissus (V. 10f) sowie die anderen 14 in der Grußliste genannten Personen, die jeweils noch weiteren Hausgemeinden angehört haben dürften.[24] Man wird deshalb davon ausgehen können, dass die christliche Gemeinschaft dort aus zahlreichen kleineren Versammlungen bestand. „Da ihnen öffentliche Gebäude oder große gemeindeeigene Räume noch nicht zur Verfügung standen, trafen sich die Christen in den Häusern, die wohlhabendere Gemeindeglieder zur Verfügung stellen konnten, und sie haben dort Gottesdienste gefeiert, gemeinsame Mahlzeiten gehalten und christlich gelebt. Nach archäologischen Ausgrabungen in Rom und anderwärts lag die Größe einer Hausgemeinde bei (höchstens) 70 oder 80 Menschen, die in einem Haus Platz finden konnten."[25] Die einzelnen Hausgemeinden waren offenbar so klein, dass jeder jeden kennen und mit ihm kommunizieren konnte. Bei den Versammlungen handelte es sich also um eine kommunikative Situation, die persönliche Interaktionen ermöglichte. Man wird davon ausgehen können, dass es zur Zeit des Paulus keine gesamtrömische Gemeinde gegeben hat, die sich als Ganze getroffen hat und die zentral geleitet wurde.

---

[20] So z.B. U. Wilckens: Der Brief an die Römer; EKK VI, 3, S. 137.

[21] Gegen K. Haacker: Der Brief des Paulus an die Römer; ThHK 6, S. 322.

[22] So auch P. Lampe: Die stadtrömischen Christen in den ersten beiden Jahrhunderten, S. 138.

[23] Ἀδελφοί kann bei Paulus Männer und Frauen umfassen, die zur Gemeinde gehören.

[24] Vgl. auch P. Lampe: Urchristliche Missionswege nach Rom, S. 126f.

[25] K. Haacker: Der Brief des Paulus an die Römer; ThHK 6, S. 218f.

Nach den vorherigen persönlichen Grüßen an einzeln genannte Menschen endet Paulus in V. 16a mit einem allgemeinen Gruß. Die Adressaten sollen sich alle untereinander grüßen. Die Hinzufügung ἐν φιλήματι ἁγίῳ zeigt jedoch, dass die erste Formulierung nicht einfach nur Grüße im geläufigen Sinne meint, sondern dass es sich hier um ein „heiliges", also theologisch qualifiziertes Geschehen handelt, das im geschwisterlichen Kuss seinen Ausdruck finden soll. Nachdem in V. 3-15 die gegrüßten Personen durch Zusätze zum Namen theologisch bzw. christologisch qualifiziert wurden, wird nun der Gruß der Adressaten untereinander in eine theologische Perspektive gestellt.

V. 16b enthält eine Universalisierung der Perspektive und des Kommunikationsgeschehens. Paulus zeigt zum Schluss, dass die vorhergehenden Sätze nicht nur seine persönlichen Grüße an einzelne Personen (V. 3-15) und die Adressaten insgesamt (ἀσπάζονται ὑμᾶς) vermitteln wollen, sondern dass diese Grüße über Paulus hinausgehend von der gesamten Christenheit stammen (αἱ ἐκκλησίαι πᾶσαι τοῦ Χριστοῦ). „Epistolographisch ist diese *captatio benevolentiae* zugleich auch als eines der letzten Textsignale für eine briefformulare Inklusion zu betrachten."[26] Diese Formulierung hat aber nicht nur rhetorische oder formale Funktion. Wie schon vorher an verschiedenen Stellen der Sachargumentation beobachtet,[27] ist die Kommunikation des Paulus mit den römischen Christinnen und Christen für ihn zugleich inhaltlich in eine universale Kommunikation des Evangeliums eingebunden, die sich im Prinzip an alle Menschen richtet und die gesamte Christenheit umfasst (vgl. z.B. oben die Erläuterungen zu 1,14f). Das gilt nun auch für die Schlussgrüße. Zugleich ist damit erneut ein ungeheures Selbstbewusstsein des Paulus zum Ausdruck gebracht, der offenbar meint, die Grüße der gesamten Christenheit an die römischen Christen überbringen zu können.

Die Grußliste V. 3-16 lässt sich damit wie folgt strukturieren:

3:	Ἀσπάσασθε Πρίσκαν καὶ Ἀκύλαν	τοὺς συνεργούς μου ἐν Χριστῷ Ἰησοῦ
4: οἵτινες	ὑπὲρ τῆς ψυχῆς μου τὸν ἑαυτῶν τράχηλον ὑπέθηκαν οἷς οὐκ ἐγὼ μόνος εὐχαριστῶ	ἀλλὰ καὶ πᾶσαι αἱ ἐκκλησίαι τῶν ἐθνῶν
5: καὶ	τὴν κατ᾽ οἶκον αὐτῶν	ἐκκλησίαν
	ἀσπάσασθε Ἐπαίνετον	τὸν ἀγαπητόν μου ὅς ἐστιν ἀπαρχὴ τῆς Ἀσίας εἰς Χριστόν
6:	ἀσπάσασθε Μαρίαν	ἥτις πολλὰ ἐκοπίασεν εἰς ὑμᾶς
7:	ἀσπάσασθε Ἀνδρόνικον καὶ Ἰουνίαν	τοὺς συγγενεῖς μου καὶ συναιχμαλώτους μου οἵτινές εἰσιν ἐπίσημοι ἐν τοῖς ἀποστόλοις οἳ καὶ πρὸ ἐμοῦ γέγοναν ἐν Χριστῷ
8:	ἀσπάσασθε Ἀμπλιᾶτον	τὸν ἀγαπητόν μου ἐν κυρίῳ
9:	ἀσπάσασθε Οὐρβανὸν	τὸν συνεργὸν ἡμῶν ἐν Χριστῷ
καὶ	Στάχυν	τὸν ἀγαπητόν μου

---

[26] M. Müller: Vom Schluß zum Ganzen, S. 217.
[27] Vgl. z.B. 1,14; 1,16; 3,4+20; 11,25-32 und öfter.

10:	ἀσπάσασθε Ἀπελλῆν	τὸν δόκιμον ἐν Χριστῷ
	ἀσπάσασθε τοὺς ἐκ τῶν Ἀριστοβούλου	(ergänze analog zu V. 11b: τοὺς ὄντας ἐν κυρίῳ)
11:	ἀσπάσασθε Ἡρῳδίωνα	τὸν συγγενῆ μου
	ἀσπάσασθε τοὺς ἐκ τῶν Ναρκίσσου	τοὺς ὄντας ἐν κυρίῳ
12:	ἀσπάσασθε Τρύφαιναν καὶ Τρυφῶσαν	τὰς κοπιώσας ἐν κυρίῳ
	ἀσπάσασθε Περσίδα	τὴν ἀγαπητήν ἥτις πολλὰ ἐκοπίασεν ἐν κυρίῳ
13:	ἀσπάσασθε Ῥοῦφον	τὸν ἐκλεκτὸν ἐν κυρίῳ
καὶ	τὴν μητέρα αὐτοῦ	καὶ ἐμοῦ
14:	ἀσπάσασθε Ἀσύγκριτον Φλέγοντα Ἑρμῆν Πατροβᾶν Ἑρμᾶν	καὶ τοὺς σὺν αὐτοῖς ἀδελφούς
15:	ἀσπάσασθε Φιλόλογον καὶ Ἰουλίαν Νηρέα καὶ τὴν ἀδελφὴν αὐτοῦ καὶ Ὀλυμπᾶν	καὶ τοὺς σὺν αὐτοῖς πάντας ἁγίους
16:	Ἀσπάσασθε ἀλλήλους	ἐν φιλήματι ἁγίῳ
	Ἀσπάζονται ὑμᾶς	αἱ ἐκκλησίαι πᾶσαι τοῦ Χριστοῦ

Der Briefschluss zeigt einiges über die wahrscheinlichen Kommunikationsbedingungen, unter denen der Brief rezipiert worden ist:

1. Phöbe, „Diakon" in Kenchreä, ist Überbringerin des Briefes an die römischen Christen gewesen und damit für Rückfragen der Adressaten zugleich erste Ansprechpartnerin.

2. In der römischen Gemeinschaft gab es einige, die Paulus bereits persönlich kannten und teilweise bereits längere und intensive Begegnungen mit ihm hatten. Sie werden ihn wahrscheinlich im Osten kennen gelernt haben und sind dann später nach Rom übergesiedelt.[28] Möglicherweise haben einige von ihnen, wie etwa Priska und Aquila, durch das Claudiusedikt Rom in Richtung Osten verlassen, dann dort Paulus kennen gelernt und sind schließlich nach der Aufhebung des Ediktes wieder nach Rom zurückgekehrt.

3. Aus den Namen in der Grußliste kann man schließen, dass außer den Genannten alle anderen Christinnen und Christen offenbar Paulus nicht persönlich bekannt waren. Im wesentlichen konnten deshalb auch wohl nur die gegrüßten Personen, die Paulus kannte und die deshalb wohl auch ihn gekannt haben werden, über den Brief hinausgehend aus eigener Erfahrung über Paulus und seine Botschaft Auskunft geben.

4. In der Grußliste erscheinen sowohl Christen jüdischer (vgl. z.B. das συγγενής in V. 7 und 11) als auch nichtjüdischer Herkunft, so dass man davon ausgehen kann, dass die im Röm verhandelte Differenz Ἰουδαῖος – Ἕλλην nicht nur das Selbstverständnis des Paulus betrifft (vgl. Röm 9,1ff), sondern auch innerhalb der Gemeinschaft der römischen Christen aufgenommen und diskutiert werden konnte.

---

[28] Vgl. P. Lampe: Die stadtrömischen Christen in den ersten beiden Jahrhunderten, S. 138: „Der Text charakterisiert zwölf Personen als aus dem Osten kommend." (Priska, Aquila, Epänetus, Andronikus, Junia, Urbanus, Rufus und sein Mutter, Ampliatus, Stachys, Persis und Apelles)

Allerdings waren dabei die aus dem Judentum Stammenden – möglicherweise auch aufgrund der Folgen des Claudiusediktes – wohl in der Minderzahl.

5. Die christlichen Versammlungen wurden offenbar nicht (oder nur selten) an zentralen Versammlungsorten, sondern dezentral in Hausgemeinden abgehalten. Wahrscheinlich ist im Rahmen solcher plural organisierten Gemeindeversammlungen der Brief zunächst mehrfach – jeweils in den einzelnen Hausgemeinden – verlesen und diskutiert worden. Jede Gemeinde wird dabei ihr eigenes soziales und auch theologisches Gepräge gehabt haben. Über die Existenz einer römischen Gesamtgemeinde wird nichts gesagt.

6. Falls die Adressaten die paulinische Aufforderung zur Fürbitte von Röm 15,30ff ernst genommen haben, war eine zusätzliche Ebene der Kommunikation über Paulus und sein Evangelium die Fürbitte für ihn in den römischen Hausgemeinden.

7. Ein weiterer konkreter Anlass der Kommunikation über den Brief wird neben der Verlesung und der Fürbitte die Vermittlung der Grüße an die in Kap. 16 genannten Personen gewesen sein. Auch die Grüße untereinander (V. 16a) könnten das Gespräch über den Röm in Gang gesetzt oder gehalten haben.

Zweite Schlussparänese (16,17-20)

Durch das erneut in der 1. Person Singular formulierte παρακαλῶ eröffnet Paulus den vorletzten Abschnitt des Röm. Diese letzten Ermahnungen wirken im Anschluss an die Thematik der vorhergehenden Kapitel und unter Berücksichtigung der Tatsache, dass Paulus die römische christliche Gemeinschaft nicht näher kannte, etwas isoliert und stilisiert. Innerhalb des Abschnittes finden sich außerdem gegenüber anderen Paulustexten stilistische Eigenarten und Hapaxlegomena. Auch überrascht der in diesen Versen stark vom vorhergehenden Lob zum jetzigen Tadel veränderte Tonfall. Es ist deshalb überlegt worden, ob die Verse insgesamt[1] oder in Teilen[2] als nicht ursprünglich zum Röm gehörig angesehen werden müssen. Für eine ursprüngliche Zugehörigkeit zum Brief spricht jedoch, dass sich solche plötzlichen Verschärfungen des Tones auch in anderen Paulusbriefen finden, z.B. in Gal 6,11ff; Phil 3,18f; I Kor 16,22 und dass vor allem eine förmliche Schlussmahnung auch in I Kor 16,15; II Kor 13,11; Phil 4,8; I Thess 5,14 und vielleicht Gal 6,17 vorhanden ist.[3] Man wird insofern sagen können, dass die Schlussparänese in den authentischen Paulusbriefen ein festes Element des Eschatokolls bildet und deshalb auch hier zum Röm dazugehört.[4] Diese Verse fügen sich – bei aller stilistischen Eigenart im Detail – in die im ganzen Brief vorhandene Doppelstruktur ein. Thematisch ergeben sich ebenfalls wichtige Verknüpfungen zum Vorhergehenden. Unter Voraussetzung der literarischen Einheitlichkeit des Röm sind mit den in V. 17f Disqualifizierten also nicht bestimmte Gegner in Ephesus gemeint, die Paulus bereits in seinen Briefen nach Galatien, Korinth, Thessalonich und Philippi bekämpft hatte, seien es „beschneidungsfreudige Judaisten" oder „libertinistische Enthusiasten"[5], sondern Leute, mit denen es die römischen Christen zu tun haben.

V. 17 eröffnet die Schlussmahnungen mit dem feststehenden Ausdruck παρακαλῶ (vgl. bereits 12,1 und 15,30) – angeschlossen mit δέ. Dieser ist jedoch nicht primär als moralischer Appell gemeint, sondern eher im Sinne einer Ermunterung (vgl. auch die Ausführungen zu 12,1). Es geht darum, abschließend zu einem Verhalten zu ermutigen, dass der Neubegründung der Ex-istenz „in Christus" entspricht. Paulus setzt in V. 17a erneut zunächst auf zwischenmenschlicher Ebene an und bezieht sich auf diejenigen, die in der christlichen Gemeinschaft Spaltungen und Streit hervorrufen. Auf sie soll man acht geben (σκοπεῖν τοὺς τὰς διχοστασίας καὶ τὰ σκάνδαλα [...] ποιοῦντας). Das Stichwort σκάνδαλον, das bereits in 14,13 vorkommt, zeigt, dass sich Paulus hier auf die Paränese zurückbezieht. Dies ist zugleich ein Indiz dafür, dass die Verse ursprünglich zum Brief dazugehören und die Argumentation sinnvoll fortsetzen.[6] In V. 17b verdeutlicht Paulus dann, dass er nicht nur persönliche Konflikte meint, sondern dass die genannten Personen in theologischer Sicht der Lehre widersprechen,

---

[1] V. Mora: Romains 16,17-20 et la lettre aux Éphésiens; in: RB 2000, S. 541-547, hält den Text insgesamt für unpaulinisch.

[2] M.-E. Boismard: Rm 16,17-20: vocabulaire et style; in: RB 2000, S. 548-557 meint, dass zumindest V. 17-18a und 20 (zusammen mit V. 3-15) ursprünglich in einem authentischen Brief des Paulus an die Epheser standen.

[3] Vgl. U. Wilckens: Der Brief an die Römer; EKK VI, 3, S. 139 und K. Haacker: Der Brief des Paulus an die Römer; ThHK 6, S. 324.

[4] So auch W. Schmithals: Der Römerbrief, S. 559. Allerdings meint Schmithals, dass sich diese Schlussparänese nicht an die Römer, sondern an die Epheser richte.

[5] So Schmithals, a.a.O., S. 560.

[6] Vgl. K. Haacker: Der Brief des Paulus an die Römer; ThHK 6, S. 324.

die die Adressaten bereits für sich angenommen haben (παρὰ τὴν διδαχὴν ἣν ὑμεῖς ἐμάθετε, vgl. auch διδαχή in 6,17).[7]

V. 17c setzt auf der Ebene des zwischenmenschlichen Verhaltens an, verbunden mit καί. Die Adressaten sollen solchen Leuten aus dem Weg gehen (ἐκκλίνετε ἀπ᾽ αὐτῶν). Paulus betont aber auch hier, dass es sich nicht nur um zwischenmenschliche Probleme handelt. Das empfohlene Verhalten gegenüber den genannten problematischen Personen wird in V. 18a christologisch begründet (angeschlossen mit γάρ): sie dienen sich selbst und nicht Christus. Der Verweis auf den eigenen Bauch (κοιλία) meint metaphorisch und zugleich exemplarisch eine rein selbstfixierte Existenzweise, die im Röm durchgehend abgelehnt worden und der die Ex-istenz „in Christus" als alternative Lebensweise entgegengestellt worden war. Darüber hinaus mag das „dem eigenen Bauch Dienen" auch auf die konkrete Frage der rechten Speisen in Kap 14,1ff bezogen sein.[8] Das ἑαυτῶν verstärkt noch die hier abgelehnte, rein inkurvative Existenz. Die Formulierung ist für Paulus im polemischen Kontext offenbar stereotyp (vgl. Phil 3,19).[9] Diese Existenzhaltung setzt Paulus mit der Formulierung τοιοῦτοι τῷ κυρίῳ ἡμῶν Χριστῷ οὐ δουλεύουσιν zur Ex-istenzweise „in Christus" konträr (vgl. auch 1,1). Das δουλεύειν zeigt, dass hier wiederum eine enge Verbindung zum Briefkorpus vorhanden ist.[10] Besonders Kap. 6,15ff hatte Paulus erläutert, dass der Dienst der reinen Selbstfixiertheit, die als Dienst an der Sünde aufzufassen ist (6,17, vgl. auch 7,14ff), dem Dienst an der Gerechtigkeit grundsätzlich widerspricht. Dabei zeigte er zugleich, dass es sich nicht um einen Herrschaftswechsel von der Sünde zur Gerechtigkeit handelt, sondern dass dieser neue Dienst letztlich in die Freiheit führt (vgl. 8,2).

In V. 18b setzt Paulus wieder auf zwischenmenschlicher Ebene mit einer Beschreibung des Verhaltens der genannten Personen an (wie schon V. 17c angeschlossen mit καί). Sie betrügen (ἐξαπατῶσιν) arglose Menschen, indem sie diese im Innersten durch Schönredereien (διὰ τῆς χρηστολογίας καὶ εὐλογίας) beeindrucken.[11] Das ἐξαπατάω konkretisiert den Betrug, der im Zentrum des Briefes in 7,11 programmatisch durch das Ich reflektiert worden war. Demgegenüber stellt Paulus in V. 19a aus theologischer Perspektive fest, dass sich die Adressaten offenbar von solchen Menschen bis jetzt nicht haben beeindrucken lassen und „gehorsam" geblieben sind (wie bereits V. 18 angeschlossen mit γάρ). Das ὑπακοή war bereits in der Gegenüberstellung von Adam und Christus als die angemessene Haltung vorgestellt worden (vgl. 5, 19, siehe auch 6,16f; 10,16), durch die man nicht den eigenen Vorteil sucht und dabei sterben muss, sondern auf Gott hört und dadurch leben kann. Für diese gehorsame Haltung seien die Adressaten allseits bekannt. Das ἀφίκετο ist Hapaxlegomenon im NT. Das spricht jedoch nicht gegen eine paulinische Verfasser-schaft,[12] weil Paulus hier wiederum – wie schon häufig im Röm – mit εἰς πάντας die universale Perspektive aufzeigt, in der das von ihm Gesagte steht.

V. 19b bringt – wieder in geläufiger Sicht auf persönlicher Ebene ansetzend – die Freude des Paulus über die Adressaten zum Ausdruck, angeschlossen mit οὖν. Dem

---

[7] Das ποιοῦντας ist hier nachgestellt, gehört aber noch zur geläufigen menschlichen Sicht in V. 17a.
[8] Vgl. K. Haacker: Der Brief des Paulus an die Römer; ThHK 6, S. 325.
[9] Vgl. M. Müller: Vom Schluß zum Ganzen, S. 218.
[10] So auch Müller, ebd.
[11] Diese Formulierung ist ein Hendiadyoin, vgl. W. Haubeck, H. von Siebenthal: Neuer sprachlicher Schlüssel zum griechischen Neuen Testament, Bd. 2, S. 53.
[12] Gegen V. Mora: Romains 16,17-20 et la lettre aux Ephésiens, S. 545.

lässt er ebenfalls in menschlicher Sicht den Wunsch folgen, dass die Adressaten in Bezug auf das Gute kundig und vom Bösen unverdorben sein sollen. Die Unterscheidung τὸ ἀγαθόν - τὸ κακόν schließt dabei ebenfalls an die Argumentation des Briefkorpus an. Gut und böse waren darin neben der Liebe und dem Befolgen des Gesetzes für Paulus die wichtigsten Orientierungspunkte ethischen Handelns (vgl. z.B. 2,7-11; 12,9 und 13,9f). Paulus stellt jedoch den persönlichen Wunsch, dass die Adressaten nach dem Guten streben sollen, abschließend in V. 20a erneut in eine theologische Perspektive, in der Gott selbst das Böse bekämpfen wird (verbunden mit δέ). Paulus sieht dabei offenbar durch die genannten Menschen, die Spaltungen und Skandale bewirken wollen, in theologischer Perspektive eine transzendente Macht, den Satan am Werk (vgl. II Kor 11,14f).[13] Die Durchsetzungsfähigkeit der Adressaten gegenüber den genannten Betrügern ist also theologisch gesehen darin begründet, dass Gott über den Satan siegen wird und ihn – und damit auch die Betrüger – unter die Füße der Adressaten zertreten wird. Das ἐν τάχει setzt wie in 8,18ff und 13,11ff die in der Gegenwart bereits erfahrene Freiheit voraus, die die Hoffnung auf die endgültige Befreiung begründet (vgl. zum paulinischen Zeitverständnis die Ausführungen zu 3,21).[14]

Der Schlusssegen V. 20b bildet – dem paulinischen Briefformular entsprechend (vgl. I Kor 16,3; II Kor 13,13; Gal 6,18; 4,23; I Thess 5,28; Phlm 25) – eigentlich den förmlichen Abschluss eines Paulusbriefes (zum Problem des Briefschlusses siehe unten die Ausführungen zu 16,24 und 25-27). Es ist demgegenüber ungewöhnlich, dass im Röm noch die Grüße der Mitarbeiter in V. 21-23 angefügt sind. Der Schlusssegen ist bei Paulus immer christologisch formuliert.[15] Christologische Formeln hatten auch sonst im Röm des öfteren abschließende Funktion (vgl. z.B. 4,24f; 5,21; 6,23; 7,24a; 8,38f). Der Vers hat als Schlussformel keine durch die geläufige menschliche und theologisch geprägte Doppelperspektive bedingte Doppelstruktur.[16]

---

[13] So auch U. Wilckens: Der Brief an die Römer; EKK VI, 3, S. 143, gegen C.E.B. Cranfield: The Epistle to the Romans; ICC, vol. 2, S. 803, für den V. 20 nicht mehr zum Zusammenhang der V. 17-19 gehört, sondern eine eigenständige Verheißung am Briefschluss darstellt.

[14] Der Ausdruck „Naherwartung" (vgl. z.B. K. Haacker: Der Brief des Paulus an die Römer; ThHK 6, S. 328) ist hier insofern etwas irreführend, weil er von einem linearen Zeitverständnis von der Vergangenheit über die Gegenwart zur Zukunft ausgeht, während das paulinische Zeitverständnis radikal von der individuellen Gegenwart (νῦν) des Glaubenden her konstruiert ist.

[15] Vgl. aber II Kor, wo vielleicht aufgrund der vorhergehenden Konfliktsituation noch die Liebe Gottes und die Gemeinschaft des Heiligen Geistes hinzugefügt ist.

[16] Der von Nestle-Aland in der 27. Aufl. abgedruckte Text ohne Χριστοῦ ist die kürzere und deshalb wahrscheinlichere Variante.

Der Abschnitt in V. 17-20 lässt sich damit wie folgt strukturieren:

17a+b: δέ	Παρακαλῶ ὑμᾶς ἀδελφοί σκοπεῖν τοὺς τὰς διχοστασίας καὶ τὰ σκάνδαλα ... ποιοῦντας	παρὰ τὴν διδαχὴν ἣν ὑμεῖς ἐμάθετε
17c+18: καὶ	ἐκκλίνετε ἀπ' αὐτῶν	οἱ γὰρ τοιοῦτοι τῷ κυρίῳ ἡμῶν Χριστῷ οὐ δουλεύουσιν ἀλλὰ τῇ ἑαυτῶν κοιλίᾳ
18b+ 19a: καὶ	διὰ τῆς χρηστολογίας καὶ εὐλογίας ἐξαπατῶσιν τὰς καρδίας τῶν ἀκάκων	ἡ γὰρ ὑμῶν ὑπακοὴ εἰς πάντας ἀφίκετο
19b+20: οὖν	ἐφ' ὑμῖν χαίρω θέλω δὲ ὑμᾶς σοφοὺς εἶναι εἰς τὸ ἀγαθόν ἀκεραίους δὲ εἰς τὸ κακόν	ὁ δὲ θεὸς τῆς εἰρήνης συντρίψει τὸν σατανᾶν ὑπὸ τοὺς πόδας ὑμῶν ἐν τάχει

V. 20b: ἡ χάρις τοῦ κυρίου ἡμῶν Ἰησοῦ μεθ' ὑμῶν
(Schlusssegen als förmlicher Abschluss des Briefes ohne Doppelstruktur)

Schlussgrüße der Mitarbeiter des Paulus (16,21-23)

Die abschließenden Grüße entsprechen – im Gegensatz zu der vorhergehenden Grußliste – eigentlich nicht dem bekannten paulinischen Briefformular, das normalerweise mit dem Schlusssegen endet, und sind insofern singulär.[17] War schon im Präskript des Röm auffällig, dass Paulus als alleiniger Absender fungiert und nicht eine Gemeinde, sondern die Menschen selbst direkt als Adressaten anspricht, so setzt sich nun dieses Interesse am einzelnen Menschen, konsequent bis zum Schluss dadurch fort, dass einzelne Personen aus dem Umfeld des Paulus Grüße ausrichten lassen und damit selbst als Einzelpersonen in Erscheinung treten. Formal orientieren sich die Verse wiederum an der sprachlichen Doppelstruktur, die durch die Gegenüberstellung einer geläufigen menschlichen Sicht und einer christologisch bzw. theologisch geprägten Perspektive generiert wird.

Wenn man davon ausgeht, dass Röm 16,21-23 die Grüße von Paulus nahestehenden Personen an die römischen Christen enthält, dann lässt sich aus dieser Stelle die kommunikative Situation ermitteln, in der der Brief geschrieben wurde. Paulus hat den Brief offenbar dem Schreiber Tertius diktiert, der sich in V. 22 selbst als Person zu erkennen gibt. Neben das Ich des Paulus tritt damit ein zweites Ich, das mindestens beim Schreiben des Textes beteiligt ist. Möglicherweise waren beim Verfassen des Briefes noch andere Personen zugegen, etwa die in V. 21 und 23 Genannten. Das Diktieren des Briefes entspricht antiker Praxis.[18] Die Freiheit des Schreibers kann dabei soweit gehen, dass er nicht nur das Diktierte aufschreibt, sondern auch eigene Ergänzungen hinzufügen oder sogar ganze Passagen selbst verfassen kann. Die kommunikative Ausgangssituation, aus der heraus der Brief entstanden ist, ist also eine interaktionale, bei der verschiedene Individuen beteiligt sind. Paulus spricht den Text, sein Gegenüber Tertius hört ihn und schreibt ihn auf (und ergänzt gegebenenfalls

---

[17] Vgl. Müller: Vom Schluß zum Ganzen, S. 219, der aber darauf verweist, das Paulus zumindest I Kor 16,24 noch eine eigene Liebesbekundung nachstellt.

[18] Siehe dazu grundsätzlich E. R. Richards: The secretary in the letters of Paul; (WUNT 2,42) Tübingen 1991.

einiges) – weitere Personen mögen sich dazu vielleicht sogar schon während des Diktierens geäußert haben.

Gerade diese Situation ist Anlass zu Spekulationen gewesen. So meint H. Lietzmann, Paulus „mag dem Schreiber Tertius plötzlich [...] die Feder aus der Hand genommen haben, um selbst ein Paar eindringliche Worte hinzuzufügen – dann gibt er sie ihm zurück, und fährt (mit V. 21) ruhig wie vorher fort, Nachträge zu diktieren, langsam und mit Pausen: in einer solchen ist V. 22 geschrieben".[19] Solche Rekonstruktionen sind zwar hypothetisch, in jedem Falle muss man beim Verfassen des Briefes jedoch von einer – möglicherweise sehr lebendigen – Situation ausgehen, an der mehrere Personen beteiligt sind. Besonders im Röm wird man sich aber Paulus als relativ autonomen, einzelnen Verfasser – d.h. Diktierenden – vorstellen können, weil die Argumentation und Struktur, wie die hier vorgelegte Analyse zeigen sollte, stringent und homogen ist und weil Paulus nur sich selbst als Verfasser nennt.

Es ist dabei nicht selbstverständlich, dass die Formulierungen des Paulus ursprünglich nur mündliche waren, die dann vom Schreiber schriftlich fixiert wurden. Vielmehr wird man beim Diktieren eines derart komplexen Textes wie des Röm davon ausgehen müssen, dass Paulus auch schriftliche Vorlagen hatte, z.B. verschiedene alttestamentliche Bücher in griechischer Übersetzung.[20] Es ist angenommen worden, dass Paulus zumeist nicht unmittelbaren Zugriff auf vollständige biblische Bücher hatte und statt dessen aus einem „Testimonienbuch" oder einem persönlich erstellten „Notizbuch" zitiert und argumentiert habe.[21] Die Analyse des Röm hat jedoch gezeigt, dass Paulus oft nicht nur mit Kenntnis des genauen Wortlautes des griechischen Textes, sondern auch unter Berücksichtigung des Kontextes eines verwendeten Bibeltextes argumentiert. Es ist auch keineswegs unwahrscheinlich, dass Paulus bei seinem längeren Aufenthalt in Korinth Zugang zu biblischen Texten gehabt hat und unmittelbar mit ihnen arbeiten konnte. Darauf weisen die zahlreichen – allerdings mitunter etwas variierten – Septuagintazitate hin.[22] Außerdem besitzt er, wenn der Röm tatsächlich der letzte Brief des Paulus vor der Abreise nach Jerusalem und der dortigen Gefangennahme ist, durch andere von ihm verfasste Briefe bereits schriftliche Vorarbeiten zu Teilen des Röm, die er nicht nur verschickt haben wird, sondern

---

[19] H. Lietzmann: An die Römer; HNT 8, S. 127.

[20] Vgl. zu der ungeheuren Fülle der im Römerbrief vorausgesetzten alttestamentlichen Texten D.-A. Koch: Die Schrift als Zeuge des Evangeliums; Untersuchungen zur Verwendung und zum Verständnis der Schrift bei Paulus; (BHTh 69) Tübingen 1986; H. Hübner (Hrsg.): Vetus Testamentum in Novo, Bd. 2, S. 1-219.

[21] Eher skeptisch beurteilt C. D. Stanley die Möglichkeiten des Paulus, auf umfangreiche Ausgaben alttestamentlicher Schriften zurückgreifen zu können. „But an even larger problem arises from the inaccessibility of biblical scrolls in the ancient world. While there is ample evidence that Paul drew his quotations from some form of written text, the improbability of his either owning or having easy access to scrolls has led many scholars to suggest that Paul copied at least some of his quotations from a ‚testimony-book' containing verses of Scripture that had proven useful in the early church. A more recent hypothesis would see Paul relying on a papyrus or parchment ‚notebook' into which he had copied verses of the Scripture at times when he had access to biblical scrolls. In either case, the only link between the quotation and its ‚original context' at the time the letter was dictated would have been the one in the authors mind. This suggests that at least some of Paul's more fanciful interpretations of the biblical text could have arisen from the fact that the original context was no longer available to him at the time of composition." (C. D. Stanley: „Pearls before Swine": Did Paul's audiences understand his biblical quotations? In: NT 41 [1999], S. 124-144, dort S. 137)

[22] Vgl. dazu im Detail die von Hübner, a.a.O., S. 2-219 lückenlos aufgeführten Stellen.

wahrscheinlich auch für sich selbst in irgendeiner Form aufbewahrt hat.[23] Paulus diktiert den Brief also nicht spontan, sondern der Röm steht in einem größeren kommunikativen Zusammenhang, der zusätzlich durch alttestamentliche und paulinische Texte bestimmt ist.

Weil Kap. 16 – wie hier vorausgesetzt wurde – ursprünglich zum Röm gehört, ist es wahrscheinlich, dass der Brief als ganzer aus Korinth geschrieben wurde. Nach I Kor 16,6f hatte Paulus vor, längere Zeit in Korinth zu bleiben. Phöbe kommt aus Kenchreä, der Hafenstadt vor Korinth. Mit Gajus (Röm 16,23) könnte der in I Kor 1,14 genannte Christ aus Korinth gemeint sein,[24] den Paulus als einen der wenigen dort getauft hat und der deshalb offenbar auch sein Gastgeber ist. Paulus hat den Röm also kurz vor seiner geplanten Abreise mit der Kollekte nach Jerusalem in Korinth verfasst und dabei mit den in V. 21-23 genannten Personen Kontakt gehabt, die daraufhin die römischen Christen grüßen lassen oder selbst grüßen.

Die Liste der genannten Personen beginnt mit Timotheus, dem wohl wichtigsten Mitarbeiter des Paulus. Dieser fungiert hier jedoch nicht, wie z.B. in II Kor 1,1; Phil 1,1; I Thess 1,1; Phlm 1,1 als Mitverfasser des Briefes. Paulus richtet lediglich seine Grüße aus und unterstreicht damit nochmals die alleinige Verfasserschaft des Röm. Zusätzlich zu seinem geläufigen Namen wird dann jedoch Timotheus in theologischer Perspektive als ὁ συνεργός μου bezeichnet, eine Charakterisierung, die er wie kein zweiter verdient und die zugleich etwas knapp anmutet, bedenkt man die Wichtigkeit seiner Person. Bemerkenswerterweise wird dabei auch Timotheus – wie schon einige Menschen aus V. 3-15 – nicht durch seine eigene Arbeit oder Person, sondern durch seine Beziehung zu Paulus definiert.

In V. 21b nennt Paulus einige weitere Personen, die Grüße an die römischen Christen richten, angeschlossen mit καί. Diese werden dabei wie in der vorhergehenden Grußliste doppelt qualifiziert: in geläufiger Sicht durch ihren Namen und zusätzlich in theologischer Perspektive. So hebt Paulus bei Luzius, Jason und Sosipater hervor, dass sie jüdischer Herkunft seien (οἱ συγγενεῖς μου, vgl. V. 7 und 11).[25] Die Personen werden durch das μου wiederum selbstreflexiv durch ihre Beziehung zu Paulus definiert. Luzius könnte mit dem in Act 13,1 genannten Mitglied des Führungskreises in Antiochia identisch sein oder mit dem in Phlm 24 Lukas genannten Mitarbeiter des Paulus. Mit Jason könnte der in Act 17,5ff erwähnte Gastgeber des Paulus in Thessalonich gemeint sein. Sosipater könnte schließlich der Sopater sein, der nach Act 20,4 zur Kollektendelegation gehört.[26]

In V. 22a richtet unter Voraussetzung der oben beschriebenen Situation beim Diktieren des Briefes der Schreiber Tertius als ἐγώ seine Grüße an die Adressaten. Er

---

[23] So haben z.B. folgende Texte deutliche Bezüge zueinander: I Kor 1,18-32 und Röm 1,18ff; I Kor 3,21-23 und Röm 8,38f; I Kor 8,1-13 sowie 10,23-11,1 und Röm 14,1-15,13; I Kor 12,4-31 und Röm 12,3-8; I Kor 15,45-49 und Röm 5,12-21; Gal 2,15-21 und Röm 3,19-28; Gal 3,6-18 und Röm 4,1-25; Gal 3,26-28 und Röm 6,3-5; Gal 4,1-7 und Röm 7,1-8,16; Gal 4,21-31 und Röm 9,6-13; Gal 5,13-15 und Röm 13,8-10; Gal 5,16-26 und Röm 8,12f. Siehe dazu auch U. Wilckens: Der Brief an die Römer; EKK VI, 1, S. 47f. Zu den verschiedenen Möglichkeiten des literarischen Verhältnisses des Röm zum Gal, mit dem sich bei weitem die engsten Verbindungen ergeben, vgl. F. Vouga: An die Galater; (HNT 10) Tübingen 1998, S. 3-5.

[24] Vgl. J. Becker: Paulus. Der Apostel der Völker; 3. Aufl. Tübingen 1998, S. 358 und K. Haacker: Der Brief des Paulus an die Römer; ThHK 6, S. 10.

[25] Zur grundsätzlichen Verhältnisbestimmung von Zugehörigkeit zum Judentum und Christusglauben vgl. die Ausführungen zu 1,16f und Kap. 9-11.

[26] Vgl. auch U. Wilckens: Der Brief an die Römer; EKK VI,3, S. 146.

bezeichnet sich dann in V. 22b zugleich in theologischer Perspektive als Schreiber dieses Briefes, den er ἐν κυρίῳ aufgeschrieben habe.[27] Auch Tertius stellt sich also, wie Paulus selbst, doppelt vor: in geläufiger Sicht mit seinem Namen und in theologischer Perspektive mit der geistlichen Funktion, die er wahrnimmt: das Schreiben eines Briefes des Apostels Paulus.[28]

In V. 23 richtet Paulus Grüße eines Gajus aus. Damit ist wahrscheinlich der von Paulus gemäß I Kor 1,14 Getaufte gemeint.[29] Dieser wird von Paulus ebenfalls nicht nur mit seinem geläufigen Namen benannt, sondern zusätzlich in theologischer Sicht qualifiziert. Er sei Gastgeber nicht nur des Paulus (ὁ ξένος μου), sondern sogar der gesamten ἐκκλησία. Möglicherweise ist damit die ganze korinthische Gemeinde gemeint. Es fällt erneut auf, dass auch Gajus nicht zuletzt durch seine Beziehung zu Paulus definiert wird. Nachdem in V. 22 kurz Tertius als „Ich" zu Wort kam, ergreift Paulus also am Ende des Briefes wieder die Initiative.

In V. 23b werden dann Grüße von Erastus ausgerichtet. In einer korinthischen Inschrift ist die Existenz eines hohen Beamten gleichen Namens belegt, der als Stifter eines Straßenpflasters genannt wird.[30] Vielleicht ist dieser mit dem hier Genannten identisch. Das ist die einzige Stelle, die sich in diesem Abschnitt nicht in das Schema der doppelten, menschlichen und theologischen Qualifikation der einzelnen Personen fügt (vgl. aber auch V. 10b). Erastus wird lediglich in geläufiger Sicht in seiner politischen Funktion als ὁ οἰκονόμος τῆς πόλεως genannt. Hier wäre aus theologischer Sicht vielleicht vom Schluss des Verses her ὁ ἀδελφός zu ergänzen, denn Paulus meint offensichtlich ein Gemeindeglied.

Zum Schluss wird – angeschlossen mit καί – noch ein nicht näher identifizierbarer Quartus genannt, der ebenfalls theologisch als ἀδελφός zusätzlich qualifiziert wird.

Die V. 21-23 lassen sich damit folgendermaßen strukturieren:

21:	Ἀσπάζεται ὑμᾶς Τιμόθεος	ὁ συνεργός μου
καί	Λούκιος καὶ Ἰάσων καὶ Σωσίπατρος	οἱ συγγενεῖς μου
22:	ἀσπάζομαι ὑμᾶς ἐγὼ Τέρτιος	ὁ γράψας τὴν ἐπιστολὴν ἐν κυρίῳ
23:	ἀσπάζεται ὑμᾶς Γάιος	ὁ ξένος μου καὶ ὅλης τῆς ἐκκλησίας
	ἀσπάζεται ὑμᾶς Ἔραστος ὁ οἰκονόμος τῆς πόλεως	(ergänze: ὁ ἀδελφός)
καί	Κούαρτος	ὁ ἀδελφός

---

[27] Γράψας ist als brieflicher Aorist präsentisch zu verstehen. Es geht um den Moment, in dem gerade geschrieben wird. Vgl. Blass, Debrunner, Rehkopf: Grammatik des neutestamentlichen Griechisch, § 334.

[28] Ἐν κυρίῳ bezieht sich durch seine Stellung auf γράψας und nicht auf ἀσπάζομαι.

[29] Dies ist aber nicht sicher. Vgl. A. Lindemann: Der Erste Korintherbrief; HNT 9,1, S. 42: „jedenfalls ist Gaius bzw. *Caius* ein häufiger römischer Vorname." (Hervorhebung von Lindemann)

[30] Vgl. K. Haacker: Der Brief des Paulus an die Römer; ThHK 6, S. 329.

Sekundäre Briefschlüsse (16,24 und 25-27)

Die Überlieferung des Briefendes durch die Textzeugen ist äußerst kompliziert. Es lassen sich sechs verschiedene Varianten unterscheiden.[1]

1. 1,16-16,23 +25-27 (p 61, ℵ, B, C, D, u.a.)
2. 1,-14,23+16,25-27+15,-16,23+16,25-27 (A u.a.)
3. 1,1-14,23+16,25-27+15,1-16,24 (Ψ, der Mehrheitstext u.a.)
4. 1,1-16,24 (F G u.a.)
5. 1,1-15,33+16,25-27+16,1-23 (P[46])
6. 1,1-14,23+16,24+16,25-27 (Vulgatahandschriften)

Im Vergleich mit den anderen unzweifelhaft authentischen Paulusbriefen (I und II Kor, Gal, Phil, I Thess, Phlm) zeigt sich, dass der Gnadenwunsch normalerweise als Abschluss üblich ist. Das versuchen diejenigen Textzeugen zu berücksichtigen, die den Brief mit einem zweiten Gnadenwunsch in V. 24 enden lassen. Dieser ist dann allerdings eine Verdoppelung des gut bezeugten, fast gleichlautenden Gnadenwunsches in V. 20b. Die Formulierung ἡ χάρις τοῦ κυρίου ἡμῶν Ἰησοῦ Χριστοῦ μετὰ πάντων ὑμῶν ἀμήν in V. 24 ist daher wohl eine spätere, nicht ursprüngliche Hinzufügung. Sie ist wahrscheinlich dadurch motiviert, dass dem Wunsch in 16,20b eine Grußliste in V. 21-23 folgte, die den Brief etwas ungewohnt enden ließ.[2] Es ist unerheblich, in welcher Kombination und an welcher Stelle man V. 24 im Röm einfügen würde,[3] in jedem Falle stellt er eine Verdoppelung des fast identischen Gnadenwunsches in V. 20 dar und ist deshalb deutlich sekundär. Die dem eigentlichen Schluss mit dem Gnadenwunsch in V. 20b hinzugefügten Schlussgrüße erklären sich – wie oben erläutert – aus dem besonderen Interesse des Röm am einzelnen Menschen und bilden somit eine formale Besonderheit des Briefes, die keinen weiteren Gnadenwunsch am Ende erforderlich macht. 16,25-27 ist eine Doxologie, für deren Stellung innerhalb des Briefes es die oben genannten, zahlreichen Varianten gibt. Nicht zuletzt diese unklare Stellung weist auf den sekundären Charakter der Verse hin: „die Doxologie von Röm 16,25-27 wird heute fast übereinstimmend und zu Recht [...] aus textkritischen, theologischen und vor allem formkritischen Gründen als nachpaulinische Ergänzung des Römerbriefes beurteilt".[4] Auffällig ist jedoch, dass nur die vierte Variante mit weniger wichtigen Textzeugen die Verse ganz streicht. Es handelt sich offenbar um eine sehr breit bezeugte sekundäre Erweiterung, deren Stellung innerhalb des Briefes dann von den verschiedenen Textzeugen variiert werden konnte.

Insgesamt sind 16,24 und 25-27 damit als sekundäre Erweiterungen anzusehen, die das ungewohnte Ende mit den persönlichen Grüßen in V. 21-23 durch einen epistolographisch üblichen Gnadenwunsch bzw. durch eine Doxologie ergänzen.

---

[1] Zu dieser Klassifizierung vgl. B.M. Metzger: A Textual Commentary on the Greek New Testament, S. 471.

[2] U. Borse hat demgegenüber die Authentizität von V. 24 vertreten. Für ihn kommt die Doppelung dadurch zustande, dass V. 17-20 ein eigenhändiges Eschatokoll des Paulus sei, an das sich dann noch die von Tertius geschriebenen Verse 21-23 und 24 angeschlossen hätten. Vgl. U. Borse: Das Schlußwort des Römerbriefes: Segensgruß (16,24) statt Doxologie (V. 25-27); in: SNTU A 19 (1994), S. 173-192.

[3] Von den Handschriften werden als mögliche Varianten angeboten: 1. letzter Vers des gesamten Briefes durch Stellung von V. 25-27 hinter 14,23 oder 15,33; 2. letzter Vers durch Streichung von V. 25-27; 3. Stellung vor V. 25-27; 4. hinter V. 25-27.

[4] H. Balz: Artikel „Römerbrief"; in: TRE, Bd. 29, S. 293. Balz nennt als Vertreter der paulinischen Verfasserschaft der Doxologie Hurtado, Bruce, H. W. Schmidt und Stuhlmacher.

Fazit und Ausblick

1. Die Doppelperspektive einer geläufigen menschlichen und einer theologisch geprägten Sicht als Grundstruktur theologischer Kommunikation

Der Text des Römerbriefes lässt sich gemäß der im Hauptteil dieser Untersuchung durchgeführten Analyse im Großen und Ganzen als Aneinanderreihung von Gegenüberstellungen verstehen, die jeweils auf der einen Seite eine geläufige menschliche und auf der anderen zusätzlich eine spezielle, theologisch geprägte Sicht bieten. Dadurch entsteht insgesamt eine oszillierende Bewegung, in der Paulus zwischen den beiden Sichtweisen hin und her wechselt. In einigen Teilen ist diese Struktur sehr deutlich (z.B. 1,1-4; 5,15ff; 6,16ff; 7,15ff; 8,4ff; 16,3ff), in anderen Abschnitten weniger (z.B. 5,1-11). Man wird sich bei einem derart komplexen und dichten Text hüten müssen, eine allzu schematische Sichtweise an den Brief heran zu tragen. Die aufgezeigte Doppelstruktur darf deshalb nicht im Sinne eines Schematismus missverstanden werden. Sie versucht lediglich, im Text eine bestimmte Struktur aufzuzeigen und die einzelnen Stellen, alternativ zu möglichen anderen Deutungen, von dieser Struktur her zu interpretieren. Auch sind die Abgrenzungen zwischen der ersten und der zweiten Seite der Gegenüberstellung – vor allem dort, wo eindeutige Konjunktionen fehlen – mitunter nicht besonders scharf, sodass sich beide Perspektiven teilweise auch überlappen können. Unter diesen Einschränkungen könnte aber nicht nur für den Röm, sondern auch für das Verständnis, für die Interpretation und Strukturierung der anderen authentischen Paulusbriefe die hier zugrunde gelegte Hypothese hilfreich sein.[1] Der Text des Röm lässt sich m.E. aufs Ganze gesehen fast durchgängig durch die in dieser Untersuchung vorausgesetzte Doppelperspektive so strukturieren, wie das in der Analyse im Hauptteil dargelegt wurde und jeweils in den abschließenden Tabellen für den griechischen Text aufgezeigt wurde.

Wenn diese Doppelstruktur des Röm, die durch die besagte Doppelperspektive erzeugt wird, einzuleuchten vermag, so hat das für das paulinische Verständnis des Christentums entscheidende Konsequenzen. Der auf Christus gründende Glaube zeichnet sich dann dadurch aus, dass er in der Lage ist, die Wirklichkeit jeweils von zwei verschiedenen Standpunkten aus wahrzunehmen und auf dieser Basis zu einer doppelten Sicht der Wirklichkeit zu gelangen. Diese doppelte Sicht gründet dabei in Jesus Christus. Von ihm gilt zum einen, dass er per definitionem aus einer doppelten, nämlich einer geläufigen menschlichen und einer spezifisch theologischen Perspektive, wahrgenommen werden muss: κατὰ σάρκα und κατὰ πνεῦμα ἁγιωσύνης (vgl. 1,3f). Für alle Menschen, die „in ihm" ihre Ex-istenz neu begründet finden, gilt deshalb zum anderen, dass sie in gleicher Weise sich selbst und die sie umgebende Wirklichkeit aus einer solchen doppelten Perspektive wahrnehmen können.

---

[1] So hat z.B. F. Vouga eine ähnliche Orientierung an leitenden Gegenüberstellungen für die Makrostruktur des Galaterbriefes aufgezeigt. Siehe ders.: An die Galater; (HNT 10) Tübingen 1998, z.B. S. 7f. In II Kor 3 lässt sich ebenfalls eine Doppelstruktur der Argumentation beobachten. Vgl. dazu D. Starnitzke: Der Dienst des Paulus. Zur Interpretation von Ex 34 in 2 Kor 3; in: WuD 25 (1999), S. 193-207.

Diese Doppelstruktur hat also Konsequenzen sowohl für das Selbstverständnis des Ich als auch für die Wahrnehmung der verschiedensten Bereiche menschlichen Lebens. Sie differenziert die gesamte Wirklichkeit von zwei Beobachtungsstandpunkten aus, von denen der erste als geläufige menschliche Sicht kommuniziert wird, der zweite hingegen als spezifisch theologisch geprägte Perspektive. Das führt dazu, dass die paulinische Kommunikation sich auf das Handhaben und Prozessieren von Gegenüberstellungen konzentriert. Diese Konzentration kann nicht nur Gegenstand linguistischer oder differenztheoretischer Überlegungen sein. Vielmehr müssen die darin enthaltenen theologischen Implikationen mit bedacht werden. Es ist dabei – jedenfalls bei Paulus – fortwährend zu beachten, dass in der theologischen Kommunikation und auch im theologischen Denken grundsätzlich von einer einfachen auf eine doppelte Perspektive umgestellt wird. Dadurch wird die Wahrnehmung und Interpretation von Wirklichkeit in der theologischen Sprache grundlegend strukturiert. Jeder bezeichnete, untersuchte, ausgesprochene und erlebte Sachverhalt und Gegenstand menschlichen Denkens und Lebens bekommt seinen „Sinn", d.h. seinen Außenbezug, erst durch eine zweite, spezifisch theologisch qualifizierte Perspektive. Sicht und Gegensicht erscheinen nicht allein für sich, sondern müssen jeweils in ihrer Duplizität in der theologischen Kommunikation thematisiert werden. Jede Qualifizierung der Wirklichkeit durch einen Begriff oder Satz setzt deshalb theologisch auch die Formulierung der zweiten Perspektive durch eine Gegenüberstellung und einen in ihr genannten zweiten, komplementären oder entgegengesetzten Begriff oder Satz voraus.

Diese Doppelperspektive ist sicherlich nicht nur ein Spezifikum der theologischen Kommunikation. Solche Doppelstrukturen finden sich auch in anderen Kommunikationszusammenhängen. Das Besondere der theologischen Kommunikation des Paulus besteht jedoch darin, dass sie erstens versucht, eine zweite Perspektive einzunehmen und zu kommunizieren, die außerhalb der Welt und außerhalb des Ich gedacht ist, und dass sie zweitens durch den zentralen christologischen Gedanken gesteuert ist, dass in Jesus Christus beide Perspektiven zusammen kommen.

In einem von G. Hotze definierten, „weiteren Sinne" ist die paulinische Argumentation damit grundsätzlich paradox, weil sie eine zweite Sicht der Wirklichkeit einbringt, die dem geläufigen Verständnis oft auch zuwider läuft. „Neben den logischen Paradoxien im engeren Sinne gibt es die wesentlich häufigeren, für den Umgang mit Texten relevanteren *Paradoxien im weiteren Sinne*. Gemeint sind alle Aussagen natürlicher Sprache, die – gemäß der allgemeinen Definition des Paradoxon – mit einem herrschenden Vorverständnis kollidieren."[2] Indem Paulus dem geläufigen menschlichen

---

[2] G. Hotze: Paradoxien bei Paulus. Untersuchungen zu einer elementaren Denkform in seiner Theologie; (NTA, NF 33) Münster 1997, S. 29, Hervorhebung von Hotze. Er kommt nach Durchsicht der verschiedenen Definitionsversuche von Paradoxien zu folgender Differenzierung:
„(1) Eine ‚Paradoxie im engeren Sinne' ist derjenige Satz der formalen Logik, der die simultane Geltung zweier kontradiktorisch entgegengesetzter Größen behauptet, anders ausgedrückt, ein Satz, der gleichzeitig wahr und falsch ist.
(2) Eine ‚Paradoxie im weiteren Sinne' ist darüber hinaus jede Aussage, die auf irgendeine Weise mit dem verbreiteten Vorverständnis kollidiert.
(3) Gedanken, die gegen ihren widersprüchlichen Augenschein einen gültigen Wahrheitswert für sich beanspruchen, können mit den Kategorien der antiken Rhetorik ‚Paradoxien der inventio' genannt werden.
(4) Darüber hinaus sind ‚Paradoxien der elocutio' alle sprachlichen Figuren, die durch die Kollision mit einem Vorverständnis einen überraschenden, verfremdenden oder provokativen Effekt erzielen.

Verständnis einer Person oder Sache oder eines Sachverhaltes permanent eine zweite Sicht gegenübergestellt, widerspricht er oft zugleich aus theologischer Perspektive auch dieser ersten Sicht. Das Kriterium dieses Widerspruches ist, wie H. Schröer in Anknüpfung an den eigentlichen Wortsinn von „Paradoxon" gezeigt hat, „die eigene oder die allgemeine Meinung. Entsprechend ist dann paradox gleichbedeutend mit ‚wider Erwarten', ‚wider die gewöhnliche Meinung gehend', ‚unwahrscheinlich'. Diese Bedeutung entspricht der etymologischen Ableitung des Begriffs: παράδοξον heißt ‚wider die Meinung', das ist die Grundbedeutung des Begriffs in der Antike bis einschließlich des stoischen Paradoxiebegriffs."[3] Durch diesen häufigen Widerspruch gegenüber dem geläufigen Verständnis gelingt es Paulus zugleich, für Überraschungen zu sorgen und bestehende Erwartungen zu relativieren. „Eine Paradoxie (im weiteren Sinn) ist ein Satz, der παρὰ δόξαν ist, also der verbreiteten δόξα widerspricht, wobei δόξα hier mehr eine Erwartung als eine Meinung bezeichnet. Paradoxien haben also einen Überraschungseffekt [...] Cicero definierte Paradoxien als ‚mirabilia contraque opionem omnium' (Parad. Stoic., Prooem § 4)."[4]

Paulus kann dabei verschiedene bekannte rhetorische Formen des Paradoxen verwenden wie z.B. im Bereich der Wortfiguren Periphrase, Paronomasie, negative distinctio oder Zeugma und im Bereich der Gedankenfiguren Oxymoron, Chiasmus, Sentenz, Hyperbel, Rätsel, Ironie oder rhetorische Frage.[5] Entscheidend ist jedoch, dass es ihm dabei nicht um die bloße rhetorische Verwendung und Funktion von Paradoxien geht, sondern dass durch diese verschiedenen Formen eine grundsätzlich theologische Denkform zum Ausdruck kommt. „Es gibt in der Tat so etwas wie eine *Denkform des Paradoxen* in der paulinischen Theologie, so vielgestaltig die Ausprägungen dieser Denkform auch sind."[6]

Zentraler Ansatzpunkt dieser paradoxen Denkart ist dabei im Röm offenbar vor allem die menschliche Existenz mit ihren Erfahrungen, ihrem Selbstverständnis und ihren Selbstwidersprüchen, der durch die paradoxe Denkform eine zweite Sicht der Wirklichkeit und auch der menschlichen Existenz selbst gegenübergestellt wird. „Wenn nun die paulinischen Paradoxien zum einen in der existentiellen Erfahrung des Apostels verankert sind, auf der anderen Seite aber auch eine theologische Relevanz haben, dann scheinen eben diese beiden Felder die für das Paradox konstitutive Dualität auszumachen. Die paulinischen Paradoxien entstehen aus dem Gegensatz von Erfahrung und Offenbarung. Wo menschliche Empirie und Logik mit der Botschaft des Evangeliums kollidieren, oder umgekehrt, wo das Kerygma dem Vorverständnis weltlicher Wahrnehmung und Denkweise widerspricht, *dort* bilden sich Paradoxien."[7]

Diese der geläufigen menschlichen Sicht oft widersprechende (para-doxe) theologische Zweitsicht aufzuzeigen, die dabei zugleich an der Ex-istenz des Ich orientiert ist, war das zentrale Anliegen der hier vorgelegten Untersuchung. Dabei wird

---

(1) und (2) entstammen der logischen, (3) und (4) der rhetorischen Erschließung von Paradoxien. Beide Zugänge überdecken sich gegenseitig. (1) ist als Teilmenge von (2), (3) als Teilmenge von (4) zu verstehen." (A.a.O., S.35f)

[3] H. Schröer: Die Denkform der Paradoxalität als theologisches Problem. Eine Untersuchung zu Kierkegaard und der neueren Theologie als Beitrag zur theologischen Logik; (FSThR 5) Göttingen 1960, S. 28.

[4] G. Patzig: Art. „Paradoxie"; in: RGG, 3. Aufl., Bd. V, Sp. 100f, dort Sp. 100.

[5] Vgl. dazu im Detail G. Hotze: Paradoxien bei Paulus, S. 36-45.

[6] G. Hotze, a.a.O. S. 341, Hervorhebungen von Hotze.

[7] G. Hotze, a.a.O. S. 342, Hervorhebung von Hotze.

man jedoch zugleich beachten müssen, dass diese von Paulus jeweils eingeführte, zweite Sicht der Wirklichkeit und des Ich nicht immer als Widerspruch gegenüber der ersten Sicht erscheint. Oft wird die erste, immanente Wahrnehmung der Wirklichkeit und des Ich auch durch die zweite ergänzt (z.B. durch Formulierungen wie οὐ μόνον, ἀλλὰ καί), gesteigert (z.B. durch πολλῷ μᾶλλον) oder in einem übertragenen Sinne bestätigt (wie z.B. in der Verwendung der alttestamentlichen Zitate durch καθὼς γέγραπται). In jedem Falle geht es Paulus aber darum, zwei alternative, paradoxe oder auch komplementäre Welt- und Selbstsichten in ihrer Duplizität kopräsent zu halten.

Diese Grundstruktur hat für die theologische Kommunikation wichtige Konsequenzen. Sie kann sprachlich nicht nur in der Form eindeutiger Begrifflichkeit arbeiten. Denn in der Kommunikation kann immer zugleich mit reflektiert und zum Ausdruck gebracht werden, dass ein bestimmter Begriff im Kontext einer zweiten, theologisch geprägten Wahrnehmung der Wirklichkeit verstanden werden kann. Er wird einerseits in einem geläufigen Sinne verwendet und dabei andererseits zugleich in eine andere Perspektive hineingestellt, die eine zweite, alternative Begrifflichkeit prägt, welcher der ersten gegenüber oder an die Seite gestellt werden kann. Für die hier behandelte, paulinische Kommunikation ist dabei charakteristisch, dass sie nicht die vorhandene Wirklichkeit und deren geläufige Wahrnehmung quasi durch eine zweite Realität, eine Art Gegenwelt in theologischer Perspektive aufheben möchte. Es werden vielmehr eine geläufige und eine theologisch geprägte Sichtweise parallel zueinander formuliert. Innerhalb der vorhandenen Wirklichkeit wird eine doppelte Betrachtung derselben vorfindbaren menschlichen Realität[8] von zwei verschiedenen Standpunkten aus ermöglicht.[9]

Dadurch entsteht eine „Kopräsenz zweier Weltsichten", in der Michael Welker gerade ein Spezifikum des christlich-jüdischen Traditionszusammenhanges sieht: „Es ist auffallend, daß die religiösen Vorstellungen und Semantiken auftreten im Rahmen einer Erfahrung, die genötigt ist, mindestens zwei in sich komplette Weltsichten (und zwar realistische, in pluriformen Lebenszusammenhängen durchgebildete Weltsichten) in sich aufzunehmen. Die Konflikte, die Anpassungs- und Abgrenzungsprozesse, die die Kopräsenz mindestens zweier Weltsichten mit sich bringt, sind offenbar für die jüdisch-christlichen Überlieferungen geradezu formgebend."[10] Diese These Welkers ist zwar recht allgemein formuliert, die im Röm vorhandene Wirklichkeitswahrnehmung trifft sie jedoch gut. Die doppelte Strukturierung der Wirklichkeit kommt bei Paulus dadurch zustande, dass zu jeder geläufigen Betrachtungsweise der Welt eine zweite Sicht der Welt parallel gesetzt wird. Diese „Kopräsenz zweier Weltsichten" führt einerseits zu einer differenzierten Haltung des einzelnen Glaubenden, der jederzeit mit den zwei parallel laufenden Weltsichten umgehen und auch die daraus resultierenden

---

[8] Auf die konstruktivistische Fragestellung, inwiefern jede Wahrnehmung ihre eigene Realität erzeugt, kann dabei im hier gegeben Rahmen nicht näher eingegangen werden.

[9] Insofern ist die These von G. Hotze: Paradoxien bei Paulus, S. 359 zu ergänzen, die lautet: „Die im Christusereignis wurzelnden Paradoxien bei Paulus beruhen auf einem im Glauben erkannten Gegensatz von vorfindlicher Welt und unsichtbarer Wirklichkeit Gottes." Die paradoxe Sicht des Paulus bezieht sich jedenfalls zumeist auch auf diese Welt.

[10] M. Welker: Einfache oder multiple doppelte Kontingenz? Minimalbedingungen der Beschreibung von Religion und emergenten Strukturen sozialer Systeme; in: W. Krawietz, M. Welker (Hrsg.): Kritik der Theorie sozialer Systeme. Auseinandersetzungen mit Luhmanns Hauptwerk; 2. Aufl. Frankfurt/Main 1992, S. 355-370, dort S. 367. Es ist dabei bemerkenswert, dass Welker diese Sätze in kritischer Abgrenzung zum Religionsverständnis Luhmanns formuliert.

Spannungen ertragen muss. Dies führt andererseits aber zu spezifischen Entwicklungsmöglichkeiten, die bei einer einfachen Weltsicht so nicht gegeben wären. Auch hier treffen die sehr allgemeinen Formulierungen Welkers zumindest das Spezifische der paulinischen Kommunikation: „und es ist charakteristisch für das religiöse Denken, daß betont anspruchsvolle, ethisch und erkenntnistheoretisch fruchtbare individuelle und soziale Denk- und Lebensformen entwickelt werden aufgrund des Zusammenhaltens der konfligierenden Doppelidentität."[11]

Die doppelte Sicht, die dem glaubenden Menschen durch den Glauben an Jesus Christus eröffnet wird, ermöglicht diesem für Paulus z.B. ein variables Verhalten. Er ist nicht darauf festgelegt, lediglich so zu handeln, wie es die eigene Meinung oder allgemein akzeptierte Verhaltensregeln vorschreiben. Die ihm eigene, zweite Perspektive erlaubt ihm vielmehr, über die eigene Wahrnehmung hinaus zu sehen – ohne sie zu ignorieren oder zu verleugnen – und auf diejenige des anderen Mitmenschen (13,8-10) und Glaubenden (14,1-15,7) zu achten – und sich dadurch gerade als selbständiges und freies Subjekt der eigenen Handlungen zu erweisen. Ein besonders differenziertes Verhalten lässt sich für Paulus gerade angesichts einer solchen doppelten, parallel auf sich selbst und auf den Anderen gerichteten Sicht entwickeln. Ethische Entscheidungen sind dann jeweils durch die Wahrnehmung zweier alternativer Standpunkte gekennzeichnet: einem an sich selbst und den eigenen Interessen orientierten und einem zweiten, der zusätzlich aus theologischer Sicht die Frage nach dem Willen Gottes (12,1f) und demjenigen des Anderen stellt. Diese beiden Standpunkte müssen sich dabei nicht widersprechen, sondern sie sollen gerade miteinander koordiniert werden. Die Ausgewogenheit der beiden Standpunkte fordert – jedenfalls in paulinischer Interpretation – das Liebesgebot (siehe Röm 13,8-10 und oben die Ausführungen dazu).

Christliche Ethik lässt sich deshalb für Paulus nicht durch eindeutige, kodifizierbare Verhaltensregeln festschreiben.[12] Die Duplizität der Wahrnehmungen verlangt nach einem Abwägen zwischen verschiedenen Verhaltensalternativen. Nach einer grundsätzlichen Entscheidung für die von Gott und "in Christus" begründete, neue Ex-istenz und damit zusammenhängend für die Doppelsicht der Wirklichkeit kann für den Einzelnen das gewohnte, an „eindeutigen" Verhaltensmaßstäben orientierte Handeln nicht mehr in der bisherigen Weise als kategorischer Maßstab gelten. Das erfordert für Paulus eine doppelte Wahrnehmung von Gesetzen – seien es nun die alttestamentlichen oder die in einem Gemeinwesen geläufigen. Die durch die Ex-istenz im Glauben ermöglichte zweite Sicht führt zu einem prinzipiellen in Frage Stellen des üblichen und bewährten Verhaltens. Neben die Einhaltung eindeutiger, bestimmter Verhaltensregeln – etwa in Form eines schriftlichen Kanons – tritt die Notwendigkeit zur ethischen Entscheidung des Einzelnen, die sich primär an seinem Gewissen (2,14f; 13,5) und an dem eigentlichen Sinn (dem Liebesgebot, Röm 13,8-10) und Ziel (Christus, Röm 10,4) der Gesetze orientiert. Dabei kann sich der einzelne Glaubende durchaus positiv nach bestehenden Gesetzen richten. Aber sie werden durch ihn jeweils aus der besagten doppelten Perspektive wahrgenommen und kritisch hinterfragt: im Hinblick auf ihren Wortlaut und auf ihren eigentlichen, theologisch zu bestimmenden, tieferen Sinn.

---

[11] Welker, a.a.O., S. 368.
[12] Das wurde vor allem in der Paränese des Röm in Kap. 12ff deutlich.

Die doppelte Sicht der Wirklichkeit hat deshalb auch Konsequenzen für den Umgang mit den überkommenen religiösen Traditionen vor allem aus dem Alten Testament. Sie sind einerseits in ihrem Wert als „heilige" und für das Leben wertvolle Texte und Werte wahrzunehmen und möglichst getreu zu erhalten. Sie müssen dabei aber andererseits immer wieder im Hinblick auf die theologisch und vor allem christologisch geprägte Zweitsicht aktuell interpretiert und modifiziert werden (vgl. dazu die hermeneutischen Modelle in Röm 1,2 und 15,4 sowie die Ausführungen dazu oben im Hauptteil).

Die von Paulus ausgeführte doppelte Sicht hat auch Auswirkungen auf die Wahrnehmung und Gestaltung sozialer Strukturen. Einerseits sind bestehende gesellschaftliche Differenzierungen wie z.B. Mann – Frau (7,1-6); Sklave – Freier (6,15ff); Jude – Nichtjude (1,16f; Kap. 9-11); Hellene – Barbare (1,14f) usw. wahr- und ernst zu nehmen. Andererseits schafft die theologische Zweitsicht die Möglichkeit, solche bestehenden Strukturen und dem Aspekt der theologisch begründeten Individualität des Einzelnen radikal in Frage zu stellen und im eigenen Einflussbereich auch zu verändern. Damit zusammenhängend ermöglicht die Doppelsicht auch einen differenzierten Umgang mit bestehenden gesellschaftlichen Machtverhältnissen. Einerseits sind sie in ihrer Wichtigkeit und Notwendigkeit für das alltägliche Leben zu akzeptieren, andererseits sind sie aber auch immer wieder in theologischer Sicht kritisch zu befragen, ob sie in ihrem Wirken tatsächlich als „Diener Gottes" verstanden werden können (13,1-7).

Die doppelte Weltsicht konkretisiert sich für Paulus weiterhin in der Wahrnehmung der Zeit. Zum einen ist das geläufige Verständnis von Zeit unumgänglich, nach dem zwischen Vergangenheit, Gegenwart und Zukunft unterschieden wird und die Zeit kontinuierlich und irreversibel von der Vergangenheit in die Zukunft verläuft. Zum anderen ist jedoch in theologischer Perspektive eine zweite Wahrnehmung von Zeit möglich, die die Gegenwart als „Jetzt" der Rechtfertigung entdeckt (vgl. 3,21; 8,1) und die von dort her die Vergangenheit neu verstehen (siehe z.B. 7,5-25) und in hoffnungsvoller Erwartung der Zukunft leben kann (vgl. 8,18ff und 13,11ff)

Diese doppelte Sicht der Wirklichkeit und die dadurch geprägte Struktur der theologischen Kommunikation bestimmt für Paulus vor allem und in ganz besonderer Weise das Selbstverständnis der Christinnen und Christen. Sie nehmen ihre Exi-stenz jeweils in einer inneren Ambivalenz wahr, die durch die Eindeutigkeit einer einfachen Bestimmung und Sicht durch sie selbst nicht umfassend beschrieben werden kann, weil diese durch einen zweiten Zusammenhang und eine zweite Perspektive wesentlich mitbestimmt ist. Der einzelne Christ ist somit permanent vor allem für sich selbst zwei Sichtweisen ausgesetzt: einer ersten, die das eigene Leben aus einer – nämlich der eigenen – Perspektive im eigentlichen Wortsinn „eindeutig" sieht und beschreibt und darin den archimedischen Punkt der Wirklichkeits- und Selbstwahrnehmung festlegt, und einer zweiten, die das eigene Leben auf Gott und Christus bezieht und damit die eigene Sicht prinzipiell relativiert, ergänzt oder ihr sogar widerspricht. Dabei geht es für den einzelnen Christen nicht nur um die Wahrnehmung seiner selbst aus zwei Perspektiven, sondern um seine gewissermaßen doppelt bestimmte Identität: zum einen um sein von ihm selbst gestaltetes Leben in den für ihn geläufigen Zusammenhängen und zum anderen um die gleichzeitige, vertrauensvolle Annahme einer außerhalb seiner selbst gesetzten, anderen Ex-istenz „in Christus", die aber ebenso die eigene Identität ist wie die erstgenannte.

Dies erfordert eine Entscheidung seitens des Menschen. Es geht darum, die durch Gott „in Christus" außerhalb seiner selbst bereits gesetzte, zweite Identität durch eine erste Entscheidung anzunehmen und dieser dann weitere Entscheidungen folgen zu lassen, die daraus entsprechende ethische Konsequenzen ziehen. Wenn aber die Entscheidung für die Annahme der zweiten, durch Gott gesetzten Ex-istenz nicht geschieht, so verharrt der Mensch in gewissem Sinne in der Entscheidungslosigkeit. Diese ist formal dadurch gekennzeichnet, dass er nur eine einzige Konzeption seiner selbst und der ihn umgebenden Wirklichkeit kennt – nämlich seine eigene. Die Möglichkeit zur Entscheidung setzt aber Alternativen voraus. Ist aber diese grundlegende Entscheidung des Glaubenden für die zweite, durch Gott gesetzte Ex-istenz geschehen, dann muss der Mensch sich ständig mit einer Duplizität von eigener, selbst gesetzter Wirklichkeits- und Selbstsicht einerseits und theologisch zuge-sprochener, von Gott, durch den Glauben und „in Christus" ermöglichter Welt- und Selbstsicht andererseits auseinandersetzen. Das beinhaltet die Gefahr, die Doppelsicht zurückzunehmen und lediglich eindimensional nach der eigenen, selbst gesetzten Identität und Wirklichkeit zu fragen – und die zweite, theologische Perspektive damit zu verkennen und sogar zu verlieren. Oder umgekehrt nur nach der theologischen Sicht zu fragen und dabei die eigene, geläufige, menschliche zu ignorieren. Es ist aber diese Kopräsenz – mitunter auch dieser innere Widerstreit – zweier verschiedener Sicht-weisen, durch die die christliche Ex-istenz bestimmt ist.[13] Sie ist dadurch gekennzeichnet, dass sie jeweils zwischen beiden unterscheiden kann und sich in immer neuen Lebenssituationen in dieser doppelten Sicht mit der Wirklichkeit und sich selbst auseinandersetzen kann. Die erste, geläufige menschliche Sicht der Welt und seiner selbst wird also – jedenfalls bei Paulus – durch den Glauben nicht aufgehoben, sondern durch eine zweite ergänzt.

Sprachlich setzt diese doppelte Welt- und Selbstsicht, wie sie sich im Röm beobachten lässt – ob sie nun weltimmanent als doppelte Sicht derselben Welt oder welttranszendent als mitlaufende Präsenz einer Realität außerhalb der menschlichen Welt gedacht wird – die Verwendung von Gegenüberstellungen voraus. Der Begriff Gegenüberstellung ist dabei entsprechend den in dieser Untersuchung aufgezeigten Facetten nicht streng im Sinne der Antithese aufzufassen, sondern in einem weiteren Sinne als kopräsent Halten der beiden Perspektiven zu verstehen. Man kann in dieser von Paulus im Röm besonders präzise entwickelten, doppelten Sicht und der daraus generierten Doppelstruktur der Sprache vielleicht so etwas wie eine Grundstruktur theologischer Kommunikation sehen.[14] Gerade in der heutigen säkularen Gesellschaft westlicher Prägung, in der anscheinend das Spezifische theologischer Kommunikation kaum noch benennbar ist, könnte angesichts des Schwindens besonderer theologischer *Inhalte* der Kommunikation deren besondere *Form* vielleicht darin gesehen werden,

---

[13] M. Welker spricht hier zurecht von „konfligierender Doppelidentität", was aber nicht nur für die sozialen Strukturen gilt, sondern vor allem auch für den einzelnen Christen (vgl. M. Welker: Einfache oder mutiple doppelte Kontengenz?, S. 368).

[14] Obwohl die Ausführungen Welkers in dieser Hinsicht etwas allgemein sind, weil sie sich auf Religion insgesamt beziehen, könnte in dieser „Kopräsenz zweier Weltsichten" ein interessanter Ansatzpunkt für eine Theorie religiöser Kommunikation bestehen. Dabei wäre allerdings – jedenfalls von Paulus her – zu ergänzen, dass die christliche Kommunikation zusätzlich zur Welt das Ich in besonderer Weise in den Blick nimmt und dass die Kopräsenz zweier Welt- und Selbstsichten vor allem christologisch gesteuert ist.

dass sie solche doppelte Welt- und Selbstsicht thematisiert[15] und sprachlich in Doppelstrukturen umsetzt, die denen des Paulus ähnlich sind. Solche theologische Doppelsicht und Doppelkommunikation könnte sich dabei beispielhaft an den paulinischen Ausführungen im Röm orientieren.

2. Die aktuelle Frage des Menschen nach sich selbst und die Relevanz der paulinischen Antwort auf diese Frage

Die inhaltliche Frage nach dem einzelnen Menschen und die damit zusammenhängende formale Doppelstruktur stellen zwar nicht die einzigen Hauptgedanken des Röm dar, sie bieten jedoch eine der wichtigsten Orientierungen der gesamten Argumentation. Das Grundinteresse am einzelnen Menschen und seinem Selbstverhältnis lässt sich bei Paulus einerseits besonders an einzelnen Begriffen wie ‚Ich‘, ‚Herz‘, ‚Gewissen‘ oder dem Gebrauch der Reflexivpronomina und allgemein der Verwendung der 1. Person besonders am Anfang eines Argumentationsabschnittes aufzeigen.[16] Andererseits geht es über diese speziellen sprachlichen Beobachtungen hinaus darum, dass die gesamte Argumentation des Briefes darauf zielt, für Paulus im Besonderen und den einzelnen Menschen im Allgemeinen eine Reflexion über die eigene Existenz in Gang zu bringen, die theologisch orientiert ist. Paulus versucht, eine spezifisch theologische Begründung der neuen Ex-istenz des Menschen „in Christus" zu geben, die ein neues Verhältnis zu sich selbst, zu anderen und zu Gott ermöglicht. Damit ergibt sich als hermeneutisches Problem, ob nicht eine Untersuchung, die solch selbstreflexives, im Grunde genommen anscheinend modernes Gedankengut für einen antiken Text nachzuweisen versucht, anachronistisch argumentiert und lediglich moderne Vorstellungen in antike Texte projiziert. Dazu ist folgendes zu bedenken:

1. Es ist unvermeidlich, dass die Interpretation eines Textes von aktuellen Vorstellungen geleitet ist. Denn sonst ließe sich ein Text überhaupt nicht in verschiedenen Zeiten neu verstehen. Es kann deshalb nicht darum gehen, solche aktuellen Vorstellungen wie die des modernen Ich-Begriffes zu eliminieren, sondern sie müssen kontrolliert und am Text verifiziert (oder gegebenenfalls falsifiziert oder modifiziert) werden. Die Modifizierung dieser modernen Begrifflichkeit ergibt sich im Röm dadurch, dass bei Paulus solche Vorstellungen eines selbstbewussten Ich aus einer externen theologischen bzw. christologischen Perspektive heraus entwickelt werden – und nicht aus dem Ich selbst. Bei Paulus geschieht diese Orientierung am Selbstverhältnis des Menschen im Unterschied zum heute geläufigen Verständnis nicht unter der Voraussetzung einer im Menschen selbst begründeten Selbstreflexivität, sondern in gewissem Sinne sogar in expliziter Ablehnung einer solchen.

2. Die Analyse der einzelnen Gegenüberstellungen des Röm, wie sie im Hauptteil dieser Untersuchung unternommen wurde, zeigt m.E., dass sich dort eine ungewöhnliche Anhäufung selbstreflexiven und am einzelnen Menschen orientierten Gedankengutes findet. Die Interpretation des Röm mit Hilfe der These einer

---

[15] Zu den modernen Kommunikationsbedingungen religiöser Kommunikation vgl. N. Luhmann: Die Religion der Gesellschaft; Frankfurt/Main 2000, besonders S. 187-225. Vielleicht müsste man dabei für eine Theorie religiöser Kommunikation zwischen der praktizierten religiösen Kommunikation, z.B. im Christentum, und deren theologischer Reflexion unterscheiden.

[16] Siehe dazu z.B. die am Ende der Einführung vorgestellte Gliederung des Briefes.

Selbstreflexion des Ich ist deshalb nicht lediglich eine Projektion eines modernen Interpreten, sondern sie findet am Text hinreichende Anhaltspunkte.

3. Vielleicht kann sogar die Entwicklung des modernen Verständnisses des Ich zum Teil als Wirkungsgeschichte des Röm und ähnlicher christlicher Texte verstanden werden. Vor allem durch die Rezeption der paulinischen Konzeption in der reformatorischen Theologie, die in Auseinandersetzung mit Texten wie dem Gal und dem Röm das Persönliche und das „pro me" des Glaubens (wieder-) entdeckte, ist das moderne Verständnis des Menschen als Ich mit geprägt worden.

4. Es ist von daher eine zumindest reduzierte Wahrnehmung, wenn man die Fähigkeit des Menschen, „Ich" zu sagen, und das damit verbundene Bewusstsein der eigenen Individualität allein für den modernen Menschen reserviert. Vielmehr muss Individualität bereits für frühere Gesellschaftsformen vorausgesetzt werden. „Schon ein oberflächlicher Blick in die ethnologische und die historische Forschung kann darüber belehren, daß von ‚zunehmender Individualisierung' in der sozialen Realität keine Rede sein kann [...] . Gerade einfachste Gesellschaften sind in hohem Maße an Individuen orientiert und akzeptieren jeden, sofern er zur Gesellschaft gehört, in seinen Eigenarten."[17]

Es kann nicht Gegenstand der vorliegenden Untersuchung sein, zu klären, ob der Röm ideengeschichtlich eines der frühesten oder vielleicht sogar das früheste Konzept zur Entwicklung eines Ich-Begriffes im genannten Sinne darstellt. Hier ging es lediglich darum, diesen Begriff für den Röm als wichtigen Leitgedanken nachzuweisen und von dort aus Anschlussmöglichkeiten an die aktuelle Diskussion über das moderne Ich, die Individualität des Menschen, seine Identität, sein Selbstverständnis usw. zu schaffen. Wo man die Anfänge dieser Frage des einzelnen Menschen nach sich selbst historisch verorten kann, ist derzeit offenbar noch wenig geklärt.[18] Wenn jedoch die hier

---

[17] Vgl. Niklas Luhmann: Individuum, Individualität, Individualismus; in: ders.: Gesellschaftsstruktur und Semantik. Studien zur Wissenssoziologie der modernen Gesellschaft Bd. 3; Frankfurt/Main 1989, S. 149-258, S. 155 mit Bezug auf: E. Leacock: Status among the Montagnais-Naskapi of Labrador; in: Ethnohistory 5 (1958), S. 200-209; A. I. Halowell: Ojibwa Ontology, Behaviour, and World View; in: S. Diamond (Hrsg.): Culture in History. Essays in Honor auf Paul Radin; New York 1960, S. 19-52; ders.: Self, Society, and Culture in Phylogenetic Perspektive; in: S. Tax (Hrsg.): Evolution after Darwin; Chicago 1960, Bd. 2, S. 309-371; S. Diamond: The Search for the Primitive; in: J. Gladston (Hrsg.): Man's Image in Medicine and Anthropology; New York 1963, S. 93ff); F. Barth: Ritual and Knowledge Among the Baktaman of New Guinea; Oslo 1975, z.B. S. 25; T. Schwartz: The Size and Shape of a Culture; in: F. Barth (Hrsg.): Scale and Social Organisation; Oslo 1978, S. 215-251.

[18] P. Bürger, der eigentlich eine Geschichte der Subjektivität in der französischen Philosophie von Montaigne bis Barthes schreiben möchte, sieht bereits in Augustinus einen entscheidenden Vorläufer der „Entdeckung des modernen Subjektes". Vgl. P. Bürger: Das Verschwinden des Subjektes, S. 29ff. J. P. Vernant hat ein dreistufiges Modell der Entwicklung des Ich vorgeschlagen. Er unterscheidet dabei Individuum, Subjekt und Selbst: „Pour ma part, et dans une perspective d'anthropologie historique, je proposerai une classification [...] qui, pour mon sujet, permet de clarifier le problèmes: a) l'individu, stricto sensu; sa place, son rôle dans son ou ses groupes; la valeur qui lui est reconnue; la marge de manœuvre qui lui laissée, sa relative autonomie par rapport à son encadrement institutionnel; b) le sujet; quand l'individu, s'exprimant lui-même à la première personne, parlant en son propre nom, énonce certains traits qui font de lui un être singulier; c) le moi, la personne; l'ensemble des pratiques et des attitudes psychologiques qui donnent au sujet une dimension d'intériorité et d'unicité, qui le constituent au-dedans de lui comme un être réel, original, unique, un individu singulier dont la nature authentique réside tout entière dans le secret de sa vie intérieure, au cœur d'une intimité à laquele nul, en dehors de lui, ne peut avoir accès, car elle se définit comme conscience de soi-même." (J.-P. Vernant: L'individu, la mort, l'amour. Soi-même et

vorgelegte Analyse des Röm überzeugen kann, so kann man auf der Suche nach frühen Zeugnissen einer Selbstreflexion des einzelnen Menschen, also eines sich seiner selbstbewussten Ich bereits im frühen Christentum Belege dafür finden. Man könnte sogar zugespitzt formulieren, dass das Ich im oben skizzierten Sinne eine „Entdeckung" des frühen Christentums ist, und zwar nicht erst Augustins, sondern bereits biblischer Autoren wie des Paulus.[19]

Die Analyse des Röm im Hauptteil der vorliegenden Untersuchung konnte hoffentlich zeigen, dass – um in der Terminologie des Röm zu bleiben – der Gedanke des Ich, also des Selbstverhältnisses des einzelnen Menschen in einem bestimmten, theologischen und am Leitgedanken einer doppelten menschlichen und theologischen Perspektive orientierten Sinne, bereits im Röm von Paulus grundlegend entwickelt worden ist. Man wird darin sogar einen Leitgedanken der Argumentation des Röm sehen können. Es ist deutlich, dass die Argumentation in einem Sinnabschnitt jeweils an einem bestimmten Punkt auf das Ich – sei es des Menschen allgemein oder des Paulus im Besonderen – und auf sein Selbstverhältnis und Selbstverständnis konzentriert wird. Bekannte Denkmuster und Begriffe werden selbstreflexiv auf das Ich, den einzelnen Menschen und zum Teil auf Paulus selbst bezogen und erfahren dadurch eine Neuinterpretation. So wird z.B. der Begriff der Sünde reinterpretiert als Widerspruch des Ich mit sich selbst (Röm 7,17-20), der Gesetzesbegriff wird damit zusammenhängend in zwei verschiedene Aspekte differenziert, die diesen Selbstwiderspruch des Ich thematisieren (Röm 7,21-25). Die Erfüllung des Gesetzes wird von konkreten Bestimmungen gelöst und auf das Selbstverhältnis des Menschen, sein Gewissen und sein Herz bezogen (2,14f). Die Begriffe des Juden und der Beschneidung werden damit zusammenhängend unter dem Aspekt der Selbstreflexivität neu definiert (2,17-29), ähnliche Umstellungen anderer Begriffe wurden oben im Hauptteil aufgezeigt. Dass sich solche selbst-reflexiven Argumentationsstrukturen im Röm fast durchgehend beobachten lassen, kann neben der formalen Orientierung an Gegenüberstellungen als ein wesentliches inhaltliches Ergebnis der vorliegenden Arbeit festgehalten werden.

Mit dem Röm lässt sich m.E. ein markanter Punkt in der Entwicklung des Selbstverständnisses des Menschen markieren, welches sich durchaus mit dem Selbstverständnis moderner Menschen in Beziehung setzen lässt.[20] Möglicherweise

---

l'autre en Grèce ancienne; Paris 1989, S. 215f.) Siehe dazu auch oben die Einführung der hier vorliegenden Untersuchung.

[19] Diese These ist von F. Vouga für die paulinische Theologie konkretisiert worden. Vgl. z.B. ders.: An die Galater; (HNT 10) Tübingen 1998 und ders.: Die Wahrheit des Evangeliums als kreative Freiheit; in: H.-H. Brandhorst, D. Starnitzke, M. Wedek (Hrsg.): Die Freiheit bestehen. Beiträge zum Jahresthema 2000 der v. Bodelschwinghschen Anstalten Bethel; Bielefeld 2001, S. 28-41. Im Anschluss an die oben dargestellte Unterscheidung von Vernant sieht Vouga a.a.O., S. 34 schon bei Paulus die „Entdeckung des Ich" gegeben „als Entdeckung der individuellen und selbstkritischen Subjektivität des Einzelnen. Das Subjekt kann sich selbst als individuelle Subjektivität beobachten, weil es sich nicht nur von Anderen, sondern auch von sich selbst unterscheiden und distanzieren kann."

[20] Zur zeitlichen Einordnung des Gedankens vgl. auch W. Pannenberg: Anthropologie in theologischer Perspektive; Göttingen 1983, S. 159ff. Karl Jaspers hat gemeint, bereits um das Jahr 500 v.Chr. in zahlreichen Kulturen ein dermaßen großes Interesse am einzelnen Menschen beobachten zu können, dass er diese Zeit als „Achsenzeit" für die Geschichte der Menschheit betrachten konnte. Etwas pauschal formuliert er: „In China lebten Konfuzius und Laotse, entstanden alle Richtungen der chinesischen Philosophie, dachten Mo-Ti, Tschuang-Tse, Lie-Tse und ungezählte andere, - in Indien entstanden die Upanischaden lebte Buddha, wurden alle philosophischen Möglichkeiten bis zur

lassen sich schon früher, z.b. in einzelnen alttestamentlichen Texten, Entwürfe des oben aufgezeigten Selbstverständnisses des Menschen finden, so etwa in bestimmten Psalmen des Einzelnen.[21] Die genaue Datierung der frühesten Anfänge dieses Grundgedankens des sich seiner selbst bewussten Ich wäre Gegenstand einer weiteren umfangreichen Untersuchung.[22] In jedem Falle wird man jedoch m.E. nach der Analyse des Röm behaupten können, dass der Gedanke etwa im sechsten Jahrzehnt unserer Zeitrechnung bei Paulus entwickelt ist. Man kann, wie in der vorliegenden Untersuchung geschehen, versuchen, den Brief im dargestellten Sinne als Ganzen vom diesem Konzept her so zu verstehen, dass er das Ich – sei es konkret des Paulus oder allgemein des Menschen – durch den Glauben an Gott und seine Ex-istenz „in Christus" zu begründen versucht und daraus entsprechende ethische Konsequenzen zieht.

Auf der Basis dieser These könnten sich über eine distanzierte Analyse eines antiken Textes hinausgehend dann auch Möglichkeiten ergeben, vom Röm her in die aktuelle Diskussion über das Selbstverständnis des modernen Menschen einzusteigen und diese zu befruchten. Die derzeitige Debatte könnte von solchen frühen Theoriekonzepten her seitens der christlichen Theologie durchaus selbstbewusst und in positiver und produktiver Aufnahme der eigenen Traditionen geführt werden. Es ginge dann darum, die bereits von Paulus entwickelten Gedanken zum Ich unter heutigen Bedingungen zu aktualisieren. Es könnte versucht werden, von christlicher Seite zu einem modernen Selbstverständnis des Menschen beizutragen, welches das Ich nicht durch sich selbst, sondern durch Gott und „in" Christus begründet sieht und es deshalb nicht aufhebt, sondern gerade stärkt. Zugleich könnte dabei auch das kritische Potential der Theologie des Paulus für die aktuelle Frage des modernen Menschen nach sich selbst konstruktiv eingebracht werden.

In dieser Richtung hat sich z.B. M. Beintker mit dem modernen Begriff der Selbstverwirklichung auseinandergesetzt. „Wer bei Selbstverwirklichung einfach an das Ausleben seiner Bedürfnisse oder seiner Natur denkt, wer das Wort benutzt, um die Ansprüche seines Ich psychologisch plausibel zu legitimieren, wer Selbst-verwirklichung sagt und eigentlich Selbstsucht sagen müßte, der hat die Fachleute nicht

---

Skepsis und bis zum Materialismus, bis zur Sophistik und zum Nihilismus, wie in China, entwickelt, - in Irn lehrte Zarathustra das fordernde Weltbild des Kampfes zwischen Gut und Böse, - in Palästina traten die Propheten auf von Elias über Jesajas und Jeremias bis zu Deuterojesajas, - Griechenland sah Homer, die Philosophen – Parmenides, Heraklit, Plato – und die Tragiker; Thukydides und Archimedes: Alles, was durch solche Namen nur angedeutet ist, erwuchs in diesen wenigen Jahrhunderten (sc.: zwischen 800 und 200, D.S.) annähernd gleichzeitig in China, Indien und dem Abendland, ohne daß sie gegenseitig voneinander wußten. Das Neue dieses Zeitalters ist in allen drei Welten, daß der Mensch sich des Seins im ganzen, seiner selbst und seiner Grenzen bewußt wird. [...] Er erfährt die Unbedingtheit in der Tiefe des Selbstseins und in der Klarheit der Transzendenz." (K. Jaspers: Vom Ursprung und Ziel der Geschichte; München 1949, S. 20)

[21] Vgl. z.B. die Psalmen, die Paulus selbst in diesem Sinne ausdrücklich aufnimmt, etwa Ps 50 (LXX) in Röm 3,4.

[22] C. Taylor stellt hier z.B. einen Bezug zu Platos Vorstellung des self-mastery her: „The good man is ‚master of himself' (or ‚stronger than himself', kreitto autou [...]). Plato sees the absurdity of this expression unless one adds to it a distinction between higher and lower parts of the soul. To be master of oneself is to have the higher part of soul rule over the lower, which means reason over the desires (‚to logistikon' over ‚to epithumetikon')." (C. Taylor: Sources of the Self. The making of modern Identity; Cambridge 1989, S. 115). Er betont dabei allerdings, „that our modern notions of inner and outer are indeed strange and without precedent in other cultures and times." (A.a.O., S. 114)

auf seiner Seite."[23] Es könnte aber versucht werden, von theologischer Seite ein anspruchsvolles und angemessenes Verständnis des Ich zu entwickeln, das an moderne Fragestellungen, die das Selbstverhältnis des Menschen betreffen, anschlussfähig ist.[24] Theologen wie z.B. P. Tillich[25] und in neuerer Zeit H.-M. Barth[26] haben sich bemüht, auf dieser Basis Verbindungsmöglichkeiten zwischen modernem Selbstbewusstsein und theologisch begründetem Selbstverständnis zu finden.

Die Analyse des Röm zeigt, dass sich das Christentum offenbar schon sehr früh unter der grundsätzlichen Gegenüberstellung einer geläufigen menschlichen und einer zweiten, theologischen Perspektive mit der Problematik des Ich und des Selbst befasst und auf dieser Basis versucht hat, Möglichkeiten einer Neubestimmung der Identität des Einzelnen zu eröffnen. Man wird dabei jedoch beachten müssen, dass diese Vorstellungen ohne Frage von der frühen Christenheit in einem geschichtlichen und räumlichen Kontext entwickelt wurden, der sich von unserer heutigen Lebenssituation erheblich unterscheidet. In einer Zeit, in der offenbar viele der in Mitteleuropa lebenden Menschen ihr eigenes Ich nicht durch den christlichen Glauben begründet sehen, erscheinen solche Gedanken nicht sonderlich attraktiv. Die Aporien einer Menschlichkeit des Menschen, die lediglich in ihm selbst begründet ist und die unter Begriffen wie Individuum, Subjekt,[27] Person[28] oder Selbst usw. mit der Option der

---

[23] M. Beintker: Selbstverwirklichung in der Spannung von humanwissenschaftlicher Anthropologie und Rechtfertigungslehre; in ders.: Rechtfertigung in der neuzeitlichen Lebenswelt. Theologische Erkundigungen; Tübingen 1998, S. 80-94, dort S. 83.

[24] Beintker nennt hier als Beispiel bereits J.G. Herder mit seiner Unterscheidung von Ich und Selbst. Er zitiert dazu a.a.O., S. 83 ein Gedicht Herders mit dem Titel „Selbst":
"Vergiß dein Ich; Dich selbst verliere nie.
Nichts Größres konnt' aus ihrem Herzen dir
Die reiche Gottheit geben, als Dich selbst."
(Aus: Herders gesammelte Werke, hrsg. v. B. Suphan, Bd. 29; Berlin 1889, S. 139)

[25] Zum Tillichschen Verständnis des „Selbst" vgl. P. Tillich: Systematische Theologie, Bd. 1; 7. Aufl. Stuttgart 1983, S. 199ff. Tillich beschreibt dort das Verhältnis von Selbst und Welt als „ontologische Grundstruktur". Insofern kommt allem Sein ein Selbst zu. Das gilt aber in ganz besonderer Weise für den Menschen: „Der Mensch ist das voll entwickelte und völlig zentrierte Selbst. Er ‚besitzt' sich in der Form des Selbstbewußtseins." (A.a.O., S. 201) Tillich versteht dieses Selbst des Menschen dabei von vornherein theologisch in seinen transzendenten Bezügen: „Da der Mensch ein Ich-Selbst hat, transzendiert er jede mögliche Umgebung." (Ebd.)

[26] Vgl. dazu z.B. H.-M. Barth: Wie ein Segel sich entfaltet. Selbstverwirklichung und christliche Existenz; München 1979; ders.: Wohin – woher mein Ruf? Zur Theologie des Bittgebetes; München 1981; ders: Das Ethos der Selbstverwirklichung und der christliche Glaube; in: F. de Boor (Hrsg.): Selbstverwirklichung als theologisches und anthropologisches Problem; 1988, S. 7-30; H.-M. Barth: Rechtfertigung und Identität; in: PTh 86 (1997), S. 88-103.

[27] N. Luhmann hat gezeigt, daß die moderne Vorstellung des Menschen als eines unverwechselbaren Individuums bzw. Subjektes in unvermeidbare Aporien führt. „So wurde die Gesellschaft als Gesellschaft der Subjekte begriffen. Das ist jedoch, wie leicht zu sehen, eine paradoxe Konstruktion. Ein Subjekt, das sich selbst und der Welt zu Grunde liegt und außer sich selbst keine Vorgegebenheiten erkennen und anerkennen kann, liegt auch anderen ‚Subjekten' zu Grunde. Also jedes jedem? Dies kann nur behauptet werden, wenn man dem Subjektbegriff eine transzendentaltheoretische Deutung gibt. [...] Der Konstruktionsfehler liegt in der Gleichsetzung von Subjektivität und Allgemeinheit und in der Zurechnung dieser Gleichsetzung auf das sich selbst gegebene Bewußtsein. Individualität wird nicht individuell, sondern als das Allgemeinste schlechthin gedacht, indem man auch in dieser Hinsicht Subjekt und Objekt, nämlich den Begriff des Individuellen (der selbstverständlich ein allgemeiner, alle Individuen bezeichnender Begriff ist) und die Individuen in eins setzt." (N. Luhmann: Die Gesellschaft der Gesellschaft, Frankfurt/ Main 1997, S. 1027f)

Selbstverwirklichung[29] firmiert, werden jedoch immer deutlicher. Deshalb ist es denkbar, dass solche im frühen Christentum entwickelten, alternativen Begründungsmöglichkeiten des Ich zukünftig für hiesige Menschen erneut interessant werden könnten.

Wie im Hauptteil dieser Untersuchung entfaltet, könnte sich m.E. eine aktuelle Bedeutung ergeben, wenn man das im Röm entwickelte und oben untersuchte erste Lebenskonzept „aus Werken des Gesetzes" in die heutige Zeit übersetzt als „Versuch der Identitätsfindung durch sich selbst" und das zweite „aus Glauben" als „Annahme der Begründung der *eigenen* Identität durch Gott und in Christus" (vgl. Röm 3,19-31; 4,1ff). Den Identitätsbegriff hat dabei vor allem H.-M. Barth in diesem Zusammenhang in die theologische Debatte eingebracht. Er beobachtet ein starkes Interesse heutiger Menschen an der Frage nach ihrer eigenen Identität. Und diese Frage scheint theologischen Ansätzen zu widersprechen: „Gerade die Rechtfertigungsbotschaft scheint deutlich zu machen, daß es vor Gott nicht auf das menschliche Ich ankommt. Schon das ‚erkenntnisleitende Interesse' des heutigen Menschen scheint, so gesehen, in die falsche Richtung zu weisen: Während Luther, wie man immer wieder verkürzend behauptet, wissen wollte: ‚Wie kriege ich einen gnädigen Gott?', fragt der Mensch – heute reflektierter und elaborierter denn je – nach sich selbst, nach seiner ‚Identität'."[30] Barth meint dabei – allerdings vielleicht etwas pauschal –, dass diese moderne Identitätsfrage bislang in der Theologie mit Ausnahme der Religionspädagogik und Seelsorgelehre relativ wenig Resonanz erzeugt hat. „Während der Identitätsbegriff seit William James problemlos in die Sprache der Psychologie Eingang gefunden hat, ist er den Theologen weithin fremd geblieben."[31] Es ist offensichtlich, dass der einzelne Mensch unter modernen Bedingungen für die Definition der eigenen Identität vor allem an sich selbst verwiesen ist und seine Identität weniger durch die Abstammung oder andere externe Faktoren, sondern vielmehr durch seine persönliche Lebenskonzeption, durch eigene Leistungen, Fähigkeiten und Eigenschaften bestimmt.

Diese Selbstdefinition des Lebens durch eigene Leistungen, Fähigkeiten und Eigenschaften mag unter bestimmten Voraussetzungen überzeugend sein, sie führt aber auch oft genug in Aporien, z.B. wenn der einzelne Mensch in Krisensituationen nicht mehr mit sich selbst zurechtkommt und seine durch ihn selbst definierte Identität erschüttert ist. In theologischer Sicht wäre hier zu fragen, ob die in der vorliegenden Untersuchung dargelegte paulinische Sichtweise nicht ein hilfreiches Alternativmodell

---

[28] Zu den philosophischen Aporien des Personbegriffs vgl. B. Gillitzer: Personen, Menschen und ihre Identität; Münchener philosophische Studien, Neue Folge Bd. 18; Stuttgart 2001.

[29] Zu diesem Begriff meint M. Beintker: „Es besteht aller Anlaß, den Gedanken der Selbstverwirklichung als Ausdruck eines Menschenbildes zu werten, das den Menschen a se, isoliert von seiner Beziehung zu Gott und damit abstrakt, zur Sprache bringt. Und auch wenn man versichert, dem sei nicht so, dann beweisen zumindest die in- und extensiven Abgrenzungen von Fehl- und Mißdeutungen, daß man alle Mühe hat, den Zugzwang zur 'aseitas hominis' und zur Anmaßung des Selbstschöpfertums zu bannen." (M. Beintker: Selbstverwirklichung in der Spannung von Anthropologie und Rechtfertigungslehre, S. 93)

[30] H.-M. Barth: Rechtfertigung und Identität; in: PTh 86 (1997), S. 88-102, dort S. 90.

[31] Barth, a.a.O., S. 92. Er nennt als Ausnahmen M. Klessmann: Identität und Glaube. Zum Verhältnis von psychischer Struktur und Glaube; München/ Mainz 1980 und H.-J. Fraas: Glaube und Identität. Grundlegung einer Didaktik religiöser Lernprozesse; Göttingen 1983 sowie W. Pannenberg: Systematische Theologie; Bd. 3; Göttingen 1993, besonders S. 283ff und 618ff. Neuere Publikationen, die in der hier vorgelegten Untersuchung genannt wurden, revidieren diesen Eindruck allerdings etwas.

zur modernen Definition des Menschen durch sich selbst und seine eigenen Leistungen sein könnte. „Menschen werden beurteilt nach dem, was sie schaffen und leisten [...] es gehört als objektiv vorhandener Faktor zu den Elementen, die neuzeitliches Lebensgefühl entscheidend prägen [...] Wenn es gelingt, den Zwang zu Leistungen zu beschreiben, von denen wir heute ‚Heil' erwarten, ohne es wirklich zu erfahren, und wenn es gelingt, von diesem Zwang unter Verweis auf Gottes Vor-Leistung, von der der Glaubende leben darf, freizusprechen, erfüllt Rechtfertigungsbotschaft ihre Aufgabe – der paulinischen Intention durchaus sachgemäß."[32]

Es wäre in dieser Richtung zu fragen, ob die im Röm dargelegte Begründung des Ich nicht gerade als konstruktives Gegenkonzept zu einem modernen Narzissmus verstanden werden kann, mit dem der Mensch verzweifelt versucht, sich selbst zu lieben und dabei scheitert, weil er nicht zugleich Liebende(r) und Geliebte(r) sein kann.[33] Es hat unter diesen Bedingungen möglicherweise eine erstaunliche Relevanz, wenn heutigen Menschen je individuell und persönlich zugesagt würde, dass sie sich ihr unverwechselbares Ich, ihre Existenz und Identität nicht selbst und durch eigene Definitionen und Leistungen zu schaffen brauchen, sondern sich dies vertrauensvoll von Gott schenken lassen können – ohne sich dabei als selbstbewusstes Ich zu verlieren.

Zwar trägt der Begriff der „Identität" auch deutliche psychologische Konnotationen, es ist aber, wie H.-M. Barth gezeigt hat, sehr wohl möglich, eine spezifisch theologische Deutung des Identitätsproblems zu geben. „In diesem Kontext wird dann jedoch die Verheißung einer neuen ‚Identität' vernehmbar, die nicht mehr an psychologischen Identitätsbegriffen zu messen ist, obwohl auch sie sich unter Einbeziehung schöpfungsmäßiger Gegebenheiten entfaltet: die Raum und Zeit transzendierende Identität des ‚neuen' Menschen ‚in Christus'".[34] Dabei ist es – jedenfalls auf der Basis des Röm – nicht angemessen, diese neue Identität im Widerspruch zu einer selbstbewussten Identität zu verstehen. Das ist vielmehr eine Interpretation, die sich im Laufe der Theologiegeschichte eingespielt hat. Vielmehr meint „neue Identität" eine Neubegründung des Ich, die zwar außerhalb des Ich geschieht, das Ich *als Ich* dabei jedoch in neuer Weise konstituiert. „Die damit gegebene Dialektik gerechtfertigter menschlicher Existenz ist in der evangelischen Theologie oft zuungunsten von personaler Identität aufgelöst worden; in der Aversion gegen Begriffe wie ‚Selbstverwirklichung' oder ‚Selbstentfaltung' spiegelt sich das. Selbst an der Interpretation von *Luthers* Wendung ‚ponit nos extra nos' läßt sich das zeigen: Es sind und bleiben doch ‚wir', die wir hier außerhalb von uns gestellt und konstituiert werden sollen."[35]

Begriffe wie Selbstverwirklichung, Selbstbewusstsein etc. bekommen aber eine neue und andere Basis, wenn sie in der in dieser Untersuchung herausgearbeiteten Weise theologisch begründet werden können. Es ist erstaunlich, wie – geradezu überspitzt – selbstbewusst Paulus an bestimmten Stellen des Röm sprechen kann (vgl. z.B. 15,14ff; 16,16). Bemerkenswert ist in diesem Zusammenhang die Beobachtung, dass Komposita, die den Begriff „Selbst" in sich halten, größtenteils moderne Begriffsschöpfungen sind, sich also erst seit dem 17. Jahrhundert relativ unabhängig

---

[32] W. Bindemann: Theologie im Dialog. Ein traditionsgeschichtlicher Kommentar zu Römer 1-11; Leipzig 1992, S. 280f.

[33] Vgl. dazu ausführlicher M. Roth: Homo incurvatus in seipsum – Der sich selbst verachtende Mensch. Narzißmustheorie und theologische Hamartiologie; in: Praktische Theologie 33 (1998), S. 14-33.

[34] H.-M. Barth: Rechtfertigung und Identität, S. 101.

[35] Ebd.

von der Theologie in den europäischen Sprachen entwickeln konnten. Die christliche Tradition äußert sich demgegenüber begriffsgeschichtlich gesehen eher in negativen Verbindungen mit „Selbst", also z.B. in Wortprägungen wie Selbstverleugnung oder Selbstliebe – verstanden in einem negativen Sinne.[36] Wenn man hingegen das oben entfaltete Verständnis des Ich als ein genuines Konzept paulinischer (und damit christlicher) Theologie versteht, dann könnten solche positiven, die Selbständigkeit des Menschen aus theologischen Gründen bejahenden Begriffe gerade im christlichen Kontext im Bewusstsein der eigenen Tradition wesentlich selbstbewusster verwendet werden.[37] Sie könnten von dort aus – unter Nutzung ihres kritischen wie ihres konstruktiven Potentials – auch in anderen Bereichen der modernen Gesellschaft eingebracht werden.

Niklas Luhmann hat in einem seiner letzten Texte eine solche Richtung angedeutet, in der sich die Theologie zugleich kritisch und konstruktiv mit dem modernen Individualismus beschäftigen könnte: „Es ist eine alte Weisheit, zu sagen, das Individuum könne die Frage ‚wer bin ich?' nicht selbst beantworten. In der Tradition war dies ein Zeichen der Schwäche seiner immanenten Existenz – seiner Orientierung am Eigeninteresse, seiner Erkenntnisschwäche, seiner Sündhaftigkeit. Diese Qualifizierung war diktiert durch das Gegenüber einer selbstvollkommenen Transzendenz. Eine andere Auffassung könnte sagen: das Individuum selbst ist die Transzendenz und eben deshalb darauf angewiesen, sich auf eine stets prekäre Selbstbestimmung festzulegen. Dann wäre zu verstehen, daß das Individuum die Paradoxie der Einheit der Differenz von Immanenz und Transzendenz in sich selbst erfährt [...] Die Transzendenz liegt jetzt nicht mehr in der Ferne [...] nicht mehr im ‚Himmel droben'. Sie findet sich jetzt in der Unergründlichkeit des jeweils eigenen Selbst, des Ich. [...] Ungeachtet aller Probleme des Kontinuierens der verschiedenen religionsdogmatischen Positionen wird man registrieren müssen, daß in der modernen Welt die Ferne ein wenig überzeugender Ort für Transzendenz ist und daß statt dessen die Ungewißheit zunimmt, in der das einzelne Individuum zu erfahren sucht, was es selbst ist oder was, wie man sagt, seine ‚Identität' ausmacht."[38] Vielleicht ist in der vorliegenden Untersuchung deutlich geworden, dass in dieser Situation der Ungewissheit des Ich die Beschäftigung mit dem Römerbrief des Paulus gerade für den (spät-)modernen, sich als Individuum verstehenden Menschen immer noch oder wieder neu interessant sein könnte.

---

[36] Vgl. dazu den von der Redaktion verfaßten Artikel „Selbst, I. Antike bis frühe Neuzeit"; in: Historisches Wörterbuch der Philosophie; hrsg. v. J. Ritter und K. Gründer; Bd. 9, Darmstadt 1995, Sp. 292-293, und zur Geschichte des Begriffes in der Neuzeit W. H. Schrader: Artikel „Selbst, II.17. bis 19. Jh."; a.a.O., Sp. 293-305. U. Schönpflug: Artikel „Selbst, III. Psychologie"; a.a.O., Sp. 305-313. Zu den Komposita vgl. die daran anschließenden Artikel „Selbstachtung", „Selbstbehauptung" usw., a.a.O., Sp. 313ff.

[37] Dafür plädiert auch K. Müller, der am Ende seiner Untersuchung über theologische Begründungsmöglichkeiten des Ich und selbstbewußter Subjektivität feststellt: „Theologie durchbricht die geschichtlich aufgebürdeten und zu erheblichem Teil von ihr selbst mitzuverantwortenden Blockaden gegen die Moderne und entdeckt deren Leitmotive als basales Element ihrer eigenen Grundbegriffe wieder. Buchstabiert sie mit deren Hilfe ihre Grund-Sätze von neuem durch, wird sie [...] die von ihr geschuldete Rechenschaft über den Logos der die Christen beseelenden Hoffnung so geben, daß sie gerade im Kontext einer zu Selbstapplikation genötigten Aufklärung dem kritischen Subjekt zu sagen vermag, daß es, wenn es 'ich' sagt, dem Gott Jesu Christi schon nahe ist." (K. Müller: Wenn ich „ich" sage. Studien zur fundamentaltheologischen Relevanz selbstbewußter Subjektivität; RSTh 46; Frankfurt /Main 1994, S. 601)

[38] N. Luhmann: Die Religion der Gesellschaft, posthum hrsg. v. André Kieserling; Frankfurt/Main 2000, S. 110-112.

Literaturverzeichnis

Die Abkürzungen richten sich nach dem Abkürzungsverzeichnis der Theologischen Realenzyklopädie, zusammengestellt von S. M. Schwertner; 2. Aufl. Berlin, New York 1994.

1. Editionen des Bibeltextes und spezielle Übersetzungen

Biblia Hebraica Stuttgartensia, hrsg. v. K. Elliger und W. Rudolph; Stuttgart 1977.

Die fünf Bücher der Weisung. Verdeutscht von M. Buber gemeinsam mit F. Rosenzweig; 11. Aufl. Heidelberg 1987.

The Codex Alexandrinus, in reduced photographic facsimile, New Testament and Clementine Epistles; London 1909.

Einheitsübersetzung der Heiligen Schrift; Katholische Bibelgesellschaft (Hrsg.); Stuttgart 1979.

The Greek New Testament, United Bible Societies; edited by K. Aland, M. Black u.a.; 2nd Edition New York 1974.

The Greek New Testament, United Bible Societies; edited by K. Aland, M. Black, C. M. Martini, B.M. Metzger, A. Wikgren; 4th Edition 1993.

Griechisches Neues Testament. Text mit kurzem Apparat (Handausgabe), hrsg. v. H. v. Soden; Göttingen 1913.

Lutherbibel, Rev. Fassung; Deutsche Bibelgesellschaft (Hrsg.); Stuttgart 1984.

Novum Testamentum Graece cum Apparatu critico curavit Eberhard Nestle novis curis elaboraverunt Erwin Nestle et Kurt Aland; Editio XXV; United Bible Societies, London 1975.

Novum Testamentum Graece, 27. Aufl.; nach E. und E. Nestle hrsg. v. B. und K. Aland, J. Karavidopoulos, C.M. Martini und B.M. Metzger; Stuttgart 1993.

Septuaginta. Id est Vetus Testamentum graece iuxta LXX interpretes edidit Alfred Rahlfs; Stuttgart 1979.

Septuaginta. Vetus Testamentum Graecum. Auctoritate Societas Litterarum Gottingensis editum,

Vol. 1: Genesis, edidit J. W. Wevers; 1974.

Vol. 2,1: Exodus, edidit J. W. Wevers; 1991.

Vol. 2,2: Leviticus, edidit J. W. Wevers; 1986.

Vol. 3,1: Numeri, edidit J. W. Wevers; 1982.

Vol. 3,2: Deuteronomium, edidit J. W. Wevers; 1977.

Vol. 9: Maccabaeorum libri 1-4; Fasc. 1, 1936; Fasc. 2, 1959; Fasc. 3, 1960.

Vol. 10: Psalmi cum Odis, edidit A: Rahlfs; 1931

Vol. 11,4: Iob, edidit J. Ziegler; 1982.

Vol. 12,1: Sapientia Salomonis, edidit J. Ziegler; 1962.

Vol. 12,2; Sapientia Iesu Filii Sirach, edidit J. Ziegler; 1965.

Vol. 13: Duodecim prophetae, edidit J. Ziegler; 1943.

Vol. 14: Isaias, edidit J. Ziegler; 1939.

Vol. 15: Jeremias, Baruch, Threni, Epistula Jeremiae, edidit J. Ziegler; 1957.

Vol. 16,1: Ezechiel, edidit J. Ziegler; 1952.

Vol. 16,2: Susanna, Daniel, Bel et Draco, edidit J. Ziegler; 1954.

Traduction Oecuménique de la Bible, Société biblique française (Hrsg.); Paris 1988.
Ἡ καινὴ διαθήκη. Novum Testamentum Graecum editionis receptae cum lectionibus variantibus, opera et studio Jahnnis Jacobi Wettsteinii, Tomus II; Amsterdam 1752, S. 16-100s.

2. Zitierte außerbiblische Quellen

Im Folgenden sind nur die Texte und Textausgaben angegeben, auf die in der vorliegenden Untersuchung direkt eingegangen wird.

Acta Conciliorum Oecumenicorum, iussu atque mandato Societatis Scientiarum Argentoratensis edidit E. Schwartz; Tom. II, Vol. I, Berlin 1933.
Aelius Aristides: Die Romrede; herausgegeben, übersetzt und mit Erläuterungen versehen von R. Klein; Texte zur Forschung, Bd. 45; Darmstadt 1983.
Aischylos: Septem quae supersunt tragoedias, edidit D. Page; Oxford 1972.
Aristotelis Opera, edidit Academia Regia Borussica; Aristoteles Graece ex recognitione I. Bekkeri; Vol. 1 und 2, Darmstadt 1960.
A. Augustinus: Confessiones – Bekenntnisse. Eingeleitet, übersetzt und erläutert von Joseph Bernhart; München 1955.
Sancti Aurelii Augustini Confessionem libri tredecem, recensuit et commentario critico instruxit P. Knöll; CSEL XXXV, I,1, Wien 1896.
Cassii Dionis Cocceiani Historiam Romanarum quae supersunt, edidit Ursulus Philippus Boissevain, Vol. 1-4; Berlin 1895-1926.
Dio's Roman History with an English translation by E. Cary on the basis of the version of H. B. Foster, Vol. VII; London 1924 (Nachdruck 1981).
M. Tullii Ciceronis Opera quae supersunt omnia, ediderunt J.G. Baiter, C.L. Kayser, Vol. I-XI; Leipzig 1860-1869.
Columella, Lucius Iunius Moderatus: Zwölf Bücher über die Landwirtschaft. Lateinisch-deutsch hrsg. und übersetzt von Will Richter; Bd. 1-3 München 1981-1983.
Demosthenis Orationes, edidit I. Bekker; vol. 1 und 2; Leipzig 1854.
Epicteti Dissertationes ab Arriano digestae, recensuit Henricus Schenkl; Leipzig 1894.
Euripides: Tragoediae. Ex recensione Augusti Nauckii. Editio altera. Vol. 1 und 2; Leipzig 1857.
Herodoti Historiae, recognovit brevique adnotatione critica instruxit Carolus Hude; vol. 1 und 2; 3. Aufl. Oxford 1927 (Nachdruck 1967 und 1970).
Herodot: Historien; hrsg. v. Josef Feix; 2 Bände, München 1963.
Isocrate: Discours, Tome II; Texte établi et traduit par Georges Mathieu; Paris 1956.
A. Persi Flacci et D Iuni Iuvenalis Saturae. Cum addimentis Bodleianis recognovit brevique adnotatione critica instruxit S. G. Owen; 2. Aufl. Oxford 1908 (Nachdruck 1952).
Juvenal: Satiren, Lateinisch-deutsch, hrsg., übersetzt und mit Anmerkungen versehen von J. Adamietz; Darmstadt 1993.
Flavii Iosephi opera, Bd. 1-7, hrsg. v. B. Niese; Berlin 1885-1890.
Des Flavius Josephus Jüdische Altertümer. Geschichte des jüdischen Krieges. Kleinere Schriften, hrsg. v. H. Clementz; Wien 1899.

Marcus Aurelius Antonius: The Communings with himself. A revised text and a translation into English by C. R. Haines; London 1987.

Pauli Orosii historiam adversum paganos libri VII, recensuit et commentario critico instruxit C. Zangemeister; CSEL V, Wien 1882.

Philonis Alexandrinii opera quae supersunt, hrsg. v. L. Cohn, P. Wendland, S. Reiter; Bd. 1-6, Berlin 1896-1915.

Philo von Alexandrien. Die Werke in deutscher Übersetzung; Bd. 1-7; 2. Aufl. Berlin 1962-1964.

Platonis Opera, hrsg. v. J. Burnet; 5 Bände Oxford 1900-1907.

Platon: Werke in acht Bänden. Griechisch und Deutsch, hrsg. v. G. Eigler; Darmstadt 1990.

C. Plini Caecili Secundi Epistularem libri novem, Epistularum ad Traianum liber, Panegyricus, recensuit M. Schuster, editionem tertiam curavit R. Hanslik; Leipzig 1958.

M. Fabi Quintiliani Institutionis Oratoriae libri XII, edidit L. Rademacher; vol. 1 et 2; Leipzig 1959.

Marcus Fabius Quintilianus: Ausbildung des Redners. Zwölf Bücher, hrsg. und übersetzt von H. Rahn; 2 Bände, 2. Aufl. 1988.

L. Annaeus Seneca: Philosophische Schriften, Lateinisch und deutsch, hrsg. v. M. Rosenbach; 5 Bände Darmstadt 1969-1989.

C. Suetoni Tranquilli Opera, vol. 1: De vita Caesarum: libri VIII, recensuit M. Ihm; Stuttgart 1908 (Nachdruck 1973).

Gaius Suetonis Tranquillus: Leben der Caesaren; übersetzt und herausgegeben von A. Lambert; München 1980.

The Annals of Tacitus, edidit with instruction and notes by H. Furneaux; vol. 1 und 2; 2. Aufl. Oxford 1896 und 1907 (Nachdruck 1982 und 1979).

3. Hilfsmittel

Aland, K. und B.: Der Text des Neuen Testaments. Einführung in die wissenschaftlichen Ausgaben sowie in Theorie und Praxis der modernen Textkritik; Stuttgart 1982.

Aland, K. (Hrsg.): Text und Textwert der Griechischen Handschriften des Neuen Testaments, II. Die Paulinischen Briefe, Band 1: Allgemeines, Römerbrief und Ergänzungsliste; (ANTT 16) Berlin, New York 1991.

Balz, H., Schneider, G.: Exegetisches Wörterbuch zum Neuen Testament; 3 Bände, Stuttgart 1980, 1981,1983.

Bauer, W.: Griechisch-Deutsches Wörterbuch zu den Schriften des Neuen Testaments und der übrigen urchristlichen Literatur; 5. Aufl. Berlin 1958.

Bauer, W.: Wörterbuch zu den Schriften des Neuen Testaments und der frühchristlichen Literatur; 6., völlig neu bearbeitete Aufl., im Institut für neutestamentliche Textforschung/ Münster unter besonderer Mitwirkung von V. Reichmann hrsg. v. K. Aland und B. Aland; Berlin 1988.

Blass, F., Debrunner, A., bearbeitet von Rehkopf, F.; Grammatik des neutestamentlichen Griechisch; 17. Aufl. Göttingen 1990.

Hatch, E., Redpath, H. A.: A Concordance to the Septuagint and other Greek versions of the Old Testament (including the Apocryphal Books); 2 Bände und Supplement, Oxford 1897.

Haubeck, W., von Siebenthal, H.: Neuer sprachlicher Schlüssel zum griechischen Neuen Testament, Bd. 2: Römer bis Offenbarung; Gießen 1994.

Huck, A., Greeven, H.: Synopse der drei ersten Evangelien: mit Beigabe der johanneischen Parallelstellen; 13. Aufl. Tübingen 1981.

Institut für Neutestamentliche Textforschung und Rechenzentrum der Universität Münster (Hrsg.): Computer-Konkordanz zum Novum Testamentum Graece von Nestle-Aland, 26. Auflage und zum Greek New Testament, 3rd Edition; Berlin, New York 1980.

A Greek-English lexicon compiled by H. G. Liddell and R. Scott; Revised and Augmented throughout by H.S. Jones with the Assistance of R. McKenzie and with the Cooperation of Many Scholars. With a Supplement; Oxford 1968.

Metzger, B.M.: A Textual Commentary on the Greek New Testament; 2. Aufl. Stuttgart 1994.

Theologisches Wörterbuch zum Alten Testament, begründet bzw. herausgegeben von G.J. Botterweck und H. Ringgren; Bd.1-8; Stuttgart, Berlin, Köln 1973-1995.

Theologisches Wörterbuch zum Neuen Testament, begründet und hrsg. v. G. Kittel, ab Band V in Verbindung mit zahlreichen Fachgenossen hrsg. v. G. Friedrich; Bd. 1-10; Stuttgart 1933-1979.

Strecker, G., Schnelle, U. (unter Mitarbeit von G. Seelig): Neuer Wettstein. Texte zum Neuen Testament aus Griechentum und Hellenismus, Bd. II, Texte zur Briefliteratur und zur Johannesapokalypse, Teilbd. 1; Berlin und New York 1996.

4. Kommentare, Auslegungen und Vorlesungen zum Römerbrief

Althaus, P.: Der Brief an die Römer; (NTD 6) 1935, 13. Aufl. Göttingen 1978.

Asmussen, H.: Der Römerbrief; Stuttgart 1952.

Aurelii Augustini Epistolae ad Romanos inchoata Expositio; in: PL 35 (1845), Sp. 2087-2106.

Barrett, C.K.: A Commentary on the Epistle to the Romans; (BNTC 7) 1957, 2. Aufl. 1962, Neudruck London 1991.

Barth, K.: Der Römerbrief, Erste Fassung 1919, Neudruck Zürich 1963.

Barth, K.: Der Römerbrief, Zweite Fassung 1922, 15. Abdruck Zürich 1989.

Barth, K.: Kurze Erklärung des Römerbriefes; 3. Aufl. München 1964.

Black, M.: Romans; (NCeB) 1973, 2. Aufl. 1989.

Byrne, B.: Romans; (Sacra Pagina) Collegeville 1996.

Calvin, J.: Commentarius in Epistolam Pauli ad Romanos interpretatio; in: CR 77 (1892), S. 1-292.

Calvin, J.: Auslegung der Heiligen Schrift, hrsg. v. K. Müller; Neukirchen 1903, Der Brief an die Römer, S. 3-280.

Cranfield, C.E.B.: A critical and exegetical commentary on the Epistle to the Romans; (ICC) Volume 1: Introduction and Commentary on Romans I-VIII; Edinburgh

1975, 7. Aufl. 1990; Volume 2: Commentary on Romans IX-XVI and Essays; Edinburgh 1979, 5. Aufl. 1989.

Dodd, C.H.: The Epistle of Paul to the Romans; (MNTC 6) 1932, 14. Aufl. 1960.

Dunn, J.D.G.: Romans 1-8. 9-16; (World Biblical Commentary 38 A und B) 2 Bände, Dallas (Texas) 1988.

Fitzmyer, J.A.: Romans; (AB 33) New York 1993.

Gaugler, E.: Der Römerbrief; (Prophezei, Schweizerisches Bibelwerk für die Gemeinde) I. Teil: Kapitel 1-8; Zürich 1945, 22. Aufl. 1958; II. Teil: Kapitel 9-15; Zürich 1952.

Haacker, K.: Der Brief des Paulus an die Römer; (ThHK 6) Leipzig 1999.

Käsemann, E.: An die Römer; (HNT 8a) 1973, 4. Aufl. Tübingen 1980.

Kühl, E.: Der Brief des Paulus an die Römer; Leipzig 1913.

Kuss, O.: Der Römerbrief übersetzt und erklärt, 1. Lieferung (1,1-6,11) Regensburg 1957; 2. Lieferung (6,11-8,19) Regensburg 1959; 3. Lieferung (8,19-11,36) Regensburg 1978.

Lagrange, M.-J.: Saint Paul: Epître aux Romains; (EtB) 1916, 6. Aufl. Paris 1950.

Leenhardt, F.-J.: L'Épître de Saint Paul aux Romains; (CNT 6) 1957, 2. Aufl. Neuchâtel 1981.

Lietzmann, H.: An die Römer (HNT 8); 1906, 5. Aufl. Tübingen 1971.

Lohse, E.: Der Brief an die Römer; (KEK 4) 15. Aufl. Göttingen 2003.

Luther, M.: Vorlesung über den Römerbrief (1515/16); in: Ausgewählte Werke; hrsg. v. H. H. Borchert und G. Merz; Ergänzungsreihe, Bd. II, 3. Aufl. München 1965.

Luther, M.: Der Brief an die Römer; WA 56, Weimar 1938.

Luther, M.: Nachschriften der Vorlesungen über Römerbrief, Galaterbrief und Hebräerbrief; WA 57, Weimar 1939.

Luther, M.: Epistelauslegungen, hrsg. v. E. Ellwein, 1. Band: Der Römerbrief; Göttingen 1963.

Melanchthon, Ph.: Dispositio orationis in Epistolam Pauli ad Romanos, 1529, CR 15 (1848), 441-492.

Melanchthon, Ph.: Commentarii in Epistolam Pauli ad Romanos, 1540 (1. Aufl. 1532), CR 15 (1848), S. 493-796.

Melanchthon, Ph.: Epistolae Pauli scriptae ad Romanos Ennaratio; 1555, CR 15 (1848), S. 797-1052.

Melanchthon, Ph.: Werke in Auswahl, hrsg. v. Rolf Schäfer in Verbindung mit Gerhard Ebeling, V. Band: Römerbrief-Kommentar 1532; Gütersloh 1965.

Michel, O.: Der Brief an die Römer; (KEK 4) 5. Aufl. Göttingen 1978.

Moo, D.J.: The Epistle to the Romans; (NICNT) Grand Rapids 1996.

Nygren, A.: Der Römerbrief, übersetzt von Irmgard Nygren; 4. Aufl. Göttingen 1965.

Origines Commentarii in epitulam ad Romanos. Römerbriefkommentar, Lateinisch-deutsch, übersetzt und eingeleitet von T. Heither, 4 Bände; Freiburg, Basel, Wien 1990-1994.

Pesch, R.: Römerbrief; (NEB.NT 6) Würzburg 1983.

Peterson, E.: Ausgewählte Schriften, Bd. 6: Der Brief an die Römer. Aus dem Nachlaß herausgegeben von Barbara Nichtweiß unter Mitarbeit von Ferdinand Hahn; Würzburg 1997.

Sanday, W., Headlam, A.C.: A critical and exegetical commentary on the Epistle to the Romans; (ICC) 1895, 5th Edition 1902, Neudruck Edinburgh 1980.

Schlatter, A.: Der Brief an die Römer; Stuttgart 1962.

Schlier, H.: Der Römerbrief, (HThK VI) 1977, 3. Aufl. 1987.

Schmidt, H.W.: Der Brief des Paulus an die Römer; (ThHK 6) 1962, 3. Aufl 1972.

Schmithals, H.W.: Der Römerbrief. Ein Kommentar; Gütersloh 1988.

Schreiner T.R.: Romans; (BECNT) Grand Rapids 1998.

Sickenberger, J.: Die Briefe des Heiligen Paulus an die Korinther und Römer; (HSNT VI) 4. Aufl. Bonn 1932.

Strack, H.L., Billerbeck, P.: Kommentar zum Neuen Testament aus Talmud und Midrasch, Bd. 3: Die Briefe des Neuen Testament und die Offenbarung Johannis, erläutert aus Talmud und Midrasch von P. Billerbeck; 7. Aufl. München 1979.

Stuhlmacher, P.: Der Brief an die Römer; (NTD 6) 15. Aufl. Göttingen 1998.

Theobald, M.: Römerbrief; (SKK. NT 6/1-2), Bd. 1: Kapitel 1-11; Stuttgart 1992, Bd. 2: Kapitel 12-16; Stuttgart 1993.

Weiß, B.: Der Brief an die Römer; (KEK 4) 8. Aufl. Göttingen 1891.

Wilckens, U.: Der Brief an die Römer; (EKK VI, 1-3) 1. Teilbd. Röm 1-5, 1978, 3. Aufl. Neukirchen-Vluyn 1992; 2. Teilbd. Röm 6-11, 1980, 3. Aufl. Neukirchen-Vluyn 1993, 3. Teilbd. Röm 12-16, 1982, 2. Aufl. Neukirchen-Vluyn 1989.

Zahn, T.: Der Brief des Paulus an die Römer; (KNT 6) 1910, 3. Aufl. Leipzig-Erlangen 1925.

Zeller, D.: Der Brief an die Römer; (RNT) Regensburg 1985.

5. Weitere Sekundärliteratur

Aageson, J.W.: ‚Control' in Pauline language and culture: A study of Rom 6; in NTS 42 (1996), S. 75-89.

Aland, K.: Glosse, Interpolation, Redaktion und Komposition in der Sicht der Neutestamentlichen Textkritik; in: Apophoreta. Festschrift für E. Haenchen; (BZNW 30) Berlin 1964, S. 7-31.

Aland, K.: Der Schluß und die ursprüngliche Gestalt des Römerbriefes; in ders.: Neutestamentliche Entwürfe; (TB 63) München 1979, S. 284-301.

Aland, K.: Die Entstehung des Corpus Paulinum; in ders.: Neutestamentliche Entwürfe; (TB 63) München 1979, S. 302-350.

Albrecht, M.: Artikel „Selbstsucht"; in: Historisches Wörterbuch der Philosophie; hrsg. v. J. Ritter und K. Gründer; Bd. 9, Darmstadt 1995, Sp. 535-539.

Aletti, J.-N.: Rm 7.7-25 encore une fois: enjeux et propositions; in: NTS 48 (2002), S. 358-376.

Altner, G.: Jedes Leben ist lebenswert. Der biotechnische Fortschritt muß sorgsam geprüft werden; in: EK 33 (2000), S. 10-13.

Avemarie, F.: Tora und Leben. Untersuchungen zur Heilsbedeutung der Tora in der frühen rabbinischen Literatur; (TSAJ 55); Tübingen 1996.

Badiou, A.: Saint Paul. La fondation de l'universalisme; Les essais du collège international de philosophie; 3. Aufl. Paris 1999.

Baackham, R.: What if Paul had travelled East rather than West? In: Biblical Interpretation 8 (2000), S. 171-184.

Baecker, D. (Hrsg.): Kalkül der Form; Frankfurt/ Main 1993.

Baecker, D. (Hrsg.): Probleme der Form; Frankfurt/Main 1993.

Baier, C.: Artikel „Selbsthaß, II. Mittelalter und Neuzeit"; in: Historisches Wörterbuch der Philosophie; hrsg. v. J. Ritter und K. Gründer; Bd. 9, Darmstadt 1995, Sp. 454-458.

Balz, H.: Heilsvertrauen und Welterfahrung. Strukturen der paulinischen Eschatologie nach Römer 8,18-39; (BEvTh 59) München 1971.

Balz, H.: Artikel „Römerbrief"; in: TRE, Bd. 29; Berlin, New York 1998, S. 291-311.

Barclay, J.M.G.: ‚Do we undermine the Law?' A Study of Romans 14.1-15.6; in: J.D.G. Dunn (Hrsg.): Paul and the Mosaic Law (WUNT 89), S. 287-308.

Barth, G.: Der Tod Jesu im Verständnis des Neuen Testaments; Neukirchen-Vluyn 1992.

Barth, H.-M.: Wie ein Segel sich entfaltet. Selbstverwirklichung und christliche Existenz; München 1979.

Barth, H.-M.: Wohin - woher mein Ruf? Zur Theologie des Bittgebetes; München 1981.

Barth, H.-M.: Das Ethos der Selbstverwirklichung und der christliche Glaube; in: F. de Boor (Hrsg.): Selbstverwirklichung als theologisches Problem; Halle 1988, S. 7-30.

Barth, H.-M.: Rechtfertigung und Identität; in: PTh 86 (1997), S. 88-103.

Barth, K.: Nein! Antwort an Emil Brunner; TEH 14; München 1934.

Barth, K.: Evangelium und Gesetz; TEH 32; München 1935.

Barth, K.: Christus und Adam nach Röm 5. Ein Beitrag zur Frage nach dem Menschen und der Menschheit; (Theologische Studien 35) Zürich 1952.

Bartsch, H.-W.: ... wenn ich ihnen diese Frucht versiegelt habe. Röm 15, 28. Ein Beitrag zum Verständnis der paulinischen Mission; in: ZNW 63 (1972), S. 95-107.

Bartsch, H.-W.: Artikel „Freiheit. IV. Freiheit und Befreiung im Neuen Testament"; in: TRE 11; Berlin, New York 1983, S. 506-511.

Bateson, G.: Ökologie des Geistes. Anthropologische, psychologische, biologische und epistemologische Perspektiven; übersetzt von Hans-Günter Holl; Frankfurt/Main 1981.

Beavin, J.H., Jackson, D.D., Watzlawick, P.: Menschliche Kommunikation. Formen, Störungen, Paradoxien; 4. Aufl. Bern, Stuttgart, Wien 1974.

Becker, J.: Paulus. Der Apostel der Völker; 3. Aufl. Tübingen 1998.

Behm, J.: Artikel καρδία, καρδιογνώστης, σκληροκαρδία; in: ThWNT, Bd. 3, hrsg. v. G. Kittel; Stuttgart 1938, S. 609-616.

Beintker, M.: Rechtfertigung in der neuzeitlichen Lebenswelt. Theologische Erkundigungen; Tübingen 1998.

Beker, J.C.: Paul the apostle. The triumph of god in Life and Thought; Edinburgh 1980.

Beker, J.C.: Paul's apocalyptic gospel; Philadelphia 1982.

Bell, R.H.: Rom 5.18-19 and Universal Salvation; in: NTS 48 (2002), S. 417-432.

von Bendemann, R.: Die kritische Diastase von Wissen, Wollen und Handeln. Traditionsgeschichtliche Spurensuche eines hellenistischen Topos in Römer 7; in: ZNW 95 (2004), S. 35-63.

Berger, K.: Das Verhältnis von Gottes- und Nächstenliebe nach dem Neuen Testament; in: A. Götzelmann (Hrsg.): Einführung in die Theologie der Diakonie. Heidelberger Ringvorlesung; Heidelberg 1999, S. 55-74.

Betz, H.D.: Das Problem der Grundlagen der paulinischen Ethik. (Röm 12,1-2); in: ZThK 85 (1988), S. 199-218; neu abgedruckt in: ders.: Gesammelte Aufsätze III. Paulinische Studien; Tübingen 1994, S. 184-205.

Betz, H.D.: Gesammelte Aufsätze III. Paulinische Studien; Tübingen 1994.

Betz, H.D.: Transferring a Ritual: Paul's Interpretation of Baptism in Romans 6; in: T. Engberg-Pedersen (Hrsg.): Paul in his Hellenistic Context; Minneapolis 1995, S. 84-118.

Betz, H.D.: The Concept of the ‚Inner Human Being' (ὁ ἔσω ἄνθρωπος) in the Anthropology of Paul; in: NTS 46 (2000), S. 315-341.

Beyer, W.: Artikel διακονέω κτλ.; in: ThWNT, Bd. 2, hrsg. v. G. Kittel; Stuttgart 1935, S. 81-93.

Bindemann, W.: Die Hoffnung der Schöpfung, Römer 8,18-27 und die Frage einer Theologie der Befreiung von Mensch und Natur; (NStB 14) Neukirchen-Vluyn 1983.

Bindemann, W.: Theologie im Dialog. Ein traditionsgeschichtlicher Kommentar zu Römer 1-11; Leipzig 1992.

Blank, J.: Der gespaltene Mensch. Zur Exegese von Röm 7,7-25; BiLe 9 (1968), S. 10-20.

Blaschke, A.: Beschneidung. Zeugnisse der Bibel und verwandter Texte; (TANZ 28) Tübingen und Basel 1998.

Boismard, M.-E.: Rm 16,17-20: Vocabulaire et Style; in: RB 2000, S. 548-557.

Borgolte, M.: „Selbstverständnis" und „Mentalitäten". Bewußtsein, Verhalten und Handeln mittelalterlicher Menschen im Verständnis modernen Historiker; in: AKuG 1997, S. 189-210.

Bornkamm, G.: Art. „Paulus"; in: RGG; 3. Aufl., Bd. V, Sp. 166-190.

Bornkamm, G.: Das Ende des Gesetzes. Paulusstudien; (BevTh 16) München 1952.

Bornkamm, G.: Der Römerbrief als Testament des Paulus; in: ders.: Geschichte und Glaube, Zweiter Teil; (BevTh 53) München 1971, S. 120-139.

Bornkamm, G.: Theologie als Teufelskunst; in: ders.: Geschichte und Glaube, Zweiter Teil; (BevTh 53) München 1971, S. 140-148.

Bornkamm, G.: Paulus; 7. Aufl. Stuttgart 1993.

Borsche, T.: Artikel „Individuum, Individualität. III. Neuzeit" in: Historisches Wörterbuch der Philosophie, hrsg. v. J. Ritter und K. Gründer; Bd. 4, Basel 1976, Sp. 310-323.

Borse, U.: „Abbild der Lehre" (Röm 6,17) im Kontext; BZ 12 (1968), S. 95-103.

Borse, U.: Das Schlußwort des Römerbriefes: Segensgruß (16,24) statt Doxologie (V. 25-27); in: SNTU.A 19 (1994), S. 173-192.

Bosenius, B.: Die Abwesenheit des Apostels als theologisches Programm. Der zweite Korintherbrief als Beispiel für die Brieflichkeit der paulinischen Theologie; (TANZ 11) Tübingen und Basel 1994.

Boyarin, D.: A radical Jew. Paul and the politics of identity; London 1994.

Brandenburger, E.: Adam und Christus. Exegetisch-religionsgeschichtliche Untersuchung zu Röm 5 12-21 (1. Kor. 15); (WMANT 7) Neukirchen 1962.

Brandenburger, E.: Fleisch und Geist. Paulus und die dualistische Weisheit; (WMANT 29) Neukirchen-Vluyn 1968.

Brändle, R., Stegemann, E.W.: Die Entstehung der ersten ‚christlichen Gemeinden' Roms im Kontext der jüdischen Gemeinden; in: NTS 42 (1996), S. 1-11.

Braun, H.: Artikel „Welt"; in: Geschichtliche Grundbegriffe. Historisches Lexikon zur politisch-sozialen Sprache in Deutschland; hrsg. v. Otto Brunner, Werner Conze und Reinhart Koselleck; Bd. 7; Stuttgart 1992, 433-510.

Breytenbach, C.: Versöhnung. Eine Studie zur paulinischen Soteriologie (WMANT 60); Neukirchen-Vluyn 1989.

Bryskog, S.: Co-Senders, Co-Authors and Paul's Use of the First Person Plural; in: ZNW 87 (1996), S. 230-250.

Bultmann, R.: Der Stil der paulinischen Predigt und die kynisch-stoische Diatribe; (FRLANT 13) Göttingen 1910.

Bultmann, R.; Art. „Paulus" in: RGG, 2. Aufl., Bd. IV, Sp. 1019-1045.

Bultmann, R.: Das Problem der Ethik bei Paulus; ZNW 23 (1924), S. 123-140; neu abgedruckt in: ders.: Exegetica. Aufsätze zur Erforschung des Neuen Testaments; ausgewählt, eingeleitet und herausgegeben von E. Dinkler; Tübingen 1967, S. 36-54.

Bultmann, R.: Welchen Sinn hat es, von Gott zu reden? in: Theologische Blätter IV (1925), S. 129-135, neu abgedruckt in: ders.: Glauben und Verstehen, Bd. 1; Tübingen 1980, S. 26-37.

Bultmann, R.: Römer 7 und die Anthropologie des Paulus; in: Imago Dei. Beiträge zur theologische Anthropologie. Gustav Krüger zum 70. Geburtstage; Gießen 1932, S. 55-62. neu abgedruckt in R. Bultmann.: Exegetica, a.a.O., S. 198-209.

Bultmann, R.: Glossen im Römerbrief; ThLZ 72 (1947), S. 197-202; neu abgedruckt in ders.: Exegetica, S. 278-284.

Bultmann, R.: Die Bedeutung des Gedankens der Freiheit für die abendländische Kultur; in: ders: Glauben und Verstehen, Bd. 2; Tübingen 1952, S. 274-293.

Bultmann, R.: Adam und Christus nach Römer 5; ZNW 50 (1959), S. 145-165; neu abgedruckt in: ders.: Exegetica, S. 424-444.

Bultmann, R. zusammen mit Weiser, A.: Artikel πιστεύω κτλ.; in: ThWNT, Bd. 6; hrsg.v. G. Friedrich; Stuttgart 1959, S. 174-230.

Bultmann, R.: ΔΙΚΑΙΟΣΥΝΗ ΘΕΟΥ; in: Journal of Biblical Literature 83 (1964), S. 12-16, neu abgedruckt in ders.: Exegetica, S. 470-475.

Bultmann, R.: Theologie des Neuen Testaments; 9. Aufl. Tübingen 1984, durchgesehen und ergänzt von Otto Merk.

Burckhardt, J.: Die Kultur der Renaissance in Italien; Darmstadt 1955, S. 89-115.

Burer, M.H., Wallace, D.A.: Was Junia really an Apostle? A Re-examination of Rom 16.7; in: NTS 47 (2201), S. 76-91.

Burnet, R.: L'anamnèse: structure fundamentale de la lettre paulienne; in: NTS 49 (2003), S. 57-69.

Busch, A.: The Figure of Eve in Romans 7:5-25; in: Biblical Interpretation 12 (2004), S. 1-36.

Bühner, J.A.: der Gesandte und sein Weg im vierten Evangelium; Tübingen 1977.

Bürger, P.: Das Verschwinden des Subjekts. Eine Geschichte der Subjektivität von Montaigne bis Barthes; 2. Aufl. Frankfurt/ Main 1998.

Coffey, D.M.: Natural knowledge of God. Reflections on Romans 1,18-32; Theol. Studies 31 (1970), S. 674-691.

Collins, J.N.: Diakonia. Re-interpreting the Ancient Sources; New York/Oxford 1990.

Conzelmann, H.: Artikel χαίρω κτλ.; in: ThWNT, Bd. 9, hrsg. v. G. Friedrich; Stuttgart 1973, S. 350-405.

Conzelmann, H.: Grundriß der Theologie des Neuen Testaments, bearbeitet von Andreas Lindemann; 6. Aufl. Tübingen 1997.

Conzelmann, H., Lindemann, A.: Arbeitsbuch zum Neuen Testament; 13. Aufl. Tübingen 2000, 14. Aufl. Tübingen 2004.

Corsani, B.: Introduzione al Nuovo Testamento, II: Epistole e Apocalisse; Seconda edizione Torino 1998.

Crüsemann, F.: Die Tora. Theologie und Sozialgeschichte des alttestamentlichen Gesetzes; München 1992.

Crüsemann, F.: Wie alttestamentlich muß evangelische Theologie sein? In: EvTh 57 (1997), S.10-18.

Crüsemann, F.: Menschheit und Volk. Israels Selbstdefinition im genealogischen System der Genesis; in EvTh 58 (1998) S. 180-195.

Crüsemann, F.: Freiheit durch das Erzählen von Freiheit. Zur Geschichte des Exodus-Motivs; in: EvTh 61 (2001), S. 102-118.

Crüsemann, F.: Kinder der Freiheit?! Die Struktur des Dekalogs und die gegenwärtige Diskussion um Menschenrechte, Wertewandel und christliche Ethik; in: H.-H. Brandhorst, D. Starnitzke, M. Wedek (Hrsg.): Die Freiheit bestehen. Beiträge zum Jahresthema 2000 der v. Bodelschwinghschen Anstalten Bethel; Bielefeld 2001, S. 15-27.

Crüsemann, M.: Die Briefe des Paulus nach Thessaloniki und das gerechte Gericht. Studien zu ihrer Abfassung und zur jüdisch-christlichen Sozialgeschichte; Dissertation Kassel 1999.

Dalferth, I.U.: Subjektivität und Glaube. Zur Problematik der theologischen Verwendung einer philosophischen Kategorie; in: NZSTh 36 (1994), S. 18-58.

Davies, G.N.: Faith and Obedience in Rom. A Study in Romans 1-4; (JStNT.SS 39) Sheffield 1990.

Deissmann, A.: Die neutestamentliche Formel „in Christo Jesu""; Marburg 1892.

Deissmann, A.: Licht vom Osten. Das Neue Testament und die neuentdeckten Texte der hellenistisch-römischen Welt; 4. Aufl. Tübingen 1923.

Deissmann, A.: Paulus. Eine kultur- und religionsgeschichtliche Skizze; 2. Aufl. Tübingen 1925.

Delling, G.: Artikel: τέλος κτλ.; in: ThWNT, Bd. 8; hrsg. v. G. Friedrich; Stuttgart 1969, S. 50-88.

Descartes, R.: Meditationes de prima philosophia; lateinisch-deutsche Ausgabe; hrsg. v. Lüder Gäbe; Hamburg 1959.

Deuser, H.: Die Freude des gelebten Augenblicks; in: EvTh 56 (1996), S. 156-165.

Dierse, U.:Artikel „Selbstliebe, I."; in: Historisches Wörterbuch der Philosophie; hrsg. v. J. Ritter und K. Gründer; Bd. 9, Darmstadt 1995, Sp. 465-476.

Dobschütz, E.V.: Wir und ich bei Paulus; in: ZSTh 10 (1932), S. 252-277.

Donfried, K.P. (Hrsg.): The Romans Debate. Revised and Expanded Edition, Edinburgh 1991.

Dreisholtkamp, U.: Artikel „Subjekt, IV. 19. und 20. Jh."; in: Historisches Wörterbuch der Philosophie; hrsg. v. J. Ritter und K. Gründer; Bd. 10, Darmstadt 1998, Sp. 391-400.

Drexler, H.: Die Entdeckung des Individuums; Salzburg 1966.

Dunn, J.D.G. (Hrsg.): Paul and the Mosaic Law. The Third Durham-Tübingen Research Symposium on Earliest Christianity and Judaism (Durham, September, 1994); (WUNT 89) Tübingen 1996.

Dunn, J.D.G.: The Theology of Paul the Apostle; Grand Rapids/ Cambridge 1998.

Dunn, J.D.G.: Who did Paul think he was? A study of Jewish-Christian identity; in: NTS 45 (1999), S. 174-193.

Eckert, J.: "Zieht den Herrn Jesus Christus an ...!" (Röm 13,14) Zu einer enthusiastischen Metapher der neutestamentlichen Verkündigung; in: TTZ 105,1 (1996), S. 39-60.

Eckstein, H.-J.: Der Begriff der Syneidesis bei Paulus. Eine neutestamentlich-exegetische Untersuchung zum „Gewissensbegriff"; (WUNT II,10) Tübingen 1983.

Eckstein, H.-J.: „Denn Gottes Zorn wird vom Himmel her offenbar werden". Exegetische Erwägungen zu Röm 1,18; in: ZNW 78 (1987), S 74-89.

Erasmus: De libero arbitrio diatribe sive collatio per desiderium Erasmum Roterodamum, hrsg. v. J. von Walter; Leipzig 1910.

Eschner, W.: Der Römerbrief. An die Juden der Synagogen in Rom? Ein exegetischer Versuch und die Bestimmung des Bedeutungsinhaltes von dikaioun im NT, Kap. 1-11 übersetzt und erklärt; 2 Bände, Hannover 1981.

Esler, P.F.: Paul and Stoicism: Romans 12 as a Test Case; in: NTS 50 (2004), S. 106-124.

Feine, P.: Der Römerbrief. Eine exegetische Studie; Göttingen 1903.

Feine, P.: Der Apostel Paulus. Das Ringen um das geschichtliche Verständnis des Paulus; (BFChTh 12) Gütersloh 1927.

Feuerbach, L.: Das Wesen des Christentums; hrsg. v. W. Schuffenhauer; 2 Bände, Berlin 1956.

Flusser, D.: Art. „Paulus II. Aus jüdischer Sicht"; in: TRE Bd. 26; Berlin, New York 1996, S. 153-160.

Frankemölle, H.: Das Taufverständnis des Paulus. Tod, Taufe und Auferstehung nach Röm 6; (SBS 47) Stuttgart 1970.

Frey, J.: Die paulinische Antithese von Fleisch und Geist und die palästinisch-jüdische Weisheitstradition; in: ZNW 90 (1999), S. 44-77.

Friedrich, G.: Das Gesetz des Glaubens Röm. 3,27; in: ThZ 10 (1954), S. 401-417.

Friedrich, G.: Artikel „Römerbrief"; in: RGG, 3. Aufl., Bd. V, Tübingen 1961, Sp. 1137-1144.

Friedrich, J., Pöhlmann, W., Stuhlmacher, P.: Zur historischen Situation und Intention von Röm 13,1-7; in: ZThK 73 (1976), S. 131-166.

Frisch, R., Hailer, M.: „Ich ist ein Anderer". Zur Rede von Stellvertretung und Opfer in der Christologie; in NZSTh 41 (1999), S. 62-77.

Fromm, E.: Die Kunst des Liebens; Stuttgart 1980.

Gaca, K.C.: Paul's Uncommon Declaration in Romans 1:18-32 and Its Problematic Legacy for Pagan and Christian Relations; in: HThR 92 (1999), S. 165-198.

Gadamer, H.-G.: Gesammelte Werke, Bd. 1. Hermeneutik: Wahrheit und Methode. 1. Grundzüge einer philosophischen Hermeneutik; 5. Aufl. Tübingen 1986.

Gaukesbrink, M.: Die Sühnetradition bei Paulus. Rezeption und theologischer Stellenwert; (fzb 82) Würzburg 1999.

Gäumann, N.: Taufe und Ethik. Studien zu Römer 6; BevTh 47, München 1967.

von Gemünden, P.: Vegetationsmetaphorik im Neuen Testament und seiner Umwelt (NTOA 18); Freiburg (Schweiz) und Göttingen 1993.

von Gemünden, P., Theißen, G.: Metaphorische Logik im Römerbrief. Beobachtungen zu dessen Bildsemantik und Aufbau; in: R. Bernhardt, U. Link-Wieczorek (Hrsg.): Metapher und Wirklichkeit. Die Logik der Bildhaftigkeit im Reden von Gott, Mensch und Natur; Dietrich Ritschl zum 70. Geburtstag; Göttingen 1999, S. 108-131.

Georgi, D.: Der Armen zu gedenken: Die Geschichte der Kollekte des Paulus für Jerusalem; 2. Aufl. Neukirchen-Vluyn 1994.

Gerhardt, G.: Artikel „Selbstverwirklichung, Selbstaktualisierung"; in: Historisches Wörterbuch der Philosophie; hrsg. v. J. Ritter und K. Gründer; Bd. 9, Darmstadt 1995, Sp. 556-560.

Gerhardt, G.: Artikel „Selbstbestimmung"; in: Historisches Wörterbuch der Philosophie; hrsg. v. J. Ritter und K. Gründer; Bd. 9, Darmstadt 1995, Sp. 335-346.

Gerstenberger, E.G.: Das 3. Buch Mose. Leviticus; (ATD 6) Göttingen 1993.

Gestrich, C.: Rechtfertigung aus Glauben und christliches Leben; in: PTh 89 (2000), S. 129-140.

Gillitzer, B.: Personen, Menschen und ihre Identität; MPhS, Neue Folge Bd. 18; Stuttgart 2001.

Gnilka, J.: Paulus von Tarsus. Apostel und Zeuge; (HThK, Suppl.-Bd. 6) Freiburg i.B. 1996.

Goppelt, L.: Artikel τύπος κτλ.; in: ThWNT, Bd. 8; hrsg. v. G. Friedrich; Stuttgart 1969, S. 246-260.

Grünepütt, K., Schmid, W.: Artikel „Selbstreflexion"; in: Historisches Wörterbuch der Philosophie; hrsg. v. J. Ritter und K. Gründer; Bd. 9, Darmstadt 1995, Sp. 518-520.

Gurjewitsch, A.J.: Das Individuum im europäischen Mittelalter; München 1994.

Gutbrod, W.: Artikel Ἰσραήλ κτλ.; in: ThWNT, Bd. 3, hrsg. v. G. Kittel; Stuttgart 1938, S. 370-394.

Gutbrod, W.: Artikel νόμος κτλ.; in: ThWNT, Bd. 4, hrsg. v. G. Kittel; Stuttgart 1942, S. 1029-1084.

Haacker, K.: Paulus. Werdegang eines Apostels; (SBS 171) Stuttgart 1997.

Haacker, K.: „Ende des Gesetzes" und kein Ende? Zur Diskussion über τέλος νόμου in Röm 10,4; in: K. Wengst, G. Saß (Hrsg.): Ja und Nein. Christliche Theologie im Angesicht Israels. (Festschrift W. Schrage); Neukirchen-Vluyn 1998, S. 127-138.

Hadot, P.: Artikel „Existenz, existenzia, I; in: Historisches Wörterbuch der Philosophie, hrsg. v. J. Ritter; Bd. 2, Darmstadt 1972, Sp. 854-856.

Hadot, P.: Artikel „Selbstbeherrschung"; in: Historisches Wörterbuch der Philosophie; hrsg. v. J. Ritter und K. Gründer; Bd. 9, Darmstadt 1995, Sp. 324-330.

Hager, F.-P.: Artikel „Selbsterkenntnis"; in: Historisches Wörterbuch der Philosophie; hrsg. v. J. Ritter und K. Gründer; Bd. 9, Darmstadt 1995, Sp. 406-413.

Hahn, F.: Streit um „Versöhnung". Zur Besprechung des Buches von Cilliers Breytenbach durch O. Hofius; VF 36 (1991), S.55-64.

Halfwassen, J.: Gibt es eine Philosophie der Subjektivität im Mittelalter? Zur Theorie des Intellekts bei Meister Eckhart und Dietrich von Freiberg; in: Theologie und Philosophie 72 (1997), S. 337-359.

v. Harnack, A.: Das Wesen des Christentums; 2. Aufl. Gütersloh 1985.

F. Hartung: Die Entwicklung der Menschen- und Bürgerrechte von 1776 bis zur Gegenwart; 5. Aufl. Göttingen, Zürich 1985.

M. Hartung: Die kultische bzw. agrartechnisch-biologische Logik der Gleichnisse von der Teighebe und vom Ölbaum in Röm 11.16-24 und die sich daraus ergebenden theologischen Konsequenzen; in: NTS 45 (1999), S.127-140.

Haubeck, W.: Loskauf durch Christus. Herkunft, Gestalt und Bedeutung des paulinischen Loskaufmotivs; Gießen und Basel 1985;

Hauck, F.: Artikel ὀφείλω κτλ.; in: ThWNT, Bd. 5; hrsg. v. G. Friedrich; Stuttgart 1954, S. 559-565.

Haussleiter, J.: Der Glaube Jesu Christi und der christliche Glaube. Ein Beitrag zur Erklärung des Römerbriefes; in: NKZ 2 (1881), S. 109-145.

Hays, R.B.: Three Dramatic Roles: The Law in Romans 3-4; in: J. D. G. Dunn: Paul and the Mosaic Law; WUNT 89, Tübingen 1996, S. 151-164.

Heckmann, H.-D.: Artikel „Selbstbewußtsein, III. Analytische Philosophie"; in: Historisches Wörterbuch der Philosophie; hrsg. v. J. Ritter und K. Gründer; Bd. 9, Darmstadt 1995, Sp. 371-379.

Heidland, H.-W.: Die Anrechnung des Glaubens zur Gerechtigkeit. Untersuchungen zur Begriffsbestimmung von חשׁב und λογίζεσθαι; (BWANT 71); Stuttgart 1936.

Heidland, H.-W.: Artikel λογίζομαί, λογισμός; in: ThWNT, Bd. 4; hrsg. v. G. Kittel; Stuttgart 1942, S. 287-295.

Heiligenthal, R.: Werke als Zeichen. Untersuchungen zur Bedeutung der menschlichen Taten im Frühjudentum, Neuen Testament und Frühchristentum; (WUNT 2,9) Tübingen 1983.

Heiligenthal, R.: Artikel „Freiheit. II,1. Frühjudentum"; in: TRE, Bd. 11; Berlin, New York 1983, S. 498-502.

Heininger, B.: Paulus als Visionär. Eine religionsgeschichtliche Studie; (Herders Biblische Studien, Bd. 9) Freiburg i.B. 1996.

Hellholm, D.: Enthymemic Argumentation in Paul: The case of Romans 6; in: T. Engberg-Pedersen (Hrsg.): Paul in his Hellenistic Context; Minneapolis 1995, S. 119-179.

Hellholm, D.: Die argumentative Funktion von Römer 7,1-6; in: NTS 43 (1997), S. 385-411.

Hengel, M.: Juden, Griechen und Barbaren. Aspekte der Hellenisierung des Judentums in vorchristlicher Zeit; (SBS 76) Stuttgart 1976.

Herring, H.: Artikel „Ich. I"; in: H. Historisches Wörterbuch der Philosophie; hrsg. v. J. Ritter und K. Gründer; Bd. 4, Basel 1976, Sp. 1-6.

Hofius, O.: Paulusstudien; (WUNT 51) Tübingen 1989; 2. Aufl. Tübingen 1994.

Hofius, O.: Paulusstudien II; (WUNT 143) Tübingen 2002.

Hofius, O.: Rezension von „C. Breytenbach: Versöhnung. Eine Studie zur paulinischen Soteriologie (WMANT 60); Neukirchen-Vluyn 1989"; in ThLZ 115 (1990), Sp. 741-745.

Hofius, O.: Die Adam-Christus-Antithese und das Gesetz. Erwägungen zu Röm 5,12-21; in: J. D. G. Dunn (Hrsg.): Paul and the Mosaic Law, (WUNT 89) Tübingen 1996, S. 165-206.

Hofstaedter, D.R.: Gödel, Escher, Bach: An eternal golden braid; Hassocks, Sussex UK 1979.

Hooker, M.D.: ΠΙΣΤΙΣ ΧΡΙΣΤΟΥ; in: NTS 35 (1989), S. 321-342.

Hotze, G.: Paradoxien bei Paulus. Untersuchungen zu einer elementaren Denkform in seiner Theologie; (NTA, NF 33) Münster 1997.

Hübner, H.: Das Gesetz bei Paulus. Ein Beitrag zum Werden der paulinischen Theologie; (FRLANT 119) Göttingen 1978.

Hübner, H.: Gottes Ich und Israel. Zum Schriftgebrauch des Paulus in Römer 9-11; (FRLANT 136) Göttingen 1984.

Hübner, H.: Biblische Theologie des Neuen Testaments, Bd. 1: Prolegomena; Göttingen 1990; Bd. 2: Die Theologie des Paulus und ihre neutestamentliche Wirkungsgeschichte; Göttingen 1993.

Hübner, H.: Art. „Paulus I. Neues Testament"; in: TRE Bd. 26; Berlin, New York 1996, S. 133-153.

Hübner, H.: Zur Hermeneutik von Röm 7; in: J. D. G. Dunn (Hrsg.): Paul and the Mosaic Law; (WUNT 89) Tübingen 1996, S. 207-214.

Hübner, H.: Vetus Testamentum in Novo, Bd.2: Corpus Paulinum; Tübingen 1997.

Hügli, A.: Artikel „Selbstsein"; in: Historisches Wörterbuch der Philosophie; hrsg. v. J. Ritter und K. Gründer; Bd. 9, Darmstadt 1995, Sp. 520-528.

Hühn, H.: Artikel „Selbsterkenntnis, III. Neuzeit"; in: Historisches Wörterbuch der Philosophie; hrsg.v. J. Ritter und K. Gründer; Bd. 9, Darmstadt 1995, Sp. 420-440.

Hühn, H.: Artikel „Selbstflucht"; in: Historisches Wörterbuch der Philosophie; hrsg. v. J. Ritter und K. Gründer; Bd. 9, Darmstadt 1995, Sp. 440-443.

Hwang, H.S.: Die Verwendung des Wortes „πᾶς" in den paulinischen Briefen; Dissertation Erlangen 1985.

Ito, A.: ΝΟΜΟΣ (ΤΩΝ) ἜΡΓΩΝ and ΝΟΜΟΣ ΠΙΣΤΕΩΣ. The Pauline Rhetoric and Theology of ΝΟΜΟΣ ; in: NT 45 (2003), S. 237-259.

Jaeschke, W.: Artikel „Selbstbewußtsein, II. Neuzeit"; in: Historisches Wörterbuch der Philosophie; hrsg. v. J. Ritter und K. Gründer; Bd. 9, Darmstadt 1995, Sp. 352-371.

Jaquette, J.L.: Life and death, adiaphora, and Pauls rhetorical strategies; in: NT 38 (1996), S. 30-54.

Jeremias, J.: Abba. Studien zur neutestamentlichen Theologie und Zeitgeschichte; Göttingen 1966.

Johnson, L.T.: Rom 3:21-26 and the Faith of Jesus; in: CBQ 44 (1982), S. 77-90.

Jones, F.S.: „Freiheit" in den Briefen des Apostels Paulus. Eine historische, exegetische und religionsgeschichtliche Studie; (GTA 34) Göttingen 1987.

Kammler, H.-C.: Die Prädikation Jesu Christi als „Gott" und die paulinische Christologie; in: ZNW 94 (2003), S. 164-180.

Kattunen, M.: Der Abfassungszweck des Römerbriefes; (AASF.DHL 18) Helsinki 1979.

Keck, L.E.: The post-pauline Interpretation of Jesus Death in Rom 5,6-7; in: C. Andresen, G. Klein (Hrsg.): Theologia crucis – Signum crucis (FS Dinkler); 1979, S. 237ff.

Kible, B.: Artikel "Subjekt, I. Psychologie"; in: Historisches Wörterbuch der Philosophie; hrsg. v. J. Ritter und K. Gründer; Bd. 10, Darmstadt 1998, Sp. 373-383.

Kierkegaard, S.: Der Begriff Angst. Übersetzt von Emanuel Hirsch, in: Gesammelte Werke; 11. und 12. Abteilung; Düsseldorf 1958, S. 1-169.

Kierkegaard, S.: Die Krankheit zum Tode (1849); in: ders.: Gesammelte Werke, hrsg. v. E. Hirsch und H. Gerdes, 24. und 25. Abteilung; Düsseldorf 1957, S. 1-134.

Kim, S.: The „mistery" of Rom 11,25-6 once more; in: NTS 43 (1997), S. 412-429.

Kirste, S.: Verlust und Wiederaneignung der Mitte – zur juristischen Konstruktion der Rechtsperson; in: EvTh 60 (2000), S. 25-40.

Kiss, G.: Artikel „Selbstreferenz"; in: Historisches Wörterbuch der Philosophie; hrsg. v. J. Ritter und K. Gründer; Bd. 9, Darmstadt 1995, Sp. 515-518.

Klein, G.: Der Abfassungszweck des Römerbriefes; in: ders: Rekonstruktion und Interpretation. Gesammelte Aufsätze zum Neuen Testament; BevTh 50, München 1969, S. 129-144.

Klein, G.: Römer 4 und die Idee der Heilsgeschichte; in: ders.: Rekonstruktion und Interpretation. Gesammelte Aufsätze zum Neuen Testament; (BEvTh) 1969, S. 145-169.

Klein, G.: Artikel „Gesetz III. Neues Testament"; in: TRE, Bd. 13, hrsg. v. G. Müller; Berlin und New York 1984, S. 58-75.

Klein, R.: Die Romrede des Aelius Aristides. Einführung; Darmstadt 1981.

Klumbies, P.-G.: Die Rede von Gott bei Paulus in ihrem zeitgeschichtlichen Kontext; (FRLANT 155) Göttingen 1992.

Klostermann, E.: Die adäquate Vergeltung bei Paulus; in: ZNW 32 (1933), S. 1-6.

Kleinknecht, H., Gutbrod, W.: Artikel νόμος κτλ. in: ThWNT, Bd. 4, hrsg. v. G. Kittel; Stuttgart 1942, S. 947-1016.

Knoche, S.: Artikel „Selbstliebe, II."; in: Historisches Wörterbuch der Philosophie; hrsg. v. J. Ritter und K. Gründer; Bd. 9, Darmstadt 1995, Sp. 476-487.

Koch, D.-A.: Beobachtungen zum christologischen Schriftgebrauch in den vorpaulinischen Gemeinden; in: ZNW 71 (1980), S. 174-191.

Koch, D.-A.: Die Schrift als Zeuge des Evangeliums. Untersuchungen zur Verwendung und zum Verständnis der Schrift bei Paulus; (BHTh 69) Tübingen 1986.

Kohbusch, T.: Artikel „Individuum, Individualität. I. Antike und Frühscholastik" in: Historisches Wörterbuch der Philosophie, hrsg. v. J. Ritter und K. Gründer; Bd. 4, Basel 1976, Sp. 300-304.

Korsch, D.: Dogmatik im Grundriß. Eine Einführung in die christliche Deutung menschlichen Lebens mit Gott; Tübingen 2000.

Körtner, U.: Volk Gottes – Kirche – Israel. Das Verhältnis der Kirche zum Judentum als Thema ökumenischer Kirchenkunde und ökumenischer Theologie; in: ZThK 91 (1994), S. 51-79.

Körtner, U.: Mysterium Mensch. Die christliche Ethik duldet keine „Anthropotechnik"; in: EK 33 (2000), S. 7-10.

Krappmann, L.: Soziologische Dimension der Identität: Strukturelle Bedingungen für die Teilnahme an Interaktionsprozessen; Stuttgart 1971.

Kraus, W.: Der Tod Jesu als Heiligtumsweihe. Eine Untersuchung zum Umfeld der Sühnevorstellung in Röm 3,25-26a; (WMANT 66) Neukirchen-Vluyn 1991.

Krüger, G.: Die Herkunft des philosophischen Selbstbewußtseins; Darmstadt 1962.

Kühne-Bertram, G.: Artikel „Selbstdarstellung"; in: Historisches Wörterbuch der Philosophie; hrsg. v. J. Ritter und K. Gründer; Bd. 9, Darmstadt 1995, Sp. 383-386.

Kümmel, W.G.: πάρεσις und ἔνδειξις. Ein Beitrag zum Verständnis der paulinischen Rechtfertigunglehre; in: ders.: Heilgeschehen und Heilsgeschichte; (MThSt 3) Marburg 1965, S. 260-270.

Kümmel, W.G.: Römer 7 und die Bekehrung des Paulus; in: ders.: Röm 7 und das Bild des Menschen im Neuen Testament. Zwei Studien; (Theologische Bücherei, Neues Testament, Bd. 53) Neudruck München 1974, S. 1-160.

Laarmann, M.: Artikel „Selbstvergessenheit"; in: Historisches Wörterbuch der Philosophie; hrsg. v. J. Ritter und K. Gründer; Bd. 9, Darmstadt 1995, Sp. 545-551.

Laato, T.: Paulus und das Judentum. Anthropologische Erwägungen; Abo 1991.

Lackmann, M., Gestrich, C.: Neuzeitliches Denken und die Spaltung der dialektischen Theologie. Zur Frage der natürlichen Theologie; Tübingen 1977.

Lambrecht, J.: The Caesura between Romans 9.30-3 and 10.1-4; in: NTS 45 (1999), S. 141-147.

Lambrecht, J.: Syntactical and logical remarks on Romans 15:8-9a; in: NT 42 (2000), S. 257-261.

Lampe, P.: Die stadtrömischen Christen in den ersten beiden Jahrhunderten. Untersuchungen zur Sozialgeschichte; (WUNT 2,18) Tübingen 1987.

Lampe, P.: Urchristliche Missionswege nach Rom. Haushalte paganer Herrschaft als jüdisch-christliche Keimzellen; in: ZNW 92 (2001), S. 123-127.

Lapide, P.: Paulus zwischen Damaskus und Qumran. Fehldeutungen und Übersetzungsfehler; Gütersloh 1993.

Legrand, L.: Rm 1.11-15(17),: Proemium ou Propositio?; in: NTS 49 (2003), S. 566-572.

Lichtenberger, H.: Studien zur paulinischen Anthropologie in Römer 7; Habilitationsschrift Tübingen 1985.

Lichtenberger, H.: Der Beginn der Auslegungsgeschichte von Römer 7: Röm 7,25b; in: ZNW 88 (1997), S. 284-295.

Liebers, R.: Das Gesetz als Evangelium. Untersuchungen zur Gesetzeskritik des Paulus; Zürich 1989.

Lindemann, A.: Paulus im ältesten Christentum. Das Bild des Paulus und die Rezeption der paulinischen Theologie in der frühchristlichen Literatur bis Marcion; (BHTh 58) Tübingen 1979.

Lindemann, A.: Die Gerechtigkeit aus dem Gesetz. Erwägungen zur Auslegung und Textgeschichte von Römer 10,4; in: ZNW 73 (1982), S. 231-250.

Lindemann, A.: Rezension von „D. Trobisch: Die Entstehung der Paulusbriefsammlung. Studien zu den Anfängen christlicher Publizistik; (NTOA 10) Göttingen 1989"; in: ThLZ 115 (1990), Sp. 682f.

Lindemann, A.: Die apostolischen Väter I. Die Clemensbriefe; (HNT 17) Tübingen 1992.

Lindemann, A.: Paulus, Apostel und Lehrer der Kirche. Studien zu Paulus und zum frühen Paulusverständnis; Tübingen 1999.

Lindemann, A.: Israel im Neuen Testament; in: WuD 25 (1999), S. 167-192.

Lindemann, A.: Der Erste Korintherbrief; (HNT 9,1) Tübingen 2000.

Linnemann, E.: Tradition und Interpretation in Röm 1,3 f; in: EvTh 31 (1971), S. 264-271.

Little, J.A.: Paul's Use of Analogy. A structural Analysis of Roman 7,1-6; in: CBQ 46 (1984), S. 82-90.

Lohse, E.: Paulus. Eine Biographie; München 1996.

Lohse, E.: Das Präskript des Römerbriefes als theologisches Programm; in: M. Trowitzsch (Hrsg.): Paulus, Apostel Jesu Christi. Festschrift für Günter Klein zum 70. Geburtstag; Tübingen 1998, S. 65-78.

Lohse, E.: Das Evangelium für Juden und Griechen. Erwägungen zur Theologie des Römerbriefes; in: ZNW 92 (2001), S. 168-184, dort S. 184.

Lorenz, S.: Artikel „Selbstverleugnung"; in: Historisches Wörterbuch der Philosophie; hrsg. v. J. Ritter und K. Gründer; Bd. 9, Darmstadt 1995, Sp. 551-554.

Lotter, M.-S.: Die vernünftige Person. Zu den Voraussetzungen von Verantwortung bei Locke und den afrikanischen Barotse; in: EvTh 60 (2000), S. 41-60.

Lüdemann, G.: Paulus, der Heidenapostel, Bd.1: Studien zur Chronologie (FRLANT 123) Göttingen 1980.

Lüdemann, G.: Zwischen Karfreitag und Ostern; in: H. Verweyen (Hrsg.): Osterglaube ohne Auferstehung? Diskussion mit Gerd Lüdemann; (QD 155) 1995, S. 13-46.

Lüdemann, G.: Ketzer. Die andere Seite des frühen Christentums; 1995.

Luhmann, N.: Religion als Kommunikation, unveröffentlichtes Manuskript.

Luhmann, N.: Soziologische Aufklärung 1. Aufsätze zur Theorie sozialer System; 3. Aufl. Opladen 1972.

Luhmann, N.: Funktion der Religion; Frankfurt/Main 1977.

Luhmann, N.: Ökologische Kommunikation. Kann die moderne Gesellschaft sich auf ökologische Gefährdungen einstellen? Opladen 1986.

Luhmann, N.: Die Autopoiesis des Bewußtseins; in: A. Hahn (Hrsg.): Selbstbeschreibung und Selbstthematisierung; Frankfurt/Main 1987, S. 25-94.

Luhmann, N.: Die Wirtschaft der Gesellschaft; Frankfurt/ Main 1988.

Luhmann, N.: Individuum, Individualität, Individualismus; in: ders.: Gesellschaftsstruktur und Semantik. Studien zur Wissenssoziologie der modernen Gesellschaft Bd. 3; Frankfurt/Main 1989, S. 149-258.

Luhmann, N.: Die Ausdifferenzierung der Religion; in: ders.: Gesellschaftsstruktur und Semantik, Bd. 3; Frankfurt/Main 1989, S. 259-357.

Luhmann, N.: Die Wissenschaft der Gesellschaft; Frankfurt/Main 1990.

Luhmann, N.: Das Recht der Gesellschaft; Frankfurt /Main 1993.

Luhmann, N.: Die Kunst der Gesellschaft; Frankfurt/ Main 1995.

Luhmann, N.: Die gesellschaftliche Differenzierung und das Individuum; in: ders.: Soziologische Aufklärung 6. Die Soziologie und der Mensch; Opladen 1995, S. 125-141.

Luhmann, N.: Die Form Person; in: ders.: Soziologische Aufklärung 6; Opladen 1995, S. 142-154.

Luhmann, N.: Die Tücke des Subjektes und die Frage nach den Menschen; in: ders.: Soziologische Aufklärung 6; Opladen 1995, S. 155-168.

Luhmann, N.: Wahrnehmung und Kommunikation sexueller Interessen; in: ders.: Soziologische Aufklärung 6; Opladen 1995, S. 189-203.

Luhmann, N.: Die Sinnform Religion; in: Soziale Systeme. Zeitschrift für soziologische Theorie 2 (1996), S. 3-33.

Luhmann, N.: Die Gesellschaft der Gesellschaft, 2 Bände; Frankfurt/Main 1997.

Luhmann, N.: Die Politik der Gesellschaft, posthum hrsg. v. André Kieserling; Frankfurt/Main 2000.

Luhmann, N.: Die Religion der Gesellschaft, posthum hrsg. v. André Kieserling; Frankfurt/Main 2000.

Lührmann, D.: Artikel „Gerechtigkeit, III. Neues Testament"; in: TRE, Bd. 12; Berlin und New York 1984, S. 414-420.

Luther, M.: Die Disputation de Homine (1536); in: WA 39, I; Weimar 1929, S. 174-180.

Maass, F.: Die Selbstliebe nach Leviticus 19,18; in: Festschrift F. Baumgärtel zum 70. Geburtstag, hrsg. v. L. Rost; ErF 10 (1959), S. 109-113.

Maertens, P.: Une étude de Rm 2,12-16; in: NTS 46 (2000), S. 504-519.

Mathys, H.-P.: Liebe deinen Nächsten wie dich selbst. Untersuchungen zum alttestamentlichen Gebot der Nächstenliebe (Lev 19,18); OBO 71, Freiburg (Schweiz) und Göttingen 1986.

H.-P. Mathys: Ebenbild Gott – Herrscher über die Welt. Studien zu Würde und Auftrag des Menschen; Neukirchen-Vluyn 1998.

Matlock, R.B.: Detheologizing the ΠΙΣΤΙΣ ΧΡΙΣΤΟΥ Debate: Cautionary remarks from a lexical semantic perspective; in: NT 42 (2000), S. 1-23.

Mead, G.H.: Geist, Identität und Gesellschaft aus der Sicht des Sozialbehaviorismus; 3. Aufl. Frankfurt/Main 1978.

Mechels, E.L.J.: Kirche und gesellschaftliche Umwelt. Thomas – Luther – Barth; (NBST 7) Neukirchen-Vluyn 1990.

Meier, H.-C.: Die Mystik des Apostels Paulus. Zur Phänomenologie religiöser Erfahrung im Neuen Testament; (TANZ 26) Tübingen 1998.

Meisinger, H.: Liebesgebot und Altruismusforschung. Ein exegetischer Beitrag zum Dialog zwischen Theologie und Naturwissenschaften; (NTOA 33) Göttingen 1996.

Menze, C.: Artikel „Selbstbehauptung"; in: Historisches Wörterbuch der Philosophie; hrsg. v. J. Ritter und K. Gründer; Bd. 9, Darmstadt 1995, Sp. 322-324.

Merkel, H.: Bibelkunde des Neuen Testaments; 4. Aufl. Gütersloh 1992.

Mora, V.: Romains 16,17-20 et la lettre aux Ephésiens; RB 2000, S. 541-547.

Morris, C.: The Discovery of the Individual 1050-1200; London 1972.

Mulsow, M.: Artikel „Selbsterhaltung"; in: Historisches Wörterbuch der Philosophie; hrsg. v. J. Ritter und K. Gründer; Bd. 9, Darmstadt 1995, Sp. 393-406.

Müller, F.: Zwei Marginalien im Brief des Paulus an die Römer; in ZNW 40 (1941), S. 249-254.

Müller, K.: Wenn ich "ich" sage. Studien zur fundamentaltheologischen Relevanz selbstbewußter Subjektivität; (RSTh 46) Frankfurt/ Main 1994.

Müller, M.: Vom Schluß zum Ganzen. Zur Bedeutung des paulinischen Briefkorpusabschlusses; (FRLANT 172) Göttingen 1997.

Nida, E.A.: Componential Analysis of Meaning: An Introduction to Semantic Structures; The Hage 1975.

Noethlichs, K.L.: Das Judentum und der römische Staat. Minderheitenpolitik im antiken Rom; Darmstadt 1996.

Oberman, H.A., Ritter, A.M. und Krumwiede, H.-W. (Hrsg.): Kirchen- und Theologiegeschichte in Quellen, Band I: Alte Kirche, ausgewählt, übersetzt und kommentiert von A. M. Ritter; Neukirchen-Vluyn 1977.

Oberndorfer, B.: „Umrisse der Persönlichkeit". Personalität beim jungen Schleiermacher – ein Beitrag zur gegenwärtigen ethischen Diskussion; in: EvTh 60 (2000), S. 9-24.

Oeing-Hanhoff, L.: Artikel „Individuum, Individualität, II. Hoch- und Spätscholastik"; in: Historisches Wörterbuch der Philosophie, hrsg. v. J. Ritter und K. Gründer; Bd. 4, Basel 1976, Sp. 303-310.

Oelmüller, W., Dölle-Oelmüller, R., Geyer, C.-F.: Diskurs: Mensch (Philosophische Arbeitsbücher, Bd. 7) Paderborn 1985.

Oeming, M.: Ist Gen 15,6 ein Beleg für die Anrechnung des Glaubens zur Gerechtigkeit? In: ZAW 95 (1983), S. 182-197.

Ostmeyer, K.-H.: Typologie und Typos: Analyse eines schwierigen Verhältnisses; in: NTS 46 (2000), S. 112-131.

Ott, H.: Röm 1,19ff als dogmatisches Problem; in: ThZ 15 (1959), S. 40-50.

Pannenberg, W.: Anthropologie in theologischer Perspektive; Göttingen 1983, S. 259.

Park, H.-W.: Die Kirche als „Leib Christi" bei Paulus; Basel, Giessen 1992.

Patsch, H.: Zum alttestamentlichen Hintergrund von Römer 4,25 und I. Petrus 2,24; in: ZNW 60 (1969), S. 273-279.

Patzig, G.: Art. „Paradoxie"; in: RGG, 3. Aufl., Bd. V, Tübingen 1961, Sp. 100-101.

Pax, E.: Der Loskauf. Zur Geschichte eines neutestamentlichen Begriffes; Antonianum 37 (1962), S. 239-78.

Pearson, B.A.: I Thessalonians 2,13-16 a Deutoropauline Interpolation; HThR 64 (1991), S. 79ff.

Pedersen, S.: Paul's Understanding of the Biblical Law; in: NT 44 (2002). S. 1-34.

Plisch, U.-K.: Die Apostelin Junia: Das exegetische Problem in Röm 16.7 im Licht von Nestle-Aland[27] und der sahidischen Überlieferung; in: NTS 42 (1996), S. 477-478.

Pöhlmann, H.G.: Abriss der Dogmatik. Ein Kompendium; 5. Aufl. Gütersloh 1990.

Popkes, W.: Zum Aufbau und Charakter von Römer 1.18-32; in: NTS 28 (1982), S. 490-501.

Porter, S.E.: The Paul of Acts. Essays in Literary Criticism, Rhetoric and Theology; (WUNT 115) Tübingen 1999.

Probst, H.: Paulus und der Brief. Die Rhetorik des antiken Briefes als Form der paulinischen Korintherkorrespondenz; (WUNT 2, 45) Tübingen 1991.

Quarles, C.L.: From Faith to Faith: A Fresh Examination of the Prepositional Series in Romans 1:17; in: NT 45 (2003), S. 1-21.

Quell, G., Schrenk, G.: Art. δίκη κτλ.; in: ThWNT II, hrsg. v. G. Kittel; Stuttgart 1935, S. 176-229.

Quesnel, M.: La figure de Moïse en Romains 9-11; in: NTS 49 (2003), S. 321-335.

Raible, W.: Von der Allgegenwart des Gegensinnes (und einiger anderer Relationen), Zeitschrift für die romanische Philologie 97 (1981), S. 1-40.

Rehbock, T.: Artikel „Selbstaffektion"; in: Historisches Wörterbuch der Philosophie; hrsg.v. J. Ritter und K. Gründer; Bd. 9, Darmstadt 1995, Sp. 320-322.

Reichert, A.: Gottes universaler Heilswille und der kommunikative Gottesdienst. Exegetische Anmerkungen zu Röm 12,1-2; in: M. Trowitzsch (Hrsg.): Paulus, Apostel Jesu Christi. Festschrift für Günther Klein; Tübingen 1998, S. 79-95.

Reichert, A.: Der Römerbrief als Gratwanderung. Eine Untersuchung zur Abfassungsproblematik; (FRLANT 194) Göttingen 2001.

Reinbold, W.: Gal 3,6-14 und das Problem der Erfüllbarkeit des Gesetzes bei Paulus; in: ZNW 91 (2000), S. 91-106.

Reininger, D.: Diakonat der Frau in der einen Kirche – Diskussionen, Entscheidungen und pastoral-praktische Erfahrungen in der christlichen Ökumene und ihr Beitrag zur römisch-katholischen Diskussion; Ostfildern 1999.

Rendtorff, R.: Leviticus 16 als Mitte der Tora; in: Biblical Interpretation 11 (2003), S. 252-258.

Rengstorf, K.H.: Artikel ἀποστέλλω (πέμπω) κτλ.; in: ThWNT, Bd. 1, hrsg. v. G. Kittel; Nachdruck Stuttgart 1949, S. 397-448.

Rengstorf, K.H.: Artikel διδασκαλία κτλ.; in: ThWNT, Bd. 2, hrsg. v. G. Kittel; Stuttgart 1935, S. 163-168.

Ricoeur, P.: Hermeneutik und Strukturalismus. Der Konflikt der Interpretationen I; München 1973.

Richards, E.R.: The secretary in the letters of Paul; (WUNT 2, 42) Tübingen 1991.

Riedel, C.: Subjekt und Individuum. Zur Geschichte des philosophischen Ich-Begriffes; Darmstadt 1989.

Riekkinen, V.: Römer 13. Aufzeichnung und Weiterführung einer exegetischen Diskussion; (AASF.DHL 23) Helsinki 1980.

Rosenau, H.: Artikel „Allversöhnung"; in: RGG, 4. Aufl., hrsg. v. H. D. Betz, D. S. Browning; B. Janowski, E. Jüngel; Bd. 1, Tübingen 1998, Sp. 322-323.

Roth, M.: Homo incurvatus in seipsum – der sich selbst verachtende Mensch. Narzißmustheorie und theologische Hamartiologie; in: PTh 33 (1998), S. 14-33.

Sanders, E.P.: Paul and Palestinian Judaism. A Comparison of Patterns of Religion; London 1977.

Sanders, E.P.: Paul, the Law and the Jewish People; Philadelphia 1983.

Schaller, B.: ΗΞΕΙ ΕΚ ΣΙΩΝ Ο ΡΥΟΜΕΝΟΣ. Zur Textgestalt von Jes 59:20f in Röm 11,26f; in: A. Pietersma, C. Cox (Hrsg.): De Septuaginta. Studies in Honour of John William Wevers on his sixty-fifth Birthday; Ontario 1984, S. 201-206.

Schelkle, K.H.: Paulus, Lehrer der Väter. Die altkirchliche Auslegung von Römer 1-11; 2. Aufl. Düsseldorf 1959.

Schelkle, K.H.: Paulus: Leben – Briefe – Theologie; (EdF 152) Darmstadt 1981.

Schenke, H.-M.: Aporien im Römerbrief; ThLZ 92 (1967), S. 881-888.

Schmid, W.: Artikel „Selbstsorge"; in: Historisches Wörterbuch der Philosophie; hrsg. v. J. Ritter und K. Gründer; Bd. 9, Darmstadt 1995, Sp. 528-535.

Schlier, H.: Artikel ἐλεύθερος κτλ.; in: ThWNT, Bd.2; hrsg. v. G. Kittel; Stuttgart 1935, S. 484-500.

Schmithals, W.: Der Römerbrief als historisches Problem; (StNT 9) Gütersloh 1975.

Schmithals, W.: Die Briefe des Paulus in ihrer ursprünglichen Form; (ZWKB) Zürich 1984.

Schmithals, W.: Methodische Erwägungen zur Literarkritik der Paulusbriefe; in: ZNW 87 (1996), S. 51-82.

Schmitz, O.: Artikel παρακαλέω und παράκλησις im Neuen Testament; in: ThWNT, Bd. 5, hrsg. v. G. Friedrich, Stuttgart 1954, S. 790-798.

Schneider-Flume G.: Narzißmus als theologisches Problem; ZThK 82 (1985), S. 88-110.

Schneider-Flume, G.: Das Kreuz mit dem Selbst. Christologie und Erfahrung in femistisch-theologischen Entwürfen; in: ZThK 95 (1999), S. 494-516.

Schnelle, U.: Transformation und Partizipation als Grundgedanken paulinischer Theologie; in: NTS 47 (2001), S. 58-75.

Schnelle, U.: Paulus. Leben und Denken; Berlin, New York 2003.

Schönpflug, U.: Artikel „Ich, II"; in: Historisches Wörterbuch der Philosophie; hrsg. v. J. Ritter und K. Gründer; Bd. 4, Basel 1976, Sp. 6-18.

Schönpflug, U.: Artikel „Selbst, III. Psychologie"; in: Historisches Wörterbuch der Philosophie; hrsg. v. J. Ritter und K. Gründer; Bd. 9, Darmstadt 1995, Sp. 305-313.

Schrader, W.H.: Artikel "Selbst, II.17. bis 19. Jh."; in: Historisches Wörterbuch der Philosophie; hrsg. v. J. Ritter und K. Gründer; Bd. 9, Darmstadt 1995, Sp. 293-305.

Schreiber, S.: Arbeit mit der Gemeinde. Zur versunkenen Möglichkeit der Gemeindeleitung durch Frauen; in: NTS 46 (2000), S. 204-226.

Schröer, H.: Die Denkform der Paradoxalität als theologisches Problem. Eine Untersuchung zu Kierkegaard und der neueren Theologie als Beitrag zur theologischen Logik; (FSThR 5) Göttingen 1960.

Schüle, A.: Person und Kult. Eine Verhältnisbestimmung von Kafka und Freud; in: EvTh 60 (2000), S. 61-78.

Schweitzer, A.: Die Mystik des Apostels Paulus; Tübingen 1930.

Schweizer, E.: Art. Σῶμα κτλ.; in: ThWNT; Bd. VII, S. 1024-1091.

Schweizer, E.: Röm 1,3 f und der Gegensatz von Fleisch und Geist vor und bei Paulus; in: EvTh 15 (1955), S. 563-571.

Schwier, H. (Hrsg.): Kirche und Israel. Ein Beitrag der reformatorischen Kirchen Europas zum Verhältnis von Christen und Juden; Leuenberger Texte, Heft 6; 2. Aufl. Frankfurt/Main 2001.

Scott, J.M.: Adoption as Sons of God. An Exegetical Investigation into the Background of ΨΟΙΘΕΣΙΑ in the Pauline Corpus; (WUNT 2,48); Tübingen 1992.

Sellin, G.: Die religionsgeschichtlichen Hintergründe der paulinischen „Christusmystik"; in: ThQS 176, S. 7-27.

Seitz, E.: Korrigiert sich Paulus selbst? Zu Röm 5,6-8; in: ZNW 91 (2000), S. 279-287.

Seybold, K.: Artikel חָשַׁב; in: ThWAT; Bd. III, hrsg. v. H.-J. Fabry; Stuttgart 1982, S. 243-261.

Shogren, G.S.: „Is the Kingdom of God about eating and drinking or isn't it?" (Romans 14,17); in: NT 42 (2000), S. 238-256.

Siegert, F.: Argumentation bei Paulus: gezeigt an Röm 9-11; (WUNT 34) Tübingen 1985.

Söding, T.: Das Liebesgebot bei Paulus. Die Mahnung zur Agape im Rahmen der paulinischen Ethik; (NTA, NF 26) Münster 1995.

Söding, T.: Verheißung und Erfüllung im Lichte paulinischer Theologie; in: NTS 47 (2001), S. 146-170.

Speer, A.: Artikel „Selbsterkenntnis, II. Mittelalter"; in: Historisches Wörterbuch der Philosophie; hrsg.v. J. Ritter und K. Gründer; Bd. 9, Darmstadt 1995, Sp. 413-420.

Spencer Brown, G.: Laws of Form; 2. Aufl. London 1971; amerikanische Ausgabe: 2. Aufl. mit neuem Vorwort, New York 1979.

Stählin, G.: Artikel: νῦν (ἄρτι); in: ThWNT, Bd. 4, hrsg. v. G. Kittel; Stuttgart 1942, S. 1099-1117.

Stanley, C.D.: „Pearls before Swine": Did Paul's audiences understand his biblical quotations? In: NT 41 (1999), S. 124-144.

Stark, R.: Der Aufstieg des Christentums. Neue Erkenntnisse aus soziologischer Sicht; Weinheim 1997.

Starnitzke, D.: Diakonie als soziales System. Eine theologische Grundlegung diakonischer Arbeit in Auseinandersetzung mit Niklas Luhmann; Stuttgart 1996.

Starnitzke, D.: „Griechen und Barbaren ... bin ich verpflichtet" (Röm 1,14). Die Selbstdefinition der Gesellschaft und die Individualität und Universalität der paulinischen Botschaft; in: WuD 24 (1997), S. 187-207.

Starnitzke, D.: Die Bedeutung des Individualitätskonzeptes für das Verständnis des Römerbriefes. Individualitätstheorie und Exegese; in: S. Alkier, R. Bruckner (Hrsg.) Exegese und Methodendiskussion; (TANZ 23) Tübingen 1998, S. 33-56.

Starnitzke, D.: Der Dienst des Paulus. Zur Interpretation von Ex 34 in 2 Kor 3; in: WuD 25 (1999), S. 193-207.

Starnitzke, D.: Bezeichnungen diakonisch betreuter Menschen und das Liebesgebot; in: WuD 26 (2001), S. 291-305.

Starnitzke. D.: Die Bedeutung von diakonos im frühen Christentum; in: V. Hermann, R. Merz, H. Schmidt: Diakonische Konturen; (VDWI 18) Heidelberg 2003, S. 184-212.

Stauffer, E.: Artikel ἐγώ; in: ThWNT, Bd. II, hrsg. v. G. Kittel; Stuttgart 1935, S. 355-362.

Stegemann, W.: Kulturanthropologie des Neuen Testaments; in: VF 44 (1999), S. 28-54.

Stendahl, K.: Hate, Non-Retaliation, and Love. 1 QS X, 17-20 and Rom. 12: 19-21; in: HThR 55 (1962), S. 343-355.

Stiewe, M., Vouga, F.: Die Bergpredigt und ihre Rezeption als kurze Darstellung des Christentums; (NET 2) Tübingen und Basel 2001.

Stolzenberg, J.: Artikel „Subjekt, II. Deutscher Idealismus"; in: Historisches Wörterbuch der Philosophie; hrsg. v. J. Ritter und K. Gründer; Bd. 10, Darmstadt 1998, Sp. 383-387.

Stowers, S.K.: The Diatribe and Paul's Letter to the Romans; Chicago 1981.

Stowers, S.K.: Paul's Dialog with a Fellow Jew in Romans 3:1-9; CBQ 46 (1984), S. 707-722.

Stowers, S.K.: A Rereading of Romans. Justice, Jews, and Gentiles; New Haven 1994.

Strecker, C.: Die liminale Theologie des Paulus. Zugänge zur paulinischen Theologie aus kulturanthropologischer Perspektive; (FRLANT 185) Göttingen 1999.

Strecker, G.: Das Evangelium Jesu Christi; in: ders. (Hrsg.): Jesus Christus in Historie und Theologie. Festschrift für Hans Conzelmann; Tübingen 1975, S. 503-548.

Strecker, G.: Befreiung und Rechtfertigung. Zur Stellung der Rechtfertigungslehre in der Theologie des Paulus; in: J. Friedrich, W. Pöhlmann, P. Stuhlmacher (Hrsg.): Rechtfertigung (Festschrift für Ernst Käsemann zum 70. Geburtstag); Göttingen und Tübingen 1976, S. 479-508.

Stroumsma, G.G.: Barbarian Philosophy. The Religious Revolution of Early Christianity; (WUNT 112) Tübingen 1999.

Stuhlmacher, P.: Theologische Probleme des Römerbriefpräskriptes; in: EvTh 27 (1967), S. 374-389.

Stuhlmacher, P.: Das paulinische Evangelium; I. Vorgeschichte; (FRLANT 95) Göttingen 1968.

Stuhlmacher, P.: Zur Interpretation von Röm 11, 25-32; in: H.W. Wolff (Hrsg.): Probleme biblischer Theologie (Festschrift für Gerhard von Rad zum 70. Geburtstag); München 1971, S. 555-570.

Stuhlmacher, P.: Jesustradition im Römerbrief? Eine Skizze; in: ThBeitr 14 (1983), S. 240-250.

Stuhlmacher, P.: Biblische Theologie des Neuen Testaments, Bd. I, Grundlegung: Von Jesus zu Paulus; Göttingen 1992.

Stuhlmann, R.: Das eschatologische Maß im Neuen Testament; Göttingen 1983.

Sutter Rehmann, L.: Vom Ende der Eifersucht. Der Fall der „verdächtigen Ehefrau" in Röm 7,1-6; in: C. Janssen (Hrsg.): Paulus: umstrittene Traditionen – lebendige Theologie. Eine feministische Lektüre; Gütersloh 2001, S. 67-82.

Taatz, I.: Frühjüdische Briefe. Die paulinischen Briefe im Rahmen der offiziellen religiösen Briefe des Frühjudentums; (NTOA 16) Göttingen 1991.

Tachau, P.: „Einst" und „Jetzt" im Neuen Testament. Beobachtungen zu einem urchristlichen Predigtschema in der neutestamentlichen Briefliteratur und zu seiner Vorgeschichte; Göttingen 1972.

Talbert, C.H.: Tradition and Redaction in Romans XII. 9-21; in: NTS 16 (1969/70), S. 83-94.

Taschner, J.: Verheissung und Erfüllung in der Jakoberzählung (Gen 25,19-33,17). Eine Analyse ihres Spannungsbogens; (Herders biblische Studien 27) Freiburg i.B., Basel, Wien 2000.

Taubes, J.: Die politische Theologie des Paulus; München 1993.

Taylor, C.: The Roots of the Self; Cambridge, Mass. 1989.

Taylor, C.: Sources of the Self. The Making of the Modern Identity; Cambridge, Mass. 1989.

Taylor, J.W.: From Faith to Faith: Romans 1.17 in the Light of Greek Idiom; in: NTS 50 (2004), S. 337-348.

Theißen, G.: Psychologische Aspekte paulinischer Theologie; (FRLANT 131) Tübingen 1983.

Theobald, M.: Der Römerbrief, (EdF 294) Darmstadt 2000.

Theobald, M.: Studien zum Römerbrief;(WUNT 136) Tübingen 2001.

Thorsteinsson, R.M.: Paul's Missionary Duty Towards Gentiles in Rome: A Note on the Punctuation and Syntax in Rom 1.13-15; in: NTS 48 (2002), S. 531-547.

Tillich, P.: Systematische Theologie, Bd. 1; 7. Aufl. Stuttgart 1983.

Tomson, P.J.: What did Paul mean by ‚Those who know the law'? (Rom 7.1); in: NTS 49 (2003), S. 573-581.

Trappe, T.: Artikel "Subjekt, III. Spätidealismus; Religionsphilosophie"; in: Historisches Wörterbuch der Philosophie; hrsg. v. J. Ritter und K. Gründer; Bd. 10, Darmstadt 1998, Sp. 387-391.

Trobisch, D.: Die Entstehung der Paulusbriefsammlung. Studien zu den Anfängen christlicher Publizistik; (NTOA 10) Göttingen 1989.

Trobisch, D.: Die Paulusbriefe und die Anfänge der christlichen Publizistik; Gütersloh 1994.

Trowitzsch, M. (Hrsg.): Paulus, Apostel Jesu Christi. Festschrift für Günther Klein zum 70. Geburtstag; Tübingen 1998.

Tuckett, C.M.: Paul, Scripture and Ethics. Some Reflections; in: NTS 46 (2000), S. 403-424.

Umbach, H.: In Christus getauft – von der Gemeinde befreit: Die Gemeinde als sündenfreier Raum bei Paulus; (FRLANT 181) Göttingen 1999.

van de Spijker, H.: Narzißtische Kompetenz – Selbstliebe – Nächstenliebe. Sigmund Freuds Herausforderung der Theologie und Pastoral; Freiburg, Basel, Wien 1993.

van der Horst, P.W.: Observations on a Pauline Expression; in: NTS 19 (1973), S. 181-187.

Vernant, J.-P.: L'individu, la mort, l'amour. Soi-même et l'autre en Grèce ancienne; Paris 1989.

Vögele, W.: Menschenwürde zwischen Recht und Theologie. Begründungen von Menschenrechten in der Perspektive öffentlicher Theologie; (Öffentliche Theologie 14) Gütersloh 2000.

Vogel, C.: Spiel-Raum der Gefühle. Die Funktion des Gefühls im seelsorgerlichen Gespräch; (ErTh 35) Frankfurt/ Main 2000.

Völkl, R.: Die Selbstliebe in der Heiligen Schrift und bei Thomas von Aquin; MThS.S 12 (1956).

Vollenweider, S.: Freiheit als neue Schöpfung. Eine Untersuchung zur Eleutheria bei Paulus und in seiner Umwelt; (FRLANT 147) Göttingen 1989.

Vollenweider, S:: Der Geist Gottes als Selbst der Glaubenden. Überlegungen zu einem ontologischen Problem in der paulinischen Anthropologie; in: ZThK 93 (1996), S. 163-192.

von der Lühe, A.: Artikel „Selbstachtung"; in: Historisches Wörterbuch der Philosophie; hrsg.v. J. Ritter und K. Gründer; Bd. 9, Darmstadt 1995, Sp. 313-318.

Vos, J.S.: Sophistische Argumentation im Römerbrief des Apostels Paulus; in: NT 43 (2001), S. 224-244.

Vouga, F.: Römer 1,18-3,20 als narratio; in: ThGl 77 (1987), S. 225-236.

Vouga, F.: Çe Dieu, qui m'a trouvé. Vingt lettres inédites sur l'épître de Paul aux Romains; Aubonne 1990.

Vouga, F.: Der Brief als Form der apostolischen Autorität; in: K. Berger, F. Vouga, M. Wolter, D. Zeller: Studien und Texte zur Formgeschichte; (TANZ 7) Tübingen und Basel 1992, S. 7-58.

Vouga, F.: Geschichte des frühen Christentums; Tübingen, Basel 1994.

Vouga, F.: Zwischenspiel I: Argumentation und Logik. Der Aufbau des Römerbriefes; in: F. Vouga; P.-A. Stucki: Das christliche Paradox und die Rationalität, unveröffentlichtes Manuskript.

Vouga, F.: An die Galater; (HNT 10) Tübingen 1998.

Vouga, F.: Die Wahrheit des Evangeliums als kreative Freiheit; in: H.-H. Brandhorst, D. Starnitzke, M. Wedek (Hrsg.): Die Freiheit bestehen. Beiträge zum Jahresthema 2000 der v. Bodelschwinghschen Anstalten Bethel; Bielefeld 2001, S. 28-41.

Vouga, F.: Une théologie du Nouveau Testament; (MoBi 43) Genf 2001.

Wagner, G.: Das religionsgeschichtliche Problem von Römer 6, 1-11; (AThANT 39) Zürich 1962.

Wagner, J.R.: The Christ, servant of Jew and Gentile: A fresh approach to Romans 15:8-9; in: JBL 116 (1997), S. 473-485.

Walker Bynum, C.: Did the Twelfth Century discover the Individual? In: JEH 31 (1980), S. 1-17.

Weiser, A.: Das Buch der zwölf kleinen Propheten, Bd. I: Die Propheten Hosea, Joel, Amos, Obadja, Jona, Micha; ATD 24; Göttingen 1949.

Weiß, J.: Das Urchristentum; hrsg. und ergänzt von R. Knopf; Göttingen 1917.

Weiß, J.: Beiträge zur Paulinischen Rhetorik; in: Theologische Studien, Bernhard Weiss zum 70. Geburtstag dargebracht; Göttingen 1897, S. 165-247.

Weiß, W.: „Zeichen und Wunder". Eine Studie zu der Sprachtradition und ihrer Verwendung im Neuen Testament; (WMANT 67) Neukirchen-Vluyn 1995.

Welker, M.: Kirche ohne Kurs? Aus Anlaß der EKD-Studie „Christsein gestalten"; Neukirchen-Vluyn 1987.

Welker, M.: Der Heilige Geist; in: EvTh 49 (1989), S. 126-141.

Welker, M.: Einfache oder multiple doppelte Kontingenz? Minimalbedingungen der Beschreibung von Religion und emergenten Strukturen sozialer Systeme; in: W. Krawietz, M. Welker (Hrsg.): Kritik der Theorie sozialer Systeme. Auseinandersetzungen mit Luhmanns Hauptwerk; 2. Aufl. Frankfurt/Main 1992, S. 355-370.

Welker, M.: Zum Thema „Person"; in: EvTh 60 (2000), S. 5-8.

Welker, M.: Subjektivistischer Glaube als religiöse Falle; in: EvTh 64 (2004), S. 239-248.

Wenham, D.: Paulus. Jünger oder Begründer des Christentums? Autorisierte Übersetzung aus dem Englischen von I. Proß-Gill; Paderborn 1999.

Werbeck, W.: Art. „Römerbrief"; in: RGG, 3. Aufl., Bd. V, Sp. 1137-1144.

Wilk, F.: Die Bedeutung des Jesajabuches für Paulus; (FRLANT 179) Göttingen 1998.

Williams, K.: Again Pistis Christou; in: CBQ 49 (1987), S. 431-447.

Windisch, H.: Artikel βάρβαρος; in: ThWNT, Bd. 1; hrsg. v. G. Kittel; Stuttgart 1933, S. 544-551.

Windisch, H.: Artikel Ἕλλην κτλ.; in: ThWNT, Bd. 2; hrsg. v. G. Kittel; Stuttgart 1935, S. 501-514.

Winger, M.: From Grace to sin: Names and abstractions in Paul's letters; in: NT 41 (1999), S. 145-175.

Wolter, M.: Rechtfertigung und zukünftiges Heil. Untersuchungen zu Röm 5,1-11; (BZNW 43) Berlin, New York 1978.

Wolter, M.: Ethos und Identität in den paulinischen Gemeinden; in: NTS 43 (1997), S. 430-444.

Woyke, J.: <Einst> und <Jetzt> in Röm 1-3? Zur Bedeutung von νυνὶ δέ in Röm 3,21; in: ZNW 92 (2001), S. 185-206.

Wright, N.T.: The Law in Romans 2; in: J.D.G. Dunn: Paul and the Mosaic Law; Tübingen 1996, S. 131-150.

Zmijewski, J.: Paulus – Knecht und Apostel Christi. Amt und Amtsträger in paulinischer Sicht; Stuttgart 1986.

Ludger Schenke u.a.

**Jesus von Nazaret –
Spuren und Konturen**

2004. 384 Seiten. Kart.
€ 22,–
ISBN 3-17-016978-5

Die AutorInnen dieses Bandes unternehmen den Versuch, Botschaft und Wirken Jesu zu rekonstruieren, wobei sie sich primär auf die Überlieferung seiner Worte stützen. Bei Logien und Gleichnissen besteht die berechtigte Vermutung, Jesus selbst zu hören. Dagegen tritt die Überlieferung der Taten und Handlungen Jesu eher in den Hintergrund, da sie von einer zurückschauenden Perspektive und vom nachösterlichen Christusglauben geprägt ist.

Ein »objektives« Jesusbild kann es nicht geben. Zu unsicher ist die Quellenlage, zu vielschichtig sind die historische Wirklichkeit und die geschichtliche Wirkung Jesu. Gleichwohl ist die Unerbittlichkeit der Frage nach dem irdischen Jesus auszuhalten, gerade um der historischen Wahrheit des Jesus von Nazaret willen.

DIE AUTORINNEN:

Prof. Dr. **Ingo Broer** (Siegen), Prof. Dr. **Peter Fiedler** (Freiburg im Breisgau), Dr. **Hildegard Gollinger** (Heidelberg), Prof. Dr. **Rudolf Hoppe** (Bonn), Prof. Dr. **Johannes Nützel** (Bamberg), Prof. Dr. **Lorenz Oberlinner** (Freiburg im Breisgau), Prof. Dr. **Ludger Schenke** (Mainz), Prof. Dr. **Dieter Zeller** (Mainz), Stud.Dir. Dr. **Hans Otto Zimmermann** (Ettenheim).

www.kohlhammer.de

W. Kohlhammer GmbH
70549 Stuttgart · Tel. 0711/7863 - 7280 · Fax 0711/7863 - 8430